D1292052

ERNST MORWITZ   KOMMENTAR ZU DEM WERK STEFAN GEORGES

ERNST MORWITZ, *1887–*

KOMMENTAR ZU DEM WERK
STEFAN GEORGES

HELMUT KÜPPER VORMALS GEORG BONDI
MÜNCHEN UND DÜSSELDORF
1960

VORWORT

Da persönliche Erinnerungen heranzuziehen sind, lässt es sich nicht vermeiden, dass der Verfasser von sich selbst spricht.

Hinsichtlich der nicht in Prosa fassbaren Farb- und Tonwerte des einzelnen Wortes wird dieses Buch durch die Übersetzung der Werke Stefan Georges ins Englische ergänzt.

Der Verfasser dankt Freunden und Bekannten für Sonderhinweise bei der Niederschrift des Kommentars.

New York, den 4. Dezember 1959   E. M.

HYMNEN

Äusserlich zerfällt dieses im Jahre 1890 erschienene Buch dem Inhaltsverzeichnis zufolge in drei Teile. Es stellt Stefan Georges erstes
Werk dar, das er selbst als völlig eigene und neue Dichtung ansah.
Die zeitlich früheren Gedichte gab er erst später, in der «Fibel»
gesammelt, als Auswahl frühester Verse heraus und brachte einige
weitere Stücke im Schlussband seiner gesammelten Werke unter
Angabe der Entstehungszeit. – Der Titel «Hymnen» ist nicht im
heutigen deutschen oder englischen Sinn des Wortes gemeint, der oft
darunter kirchliche Lieder versteht, sondern in der jetzigen Bedeutung
des Wortes «Ode», die sich bei Stefan George wiederum dem antiken
Preislied, der griechischen Hymne durch einen Überschwang im
Fühlen und Sagen nähert. Während aber bei den Griechen Hymnen
anfangs nur zum Preis der Götter gedichtet wurden und erst später
zum Preis von Sterblichen, sind Stefan Georges Hymnen von vornherein zum Preisen von Menschen bestimmt, und dieses Bejahen von
positiven Eigenschaften von Menschen seiner Zeit ist für sein ganzes
Werk grundlegend. Obwohl er ihre negativen Züge klar erkannte,
empfand er das Positive in ihnen als überwiegend. Und es war vielleicht
das scharfe Erkennen des Negativen, das ihn in seinen Werken, die
vor dem «Siebenten Ring» entstanden, dazu bewog, sie mehr als
Repräsentanten von Typen als individuell darzustellen und die Tatsache des Feierns gegenüber dem Charakterisieren der Gefeierten in
den Vordergrund zu rücken.

Die innere Gliederung der «Hymnen» und «Pilgerfahrten» ist kompliziert, da es sich um meist parallellaufende Versuche handelt, die mit
Variationen von verschiedenen Sichtwinkeln her wiederholt werden.
Bei Betrachtung der Wortwahl fällt auf, dass der Dichter noch Bezeichnungen von Einrichtungsgegenständen, die damals üblich waren,
benutzt, wie zum Beispiel Konsole und Lüster, Worte einer Schicht,
die in späteren Werken als zu zeitbedingt vermieden werden, sich aber
auch in frühen Prosastücken in «Tage und Taten» finden, zum Beispiel
Kaunitz und Kronenlicht.

Wenn man von «Aufschriften» und «Widmungen», die zum erstien-
mal in der öffentlichen Ausgabe der drei Bücher zusammen – und zwar
zurückdatiert – im Jahre 1898 für 1899 gedruckt wurden, absieht,
könnte man in den «Hymnen» innerlich sieben Teile unterscheiden,

die der Dichter durch Einfügen leerer Seiten, übergrosse Abstände zwischen Gedichten oder besondere Druckanordnung kenntlich macht. Bei solcher Betrachtungsweise besteht der erste Teil aus den drei Gedichten «Weihe», «Im Park» und «Einladung». Sie behandeln die Stellung und Aufgabe des Dichters in der Welt der Zeitgenossen.

Das Gedicht «Weihe» ist nach Angabe des Dichters in Berlin bei Gängen entlang der Spree hinter dem Garten des Schlosses Bellevue entstanden. Darauf deutet die «Aufschrift» zurück, nach der als Entstehungszeit dieses Gedichtes der Vorfrühling des Jahres 1890 anzusehen ist. Die Örtlichkeit wird charakterisiert durch die weisse Gartenmauer des Schlosses, hinter der ein Fussgängerweg an einer Grasböschung, die zur Spree hinunterreichte, entlang lief. Das Blau und Gold bezieht sich nicht auf ein Landschaftliches, sondern es sind die Grundfarben für die damalige Vision des Dichters und ihre Wiedergabe durch ihn. Die Landschaft, die in der Eingangsstrophe geschildert wird, ist nicht jene Gegend in Berlin, sondern ein Zusammenfassen wesentlicher Elemente der Landschaft von Bingen am Rhein. Sie wird äusserlich greifbar, wenn auch typisiert und nicht individualisiert, dargestellt, um als Einführung und Hintergrund für das Geistige der folgenden Strophen zu dienen. Der Dichter wendet sich in ihnen vom abstrakten Denken ab, da es ihn stört, den Urduft der Dinge selbst, ihre Ausstrahlung in sich aufzunehmen und im Werk festzuhalten. Alle Einflüsse, die nicht vom Ding selbst ausgehen, erscheinen ihm kraftlos und fremd. Sie hindern ihn, sich auf das zu konzentrieren, was er neu in Wort und Ton darzustellen versucht. Seine Konzentration wird nicht durch akustische Eindrücke eingeleitet, wie zum Beispiel bei Mallarmé, sondern ist geistig visuell durch eine Schau des inneren Auges hervorgerufen, von der er später im «Stern» als neuer Sehensart und Lebensart spricht. Das Zustandekommen dieser Schau der Weihe wird dargestellt durch das Zittern der Sträucher, die am Flussufer, wie Weidengebüsche am Rhein bei Bingen, wachsen. Die dünnen Nebel über dem nächtlichen Fluss scheinen sich zu teilen, und dieser Vorgang wird für den Dichter zu einem Tanz von Elfen über dem dunkel glänzenden Wasser, dessen Rhythmus er zu hören und nachzuformen versucht. Die Wort-Zusammensetzung «Dunkelglanz» soll das dichterisch zu viel gebrauchte Wort «Glanz» mit neuer Kraft erfüllen und anschaulich machen. Unter Bäumen stehend sieht der Dichter den Strom mit den Weidenbüschen vor sich und Sternbilder, den gestirnten Nachthimmel, über sich, der durch die noch kahlen Zweige in einzelne, unregelmässige Teile zerlegt erscheint. Sie bieten ihm mit den auch in der Astronomie erscheinenden Sternenstädten eine neue Ebene, die seligen Gefilde für sein neues Erleben, das sich jenseits der gewohnten Begriffe von Zeit und Raum abspielt, so dass diese Denkweisen ebenso wie das menschliche Dasein höchstens als Symbol, als Bild noch Bedeutung haben. Das Entrücktsein aus der Realität verleiht die Reife, die Voraussetzung für die Weihe ist. Der Dichter glaubt die «Herrin» zu erblicken – sie ist die einweihende Muse und zugleich die Verkörperung der wahren Geliebten, die im Leben bisher nicht erschienen ist. Sie taucht nicht aus dem Fluss auf, sondern kommt trotz Unsterblichkeit zum Sterblichen vom Himmel herab – ein Zug, der sich bei Stefan George im Gegensatz zu anderen Dichtern häufig findet. Mondstrahlen umgeben sie wie ein Schleier, dessen Substanz der Dichter bewusst unromantisch als einem Gazegewebe ähnlich schildert. Sie steigt wie Selene zu Endymion, ein Lunarwesen zum Sonnenwesen, hernieder. Nicht von ihrem nackten Körper ist die Rede, nur von ihrem Kopf und ihrer Haltung. Das Halbgeöffnetsein der traumesschweren Lider nähert sich den Bildern der Präraffaeliten jener Zeit, es soll andeuten, dass die Art der Segnung, die sie vornimmt, eine Traumtat ist, ebenso wie sie nur im Traum empfangen wird. Das Segnen wird dadurch vollzogen, dass ihr Mund das Antlitz des Dichters berührt, auf diesem Antlitz als ein Beben für den Dichter spürbar wird. Es ist der Dichter, der versucht, mit seinen Lippen die ihren im Kuss zu erreichen und zu diesem Zweck mit seinem Finger ihren Kopf und Mund dem seinen nahe bringt. Sie weicht seinem Begehren nicht aus, nachdem sie ihn als unbefleckt vom äusseren Leben seiner Zeit und als geheiligt empfunden hat. – Die komplizierte Ausdrucksweise ist gewählt, um die Gesten wiederzugeben, ihre Abfolge zu schildern und die Darstellung zu komprimieren. Die Initiierung und des Dichters Reaktion, die mehr als das Gebotene, wie Jakob im Kampf mit dem Engel im Bild des «Teppichs», fordert und in das Gebiet des äusseren Lebens hinübergreift, soll durch eine Folge von Körperbewegungen ebenso direkt wie unromantisch deutlich und zugleich bildhaft gemacht werden.

Das Gedicht «Im Park» spricht von der Aufgabe des Dichters, die sich im Verweilen im Park und in der Schilderung der Schönheit dieses Gartens nicht erschöpft. Die Tropfen der Fontänen glitzern in der Sonne wie Perlen und Rubine, wenn sie von jedem Wasserstrahl losgelöst in reicher Fülle auf das Gras fallen, das wie ein Teppich aus grünen Seidensträhnen gewebt erscheint. Seide wird hier zur Farbe Grün, nicht zum Material gesetzt, um den Glanz der Farbe und nicht die Kostbarkeit des Materials in den Vordergrund zu stellen und von dem banal gewordenen Bild der Seidensträhne fortzukommen. Dass der Dichter aus einer saalartig weiten Schattenfläche, nicht etwa aus einem schattigen Gartensaal heraus, auf die Fontänen sieht, wird dadurch deutlich, dass die Vögel sich ihm zutraulich nähern können, er also im Freien sitzt. Trotz der ihn umgebenden Schönheit bleibt der

Dichter einsam. Er vernimmt zwar, wie die Menschen seiner Umwelt, in dieser Schönheit einen Klang, der Leib zu Leib lockt, wie später im «Stern», aber er gibt sich diesem Begehren nicht hin, denn die Aufgabe, von der er erfüllt ist, besteht darin, dass er mit den Gestalten, die seine Phantasie heraufbeschwört, Reden tauscht und sie im Werk festhält, obwohl es schwer ist, Hand und Schreibwerkzeug dazu zu zwingen. Sie widersetzen sich der neuen, ungewohnten, schwierigen Arbeit. Der Stoff ist «ungefüge, spröd und kalt», wie im «Teppich» gesagt wird. Hier versucht der Dichter seine neue Technik an den in deutscher Sprache besonders schwer zu handhabenden Terzinen.

In dem Gedicht «Einladung» handelt es sich um die Frage, in welcher Weise eine damals wohl nur erdachte Geliebte sich zu der durch das Werk bedingten geistigen Haltung des Dichters stellen würde. Es ist die Gefährtin, die dem sinnenden Dichter einen Spaziergang, einen Osterspaziergang wie im «Faust», aus der Stadt aufs Land vorschlägt, weil, wie sie glaubt, Denken und Ahnen dort leichter und freier sein würden. Der Dichter nimmt das Angebot freundlich an, obwohl er weiss, dass nur das Auflodern in einer wahrhaft grossen Liebe, die er bisher nicht gespürt hat, ihm die endgültige innere Befreiung bringen kann. Sie geniesst in kindlichem, nicht fragendem Behagen die Schönheit der ländlichen Umgebung und erträgt mit Frohsinn sein nicht gelöstes Verhalten. Man sieht die Landschaft zuerst wie jemand, der in der Ebene stehend um sich blickt, sodann wie einer, der von unten an einem Hügel hinaufsieht, und schliesslich von der Höhe eines Hügels aus – das ist das Problem der Schilderung in diesen Strophen neben dem Problem der verschiedenen Geistigkeit. Er folgt ihr zögernd auf die Spitze des Hügels, von der aus man die leuchtenden Wellen eines Wasserlaufes zwischen den Wiesenblumen erblickt. An ihrer Seite eilt er wiederum zum Fluss hinunter, dort rasten sie und gehen dann Arm in Arm weiter. Obwohl er spürt, dass dies nicht die befreiende grosse Liebe ist, preist er die Begleiterin in einer Ode, weil es ihr gelungen ist, ihn wenigstens einen Tag der Musse in naiv-sieghaften Spielen geniessen zu lassen. Technisch ist interessant, dass nur die Gefährtin spricht und dass hier die gleiche Strophenzahl wie im ersten Gedicht, aber mit längerer Atemführung benutzt wird, da jede Strophe sechs an Stelle von vier Versen enthält, um das Auf- und Absteigen beim Spaziergang in zeitlicher Ordnung bildhaft werden und die seelischen Betrachtungen des Dichters gleichsam unversehens einfliessen zu lassen, ohne dass dadurch die einheitliche Form des Ganzen gesprengt wird.

Durch die unbedruckte Seite wird der Beginn des zweiten Teils angedeutet, der aus den Gedichten «Nachmittag» und «Von einer

Begegnung» besteht. Sie enthalten nicht mehr Bewegungsstudien mit eingebauten Reflexionen wie die vorangegangenen drei Gedichte, sondern geben Selbstportraits des Dichters. Seine innere Unrast wird durch Zusammenpressen von Sprache und Bild unter Beibehaltung einer streng gebundenen Form deutlicher gemacht als durch Beschreibung, es ist also wieder die Tragfähigkeit des neuen verkürzenden Sagestils, die auf die Probe gestellt wird, indem der Dichter sein Begehren nach verstehenden Menschen der ihn umgebenden Welt zum Ausdruck bringt. Er ist infolge solchen Wünschens eins mit der besonderen Umgebung, der Mittagshitze in der fast ausgestorbenen südlichen Stadt. Seine innere Glut treibt ihn, das duftend kühle Gemach zu verlassen, um draussen Gegenglut zu suchen. – Stefan George liebte es, jene Zeile Shakespeares zu zitieren, nach der Feuer Feuer austreibt, nachdem er sich davon überzeugt hatte, dass sie naturwissenschaftlich stichhaltig ist. – Strahlen haben hier die tötende Kraft von Blitzen, die Fussohlen verbrennen an der Hitze der Fliesen des Weges entlang den Palästen, auf deren Zinnen und Balkonen niemand sichtbar wird. Direkt auf den Dichter selbst geht nur das eine Wort «der Einsame», seine Qual ist indirekt gezeichnet durch die Umgebung, die schleppenden Spondeen und die hier zum ersten Mal verwendete Wiederholung von den Hörer belastenden Verszeilen, die das Gedicht anfang- und endlos kreisend erscheinen lassen. «Opferöfen» deutet auf einen Menschen, der unerfüllter Leidenschaft erliegt und deshalb sich zum Opfer darbietet. Die Umgebung ist gesehen wie kurz vor einem Sonnenstich, der sogar ersehnt wird, weil er Ohnmacht und dadurch wenigstens Vergessen bringt.

«Von einer Begegnung» ist die erste Fassung eines für Stefan George typischen Erlebnisses: des Erblickens von Menschen, das ihm das Gefühl einer Seelenverwandtschaft gibt und trotzdem zu nichts als einem stummen Aneinandervorbeigehen führt, vielleicht wegen der Furcht, dass gewechselte Worte solche erträumte Zweisamkeit eher zerstören als fördern würden. In all den voraufgegangenen Gedichten werden verschiedene Tageszeiten geschildert, im ersten ist es Nacht – und wo der Dichter später von Weihe spricht, geschieht sie stets nächtens und an einem Gewässer – im zweiten ist es Vormittag, im dritten ist es Morgen, im vierten Mittag und im fünften Nachmittag, an dem die Schatten länger und zugleich die inneren Gluten milder werden. Damit kehrt die Aktivität der Seele, die in der vollen Glut der Sonne verloren schien, wieder zurück und trachtet, sich durch Baden in kühlen Wellen zu stärken. In diesem Zeitpunkt gerade sieht er eine vorübergehende Frau, in der er die ersehnte Gefährtin zu erblicken glaubt, die er durch die Beschreibung seiner nicht beantworteten Blicke schildert. «Kehrung» bedeutet hier das Unbeantwortetsein der

Blicke, die er ausgesandt hat und die jetzt ergebnislos zu ihm sozusagen zurückkehren. Er sieht ihren Leib beim Gehen als schlanken Bogen für seine Umarmung und fleht, dass ihre Laune, das heisst eine vielleicht ihr selbst unerklärbare und nur kurze Stimmung, sie wieder in seine Nähe bringen möge, bevor ihr Bild in ihm, das er sich in Nächten im Geist mühevoll ausmalt, durch neue Eindrücke verwischt wird. Das langsame, fast feierliche Tempo der Verse bildet den bewussten Kontrast zur Kürze der Begegnung, und dieses Kontrastieren von Inhalt und Form ist ein später vom Dichter häufig gebrauchtes Mittel des Veranschaulichens durch Verlautbarung, so in « Die raschen Räder, die uns schleppen». – Der Dichter selbst pflegte mit halbgeöffneten Augen zu betrachten und trotz der Kürze seines Blickens sogleich einen vollen und für ihn meist entscheidenden Eindruck von Menschen und Dingen zu empfangen. – Das Bild der Tränen wird im Gedicht zuerst durch «feucht» angedeutet und sodann durch die Worte «steter Regen bitterer Lauge» möglichst unromantisch ausgeführt. Diese Frau ist generell beschrieben und nicht individualisiert. Der Ton liegt auf der differenzierten Beschreibung seines Blickens und ihrer Bildwerdung in ihm. Novalis sagt in den «Fragmenten»: «Es gibt nur einen Tempel in der Welt, und das ist der menschliche Körper. Nichts ist heiliger als diese hohe Gestalt. Das Bücken vor Menschen ist eine Huldigung dieser Offenbarung im Fleisch.»

Der dritte Teil des Buches, wiederum durch ein leeres Blatt abgesetzt, wird durch zwei Gedichte gebildet, die gemeinsam die Überschrift «Neuländische Liebesmahle» tragen, und dieser übergeordnete Titel ist grösser gedruckt als die sonstigen Überschriften im Inhaltsverzeichnis. «Neuländisch» bedeutet, dass die Begebenheiten sich in einem Raum und in einer Zeit abspielen, die bisher nur in der Imagination des Dichters bestehen, also noch nicht in Wirklichkeit vorhanden sind. Dass geschichtlich festlegbare Paraphernalien mitbenutzt werden, ändert daran nichts. Das Wort «Liebesmahl» deutet auf einen erotischen und zugleich kultischen Sinn solcher Feiern, wie er zum Beispiel im Mithraskult, in gnostischen Bräuchen und religiösen Riten neuerer Zeiten zutage trat und tritt. Bei ihnen ist die Verbindung mit dem Gott durch Zusichnehmen von Speise und Trank hergestellt, in denen er verkörpert geglaubt wird. Der «erkorene Rauch» ist eine Umschreibung des bewusst nicht gebrauchten Wortes «Weihrauch». Das Bild vom Guss entspringt der Beobachtung, dass Weihrauch auf heisser Kohle zerfliesst und für kurze Zeit eine Glasur auf ihr zu bilden scheint. – Bis etwa 1908 liess der Dichter bisweilen Weihrauchkörner auf einer Zigarette zergehen. Er betonte, dass nichts so unangebracht sei wie naturwissenschaftlich falsche Vergleiche und Bilder, man müsse sie vermeiden, weil sie sogar gute Verse lächerlich erscheinen liessen. –

12

Die Mischung von Frömmigkeit mit Sinnlichkeit ist das Problem dieses Gedichts, in dem die vom verbrennenden Weihrauch gebildete Dampfwolke und die vielen auf dem Kronleuchter qualmenden Kerzen eine kirchliche Stimmung verbreiten. Der Dichter liebte Geruchs-assoziationen, ebenso wie bei den griechischen Dichtern war für ihn der Geruch einer Pflanze oft wichtiger als Farbe und Form der Blume. Er zitierte gern das den Duft implizierende Pindarfragment vom Dahin-schmelzen des Wachses der frommen Bienen. – Die durch die Um-gebung gesteigerte Sinnlichkeit führt nicht zu einer Begattung, sondern zu einer geistigen Einung, zu gleichem Träumen. Die Traumeinung soll nicht aufgelöst werden durch das leibliche Begehren, das ein Betrachten jungfräulichen Flaums auf Wangen und Körper erwecken könnte. Ein solches Verlangen würde den Einklang der Seelen in gleicher Weise beeinträchtigen, wie das die Sinne erregende Sichtbar-sein von Haar, das mit Kunst, und zwar in diesem Fall falsch an-gewandter Kunst, zu Locken geformt wäre. Die Traumeinheit wird aufrechterhalten und bestärkt, indem von neuem Weihrauchkörner auf die glühende Kohle geworfen oder besser, um die Langsamkeit der Bewegung auszudrücken und das Bild des «Gusses» vorzubereiten, «geträufelt» werden. Dann zeigt sich ein Wirbel in der Weihrauch-wolke, die blond genannt wird, weil sie im erleuchteten Raum hell wirkt. Zugleich bewirkt das Wort «blond» den Übergang zu dem Bild der ersehnten, bisher in Wirklichkeit nicht erschienenen Geliebten, das im Weihrauchdampf, wie später im «Stern», erscheint. Sie müsste «wissensvoll, müd und wunderbar» sein, um die Qualen, die der Dichter beim Schaffen erleide, begreifen zu können.

Im zweiten «Liebesmahl» sind es nicht so sehr Geruchsassoziationen als der Anblick von Farben und die Rauschkraft des Trankes, die die Traumeinheit hervorrufen. Es spielt in einer früheren Weltzeit, und zwar nicht in einem Raum mit Wänden und Decke, sondern in einem Zelt. Der Dichter setzt trotzdem dieses Gedicht hinter das erste – eben-so wie er bei den «Legenden» der «Fibel» verfährt – weil eine rein historische Anordnung ihm stets als ein zu billiges und abgebrauchtes Kunstmittel erscheint. Blau und Gold tauchen wie in der «Aufschrift» als damals vom Dichter bevorzugte Farbenzusammenstellung wieder auf. Malachit und Alabaster bringen Grün und Weiss in das Bild, das Rot der Kupferampel ist noch sehr gedämpft, wie denn Rot in voller Leuchtkraft erst später auf der Palette des Dichters nachweisbar wird. Die Worte Burnus und Zelt könnten das Bild als arabisch festlegen, dies wird aber dadurch bewusst unmöglich gemacht, dass das slawische Wort «Hospodar» folgt, das «Herr» oder «Gebieter» bedeutet. Es ist also Entzeitlichung trotz Gebrauches zeitbedingter Worte versucht. Geruchsassoziationen spielen noch hinein, indem das Myrtenbüschel –

in der Antike zur Lustration gebraucht und später «Lebensrute» genannt – erwähnt wird. – Der Dichter pflegte zu erklären, dass der kirchlich benutzte Weihrauch eine Mischung von eigentlichem Weihrauch, Myrrhe, das heisst von Myrrha-Harzen, und Benzoë sei. – Welchen Geschlechtes die Feiernden sind, ist in diesem Gedicht nicht gesagt, während es im vorangehenden Gedicht ein Mann und eine Frau gewesen zu sein scheinen. Aber auch hier sind es mindestens zwei Personen, denn es ist von «Stirnen» die Rede. Der Knabe hat die Rolle des Schenken, er füllt einen Trank ein, der die Trinkenden in einen Rausch versetzt, so dass sie Orakelsprüche äussern. Zugleich ist der Knabe als ein altersmässig geschlechtlich noch nicht völlig determiniertes Wesen hier Mystagoge, Traumanreger, Hochzeitsbeiwohner, wie er es nach einem Fragment des Callimachus und einer in Tarent befindlichen Lekythos in der Antike war, und ein Wundervermittler wie im Mittelalter. Die Feiernden liegen auf Teppichen, die aus weicher Wolle gesponnen sind. Die Umgebung ruft in dem Dichter die Erinnerung an seine eigene frühe Kindheit wach, in der er sich König in einem imaginären Reich dünkte – eine Rückerinnerung, die fast in jedem Werk des Dichters zutage tritt und eine bedeutsame Rolle spielt, weil sie die Grundlage für die Stellung des Dichters zu den Menschen seiner Zeit bildet. Dass diese Erinnerung wie ein in der Tiefe eines Brunnens erblicktes Bild anmutet, ist eine Vorwegnahme der gleichen Ausdrucksweise im «Siebenten Ring» und dient zur Versinnlichung des Gesagten.

Mit dem Gedicht «Verwandlungen» beginnt inhaltlich ein vierter Teil des Buches, der mit «Hochsommer» schliesst. In ihm werden das äussere Bild und das gemeinsame Verhalten des Dichters und der erträumten Gefährtin beschrieben, die bisher noch nicht individualisiert worden waren. Während die meisten der Gedichte des Buches in Paris im Sommer 1890 gedichtet worden sind, ist «Verwandlungen» auf einer Reise nach Kopenhagen entstanden. Die Örtlichkeiten sind in drei dreizeiligen Strophen als an der See, der Ostsee, liegend oder über der See gedacht dargestellt. Die erträumte Gefährtin erscheint den verschiedenen Umgebungen entsprechend in drei verschiedenen Formen. Man könnte auch von ihren Erscheinungsformen im goldnen, silbernen und ehernen Zeitalter sprechen. Sie kommt herab, wie in «Weihe», vor einer alten Seestadt in einem Wagen aus Gold, der perlgrau wie Kopenhagener Porzellan beflügelt ist, im Duft der dort heimischen Linden, sie erscheint über dem Meer in einem Gefährt aus Silber, das wie auf lichtgrünen Spiegeln schwebt, und wird schliesslich bei einem Sturm auf der See nach einem farbenvollen Sonnenuntergang, nach dem Schiffbruch der Hoffnung, in einem Wagen aus Stahl sichtbar, der über Wogen fliegt, die Lavaschollen ähnlich sind. Ihr

Lächeln ist im Beginn mild, dann froh und schliesslich wild, und ihr Anhauch, der zuerst die Leiden des Dichters linderte, scheint anfangs kosend zu sein, um am Ende zu versengen. Weit ausgedehnte, das Tempo verlangsamende Strophen von nur drei langen Versen wechseln hier mit zusammengezogenen, das Tempo beschleunigenden Strophen von sechs kurzen Versen ab. Parallelität und Verschiedenheit sind als Mittel benutzt, um über die Beschreibung hinaus eine sensuelle Erregung zum Schwingen zu bringen.

Auch «Ein Hingang», «Nachthymne» und «Strand» sind damals in Dänemark entstanden und enthalten Charakteristika der nordischen Landschaft. Grau wirkende Buchenwälder dicht hinter dem Strand der Ostsee – später wiederkehrend in «Kinder des Meeres» – hinter denen sich schon sehr nah dem Sand gelbe Saatfelder und grüne Wiesen breiten, und Landhäuser, die in Gärten versteckt sind. Der Dichter, der vordem «der Einsame» genannt wurde, erscheint jetzt, mehr objektiv gesehen, als der «junge Dulder». Er erfreut sich an der hier milden Sonne. Wiederum ist die Art seines Blickens als für ihn charakteristisch beschrieben. Er glaubt noch an seine Berufung zum Werk, sucht aber schon Erfüllung seiner Wünsche in einem Wunderland in der blauen Ferne des grenzenlosen Meeres und in den lichte Berge bildenden Wolken darüber. Er malt sich aus, dass die Augen derer, die er liebt, starr und in Tränen schauen werden, wenn er das «göttliche Geschenk» entgegennimmt, das, nach Angabe des Dichters selbst, der Tod ist, worauf auch der Titel «Ein Hingang» deutet. Er wird ein wenig scheu, dieses ihn befreiende Geschenk der Götter entgegenzunehmen, nur leise den Schmerz des Abschieds empfinden, nicht in Klagen ausbrechen und nicht mehr an Ruhm denken, den er im Leben zu erringen suchte. Der Gedanke des Todes als Befreier vor dem Gelingen der Tat kehrt häufig in den Gedichten dieser noch jugendlichen Schaffensperiode wieder, während im «Vorspiel» zum «Teppich des Lebens» der Tod des Dichters als Beendigung eines erfüllten Daseins dargestellt wird. – In diesem Gedicht wie in der darauf folgenden «Nachthymne» dominiert wieder die blaue Farbe, wie später in der «Herzensdame» und in den «Standbildern».

Die «Nachthymne» mutet wie ein Gegenstück zu der von Stefan George übersetzten «Arabeske zu einer Handzeichnung Michelangelos» von Jens Peter Jacobsen an – der Akzent ist hier aber auf den liebenden Mann gelegt. Er vergleicht das Auge der Geliebten – wahrscheinlich ist sie imaginär – mit einem Türkis. Der Dichter hatte eine Vorliebe für undurchsichtige Halbedelsteine. Hinsichtlich der Türkise interessierte ihn der Ursprung der Scheidung in männliche und weibliche Steine. Er plante eine Zeitlang, einen «Blätter für die Kunst»-Ring aus Gold anfertigen zu lassen mit einem undurchsichtigen bläulich-

milchigen Chalzedon oder Onyx in der Mitte, in den kleine Sterne geschnitten sein sollten. Der französische Dichter Saint-Paul empfand
die Augen Stefan Georges als türkisfarben, sie waren aber eher grau mit
einem hellblauen, manchmal leicht grünen Schimmer. – In der «Nachthymne» erscheinen ihm die Augen der Geliebten als zu «reich», um sie
für sich gewinnen zu können. Das Bild des Türkis ist der Auftakt zu
dem Bild vom Kiesel, der wenigstens vom Saum ihres Kleides berührt
wird. Es entspricht der Technik des Dichters, in einer Bildfolge das
Ungewöhnliche – hier den Türkis – vor das Gewöhnlichere – hier den
Kiesel – zu setzen und in gleicher Weise bei Benutzung von Reim-
worten zu verfahren, um den Eindruck des Gezwungenen zu vermeiden,
der bei umgekehrter Reihenfolge leicht entstehen könnte. Das Bild
des Jünglings, der, obwohl sein Dasein noch unerfüllt ist, zum Preis
der Götter der Antike sein Leben freiwillig aufgibt und deshalb vor
ihnen Beifall und Gnade findet, wird, ohne dass der Dichter auf einen
Einzelfall Bezug nimmt, benutzt, um anzudeuten, dass auch er zu
einem solchen Opfer zum Preis der Geliebten bereit sei. Doch fragt er
sich selbst, ob er bei seinem Lebensalter und bei seinem Sehnen nach
Tod vor Erfüllung – in Wahrheit einem sehr jugendlichen Sehnen, wie
es in «Ein Hingang» und schon vorher in Fibelgedichten Ausdruck
fand – zu solchem Opfer noch rein genug sei. Er bejaht diese Frage im
Hinblick darauf, dass sein Leben bisher einem hohen Ziel, nämlich dem
Singen der «Sonnenode der Freudenliebe», also der Hymnen, die das
Diesseits preisen und hier vom Dichter selbst genauer Oden genannt
werden, gewidmet gewesen sei. Dann fährt er fort zu sagen, dass ein
Blick der Gefährtin völlig genügen würde, um ihn sein Leben ändern
zu lassen, er würde seinen Psalter, das Buch seiner preisenden Gesänge,
für immer schliessen, auf erhofftes Glück durch seine Kunst verzichten
und nicht einmal mehr nach einem Schatten der Ehre, die man durch
Werk erringt, trachten. Das Bild vom wertlos verbrennenden Abend-
falter erinnert an Goethes «Selige Sehnsucht», ein Gedicht, das zusammen mit «Nachgefühl» von Stefan George zu den schönsten
Werken Goethes gezählt wurde. Er las diese zwei Goethe-Gedichte
um 1910 in der Wohnung Wilhelm Diltheys in Aloys Riehls und meiner
Gegenwart vor, nachdem er von Dilthey, der die gleichen Gedichte
vorlas, gebeten worden war, seine bewusst monoton rhythmische Vor-
tragsart auch an anderen Gedichten als den eignen zu demonstrieren.

Das folgende Gedicht «Strand» spielt in nordischer Umgebung und
ist leidenschaftlich wie die «Nachthymne», doch ist das sensuelle
Element indirekt zum Ausdruck gebracht. «Heucheln vor dem Tag»
bedeutet ein Verbergen des wahren Gefühls der Leidenschaft hinter
der Maske der Leidenschaftslosigkeit während des vollen Lichts des
Tages. Das Meer, dessen bewegbare Fläche kühn als Wellenauen ver-

bildlicht wird, heuchelt ebenfalls Leidenschaftslosigkeit, indem es die keuschen Farben des Himmels widerspiegelt und nichts anderes als die scheuen Flügel der Möven über sich duldet, obgleich es in Wahrheit von wildem, leidenschaftlichem Wollen getrieben düster dahinrollt. Zum Aufgeben des eignen Heuchelns sollten der Dichter und die imaginäre Geliebte das Meer meiden und ihren Aufenthalt an einem entlegenen Teich im Moor nehmen, der von Wäldern eingeschlossen, in ewigem Dämmer ruht. Nur Schwäne «fahren» – dieses Wort gibt bildhaft die Bewegung des schwimmenden Schwans wieder – dort aus der Bucht und werden zum Brautgeleit für die Liebenden. Die Lust, die Leidenschaft soll in beiden den Eindruck erwecken, als seien sie aus dem «fahlen» Norden – das Adjektiv spiegelt Stefan Georges Abneigung gegen den Norden – in den Süden versetzt, wenn die Lippen der Geliebten leuchten und gleich exotischen Blumen erblühen. Im Bild des Blühens bleibend, sagt der Dichter, dass, wenn ihr Leib in Hingabe dahinschmelzen wird, die Staudengewächse der nordischen Umgebung in Akkorden aufrauschen werden – ein in französischer Dichtung nicht seltenes Bild aus der Musik, wie es auch das «Finale» in «Von einer Begegnung» ist, das sich in späteren Werken des Dichters kaum mehr findet – und sich für die Liebenden in die rein südlichen Pflanzen Lorbeer, Tee und Aloe zu verwandeln scheinen, die wiederum mehr auf den Geruchs- und Geschmackssinn als auf den Gesichtssinn wirken. Aloe ist hier die heute so bezeichnete Pflanze und nicht etwa das mittelalterliche Räuchermittel Agaloche-Holz.

«Hochsommer» ist das letzte Gedicht dieses Teils. Es ist in Paris entstanden, scheint aber landschaftliche Elemente des damaligen Tiergartens in Berlin mit solchen des Bois de Boulogne in Paris zu vereinen, indem es von Booten und Musik spricht. Dem Ton nach ist es eine Fortführung von «Einladung». Nur wird hier Leichtigkeit nicht mehr durch eingesprengte Betrachtungen aufgewogen, sie wird sogar in der vierten Strophe, die von gegenteiligem Fühlen spricht, hervorgehoben und gepriesen. Die Musik, die von Terrassen, Altane genannt, und aus Gärten klingt, ist leicht und beschwingt die Schritte der schönen Frauen, die unter den Platanen des Parks am Arm von Kavalieren zarten Gesprächen lauschen und einander grüssen. Dazwischen Kinder, die hölzerne Reifen vor sich hertreiben, Reiter, die langsam vorübertraben, und Boote, in denen Duodezausgaben der berühmten Liebenden, wie zum Beispiel der Marquise de Pompadour, sich von Spaziergängern am Ufer bewundern lassen. Diese fröhliche, galant ansprechende Leere wirkt auf den Dichter, dessen frühem, konzentrierten Denken an Tat sie im Grunde feindlich ist, als weise Erschöpfung, als eine Schlaffheit, der man sich damals nur in Sommerbadeorten hinzugeben für erlaubt hielt. Solche Betrachtungsart ist in die vierte und

17

2

nicht in die Endstrophe gesetzt, um das Gedicht nicht moralisierend enden zu lassen. Sie ist sozusagen nur nebenbei verlautbart und soll eher bestätigend als negierend wirken. Deshalb folgt das noch einmal die Elemente leichten Lebens zusammenfassende Bild der Frauen in den gondelartigen Booten als ein auf den Anfang zurückverweisender Abschluss.

Die drei Gedichte des fünften Teils sind «Rückblicke», wie sie von diesem Buch an in allen Werken des Dichters immer wieder auftauchen, wenn ein Höhepunkt des Fühlens erreicht und eine Atempause nötig geworden ist, bevor ein neuer Schritt auf neues Terrain – inhaltlich und dichterisch-technisch verstanden – gewagt werden soll. In solchen Rückblicken wird das Fazit aus dem bisher Erlebten gezogen, der Dichter gibt vor sich selbst und für sich selbst Rechenschaft über seine gegenwärtige Stellung. «Dichten heisst Gerichtstag über sich selbst halten.»

Das «Rückblick» betitelte Gedicht ist in Paris im Sommer 1890 entstanden und geht auf die Reise nach Kopenhagen zurück. Von seinem Fenster in Paris aus glaubt der Dichter, sich an Dänemark zurückerinnernd, wie hinter einem Vorhang von fahnenartig bewegtem Nachtnebel, der von Platanenästen durchkreuzt und in Einzelteile zerschnitten wird – ähnlich den Zackenrahmen der «Weihe» – sein früheres Reich zu sehen, das bis vor kurzem von ihm beherrscht worden ist, jetzt aber bereits wie eine verzauberte Landschaft auf ihn wirkt. Es ist sprichwörtlich fruchtbar, wie es die Inselstadt Tyrus im Altertum mit ihren Teichen und Gärten war, jedoch schon unwirklich einfarbig schwarz und weiss gezeichnet, als wäre alles in Teer und Blumentau getaucht. Entrückt und nicht fassbar erscheint ihm bei diesem Rückblick, was er früher als besonders hellfarbige dänische Landschaft mit Küsten, Buchenwäldern, Villen, Rehen empfunden und in sein Werk gebaut hat. Damals hatten das mütterliche Meer und die stolzen Schiffe ihn in seinem Glauben an seine Kunst bestärkt. Es bleibt in diesem Gedicht zwar offen, ist aber anzunehmen, dass er an seiner Berufung zum Dichten jetzt wieder zu zweifeln beginnt. Dies ist nur dadurch angedeutet, dass er von seinem Fenster aus Nachtgespinste sieht, die zu überwinden er die Erinnerung an seinen früheren Sieg, die Bannung der dänischen Landschaft in seine Verse, heraufruft. Hinsichtlich der Schwäne mag daran erinnert werden, dass der Maler der stilisierten Schwäne, Otto Eckmann und später dessen Frau Mascha von Kretschman, die Schwester Lilly Brauns, zu den frühesten Bewunderern der Dichtung Stefan Georges gehörten.

Das Gedicht «Auf der Terrasse», entstanden im Sommer 1890 in Paris, nimmt den Gedanken in «Von einer Begegnung» wieder auf und vereinheitlicht ihn. Es ist die weite Terrasse im Park von St. Germain, von der aus man über die Seine, die wie ein Guss aus himmelgrünem Glas von oben her sich darbietet, auf Baumwipfel und klein wirkende Häuser damals herabsah. Die spielzeughaften Häuser werden Hütten des Glückes genannt, weil der Betrachter annehmen könnte, dass ein Glück einfachen Lebens in ihnen hausen müsste. Man denkt an die Strophe «Wenn hoch im Saale» im «Ring». Tatsächlich kam Stefan George in einen Zustand von fast zorniger Erregung, wenn man am Abend hinter erleuchteten Fenstern ein Glück wohnend vermutete. Dies erlebte ich einmal mit ihm, als wir 1912 von Isenfluh in der Schweiz aus zu den erleuchteten Fenstern von Mürren hinaufsahen und ich ihn in Ankunftstimmung fragte, ob nicht hinter jenen Fenstern glückliche, unbekümmerte Menschen wohnten. Er ruhte nicht, bis er mir am nächsten Tag gezeigt hatte, dass Mürren nichts als ein Badeort mit vielen Hotels war. – Auf der Terrasse von St. Germain stehen Statuen von Göttinnen und hohe steinerne Vasen. Der vierte Vers der ersten Strophe enthält, sichtbar gemacht, eine Zeitangabe: der Schatten einer bestimmten Statue hat eine bestimmte Vase erreicht. Dem Dichter entgegen kommt ein Wagen, dessen Räder in der Sonne blitzen, als wären sie feurig heiss – ein Bild der lateinischen Dichtung. Der Blick der im Wagen sitzenden Frau trifft den Dichter wie ein Blitz – alles ist in dem einen Wort ausgedrückt – und beide empfinden dies wie die Schrift von besonderen Buchstabenzeichen für ein Wunder, dessen erhöhte oder erhöhende Gnade sie für einen Augenblick ergreift, aber sogleich wieder in die Nacht der Vergangenheit zurücksinken lässt. Der Dichter sucht anderen Tages nochmals die schon verwischten Gleise, die jener Wagen auf der Terrasse hinterlassen hat. Die Tageszeit ist die gleiche – die Wiederholung der Zeile ist nicht nur inhaltlich wichtig, sie erhöht technisch die Tragkraft der Verse und schliesst das Gedicht zusammen – er wünscht, dass diesmal nicht eine Laune, wie in dem früheren Gedicht, sondern menschliche Grösse und Weisheit jene Frau zu ihm zurückbringen möchten. Während er die wandelnde Frau in der «Begegnung» nicht nochmals trifft und sogar ihr Bild in ihm langsam schwindet, sieht er hier die Frau im Wagen noch einmal vorüberfahren, erkennt seine eigene Trauer in ihrem Schauen, vergleicht den Austausch der Blicke dem flüchtigen Abendrot und nennt die zweimalige, wortlose Begegnung einen stolzen Bund trotz kurzer Dauer, die zu verlängern beide nicht streben. – Als ich im Jahre 1955 diese Terrasse, auf der ich 1908 zusammen mit Stefan George gewesen war, wieder besuchte, stellte ich fest, dass keine Statue so nah einer Vase aufgestellt war, dass der Schatten der Statue die Vase streifen könnte. Wenn nicht eine Änderung der Aufstellung inzwischen vorgenommen worden ist – und dies soll nicht geschehen sein – hat der Dichter das Wandern des Schattens als Mittel zur Zeitangabe in diesem

Gedicht erfunden, eine solche Erfindung muss als Technik des Bild-
haftmachens eines abstrakten Begriffs besonders hervorgehoben werden.

Von den imaginären irdischen Gefährtinnen oder Geliebten kehrt
der Dichter zu der für ihn damals fast mehr realen Muse der «Weihe»
zurück. In «Gespräch», gedichtet in Paris im Sommer 1890, spricht,
wie häufig im Werk Stefan Georges, nur die Muse und nicht der Dichter,
und ihre Worte sind hier nicht durch Betrachtungen des Dichters
unterbrochen wie in «Einladung». Dass trotz der Wiedergabe dieser
Worte der Muse allein das Gedicht ein «Gespräch» genannt wird,
deutet an, dass es die Erinnerung des Dichters an ein Gespräch enthält,
bei dem seine Worte den Worten der Muse vorausgingen und ihr Sinn
aus der ersten Strophe, die die Antwort der Muse wiedergibt, entnehm-
bar ist. Wenn in «Weihe» der Dichter die leibliche Nähe der Muse
suchte, so ist es hier die Muse, ein nicht leibhaftiges Wesen, die die
Nähe zum Menschen sucht – ein Gedanke, der in späteren Werken,
zum Beispiel den «Wolkentöchtern» im «Ring», wiederkehrt. In der
nicht verlautbarten Rede des Dichters hat er dargelegt, dass und wie er
sie ehrt, indem er nur für die Vollendung seines Werkes lebt, und dass
es seiner Aufgabe widersprechen würde, wenn er sich ganz einem erdhaften Erleben hingäbe, wie in «Pfingsten» in «Tage und Taten» dargelegt ist. Hierauf hat, so erinnert er sich in diesem Gedicht, die Muse
geantwortet, dass die von ihm gezollte Ehre ihr kalt erscheint und sie
freudlos lässt, obwohl sie versteht, dass er sich mit Mühe der niederen
Frauen erwehrt, die ihn ganz begehren. Sie fährt fort zu sagen, dass sie
weiss, wie sehr er sich nach der Gabe aus höherer Sphäre, der Intuition
sehnt, die hier «Labetrunk» genannt wird, und ein Sich-völliges-
Hingeben eines höheren Wesens, das heisst die «einzige» Liebe der
«Einladung», erfleht. Sie kann ihm volle Hingabe nicht gewähren,
denn sie ist nicht mit irdischem Leib von einer menschlichen Mutter
geboren. Sie wünscht, irdisch wie er zu sein, dann würde sie, ohne dass
ihre Wangen erröteten – «Doppelrot» der Wangen ist ein Bild Virgils –
ihm zu Willen sein, wenn er sie befehlend oder flehend riefe. Jetzt aber
kann sie ihn nur leicht wie ein Schatten küssen, da sie ein Kind von
Wolken und unirdischen Gefilden ist, im Chaos nach einer Lösung für
ihn fragen, das heisst suchen, und jubeln, wenn sie ihn durch sein Werk
befreit sieht, oder mit ihm in gleicher Weise leiden, in der, wie sie fühlt,
er selbst leidet.

Der sechste Teil des Buches enthält im neuen Stil eine Beschreibung
von zwei Gemälden. Die beiden Gedichte sind in Paris Ende des
Sommers 1890 entstanden. Der «Infant» ist eine Erinnerung an die
Spanienreise des Dichters, die ihn – und zwar nicht mit Saint-Paul, wie
er mir sagte – im Spätsommer 1889 von Paris über Hendaye, Irun, San

Sebastian nach Burgos, Toledo und Madrid geführt hatte. Der Maler dieses Gemäldes wird nicht genannt. Der Dichter äusserte zu mir im Jahr 1923, dass er glaube, es handle sich um ein Gemälde von Velasquez. Es hat sich aber gezeigt, dass ein Bild in dieser Anordnung weder unter den Werken des Velasquez noch der anderen berühmten spanischen Maler existiert oder um 1890 existiert hat. Es ist deshalb anzunehmen, dass dieses Bild erdichtet ist, und zwar unter der Benutzung von Einzelheiten, die der Dichter auf tatsächlich von ihm gesehenen Bildern spanischer Infanten in Paris und Madrid bemerkt hatte. Er vergegenwärtigt sich den früh gestorbenen Infanten als in dem gleichen, damals noch nicht von Besuchern entweihten Saal lebend, in dem das Portrait hängt. Den lebenden Infanten bezeichnet er als Zwillingsbruder des gemalten, um die Genauigkeit der Malerei zu schildern. Der lebende Infant hatte in seinem kurzen Dasein keinen andern Gefährten gefunden als den von den Bergen kommenden spanischen Wind, dessen allzu rauher Anhauch den frühen Tod des Infanten verursachte. Hätte er länger gelebt, so würde er verstanden haben, dass und warum ihn das Schicksal davor bewahrt hatte, zum König, zum finsteren Mann, wie ihn die im gleichen Saal hängenden Portraits darstellen, aufzuwachsen. Ihm war durch seine Jugend und seinen Tod vor dem Enden der Jugend eine Seligkeit beschieden, die er als Erwachsener nicht mehr hätte empfinden können. Wenn der Mond in den Saal schien und sein Licht die aus Glas geformten Granatzweige der Leuchter erblühen liess, glaubte der Knabe, von einer Elfin zum Ballspiel abgeholt zu werden und zusammen mit ihr dem seidenbezogenen Ball, einem von ihm bevorzugten Spielzeug – das Bild zeigt den Ball rosenfarben und olivengrün auf der aus der Wand vorspringenden braunen Konsole liegend – im Auf und Ab, aller Schwere enthoben, folgen zu dürfen.

Das zweite Gedicht beschreibt ein vorhandenes Bild: «Die Krönung Marias» im Louvre in Paris, das der Dichter in allen Teilen dem Fra Angelico zuschreibt. Das Gemälde, vom Dichter eine glorreich grosse Tat genannt, erhebt sich über einer Predella, auf der einzelne Kapitel aus der Lebensgeschichte des heiligen Dominicus, der Legenda Aurea des Jacobus von Voragine folgend, dargestellt sind. Der Dichter lässt hier die Präposition «auf» den Akkusativ regieren, wie er denn immer wieder die Tendenz zeigt, die Benutzung von Präpositionen durch Beifügung anderer als der gewohnten Fälle des folgenden Substantivums zu variieren. Er zählt nicht den Inhalt der Predellabilder auf, sondern begnügt sich damit, im zweiten und dritten Vers der ersten Strophe den Inhalt dieser Schilderungen generell zu kennzeichnen als «Erdenstreit» des Dominicus, der vom ewigen Rat Christi bewacht wird, und als «wirkungsvolle Sende» des Dominicus, der der strenge Ahne des zum Dominikanerorden gehörenden Fra Angelico ist.

Für den Dichter ist die Beschreibung von Farbe und Geste, die der Maler gewählt hat, wesentlich. Deshalb verweist er auf Gold, wie es als Material für kirchliche Pokale Verwendung findet, auf reifes Weizenstroh, mit dem er das helle Haar vergleicht, auf Indigo der Gewänder, wie es Wäscherinnen am Bach zum Blauen der Wäsche noch in der Jugend des Dichters benutzten, und auf das Schieferrosa, das Kindern damals in seiner Heimat zum Malen diente. In Bingen findet sich ein äusserlich tief dunkelroter Schiefer, der bisweilen fast braunviolett wirkt, wie mir Edgar Salin unter Berufung auf Simrock mitteilte. Zieht man mit einem Stück dieses Schiefers auf einer rauhen Oberfläche, zum Beispiel dem Strassenpflaster oder einer Mauer, einen Strich, wie Kinder es zu tun lieben, so zeigt sich eine mattrosa, ins Bläuliche gehende Färbung, ähnlich der, die Fra Angelico für einige Gewänder in seinem Bild benutzt. Die sanften Sänger, die zur Seite Christi stehen, sind nach Auffassung des Dichters christliche Dichter und Heilige. Er glaubte aber ferner, dass Fra Angelico in diesen christlichen Himmel nicht nur alttestamentarische Figuren wie Moses und David, sondern sogar antike Helden als Besieger der Medusa und antike Dichter als Begünstigte der Chariten beim musischen Wettstreit insgeheim aufgenommen habe. Ausdrücklich bezeichnet der Dichter christliche Heilige im vorletzten der «Sänge» als «Himmelshelden». Die Krone, die Maria, hier als mädchenhafte Braut dargestellt, von Christus empfängt, wird als die erste bezeichnet, weil sie sowohl die oberste Krone ist, als auch weil sie zum erstenmal verliehen und von einer Frau empfangen wird.

Inhaltlich der letzte, siebente Teil des Buches wird durch das hier nicht abgesonderte Schlussgedicht «Die Gärten schliessen» gebildet. Das Bestreben des Dichters ist es hier wie später in seinem ganzen Werk, jede Epoche seines Schaffens zu einem abschliessenden Bild zu kristallisieren. Er hielt es für seine Aufgabe, Einzelwerk und Gesamtwerk – der Titel «Der Siebente Ring» beweist dies schon – architektonisch aufzubauen, indem er vorhandene Gedichte im Hinblick auf das Gesamte aneinanderreihte und, von «Algabal» an, sogar neue Strophen dichtete, um Lücken im Aufbau des Werkes zu füllen. Für ihn war das Bemühen, ein architektonisch gegliedertes Werk zu schaffen, ein Zeichen echter Kunst, die ebensoviel Arbeit wie Inspiration, ebensoviel Denken und Können wie Intuition erfordere, wie er oft sagte. Er behauptete, dass die Inspiration, die den Grundrhythmus und Inhalt eines Gedichtes bestimme, eine Sache des Geistes sei und sich nicht künstlich hervorrufen lasse, dass aber Aufbau und Vollendung des Gedichts und Werks vom Können, Geschmack und Verstand des Dichters abhingen und erst durch bewusste, zähe Arbeit die endgültige Gestaltung erhalten könnten. Er selbst sann lange über jede Zeile eines Gedichtes schweigsam und konzentriert nach, nachdem er das, was er den Grundvers nannte, durch Inspiration gefunden hatte, und begann meist mit Niederschrift erst dann, wenn schon das Ganze in ihm Form gewonnen hatte. Die Anfangs- und Endgedichte werden von ihm nicht immer als Sonderelemente im Werkaufbau äusserlich hervorgehoben. Die Lobgesänge der «Hymnen» schliessen für ihn so, wie ein Garten am Ende des Sommers für Besucher geschlossen werden mag. Jeder Schlossgarten in Deutschland oder Frankreich könnte die Phantasie des Dichters hierzu angeregt haben, gerade das Bild des Gartens, der durch und zu Kunst geordneten Natur, findet sich in seinem Werk häufig. Früh eintretende Dunkelheit verwischt Formen und Farben, die in den Landschaften der Sonnenoden besonders stark und freudig gestrahlt hatten. Ein kalter Regen fällt langsam, und die heiteren Götterstatuen scheinen sich in Nebelschleier zu hüllen. Dürre Blätter werden, wie in den «Hängenden Gärten», von heftigem Wind über die Wege getrieben. Die letzten Sommer- und ersten Herbstblumen verströmen Düfte, die nicht mehr zusammenklingen und ein Verlangen nach Schlaf übermitteln. Die Glut der Gedankenwelt der «Hymnen» wird durch das Bild heisser Monde, der Mondumläufe, der Monate, gekennzeichnet, die in diesem Frühling und Sommer durch die Pforte von Zeit und Raum geflohen sind, wobei durch Benutzung des Symbols der Pforte zwar beim Gartenbild verblieben, aber auch das später so bedeutsame Bild des Tors vorweggenommen wird. Da Stefan George Negatives im Gedicht als undichterisch meidet, kleidet er den Zweifel darüber, ob er errungen habe, was er erhoffte, oder ob er noch immer auf Worte der Menschen zu sehr baue, in die Form einer Frage, die durch die Art, in der sie formuliert ist, Verneinung als Antwort erwarten lässt. Auf Titel und Inhalt seines nächsten Werkes deutet schon das Bild, in dem er sich selbst sieht: als Pilger, der mit dem auf ein Weiterwandern weisenden Stab in der Hand einen neuen Weg antritt. Solche in die Zukunft weisenden Schlüsse sind für den Dichter charakteristisch. Sie sind erst gedichtet, nachdem ihm selbst das in Zukunft zu bewältigende Problem inhaltlich und formal klar geworden ist.

PILGERFAHRTEN

Ebenso wie «Hymnen» erschienen die «Pilgerfahrten», und zwar
im Jahr 1891, als ein Sonderband ohne «Aufschrift» und «Widmung»,
die erst der öffentlichen Ausgabe für das Jahr 1899, und zwar auf 1891
zurückdatiert, beigefügt wurden. Äusserlich zerfällt das Buch laut Inhaltsverzeichnis in drei Teile mit besonderem Anfangs- und Schlussgedicht. Eine solche äussere Dreiteilung wird in den späteren Werken
meistens beibehalten. Der erste Teil behandelt Erlebnisse des Dichters
in der Gegenwart, der zweite sein gegenwärtiges Schicksal als Bild
gefasst und der dritte ein Zurücktauchen in die Vergangenheit. Die
sich aus der Druckanordnung ergebende innere Teilung weist auf das
Vorhandensein von fünf Teilen.

Wie in «Hymnen», ist auch hier noch das Suchen nach neuen Aus-
drucksmitteln in Sprache und Bild das Wesentliche. Jedes Gedicht ist
in seiner bis ins Äussere reichenden Unterschiedlichkeit ein Versuch
und ein Musterstück des neuen Stils. Doch ist der gedankliche Hintergrund, der die Farbe der Schilderung bestimmt, gegenüber dem der
«Hymnen» verändert. Dort war der Wunsch, Gefährten unter den
Mitlebenden zu finden, von einer belebenden Hoffnung getragen, und
dies verlieh der Schilderung in den Gedichten einen hellen und strahlenden Untergrund selbst dann, wenn in ihnen die lastende Qual des
Suchens zum Ausdruck gebracht wurde. In «Pilgerfahrten» ist die
Hoffnung auf Finden von Gefährten fast geschwunden, und dies gibt
den Versen eine düstere oder farbig überreizte Tönung. Die Gedichte
dieses Buches sind vor der ersten Begegnung mit Hugo von Hofmannsthal, die im Dezember 1891 in Wien stattfand, entstanden, also zu
einer Zeit, in der der Dichter einen Ausweg aus seiner Einsamkeit kaum
noch für möglich hielt und sich einem Einsiedler gleich in sich selbst
zurückzog. Doch könnte man sie auch als den vorausgeworfenen, vom
Dichter bereits gefühlten Schatten der scheinbar ausweglosen Verzweiflung ansehen, die sich seiner bemächtigte, als der künstlerische
Bund mit Hugo von Hofmannsthal nicht zustande kam.

Das Einleitungsgedicht «Siedlergang», gedichtet in Berlin im Januar 1891, ist Schilderung eines missglückten Versuches des Einsiedlers, die Klause des Alleinseins zu verlassen und sich unter die Menschen seiner Tage zu mischen. Die Zeit der Handlung ist Ende des
Winters. Die eisigen Winde, die den Einsiedler lange vom Ausgehen

abhielten, wurden schon lau, und der Strahlenpfeil, ein Sonnenstrahl, war nicht trügerisch, als er Nähe des Frühlings versprach. – Der Dichter selbst liebte den Wind nicht, und dies war auch der Grund seiner Abneigung gegen das Meer in späteren Jahren. – Wir überredeten ihn einmal in Berlin zu einer Fahrt nach Tangermünde mitten im Winter 1909/10, um dort mit Walter Wenghöfer zusammenzutreffen. Die Eisenbahnfahrt wurde unternommen, aber Stefan George weigerte sich, wegen des Frostes und Windes, auch nur einen Schritt aus dem Gasthaus in Tangermünde heraus zu tun, indem er sagte, er glaube uns alles, was wir über die Schönheit der Stadt sagten, wir aber müssten ihm glauben, dass es für ihn zu kalt sei, um Spaziergänge zu unternehmen und selbst Schönheiten zu bewundern. – In diesem Gedicht, das eine bewusst verwickelte Grammatik durch Nachsetzung des Subjekts in Strophe eins und zwei zwecks Verlangsamung des Rhythmus zeigt, verlässt der Einsiedler-Dichter seine Zelle ohne Bedauern, da sie für ihn ein «Schacht» gewesen ist, ihm niemals Freuden geboten hat, wie sie ihm der Anblick des Schimmers von Blau und Rot auf einem beschneiten Feld eröffnet, und ihm nichts andres gebracht hat, als dass seine Sinne durch störungslose Friedlichkeit betäubt worden sind. Er wandert in das Tal, das ihm von früher bekannt ist, indem er den noch beschneiten Bäumen folgt, etwas verwirrt durch den ihm ungewohnten Eindruck der bunten Flecke, die die Sonne auf die beschneite Erde malt, und ohne daran zu denken, dass ein schlimmes Enden dieses Weges, eine Erfolglosigkeit des Ganges, das Gefühl seiner Einsamkeit verstärken müsste. Sein Empfinden bei dem Anblick dessen, was in dem Tal vor sich geht, wird in den folgenden vier Strophen durch direktes Reden zu sich selbst festgehalten. Er sieht dort Frauen, mit grellen Purpurschleifen geschmückt, einen Tanz schlingen, der vielleicht durch ein bacchisches Frühlingsgefühl motiviert ist. Er selbst entschliesst sich, mitzutanzen, ausgedrückt durch die verkürzende Wendung, dass er einen Fuss über den Rain setzt. Es fällt ihm jedoch schwer, die rechte Partnerin zu wählen. Sie haben die Leidenschaft in ihm zum Schwelen gebracht, er brennt, sich ihrer zu bemächtigen, aber im Grunde hasst er sie, da sie seinem Traum nicht entsprechen. Er fragt sich, weshalb er von ihnen, den Lebendigen, fort zu dem oberen Rand des Hügels zu blicken hat, wo er in wachen Träumen, nicht durch Wirklichkeit der Umgebung gestört, lichte Gestalten unaufhaltsam mit edlem Gang eine im Bogen angelegte Treppe hinaufsteigen sieht, die als Gebilde seiner Phantasie und seiner Wünsche im Gegensatz zu den grell aufgeputzten, tanzenden lebenden Frauen stehen. Er weiss, dass jene erträumten Gestalten zu fern sind, als dass seine Stimme auch nur eine von ihnen erreichen könnte, und erachtet diese Unmöglichkeit als Strafe des Schicksals dafür, dass er bisher in seinem Anspruch an Menschen nicht mit dem Möglichen gerechnet, vielmehr erwartet habe, Gebilde seiner Phantasie unverändert unter den Mitlebenden zu finden, und dass er das, was andere froh bejahend als einen wenn auch minderen Grad der Schönheit anerkannt und begrüsst hätten, als zu billig verhöhnt und von sich gewiesen habe. Jetzt ist er durch den Gram vergeblichen Suchens weniger anspruchsvoll geworden, schon eine geringe körperliche oder seelische Einzelheit, die in sich schön ist, vermag ihn hinzureissen, denn er hat gelernt, dass die volle, von ihm erträumte Schönheit im Leben nicht gefunden werden kann. – Die vorletzte und die letzte Strophe sind wie die Endverse von «Die Gärten schliessen» zur Vermeidung von undichterischen Negationen als Fragen gefasst. Hier wird in Wahrheit die Frage verneint, ob er nach diesem Erlebnis sich noch einmal durch einen Zauber des Frühlings bewegen lassen darf, aus seiner Zelle in das Tal des Lebens zu wandern und sich in den Tanz und Jubel der geschmückten Frauen hineinziehen zu lassen. Es ist zumindest zweifelhaft, ob er nach einem zweiten missglückten Versuch dieser Art nochmals zu den Pergamenten in seiner Zelle zurückzukehren die Kraft haben würde, zu den Pergamenten, die ihm eine andere Form des Lebens gewähren und ihm wenigstens zu tröstenden Träumen auf seinem einsamen Lager verhelfen. – Die Fassung des Gedichtes, besonders die Tempora der Verben und der ungewohnte Gebrauch des Wortes «nun» lassen die Frage auftauchen, ob die Strophen eins bis sieben als Bericht von Ereignissen, die in der Gegenwart spielen, oder als Rückerinnerung des Einsiedlers – in Form eines Selbstgespräches – an Ereignisse in der Vergangenheit anzusehen sind. Die Worte «heut» in Strophe acht und «am Tage» in Strophe neun scheinen darauf hinzuweisen, dass die Strophen eins bis sieben als Rückerinnerung des Einsiedlers an Ereignisse der Vergangenheit aufzufassen sind, die seine gegenwärtige Haltung – gekennzeichnet durch die Strophen acht und neun – beeinflussen könnten. Er ruft in dem in direkter Rede gegebenen Selbstgespräch in den Strophen zwei und vier bis sieben seine Erinnerung an frühere Erlebnisse wach, und dabei wird dramatisches Präsens zur Schilderung von Vergangenem benutzt, um die Eindringlichkeit zu steigern, ebenso wie «nun» in Strophe eins an Stelle von «damals» gesetzt wird. Das Wort «wie» in Strophe acht hat unter diesen Umständen den Sinn von «mit welchen Gefühlen», und das Wort «will» in Strophe neun leitet die – wohl zu negierende – Frage ein, ob bei erneutem Handeln solcher Art der Dichter noch die Kraft haben würde, wieder in seine Zelle zurückzukehren, das heisst: trotz einer neuen Enttäuschung weiterzuleben.

Auf dieses Gedicht, das mit seinen neun Strophen von je vier Versen das längste dieser Schaffensperiode des Dichters ist und den langsamsten Rhythmus hat, folgt als Ausgleich der dichterischen Schwingung das Mühlengedicht mit nur drei Strophen von je sechs Versen, das die Beschleunigung eines anfangs langsamen Rhythmus technisch zum Ziel nimmt. Es spielt an einem Spätnachmittag im Vorfrühling und enthält optische Eindrücke ohne in andre Richtung weisende Reflexionen. Die Erwartung des Tauwindes beherrscht die Landschaft. Die drehenden Flügel einer Windmühle scheinen die tiefe Ruhe zu stören. Die Landschaft dieses im Frühling 1891 entstandenen Gedichts ist die Geest bei Bremen, wohin der Dichter im Dezember 1890 seine Freunde, die drei mexikanischen Brüder Peñafiel, über die sich in Mexiko jetzt nichts mehr feststellen liess, zum Schiff begleitet hatte. Der Dichter hatte beobachtet, dass es viele Teiche in der Heide gab, die von winterlich weissem Schilf umgeben waren, das er im Gedicht als Lanzen sieht. Die Vielzahl der Teiche erweitert scheinbar die Ausdehnung der Landschaft. Niedrige Bäume, die im Vorbeifahren den Eindruck von getünchten Ginsterpflanzen erwecken, unterbrechen die Ebene. Seine Phantasie bevölkert einen grösseren See mit weiss gekleideten Mädchen, die über das Eis der gefrorenen Wasserfläche zu ihrem Heimatdorf nach der ersten Communion zurückkehren, wie er sie wohl oft am Rhein gesehen hatte. Er betrachtet sogar die Landschaft mit den Augen dieser Kinder, die das Schleifen über das Eis, das wegen des Nahens des Frühlings schon blind aussieht, mit einem ihnen nicht unangenehmen Grauen als Abenteuer empfinden. Die Kinder bewegen ihre Lippen in Stillgebeten, und die leichte Verschiedenheit ihres Lebensalters wird dadurch gekennzeichnet, dass bei den Gebeten einige von ihnen nicht so sehr an den Gott der Bibel als an eine irdische Verkörperung ihres Sehnens denken. Landschaft und Kinder haben das Unwirkliche, das nahenden Naturkatastrophen vorausgeht. Ein Ton, wie er beim Auseinanderbrechen grosser Eisflächen im Frühling hörbar wird, und das plötzliche Aufflackern der Lampen, sichtbar in den Fenstern des Dorfes am Rand des Sees, vermitteln den Eindruck, als ob gespenstische Knaben aus der Tiefe des Sees – sie werden, wie später in den «Landschaften» des «Rings», als schwarz im Gegensatz zur Weisse der Umgebung bezeichnet – die Mädchen zu sich hinabzuziehen strebten, die Mädchen, die dadurch von Himmelsbräuten der ersten Communion zu Bräuten der dunklen unterirdischen Mächte werden würden. Das Ereignis des plötzlich einsetzenden Tauwindes, das der Dichter voraussieht, wird vom Notläuten der Kirchenglocke im Dorf begleitet. – Das gedankliche Problem ist ein Sterben in unbefleckter Schönheit, das in der «Nachthymne» und in «Hingang» bereits das Thema gebildet hat, hier aber mehr von der weiblichen Seite aus behandelt wird. Dass dieser Stoff für das ganze Leben des Dichters im Mittelpunkt des Schaffens blieb, beweisen die Maximin-

Gedichte und «Viktor und Adalbert» im «Neuen Reich». Tod als Erfüllung bildet auch die Verbindung zum «Siedlergang», mit dem zusammen das Mühlengedicht einen inneren Teil der «Pilgerfahrten» darstellt.

Die leere Seite kennzeichnet den Beginn des inneren zweiten Teils, der vor «Gesichte» endet. Dieser Teil enthält das Verhältnis des Dichters zu Menschen seiner Zeit. Das erste der Gedichte ist im Februar 1891 in Berlin entstanden. Der Versuch, die Terzinen hier, wie schon «Im Park», für die deutsche Sprache gefügiger zu machen, betrifft ein Wintergedicht, das in einem Zimmer vor einem brennenden Kamin spielt und deshalb an das Haus der Eltern der Isi Coblenz oder der gemeinsamen Freundin Frau Brück in Bingen denken lässt. Im Binger Haus der Eltern des Dichters gab es keine offenen Kamine. Der Dichter, am Boden gelagert, berührt mit seiner Wange das Knie einer vor dem Kamin sitzenden Frau und verspürt dadurch eine besondere, zarte Wärme. Aber das in ihm flammende, kühne Feuer zur eigenen Tat – dies ist die Verbindung zum Kaminfeuer und bewahrt das Bild des Anfangs – verbietet ihm, ihr nahe zu bleiben. Denn trotz des Blickes in einen Freudenhimmel, den ihm dieses Zusammensein gewährt, fühlt er sich als Sklave des Grams einer für sein Werk notwendigen Einsamkeit. Die grosse Nähe der Verbindung liegt für ihn darin, dass sie mit ihrem Finger sanft und mitleidig sein Haar berührt. Auf Grund innerer Verbundenheit muss er oft, obwohl er sich der Gefahr, durch Liebe zu ihr seinen eignen Weg zu verlieren, bewusst bleibt, an sie denken und die Grösse des Stolzes, mit dem sie ihrerseits dieses für sie schmerzliche Erlebnis besteht, bewundern. Dann blickt er auf sie, wie Fromme beim abendlichen Läuten des Angelus auf eine schwarze Madonna blicken, obwohl sie ein leichtes Grauen beim Schauen auf die ihnen fremde, dunkle Gesichtsfarbe niemals ganz zu überwinden vermögen. Während die sogenannten alten «schwarzen» Madonnenbilder in Polen, Spanien und Mexiko ursprünglich weiss waren und nur durch Zeitablauf und Weihrauch gedunkelt sind, lässt der Dichter, in bewusster Abwandlung, diese Madonna aus schwarzem Ebenholz geschnitzt sein. – Stefan George lernte Isi Coblenz schon im Jahre 1890 kennen. Er erzählte mir, dass sie seinen Bruder Fritz gebeten habe, sie mit ihm bekannt zu machen, da sie sich für seine Gedichte interessiere. Er habe sie fragen lassen, wer die Frauenerscheinung in «Weihe» sei, und erst auf ihre Antwort, dass es die Muse sei, habe das persönliche Zusammentreffen stattgefunden. Es ist unter diesen Umständen wahrscheinlich, dass Isi Coblenz hier zum erstenmal im Werk des Dichters eine Rolle spielt. Er traf mit ihr, wie er mir erzählte, öfters im Haus der Frau Brück in Bingen zusammen, besuchte sie aber auch im Haus ihrer Eltern, das damals das ansehnlichste Gebäude in Bingen war. Ihre Schönheit wurde durch das tiefe Dunkel ihres vollen Haares und die sanfte Röte ihrer Wangen betont – dies mag die Wahl des Bildes der schwarzen Madonna beeinflusst haben. Man könne seine Gedichte nicht wörtlich genug nehmen, pflegte der Dichter häufig zu sagen.

Das folgende Gedicht, entstanden im Oktober 1890 in Berlin, bezieht sich nicht auf Isi Coblenz. Technisch stellt es einen Versuch dar, sich in einem möglichst kurzen Versmass auszudrücken und dabei vor sich selbst Rechenschaft abzulegen, weshalb eine dauernde menschliche Verbindung nicht herstellbar sei. Ob es sich generell um diese Frage handelt oder um Nichtverwirklichung der Verbindung mit einer bestimmten Frau, lässt sich aus dem Gedicht nicht ersehen. Auch die Stellung dieses Gedichtes innerhalb der Reihe gibt keine Antwort auf diese Frage. Zwar sind aufeinanderfolgende Gedichte vom Dichter oft derart angeordnet, dass sie zusammengehörende Gedankengänge zum Ausgangspunkt haben, aber der Aufbau wird grundsätzlich nach architektonischen Gesichtspunkten als ein Kunstwerk in sich selbst ausgeführt, und die Aufeinanderfolge besagt deshalb nicht mit Notwendigkeit, dass es sich um das gleiche Erlebnis handelt. – Das Wähnen wird falsch genannt, weil es volles Verstehen von seiten der Frau erhofft. Es ist weiser, auf innere Lösung, die als Frühling gesehen wird, zu warten, als sich einem vergeblichen Sehnen hinzugeben und zu hoffen, die Erregerin der Sehnsucht ohne Schleier zu sehen, das heisst ganz zu besitzen, bevor mit dem Ende des Juni der volle Sommer, die Zeit der Reife und Ernte, gekommen sein wird. Hier ist zum erstenmal im Werk eine ganze Strophe wiederholt, um eine liedhafte und zugleich kreisende Wirkung zu erzeugen.

Auch das sich anschliessende Gedicht wurde im Oktober 1890 in Berlin gedichtet und hat nicht Isi Coblenz zum Vorwurf, geht aber zweifellos auf ein individuelles Erlebnis mit einer Frau zurück. Es klingt wie eine Erweiterung und Variation der «Einladung». Ein leerer Sang und kindesfrohes Lachen der Gefährtin erwecken im Dichter zu seinem eigenen Erstaunen starke Glut und Hast, die hier Unrast bedeutet. Er bleibt aber gelassen im Umgang mit dieser Frau, obwohl er ihren Glauben teilt, dass jede Jugend nach voller Einung strebt. Dass sie sein Verhalten sanft hinnimmt, mit einer stillen Geste ihrer Hand – man denkt an Strophe drei des Madonnengedichtes – und mit sanftem Schreiten, steigert noch sein Leid. Er findet das rechte Lob für sie erst, als er sie verschmäht und auf Einung verzichtet. So wird sie zu seiner Schwester, ein Gedanke, der im späteren Werk des Dichters oft wiederkehrt, obwohl ihr dieses Geschehen – festgehalten in dem Gedicht, in dem nur der Dichter spricht und das als sein Ruf, also Ausruf und Anruf an sie bezeichnet wird – nicht sehr genehm ist.

Das Rätsel des Unverbundenbleibens ist das beiden Gemeinsame, formt ihr Verlöbnis, wenn er auch, wie er voraussieht, sich bald von ihr auf immer trennen wird. Durch die Worte «auf nie gewandtem Huf» soll sein endgültiges Sich-Trennen durch rasches Fortreiten auf einem Pferd in möglichst kurzer Form zum Ausdruck gebracht werden. Das Trennende wird zum Verbindenden für beide.

Das folgende Gedicht ist das Endgedicht dieses Teils. Es ist in München im Herbst 1891 entstanden. Wie die meisten Endgedichte des Dichters ist es bildhaft gefasst, um logischen Schluss und sachlichen Abschluss übertragen zu veranschaulichen. Er flieht vor der feuchten Kralle des Drachens, die sowohl für die feuchte Kälte des Nordens wie auch für nördlich verschleierte Begierde als ein der nordischen Mythologie entnommenes Bild benutzt wird, in die Sonne eines erträumten Südens mit lichten Hallen, die von schlanken Säulen getragen werden und in denen getragene Strophen, das heisst Strophen in dem neuen, von ihm gesuchten Stil, der griechischer Dichtung am nächsten verwandt ist, erschallen. Die Flucht in einen imaginären Süden, von dem hier zum zweitenmal im Werk Stefan Georges berichtet wird, kehrt von nun an bis in die Zeit nach dem Maximinerlebnis häufig wieder. Solche Flucht bedeutete ein Ruhe-Finden durch das Werk, und ihr Sinn war bereits im Gedicht «Rückblick» angedeutet worden, in dem jedoch die Traumlandschaft in den Norden verlegt war. Weshalb er jetzt flieht, sagt die zweite Strophe. Im Norden hatte ihn der Dorn einer voll erblühten Teerose, einer gelben Rose, die er als Bild für eine reife und machtvolle Frau gebraucht – vielleicht ist dies eine Erinnerung an das Rosa-galba-Erlebnis der Fibel – verwundet, als er am Rand der Gärten, also noch ausserhalb der ersehnten Gefilde, seinen Weg nahm. Jene Frau war von makelloser Schönheit gewesen, keine Verfärbung hatte den Schmelz ihrer Haut beeinträchtigt. Sie war mitleidlos und tränenlos, der Tau einer Träne würde ihrer Artung widersprochen haben. Für ein Erlebnis mit einer solchen Frau war es aber noch zu früh, er fühlte sich dazu noch nicht reif. Dies ist der Sinn der Worte «zu früh noch», die sich auf das Erlebnis selbst und zu gleicher Zeit auf sein späteres Suchen nach ersten Veilchen beziehen, also abstrakt hingesetzt, eine doppelte Bedeutung im neuen Sagestil haben. Die doppelte Bedeutung, die Wort und Vorgang in diesem Gedicht tragen, kommt auch darin zum Ausdruck, dass der Stich des Rosendorns, hier zu Nadel individualisiert, nicht nur Verwundung durch die Unmöglichkeit, jene Frau zu erreichen, symbolisiert, sondern zugleich auch, wie im Märchen, als Einleitung zur Reise in ein Traumland dienen soll. – Die Erinnerung an diese Frau hatte ihn gequält, er hatte Belebung durch den Duft erster Veilchen gesucht, diese aber im Norden nicht gefunden, da es noch zu früh für ihr Blühen war. Er erblickt nur in Treibhäusern, also in einem künstlich erzeugten, südlich warmen Klima, einige wenige Veilchen, und deren Duft bringt ihm nicht die erhoffte Belebung. Um sich wieder in die Nähe jener Frau zu versetzen, atmet er einen Duft ein, mit dem sein Tuch getränkt ist, er nennt ihn «freunden duft», weil er darin einen dem Duft jener Frau verwandten, das heisst befreundeten Duft verspürt. Welcher Art das Tuch und der Duft des Tuches sind, bleibt offen, um nicht durch Abschweifungen zu verwirren und der Phantasie des Hörers Raum zu lassen. Ebenso wird nicht gesagt, wofür das Bild der ersten Veilchen steht, wenn auch durch Wahl dieser heimischen Feldblume angedeutet ist, dass es sich um Einfachheit im Gegensatz zur gezüchteten Teerose handelt, eine Einfachheit, die der Dichter in ersehnten Gefährten wie auch im Formen seiner Kunst schon damals zwar erstrebt, aber, wie er fühlte, noch nicht gefunden hatte. Bei der Wahl der Bilder mag Erinnern an Goethes Verwendung gerade dieser Blume in seinen Volksliedern mitgespielt haben. Das technische Problem dieses Gedichts ist die Verbindung der breit ausladenden Schilderung der ersten Strophe mit den indirekten, verkürzten, sprunghaften Gedankenverbildlichungen der zweiten und dritten Strophe.

Die «Gesichte» leiten den inneren dritten Teil des Buches ein und bilden dessen erste Gedichtgruppe. Sie schliessen in der Technik an die «Bilder» der «Hymnen» an, doch wird hier umgekehrt Leben als Bild behandelt. Die beiden Gedichte sind in Verona und Venedig im März 1891 entstanden, sie behandeln Leben und Gedanken von zwei unerfüllt gebliebenen Frauen. Das erste Gedicht schildert das Leben einer Venezianerin, die, selbst noch jung, einen alten, reichen Edelmann, wenn auch mit innerem Widerstreben, geheiratet hat und hierunter leidet. Carpaccio könnte sie gemalt haben. Das Treiben festlicher Menschen lässt sie kalt, nur Gebilde der Kunst, wie der gemalte oder plastische Reigen brauner Engel an der Decke des Saales oder schönes, kostbares Material in Sammet und Parfümen bringen ihr Freude. Um ihre Einsamkeit zu brechen, gibt sie sich einem verdienstlosen jungen Mann hin, selbst auf die Gefahr, dass er sich eitel und unbedacht seines Sieges über sie zu ihrer Schande vor Dritten rühmen könnte.

Das Bild der zweiten Frau ist in Anlehnung an Böcklins «Klage des Hirten» gezeichnet. Auch sie begehrt, ihre Einsamkeit zu beenden, sie wird in ihrem Sehnen durch die Musik einer Flöte bestärkt. Sie begegnet dem Mann, den sie, ohne es ihm zu gestehen, beim ersten Anblick liebt und dem sie sich zu geben strebt, am roten Turm. – Der rote Turm, der auch später im Werk erscheint, ist wahrscheinlich eine Erinnerung an Spanien. Der Palast der Alhambra, den Stefan George nicht selbst gesehen hat, mit dem sich aber seine Gedanken viel beschäftigten, heisst ins Deutsche übersetzt: rotes Haus. Für Stefan

George wurde die Alhambra später in Verweys Gedicht «Die Nacht in der Alhambra», seinem eignen Traumbild entsprechend, lebendig, und er hielt dieses Gedicht für das schönste und bezeichnendste Werk des Holländers. – Die Frau in Stefan Georges Gedicht verleugnet plötzlich alles, was sie früher von sich selbst gefordert hatte, um einen Lebensstil fortzusetzen, der dem alten Ruhm ihrer Familie entspräche. Jetzt ist sie bereit, sich einem Unbekannten, der die Stärke ihrer Gefühle nicht einmal kennt und sie bisher nicht beachtet hat, völlig zu geben, selbst wenn sich dadurch ihr Schicksal ändern und ihr in Zukunft, trotz ihrer Jugend, das Dasein einer zu früh zur Witwe Gewordenen beschieden sein sollte. Die Wiederholung der ersten Strophe am Schluss geschieht, um die Flöte klingen zu lassen. – Stefan George schätzte dieses Böcklin-Bild mehr als die Gemälde von Hans von Marées in München, Berlin und Neapel, da er die Körper von Marées als zu wattig gemalt empfand.

Waren diese beiden Frauenbilder indirekte Schilderungen des Sehnens des Dichters, so spricht er in den folgenden Gedichten dieses Teiles unmittelbar von sich selbst und bringt erst in «Die frühe Sonne», um Anfang und Ende zu verbinden, wiederum das symbolische Bild einer Frau. «Mahnung», das erste Gedicht der zweiten Gruppe, ist eine Fortführung des zweiten Gedichtes der «Neuländischen Liebesmahle», eine Rückerinnerung an das kindliche Königtum des Dichters, verbunden mit einer Ahnung der Algabal-Erlebnisse. Es ist in Wien zwischen April und Juni 1891 entstanden. Wir wissen aus Lebenserinnerungen von Schulfreunden des Dichters, dass sich die Kinder ihr eigenes Reich im Schilf des Nahe-Ufers, nicht des Rheins, geschaffen hatten und dass der Dichter damals gern den Führer seiner Freunde spielte. So sieht er sich in der Erinnerung als von der Menge zu einem Thron gerufen und geleitet, von dem aus er wie ein barbarischer oder barbarisierter Eroberer unbegrenzte Macht ausübt. Sein Wille, ja schon seine Anwesenheit weiht jede Lust und jedes Verbrechen, er zieht in der frühen Zeit – im Gegensatz zu seinen jetzigen Wünschen – das Toben des verheerenden Nordwindes der klaren Luft und Quelle des Südens vor. Geraubte Frauen, selbst eine jungfräuliche Priesterin, begehren, sich vor ihm zu erniedrigen. Edelsteine und Perlen sind wie Kiesel vor ihm ausgestreut, dabei wird auch die rote Koralle erwähnt, die Stefan George liebte und die deshalb in Verbindung mit kostbaren Steinen, Perlen und Gold am Ende des «Siebenten Ringes» noch einmal erscheint. – Dieser Herrscher lehnt solch wildes Spiel nicht nur nicht ab, er selbst nimmt sogar daran teil, obwohl er weiss, dass er Befleckung und Narben durch die Klaue der Tiere davontragen wird, die im «Lobgesang» des «Ringes» als Gefolge des Eros wieder erwähnt werden. Stefan George hielt den Leopard bei Dante für eine Verkörperung der sinnlichen Lust. – In der letzten Strophe fragt sich der Dichter, ob sein bisher im harten Kampf tatsächlich eroberter Bereich in Wirklichkeit derart beschaffen sei. Die Fragestellung lässt Verneinung erwarten. Er ermahnt sich selbst, der Lockung, die sich ihm als Recht des Eroberers darbietet, nicht zu folgen, also zu handeln, wie der Sieger im «Brand des Tempels», nicht wie Heliogabal, und auch nicht das Leid seiner Einsamkeit als Motivierung dafür anzusehen, dass er sich wegen Enttäuschung jetzt den Horden und ihren Begierden gleich zu erachten berechtigt sei, selbst wenn ein solches Verhalten seiner Artung grundsätzlich widerspreche.

Das Gedicht «Die Märkte sind öder», gedichtet zwischen April und Juni 1891 in Wien, klingt wie eine Neufassung von «Nachmittag», in der jedoch die Seelenbewegung mehr direkt wiedergegeben wird. Die Gefährtin, die die Einsamkeit brechen kann, wird im spätsommerlichen Zauber der alten Stadt vergebens gesucht, die Pilgerfahrt des Suchens, die zugleich eine Flucht vor sich selbst ist, muss fortgesetzt werden. Sie führt durch Wüsten, in denen Erlebnisse den Dichter wie Dornen und Stacheln verletzen. Die häreren Karden deuten auf die haarige Weberdistel. Von unten heraufsehend entdeckt er in der Wüste auf der Spitze eines Hügels etwas wie eine farbige Insel, einen Lebensbaum umgeben von grünenden Büschen, er erklimmt den Hügel und von oben herabsehend, wie in «Einladung», blickt er weit über das abendliche, herbstliche Land mit Türmen und Brücken, die getuscht wiedergegeben sind wie die Miniaturen in einem französischen Stundenbuch. Das Erwartungsvolle in solcher Landschaft belebt ihn und setzt ihm neue Ziele. Er hat wahrgenommen, dass Herbstzeitlosen nur kurz, bevor sie sich schliessen, intensiv duften. Manna deutet hier auf Fallen des Abendtaus. Der ungleichmässige Wechsel zwischen langen und kurzen Versen macht es in diesem Gedicht technisch möglich, eine genaue Schilderung der Umgebung zu bringen, ohne dass dadurch der Eindruck der Rastlosigkeit und des Weiterwanderns abgeschwächt wird.

Das Gedicht «Mächtiger Traum» benutzt wiederum die Form der Terzine, es ist zwischen April und Juni 1891 in Wien entstanden. In Strophe fünf des «Siedlerganges» hatte der Dichter die ersehnten Gefährtinnen im Tagtraum – ihm unerreichbar fern bleibend – gesehen. Jetzt sieht er sie wiederum im Traum, aber hier ist es ein Träumen des Geistes, das vom Tagtraum und Traum der Nacht genährt ist. Die ersehnten Gefährtinnen werden Töchter seines Traums genannt, also als von ihm selbst gestaltet angesehen. Er hat ihnen lange von fern zugeschaut. Sie erschienen ihm in Nächten als verlockende Pfauen, die das Symbol der Juno und der römischen Kaiserinnen waren, mit gleissendem Gefieder und als Spender eines Gefühls des Grauens – man denkt an das Grauen des Madonnengedichtes – das aber im Grunde mit Gier von ihm erwartet wird. An manchen Morgen sah er sie im Geist den Lerchen vergleichbar, die mit dem heftigen Schlag ihres Gesanges, würdig der Klarheit des Tageslichtes, zum Himmel hinauf flattern, ein Bild, das Dante benützt. Wie mehrere der vorangegangenen Gedichte schliesst auch dieses mit einer weiterreichenden Frage, eine Technik, die durch die Jugend des Dichters bedingt ist. Denn Jugend gibt sich nicht leicht mit reiner Schilderung zufrieden, sie empfindet Beschreibung als zu objektiv, und da sie ihres Weges ungewiss ist – «nicht weiss wohin», wie Hölderlin es ausdrückt – liebt sie es, unverzüglich nach dem endgültigen Ergebnis eines jeden Erlebnisses mit einer gewissen Naivität und Ungeduld zu suchen. So fragt hier der Dichter in einer Weise, die Bejahung erwarten lässt, ob sein Streben nach dem neuen Stil im Dichten nicht auch noch einen anderen Zweck, nämlich den der Keimbildung zur Umsetzung des Erdichteten in das Lebendige haben könne, eine Frage, die erst in der Zeit des «Siebenten Ringes» und des «Sterns» voll beantwortet wird. Wenn dem so wäre, könnte er vielleicht jetzt zu den wahren, neu beblümten Wiesen seines Reichs – sehr verschieden von denen, die in «Mahnung» geschildert waren – heimkehren. Das Wort «heimkehren» enthält die Feststellung, dass er bereits vorher, nämlich in der Kindheit, in seinem wahren Reich gelebt und es erst später verloren hat.

Auf die schleppenden Verse folgt, aus architektonischen Gründen, unabhängig von der Entstehungszeit hierher gesetzt, ein Gedicht in erregten kurzen Versen, in dem Selbstgespräch und Selbstobjektivierung zum Bild vermischt werden und das somit eine Weiterführung der Technik von «Lass deine Tränen» einerseits und «Hingang», Strophe zwei, andererseits enthält. Er ermahnt sich, nicht deshalb in Klagen auszubrechen, weil sein Begehren, hier «Neid» in der alten Bedeutung des Wortes genannt, nach einem erträumten Gut bisher nicht erfüllt worden ist. Er ermahnt sich, weiter danach zu suchen und sein Leid durch Umformung ins Lied zu besiegen. Geschichte lehre, dass solche Lebensführung die richtige sei. Er hat wieder ein Jahr lang seine Pilgerfahrt fortgesetzt, aber jetzt ist er müde geworden, denn er fühlt sich vom Osten und vom Süden ent- und getäuscht. Osten und Süden sind geographisch aufzufassen. Der Norden kam für Stefan George als ein Gebiet, in dem er Freunde finden könnte, damals kaum in Frage. In Paris, im Westen, hatte er die ersten Mitstreiter gefunden. Im Osten, in Berlin und Wien, und im Süden, in Spanien und Italien, hatte er vergebens nach Weggenossen Ausschau gehalten. Der Aufschrei dieses Gedichts ist eine Vorahnung des Erlebnisses mit Hugo von Hofmannsthal, mit dem er während des Druckes der «Pilgerfahrten» in Wien im Dezember 1891 zum erstenmal zusammentraf – ein Erlebnis, dessen trüben Ausgang Stefan George während seines ganzen Lebens schmerzlich empfand. – Strophe eins dieses Gedichtes enthält eine Mahnung, Strophe zwei schildert die geistige Verfassung, Strophe drei das weitere Tun in Form des Bildes eines Pilgers, der die Abzeichen der Pilgerfahrt, das heisst des suchenden Weiterwanderns, am Fuss einer heimatlichen Eiche vergräbt, sich von ihnen lossagt und zu einer anderen Fahrt von «fröhlicher» Art rüstet. Das Wort «fröhlich» ist hier höhnisch gemeint, denn diese andere Fahrt führt in das Reich des Algabal, das bereits als das nicht echte Königreich des Dichters in «Mahnung» gekennzeichnet ist. In der letzten Strophe wird das Bild des Pilger-Dichters verinnerlicht. Die in ihm verhaltenen Quellen brechen den von ihm selbst errichteten Damm, suchen gewaltsam einen Abfluss, und er erkennt zu seiner Trauer, dass dieser Weg ihn zum Zerbrechen seiner Leier, dem Aufgeben seiner Kunst, die bisher sein einziger Trost war, führen mag.

«Lass der Trauer» setzt die Gedichte, in denen nach dem ersehnten Ende und inneren Ergebnis der Pilgerfahrten und nach dem Trost durch die Kunst gefragt wird, in einem gemässigten Ton und Tempo fort. Das Gedicht ist als eine Mahnung der Muse an den Dichter gefasst. Sie fordert ihn auf, das Kleid und die Miene der Trauer abzulegen, obwohl sie, die Muse, ihm keinen neuen Trost, das heisst keinen anderen als den bisher schon gewährten Trost durch die Kunst, versprechen könne. Sie macht ihn darauf aufmerksam, dass er so tief in Leid versunken sei, dass jeder neue Trost beinahe als Verhöhnung von ihm aufgefasst werden würde. Dass er in einer solchen Stimmung ist, beweist sein Gebrauch des Wortes «fröhlich» in dem vorangegangenen Gedicht. Es habe für ihn keinen Sinn, sich nur dem Gram und der Trauer hinzugeben, während das Fest des Lebens weitergehe. Winter und Sturm hätten nur zeitlich Macht, die das Erblühen der Blumen und das Reifen des Korns nicht hindere. Das Lied, in das er seine Trauer gebannt habe, sei bisher für ihn Spender einer leisen Lust, der Freude am Formen, gewesen. Er solle, um den Draht seiner Leier nicht durch Nichtgebrauch rosten zu lassen und erneut Trost in der Kunst zu finden, nicht mehr sein Leid über nichterfüllte Gegenwart, wie bisher, zu Gedichten formen, sondern Fahrten länger zurückliegender Jahre in Bild und Ton bringen. Hierdurch wird dieses Gedicht zur Einleitung der «Verjährten Fahrten», zu jenem stets eine Ruhestatt bietenden Zurücktauchen in die Vergangenheit, auf das das zweite Sonnett der «Neuländischen Liebesmahle» in Strophe vier bereits hingewiesen hat. Durch das Wort «uns» in dem letzten Vers macht sich die Muse zur Gefährtin seines Schicksals, sie selbst will nicht nur Liebende, sondern auch Geliebte sein, wie sich bereits aus dem «Gespräch» in «Hymnen» ergibt.

36

Das Gedicht «Ihr alten Bilder», das den Beginn der dritten Gruppe darstellt, leitet die Vergangenheit zusammenfassenden Gesänge ein, von denen die ersten vier eine dem damaligen Lebensalter des Dichters nahe liegende Vergangenheit aus den Jahren seines bereits Erwachsenseins umspannen. Die folgenden, unter dem Sondertitel «Verjährte Fahrten» zusammengefassten drei Gedichte schildern als innerlich vierter Teil des Buches eine entferntere Vergangenheit, die bis ins Kindesalter zurückreicht. Im ersten Gedicht verneint er noch, dass er die Kraft habe, die alten Bilder, das heisst, die Erinnerungen an eine Vergangenheit in einem Reich, aus dem er sich jetzt verbannt glaubt, durch Kunst zum Leben zu erwecken. Da ihm andererseits auch das, was er in der Gegenwart als sein wahres Gebiet zu erringen sucht, verschlossen geblieben ist, taucht er in Träume von einer Pracht zurück, die, wie er selbst weiss, verderbnisvoll, nämlich zu artifiziell und deshalb nicht nährend für ihn ist. Das sind Träume verwandt denen in «Mahnung», die zum «Algabal» führen und später in den Kosmikergedichten des «Sterns» neu belebt werden. Hier ist es das Bild einer Frau, die er nicht im Leben traf, aber in früheren Träumen für sich erfand. Durch überstarke Gerüche, nicht durch Rauschmittel, in einen Traumzustand versetzt – man denkt an «Gelbe Rose» – sieht er im Geist eine Frau in einem blauen Wiesental zu einem wie geschliffener Stahl glänzenden, unbewegten See schreiten. Vor ihr flüchten Scharen weisser und rosaroter Reiher. Obwohl die Farben hier nicht durch Beiworte als besonders kräftig geschildert werden, ergeben die Folge und der Ton der Darstellung, dass es sich um überstarke Farben handelt, wie man sie in Morgenträumen zu sehen glaubt. Sie spricht nicht zu ihm, er sieht nur von fern, wie sie gleichsam im Rhythmus einer unhörbaren Musik dahinwandelt. Sie passt die Bewegung ihres langen Gewandes, das zart wie aus Samenflocken der Weide gewebt erscheint, dem Takt ihres Fusses an, indem ihre kunstvoll aufwärtsweisenden Finger die Seidenstränge, die das Kleid halten, heraufgleiten und herabfallen lassen – ein Bild, wie es etwa venezianische Manieristen, so der von Melchior Lechter besonders geschätzte Crivelli, gemalt haben könnten. Dem Dichter erscheint es ein weises Spiel, durch verhüllende Kleidung hindurch die Schönheit ihres Körpers ahnen zu lassen und zu erahnen. In seinem Traum bleibt er mit ihr geistig zum Paar vereint, bis sie hinter blühenden Schlinggewächsen, die Lianen genannt werden, um das Verzehrende der Vision im Bild zum Ausdruck zu bringen, in dem See verschwindet. So behandelt der Dichter ein altes Balladenthema, wie es zum Beispiel in der Sage vom Ritter Stauffenberg und der im See verschwindenden, verlockenden Frau enthalten ist, und gibt seinen Schilderungen von Visionen einen balladenhaften Zug mit Hilfe des neuen Stils.

Eine zweite Traumeinung aus früherer Zeit findet sich in «Neuer Ausfahrtsegen», einem Sonnett, das die Technik der «Neuländischen Liebesmahle» und des Fra Angelico-Gedichtes variiert und bereichert. Es ist die Erinnerung an eine jetzt für ihn schon zurückliegende Zeit, in der er sich in «lichten Schlafen», also in Wachträumen, das Erscheinen der Braut ausmalte. Er glaubte damals zu sehen, dass jene ersehnte Braut als ihr eigner Bote zur Übermittlung ihrer Gefühle eines Tages zu ihm den Weg fände. Dieses von ihm lang erwartete Erlebnis blieb aber ein Traum. Es gelang ihm, die Gier nach «ihr» – hier objektivierend im Gegensatz zur direkten Anrede in Strophe eins und im dritten und vierten Vers der zweiten Strophe gebraucht – zu ersticken und fast Frieden in Entsagung zu finden. Da fühlte er ihr Auge noch einmal auf ihm ruhen. Dem Wortlaut nach könnte es sich um ein tatsächliches Zusammentreffen handeln. Wahrscheinlicher ist jedoch, dass trotz Gegenwärtigkeit der Schilderung, die hier Kunstmittel ist, um seine Erregung zu motivieren, dieses Treffen wiederum nur in seinem Traum stattfindet und dennoch die Kraft hat, seinen inneren Frieden zu stören. Er ruft sie selbst als Richterin darüber an, ob das Treffen als Gunst oder Ungunst des Schicksals anzusehen ist. Der Anruf ist in die Form einer zu verneinenden Frage gekleidet, die die beiden ersten Strophen, die das Erlebnis wiedergeben, abschliesst. Die Folgen der neu einsetzenden Unrast werden gleichfalls als Erinnerung in den beiden Schlusstrophen des Sonnetts geschildert. Der Dichter nimmt im Traum Zuflucht zur Andacht in einem von ihm ersonnenen Dom, mit erdachten Riten wendet er sich zum Hauptaltar – er ändert dieses Wort in «Mittelthron» ab – vor dem auf goldnem Dreifuss Harz, also Weihrauch, und Santel (Sandelholz) verbrennen, hört sich selbst ein Lied singen, das schallt, als erklänge es zu Orgelbegleitung, und wünscht, sein eignes Blut verströmen zu lassen, das zum Salböl für ihn werden soll. Er zweifelt, ob er jemals die Kraft haben wird, wieder die Pilgerfahrt zu seinem wahren Ziel aufzunehmen, und weiss nicht, ob er die abgelegten Abzeichen seiner Pilgerfahrt wieder finden und nochmals antun kann. In dem Gedicht «Schweige die Klage» hatte er sie, da sie für ihn keine lebendige Bedeutung mehr hatten, am Fuss einer Eiche vergraben. Das Gedicht endet ähnlich – wenn auch getragener, um die Form des Sonnetts nicht zu brechen – wie «Schweige die Klage».

Das Zurückdenken an jene Zeit wird in dem Gedicht «Dass er auf fernem Felsenpfade» in Schilderung eines wandernden Mannes objektiviert und zum Bild zusammengefasst. Die erste Strophe ist als Ausruf gedacht und deutet auf den sehnlichen Wunsch des Dichters nach Ruhe, Sammlung, Kraft und Gelassenheit am Ende jener Periode seines Lebens, in die ihn gestaltendes Erinnern zurückversetzt. Sie ist jambisch gehalten, während das Tempo der zweiten Strophe, trotz gleicher Anzahl der Hebungen, durch Gebrauch von Daktylen rascher und erregter wird, da glaubhaft gemacht werden soll, dass und warum er sich bei Nacht in einem Moor verirrt und durch die Lockung einer im Dunkel bläulichweiss erscheinenden Lilie, die als Bild für ein jugendliches menschliches Wesen dient, seinen Weg verloren hat. Hier benutzt der Dichter wieder das dramatische Präsens und versucht, im Hörer die Jamben der letzten Strophe durch kurze, gleichmässig gebaute Sätze verklingen zu lassen. Die Blütenblätter sind von oben als Flügel gesehen, die sich für das Auge mitten im Kelch der Blüte belebt zu bewegen scheinen. Die Bezeichnung als Flügel soll das sonst nicht verknüpfte Bild des bösen, den Tod bringenden Engels einleiten. Der «gute» Weg bedeutet einen dem Dichter gemässen, zukommenden Weg und ist nicht moralisch gemeint. Das letzte Bild des ersten Gedichtentwurfes wurde später fortgelassen, da das Hinzufügen des Einzelzugs die Gewichtverteilung beeinträchtigt hätte.

Die Erinnerungen an Erlebnisse der näheren Vergangenheit schliessen mit dem Bild der Frau im Garten, in dem ein Seelenzustand indirekt durch Schilderung eines äusseren Vorganges festgehalten wird. Es handelt sich bei dem Bild dieser Frau nicht um eine Darstellung einer existierenden oder erträumten Gefährtin, sondern um eine Spiegelung der Seelenlage eines bestimmten weiblichen Typus. Der Dichter erinnert sich an eine Frau, die am frühen Morgen, an dem der Kies feucht von Tau ist, aus der mit blauer Klematis berankten Tür «ihres» Heims tritt und durch «ihre» Nelken, Astern und Reseden des in üppiger Blüte gedachten Gartens wandelt – alles dies sind heimische Blumen, die im Werk des Dichters wiederholt wegen ihres Dufts oder ihrer Farben erwähnt werden. Die zwei letzten Verse der zweiten Strophe enthalten die Folge der Gedanken der Frau, die sich bisher schöner als alle Blumen dünkte, in der Frage, ob die Blumen trotz eigner Schönheit sie noch immer als Königin in diesem Reich anerkennen. Sie hat den Eindruck, dass die Blumen diese Frage nicht bejahen. Ein flatterndes Band an ihrer Kleidung reicht hin, um die Schmetterlinge aufzuscheuchen. Die Wedel der zwei fremdländischen Palmen in diesem heimischen Garten zucken im Morgenwind, als wollten sie die Frage der Frau verneinen. Sie selbst geniesst nicht mehr voll ihre Anmut und die des Gartens, denn sie fühlt plötzlich mit Verdruss, dass die Blumen nur zum Blühen und nicht zum Anerkennen menschlicher Schönheit geschaffen sind. Vielleicht soll hier unfruchtbare Schönheit eines verwöhnten Menschen der fruchttragenden Schönheit der Blumen gegenübergestellt werden. Der Dichter weist darauf hin, dass die Sehnsucht, Frucht zu tragen, in ihm vorherrschend ist, ihm genügt nicht die Wiedergabe des Schönen an sich mit Hilfe der neuen Mittel seiner Kunst.

Entgegen historischer Abfolge sieht der Dichter in «Verjährte Fahrten», die als vierter innerer Teil des Buches gedacht sind, auf eine entferntere Vergangenheit zurück. Im Gegensatz zu den voraufgegangenen Gedichten sagen sie nichts über die Gegenwart aus. Das erste Gedicht dieses Teils gibt Erinnerungen an eine Wallfahrt wieder, die der Dichter als Knabe unternahm und die, wie er mir erzählte, nach Walldürrn in Baden führte. Diese Eindrücke sind, ähnlich wie im «Kindlichen Kalender» in «Tage und Taten», aus der Erinnerung nicht nur sehr genau, sondern sogar in kindlichen Tönen und Worten wiedergegeben. Die Knaben wanderten unter für sie ernsten Gesprächen und vergrösserten vor sich selbst in Gedanken insgeheim kindliche Verfehlungen, um in der Wallfahrtskirche, deren Türme nach einem ihnen sehr lang erscheinenden Weg endlich sichtbar wurden, Vergebung voll geniessen zu können. Er und mit ihm die andern erreichten am Abend die Kirche und verrichteten kniend ihre Gebete vor dem Bild des Erlöserkindes, das damals, dem Gedankenkreis der eignen Jugend dieser Beter entsprechend, ihnen näher stand als das Bild der Mutter Gottes. – Der Dichter betonte im Gespräch, dass die Verehrung der Madonna erst tausend Jahre nach Einführung der christlichen Religion voll aufgenommen worden sei. Er glaubte, dass in der einfachen Klarheit junger Seelen noch heute die Verehrung des Erlöserkindes der Anbetung der Mutter Gottes vorausgehe, da das Individuum in sich selbst den ganzen Gang der Entwicklung der Kirche zu durchleben habe.

Das zweite Gedicht enthält die Erinnerung an Gedanken des Dichters beim Besuch von Aranjuez auf seiner spanischen Reise im Spätsommer 1899. Das Schloss und der Inselgarten lagen verödet in einer fieberschwangeren Atmosphäre. Die Kultur, die jene Anlagen geschaffen hatte, war untergegangen, ihre Träger: Könige, Adlige und Priester waren geflohen, wie der Dichter es ausdrückt. Vergebens sehnte er sich in solcher Umgebung, einer Verkörperung jener Zeit, die vielleicht sein Wollen besser als die heutige verstanden hätte, zu begegnen. Und er malte sich aus, dass ihm, dem Fremden, ein junger Prinz, wie er im Infantenbild in «Hymnen» geschildert war, bekleidet mit einem blauen Sammetwams und Schuhen aus feinem Saffianleder, plötzlich aus den Taxushecken, den Eiben des Wegrandes entgegenkommen könnte, deren Blätter giftig sind und die dadurch den Eindruck der Fieberhaftigkeit und Unwirklichkeit der Szenerie vermehren.

Das dritte Gedicht der «Verjährten Fahrten» ist eine Erinnerung an eine nächtliche Eisenbahnfahrt, die ihn, wie der Dichter mir sagte, über die Alpen nach Italien gebracht hatte. Er fuhr vom Winter in den Frühling. Er sucht jetzt den besonderen Rhythmus der Fahrtbewegung dadurch einzufangen, dass er antithetisch von «raschen»

Rädern, die die Eisenbahnwagen «schleppen», spricht. – Einmal er-
örterte er die Frage, ob und wie es möglich sei, den Rhythmus heutiger
Transportmittel im Gedicht wiederzugeben, und kam zu dem Schluss,
je schneller eine Bewegung sei, desto schwieriger werde es, sie innerhalb eines Gedichts glaubhaft darzustellen. – Das gleichmässige Rollen
der Räder, das ihm Nähe des Frühlings verhiess, machte ihn damals
rasch die Trennung vergessen. Seine Gedanken, die wie der Zug in
Bewegung blieben, liessen ihn spät und wenig Schlaf finden. Dass es
sich in dem Gedicht um eine Erinnerung handelt, wird durch die
Worte «ich weiss» deutlich. Er glaubte, einen Blick in eine ihn erwartende Wunderwelt zu tun, als er beim Sinken der Morgennebel
Eisblumen an der Fensterscheibe des Eisenbahnabteils erblickte, die
ihn an Pflanzen erinnerten, die, in der Natur in sehr verschiedenen
Gegenden wachsend, hier gleichsam durch Kunst zu einem seltsamen
Gesamt vereint schienen. – Der Dichter suchte über den von ihm besonders heftig empfundenen Schmerz jeder Trennung möglichst rasch
hinwegzukommen. Deshalb wünschte er zum Beispiel nicht, dass man
bei seiner Abreise bis zur Abfahrt des Zuges auf dem Bahnsteig wartete.

Klarer als in dem Inselgarten-Gedicht wird die Ahnung vom Kommen des Traumgefährten, den er bald darauf im «Algabal» Gestalt
werden lässt, in den Strophen ausgedrückt, die mit den Worten «Beträufelt an Baum und Zaun» beginnen. Dieses als Überleitung bereits
abgesonderte Gedicht, mit dem der fünfte innere Teil des Buches anfängt, braucht nicht mehr als eine Erinnerung angesehen zu werden.
Es ist eine Vision und als solche geschildert, wobei zu beachten ist,
dass das Festhalten jeder Vision mit Hilfe der Erinnerung erfolgt.
Doch ist die Vision hier so gegenwärtig geschildert, dass das Gedicht
als Überleitung zum Algabal-Kreis wirkt und die Tendenz dieses
letzten Teiles der «Pilgerfahrten» auf Wiedergabe von Gegenwart und
Zukunft gerichtet ist. Die Vision erfüllt den Wunsch, der im Inselgarten-Gedicht laut geworden, aber vordem unerfüllt geblieben ist:
das Zusammentreffen mit einem Gefährten, der als sehr jung gesehen
wird, da Erfahrung den Dichter bereits gelehrt hat, dass der wahre Begleiter für ihn unter den Gleichaltrigen und Älteren nicht gefunden
werden kann – eine Erkenntnis, die später im «Stern» begründet
wird. Die Sehnsucht nach einem männlichen Gefährten war schon im
«Prinz Indra», dem frühesten der erhaltenen Gedichte Stefan Georges,
laut geworden und hatte Bestätigung in der Legende «Der Schüler»
gefunden. In «Hymnen» spielt das Suchen nach einer Gefährtin die
Hauptrolle. Erst im zweiten Gedicht der «Verjährten Fahrten» ist es
ein Knabe, der als Begleiter ersehnt wird. – Das Wort «sprock», für
das Grimms Wörterbuch diesen Vers als Beleg zitiert, bedeutet spröde.
In dem Garten, dessen herbstliches Bild in der ersten Strophe gegeben

wird, naht dem Dichter, der sich hier als «Namenloser» bezeichnet, ein Knabe, nicht im blauen Sammetkoller eines spanischen Infanten, sondern im zeitlosen Kleid von mattblauer Farbe, die der Dichter besonders liebte und als Hauptfarbe in seinem Arbeitszimmer in Bingen sowie später im Kugelzimmer in München benutzte, ein Knabe, der eine Verkörperung der Landschaft und zugleich des Traums des Dichters ist. Sie treten gemeinsam, wie Geschwister im Märchen, den herbstlichen Gang an, ohne dass die Hoffnung, das wahre Ziel zu erreichen, lebendig und erfüllt wird.

Im Schlussgedicht des Buches spricht der Dichter, wie sein Heliogabal gesprochen haben könnte, als er vergebens nach einem Monolithen suchen liess, der gross genug gewesen wäre, um, zu Ehren des Sonnengottes, eine innen ersteigbare Säule daraus zu meisseln. Die Spange, die als Symbol für das geplante Kunstwerk, das Buch «Algabal», benutzt wird, sollte aus heimischem, kühlem Eisen als ein glatter, fester, einfach gerader Streif gegossen werden, der Dichter fand aber in seinem Land kein brauchbares Material, womit hier ein tatsächliches Erlebnis gemeint ist. Deshalb giesst er die fibula, die Spange, die nach Dio Cassius in der Antike zum Zusammenhalten sehr verschiedener Dinge diente, aus dem in seiner Heimat selten vorkommenden Material des Goldes in Form einer fremdländischen, grossen, mit Edelsteinen verzierten Blütendolde, die er somit von vornherein als ein Phantasiegebilde, als nur in der Vorstellung bestehend, kennzeichnet.

«Hymnen» und «Pilgerfahrten» enthalten in verhältnismässig wenigen Gedichten alle Elemente des neuen Stils und der geistigen Probleme, die den Dichter nicht nur damals, sondern zeit seines Lebens beschäftigten. Eine solche Zusammenballung in den frühsten eignen Werken findet sich nicht selten gerade bei grossen Künstlern, sie ist charakteristisch für die Taten einer Jugend, die, wenn sie überhaupt ihr Schweigen bricht, alles, was auf ihr lastet, möglichst auf einmal zum befreienden Ausdruck zu bringen und Hindernisse im Sturm zu nehmen strebt. Das macht diese Gedichte und besonders ihren inneren Zusammenhang oft schwerer verständlich als die späteren Werke, bei denen der Bau durch ein nachträgliches Ausfüllen etwaiger Lücken vom Dichter selbst ergänzt oder vereinfacht wird. Andererseits strahlt gerade der Reiz echter, tastender Jugend aus diesen zwei Büchern, und zwar selbst dort, wo nicht der freudige, sondern der schmerzliche Ton der neuen Dichtung stärkeren Klang hat.

ALGABAL

Der Gefährte, den der Dichter in seinem Geist für sich erschafft, da er ihn im Leben nicht gefunden hat – die Enttäuschung über das Hofmannsthal-Erlebnis im Winter 1891/92 mag hierbei mitgewirkt haben – trägt einzelne Züge des römischen Kaisers Heliogabalus, dessen mehr klingend geformte, auch historisch belegbare Namensform den Titel für das Buch abgab. Es erschien 1892, ohne Aufschrift und Widmung, die erst der öffentlichen Ausgabe für 1899, und zwar zurückdatiert, beigegeben wurden.

Nach antiken Quellen war Heliogabal ein Enkel der Julia Maesa. Sie war eine Schwester der mit Septimius Severus verheirateten Julia Domna und hatte aus ihrer Ehe mit Julius Avita, nach Dio Cassius' Bericht, zwei Töchter, von denen eine namens Julia Soaemias, nach Dio Cassius, mit Varius Marcellus oder, nach Aelius Lampridius, der als Verfasser des Heliogabal behandelnden Teils der Historia Augusta gilt, mit Antoninus verheiratet war. Heliogabal war der im Jahre 204 n. Chr. geborene Sohn der Julia Soaemias, er wird von Dio Cassius Avitus und von Lampridius Varius genannt. Lampridius behauptet, dass der wahre Erzeuger dieses Sohnes nicht bekannt sei. Varius Avitus lebte in frühster Jugend an Caracallas Hof in Rom und nach dessen Tod zusammen mit seiner Mutter und seiner Grossmutter, die die Tante Caracallas war, in Emesa, der heutigen Stadt Homs in Syrien. Dort war er als Knabe Priester des Gottes Elagabal, der in Gestalt eines schwarzen, konischen oder bienenkorbförmigen Monolithen verehrt und von Griechen und Römern als Sonnengottheit angesehen wurde, woraus sich die Abänderung des Namens Elagabal in Heliogabalus, den Varius Avitus als Kaiser führte, erklärt.

Die zweite Tochter der Julia Maesa, namens Julia Mamaea, heiratete nach Dio Cassius den Gessius Marcianus und hatte von ihm einen um 208 n. Chr. geborenen Sohn Bassianus, der von seinem Vetter, dem kinderlosen Heliogabal, auf Betreiben der Grossmutter beider später adoptiert und zum Cäsar gemacht wurde. Nach Algabals Tod wurde er als Alexander Severus zum Kaiser erhoben.

Da die Soldaten mit der Herrschaft des Kaisers Macrinus (217–218 n. Chr.) unzufrieden waren, gelang es Julia Maesa, ihren Enkel Varius Avitus durch die dritte Legion, die bei Emesa stand, auf den Thron erheben zu lassen, indem sie, nach Dio Cassius' und Herodians Be-

43

richten, behauptete, Varius Avitus sei ein Sohn des bei den Soldaten beliebten Caracalla (211–217 n. Chr.), dem er als Kind ähnlich gesehen haben soll. Julia Maesa benutzte auch das in ihrer königlichen Familie erbliche Priesteramt des Gottes Elagabal und die Schönheit des Knaben, um die Soldaten zu rühren. In der entscheidenden Schlacht, die nach Dio Cassius am 8. Juni 218, und zwar etwa 180 Meilen von Antiochia entfernt, wie Lampridius sagt, stattfand, kämpfte Varius Avitus im Alter von etwa dreizehn Jahren zu Pferde mit ungewöhnlicher Tapferkeit. Macrinus wurde besiegt und auf der Flucht getötet. Varius Avitus nahm als Kaiser den Namen seines Gottes Elagabalus an, liess den schwarzen Monolithen nach Rom schaffen, dort zwei Tempel für seinen Gott bauen und beabsichtigte, ihn zum höchsten aller Götter zu erheben, indem er deren wertvollste Embleme in den Tempel des Elagabal zu schaffen suchte. Er bestieg den Thron im Jahre 218 n. Chr., kam in Rom in der ersten Hälfte des Juli 219 an und wurde am 11. März 222 von seinen Soldaten erschlagen.

Der Dichter hat die Berichte der Historiker Dio Cassius, Herodian und Lampridius, wie er erzählte, benutzt, aber in sehr freier Weise umgestaltet. Es ist möglich, dass er zuerst auf Algabal durch J. K, Huysmans Roman «A Rebours» aufmerksam gemacht worden war. in dem der Autor auch vom Leben Algabals spricht. Dieser Roman, der bereits 1884 erschienen war, hatte in Frankreich als betonte Abkehr vom Naturalismus grosse Berühmtheit erlangt, Barbey und Zola hatten Kritiken über ihn geschrieben, und es war auch bekannt, dass die Hauptperson des Buches, des Esseintes, Züge des Königs Ludwig II. von Bayern trug, dem Stefan Georges Aufschrift gilt, ohne dass der Dichter ihn persönlich gekannt hat. Er hat übrigens weder Huysmans noch Oscar Wilde, der angeblich durch «A Rebours» zum Roman «The Picture of Dorian Gray» inspiriert worden war, persönlich gekannt. Er sah von fern, wie er mir erzählte, einmal Wilde im Wagen durch den Bois de Boulogne fahren und an einem anderen Tag Lord Douglas im Büro des «Mercure de France» warten. Alfred Schuler hat den Dichter nicht auf den geschichtlichen Heliogabal aufmerksam gemacht, ihn hat Stefan George, ebenso wie Klages, erst im Laufe des Jahres 1893 kennengelernt, während «Algabal» bereits 1892 erschienen war.

IM UNTERREICH

«Algabal» zerfällt äusserlich in drei Teile, doch sollen nach der Druckanordnung das Anfangs- und das Schlussgedicht als Sonderteile angesehen werden, so dass innerlich auch hier wieder fünf Teile zu scheiden sind. Die vier Gedichte, die den Obertitel «Im Unterreich» tragen, beschreiben die Bauten Algabals und lassen des Kaisers Gedanken nur in den Schlusstrophen laut werden. Dass der Kaiser sich ein Reich unter der Erde oder unter dem Wasser erbaut hätte, wird von keinem der Historiker berichtet. Wohl aber betonen sie des Kaisers Vorliebe für starke Farben, die zum Beispiel darin zum Ausdruck kam, dass er Sommerfeste in grüner, blauer oder glasfarbener Gesamttönung veranstaltete. Seine Vorliebe für Gold, Edelsteine und Perlen wird von den Historikern vermerkt. Doch stimmen die Namen der von ihnen genannten Edelsteine, soweit sie identifizierbar sind, nicht völlig mit den vom Dichter bezeichneten überein, da Stefan George im wesentlichen auf Farbe und Klang der Worte abstellt. Die Schilderungen haben eine entfernte Ähnlichkeit mit Haschisch-Träumen von Sälen und Gemächern in Baudelaires «Les Paradis Artificiels».

Das erste Gedicht dient generell als Einführung. Der Bau, den der Kaiser unterhalb eines prunkvollen Palastes für sich allein errichtet (man denkt an die Bergschlösser Ludwig II. von Bayern), zeigt die geheimnisvollen Farben und Formen von Bereichen unter dem Meer, die die Phantasie des Kaisers stärker anziehen als Landschaften am Strand, die im Licht des Tages liegen. Dieser Bau mit Häusern, Höfen, Hügeln, Brunnen und Grotten ist im «strahlenden Rausch», wie gewisse Handzeichnungen Baudelaires, konzipiert. Die Worte «die einen» und «jene» in der dritten Strophe beziehen sich grammatikalisch auf die zuletzt genannten Grotten und beschreiben sie teils als schneeweiss, teils als metallisch bunt schimmernd von Juwelen, die im Schein niemals verbrennender Kerzen wie Tropfen aus den Wänden herausquellen. Künstliche Wasserläufe rinnen mit wechselnden Farbtönen von künstlichen Hügeln – ein ähnliches Bild erscheint im neunten Gedicht des «Vorspiels». Auf künstlichen Seen schaukeln Nachen, die nicht mit Rudern bewegt werden, sie tragen und übermitteln das Wissen, die Erinnerung an die Gefahren des Meeres mit seinen hohen Wellen, Riffen mit Korallenarmen und Schiffe verschlingenden Wirbeln. In ähnlich weiter Weise war das Verbum «wissen» schon in der dritten der «Verjährten Fahrten» gebraucht worden. Die Präposition «bei» wird mit dem Akkusativ verbunden, ein Gebrauch, für den sich der Dichter auf Goethes Satz in der «Italienischen Reise» berief: «Heute bin ich bei Filangeri gegangen.» – Nicht immer, nur zu Zeiten ist diese Schöpfung dem Kaiser genehm, in ihr waltet sein Wille allein, da sogar Licht und Klima von ihm bestimmt werden. Von einem aus sich selbst entstehenden unterirdischen Licht ist auch in Poes Novelle, «The Fall of the House of Usher», die Rede, deren von Béranger stammendes Motto, wie im voraus erwähnt werden mag, durch die Worte:

«Son cœur est un luth suspendu,
Sitôt qu'on le touche il résonne»

an Stefan Georges zwei allein englisch konzipierte Verse erinnert, die er verdeutscht ins «Jahr der Seele» aufnahm.

Im zweiten Gedicht wird eine Einzelheit des Baus, der gelbe Saal, geschildert. Gelb, nach mattem Blau, könnte man als die zweite Lieblingsfarbe des Dichters bezeichnen, der oft die Heiligkeit der gelben Farbe im Buddhismus betonte und auf das Safrangelb des langen Gewandes des Dionysos verwies. – Die Möbel im Arbeitszimmer in Bingen und im Kugelzimmer in München waren aus unpoliertem gelbem Holz mit mattblauem Bezug gefertigt. – Ein Bild der Sonne, den Gott Elagabal darstellend, ist unter Sternen in der flachen Kuppel sichtbar. Gelbe Topaze, die die Historiker nicht erwähnen, gleiten, gemischt mit den von den Geschichtsschreibern genannten gelben Bernsteinkernen, rasch wie Blitze und unaufhörlich aus einer Öffnung, die einem Brunnen gleicht, man könnte dabei an ein ähnliches Bild im Einleitungsgedicht zu «Traumdunkel» denken. Im Erstdrucke dieses Gedichts hiess es anstatt «In Blitzen», «Nach Ohmen», wobei Ohm ein Flüssigkeitsmass, das oft für Wein benutzt wurde, bedeutet. – Unverzierte Goldplatten in der Form flacher römischer Ziegel sind als Spiegel an den Wänden des Saales aufgestellt, dessen Boden gelbe Löwenfelle – alles dies findet sich bei Geschichtsschreibern nicht – bedecken. Aus dreitausend schweren Urnen – Lampridius erwähnt solche Urnen aus Silber – strömt ein Dreiklang des Duftes vom Weihrauch, dem Öl der Zitronenschale und Amber, worunter nicht die im Altertum unbekannte Ausscheidung eines Wals, sondern Styrax (Benzoë), das Harz des in Syrien wachsenden Baumes Liquidambar orientalis, zu verstehen ist. Der Geruch dieser gelblichen Stoffe, den der Dichter gleichfalls als gelb empfindet, soll im Zusammenklang den Eindruck der gelben Gesamtfarbe verstärken. Zusammenfassend wird dieser Prunk als «stechend grelle Weltenkrone» bezeichnet, sie ist strahlend genug, um jeden Sterblichen mit Ausnahme des Kaisers zu blenden. Algabal will, wie andere religiöse Erneuerer, zum Beispiel Amenophis IV und Julian Apostata, die Sonne, da sie die das Leben auf der Erde erhaltende Macht ausserhalb der Erde ist, zur obersten Gottheit machen. Vielleicht will der Dichter auch durch solchen unterirdischen Bau eine Verbindung des Sonnengottes mit dem Mutterreich andeuten, dessen Wiederentdecker Bachofen später durch Wolfskehl und Klages – und zwar, wie Wolfskehl mir sagte, gleichzeitig und unabhängig voneinander – der Vergessenheit entrissen wurde.

Der zweite Saal zeigt Weiss in allen Schattierungen. Säle mit verschiedenen Grundfarben kehren im «Verwunschenen Garten» wieder. Das Dach ist aus Glas, die Täfelung der Wände aus sehr hellem Zedernholz, die dreissig Pfauen – wieder wird die Drei als Grundzahl benutzt, über die Stefan George sagte, dass sie als erste Kombination der männlichen Eins und der weiblichen Zwei wichtig sei – sind als weisse Pfauen beschrieben. Hadrian soll einen berühmten Bronzepfau nach Argos gestiftet haben. Elfenbein, weisse Opale, Diamanten, Alabaster, Bergkristall und Perlen, Naturprodukte, die übrigens nicht alle im Altertum bekannt waren, werden als weisse Materialien vom Dichter zusammengestellt. Später dichtete Stefan George den «Weissen Gesang» in dem «Jahr der Seele». – Gebleichte Felle bedecken den Fussboden wie Schnee, ihre helle Weichheit erinnert, von oben her gesehen, an Wolken. Lampridius erwähnt Daunen, die sich unter den Flügeln des Rebhuhns finden, als Kissenfüllung, nicht aber die schon in der Antike wegen des Farbenspiels geschätzten Pfauenfedern. Perlen wurden nach Lampridius von Algabal in Speisen gemischt. Murra-Stein, nach heutiger Auffassung ein Flusspat, war nach Lampridius von Heliogabal zu einem Zweck benutzt worden, der sehr verschieden von dem ist, den der Dichter diesem Stoff zukommen lässt. Er lässt die Kugel, mit der Algabal als Kind gespielt hat, aus Murra geschnitten sein und schildert dessen Rührung, als er als Kaiser diese Kugel im weissen Saal wiederfindet, eine Rührung, die so tief geht, dass der Kaiser an jenem Tag sich von sonst gewohnten Freveln freihält. Dies ist nicht historisch, vielmehr eine Folge der den Dichter in Werk und Leben schon in jungen Jahren bewegenden Rückerinnerung an Zeiten seiner eignen frühen Kindheit.

Im letzten Gedicht dieses Teils wird ein Garten geschildert, in dem alles auf Schwarz und Grau abgestellt ist, eine Färbung, die unvermischt bei Naturblumen nicht vorkommt. Kohle und Lava werden genannt, um optisch den Eindruck solcher Künstlichkeit wachzurufen. Das Licht wird, in möglichst grosser Annäherung an Schwarz, als unveränderlich grau bezeichnet. Der schwere Duft von Mandelöl – Novalis spricht von des Mandelbaums Wunderöl in den «Hymnen an die Nacht» – liegt über den Beeten, auch die Vögel sind in diesem Garten nicht lebendig. Bei den Historikern wird nichts hiervon erwähnt. Der Dichter will durch diese Schilderung den in der letzten Strophe ausgedrückten Wunsch des Kaisers, die wahrhaft schwarze Blume in Natur hervorzubringen, motivieren. Dieses Streben ist übrigens bei Gärtnern aller Zeiten bis auf den heutigen Tag nachweisbar, wenn sie die wirklich schwarze Tulpe oder Rose zu züchten suchen, um der Natur eine ihr entgegengesetzte Blumenfarbe abzuzwingen und sie dadurch gewissermassen zu überwinden. Zugleich benutzt der Dichter die schwarze Blume als ein Symbol für Algabal, das bewusst der blauen Blume, dem Symbol des schweifenden Sehnens der Romantik, entgegengestellt wird.

TAGE

In den folgenden Gedichten, die «Tage» betitelt sind und den äusserlich zweiten Teil des Buches bilden, werden Ereignisse aus dem Leben des Kaisers geschildert, die entweder vom Dichter völlig erdacht sind oder Berichte der Historie entscheidend verändern. An einem frühen Morgen, an dem die ersten Sonnenstrahlen die mit Kupfer beschlagenen Giebel des Palastes – sie sind nicht historisch – treffen und der mit dunkelgrünem Basalt ausgelegte Hof, der gleichfalls nicht historisch ist, noch die Kühle der Nacht bewahrt, füttert der Kaiser seine Tauben mit Hirse, einem im Altertum zum Herstellen von Brot benutzten Getreide. Lampridius berichtet zwar nicht von Algabal, aber von Severus Alexander, dass er Tauben in besonders grosser Zahl gehalten habe. Algabal trägt ein Gewand, dessen blaue Farbe die Verbindung mit dem vorletzten Gedicht der «Pilgerfahrten» herstellt. Es wird als aus Sererseide gefertigt geschildert, und Stefan George sagte, er habe dabei an Seide gedacht, die aus China für den Kaiser nach Rom geschafft worden sei. Bei Lampridius, der von kostbaren Togen des Kaisers aus Gold- und Purpurstoffen, mit Edelsteinen besetzt, berichtet, bedeutet das Wort sericus: «aus einem Gemisch von Seide mit Wolle oder Leinen bestehend», während «rein seiden» holosericus heisst. – Der Dichter stellte sich das Gewand mit Silberhülsen benäht vor, die als Fassung für Sardonyx und Saphir – dies ist vielleicht der Hyacinth der Alten – dienen und zugleich den Saum bilden. Es ist als ein für Römer ungewöhnlich langes Gewand gedacht, wie denn Dio Cassius sagt, Algabal habe die Soldaten in Emesa dadurch besonders beeindruckt, dass er sich ihnen im langen Ärmelgewand des asiatischen Priesters gezeigt habe. Der Dichter lässt im Gegensatz zu Herodian den Kaiser keine Armreifen tragen. – Stefan George erzählte lachend, dass Karl Wolfskehl einmal gesagt habe, in späteren Zeiten würden vielleicht Lehrer ihre Schüler fragen: «Wo trug Algabal kein Geschmeide ?» – Der Lyder, der plötzlich aus den Säulen des Palasthofes biegt, tötet sich selbst, weil er fühlt, dass sein unvermutetes Erscheinen den Kaiser erschreckt hat. Er ist ein Sklave aus einem Land, dessen Bewohner in der Antike als besonders schön und sanft galten. Der Kaiser weicht zuerst mit fast höhnischer Gebärde, den Sinn dieses Selbstopfers noch nicht begreifend, vor dem Blut, das sich zur roten Lache am dunkelgrünen Boden aus Basalt sammelt, und vor dem Leichnam zurück. Dann aber erkennt er die Tat als Beweis bedingungslosen Dienens an und verewigt des Sklaven Namen, indem er ihn in den Pokal, aus dem er seinen Abendtrunk zu nehmen pflegt, eingraben lässt. Aus dem Algabal-Gedicht in «Gestalten» wird klar, wie sehr das Problem der geheimen Verknüpfung so verschiedener Seelen durch Herrschaft und Dienst den Dichter auch noch später beschäftigte. Das Motiv des Eingrabenlassens eines Namens in den Abendpokal ist von Hofmannsthal als Huldigung für Stefan George in «Oedipus und die Sphinx» nochmals aufgenommen worden.

Das zweite Gedicht, das Alfred Schuler besonders schätzte und für Stefan George mit Goldschrift auf angeblich echt antiken Purpur niederschrieb, schildert eine Feier in dem nach Osten gerichteten Tempel des «grossen Zeus», der hier des Kaisers Gott Elagabal und nicht der Zeus der Griechen ist. Er wird vom Dichter so benannt, weil Algabal versuchte, dieses Gottes Macht dadurch zu erhöhen, dass er ihn in enge und auszeichnende Verbindung mit allen bisher im römischen Reich verehrten Göttern zu bringen strebte, zum Beispiel mit Vesta vermählte. Deshalb wird auch das Tempelfest sowohl mit der Würde, mit der Griechen und Römer solche Feiern begingen, als auch mit asiatischem Prunk gefeiert. Verschnittene Knaben streuen Lilien, Narzissen und Silberstaub, wie Lampridius berichtet, zu Füssen des Kaisers, des Hohenpriesters des Gottes. Nur er – dieses alleinige Recht des Kaisers wird im Gedicht dadurch umschrieben, dass «kein Bruder zugegen» sein darf, und «Bruder» nennt er in einem der folgenden Gedichte seinen Vetter Bassianus Alexander – tritt in das Allerheiligste des Tempels vor das Bild, das den Gott doppelgeschlechtlich und mit segnender Gebärde darstellt. Nicht nur asiatische Götter, sondern auch der älteste germanische Gott Tuisto wurden doppelgeschlechtlich gedacht. – Das Streben Algabals, selbst doppelgeschlechtlich zu erscheinen, von dem alle Historiker berichten, beruht auf seinem Wunsch, dieser allmächtig gedachten Form seines Gottes möglichst nahe zu kommen. Aus den Vorräumen des Tempels dringen der Gesang jugendlicher Priester und der Dampf von Weihrauch, Myrrhe und der in Nordindien wachsenden Gebirgspflanze Narde, wiederum ein Dreiklang von Düften, zu dem Bild des Gottes und dem anbetenden Kaiser.

Mit dem folgenden Gedicht beginnt eine zweite Gruppe, in der der Kaiser selbst, ebenso wie im Schlussgedicht von «Im Unterreich», spricht. Es ist aus den Berichten von Dio Cassius und Lampridius bekannt, dass Julia Maesa mit dem Tun ihres Enkels Algabal nicht einverstanden war, ihn vergebens ermahnte, orientalische Sitten und Kleidung abzulegen, und schliesslich Bassianus auf den Thron erheben lassen wollte. Der Dichter erfindet ein Gespräch, in dem der Kaiser die Grossmutter mit «Erlauchte», einer Übersetzung des ihr verliehenen Titels «Augusta» anredet. Wie in dem Gespräch mit der Muse, sind die vorausgehenden Ermahnungen der Julia Maesa nicht wiedergegeben.

Algabal erinnert sie antwortend an die Tapferkeit, mit der er bei
Antiochia seinen Thron erkämpft hat, um zu beweisen, dass er nicht
aus Kraftlosigkeit seine Taten nicht ihrem Wunsch entsprechend gestaltet. Er sagt, er versuche, unberührt von Lob und Tadel der Umwelt, seinen eigenen Weg in den ihm vom Schicksal gesetzten Grenzen
zu gehen, und dieser Gedanke an freies Handeln innerhalb eines
determinierten Kreises ist die Grundlage der Weltanschauung des
Dichters selbst. Der Kaiser nennt seinen Vetter hier Bruder und ver-
wahrt sich dagegen, dass die Grossmutter ihm jenen durch eine dem
kaiserlichen Willen und Tun entgegengesetzte Erziehung zu ent-
fremden versucht. Er schildert sich selbst zwar als friedfertig, jedoch
reizbar und selbstsüchtig genug, Bassianus töten zu lassen, um auf
seiner Bahn ungehindert weiterzuschreiten. Lampridius berichtet,
Algabal habe zweimal Anstalten getroffen, Bassianus ermorden zu
lassen, weil er gefürchtet habe, seinen Thron an ihn zu verlieren.

Ein Fest des Algabal wird im folgenden Gedicht geschildert. Becher
und Geschmeide liegen am Boden, Dirnen und Lustknaben befinden
sich, nach Lampridius' Bericht, unter den Gästen, der Wein wird mit
Ingredienzen versetzt, die ihm einen künstlichen Geschmack geben.
Es wird auch berichtet, dass Rosen bei solchen Festen hernieder-
regneten, und darüber hinausgehend lässt der Dichter den Kaiser
verkünden, dass alle Teilnehmer unter den herniederfallenden Blumen,
deren Farben als Symbole für Stimmungen benutzt werden, beim
Enden dieses Festes auch ihr Ende finden, das heisst sterben sollen.
Vom Ersticken unter Blumen berichtet Lampridius.

Im folgenden Gedicht spricht der Kaiser in einer seiner schlaflosen
Nächte. Lampridius erwähnt Algabals Vorliebe für Seide, weiche
Kissen, goldene Lagerüberzüge und silberne Lagergestelle. Der Dichter
lässt den Kaiser nicht Erzähler von Wundergeschichten, die damals in
Rom als comites insomniae berühmt waren, oder attische Lieder-
sängerinnen, über die geschichtlich nichts berichtet ist, herbeibefehlen,
sondern ägyptische Flötenbläser. Seine Gedanken vor dem Einschlafen
beim Hören der wortlosen Musik der korybantischen Flöte werden in
der zweiten Strophe wiedergegeben. Der Schlaf und die Musen hatten
einen gemeinschaftlichen Altar in Troïzen.

Im sechsten Gedicht der «Tage» spricht Algabal zu sich selbst. Es
ist nicht überliefert, dass er jemals das Volk mit solcher Grausamkeit
und solchem Hass behandelt hätte, wie der Dichter den Kaiser an
Tagen, in denen er am schwersten an seinem eignen Schicksal trägt,
ausweislich der ersten und der zweiten Strophe des Gedichtes fühlen
lässt. Lampridius sagt, Algabal habe Volk und Senat verachtet, im
Circus Spiele von ungeheurem Prunk veranstaltet, Korn an Unwürdige
verteilt, sich, als Maultiertreiber verkleidet, unter das niederste Volk

gemischt – im Gedicht bedeutet das Verbum «passen» «sich ein-schmuggeln» – und Dio Cassius berichtet, dass der Kaiser sich zuweilen wie eine Frau gekleidet und als Frau mit Männern verheiratet habe. Dies sind Fakten, die der Dichter andeutet und vertieft, indem er Al-gabal zu dem Schluss kommen lässt, er habe niemals die Härte der eignen Artung richtig ermessen. Wenn er sich selbst als Frau im Spiegel sieht, wenn er sich dem Ziel der Doppelgeschlechtlichkeit und dadurch seinem Gott näher glaubt, gerät er in einen Zustand überklarer Ruhe und völliger Wunschlosigkeit, wie die letzte Strophe des Gedichtes darlegt.

Sehr verschieden davon sind die Gefühle, die im folgenden Gedicht geschildert werden. Rastlosigkeit treibt den Kaiser durch Bereiche des Grausens, bis er selbst sein Ende findet. Diese Gebiete sind als Land-schaft geschildert und geben Schrecken wieder, die die Seele in Zeiten erleidet, in denen ihr Leben und Handeln so sinnlos erscheinen, wie Algabal es in seiner Anrede an Julia Maesa zum Ausdruck gebracht hat. Wertlos hält dann der Kaiser vor allem einen heroischen Tod in der Schlacht, von der die zweite und dritte Strophe handeln, das Schlacht-feld in Farbe und Form zu einem stark stilisierten Bild vereinfachend, wie Piero della Francesca es gemalt haben könnte. Er glaubt, dass die gefallenen Helden durch nichts andres als die vom Krieg in Brand ge-steckten Fichtenwälder geehrt werden, und vermerkt, dass selbst diese Flammen noch Russ, das heisst Befleckung, verbreiten. In der vierten Strophe wird nicht an der Zahl, wohl aber an der Echtheit der Tränen gezweifelt, die Frauen um die Gefallenen vergiessen. Der Dichter charakterisiert Frauen meist durch Schönheit ihres Haares und oft durch Tränen, bisweilen auch durch ihr Tanzen.

Weder von solchen Gefühlen des Kaisers noch von denen, die im Agathon-Gedicht zum Ausdruck gebracht werden, berichten die Ge-schichtsschreiber. Algabal nennt den – nicht historischen – Agathon Bruder und Genossen, da er an das Bestehen einer inneren Verwandt-schaft zwischen seinem Kaisertum und der besonderen Schönheit des jungen Gefährten glaubt. Er fühlt, dass Agathon, ohne es in Worte zu fassen, durch den Gedanken an das naturgemässe Schwinden seiner eignen Schönheit bedrückt wird. Deshalb lehrt er ihn, es sei sinnlos, sich gegen die Gottheiten des Schicksals aufzulehnen, die durch Widrigkeiten und unabwendbares Altern menschliche Schönheit, nicht ohne eine gewisse Freude am Zerstören des Vollkommenen, tilgen. Als Trost für dieses Leid solle Agathon erachten, dass nur vor ihm der Kaiser den Schmerz darüber äussert, dass der vom Schicksal bestimmte Tod selbst dem stolzesten Herrscher ein unabwendbares Ende setzt. Wer durch Geburt für den Purpurmantel des Kaisertums oder der höchsten Schönheit bestimmt sei, habe nicht mehr das Recht, mit dem Schicksal wegen der Vergänglichkeit so grosser Gaben zu hadern. Das Gedicht leitet die Stellungnahme Algabals zum Problem des Todes ein, von dem die beiden letzten Gedichte der Reihe handeln.

Mitten im äusseren Frieden fühlt der Kaiser im voraus, dass seine Soldaten rebellieren und sich gegen ihn wenden werden. Er legt sich die Frage vor, ob dieses Unheil, das die Sterndeuter – Lampridius nennt sie mathematici – und das Orakel aus den Windungen der Schlangen verkündet hätten, ihm Angst einflösse und ob es Furcht sei, die Todesahnungen in ihm erwecke. Er tröstet sich mit dem Gedanken, dass selbstgewählter Tod ihn dem Toben des Volkes rechtzeitig entziehen werde. Nach Lampridius hielt er verschiedene Mittel zum Selbstmord, zum Beispiel ein besonderes Schwert, Purpurstricke und einen vergoldeten Turm, von dem er sich herabzustürzen plante, ständig in Bereitschaft.

Weshalb der Kaiser den Selbstmord aufschiebt, sucht der Dichter im letzten Gedicht zu motivieren. Es ist die bacchantische Musik der Syrer, die ihn, wie er sagt, verführt, noch im Leben zu verbleiben. Der Klang der von ihnen benutzten Instrumente – nicht alle der hier gespielten sind historisch – tönt in den vom Dichter gewählten Worten, die zugleich die Wirkung der Töne auf den Hörer schildern. Der historische Heliogabal tötete sich nicht selbst. Er wurde, kinderlos geblieben, zusammen mit seiner Mutter von Soldaten erschlagen, man schleifte die Leichen durch Rom, nachdem man die Köpfe abgeschlagen hatte, und warf sie schliesslich in den Tiber.

DIE ANDENKEN

Der äusserlich dritte Teil des Buches ist «Die Andenken» überschrieben und enthält, ebenso wie die dritten Teile der früheren Bände, Rückerinnerungen, diesmal des hier wiederum selbst sprechenden Kaisers. Er wünscht sich im ersten Gedicht in das Knabenalter zurück, in dem er nur in der Phantasie sich ein Reich erbaut und beherrscht, mit Göttern und deren Kindern, der Muse, der Wolkentochter des «Gesprächs», Pläne berät und vor der Wucht der eignen Gedanken in den Übergangsjahren Ruhe in der Natur sucht und findet. Die Tage seiner Priesterschaft erscheinen ihm gross, während die Stunde, in der er den Tempel der Heimat verlassen hat, um Kaiser zu werden, von ihm als arg bezeichnet wird. In seiner Einsamkeit wünscht er in der letzten Strophe, jenen Knaben mit seiner kühnen Blässe, das heisst sich selbst in früherer Form, wiederaufgelebt an seiner Seite stehen zu sehen – eine Spaltung aus Einsamkeit, wie sie schon in andrer Beziehung in der Schlusstrophe des sechsten Gedichtes der «Tage» veranschaulicht war.

In eine noch frühere Kindheit reicht die Erinnerung im zweiten Gedicht zurück, in dem die Zartheit der Gefühle der Kindheit – Erinnerungen an die Kindheit spielen im Werk sehr junger Dichter, zum Beispiel Rimbauds, häufig eine wichtige Rolle – ihre Tränen und Träume geschildert werden. Im dritten Gedicht erinnert sich Algabal an seine Eindrücke in der Zeit, in der er nach dem Sieg bei Antiochia den Thron bestieg. Die Anordnung dieser drei Gedichte zeigt, dass absichtlich auch hier jeder historisch geordnete Rückblick auf die verschiedenen Alter vermieden wird, vielmehr das Sprunghafte und Zufällige von Erinnerungen betont werden soll.

Im dritten Gedicht behandeln Vers eins und zwei der ersten Strophe und die ganze fünfte Strophe das gegenwärtige Leben des Kaisers, die Rückerinnerung an die Zeit seines Sieges über Macrinus ist in den übrigen Teilen als Selbstgespräch enthalten. In der ersten Strophe fordert Algabal sich selbst auf, die Spuren, die das Kaisertum und vermeintliche Schuld in ihm hinterlassen haben, aus seinem Denken zu tilgen und sich an die Tage der Thronbesteigung zurückzuerinnern. Damals fühlte er sich als Kind der Hulden, einer deutschen Bezeichnung für die Chariten, die der Dichter in der abgewandelten Form «Huldin» für Geliebte seiner jüngeren Freunde gern im Scherz verwendete. Es handelt sich hier nicht um Hulden als Geister Verstorbener nach der germanischen Mythologie. – In jenen Tagen glaubte Algabal sich vom Schicksal ausersehen, den Völkern das damals inbrünstig ersehnte religiöse Heil und die an jeder Zeitwende neu zu entfachende Liebesfähigkeit zu bringen, als deren Vermittler in der Antike gerade junge Wesen galten. Vor seiner hervorragenden Schönheit beugten sich selbst die aus der Schlacht zurückkehrenden, rohen Krieger, sie liess ihn den Zeitgenossen als Gott erscheinen, der sie schon beglückte, wenn sie ihn ihren Göttern opfern sahen und sein Gewand ihre Stirnen nur streifte. Lampridius berichtet, dass Heliogabal die persische Sitte der Proskynesis vor dem Kaiser in Rom eingeführt habe. Algabal nennt das Volk «Gehöhnte», weil er seine Untertanen im Augenblick der Rückerinnerung, Vergangenheit und Gegenwart vermischend, verachtet. In der letzten Strophe beschliesst Algabal, sich in einem seinen Gliedern Weisse verleihenden Bad, ehe sein höchster Ruhm, das heisst seine jugendliche Schönheit völlig schwindet, zu schmücken, um noch einmal mit dem Glanz der Hermen wetteifern zu können. Bei Hermen ist hier weder an Hermesfeste der Knaben und Jünglinge, bei denen Ältere nicht zugelassen waren, noch an die zwei dreizehnjährigen Einführer zum Orakel des Trophonius in Lebadeia, von denen Pausanias berichtet, zu denken, sondern an Hermen aus weissem Marmor. Sie wurden an wichtigen Plätzen anfangs nur zu Ehren des Hermes, später auch für andere Götter und schliesslich sogar für Sterbliche aufgestellt und zeigten nur Geschlecht und Kopf, bisweilen in besonders schöner Form. – Dass der Dichter solche Rückerinnerungen dem Kaiser trotz dessen Jugend zuschreibt, deutet auf eine Eigenart Stefan Georges selbst, der, wie schon angedeutet, in weit früherem Alter als andre Bestätigung und Trost in Rückerinnerungen an die eigne Kindheit suchte und fand.

Im vierten Gedicht – alle Gedichte dieses Buches bis auf das letzte, in dem nicht mehr der Kaiser, sondern überleitend zum nächsten Band, der Dichter spricht, sind titellos, um ihre Tragfähigkeit nicht einzuengen – erinnert sich der Kaiser an die Zeit, in der er eine Vestalin zur Gattin nahm. Herodian, Dio Cassius und Lampridius berichten, dass seine zweite Gattin eine Vestalin war. Nach Dio Cassius hatte er seine erste Gattin Cornelia Paula verstossen, weil er an ihr ein körperliches Mal entdeckt hatte – ein Vorfall, dem der Dichter im Schlussvers des Gedichts eine weit reichende Bedeutung für das Leben des Kaisers beimisst. Die Vestalin, die Aquilia Severa hiess, war ihm in ihrem einfachen weissen Wollgewand auf dem Forum durch Schönheit und Haltung aufgefallen. Im Circus, in dem die Vestalinnen besondere Plätze bei Gladiator-Kämpfen hatten, waren es ihre Strenge und Gelassenheit, die er bestaunte. Er hatte sie nach einer rauschhaft kurzen Werbung auf Grund seiner Machtfülle über diese Priesterinnen zu seiner Gattin gemacht und zur Kaiserin erhoben, eine Freveltat, die von den Zeitgenossen nicht nur hingenommen, sondern sogar bejubelt wurde. Aber schon nach kurzer Zeit fühlte er für sich neue Qualen in dieser Verbindung und glaubte, auch an ihr ein Mal, welcher Art wird nicht gesagt, entdeckt zu haben, so dass er sie zum Herd der Vesta zurückschickte, auf dem das Feuer der Göttin von solchen den vornehmsten Familien für eine gewisse Zeit entnommenen Priesterinnen brennend erhalten wurde. Der Dichter erwähnt nicht, dass Algabal, wie Dio Cassius behauptet, sich ihr später, nachdem er seine dritte Gemahlin Annia Faustina verstossen hatte, wieder zuwandte. Nach den Historikern hoffte der Kaiser, mit einer Vestalin als ehrwürdigster Priesterin gottähnliche Kinder zu haben, und dies gibt dem Symbol der Erzeugung der schwarzen Blume eine tiefere und weiterreichende Bedeutung, zumal hier auch der Gedanke an eine Vermählung des Gottes Elagabal mit Vesta mitspielt.

Das fünfte Gedicht knüpft vielleicht an Berichte des Lampridius und des Dio Cassius an, nach denen Algabal schöne, vornehme Knaben seinem Gott geopfert habe. Die antiken Historiker brandmarken als besondere Grausamkeit des Kaisers, dass beide Eltern solcher in ganz Italien gesuchter Kinder am Leben sein mussten. Vielleicht erinnerte man sich aber zur Zeit der Geschichtsschreibung nicht mehr daran, dass im Griechenland der klassischen Zeit Knaben zu kultischen

Zwecken, zum Beispiel als Loszieher, als Priester des Zeus in Aigion und als Verkörperung Apollos nur dann als vollkommen genug herangezogen wurden, wenn ihre beiden Eltern am Leben waren. – Der Dichter deutet den Vorgang völlig um, Algabal lässt als Kaiser einen Knaben und ein Mädchen, die sich, ohne an die Folgen zu denken, begattet haben und unter dem auch in Rom symbolischen Feigenbaum eingeschlafen sind, mit Hilfe des Giftes aus seinem historischen Ring im Schlaf sterben, bevor der ihre Mienen verklärende Traum endet und sie der Bestrafung für ihr Tun durch die Eltern entgegenzusehen haben.

Im sechsten Gedicht geht die Erinnerung des Kaisers wieder weiter zurück zu der Zeit, in der er beinahe noch im Knabenalter stehend, zum erstenmal Leidenschaft zu einem menschlichen Wesen, einer Frau, fühlte, ihren Spuren folgte und dann die Einung mit ihr – dies ist aus dem Inhalt des Gedichtes zu entnehmen – als Zerstörung seines schönsten Traumes empfand. Das knüpft wieder an das erste Gedicht an. Es war in jener Zeit, dass er so tief litt, dass er den Tod als «Erlöser» herbeiwünschte. Er nennt den Tod einen Sohn der Nacht, als solche waren Tod und Schlaf schon von Hesiod bezeichnet und auf der Lade des Kypselos in Olympia dargestellt. Das Wort «neulich» im ersten Vers der zweiten Strophe bedeutet hier nicht «kürzlich», sondern dass er sich jetzt «von neuem» an jene Zeit erinnert. Damals glaubte er an den Tod als erflehten Erlöser, heute, so sagt die dritte Strophe, empfindet er ihn als den fast zu schnell und zu unmerklich – das bedeutet hier das Wort «sacht» – nahenden mythischen Sohn der Nacht und hält ihn nur in «milder Acht», sieht also auf ihn als einen nur trüben Tröster mit einem geringeren Grad von Ehrfurcht als in jenen frühen Jahren.

Im vorletzten Gedicht erinnert sich der Kaiser an Weissagungen, die ihm früh zuteil geworden sind und sich bis zu diesem Augenblick als wahr erwiesen haben. Sie verkündeten ihm unbehebbares Einsam-Bleiben für die Dauer seines Lebens in Voraussagen der Wolkendeuter, den von ihm selbst beobachteten Eingeweiden der Opfertiere und der Flugrichtung der Adler, alles Arten der damals in Rom geübten Zeichendeutung. Die Mutter des Dichters hatte ihm selbst ein einsames Wanderleben bereits in seiner Jugend vorausgesagt. – Algabal wünscht, alle diese Zeichen hätten gelogen. Wie im Gespräch mit Julia Maesa nennt er sich selbst eine «Knospe» und spricht, dieses Bild weiterführend, von einer Lippe einer männlichen Blüte, die sich – in Umkehrung – vergebens nach windgetragenem Nektar einer weiblichen Blüte sehnt. Von der lebenden Blüte – in Anlehnung an Lippenblütler oder Kuckucksblütler – wird wiederum zu dem Leben des Kaisers übergeleitet, der gegenüber solchem Schicksal nichts andres zu tun vermag, als mit Hilfe künstlicher Mittel, wie Betäubung durch Gerüche von Salben und Gewürzen oder durch Rausch von Haschisch und Wein, die Einsamkeit der eignen Sinne zu mildern. So lässt der Dichter – und dies ist bezeichnend für sein eignes damaliges Fühlen – die «Taten» Algabals in den Wunsch, die Natur zu übertreffen, die «Tage» in Gedanken an den Tod und die «Andenken» in Reflexionen über das Einsambleiben gipfeln, das der Kaiser vergeblich durch seelische Spaltung seiner selbst in eine Frau oder in ein Kind und sogar durch Suchen des Widerparts in einer Säule, dem antiken Sitz von Seele und Gottheit, zu überkommen strebt.

Im abgesonderten Schlussgedicht des Buches spricht der Dichter selbst, wenn auch die Geste noch als eine des Kaisers bei einer von Lampridius erwähnten Vogelschau geschildert wird. Die Gedichte und die ihnen zugrunde liegenden Gedanken werden hier mit Schwärmen von Vögeln verschiedener Art verglichen, die zum Teil in der Antike nicht bekannt waren. Ob durch weisse Schwalben, die in hellem und heissem Wind schwebend gesichtet werden, nur auf «Hymnen», in der zweiten Strophe auf «Pilgerfahrten» und in der dritten Strophe auf «Algabal» hingewiesen werden soll, lässt sich aus «Vogelschau» nicht entnehmen, dürfte aber zu schematisch gedacht und deshalb der Denkweise des Dichters wohl zu fern sein. Vielmehr scheint es sich um generelle Symbolisierung von Grundelementen der neuen Dichtung zu handeln, die in jedem einzelnen Gedicht ohne Rücksicht auf Entstehungszeit und -kreis mittönen. – Der Wald der Tusferi ist ein Hain von Weihrauch liefernden Bäumen oder Sträuchern, durch den exotische Vögel heisser Zonen fliegen. Grosse schwarze Raben und schwarzgraue Dohlen hausen, zusammen mit Schlangen, in einem unheimlich düsteren Bereich. Von diesen zwei Bezirken des Wunders und des Zaubers wendet sich der Dichter in der Schlusstrophe zu einer Gegend, in der wieder Schwalben im Wind schwingen, der aber jetzt kalt und klar wie die Luft seiner Heimat ist. Das könnte auf die «Hirten- und Preisgedichte» hinweisen, die mit den Büchern der «Sagen und Sänge und der hängenden Gärten» zu einem Gesamtband vereinigt im Jahre 1895, und zwar noch nicht mit der auf 1894 zurückdatierten Widmung versehen, veröffentlicht wurden.

DIE BÜCHER
DER HIRTEN- UND PREISGEDICHTE,
DER SAGEN UND SÄNGE
UND DER HÄNGENDEN GÄRTEN

Nach dem Aufruhr der Seele in den Algabal-Gedichten ist jetzt die Atmosphäre beruhigt. Der Dichter, der im Herbst 1892 in Paris so schwer erkrankt war, dass er bei seiner Meldung zur Dienstpflicht im Konsulat zum «Landsturm mit Waffe» geschrieben wurde, fand im Frühjahr 1893 in Bingen Genesung und sah die Umwelt mit den Augen eines langsam Gesundenden in neuer Form und Farbe. Die Gedichte dieser Periode haben, wie die Vorrede zur späteren, mit der Widmung versehenen, öffentlichen Ausgabe für 1899 andeutet, nur äusserlich Ähnlichkeit mit antiken Hirtengedichten, und zwar besonders hinsichtlich der Einfachheit des Schauplatzes und der Worte. Dagegen fehlt hier ganz ein sehnsüchtiges Spielen mit erhofftem Glück einfach ländlichen Lebens. Sie sind schlicht in Gedanken und Ausdruck und bedürfen deshalb keiner künstlichen Vereinfachung. Der Band besteht dem Titel nach aus drei Büchern, von denen die ersten zwei schon äusserlich aus je zwei gesonderten Teilen zusammengesetzt sind. Nicht alle dieser Bücherteile sind innerlich in Gruppen von Gedichten untergeteilt. Nach der neuen Art des Sagens in den voraufgegangenen Büchern wird jetzt eine neue Art des Sehens gezeigt.

DAS BUCH DER HIRTEN- UND PREISGEDICHTE

Die ersten drei Hirtengedichte behandeln Empfindungen von zwei Frauen, von denen nur die eine jeweils spricht, wie in den früher gedichteten Gesprächen. Dann folgen zwei Gedichte, die Erlebnisse von Männern wiedergeben, und schliesslich ein Gespräch zwischen Mann und Frau. Das Wort «Tag», das in gleichartiger Zusammensetzung im Titel der ersten drei Gedichte wiederkehrt, bedeutet einen Zeitabschnitt, der hier dadurch gekennzeichnet ist, dass an ihm eine besondere Erkenntnis zum ersten Mal klar oder von neuem empfunden wird. – Das erste Gedicht lässt eine Frau ihr eignes Unglück und das gleiche Unglück der sie begleitenden, schweigsam bleibenden Gefährtin in zarte verschwebende Worte fassen. Vor sieben Jahren, als beide an einem bestimmten Tag am Brunnen Wasser holten, hatten sie gehört, dass ihre Verlobten zu gleicher Zeit gestorben waren. Seither waren sie bei der jährlichen Wiederkehr jenes Tages zusammen zur Quelle gegangen, um wiederum Wasser zu schöpfen, und dieser Gang war ihnen zum erinnernden Ritus geworden. Die Landschaft ist durch die Wiesen, die Pappeln und die Fichte als mitteleuropäisch, als deutsch, nicht als südeuropäisch geschildert, und auch die graue Farbe des Wasserkruges aus Ton ist neuzeitlich und nicht geschichtlich griechisch. Ebenso einfach wie die Landschaft und das Gerät ist der Vorgang des Wasserholens, das zu allen Zeiten als Symbol für nie endende Frauenarbeit benutzt worden ist. Das dem Dichter Eigentümliche kommt darin zum Ausdruck, dass er das Wasserholen an der Quelle, das Werk der Danaiden umdeutend, zu einer rituellen Begehung macht, einer wiederkehrenden Handlung, die ein bestimmtes Ereignis nicht in Vergessenheit geraten lassen soll. Stefan George war auch im Leben geneigt, dem Erinnern an wichtige persönliche Erlebnisse solche Denkmale zu setzen. Die Erwähnung des Kruges und seiner trübgrauen Farbe in dem ersten und letzten Vers verleiht dem Gedicht kreisenden Klang und damit Zeitlosigkeit.

Im Gedicht «Erkenntag» sind Empfinden und Bildwahl etwas komplizierter. Es ist möglich und nach der Titelbildung sogar wahrscheinlich, dass es sich um die gleichen Frauen handelt, von denen das erste Gedicht spricht. Sie waren bisher durch das Unglück des Todes ihrer Verlobten verbunden gewesen, und diese Verbundenheit hatte Freundschaft zwischen ihnen entstehen lassen. Sie hatten, so sagt die eine der Frauen, während die zweite wiederum schweigt, ihr Bild beim Wasserholen im Wasserspiegel der Quelle gesehen und ihr Antlitz als welk und betrübt empfunden. Plötzlich entdecken sie, dass sie noch Wunder, die nur Liebe hervorbringt, in sich und an sich erwarten dürfen. Diese Erkenntnis ist für sie eine Überraschung, wie man sie spürt, wenn man eine Landschaft im Frühling grün werden sieht, die man vorher nur im weissen Reif des Winters gekannt hat. Die eine Frau forscht in der anderen, die eignen Gedanken noch verschweigend, ob sie sich nicht täuscht, bis beide in der hohen und heiteren Stille, die sie zusammenschliesst, wechselseitige Bejahung für ihr Hoffen finden. Jetzt sind sie nicht nur freundschaftlich, sondern schwesterlich in dem Glauben vereint, dass sie von ihren Schicksalssternen, den Sternbildern der Leier und des Schwans, erwarten dürfen, dass Liebe, die ihnen versagt schien, für sie wach werden wird. Das Sich-im-Wasserspiegel-Betrachten kehrt, wie bereits dargelegt, im Werk des Dichters regelmässig als Mittel zum Verstehen des Sinns eines Erlebnisses und der durch Erleben verursachten seelischen Veränderungen wieder. Mit dem Sich-Küssen in der Welle, einem auch bei de Régnier erscheinenden Bild, wird das Ineinanderverschwimmen der Umrisse infolge der Bewegung des Wasserspiegels angedeutet. Das Sternbild des Schwans ist zusammen mit der Venus im zwanzigsten Gedicht des

Vorspiels erneut genannt. – Ich glaube nicht, dass Stefan George in frühen Jahren ein Horoskop von sich besass. Dass er an eine Verbindung des menschlichen Schicksals mit den Sternen glaubte, geht aus dem «Stern des Bundes» hervor. Doch hat er niemals zum Ausdruck gebracht, dass er sein Handeln irgendwann oder irgendwie nach dem Sternstand gerichtet hätte.

Auch im «Loostag» dürfte es sich um die gleichen Frauen wie in den beiden voraufgegangenen Gedichten handeln. Sie sind jetzt nicht mehr nur durch Leid, vielmehr auch durch Hoffnung auf Liebe verbunden. Aber noch lieben nicht beide und wenn sie an Abenden den Weg zur Quelle in schwesterlicher Eintracht einschlagen, sprechen sie von ihrer Abstammung, hier «Geschlecht» genannt, und von ihren Verwandten, die ihr «Haus» sind, und finden in solchen Gedanken gemeinsam Trost und Ermutigung für die Zukunft. Da spürt die eine von ihnen – es ist die, welche in den drei Gedichten allein spricht – dass die stets schweigsame Freundin ihr plötzlich nicht mehr zuhört und manchmal nach dem rebenbewachsenen Zaun im Westen blickt, still und froh, als ob für sie die erhoffte Liebe schon Wirklichkeit sei. Die redende Frau fühlt mit Schrecken, dass sie die Gefährtin verlieren und vereinsamen könnte, dass ein hinter den Reben drohendes Geheimnis jene von ihr fortführen werde. – Auf den Tag der jährlichen Erinnerung an ein durch Trauer verbindendes Erlebnis folgt der Tag des Erkennens, des verbindenden lebendigen Hoffens auf Liebe, und das Ende dieser Verbundenheit droht an dem Tag, an dem das Schicksal die Wege der beiden voneinander zu trennen beginnt. Das ist ein Ablauf, der die drei Gedichte innerlich zu einer die Wirkung der Liebe behandelnden Reihe macht, zumal auch die Bilder der landschaftlichen Umgebung und der Ton der Reden aufeinander abgestimmt bleiben.

Im «Tag des Hirten» hat das jetzt in andrer Zusammensetzung gebrauchte Wort «Tag» die übliche Bedeutung eines vom Morgen zum Abend reichenden Zeitabschnittes. Während in den voraufgegangenen Gedichten Frauen geschildert sind, die durch Erlebnisse bereits gereift sind, ist der Hirt so jung dargestellt, dass er noch kein Erlebnis mit einem andern menschlichen Wesen gehabt hat. Hierin liegt ein wesentlicher Unterschied in Stefan Georges Schilderung von Frauen und Männern, bei der Frauen meist erst nach ihrem ersten Liebesempfinden oder sogar nach ihrem ersten Liebeserlebnis gezeichnet werden, Männer dagegen in einer Jugendstufe, in der sie sich noch nicht über eignes Liebesempfinden klar geworden oder zumindest noch nicht von Liebeserlebnissen berührt worden sind. – Der junge Hirt ist von der Gegenwart und seinem durch sie bestimmten Handeln völlig erfüllt, er fühlt noch kein Sehnen oder Begehren, die auf ein bestimmtes Ziel deuten. Während er seine Schafherden aus dem Winterlager durch die Flussebene zur Sommerweide am Fuss des Gebirges treibt, lässt ihn ein unbestimmtes Frühlingssehnen lächeln und die leuchtende Landschaft mit seinen Blicken als ihm verwandt grüssen. Er springt über die Furt eines Baches und sieht das aus dem Geröll gewaschene, goldig glitzernde Mineral und die bunten Flussmuscheln als allgemein glückverheissende Zeichen an. Noch nicht von Gedanken an Zukunft beschwert, aber von vagem Frühlingstreiben in ihm selbst bewegt, entfernt er sich von den Herden, um zu einer kühlen Waldschlucht zu wandern. Sie ähnelt der in «Mensch und Drud» geschilderten Schlucht und hat Züge der Morgenbachschlucht bei Bingen, die der Dichter gern aufsuchte. In der Mittagsstunde, als die Fische – sinnlich vereinfacht zu «Silberschuppen» – über die Wasserfläche schnellen, fällt er in jugendlich traumlosen Schlaf. Erst beim Anbruch des Abends erwacht er und klimmt auf den Gipfel des Berges. Zur Feier des Untergehens der Sonne bekränzt er sich mit einfachem Laub, das er mit der jungen Wesen eingeborenen Naturreligion als heilig ansieht, betet und singt sein lautes Preislied, während die schon dunkel werdenden Wolken, von leichtem Wind bewegt, Schatten über die Erde gleiten lassen. Der Untergang der Sonne wird von ihm nicht als Scheiden, sondern als Weiterzug des Gestirns empfunden. Sein Preislied deutet auf Entstehen von Dichtung aus einem religiösen, hymnischen Überschwang, und dies schliesst das Hirtengedicht mit den drei folgenden Gedichten zusammen, die, gleichfalls im Bild, vom Entstehen von Dichtung und von Dichtkunst handeln. – Lyrik hat Liebe zur Grundlage in dieser oder jener Form, sei es zu Gott, dem Freund oder der Braut, wie es im «Siebenten Ring» heisst, sei es zu einem Land, und das verbindet wiederum den «Tag des Hirten» und die darauffolgenden Gedichte mit den ersten Gedichten des Buches. Auf diese Begrenzung des Themas der Lyrik hinweisend, hörte ich Georg Simmel einmal zu Stefan George von der «schmalen Sparte» der Lyrik sprechen. – Die Bekränzung mit Laub, die in allen Werken Stefan Georges eine Rolle spielt, drückt bei ihm kein romantisches Zurückgleiten in ein Leben längst vergangener Zeiten aus, sie ist für ihn, wie in der Antike und in Dantes «Bekränzung mit dem Schilf», ein bewusstes Sich-über-den-Alltag-Erheben. – In den Jahren, in denen das Kugelzimmer in München benutzt wurde, also von etwa 1909 bis 1915, liebte er es, sich und seine Freunde an Abenden, an denen Gedichte gelesen wurden, bekränzt und in Togen gekleidet zu sehen, die nichts als Stücke einfachen weissen, gelben, roten oder blauen Baumwollstoffes waren. Die Ablegung der modernen komplizierten Kleidung, die nicht zu einem Blätterkranz gepasst hätte, war für ihn nicht Beginn einer Maskerade, sondern ein bewusstes Heraustreten aus den Beschäftigungen und Gedanken des Alltags. Sie deutete aber keineswegs auf eine Ablehnung der Beschäftigung des Tages, er verlangte im Gegenteil von allen jüngeren Freunden, dass jeder seinen Weg im äusseren Leben finden müsse, um fähig und berechtigt zu sein, sich über den Werktag zu erheben, und es kam tatsächlich vor, dass er Jüngere nicht mehr zu sich liess, weil sie ihren Weg im alltäglichen Leben nicht fanden, was er als Zeichen innerer Schwäche ansah. Nach dem ersten Weltkrieg fanden keine Lesungen in festlicher Bekleidung mehr statt, und, wo er in seinem späteren Werk davon spricht, handelt es sich um Erinnerungen an tatsächliche Erlebnisse in der Vergangenheit.

Der Flurgott ist älter geschildert als der Hirt. Er ist als Gottheit ewigen Lebens teilhaft gedacht, zum Gefolge des Pan, der hier der Herr der Ernte ist, gehörend. Im Gegensatz zum Hirten ist er sich seiner Einsamkeit bewusst und sucht, wie oft überirdische Wesen im Werk des Dichters, Menschen als Gefährten. Das Sehnen nach ihnen klingt in der Musik seiner Flöte, und so wird sein Lied Symbol für die aus Sehnen geborene Dichtkunst. Das den Künstler von einfachen Seelen trennende Element wird durch das äusserliche Anderssein des Flurgottes, durch die Furchen auf seiner Stirn und seine verworrenen Locken bildlich dargestellt, derer er sich erst, wiederum durch sein Spiegelbild im Wasser, bewusst wird, als die Mädchen trotz seiner bittenden Rufe und seines Flötenspiels vor ihm geflohen sind. Sie empfinden das Anderssein des Künstlers als ihrer eigenen Schönheit fremd und deshalb als einen Mangel. Ihn freut seine bisherige ländliche Betätigung nicht mehr, seit er erkannt hat, was ihn für immer von den Menschen trennt. Damit wird zugleich angedeutet, dass meistens der Künstler selbst nicht Träger jener äusseren Schönheit ist, die er in seinem Werk zu verewigen strebt. – Dichterisch charakteristisch sind die genaue Beobachtung der Gesten der fliehenden Mädchen und die überrealistische Fassung der Bilder vom «Aushalten der Angelrute» und vom «lockenden Betupfen der allzu schwachen Weidenflöte».

Das «Zwiegespräch im Schilfe» ist das dritte vom Entstehen der Dichtkunst handelnde Gedicht. Hier sind die Rollen vertauscht. Der Mann, der Künstler, ist ein irdisches Wesen; die Frau, zu der er widerstrebend strebt, ist ausserirdisch gedacht. Sein Gesang wird aus Liebe zur Natur in Stunden, in denen die Erde nach dem einschläfernden Mittag wieder zum Leben erwacht, geboren. – Der Dichter schätzte solche Nachmittagsstunden für Gänge ins Freie, ihm schien der Tag nach seinem Erwachen aus dem mittäglichen Schlaf wieder von neuem zu beginnen, doch zog er es vor, seine Arbeit in den frühen Morgenstunden zwischen fünf und acht Uhr zu vollenden. – Der Mann klagt in diesem Zwiegespräch, dass die Frau, ein Wassergeist, im Grunde ein Geschöpf seiner eignen Phantasie, stets um diese Stunde in dem

See, der von einer unterirdischen Quelle gespeist und mit weissen See-
rosen bewachsen ist, auftaucht, und ihn dadurch beim Formen seiner
Gesänge stört. Sie erwidert, dass auch ihr diese Stunde besonders lieb
sei, um das helle Licht der oberen Welt zu geniessen, und dass ihr
Recht auf den See stärker als das seine sei, da es sich auf Unsterblichkeit und Schönheit gründe. Als sie sich weigert, zu ihm an das Ufer
zu kommen, da, wie sie sagt, eine Gemeinschaft zwischen ihnen, zwischen ihren weissen und seinen braunen Gliedern – man denkt an die
Gestalten des «Sonnwendzuges» und der Kosmikergedichte des
«Sterns» – nicht möglich sei, droht er, sich mit dem Messer, mit dem
er seine Flöten schneidet, zu entleiben und zusammen mit dem Bild
der untergehenden Sonne im See zu versinken. Ob er diese Drohung
ausspricht, weil er gegen die – wohl aus seinem eignen Sehnen geborene – Störung seiner Kunst nichts zu tun vermag oder weil er sich
plötzlich nach den Worten der Frau als hässlich empfindet oder weil
er sie im Leben nicht erreichen kann, wird in dem Gedicht nicht klar
gesagt. Es scheint aber, dass diese drei Gründe zusammenwirken, um
ihn ein Versagen seiner selbst fühlen zu lassen, von dem er sich nur
durch Selbstmord befreien kann. Er zweifelt an der Möglichkeit, Kunst
zu schaffen und mit Hilfe der Kunst seine Gedanken in Leben umzusetzen. Fast spöttisch stellt die Frau fest, Liebe zu ihr werde ihn hindern, das von ihr geliebte Wasser durch sein Blut zu trüben. Dadurch
wird wiederum auf das Streben der Dichtkunst nach einer Verewigung
des Nicht-im-Leben-Erreichbaren hingewiesen. Das verführende Element wird, wie bei Platen, in der Färbung des Wassers oder in Sumpf-
pflanzen symbolisiert, die der Dichter gegenständlicher macht, indem
er das Weiss durch Hinweis auf verschiedenartige Stoffe wie Milch
und Wachs variiert.

Das letzte Gedicht dieser ersten Gruppe stellt den wortlosen Gesang
als Schöpfung der Kunst im «Sängervogel» dar, der teils als Phönix der
Antike, wie bei Tacitus, teils als Vogel Rock der arabischen Märchen
geschildert wird. Die Insel im Süden mit Gewürzen und Oliven und mit
Edelsteinen im Sand deutet auf den Vogel Rock der fünfhundertvier-
undvierzigsten Nacht, dem Sindbad, bei der zweiten Reise von der
Schiffsmannschaft zurückgelassen, begegnet. Sindbad vergleicht ihn
mit einer Wolke und misst ihm die Grösse eines Elefanten bei, was
Stefan George durch das Zerpflücken hoher Baumkronen umschreibt.
Die Farben des in der Antike doppelgeschlechtlich oder geschlechtslos
gedachten Vogels: Purpur der Schnecke von Tyrus, der bereits in
«Rückblick» erwähnten Stadt, und Gold nimmt der Dichter aus der
Sage der Griechen, für die der Vogel der ägyptische Benu oder Venu ist,
der die Seele des Osiris verkörpert und sich selbst alle fünfhundert Jahre
in einem Nest aus Gewürzen verbrennt, um verjüngt aus der Asche wie-

derzuerstehen. Nach Philostrat und Plinius ist der Gesang dieses Symbols der Sonne besonders wohlklingend. Daneben wird der Vogel auch mit der Phönixpalme in Zusammenhang gebracht. – Der Dichter hat Sagen niemals unverändert benutzt. Nach den Aufzeichnungen Maximins betonte er, dass nur Neufassung alte Sagen wieder lebensfähig macht, und tatsächlich wurde von griechischen Dichtern erwartet, dass sie Sagen zum Preis von Städten, Heroen und Lebenden umformten oder neu fassten. – Stefan George lässt den Sängervogel sterben, sobald ihm Menschen nahen, die zum Weiterleben in ihrer Welt bestimmt sind. Nur Gescheiterte, das heisst hier Nicht-ins-Leben-des-Alltags-Eingeordnete, wie die, welche der Kunst verfallen sind, zum Beispiel der Mann im «Schilfgespräch», dürfen ihn sehen. Der Dichter stellt ihn, wohl schon wegen seiner Grösse, als einen Laufvogel dar, der nur zu niederem Flug fähig ist, sich während des Tages im Wald verbirgt und erst am Abend am Strand so süss singt, dass Delphine heranschwimmen, um ihm zu lauschen, ebenso wie sie in der griechischen Sage dem Gesang von Menschen zuhören. Hier verbindet der Gesang sogar Tiere verschiedener Art. – Als sich zum erstenmal die weissen Segel eines Schiffes der Insel nähern, weiss der Vogel die Zeit für sein natürliches Ende gekommen, blickt von einem Hügel noch einmal über die Insel und stirbt, seine grossen Schwingen ausbreitend und in gedämpften Schmerzenslauten singend. Das ist ein Märchen vom Bestehen reiner Kunst in einer vorgeschichtlichen Welt und vom Sterben solcher Kunst durch Berührung mit menschlicher Kultur, deren generelle Wirkung auf die Naturkräfte später das Thema von «Mensch und Drud» bildet. Als Abschluss einer Gruppe ist dieses Gedicht wiederum zu einem Bild zusammengefasst, das in abstrakter Form auf Vergangenheit und Zukunft zugleich deutet. Damit enden die sieben Hirtengedichte, die von einer sehr frühen Zeit berichten, in der Menschen noch neben göttlichen Wesen leben und wirken. Es ist die Zeit des direkten Wirksamwerdens der Urkräfte.

Das leere Blatt zeigt an, dass eine neue Gruppe beginnt, in der die Menschen bereits geschichtlich und zwar kultisch oder sozial geordnet sind und zumindest einen Teil ihrer Individualität der Gemeinschaft gewidmet oder geopfert haben. Das erste der sieben Hirtengedichte der zweiten Gruppe behandelt das antike «ver sacrum» in einer vom Dichter veränderten Form. Es war eine römische, vielleicht ursprünglich sabinische Sitte, die die Griechen nicht kannten. Wenn dem Staat oder der Gemeinschaft eine grosse Gefahr drohte, wurde, statt wie vordem den Göttern Menschenopfer darzubringen, gelobt, dass alle im nächsten Frühjahr Geborenen durch «heilige Austreibung» gezwungen werden sollten, die Grenzen des Staatsgebietes zu verlassen, wenn sie erwachsen genug wären, um für sich selbst in der

Fremde sorgen zu können. Zum letztenmal gelobten die Römer ein «ver sacrum» nach der Schlacht am Trasimenischen See im zweiten punischen Krieg, führten es aber, wie Livius berichtet, erst Jahrzehnte später aus, nachdem die in einer bestimmten Zeitspanne Geborenen voll erwachsen waren. Stefan George spricht von einer sakralen Austreibung der Knaben im Kindesalter und von Tannenholztäfelchen, die ihnen zur Identifizierung um den Hals gehängt und, wenn einer von ihnen starb, von den Überlebenden ins Grab geworfen werden. Hiervon ist geschichtlich nichts überliefert. – Das Gedicht wird von einem der ausziehenden Knaben, nachdem die Staatsgrenzen bereits verlassen sind, in einer kindlich einfachen, nicht sentimentalen Redeweise gesprochen und vom Dichter bewusst in Gegensatz zu der Rührung erzeugenden Tatsache der Kinderaustreibung gebracht, die an den mittelalterlichen Kinderkreuzzug erinnert. Die Knaben werden von der Gemeinschaft und für die Gemeinschaft von Älteren geopfert und fügen sich bereitwillig in ihr Schicksal aus Liebe zu Heimat und Eltern im Glauben an besonderen göttlichen Schutz.

Eine andere Form des Selbstopfers in schon geschichtlicher Zeit wird in «Geheimopfer» geschildert. Es sind Jünglinge, die nach einem vollen und heiteren Leben sich von ihren Gastgebern Memnon (der Name ist eine Abkürzung von Agamemnon) und der blonden Mirra (sie ist vielleicht nach Myrrha, der Tochter des kyprischen Priesterkönigs Kinyras, benannt) trennen und zu einem Opfertempel ziehen. Die Namen Memnon und Mirra sind vom Dichter wohl lediglich wegen der Klangfarbe verwendet – ein Kunstmittel, das schon Homer bei Aufzählung der Nereiden benutzt – und sollen nicht als sachliche Anspielung auf einen König von Äthiopien oder auf die Mutter des Adonis, die in einen Myrrhenbaum verwandelt wurde, angesehen werden. Die Worte «ihr Glück» deutet auf das glückliche Dasein der Gastgeber, das die Jünglinge nicht von der Wanderung zum Tempel abzuhalten vermag. Welcher Art dieser Tempel ist, wird nicht gesagt, es ergibt sich aber aus dem letzten Vers der ersten Strophe, dass die Jünglinge sich dem Dienst der Kunst opfern wollen und deshalb auf das leichte äussere Leben, das sie von den Gastgebern geführt sehen, verzichten. Das Schöne wird, wie das Kolon hinter «das Schöne» andeutet, als das höchste und grösste Ziel bezeichnet. Die Jünglinge wissen, dass sie, um der Kunst zu dienen, in der Einsamkeit ihrer Träume und Schauder zu leben haben und sich fern von den Freuden der Gemeinschaft, die sie, trotz des Gefühls der inneren Sonderung, scheu als Notwendigkeit ehren, halten müssen. Ihr Beruf ist in dieser Weltzeit der eines Priesters, der einziger und notwendiger Mittler zwischen den Göttern und dem Volk zu sein hat. Ihre Tätigkeit wird durch vier bildhafte Umschreibungen ausgedrückt. Das Sammeln von roten Mohnblumen und milchweissen, sternförmigen Margueriten für den Altar deutet vielleicht auf das im «Dichter in Zeiten der Wirren» zum Ausdruck gebrachte Sammeln der heiligen Schriften, das den Dichter-Sehern als eine das ganze Volk bewahrende Tätigkeit obliegt. Das Baden des Leibes und das Schüren des Brandes weisen vielleicht auf ein inneres Sichreinhalten des Dichters und sein Entfachen und Erhalten des rettenden Feuers im Volk. Der zagende Gesang hilft, Zeiten der Gefahr zu überstehen. Es muss aber betont werden, dass die hier versuchten Auslegungen keineswegs zwingend sind. Für den Dichter sind die gewählten Worte und Bilder in sich selbst Wirklichkeiten, und er fasst sie bewusst so weit, dass in jedem Hörer höchst persönliche Assoziationen geweckt werden können, da dies zur Aufgabe der Kunst gehört. – Der Schleier wird durch den in das Mysterium einführenden Seher für die Jünglinge erst dann vom Bild des Gottes entfernt, wenn die Einzuführenden den Höhepunkt der Jugend erreicht haben und an Säulen von Erz, die als Symbol für unabänderlichen Willen zur Künstlerschaft angesehen werden könnten, festgeschmiedet sind. In den letzten fünf Versen werden die Wirkung dieser Initiierung auf den Künstler und die Wirkung seiner Kunst auf den Hörer in Worte gefasst. Das «Sterben in ewigem Sehnen» ist der Sinn dieses Geheimopfers, das nicht im freiwilligen Aufs-Spiel-Setzen physischen Lebens wie im «ver sacrum» besteht, sondern im freiwilligen Heraustreten aus den Freuden und Leiden des gesicherten Lebens der Gemeinschaft, zu deren Erhaltung jedoch dieses Heraustreten einzelner wiederum dient. So findet sich hier eine Abänderung der Sage von der Entschleierung des Bildes zu Saïs, dessen Erblicken den physischen Tod herbeiführt. Das Fesseln an die Säulen erinnert an Odysseus bei den Sirenen und an die rituelle Fesselung im Hain der Semnonen, die im «Siebenten Ring» eine Rolle spielt. «Geheim» wird das Opfer aus doppeltem Grund genannt, weil es sich aus Motiven vollzieht, die in der Seele verborgen sind, und weil die Vollziehung verborgen vor der Menge, die den Sinn der gerade für die Gesamtheit notwendigen Tat einzelner niemals versteht, stattfindet. Der letzte Beweggrund jeden Opfers ist Liebe, die hier nur eine andere Richtung hat wie die Liebe der Kinder, die das «ver sacrum» vollziehen. Es ist wiederum Liebe, die Menschen jener Weltzeit den «Ringer» und den «Saitenspieler» als ihre Repräsentanten ansehen und feiern lässt. Und auch die letzten drei Hirtengedichte behandeln Liebe, wenn auch in besonderer, individualisierter Form.

Mit den «Lieblingen des Volkes» beginnt langsam bereits die Überleitung zu den Preisgedichten, die darstellend wie die Hirtengedichte sind, aber zugleich ein hymnisch die Gegenwart preisendes Element haben. Der Ringer, der in einer anfänglichen, noch keines Gerätes bedürfenden Kampf- oder Spielart Meister ist, wird nackt dargestellt, mit einem Lorbeerkranz, der bisweilen dem Sieger im Wettkampf in der Antike verliehen wurde, um die Schläfen, den rechten Arm, dessen besonderer Stärke er seine Überlegenheit verdankt, in die rechte Hüfte gestemmt. Er schreitet die gerade, mit grünen Zweigen bestreute Strasse entlang mit voll auf den Boden gesetztem Fuss wie ein Löwe. – Die Art des Ganges hielt der Dichter für ein untrügliches Merkmal des Charakters, da sie nicht verfälscht werden kann, er beobachtete und beschrieb sie genau, zum Beispiel in «Kinder des Meeres». – Tiere werden von ihm, im Gegensatz zu Pflanzen, deren erdichtete Gedanken bisweilen geschildert werden, im Werk nicht vermenschlicht und nur zur Schilderung animalischer Eigenschaften verwendet. – In der sich am Wegrand drängenden Menge halten Frauen ihre Kinder hoch, die dem Ringer die in Griechenland bei den delischen und panhellenischen Agonen üblichen Siegespalmen entgegenstrecken und jubelnd seinen Namen rufen sollen, damit sein Anblick in ihnen als Vorbild lebendig bleibt. Er selbst ist ernst: mühevolle Jahre, deren Frucht der Ruhm ist, haben ihn gelehrt, die Gunst der Massen nicht zu überschätzen. Auf sich selbst konzentriert, sieht er nicht auf die Menge und beachtet, in Anlehnung an Christus, nicht einmal seine Eltern, die mitten unter dem Volk voller Stolz auf sein Kommen warten.

Der Saitenspieler, wie er auf griechischen Vasenbildern, zum Beispiel in Paris und New York, erscheint, ist wie oft in der Antike zugleich der Dichter seiner Gesänge, die er mit der Leier begleitend vorträgt. Im Gegensatz zum Ringer ist er schmal in den Schultern, trägt eine Tänie um seine Locken und ein reiches Gewand, das die Blicke der Hörer bei seinem Auftreten auf ihn zieht. Er ist noch nicht siegesgewohnt. Gerade die Scheu der Jugend, die anfangs in seinem Vortrag mitschwingt, versetzt selbst die Ältesten der Hörer in Erregung, so dass sich ihre Wangen wieder wie in der Jugend röten. Im ganzen Bezirk, in dem der heilige Baum, der Athene geweihte Ölbaum gedeiht, reicht die Nachwirkung seines Gesanges so weit, dass ihn die heranwachsenden Mädchen in endlosen Gesprächen miteinander preisen und dass die ihrer Artung nach mehr verschwiegenen Knaben in Nächten sein Bild als Ansporn zur Nacheiferung vor sich erblicken. So heisst es in Goethes «Iphigenie» von Orest und Pylades, dass sie in ihrer Jugend künftige Taten wie Sterne durch die Nacht dringen sahen.

Der Name der im folgenden Gedicht redenden Frau ist der griechischen Dichterin Erinna entliehen, die wahrscheinlich im fünften Jahrhundert auf Telos geboren war und ein bis auf Bruchstücke untergegangenes längeres Gedicht in Hexametern mit dem Titel «Die Spindel» geschrieben hat, das Kindheitserinnerungen enthalten zu haben scheint. Der frühe Tod dieser Dichterin – sie soll im Alter von neunzehn Jahren gestorben sein – bestimmte neben der Klangwirkung wahrscheinlich Stefan George, ihr Verse in den Mund zu legen, die weibliche Empfindungen von konzentrierter Jugendlichkeit zum Ausdruck bringen. Am Meere stehend, wie die Freundin im Gedicht der Sappho, klagt sie, dass die Menschen zwar glaubten, selbst die stumme Natur gerate beim Hören ihrer Verse in bebendes Entzücken, dass sie selbst aber nichts andres als Leid bei ihrer Kunst empfinde, denn sie sehe immer das Bild jenes Mannes vor sich, den sie unerwidert liebe. Sie habe ihn zu Pferd und auch geschmückt bei seiner Rückkehr vom Gastmahl erblickt. Wie aber werde er aussehen, wenn er zum erstenmal ihr neues Lied vernehmen werde oder wenn die Göttin der Liebe, auf ihn blickend, Liebe in ihm entzünden werde? Durch die Art dieser Beschreibung des äusseren Bildes wird angedeutet, dass jener Mann deshalb von Erinna so intensiv geliebt wird, weil er nicht der Kunst, sondern der Tathaftigkeit der Aussenwelt zugewandt ist, weil er nach Plato zu dem Gefolge eines andern Gottes als dem der Erinna gehört, weil sein Leben im Gegensatz zu ihrem Leben steht. Eurialus ist als Name für ihn lediglich der wohlklingenden Vokale wegen gewählt und soll kaum Erinnerungen an das Fragment des Ibykus oder den schönen jüngeren Freund des Nisus in Virgils «Aeneis» erwecken.

In «Abend des Festes» spricht ein Altersgenosse zu einem andern, der Menechtenus genannt wird und stumm bleibt. Dieser Name ist weder historisch, noch entspricht er den Regeln griechischer Wortbildung, er ist vom Dichter erfunden, um eine schwer klingende Betonung des Endes des ersten, besonders wichtigen Verses dadurch zustande zu bringen, dass einander nahe Vokale zwischen eine Häufung von Konsonanten gesetzt werden. – Es ist der Abend eines – nicht historischen – vom Dichter erdachten Festes, an dem die Priester eine Anzahl von Jünglingen ausgewählt haben, damit sie Sühneriten im Tempel vollziehen. Der Sprecher und Menechtenus sind die einzigen von zwölf, die nicht als schön genug befunden worden sind, obgleich sie sich selbst auf Grund ihres Spiegelbildes in der Quelle für schön halten. Schon vor dem Fest haben sie sich auf den Dienst im Tempel vorbereitet, so dass sie jetzt keine Freude mehr im Hüten der Herden und Pflügen der Felder, den üblichen Beschäftigungen ihrer Altersgenossen, finden würden. Man ehrt sie zwar noch, indem man ihnen an diesem Abend den Becher reicht, aber der Sprecher glaubt, unerträgliches Mitleid im Blick mancher Feiernden zu erraten, die so berauscht sind, dass sie ihre wahren Gedanken nicht mehr verbergen können. Er fordert Menechtenus auf, den Kranz des Festes, ehe der letzte Flötenton verklingt, vom Haupt zu nehmen und mit ihm für immer aus dieser Gemeinschaft zu fliehen. Das ist eine Fortsetzung der Gedanken über Schönheit, die in «Flurgottes Trauer» und im «Zwiegespräch im Schilfe» Bild wurden. Doch wird jetzt Schönheit sogar zur Voraussetzung für eine äussere Daseinsform gemacht, und es wird ferner hier bereits Stefan Georges Abneigung gegen ausgedrücktes Mitleid sichtbar, die später im «Stern» begründet wird.

Das «Ende des Siegers» knüpft, wie der Dichter mir im Jahre 1923 sagte, an die Bellerophon-Sage an, doch erinnerte er sich damals nicht mehr, dass er zu jener Sage einen neuen Schluss erfunden hatte. Der Held ist über Drachen und Riesen siegreich geblieben, ist der Verführung durch das schöne Haar erbeuteter Frauen – anders wie Clelio im «Brand des Tempels» – entronnen und stellt sich zum Kampf mit dem gefährlichsten Feind, der geflügelten Schlange. Aber seine Kraft versagt plötzlich, und die Schlange bringt ihm bei ihrem Entweichen mit dem Flügel eine unheilbare Wunde bei. Das bestimmt ihn, in seiner Heimat ein verborgenes Leben zu führen, um durch seinen Anblick nicht Schrecken und Furcht in schwangeren Frauen, die schöne Kinder erhoffen, und in Knaben, deren künftige Tatkraft von ihrem unverminderten Glauben an die Gunst der Götter abhängt, zu erwecken. – In den überlieferten Sagen wird nicht berichtet, dass die von Hesiod erwähnte Chimära dem Bellerophon eine unheilbare Wunde geschlagen hätte, wie sie etwa Chiron durch den Pfeil des Herakles oder Philoktet durch Schlangenbiss davontrug. Homer berichtet, dass Bellerophon von Schwermut getrieben am Strand entlang irrte, gibt aber einen Grund für die Melancholie nicht an. Aristoteles spricht in der Nikomachischen Ethik allgemein von Schwermut der Heroen als einer bekannten Tatsache, und Pindar sagt, er wolle vom Ende des Bellerophon, der auf den Olymp zu gelangen suchte, nicht reden. Erst in einer späteren Zeit ist Bellerophons missglückter Versuch, auf dem Pegasus auf den Olymp zu reiten, als Grund für seinen Trübsinn angesehen worden. Alles dies mag den Dichter bewogen haben, eine von der Chimära geschlagene Wunde als Ursache für die Schwermut des Helden zu erfinden, um in diesem siebenten und letzten Gedicht der zweiten Gruppe der vierzehn «Hirtengedichte» durch Hervorhebung des Gegensatzes die Bedeutung von Schönheit und Kraft als Voraussetzung für ein voll ausgelebtes Leben in einer Gemeinschaftswelt zu betonen. Wie «Der Herr der Insel» als siebentes und Schlussgedicht der ersten Gruppe ein den früheren Kulturkreis symbolisierendes Märchen enthält, ist das die «Hirtengedichte» abschliessende «Ende des Siegers» als eine den späteren Kulturkreis symbolisierende Sage gefasst. Erinna steht infolge ihrer Kunst ausserhalb der Gemeinschaft, Menechtenus und sein Freund werden durch Handlungen ihrer Mitbürger veranlasst, aus der Gemeinschaft auszuscheiden, und der Heros entfernt sich selbst auf Grund göttlicher Fügung aus der Gemeinschaft, deren Struktur und Begrenzung durch solche Ereignisse sichtbar gemacht werden.

Ein neuer Teil, schon äusserlich der zweite des ersten Buches des Gesamtbandes, umfasst elf «Preisgedichte», so dass die Gesamtzahl der Gedichte dieses Buches, ebenso wie die des folgenden «Buches der Sagen und Sänge», fünfundzwanzig beträgt. Der Dichter sagte, dass es sich für ihn bei den «Preisgedichten», in denen ohne Gruppensonderung Gedichte an Männer und Frauen miteinander meistens abwechseln, um ein Preisen bestimmter Menschentypen seiner Umgebung, nicht aber individueller Wesen gehandelt habe und dass man deshalb damalige Freunde nicht mit den einzelnen Gepriesenen identifizieren solle. Er wies scherzend darauf hin, dass in Olympia nur demjenigen, der dreimal den Sieg davongetragen habe, eine Statue gesetzt werden durfte, die persönliche Züge des Siegers zeigte, und fügte ernst hinzu, es sei ihm mehr auf Preisen als Ausdruck seiner Kunst als auf die Gepriesenen angekommen, die als Männer zum erstenmal im «Jahr der Seele» durch Bekanntgabe ihrer Initialen gefeiert würden. Ältere Freunde des Dichters, wie Karl Wolfskehl und Sabine Lepsius, haben nicht Aufschluss zur Frage der Identifizierung geben können. Fest steht nur, dass Isi Coblenz, nach ihrer eignen Angabe, das Vorbild des Menippa-Typus ist. Wer die übrigen vier weiblichen und fünf männlichen Repräsentanten der Typen waren, kann deshalb – wenn überhaupt – nur aus dem Inhalt erraten werden.

Damon dürfte auf Albert Saint-Paul deuten, auf den die griechische Benennung nach dem Lehrer des Sokrates, von dem Diogenes Laertius berichtet, und Ratgeber und Musiklehrer des Perikles, von dem Plutarch spricht, passen würde. Von Damon sollen die von Plato im «Staat» aufbewahrten, von Stefan George gern zitierten Worte stammen, nach denen jede Veränderung der musischen Gesetze auch eine Veränderung im Politischen zur Folge hat. Es mag bei der Benennung auch die Erinnerung an die Freunde Damon und Phintias mitgespielt haben. Saint-Paul hat den Dichter in die moderne französische Dichtung und die mittelalterliche Malerei eingeführt. Zusammen mit Saint-Paul verbrachte der Dichter damals im Museum des Louvre viele Stunden des Tages. Der Louvre, der rechts der Seine liegt, wird im Gedicht, das zuerst 1894 veröffentlicht worden ist, zum Haus «an dem nördlichen Hügel». Diese Ortsangabe, von Stefan Georges damaliger Wohnung am linken Seine-Ufer aus gesehen, weist in Verbindung mit den Statuen auf den Louvre. Das Wort «einsam» steht im Gegensatz zum Schluss des Gedichtes. Albert Saint-Paul war im Januar 1893 bereits verheiratet, so dass seine Frau das Vorbild für Lamia gewesen sein könnte, wobei an eine gewisse Farblosigkeit, die ich bei einem Besuch im Jahre 1908 an ihr beobachten konnte, und nicht an das Ungeheuer der griechischen Sage, von dem in Goethes und Keats' Gedichten die Rede ist, zu denken wäre. «Heiliger Winter» deutet auf den Winter des ersten Zusammenseins der beiden Dichter im Jahre 1889, der durch Beschäftigung mit Kunst geheilt wurde, und das Hinabsteigen in die Stadt im Frühling spielt auf das Leben mit anderen jungen Künstlern im Quartier Latin an, dem im Frankengedicht des «Ringes» ein Denkmal gesetzt ist. Das Wort «innen» kann sich nach der Art der damaligen Wortsetzung des Dichters sehr wohl auf die Wohnung Saint-Pauls zu jener Zeit beziehen und weist nicht mit Notwendigkeit auf das vorher erwähnte Museum.

Eine sachliche Verknüpfung des Titels Menippa mit Isi Coblenz erscheint den Sagen nach kaum möglich, so dass anzunehmen ist, dass das griechische Wort der Klangfarbe wegen gewählt worden ist, falls nicht auf ein nur den Beteiligten bekanntes Erlebnis angespielt sein sollte. Menippa der griechischen Sage ist die Tochter eines thessalischen Königs oder eine Nereide oder als Tochter des Thamyris die Mutter des Orpheus. Das griechische Wort wird vom Dichter als feierlicher Anruf im Beginn des ersten Verses verwendet, dies könnte die Benutzung der klingenden Zusammensetzung von drei Vokalen rechtfertigen. Menippa habe, so sagt der Dichter, die Zeit, in der sie ihn wie ein Kind hätte lenken können, in der sogar ihre Fehler und Mängel ihm noch reizvoll erschienen seien – man denkt an die schwarze Madonna – ungenutzt verstreichen lassen. Jetzt habe er sich der reinen Schönheit zugewandt, die durch die «Gebärde jener Tänzerin», ohne dass ein Vorbild vorhanden gewesen zu sein braucht, personifiziert wird. Die Grenzen der Freundschaft mit Menippa werden im Bild der beiden Schlussverse und in dem Prosastück «Pfingsten» in «Tage und Taten» angedeutet.

Das zweite Menippa-Gedicht, eng verbunden mit dem ersten durch Titelgleichheit und Druckanordnung, gibt einzelne Gründe für die innere Nähe und Ferne des Dichters von Menippa. Es waren die Schärfe ihres Wortes, die die Schar der Müssigen und Eitlen vertrieb, und die Härte ihres Geistes, an dem der Dichter den seinen schärfen konnte. Hiernach könnte man hinsichtlich der Namenswahl an den wegen seiner Ironie berühmten kynischen Philosophen Menippus denken, der auch dem besonders harten jambischen Versmass, verwendet in diesen zwei Gedichten, den Namen «menippische» Verse eingetragen hat. – Es gab eine Zeit, in der der Dichter durch ein tiefes Gefühl an Menippa gebannt war, und er verglich einst ihr Haar an Schönheit mit den Locken der Berenice, die sogar einem Sternbild den Namen gab. Dann aber sah er, wie sie die gleichen Wege wie die von ihr früher wegen solchen Beginnens verachteten Altersgenossinnen im üblichen Leben der Zeit einschlug, obwohl sie sich selbst hätte davor bewahren müssen. Sie werfe ihm zu Unrecht vor, dass er sie nicht gewarnt habe. Für den Dienst der Kunst sei sie nicht mehr makellos genug, deshalb könne sie nicht Vermittlerin von Prophetie und Inspiration für ihn sein. – Der Briefwechsel von beiden enthält Tatsachen, die dieser Ablehnung zugrunde liegen könnten. Interessant ist, dass diese beiden Gedichte bereits im Januar 1894 im ersten Band der zweiten Folge der «Blätter für die Kunst» veröffentlicht wurden, während Isi Coblenz sich erst im April 1895 zum erstenmal verheiratete und der Bruch des Dichters mit ihr wegen ihres Versuchs, ihn gegen seinen Willen mit Richard Dehmel bekanntzumachen, nicht vor 1896 stattfand.

Das Vorbild für Callimachus ist der polnische Dichter Waclaw Lieder, den Stefan George in Paris kennengelernt und zum Freund gewonnen hatte. Unter Lieders Gedichten schätzte Stefan George am meisten «Die Schwalben». Sein Typus wird unter dem Namen des alexandrinischen Dichters gefeiert, weil der Sinn des griechischen Wortes zu der Ritterlichkeit des Waclaw, die Stefan George in den «Tafeln» des «Ringes» später besonders hervorhebt, passt und wohl auch, weil die Dichtung des Polen ein formales Element, wie die des Griechen Callimachus, enthält. Seine Abreise von Paris nach dem damals von Russland beherrschten Warschau bildet den Kern des Gedichtes. Sie vollzog sich mit der Eisenbahn, wird aber von Stefan George aus Gründen einer mehr dichterischen Schilderung auf ein Schiff verlegt, wobei er vielleicht Eindrücke verwertete, die er am Hafen in Bremen bei Abfahrt seiner drei mexikanischen Freunde gewonnen hatte. Nautische Ausdrücke werden nur soweit gebraucht, als sie durch frühere Benutzung von Dichtern bereits in die allgemeine Sprache des täglichen Lebens eingegangen sind, denn nach Stefan Georges Ansicht stören technische Spezialausdrücke den Fluss und die notwendige Zeitlosigkeit einer Dichtung. Phillis war vielleicht eine Musikerin, da ihr Name zwecks Verbindung mit dem des Musiktheoretikers Phillis neben Gründen des Klanges gewählt sein könnte. Das Wort «trennungbeklommen» im dritten Vers bezieht sich auf Waclaw und nicht auf die abschiednehmenden Freunde, deren bis zu verhaltenem Weinen reichende, tiefere Gefühle erst den Höhepunkt am Ende des Gedichtes bilden. Ruder ist hier Steuerruder. Fremdes Blut deutet auf die slawische Abstammung des Waclaw, der hier Freund der gemeinsamen Lehrer genannt wird, nämlich der französischen Dichter, besonders Saint-Pauls und Verlaines, der in Waclaws Gedichten gefeiert wird. Mit den Worten «Barbarenhof», «finstere Gesetze» und «strenger Herrscherwink» wird auf die damalige Herrschaft der Russen und ihres Zaren über die Polen hingewiesen, die dem weiteste Freiheit in Paris gewohnten Freund – das dortige Leben wird in dem Gedicht «Franken» im «Ring» beschrieben – noch unerträglicher sein müsse als die Einsamkeit des Lebens im nebelgrauen, kalten Klima Warschaus. – Stefan George hatte eine tiefe Abneigung gegen Russland und russische

Kunst, er gestand, dass er körperlichen Schauder empfinde, wenn er Romane der berühmten russischen Schriftsteller lese. Er wies darauf hin, dass der Schöpfer der russischen Kunst Puschkin abessinischer Abstammung gewesen sei. Die psychologische Betrachtungsweise von Gogol und Dostojewskij sah er als Selbstquälerei und im wesentlichen als Beobachtung von «kleinen Zügen» an, die für ihn, wie er betonte, nichts mit Kunst zu tun hätten. Thema echter Kunst sei Schilderung von Leidenschaft: das Beschreiben nicht von negativen, vielmehr von positiven Eigenschaften, das Schaffen von Vorbildern, und all dies fand er nur in einer einzigen russischen Figur, dem Aljoscha Dostojewskijs. Der tragische Humor Tschekows war ihm, wie aller Humor in der Kunst, unangenehm. Tolstoj hielt er für einen grossen Könner, traute aber seinen asketischen Neigungen nicht, er hielt sie für erdichtet und nicht im Leben befolgt. Er erachtete die russische Kunst nicht als europäisch, sondern als asiatisch und war überzeugt, dass die Asiaten die europäische Kultur zu vernichten strebten. Er wusste andererseits, dass Waclaw Lieder ein Kämpfer für die Befreiung der Polen, die der Dichter als Volk achtete, war, er hatte gesehen, dass Waclaw politische polnische Flüchtlinge in Paris bei sich aufnahm, obwohl jener niemals davon sprach, um nicht den Anschein zu erwecken, als wollte er sich dessen rühmen. Polnisch lernte er, um Waclaws Gedichte zu übersetzen, an deren Bedeutung er so sehr glaubte, dass er tief enttäuscht war, als er um 1910 erfuhr, dass Waclaws Werke kaum mehr in Polen erhältlich und in Vergessenheit geraten waren. Auf Waclaws Wunsch begann er, Persisch zu lernen, um eine Übersetzung des Omar Chajjam zu versuchen. Er zeigte mir eine persische Ausgabe des Omar Chajjam, die Waclaw, der Orientalist war, ihm geschenkt hatte.

Wer das Vorbild des Sidonia-Gedichts ist, lässt sich nicht mit genügender Wahrscheinlichkeit feststellen. Isi Coblenz ist es nicht, sonst hätte sie es berichtet. Nach dem Sinn des Wortes, das den Namen der phönizischen Stadt Sidon enthält, und der Schilderung des Milieus könnte es sich um eine bereits ältere Frau eines deutschen bildenden Künstlers handeln, dessen Atelierräume («Nische») im Zeitgeschmack mit persischen Kelims oder Djijins geschmückt waren. Der Dichter hielt sich anfangs fern von Sidonia, da er ihre Worte und Blicke als berechnend und kalt empfand. Aber durch ihre Erzählung, sie sei bereit gewesen, ein gesichertes Leben aufzugeben und dem jungen Demotas – der Name deutet auf einen Sprössling aus den unteren Schichten des Volkes, von Stefan George scherzend bisweilen als «Volkser» bezeichnet – in ein ungewisses Dasein zu folgen, bis Demotas selbst ihr in kühlen Worten zu verstehen gegeben habe, dass er andre Pläne für seine Zukunft hege, gewann sie den Dichter zum Freund. Die Vermutung, dass es sich um die Frau des früheren holländischen Konsuls Johannes Addens handle, der sich in Kreuznach zur Ruhe gesetzt hatte und durch Verwey mit Stefan George bekannt geworden war, lässt sich durch nichts belegen. Stefan George zeigte mir in Kreuznach das Haus, in dem Addens gewohnt hatte, sprach von ihm, seiner Frau und seiner mit einem Bildhauer Cauer verheirateten Tochter aber nur als von Freunden Verweys, den er 1894, als das Gedicht zuerst in den «Blättern» gedruckt wurde, noch nicht persönlich kannte. – Sabine Lepsius zeigte in ihrem Charakter viele Züge, die mit denen der Sidonia übereinstimmen. Auf sie könnte sachlich manches in der Schilderung deuten, nämlich die Anlehnung des Namens Sidonia an Sabine, ihre Abstammung, die der Wahlname andeutet, ihre Zunge, die ebenso scharf war wie ihr Verstand, und der harte, kalte Blick ihrer Maleraugen. Doch kommt sie als Vorbild schon deshalb nicht in Frage, weil sie den Dichter erst 1896, also nach der Veröffentlichung des Gedichtes, kennenlernte, die schon 1894 erfolgte. Aber sie war eine wenn auch erst nachträglich auftauchende Repräsentantin des Sidonia-Typus. Eine solche Feststellung ist vielleicht deswegen interessant, weil sich aus ihr ergibt, dass der Dichter sich auch noch später zu Frauen des gleichen Typus besonders hingezogen fühlte.

Mit Phaon – der Sinn des Wortes könnte auf einen leuchtenden Geist deuten – dürfte Paul Gérardy gemeint sein, da die ihn im «Jahr» feiernden Verse starke Ähnlichkeit mit diesem Gedicht zeigen. In der griechischen Sage war Phaon der mythische Fährmann zwischen Lesbos und dem asiatischen Festland, dessen Schönheit, als besondere Gunst Aphrodites, alle Frauen begeisterte. Eine Beziehung hierzu könnte in Gérardys Strophen gefunden werden, in denen er zum Beispiel, wie Stefan George mir erzählte, sogar nicht auf Frauen bezügliche griechische Verse auf Frauen umdichtete. Der Dichter liebte es, solche Fehler, wie auch erdichtete Blumenfarben, die es in der Natur nicht gab (Oskar A. H. Schmitz «rote Akelei») unverbessert in die «Blätter» aufzunehmen und dann im Binger Dialekt seines dortigen Wohnviertels zu sagen: «Han (haben) wir auch». – Die im Gedicht geschilderte Landschaft zeigt den gartenartigen Charakter Belgiens, an dessen damaliger Grenze in Malmédy Gérardy in Deutschland geboren war, Belgiens, das er als seine wahre Heimat betrachtete. In dieser Landschaft wandernd genossen beide den Reiz französischer Dichtung. Die ungeernteten, vollen Ähren, die erst Garben werden sollen, sind Sinnbild für das reifende Werk. Mitten in der freudigen Erregung des gemeinsamen Erhobenseins spürt der Dichter schmerzlich, dass solche Augenblicke rasch vorübergehen und nicht wiederkehren werden. Die Mischung der Gefühle, Freude über den Augenblick verbunden mit der Vorahnung eines unabwendbaren künftigen Schmerzes, ist für Stefan George charakteristisch, sie ist vielleicht die Grundlage jeder echten Frömmigkeit. – Der nicht zu tilgende Ertrag solcher Stunden, nach dem der Dichter auch hier sogleich, wie immer, forscht, ist ihre Wirkung auf das künftige Werk, die als ein verheissungsvoller, vorwärtsgeworfener Schatten verbildlicht wird. Tatsächlich hörte die Verbindung mit Gérardy schon vor 1905 auf. Stefan George beauftragte mich, im ersten Weltkrieg in Ostende nach ihm zu forschen. Ich konnte nur in Erfahrung bringen, dass er zu Beginn des Krieges nach England geflüchtet war. Auch später bestand, soweit ich weiss, keine Verbindung zwischen beiden.

Luzilla ist der veränderte Vorname von Luise Brück, die verwitwet in einem Haus in Bingen lebte, das an der Stelle des später erbauten Hotels Viktoria am Rhein nahe der Nahemündung stand. Sie war eine gemeinsame Freundin von Isi Coblenz und dem Dichter, schrieb ein Buch «Rheinische Leut», verheiratete sich sodann zum zweitenmal, zog nach Berlin und sah dort den Dichter nicht mehr wieder. Ihr Nachlass ist nach Angabe ihrer Schwester Franziska Bram nicht mehr vorhanden. Der Dichter zeigte mir, wo ihre mit Glyzinien bewachsene Gartenlaube oder wohl genauer ihr Gartenhausbalkon gewesen war, von dem aus man auf den Rhein und die Landstrasse am Ufer sehen konnte, wie im Gedicht geschildert wird. Bingen wird Phlius genannt, ein Wort, das auf «Überfliessen» deutet und für den Dichter vielleicht eine Anspielung auf Bingium, den römischen Namen des Legionslagers Bingen nach Ammianus Marcellinus, enthielt, die Lage der Stadt am Zusammenfluss zweier Flüsse, des Rheins und der Nahe, kennzeichnend. – Das y in griechischen Worten veränderte Stefan George oft in ein i, weil er das y als zu wenig deutsch für Dichtung empfand. Wie weit er in solchen Erwägungen ging, zeigt die Tatsache, dass er nicht nur fremdsprachliche Vornamen seiner Freunde in Widmungen verdeutschte, sondern sogar den copyright-Vermerk als störend nicht in seine Bücher gedruckt haben wollte. – Perlender Trank ist der fast moussierende Weisswein der Binger Gegend. Er nennt heimische Früchte wegen ihrer wachsigen Oberfläche glänzend. Da er seinen Aufenthalt in Bingen in frühen Jahren als Ferien von der Arbeit betrachtet, spricht er von «müssigen Monden». Seine Scherze mit Frau Brück sind überliefert. Die im letzten Vers erwähnte Stadt dürfte Paris sein, wo Menschen lebten, die er damals als ihm durch künstlerisches Empfinden am nächsten stehend empfand.

Mit Isokrates könnte Klages gemeint sein, den Stefan George bereits seit Herbst 1893 kannte, während dieses Gedicht zuerst 1895 veröffentlicht wurde. Der Name Isokrates spielt auf den 435 vor Christi geborenen Redner an, dessen Schönheit und rednerische Begabung Plato hervorhebt und der zum Kreis der jüngeren Freunde des Sokrates gehörte. Er war Prozessredner und Logograph, nicht besonders tief an Gedanken und nicht immer wahrheitsliebend, aber sprachlich aussergewöhnlich gewandt und wirkungsvoll. Alles dies deutet auf Ludwig Klages in seiner Jugend, dessen Blondheit und Feuer überzeugende Kraft gewannen, sobald er sprach, ohne dass es auf die Richtigkeit seiner Gedankengänge ankam. Er pries damals Tathaftigkeit gegenüber geistiger Beschäftigung, von der er sich selbst jedoch sein Leben lang nicht freimachen konnte, und strengte 1905, als seine gewaltsam nordische Gesinnung für Stefan George nicht mehr erträglich war, sogar einen Prozess wegen unberechtigten Druckes einiger von ihm als kosmisch besonders bedeutsam bezeichneter Verse, die Gundolf auf Wunsch des Dichters als betont unkosmisches Motto benutzt hatte, gegen Stefan George und Friedrich Gundolf an, in dem er vor dem Gericht in Berlin eine isokratisch flammende Rede gegen den «Verrat kosmischer Geheimnisse» hielt und den Rechtsstreit gewann. Der Dichter und Gundolf erschienen, gegen Klages' Hoffnung, nicht persönlich vor Gericht, ein Freund Bondis, Dr. Jonas, vertrat sie. Ich selbst bin Klages für den Prozess, dessen Möglichkeit das Gedicht an Isokrates vorauszuahnen scheint, dankbar, denn dadurch erfuhr ich aus den Tageszeitungen, die den Sinn des Rechtsstreits nicht verstanden und deshalb ins Lächerliche zogen, dass Stefan George in Bingen lebte, und konnte ihm schreiben, dass ich seine Werke kurz vorher gelesen hätte und bewunderte. – In den letzten Versen des Gedichtes wird dargelegt, wie stark Klages an die Richtigkeit seiner eignen Prinzipien glaubte und dass er mit der unschuldig grausamen Miene eines Kindes lächelnd, das heisst ohne sich selbst darüber völlig klar zu werden, alle ihm Verfallenen zu peinigen vermochte. Dieses Gedicht deutet ferner darauf, dass Stefan George in früheren Jahren selbst den Kampf gegen die Umwelt aufgenommen hatte und sich dessen bewusst gewesen war. Da er geistig stets älter war als körperlich, ein Phänomen, das sich schliesslich auch in der Gestaltung seiner Physis auswirkte, sah er schon in den Jahren 1894 und 1895 die Zeit jenes Kampfes und des kämpferischen Abwägens der Geschicke vieler in der Wage der eignen Hände als hinter ihm liegend an. Am jugendlichen Klages bewunderte er nicht eine Leistung, sondern ein mitreissendes Feuer als Versprechen künftiger Siege und eine überströmende Fähigkeit zum Preisen von Taten andrer. «Könnte der Zweifel dir nahen» ist zwar eine Frage, sie ist aber so gefasst, dass man fühlt, es war nach Ansicht des Dichters nicht unmöglich, schon damals diesen Zweifel zu hegen. Zusammen mit dem Schattenschnitt im «Jahr» gibt dieses Gedicht ein volles Bild von der Wirkung des jungen Klages bis zu der Zeit, in der es durch ihn zum Bruch Stefan Georges mit ihm und Schuler kam, während die Freundschaft mit Derleth erhalten blieb.

Kotytto, auch Kotys genannt, ist in der Antike eine thrakische, bacchantische Fruchtbarkeitsgöttin, die noch in späterer Zeit in Korinth, und zwar durch Männer, die zum Teil als Frauen verkleidet waren, verehrt wurde. Kotytto heisst die geheimnisvolle Göttin der Liebe in Pierre Louÿs' Buch «Aphrodite» – Stefan George hatte Louÿs in Paris kennengelernt, der stilisiert schrieb, ähnlich der Handschrift des Dichters. – Dass in München eine Sängerin zu den Freunden Stefan Georges gehörte, hat er mir selbst erzählt, ohne ihren Namen zu nennen. Es ergibt sich aber aus den Memoiren von Georg Fuchs, dass ihr Name Frieda Zimmer-Zerny war. Sie war die Tochter eines Heidelberger Verlegers, dessen Haus die erste Ausgabe von «Des Knaben Wunderhorn» herausgebracht hatte, besass eine mitreissende Sopranstimme, wurde wohl die erste Sängerin, die als Freundin von Hugo Wolf dessen Lieder in Konzerten in Deutschland berühmt machte, und heiratete später in zweiter Ehe den Komponisten Hallwachs, dessen Werke sie wiederum durch ihre Stimme bekannt zu machen suchte. Von ihr sagt der Biograph Hugo Wolfs, Ernst Decsey, sie habe durch den Vortrag des Liedes «Köhlerweib» die Hörer in einen bacchantischen Taumel versetzt, und es ist diese Fähigkeit ihrer sowohl süssen wie herben Stimme, die der Dichter im Preisgedicht feiert. Er betont den starken Willen, mit dem sie ihrer Musik beim Publikum Geltung zu verschaffen wusste. Sie sprach hart von sich selbst zu Freunden wie dem Dichter und warnte sie vor ihrer düsteren Seele, vor der jeder fliehen solle, aber die Kraft ihrer Stimme erweckte in dem Dichter stets von neuem die Bilder ernster Feierzüge und goldner Segel bei Ausfahrt aus einem Hafen. – Hier mag vermerkt werden, dass Stefan George die Bekanntschaft mit Fuchs, von dem Gedichte in den «Blättern für die Kunst» veröffentlicht wurden und der die «Münchner Allgemeine Kunst-Chronik» herausgab, auf eine Vermittlung Wolfskehls zurückführte, während Wolfskehl mir sagte, dass umgekehrt Stefan George bereits auf der Schule in Darmstadt Fuchs gekannt und erst später an ihn (Wolfskehl) mit einer Visitenkarte empfohlen habe. Fuchs' Zeitschrift war die einzige in Deutschland, in der Stefan George selbst Gedichte veröffentlichte (Nr. 23, 1894). Fuchs gehörte nach dem ersten Weltkrieg zu den rheinischen Separatisten, und Stefan George sagte damals scherzend, dass in den «Blättern für die Kunst» alles vertreten sei, sogar «Landesverräter». Diese Vielhältigkeit betonte er scherzend auch hinsichtlich Paul Cassirers, der später ein bekannter Kunsthändler wurde, und Kögels, eines der frühsten Nietzsche-Forscher. Von ausübenden Musikern schätzte Stefan George besonders den Liszt-Schüler Konrad Ansorge, den er, vom Klavierspiel angelockt, in seinem Haus in Charlottenburg-Westend einmal noch in einer Nacht im Herbst 1912 mit mir besuchte und zu dessen Konzert im Beethovensaal in Berlin er mit mir im gleichen Jahr ging, obwohl er zu jener Zeit sonst nicht mehr Theatervorstellungen und Konzerten beiwohnte. Im Theater war er wohl zum letztenmal bei der Uraufführung von Hofmannsthals «Elektra» in Berlin gewesen.

Antinous dürfte das Symbol für Edmond Rassenfosse sein, den Stefan George bereits seit 1892 kannte. Er war der Bruder des bekannten Zeichners Armand Rassenfosse, der mit dem Kreis um Verhaeren, wie ihn Rysselberghes Bild in Gent darstellt, verbunden war. Der Familie Rassenfosse gehörte das Landhaus in Sur-le-Mont-Tilff, in dem Stefan George als Gast weilte und das den Titel für die ursprünglich französisch gefassten «Sprüche für die Geladenen in T.» im «Jahr» hergab. Der Dichter selbst sagte mir, dass der «Sieg des Sommers» sein Zusammentreffen mit Edmond Rassenfosse feiere und dass er ihn später, als jener in einer kaufmännischen Stellung nach Konstantinopel gezogen sei, völlig aus den Augen verloren habe. Da er in seiner Jugend eine gewisse melancholische Grazie in seiner Erscheinung, ebenso wie in seinen Worten und Gedichten, gehabt hat, ist wohl das Bild des Antinous für ihn gewählt worden. Bei einer Abreise Stefan Georges aus dem sommerlichen Brüssel hatte dieser Freund den Dichter durch Hinweis auf die Schönheit der Landschaft, die sich vor ihm auftun würde, über den Schmerz der Trennung hinwegzubringen versucht. Aber weder die Schönheit der Wälder und Bäche, noch die der Seen, zu denen der Dichter weiterflieht, reicht hin, um ihn über die Trennung von dem Freund und von der Stadt zu trösten. Die hier erwähnten Seen sind vielleicht die oberitalienischen Seen, die schon im Reisezyklus der «Fibel» erscheinen und somit eine wichtige Rolle am Anfang des Eigenlebens des Dichters und am Ende als Todesort spielen. Ihm bot der Eindruck, den eine noch so schöne Landschaft erzeugte, niemals vollen Ersatz für ein Erlebnis mit Menschen. – Von Edmond Rassenfosse handelt ein Schattenschnitt im «Jahr», der zu dem Bild des jungen Belgiers flämischer Abkunft nichts hinzufügt, aber von Empfindungen des Dichters selbst berichtet und dabei einen Einblick gestattet, der zu den tiefsten der direkt gewährten Einsichten in die Seele des Dichters gehört.

Über das Vorbild der Apollonia kann nichts mit genügender Wahrscheinlichkeit geäussert werden. Dafür, dass Verwey und seine Frau – sie wurde keineswegs von Stefan George so hoch wie jene Apollonia geschätzt, er empfand sie als ihren Gatten allzu beherrschend – gemeint seien, liegt ausser einer Behauptung Verweys, der jedoch auch vieles andere, zum Beispiel die «Kinder des Meeres», irrtümlich auf sich bezog, kein objektiver Anhalt vor. Dagegen spricht, dass der Dichter den Holländer Verwey zur Zeit der Drucklegung noch nicht persönlich gekannt hat. – Um Hanna de Haan-Wolfskehl und um Karl

Wolfskehl als Tros kann es sich, da Hanna de Haan im Jahre 1894 sechzehn Jahre alt war, sich mit Karl Wolfskehl erst am 29. Dezember 1898 verheiratete und den Dichter im Jahre 1894 noch nicht persönlich kannte, nicht gehandelt haben. Karl Wolfskehl erzählte mir, dass er selbst damals den Dichter so wenig gekannt habe, dass er über die spätere, auf 1894 zurückdatierte Widmung des Bandes erstaunt gewesen sei. Man kann aber auch hier – ebenso wie über Sidonia und Sabine Lepsius – sagen, dass Hanna de Haan-Wolfskehl eine, wenn auch erst später auftretende Repräsentantin des Apollonia-Typus war. Diese Feststellung erleichtert vielleicht das Verständnis, da es zahlreiche, voneinander abweichende Schilderungen von Hanna und Sabine in zeitgenössischen Romanen und Memoiren gibt. – Stefan George hat mir erzählt, dass Hanna Wolfskehl ihren Gatten zu trösten verstand, wenn er, wie so oft, sein Herz an eine andere Frau – man denke an die vom Dichter häufig im Gespräch zitierten Memoiren-Romane der Gräfin Reventlow – verloren glaubte. Die Schilderung der Persönlichkeit in den beiden letzten Versen würde auch auf die besondere blonde Schönheit Hanna Wolfskehls in ihrer Jugend passen. Sie war die Tochter des mit dem Dichter befreundeten Musikers de Haan und hätte deshalb durch Apollonia als ein Spross des Apoll bezeichnet werden können. Wie sehr Stefan George sie sein Leben lang schätzte, wie nahe er sich ihr fühlte, geht aus dem Vierzeiler hervor, den er als Begleitschreiben zu einem Lichtbild seiner selbst, datiert Januar 1905, das durch den Tod Maximins an ihn zurückgefallen war, ausweislich der «Tafeln» des «Ringes» an sie sandte. Dafür, dass der Dichter Hanna de Haan schon vier Jahre vor ihrer Heirat mit Karl Wolfskehl etwa bei einer Verwandten von ihr kennengelernt hätte, liegt kein Anhalt vor. Auf jeden Fall ist die Apollonia des Gedichts bereits 1894 eine verheiratete Frau gewesen. – Tros ist Gründer und König von Troja und der Vater des Ganymed. Stefan George hätte den asiatischen Namen benützen können, um das bacchantische äussere und innere Wesen Karl Wolfskehls zu charakterisieren. Wer Pirra war, bleibt unbekannt. Der Name deutet vielleicht auf eine Frau mit rotem oder rötlichem Haar. Mascha Eckmann geb. von Kretschman, die Schwester von Lilly Braun, von deren blond-blauäugiger Schönheit Stefan George bisweilen sprach, kommt als Apollonia nicht in Frage. Sie lernte den Maler Otto Eckmann, der sie erst mit Stefan George bekannt machte, 1897 kennen und heiratete ihn 1898 – also nach Erscheinen der «Preisgedichte» und sogar nach Erscheinen des «Jahrs der Seele». Von ihrem späteren Schicksal, ihrer Verhaftung als Spionin in Amerika im ersten Weltkrieg, wusste der Dichter nichts. – Dafür, dass der Maler Schlittgen und dessen Frau gemeint seien, geben weder Erzählungen Stefan Georges noch Schlittgens Memoiren irgendeinen

Anhaltspunkt. – Mit dem Apollonia-Gedicht schliesst die Reihe der elf Preisgedichte, und so endet das erste Buch des Bandes, das für den Dichter die Antike mit dem Leben seiner Zeit verbindet.

DAS BUCH DER SAGEN UND SÄNGE

Der erste Teil des zweiten Buches des Gesamtbandes besteht aus elf Gedichten, unter denen die letzten drei – dies wird angedeutet durch ein leeres Blatt vor ihnen – innerlich eine zweite Gruppe bilden. Die Bilder, die der Dichter in den «Sagen» benutzt, sind dem Mittelalter entnommen, aber so umgeformt, dass ihr Inhalt das Leben des Dichters und seiner Umwelt betrifft, wie die zuerst der öffentlichen Ausgabe beigegebene Vorrede andeutet. Der Dichter sagte mir, dass er mehr an französisches als an deutsches Mittelalter als Vorbild gedacht habe. Um jedem Versuch einer Auslegung als historisch-biographischer Schilderung schon durch die Anordnung entgegenzutreten, zeigt das zweite Gedicht den Knappen in einem jüngeren Alter als den im ersten Gedicht beschriebenen Edelknecht. – Im Alter von sieben Jahren begannen die Knaben adliger Geburt am Hof eines Fürsten oder eines anderen Ritters als Edelknaben zu dienen. Mit vierzehn Jahren wurden sie Knappen, meist in fremdem Dienst, und mit einundzwanzig Jahren erhielten sie den Ritterschlag, die Schwertleite. Diese Lebenseinteilung in Jahrsiebente stimmt mit der des Dichters im «Stern» überein. – In der Nacht vor Empfang des Ritterschlages, einer Zeremonie, die meist vor einem Altar in Gegenwart von zwei Zeugen stattfand und bei der der junge Ritter Helm und Sporen empfing, hatte er zu fasten und zu wachen.

In der «Sporenwache» wacht der Edelknecht genannte Knappe in der von brennenden Kerzen erhellten Kapelle vor einem Altar, der aus einer mit einem weissen Tuch bedeckten, hölzernen Truhe besteht und deshalb «Zelt Gottes» genannt wird. An der einen Wand der Kapelle ist eine Nische, die in ihrem Bau eine schlanke Wölbung zeigt und mit aus Stein gemeisselten Blumen verziert ist. In ihr steht das Grabmal eines Ahnen des Edelknechts, es zeigt den Toten, aus grauem Stein gehauen, liegend mit gefalteten Fingern und einer über der Brust ausgebreiteten Fahne, die das Wappen, für das er gekämpft hat, nicht sein eigenes Wappen, trägt. Das zurückgeschlagene Visier des Helmes hüllt die Augen des Liegenden in Schatten – der Dichter benutzt als Bezeichnung des Visiers, das nicht vor dem fünfzehnten Jahrhundert aufkam, den Plural «Helmklappen». Hinter dem Kopf des Toten erhebt sich ein steinerner Cherub, der mit seinen nach vorn gewandten Schwingen – der Dichter gebraucht den Singular «Schwinge» – den

79

Schild des Ahnherrn mit dessen eigenem Wappen, einer geflammten Klinge im glatten Feld, ohne Angabe der Richtung der Klinge, zeigt. Aus der gesamten Schilderung kann, dem Willen des Dichters entsprechend, weder ein Schluss auf eine bestimmte Adelsfamilie, noch auf die genaue Zeit der Errichtung des Grabmals gezogen werden. – Die geflammte Schwertklinge erinnert an eine Vorliebe des Dichters, die darin zum Ausdruck kam, dass er in seinem Arbeitszimmer in Bingen um 1906 ein Messer mit geflammter Schneide ohne Holzheft als Brieföffner benutzte. Er wies darauf hin, dass es eigentlich ein Brotmesser sei und dass man unverzierte, rein funktionelle Gegenstände damals nur erhalten konnte, wenn man sie unter Material für Industriebedarf suchte. In dieser Weise war es ihm auch gelungen, einen kleinen, völlig unverzierten eisernen Kohlenofen für sein Zimmer und ein rechteckiges Stück braunen Schuhsohlenleders als Schreibunterlage zu finden. – In dem Gedicht werden die Gedanken des Edelknechts während seiner Wache als Selbstgespräch wiedergegeben. Er glaubt, dass das Sinnen und Sehnen der Kindheit jetzt weit hinter ihm liegt, dass er sich ganz dem strengen Ritterdienst zu widmen hat, um dem toten Ahnherrn gleich zu werden, und rüstet sich hierzu innerlich in einer Zeitspanne, deren Länge durch den weiten Abstand zwischen der fünften und sechsten Strophe des Gedichts auch äusserlich angedeutet wird. Mit anders gestaltetem Aufbau, der eine Beschleunigung des Tempos zwecks Darstellung innerer Unrast zeigt, leitet die sechste Strophe zu einer Erinnerung über, die den Betenden plötzlich in Bann schlägt. Es ist das Bild eines noch sehr jungen, pisanellohaften Mädchens, das er liebt und das, in mittelalterlichem Gewand in einem Gewürzgarten stehend, fast gegen seinen Willen vor seinem inneren Auge auftaucht. Eine Versuchung durch den Bösen fürchtend, glaubt er, die Kerzen, deren zuckendes Licht bisher seine Gebete gefördert hat, Blitze gegen ihn schleudern zu sehen, und gräbt die Hände in seine vollen Locken, die noch nicht durch einen Helm verdeckt sind, bis er die vergebende Gebärde des Christuskindes auf dem Altarbild oder der Altarstatue begreift, das mit ausgebreitet offenen Armen auf dem Schoss der Mutter Gottes sitzt – man denkt bei dieser Verehrung des Christuskindes an das Gedicht über die kindliche Wallfahrt. An den Welterlöser ist das Gebet der zehnten Strophe gerichtet. Die Schlussstrophe malt wiederum die Umgebung: beflügelte Engelsköpfe, wie sie auf mittelalterlichen Bildern, etwa des Vaters von Holbein, dargestellt sind, scheinen aus der Altartruhe zu fliegen, die Orgel ertönt vom Hauptbau der Kirche her und die Ruhe des Toten verbindet sich mit der Einfalt (Tumbheit) des Knappen zu einer ungetrübten Klarheit, die sich von der Kapelle aus über die ganze Kirche verbreitet, die Grundstimmung des Gedichts widerspiegelnd.

Der noch weit jüngere Knappe der «Tat» vermischt Spiel mit dem Traum von künftigen Erlebnissen. Das Gedicht wurde zuerst französisch gefasst und später deutsch mit dem Titel «Der Sieg» veröffentlicht. Der Knappe – er ist kaum mehr als vierzehn oder fünfzehn Jahre alt – liebt bereits die Tochter eines Ritters auf einem Nachbarschloss, und sie hat zugesagt, ihm am Mittag ein Zeichen ihrer Liebe durch Sichtbarmachen eines grünen, also hoffnungverprechenden Tuches oder Zweiges zu geben. Der Dichter nennt sie Melusine des Wohlklanges wegen, ohne dadurch Erinnerungen an die ursprünglich französische Sage von der Nixe Melusine und dem Grafen Raimund von Poitiers wachrufen zu wollen, die später auch deutsch gefasst und schliesslich als Volksbuch in Deutschland weit verbreitet wurde. – Die Worte «der Bodenblumen stilles und bescheidenes Heer» sind eine Hinzufügung in der deutschen Fassung des Gedichts, bestimmt, einen militärischen Ton von Beginn an mitschwingen zu lassen. Der Knappe – das Wort ist zweifellos im technischen Sinn hier gebraucht – ist zu jung, um mit schweren Gedanken belastet zu sein. Er wandert sehr früh am Morgen, und das deutet zugleich symbolisch auf seine noch nicht voll erwachte Jugend, zum Brunnen und wirft Kiesel in das Wasser, in dem er vielleicht sein künftiges Antlitz vorausahnend wahrnimmt, wie es der Dichter zur Selbsterforschung im Werk zu tun pflegt. Als er am Mittag – der Tag wird bei Stefan George gern nach dem Sonnenstand eingeteilt – das versprochene Zeichen nicht auf der nachbarlichen Zinne erblickt, zittert er vor Enttäuschung und weint lange in Trotz und Trauer. Am Abend bricht er – so fährt das Gedicht fort, als handle es sich weiter um einen Tatsachenbericht – zum «Wald der Schrecken» auf, erlegt dort, nur mit dem Degen bewaffnet, ein gift- und feuerschnaubendes Ungetüm in einem Kampf, wie ihn der junge Raffael malte, und setzt ohne Verzug seine ritterliche Bahn der Abenteuer fort. Schon die Schilderung des Ungetüms deutet an, dass hier nicht Wirklichkeit, sondern ein Traumerleben möglichst lebendig wiedergegeben werden soll, und die Beschreibung des Blickens des Knappen in den Schlussworten bestätigt dies. Sie wirkt übrigens wie ein Selbstportrait des jungen Stefan George: so blickend hat ihn die Zeichnung des Holländers Jan Toorop, die vielleicht die beste Wiedergabe seines jugendlichen Kopfes ist, festgehalten. Er selbst hielt eine Radierung Toorops für das beste Bild seiner damaligen Gesichtszüge, die der Maler aber später durch Hinzusetzen des Kopfes von Verwey verschlechtert habe, wie er sagte.

Dem Minnesänger Heinrich von Meissen wurde der Beiname «Frauenlob» gegeben, weil er von Jugend an Frauen gepriesen und später das Wort «Frau» gegen das Wort «Weib» verteidigt hatte. In Urkunden wird er zum ersten Male im Jahr 1278 erwähnt. Er starb

6

nach einem Wanderleben, in dem er in Mainz, also nicht weit von Bingen, die erste Meistersingerschule gegründet haben soll, am 29. November 1318. – Der Dichter lässt in dem Gedicht den Minnesänger über sein dem Lob der Frauen gewidmetes Werk sprechen. Die Beschreibung der mittelalterlichen Stadt in der ersten Strophe ist nach der Absicht des Dichters eher nach dem Vorbild einer mittelalterlich französischen als einer deutschen Stadt geformt. Auch ist die Stadt in einem späteren Baustil als dem zur Lebenszeit des Minnesängers herrschenden geschildert. In der ersten Strophe wird die Anwesenheit von Frauen in der Stadt durch nichts als den «silbernen Laut ihres Gelächters» kenntlich gemacht, um eine gewisse Spannung zu erregen. Sie schliesst mit der Feststellung des Sängers, dass er sein bürdevolles Leben «dunklen Duldertums» – dies ist ein Leitmotiv Stefan Georges – genutzt habe, um die Würde und den Ruhm der Frauen zu verkünden. Die zweite Strophe stellt in Worten des Sängers Mädchen und Frauen verschiedenen Alters in mittelalterlicher Tracht bei einem Festzug dar. In der dritten Strophe wendet sich der Sänger wieder zu seinem eigenen Schicksal, zu dem Undank, der ihm dadurch zuteil geworden ist, dass keine der Frauen ihn jemals ihrer würdig befunden hat. Er hält sich für berechtigt, diesen Vorwurf jetzt laut werden zu lassen, weil er den «Fuss des Todes» – die mittelalterlichen Bilder sind im neuen Sagestil streng stilisiert, etwa wie Gemälde flämischer und französischer primitiver Meister – schon nahe und sich irdischem Begehren enthoben fühlt. Die Vision des Begräbnisses, die in der letzten Strophe dem Sänger in den Mund gelegt wird, ist nach einer von Simrock berichteten Sage geformt und lässt an die Vorausahnung denken, mit der der Dichter im letzten Gedicht des «Vorspiels» seinen eignen Tod schildert. Frauen, so sagt der Sänger, werden nach seinem Scheiden seine Verdienste um sie erkennen, Mädchen und Mütter werden ihn zu Grabe tragen und mit frommer Gebärde kostbaren Wein, Edelsteine und Blumen in die Gruft «giessen».

Das «Tagelied» ist eine Aubade, wie sie französische Troubadoure dichteten, im Vergleich zur Serenade der «Nachthymne». Kurz vor Morgengrauen klagt der Liebende im Gemach der Geliebten, dass sie weine, obwohl die Nacht noch Freuden verspreche. Sie erwidert, die Stunden des Glückes brächten sie dem Missgeschick der Trennung näher. Er sucht sie mit dem Schwur zu trösten, dass sie heilig für seine Liebe bleibe, dass er vor ihr bete wie vor dem Empfangen des Sakramentes und dass ihr Seidentuch, das er auf seiner Brust trage, ihm Kraft und Sieg in Turnier und Schlacht verliehen werde. Sie kann die Tränen nicht unterdrücken, obwohl sie wünscht, erst dann zu weinen, wenn das Horn des Wächters, das man im Rhythmus der beiden letzten Verse zu hören glaubt, den Morgen verkünden wird. Die Intensität, die hier Liebe zu Frömmigkeit und Frömmigkeit zu Liebe macht, ist die Sonderheit dieses Gedichts.

In den Versen, die «Im unglücklichen Tone dessen von...» gefasst sind, wird anfangs gesagt, dass sie den Inhalt einer verschnürten Brief-rolle bilden, die er an eine erfolglos von ihm geliebte Frau sendet. Sie hat, so sagt der Brief, ihm gefährliche Kämpfe mit einem Fabelwesen – die Schilderung ist ähnlich der in «Die Tat» – und mit einem Korsaren anbefohlen. Er hat alle Kämpfe siegreich bestanden, aber Schaden an seinem Körper davongetragen. Als Dank hat sie nur gelacht, seine ihr dargebrachte Beute an ein Kind als Spielzeug verschenkt und sein Flehen um Liebe nicht erhört. Das hat ihn tiefer verwundet als alle Waffen der Feinde. Er sagt sich von ihr los, wird aber – so versichert er – bis zum letzten Atemzug nicht aufhören, ihr Lob zu verkünden, und dies deutet wiederum auf eine ungewöhnliche Intensität des hier einseitigen Liebens, um deren Hervorhebung willen die Absage nicht den Schluss des Gedichts bildet, sondern in dem dritten Einleitungs-vers vorweggenommen wird. – Beschreiben «Frauenlob», «Tage-lied» und das Briefgedicht Formen intensiver Liebe, wie sie die Kunst des Mittelalters festhält und wie sie für den Dichter noch lebendig sind, so schliessen «Irrende Schar» und «Der Waffengefährte» an den in «Sporenwache» und «Die Tat» angeschlagenen Ton an, reichen aber über individuelles Schicksal hinaus und beenden dadurch die Reihe der objektiv gefassten Schilderungen.

Die «Irrende Schar» klingt wie eine Vorstufe zum Templergedicht des «Ringes». Die fahrenden Ritter sprechen nicht selbst, wie die Templer im «Ring» es tun, es werden Bilder ihrer Taten gegeben. Die Menge kann Leben und Tun dieser Ritter, die aus einer höheren Welt auf die Erde verbannt zu sein scheinen, nicht verstehen und schmäht sie. Man hält sie für Kinder von Feen, die von Adlern geraubt und auf die Erde gebracht worden sind – dies deutet auf eine vielleicht bewusste Umkehrung der Ganymed-Sage. Sie sind schon durch Geburt für ein Sonderleben, hier als Ritter, bestimmt, wie später im «Stern» weiter ausgeführt wird, und somit werden sie Symbol für den stets auf innerer Wanderung begriffenen Künstler, von dem die «Sprüche für die Ge-ladenen in T.» im «Jahr» handeln. Die Ritter suchen, heimatlos in ihrer Umwelt, nach Gefährten und nach ihrer ursprünglichen, echten Heimat, einem Land, das noch mit goldenen Pflügen, also nur sym-bolisch, wie es in der Antike bisweilen durch kultisch nackte Pflüger geschah, zur Fruchtbarmachung gepflügt wird. Gold weist auf das goldene Zeitalter, von dem Hesiod spricht und das die Cumäische Sibylle, nach der Scholie des Servius, mit diesem Metall verband. Auf den goldenen Pflug könnte der Dichter auch durch ein von Grimm in der «Deutschen Mythologie» wiedergegebenes skythisches Märchen gewiesen worden sein, das Herodot überliefert hat. Danach fiel eines Tages ein goldener Pflug, zusammen mit anderm Gerät aus Gold, vom Himmel. Nur der jüngste von drei Söhnen des Königs konnte den Pflug forttragen, ohne sich daran zu versengen, und, dieses Zeichen achtend, machten ihn seine beiden Brüder freiwillig zum alleinigen Herrscher über das ganze Land der Skythen. – Kreuzzüge im weitesten Sinn werden unter den Taten der fahrenden Ritter durch Erwähnung von Gefechten an Meeresküsten aufgezählt. Das Opfer eines Armes stellt eine Verbindung zu dem voraufgegangenen Briefgedicht her. – Stefan George besass eine Zeichnung Ludwig von Hofmanns, die einen Ritter im Kampf um eine «blasse stolze Frau» darstellt. Er liess sie als Titelbild zu der zweiten Ausgabe von Hofmannsthals Gedichten im Verlag der «Blätter für die Kunst» veröffentlichen. – Engel mit «Giftespfeilen» deuten auf Übel, wie es im Mittelalter Seuchen waren, die mit den damals bekannten Mitteln nicht überwunden werden konnten. Von der Rettung aus der schlimmsten, vom Himmel gesandten Not handeln die Schlusstrophe des Templergedichtes und im «Geheimen Deutschland» Strophe fünf ausführlich. Lobpreisungen und Ehrungen – Hosanna ist die richtige Form, der Dichter hatte in der Schule hebräisch gelernt – durch die Umwelt verachten die Ritter, sie haben erkannt, dass solche Gunstbezeugungen der Menge nicht einmal einen einzigen Tag überdauern. Trost und Rast gewährt ihnen im Alter ein Leben in der Burg des Gral, der leuchtenden Schale, in der das Blut Christi aufgefangen sein soll und als deren von Gott schon im Kindesalter erwählte Hüter im Mittelalter die Templer galten. Wie die letzten Verse besagen, sind der Gral und seine Burg hier ein Symbol für das unvergänglich Schöne, das bereits im «Geheimopfer» in den Mittelpunkt gestellt worden war.

Die zwei Gedichte «Der Waffengefährte» wurden angeregt, wie Stefan George selbst erzählte, durch ein Bronzerelief im Dom von Konstanz. Der ältere Ritter ist nach scharfem Kampf in Schlaf gesunken. Der genaue Anlass des Kampfes wird nicht erzählt, um der Phantasie des Hörers keine Schranken zu setzen. Doch scheinen die vierte und die fünfte Strophe zusammenzugehören und anzudeuten, dass der Kampf die Folge eines Abenteuers ist, in das der jüngere Ritter um der Liebe willen verstrickt gewesen ist. Der Sprecher umschreibt dies in seinen Worten in einer romantischen Weise, die seiner Jugend entspricht. Das Festhalten am Handgelenk erinnert wiederum an das An-den-Mast-Binden in der Sage von Odysseus und den Sirenen. In der sechsten Strophe charakterisiert der jüngere Ritter den älteren durch Beschreiben von dessen Taten und in der Schlusstrophe hebt er hervor, was Härte und Milde des Älteren für ihn, den Jüngeren, bedeuten. Das Bild «Wachs und Eisen» schliesst an die Selbstschilderung Algabals an. Jean Paul spricht in den «Flegeljahren», die Stefan George zusammen mit «Titan», «Hesperus» und «Levana» besonders schätzte, von einem «Herz von Wachs in der Brust von Eisen».

Das zweite Gedicht vom Waffengefährten lässt den Jüngeren, nachdem der Ältere im Kampf gefallen ist, in einem veränderten Versmass sprechen, das seine innere Wandlung durch diesen Tod andeutet. Auch die Wortwahl zeigt, dass der Jüngere jetzt gereifter ist. Er hebt als besondere Gunst des Himmels hervor – das Wort Gott wird in dieser Epoche vom Dichter möglichst vermieden – dass der Sterbende noch Kenntnis von dem im Kampf erfochtenen Sieg erhalten konnte. Er sieht die grosse Trauerfeier, die schon stattgefunden hat, als «frühes lichtes Ruhmesmal» für den Gefallenen an, wobei das Wort «früh» sowohl auf ein noch verhältnismässig junges Lebensalter des Gefallenen, wie auch darauf deuten kann, dass ihm schon so rasch nach seinem Tod ein Siegesmal errichtet wird. Die Verbindung mit dem Wort «licht», das den vom Dichter gern benutzten Gegenpol zum «dunklen» Trauergepränge bildet, deutet vielleicht an, dass «früh» sich auf ein so früh gesetztes, strahlendes Denkmal beziehen soll. Vielleicht soll aber hier das Wort die beiden Möglichkeiten seiner Benutzung im Hörer heraufbeschwören, und das wäre wohl die beste Auslegung. – Der Jüngere fühlt sich, wahrscheinlich um den unersetzbaren Wert des Älteren zu betonen, schutzlos ohne ihn, er sieht ihn als Vorbild für sein ganzes Tun und Denken an und fürchtet, dass er untergehen könne, ohne jenem an Grösse und innerer Ehre gleichgekommen zu sein. Der Schluss der «Nachthymne» bietet Anlass zu einem Vergleich.

Das leere Blatt kennzeichnet den Beginn der zweiten Gruppe der «Sagen», die aus drei Gedichten besteht. Im «Ritter der sich verliegt» ist das mittelalterliche Bild noch objektiv gesehen, aber die Art der Schilderung macht ein subjektives Erleben des Dichters fühlbar und bildet dadurch den Übergang zu den mehr persönlichen Darstellungen im «Einsiedel» und im «Bild», die in der ersten Person des Singulars wiedergegeben sind. Ein Mittel zur Subjektivierung des Rittergedichtes ist die Einschiebung eines allgemein gehaltenen Verses in Wiederholung an fünfter und vierzehnter Stelle, wodurch der Strophenbau ungleichmässig und dadurch erregend wirkt. Das mittelalterliche Sich-Verliegen eines Ritters, der durch stete Gedanken an sein Lieben tatunfähig wird, ist vertieft zur Trauer des Dichters, der seinen Traum nicht zu verwirklichen vermag. Die Aussenwelt dringt nur noch im Ton des anschlagenden Tores zu ihm, er glaubt, wie der Ritter, die Klänge seines früheren Lebens in diesem Ton zu vernehmen, und nimmt darin die Vergangenheit als Bild wahr. Die Ursache des Sich-Verliegens wird, um diese weiter und tiefer reichende Wirkung zu erzielen, nicht näher angegeben, und am Ende des Gedichts wird das

Sich-Verliegen mit dem Zurückgleiten in frühere Zeiten, die schön waren, weil sie «ahnungslos» erlebt wurden, wiederum durch akustische Assoziationen in Verbindung gebracht. Bei dem Dahindämmern könnte man an die Tatenlosigkeit Algabals denken, nachdem er die Nichtigkeit allen menschlichen Tuns erkannt hatte.

Der Einsiedler, der sich nach einem vollen Leben in inneren Frieden zurückgezogen hat, erzählt selbst, dass sein Sohn ihn besucht, ihm von seinen Erlebnissen berichtet und, von der Ruhm verheissenden Schönheit eines Morgens verlockt, ihn wieder verlassen hat, obwohl er selbst gewünscht hätte, der Sohn wäre bei ihm geblieben. Hier versetzt der Dichter sich wieder in die Gedanken eines Mannes, der älter ist als er damals war, und das Wort «Sohn» ist so weit gefasst, dass man auch an die vom Dichter ersehnten geistigen Sprossen denken kann, obwohl die Schilderung scheinbar nichts als die Wiedergabe eines mittelalterlichen Bildes bezweckt. Holunder ist, ebenso wie der Flieder in den «Tafeln», ein für Mitteleuropa typischer Strauch, und der gekränkte Stolz ein bezeichnendes Erlebnis der Jugend, die niemals den Erfahrungen des Alters traut und alle Erhebungen und Enttäuschungen selbst spüren will und durchzumachen hat. Das Lösegeld, das der Einsiedel dem Himmel – Gott ist wiederum umschrieben – für ein Bei-ihm-Bleiben des Sohnes vergeblich anbietet, ist der Verzicht auf jedes andre irdische Glück und das völlige Aufgehen im frommen Dienst. Die erste und dritte Strophe geben die Heimkehr und den Auszug des Sohnes in Bildern, die mit den Augen des Einsiedlers gesehen und in seiner Sprechweise beschrieben sind. Das Gedicht ist ein Auftakt zu den «Schmerzbrüdern» im «Teppich».

Das «Bild» im Titel des dritten Gedichts ist, wie aus dem vierten Vers der vierten Strophe hervorgeht, ein Bild der Mutter Gottes und nicht des Welterlösers der «Sporenwache». Es ist ein Symbol, das zu allen Zeiten gültig geblieben ist und hier deshalb von der Ritterzeit zu dem Leben des Dichters leitet. Das Singen auf steinernen Gräbern, Grüften, die leblos bleiben, und das Wandeln in Sprache und Versart früherer Dichter haben keine Befriedigung – im vollen Sinn des Wortes – mit sich gebracht. Die Verben sind verschränkt gestellt, um die Aufzählung zu verdecken, und die durch schwere Silben erzeugte, wohl bisher grösste Langsamkeit des Versflusses soll die Dauer der Qual hörbar machen, in der nichts als eine zeitweise Milderung durch das Sinken des Abends, wie etwa im «Täter» des «Teppichs», erwartet werden kann. Der Meiler, in dem Holz zu Holzkohle geglüht wird, deutet in der Abendlandschaft an, dass noch nicht alle innere Glut erloschen ist. Der Abend verlangt keine äussere Betätigung, er ist die Zeit zum Gebet vor dem Madonnenbild in der vor der Aussenwelt bergenden Zelle des «Siedlergangs». Die Geste des Betenden und die

Art seines Gebetes, das sich nicht an überkommene Form hält, sondern aus der Seele anfangs- und endlos geboren wird, sind in der dritten Strophe geschildert. Als letztmögliche Beschwörung wagt der Betende, das Bild zu küssen, wie im sechsten «Standbild» des «Teppichs». Aber das erflehte Wunder ereignet sich nicht trotz seiner stürmischen Bitten und trotz seines Zürnens, das hier als Gegensatz neben das Flehen gestellt wird, um darzutun, die seelische Kraft sei durch zu langes Warten so erschöpft, dass der Beter fürchten müsse, zum Erleben des Wunders der Liebe nicht mehr stark genug zu sein, wenn ihm das Madonnenbild später einmal ein Zeichen der Erhörung geben würde, etwa wie der «Herzensdame» im «Teppich». Die «Lagerstatt» des «Siedlergangs» wird benutzt, um das Einsam-geblieben-sein, wie das der Sappho, deutlich zu machen, und so endet diese Gruppe und mit ihr der erste Teil des zweiten Buches glücklos, wie die meisten der deutschen Sagen tatsächlich schliessen.

Die «Sänge eines fahrenden Spielmanns», dessen Leben dem des fahrenden Ritters ebenso entgegengesetzt ist, wie das des Königs dem des Harfners im «Ring», bilden den zweiten Teil des zweiten Buches des Gesamtbandes. Das Singen des Spielmanns stellt die andere Seite des Daseins des Dichters dar, der, wie das erste Zeitgedicht im «Ring» besagt, Kunst als Mittel zum Finden von Gefährten benutzt. Technisch sind die «Sänge» die erste Etappe auf dem Weg zu den Volksliedern, die zusammen mit den Hymnen des «Neuen Reichs» vom Dichter als Höhepunkt des neuen Stils angesehen wurden. – Der fahrende Spielmann ist nicht wie der fahrende Ritter durch strenge Konvention einer über die grosse Menge erhobenen, schmalen Schicht gebunden. Deshalb knüpfen die äusserlich nicht untergeteilten vierzehn Sänge, die aber innerlich in zwei Gruppen zerfallen, nicht an überkommene Sitten und Bilder an, sie sind Ausdruck eines lediglich durch Betrachtung der Natur angeregten Fühlens. Die einzige Forderung ist, dass die Wortfügung liedhaft zu klingen hat und dass die jedem Liedtext innewohnende Melodie zum Tönen gebracht wird. So beginnt das erste Gedicht mit dem Gedanken, dass Worte ohne liedhafte Einung trügerisch und vergänglich sind. Das bisher nur im Traum geschaute Bild der Geliebten soll verherrlicht werden, wie der Dichter gesteht, noch ohne kundzugeben, dass – wie er später im «Ring» erkennt – eine solche Verherrlichung der erste Schritt zur Verlebendigung des Traumes ist. Dieses Preisen einer Traumliebe unterscheidet die «Sänge» von mittelalterlichen Minneliedern, die meist an eine bereits gefundene Geliebte gerichtet sind. Der Dichter will in möglichst einfacher Form unkomplizierte Empfindungen besingen ohne die in den Sälen der Burgen heimische Höfischkeit und ohne den Hang zum Heroentum, der von überkommenen Fabeln über Riesen und Ungeheuer ausgeht. Was hiermit gemeint ist, wird durch den Ton des Liedes des Edelkindes und der Lieder des Zwergen klar, die gefasst sind, wie Sänger aus dem Volk sie empfinden und in Worte kleiden. Die Mühe des Formens der Lieder wird durch gegensätzliche Begriffe als eine «sanfte Plage» charakterisiert, die, wie der Dichter gesteht, aufgewendet werden soll, um die Traumgestalt festzuhalten.

Im zweiten Gedicht, das wie alle Lieder dieses Kreises mit Ausnahme des letzten ein Frühlingssang ist, werden Tautropfen, die das Sonnenlicht auf Knospen bunt schimmern lässt, in Beziehung zu Tränen gebracht, die nur so lange in Liedern als letzter Trost aufleuchten, als der Dichter fähig ist, die Sonne des jungen Jahres als stets neu zu geniessen. Dieses Gedicht gibt wie das erste die Seelenlage des Dichters direkt wieder, während in den folgenden fünf Liedern die Traumgeliebte geschildert und nur indirekt das Fühlen des Liebenden beschrieben wird.

Um die Geliebte zu rühren, ist der Dichter willens, so heisst es im dritten Lied, vor ihrer Tür sein armes Lied zu singen, ihr Garben von Blumen zu spenden, ihre Farben zu tragen, womit hier nicht etwa Farben eines Wappens, sondern die von der Geliebten bevorzugten Farben gemeint sind. Er fragt sie und wohl noch mehr sich selbst, ob sie dies wird begreifen können, ob ihr Nichtverstehen ihn zwingen wird, traurig seine Wanderung fortzusetzen, ob er den Mut finden wird, seine Liebe in offenen Worten zu gestehen, die er bisher nur andeutend umschrieben hat. Das vierte Lied bringt zum Ausdruck, dass er zufrieden sein wird, wenn sie ihm dadurch Erhörung gewährt, dass sie gestattet, ihre Hand zu berühren und mit einem Kuss zu streifen. Einziger Trost ist für ihn, so heisst es im fünften Lied, sich ihr nahe zu denken und für sie sein Lied zu singen. Dann glaubt er, den Klang ihrer Stimme zu vernehmen, der noch lange in ihm weitertönt.

Das Gedicht «Sieh mein Kind ich gehe» ist zusammen mit andern Liedern von Arnold Schönberg in Musik gesetzt worden. Stefan George schätzte diese Art moderner Musik nicht, er bevorzugte die Kompositionen von Conrad Ansorge und dem jungen Cyril Scott, war aber jeder Vertonung seiner Gedichte prinzipiell abgeneigt. – Es ist ein Abschiedsgedicht. Der Liebende will die Traumgeliebte – denn es handelt sich in allen Sängen nicht um eine im Leben bereits gefundene Gestalt – freiwillig verlassen. Er fürchtet, sie könne durch seine Worte oder sein Tun Wissen um die allem Menschenleben innewohnende Mühe und Pein erlangen, dadurch würde der «Duft ihrer Wange», der im dritten Sang «Unschuld» genannt ist, unwiederbringlich verlorengehen. Das bedeutet, dass er, wenn sie im Leben erschiene, nicht nach Erfüllung seines Liebens, sondern nach ihrer Erhaltung in der am meisten anbetungswürdigen Vorerlebensstufe ihrer Jugend streben würde, und hierin liegt kein Mangel an Leidenschaft auf seiner Seite, vielmehr ein künstlerisches Trachten nach Verewigung von Schönheit, das über jede Leidenschaft hinausreicht.

Der «rechte Morgen» des siebenten Sanges würde, so sagt der Dichter, der eines Frühlingstages sein, an dem die Natur bereits so sommerlich getönt wäre, dass die Geliebte zum Verstehen der Bitten und Schwüre des Liebenden erwacht sein würde. Dann – dies ist hier der Sinn des Wortes «jetzo», vergleichbar der Sonderbedeutung des Wortes «nun» im «Siedlergang» – würde der Liebende nicht mehr stumm und zaghaft neben ihr an dem stets symbolisch als Begrenzung gebrauchten «Hag», der hier immergrün, das heisst unveränderlich durch Zeitabläufe, erscheint, entlang wandern, er würde offene Worte für Schwur und Lobpreisung finden.

Im achten Gedicht, das die Gruppe der subjektiv gefassten Gesänge abschliesst, spricht der Dichter zu sich selbst, um sich – wie immer – über das Ergebnis des in sieben Sängen verdichteten Traumlebens klar zu werden. Dass seine Pulse auf Grund dieser Liebe schneller pochen, ist eine neue Erfahrung für ihn, die ihm Mut gibt, noch kurze Zeit zu harren, um zu erkennen, ob er am Ende Glück oder Leid ernten wird. Als einen bleibenden Gewinn empfindet er schon jetzt, dass weiteres Entsagen, falls es ihm vom Schicksal auferlegt sei, nicht Vernichtung seiner seelischen Kraft mit sich bringen würde, und diese Feststellung ist so direkt im siebenten Vers ausgedrückt, dass sie den Rahmen des Liedes sprengen könnte, wenn nicht die Wiederholung der Verse drei bis sechs den Rhythmus des Anfangs bis zum Ende weitertragen würde.

Das neunte Lied ist der Beginn der zweiten Gruppe, nämlich einer objektiv gefassten Reihe von «Sängen», sie reicht bis zum Schlussgedicht des «Buches der Sagen und Sänge». Ein Sänger des Volkes, wie aus dem dritten Vers der zweiten Strophe des ersten Gedichts folgt, besingt die Gefühle eines Mädchens, einer sehr jungen Tochter eines Adligen, die ein Edelkind genannt wird. In ihr erwacht an einem Frühlingsmorgen, wie er in dem inhaltlich kontrastierenden siebenten Gedicht geschildert war, das Begehren nach Liebe, geweckt durch das Lied eines Fiedlers, das sie ersehnt hat, das sie aber erschreckt. Ihre Augen, die vorher unbeschwert, froh und kühn von der sicheren Höhe des Schlosses aus in die Landschaft geblickt haben, und ihr Herz, das von dem Jubel der Lerche voll erfüllt gewesen ist, werden traurig und zaghaft. Sie fragt, weshalb dieses Lied gerade für sie erklungen ist und ob der Fiedler den Ring, den sie ihm als Lohn zugeworfen hatte, in trugvoller Absicht zu einer Fessel für sie umgeschmiedet hat. Frühling erfreut sie nicht mehr, sie ist andern Fühlens bewusst geworden, Trauer und Tränen der Einsamkeit scheinen von jetzt an ihr Los. – Technisch interessant ist hier der Versuch, eine gegenständliche Schilderung zugleich zum balladenhaften Lied des Mädchens zu gestalten, indem sie selbst im Vers eins und zwei der zweiten Strophe und in den Strophen drei und vier als sprechend dargestellt wird.

Im zehnten, elften und zwölften Gedicht besingt ein Sänger des Volkes den Zwergkönig in betont unheroischer Weise, die somit im Gegensatz zu dem im ersten Gedicht angeführten Geschehen im Fabelreich der Riesen steht. Dieser Zwerg lebt in einer Welt zarter Kleinheit und begehrt, sich nur sehr jungen Kindern zu zeigen, die noch unter Freudenrufen ihren Reigen schlingen. Wieder ist es der Wunsch übernatürlicher Wesen, mit Menschen in Verbindung zu treten. Er verspricht, den Kindern, falls sie ihn an ihren Spielen teilnehmen lassen, Geschenke zu bringen, die nur er als Zwergkönig und Feensohn zu spenden vermag. Es sind Schicksalsgaben, die früh verliehen werden und den Verlauf des ganzen Lebens bestimmen, wie sie in «Sprüchen für die Geladenen in T.», die anfangs für dieses Buch bestimmt waren, und in Sterngedichten aufgezählt werden. Im zwölften Sang sind sie in drei Gruppen bezeichnet, nämlich erstens als Macht und Reichtum, zweitens als Ruhm und Liebe der Frauen und drittens als Künstlerschaft, die dem lebenden Künstler weder Ruhm noch Reichtum bringt. Die Kleinheit des Zwerges spiegelt sich in Kürze und Kargheit der Verse und in betonter Verkleinerung der Bilder.

Im dreizehnten Gedicht ist die Überschrift in kleinen Lettern gedruckt, um darzutun, dass sie, ebenso wie bei den Zwerggedichten, bestimmt ist, mitgesungen oder mitrezitiert zu werden, wie der Dichter mir sagte. Das Gedicht spricht nicht im höfischen, sondern im Volkston von den Gefühlen der Braut eines Adligen am Morgen vor der Hochzeit. Das Horn des Türmers, das Morgengrauen verkündet, klingt für sie ebenso verheissungsvoll, wie es angsterregend für die Geliebte des «Tageliedes» tönen wird. Für die Braut ist es der feierliche Auftakt zu dem Sonntag ihrer Hochzeit. Sie vergewissert sich, dass sie nicht mehr träumt, als sie einen Ruf am Tor, das hier, wie stets, das Symbol des Eintretens in neues Erleben ist, hört und fühlt, dass es ein Bote dessen sein muss, den sie zum Gatten bei der Trauung erwählen und lieben soll. Das Lied von den Heiligen, die als «Himmelshelden» gesehen werden, ist ein Choral, er wird durch das Horn des Türmers verkündet, tönt aber auch im Choralcharakter des ganzen Gedichtes mit.

Diese religiöse Wendung stellt die Verbindung zum letzten Sang des zweiten Buches dieses Bandes dar, in dem, und zwar noch immer im Volkston, das Fest der sieben Freuden Mariae verherrlicht wird. Es wird am dreiundzwanzigsten September begangen, so dass dieses Gedicht als einziges der «Sänge» im Herbst spielt und dadurch wie durch seinen religiösen Charakter den geeigneten Abschluss für die das christliche Mittelalter heraufbeschwörenden «Sagen und Sänge» bildet. Zu den sieben Freuden gehört Marias Krönung, von der schon die Beschreibung des Fra Angelico-Bildes handelte. «Herrin im Rosenhag» deutet auf das von Stefan George besonders geliebte Gemälde von Stefan Lochner in Köln. Geäst und Moos sind charakteristisch für den an Blumen armen, späteren Herbst, zugleich auch für die Bescheidenheit des Opfers und des Beters, dessen Einfalt in der unverhohlenen Bitte im letzten Vers zum Ausdruck gebracht ist. Ob das Gedicht als von einem Mädchen oder – was ich für wahrscheinlicher halte – von einem Knaben gesprochen gedacht werden soll, ist nicht entscheidend und bleibt in den Versen offen, da es das Ziel des Dichters ist, jeden Hörer oder Leser sich mit dem Beter identifizieren zu lassen. Es handelt sich hier nämlich um den Versuch, ein Kirchenlied bewusst zu gestalten, also um die Lösung einer Aufgabe, deren Schwierigkeit gerade einen echten Dichter zu allen Zeiten anzieht. – Einrahmend entspricht die Einfalt des Beters am Ende der «Sänge» der Tumbheit des Knappen am Anfang dieses Buches. Die «Preisgedichte» bildeten in ihrer klassischen Ruhe und Form den Abschluss des voraufgegangenen, die Antike einbeziehenden Buches, während die in Inhalt und Form bewegten «Sänge» das in Klang aufgelöste Ende des zweiten, das Mittelalter als Untergrund benutzenden Buches des Gesamtbandes darstellen.

DAS BUCH DER HÄNGENDEN GÄRTEN

Der Titel des dritten Buches des Bandes deutet auf den Kulturkreis des Nahen Orients, in dem die Seele des Dichters sich eine Zeitlang spiegelt, um etwas von der «sinnlichen Luft unserer angebeteten Städte», wie das Vorwort zur öffentlichen Ausgabe besagt, einzufangen. Wie immer bei Stefan George handelt es sich nicht um eine Schilderung bestimmter Epochen, etwa der Tage der Königin Semiramis oder der wohl fälschlich nach ihr benannten, berühmten «hängenden Gärten» in Babylon. «Hängend» bedeutet hier eher irreal und imaginär in einer Weise, in der Mensch und Ding in arabischen Märchen beschrieben werden. Der Dichter liebte von Jugend an die Märchen von «Tausendundeine Nacht», las sie immer wieder und bevorzugte sie zusammen mit sachlichen Reisehandbüchern noch bis zu seinem Tod als Nachtlektüre. Er nannte einen jungen Freund Adjib, erzählte gern das Märchen von jenem Königssohn, der zum Schutz seines nach Weissagungen gefährdeten Lebens in einer Höhle erzogen und schliesslich doch durch ein herabfallendes Messer getötet wurde. Auch zitierte er Verse, die in «Tausendundeine Nacht» eingestreut sind, in seltsam ansprechenden, altertümlichen Übersetzungen, wie etwa: «Vergesset auch nicht das Fleckchen auf jener Wange, denn ihr findet dasselbe bei jeglicher Anemone». Waclaw Lieder empfand als Dichter und Orientalist Fitzgeralds Übersetzung der Gedichte Omar Chajjams als so sinnverfälschend, dass er wünschte, Stefan George solle sie übertragen – aber, soviel ich weiss, kam es nicht zur vollendeten Übersetzung auch nur eines Gedichts. Stefan George kannte Judith Gautiers Übersetzung chinesischer Gedichte ins Französische und zog sie der von Klabund, die ich ihm einmal vorlegte, als wahrscheinlich sinngetreuer und direkt vom Original genommen vor. An den Chinesen schätzte er die alte, von ihnen selbst entwickelte Kultur, als Menschen waren sie ihm aber unheimlich, wie alle Völker der gelben Rasse, die, wie er glaubte, niemals von Weissen genügend tief verstanden werden könne und vielleicht eines Tages die Weissen überwuchern werde. Die Japaner waren ihm wegen ihres Triebes und ihrer Geschicklichkeit zum Nachahmen unangenehm. Nur sehr widerwillig empfing er einmal nach dem ersten Weltkrieg einen Japaner, weil ihm dieser von Ort zu Ort unermüdlich nachgereist war und nach altjapanischer Sitte einen Brief mit seinem eignen Blut geschrieben hatte.

Ausweislich des Inhaltsverzeichnisses zerfällt das äusserlich nicht geteilte «Buch der hängenden Gärten» innerlich in drei Teile. Der erste umfasst zehn Gedichte und endet mit «Friedensabend», der zweite enthält fünfzehn Gedichte und schliesst mit «Wir bevölkerten» und der dritte wird von sechs Gedichten gebildet, von denen das letzte zugleich Überleitung zum «Jahr der Seele» ist. Das leere Blatt hinter dem Ara-Gedicht soll andeuten, dass das Thema entscheidend wechselt. Es beginnt hier also eine zweite Gruppe im ersten Teil dieses Buches.

Inhaltlich stellt das Buch die dritte und im Werk letzte Einfühlung des Dichters in orientalisches Wesen dar. Die erste erfolgte bereits in der Schulzeit und in den ersten Studentenjahren, wie «Prinz Indra» und die erste Fassung von «Manuel und Leila» zeigen, die zweite ist in der Mischung von orientalischen und römischen Elementen im «Algabal» feststellbar. Den Grundgedanken der «Hängenden Gärten» bildet – wie der Dichter mir erklärte – die enge Verbundenheit von Herrschen und Dienen im Orient, die später in den Zeitgedichten und Tafeln des «Rings» und den darauf folgenden Werken als eine für alle Zeiten und jedes Volk notwendige Kraftquelle dargestellt wird und den Ansatz zu Friedrich Wolters' Staatslehre von Herrschaft und Dienst enthält. Der Dichter glaubte, dieses vielleicht ursprünglich orientalische Problem besonders gut deswegen zu verstehen, weil nach seiner Meinung türkisches Blut in nicht messbar erschreckend fernen Zeiten, die Goethe «abgelebte Zeiten» nennt, in die Familie seiner Mutter Schmitt gekommen sei. Er erzählte, dass dort der sonst im Rheinland seltene Vorname Saladin wiederholt vorkomme – auch sein Verwandter, der sogenannte David-Dichter, hiess Saladin Schmitt. Der Kopf des Dichters zeigte übrigens eine Ähnlichkeit mit dem Kemal Paschas, und diese Züge waren im Gesicht seiner Mutter, nicht seines Vaters vorgeformt, die ich beide persönlich kannte. Der Dichter machte in späteren Jahren die Bekanntschaft des im Exil in Deutschland sich aufhaltenden Jungtürkenführers Djemal Pascha, dessen Anschauungen über den Aufbau eines Staates ihn interessierten. Was der Dichter als «Staat» bezeichnete, ist, wie er in einem Brief an mich sagte, das Verhalten von Menschen zueinander auf der Basis von Herrschen und Dienen.

Das erste Gedicht handelt vom Aufbruch in den Traumorient an einem heissen Sommerabend. Es wird betont, dass diese Reise eine Wiederholung von früheren Fahrten ist und dass sie in ein Reich führt, das von dem Dichter schon früh beherrscht worden ist, wie «Kindliches Königtum» schildert. Die Reise erfolgt nicht auf dem Zauberteppich der arabischen Märchen, sondern auf einem Pferd, das mit dem heute altertümlich wirkenden Wort «Zelter» zur Betonung der Irrealität bezeichnet wird, ebenso wie im «Erwachen der Braut» der Verlobte bewusst «Knabe» im alten Sinn des Wortes genannt worden war. Die Reise beginnt mit dem Druck auf einen orientalischen Rubin am Zaum des Wunderpferdes, das an Bellerophons Pegasus erinnert. Mahomet spricht von einem Wunderpferd in Goethes «Berechtigte Männer». – Diese Reise ist nicht Gefahren bergend, sie erfordert nur ein Sich-Schmiegen an den Hals des Pferdes, um der Geschwindigkeit standzuhalten. Die Worte «noch einmal» deuten darauf, dass der Dichter schon früher im gleichen Traumreich geweilt hat. Er war durch Geburt Herrscher jenes Reiches.

Als die eine Nacht, in der die ganze Reise vor sich geht, von der Morgenröte jäh, das heisst unvermutet, durchbrochen wird, fühlt der Dichter die Nähe des Zieles, und zwar anfangs durch einen balsamischen Duft, erst später sieht er das Land und die Mauern, denen er sich entstammt weiss, in glückverheissender Nähe. Die Wedel der ersten Palmen – schon früher als Symbol für Ferne oder Erhabenheit und Ruhm verwendet – erfüllen ihn mit Stolz und Schauer der Freude. – Der Dichter hatte im September 1889 die Palmen in Elche, dem einzigen Palmenhain Europas, gesehen.

Er fühlt sich zurückverwandelt in den Herrscher des kindlichen Königtums, von dem das sechste Gedicht spricht, aber er ist jetzt mit dem Denken des Gereiftseins belastet. Dadurch werden seine Gefühle beim Betreten des Traumreiches beeinflusst, wie das dritte Gedicht darlegt. Die Bahn zum höchsten Ziel, nach dem er strebt, ohne es hier näher zu umschreiben, liegt offen vor ihm. Doch betäubt ihn das bisher Erreichte – ausgedrückt durch Hervorhebung der in Gewölben aufgespeicherten Siegesbeute, der eroberten Fahnen und Waffen, die aus Stahl, also in einer der Gegenwart nahen Epoche, hergestellt sind. All dies verwirrt ihn durch Erinnerung an Blut und Vernichtung in den gewonnenen Kriegen und an ein Meer von begeistert erhobenen Armen seiner Krieger. Dazu glaubt er, inmitten dieser Umgebung einen Ton, der tiefer als das Lärmen um ihn ist, beben zu hören, einen Ton, der ihn lockt, der Würde des Herrschens nicht eingedenk zu bleiben und nach orientalischer Sitte das Recht des Siegers, etwa wie es im Gedicht « Mahnung » geschildert ist, auf diesem Boden auszukosten, auf dem es als « süsse Saat » des Sieges aufgeht und auf dem der Wunsch nach weichem Geniessen naturgegeben und nicht frevelhaft ist. Das Küssen des Erdbodens bedeutet, dass er ein solches Recht des Landes anerkennt. « Himmlische Gaben » deuten auf die arabische Vorstellung von Frauen, die im Paradies die Gestorbenen erwarten.

In der ersten Strophe des vierten Gedichts schildert der Herrscher in Person die Üppigkeit weit sinnlicher, als sie gelegentlich der Feste Algabals dargestellt war. Das von oben her einfallende Licht lässt die nackten Leiber in den aus dunkelschimmernden Quadern gebauten Sälen und in bauschigen Zelten teils marmorweiss mit bläulichen Adern, teils vollgelb wie saftige Weinbeeren kurz vor der Reife, teils infolge eines dunkleren Inkarnats hellrot wie Obstblüten oder dunkelrot wie Blut aufleuchten. – Im « Stern » wird später die Farbe der Leiber zu weiss und rot vereinfacht. – Aus der Schilderung der ersten Strophe und der Fassung des ersten Verses der zweiten Strophe geht hervor, dass der Herrscher eine Zeitlang solche leiblichen Freuden auskostet, dann aber beschliesst, sich von ihnen zu trennen, um Siegesbräuche zu geniessen, die durch « Erhabenheit » berauschen. Dieser Wechsel lässt ihn von neuem den Gram seiner Gesondertheit, seiner Einsamkeit fühlen, und er ist ungewiss, ob er ihn mit Hilfe des Weines, dessen Aroma hier rheinisch als « blumig » und « sprühend » gekennzeichnet wird, verscheuchen kann und ob ihn nochmals an einem Morgen der Waffenlärm seiner Krieger belebend vom Dahindämmern auf seiner Lagerstatt, die hier wieder Symbol der Einsamkeit ist, zu neuen Taten wecken wird. Das Lager ist auf Blättern des Basilienbusches bereitet. Der durch stark aromatischen Duft Insekten abwehrende Strauch, der überall in wärmeren Gegenden wächst, seinen Namen vom griechischen Wort für « König » führt und im Titel eines Gedichtes von Keats erscheint, hat weisse und rote Blüten, wurde im alten Ägypten für Totenkränze benutzt und ist noch jetzt in Indien als heilig erachtet. Zusammen mit dem Klang des Wortes mag dies alles den Dichter zur Wahl gerade dieser Pflanze bewogen haben.

Eine neue Tat, zu der der Herrscher aus dem Dahindämmern des vierten Gedichts geweckt worden ist, wird als Eroberung einer Stadt im fünften Gedicht in einer Weise beschrieben, die völlig verschieden von der Schlachtfeldschilderung in «Algabal» ist. Dort waren die Grundfarben grau und ziegelrot, und hoffnungslose Trauer bildete den Grundton. Hier wird die eroberte Stadt mit den Leichen der Verteidiger und den Trümmern der Mauern durch breite Lichtschragen, die plötzlich aus den Wolken brechen, versöhnlich verklärt, und ein Strahl fällt mit doppelter Stärke verherrlichend auf den Sieger, der mit der Kühnheit und dem Stolz eines Triumphators über die Schwelle des Tempels des Stadtgottes reitet und das noch blutige Schwert herausfordernd gegen den Gott erhebt. Er erkennt – im Gegensatz zu Alexander und Algabal – den fremden Gott nicht an.

In «Kindliches Königtum» ruft der siegreiche Herrscher in einem Selbstgespräch Erinnerungen an seine frühe Jugend wach, vielleicht um sich über den Unterschied zwischen seiner Macht von damals und von heute klar zu werden. Durch Geburt war er zum Herrscher bestimmt, er suchte schon vor seinem siebenten Lebensjahr im Kies der schützenden väterlichen Gärten Edelsteine für seinen künftigen Thron und seine Krone. Als Knabe von acht Jahren – wir wissen dies durch die Erinnerungen seines Schulkameraden Simon – schuf er sich sein eigenes Reich, das in den Sträuchern und dem Schilf der Wiesen an der Nahe vor der Umwelt verborgen war, um ungestört einer inneren Stimme lauschend von künftigen Taten und fremder Pracht zu träumen. Damals fand er Genossen, die an seine Pläne glaubten und die ihm in einer Weise zu folgen bereit waren, wie sie im Carl August-Gedicht und im «Eid» des «Ringes» später geschildert wird. In den Nächten sah er sich im Traum dem um ihn knieenden Volk Wunder, die nur ihm im Glanz seiner Jugend offenbar waren, in Sälen verkünden, die den Raumschilderungen in «Algabal» gleichen, bei denen aber noch «Zweige» an die kindlichen Bauten am Nahe-Ufer erinnern. Das Weiss und das Blau, die den Knaben im Weihrauchdampf in der Kirche angezogen hatten, bilden die Grundfarben des ganzen Gedichts, dessen lichte Klarheit durch die Schilderung der kindlichen Stirn betont wird, die streng und himmelhell ist, weil sie nichts als Berufung zu einem Amt und den sicheren Glauben daran widerspiegelt.

Die beiden folgenden Gedichte geben die Gedanken des Herrschers wieder, mit denen er die Zeit zwischen Taten hindämmernd verbringt, wie in den letzten Versen des vierten Gedichts angedeutet wird. Es ist eine Atmosphäre wie am heissen Mittag, in dem die von der Phantasie geformten und gefärbten Vögel, ohne zu singen, auf den Ästen des Gartens oder im Käfig schaukeln und durch diese rhythmische Bewegung den Sinn zum wachen Träumen laden. Der Flieder des Gartens stammt aus Persien und ist zugleich einer der im Rheinland meist verbreiteten Sträucher. Kein Harfenton der Leidenschaft und kein

Wechselgesang der Folgerschaft, nur der ferne, helle Klang von Trommeln aus Silber und Zinn durchbricht die Stille. Purpurne und goldene Träume locken nicht zu neuen Taten. Die verschnörkelten baulichen Verzierungen eines Turmes, der aus dem orientalischen Buschgarten aufragt – man denkt an die Pagode des Vergessens im Perls-Gedicht der «Lieder von Traum und Tod» – halten das Auge im Bann, so dass der Geist den steinernen Windungen folgt, ohne sich, wie sonst, den Gedanken an Scheinhaftigkeit von Welt und Menschenwesen hinzugeben. Oder der Blick des Herrschers fällt auf die im Käfig schlafenden Aras, die als Traumvögel weiss mit gelben Kronen wie Kakadus im achten Gedicht geschildert werden, und sein Geist schweift mit ihren Träumen zu den fernen Dattelpalmen, bei denen sie einst Freiheit genossen. Das achte Gedicht klingt wie eine Vorstufe zum voraufgegangenen siebenten Gedicht, die aber technisch so weit getrieben ist, dass sie schliesslich die Bedeutung und das Gewicht eines neuen Gedichts erhalten hat – ein Verfahren, das im Werk Stefan Georges wiederholt beobachtet werden kann und hier durch die Bezeichnung der Dattelbäume als «fern» Wahrscheinlichkeit gewinnt, da Palmen, unter denen die Dattelpalme eine der meist verbreiteten Arten ist, als im Reich des Herrschers wachsend, also als nah, schon im zweiten Gedicht erwähnt sind.

Auf eine leere Seite, die den Beginn der zweiten Gruppe anzeigt, folgt im gleichen Ton wie die voraufgegangenen ein Gedicht, das «Vorbereitungen» betitelt ist. Es schildert einen der Siegesbräuche, deren Erhabenheit ausweislich des vierten Gedichts geeignet ist, den Herrscher zu berauschen. Die von ihm erwählte Braut soll zur Vermählung vorbereitet werden. Während eines vollen Umlaufs des Mondes, der sowohl als weibliches Symbol wie auch als Anspielung auf ein orientalisches reines Mondjahr hier zum Zeitmass genommen wird, soll ihr Leib in Bädern mit verschiedenen Zusätzen geläutert werden, wie dies nicht nur in Griechenland und Rom, sondern auch im Orient Brauch war, und schon vor der Hochzeit soll sie einen Palast mit fürstlichem Prunk bewohnen, in dem Priester sie täglich durch Handauflegung segnen, damit sie, Knospe und Frucht zugleich, zur Thronerhebung durch den Herrscher, der strenger Meister genannt wird, würdig erscheint. Die dritte Strophe handelt von der geistigen Vorbereitung, der sie sich selbst unterzieht. Sie läutert ihren Geist mit Hilfe von Zauberkräutern, sie «schont» ihn, das heisst, sie konzentriert ihn nur auf das eine Ziel, auf die Stunde der Hochzeit, die sie mit dem erharrten, glücklichen Schauer der Erfüllung belohnen soll. Dann wird der Vorhang nicht vor ihr, sondern vor ihm, dem Helden der Helden – dies ist eine Umkehrung des üblichen Braut-Schleier-Symbols – reissen. Vielleicht aber, so besagt der letzte Vers in einer im Werk Stefan

Georges nicht wiederkehrenden Art des Endens, wird sie ihn niemals berühren, wird diese Ehe niemals geschlossen oder konsumiert werden. Man könnte dies mit dem Geschehen im «Verwunschenen Garten» des «Rings» vergleichen.

«Friedensabend» ist das Ende des ersten Teils der «Hängenden Gärten» und zugleich Überleitung zu dem darauf folgenden zweiten Teil, der Lieder enthält. Wieder ist ein Zustand des Dahindämmerns beschrieben, jetzt sind aber alle Taten, die das Ziel gebildet haben, bereits verrichtet. Ganze Welten sind unterworfen, wie der letzte Vers zusammenfassend sagt. Die ersten drei Strophen geben in Landschaftsschilderungen ein Bild vom Seelenzustand des Herrschers. Unter Masten sind hier Fahnenmaste zu verstehen. Die Schatten lasten so schwer auf den Gartenwegen, dass sie sich zu konsolidieren, zu perpetuieren scheinen. Auf diese Gesichts- und Geruchseindrücke folgen in drei Strophen vorwiegend akustische Wahrnehmungen. Die zarten, mahnenden Stimmen verstummen völlig. Die hohen Stimmen, die wohl im Gegensatz zu den tiefen, zum Geniessen lockenden Stimmen des vierten Gedichts stehen und die hier zu ruhmbringenden Taten rufen, mildern sich zu einem sanften einheitlichen Summen. Erinnerungen an Feste, Schlachten und Untergänge verblassen in einem alles verhüllenden Dunst, durch den nur noch dumpf und selten ein Ton aus den unterworfenen Welten dringt. Das ähnelt der Herbststimmung in «Die Gärten schliessen». Alle geplanten Eroberungen sind vollendet, und eine Pause zur Einkehr und Umkehr im Lied ist geboten, ehe Wille und Kraft zu neuem Tun erwachen und erstarken.

Seit dem «Buch der Sagen und Sänge» weist jedes Werk des Dichters Lieder im weitesten Sinn zwecks Rückblick und Rast als vorletzte oder letzte Gedichtreihe auf. Die Technik, die in den Sängen des fahrenden Spielmanns erworben ist, wird jetzt mit Hilfe orientalischer Elemente erweitert und versinnlicht. Ein neuer Hintergrund und neue Spannung werden in diesen Liedern dadurch fühlbar, dass sie von einer verbotenen Liebe handeln, deren Entdeckung nach dem Recht des Orients die Trennung und sogar Todesstrafe für die Liebenden zur Folge haben würde. Denn die Geliebte ist bereits für einen anderen Mann als den Liebenden bestimmt, wie das vierte Gedicht andeutet. Nicht die Geliebte, nur der Liebende spricht hier, und es bleibt fraglich, ob er als identisch mit dem Herrscher des ersten Teils der «Hängenden Gärten» anzusehen ist. – Äusserlich wird in den Liedern eine Gruppensonderung sichtbar gemacht: die ersten neun spielen vor Erfüllung der Liebe, die durch den grossen Zwischenraum im Druck vor dem zehnten Gedicht als vollzogen angedeutet wird, wie mir der Dichter erklärte. Die folgenden fünf Gedichte sind als nach der Erfüllung gesprochen gedacht.

Das erste Lied dient als Einleitung zum ganzen Teil, es spricht in Bildern vom Erwachen der Leidenschaft. Die Szenerie ist ein sommerlich orientalischer Buschgarten, der vor den Blicken der Umwelt Schutz bietet. Von Blütensternen fallen weisse Blütenblätter wie feiner Schnee in das dichte Gebüsch, aus dem leise Stimmen der Leidenschaft laut werden. Fabeltiere aus Bronze speien Strahlen in Marmorbecken, aus ihnen rinnt das Wasser in Form von schmalen Bächen mit klagendem Laut. Das Wachsen der Leidenschaft wird in Flammen von Kerzen sichtbar, die drohen, die Äste der Sträucher in Brand zu setzen und ein alles vernichtendes Feuer zu entfachen. Weisse Formen, aus dem Wasser aufsteigend, verdichten sich zu menschlichen Gestalten, den Trägern der Leidenschaft.

Im zweiten Gedicht beginnt die Geschichte der Liebe zwischen einem jungen Liebenden und einer ebenso jungen Geliebten, die schweigend bleibt und nicht durch Beschreibung individualisiert wird. Die Haine, blühenden Wiesen, gekachelten Hallen, Teiche mit Störchen und schillernden Fischen und die Reihen – wohl künstlicher – Vögel auf schiefen Firsten können den Liebenden nicht erfüllen, der als Bewohner des prunkenden, fast chinesisch anmutenden Gartens der gleichen Schicht wie die Geliebte angehört. Der Wechsel in der von ihm beschriebenen Gartenlandschaft wird zum Ausdruck seiner eignen inneren Rastlosigkeit, ehe seine Gefühle sich zur Leidenschaft für die eine Geliebte zusammenfinden. Als er, ohne vorher jemals Liebe empfunden zu haben, diese Gefilde betrat und die Geliebte noch nicht erblickt hatte, sah er, so sagt er, auf die Umwelt mit einer sehr jugendlich wunschlosen Selbstverständlichkeit. Jetzt aber lebt er nur dafür, dass die Geliebte seine Verehrung huldvoll entgegennehmen, ihn zu ihrem Dienst erwählen und ihm gegenüber Erbarmen und Geduld zeigen möge, falls er auf dem ihm noch ungewohnten Weg der Liebe strauchele. Die äussern Symptome der Leidenschaft, das Reglosbleiben und Brennen der Lippen, nimmt er an sich selbst wahr. Durch die Worte, dass er «in andrer Herren prächtiges Gebiet» geraten ist, wird dargetan, dass die Geliebte schon einem anderen Mann nach dem Brauch des Orients unwiderruflich zugesprochen ist. Die Wendung soll nicht andeuten, dass der Liebende einer niedrigeren Schicht als die Geliebte angehöre und dass deshalb seine Liebe zu ihr eine im Orient verbotene Leidenschaft sei. Gegen eine solche Auslegung spricht die Erwähnung seines Reichtums im fünften Gedicht und die für ihn nach dem vierten Gedicht bestehende Möglichkeit, durch freiwillige Trennung dieser Liebe zu entsagen. Dies zu tun hindert ihn ihr Blick, der, wie er fühlt, suchend, fragend oder Zeichen gebend durch das Gitter vor ihrem Fenster oder an ihrer Tür zu ihm dringt. In ihrem Bann forscht er, welchen Weg sie morgen nehmen werde, mit dem Wunsch, feinste Seidengewebe, Blumen oder seine eigne Wange ihrem Fuss als weichen Teppich zu bieten. Kein Werk vermag ihn mehr zu fesseln, denn er sinnt nur noch, ihr Bild in sich wachzurufen und wach zu erhalten, etwa wie es in dem Gedicht «In der Galerie» und in «Von einer Begegnung» geschildert ist, oder Wechselreden mit ihr zu erfinden, in denen er ihr seinen Dienst anbieten, sie ihn loben und Gewährung oder Verbot aussprechen würde. Mit wachsender Trauer fühlt er, dass seine in «schöner» Dunkelheit der Nacht gediehenen Träume von ihr der kalten Klarheit des Morgens nicht standhalten. Durch die Art der Wortsetzung wird hier ein heute meist zu allgemein klingendes Adjektiv wie «schön» zu einem prägnanten Beiwort und taucht als solches wiederholt im späteren Werk, zum Beispiel im «Neuen Reich» in der Wendung «schöne Fahne», auf. Es gehört zum Ziel der neuen Technik, abgenutzte Worte mit neuer Kraft zu beleben, wie im «Stern» vermerkt wird. Der orientalische Ton in den Gedichten dieses Teils, die aus mindestens sechs und höchstens neun Versen mit nicht einheitlicher Zahl der Versfüsse bestehen, wird dadurch erzeugt, dass in den ersten sieben Liedern der gleiche Reim dreimal benutzt wird – ein Verfahren, das in deutschen Gedichten eine ähnliche Wirkung hervorbringt, wie das in persischen Gedichten übliche häufige Wiederholen ganzer Verszeilen.

Die inneren Symptome der Leidenschaft, grundloser Wechsel von Hoffen und einer Angst, die Nächte schlaflos macht, Unempfindlichkeit für frühere Freuden verursacht und durch Zuspruch von Freunden nicht beseitigt werden kann – man denkt an «Dante und das Zeitgedicht» im «Ring» – bilden den Inhalt des siebenten Liedes. Im achten Gedicht wird zwar jeder Reim nur zweimal benutzt, aber klanglich sind die Reime auf «gebühre» und «gehöre» einander so nahe, dass durch die beiden Reimpaare zusammen eine Wirkung erzeugt wird, die einer dreifachen echten Reimbenutzung ähnelt. – Das achte Gedicht spricht unumwunden von der ersehnten leiblichen Erfüllung der Liebe, die Seele wird als aus einem Gewebe bestehend gedacht, das reissen muss, wie eine zu sehr gespannte Bogensehne, wenn die Leidenschaft des Liebenden nicht volle Erfüllung findet. Das Bild vom Gewebe wird dadurch selbstverständlicher gemacht, dass der Liebende in solchem Zustand des Harrens Trauerflöre als vertrautes, nicht erschreckendes, sogar als liebes «Zeichen» empfindet und hofft, dass die Geliebte die Qual, die er erleidet, als zu hart ansehen und seinem Fieber Kühlung durch Erfüllung gewähren wird. Wie die leidenschaftlich bewegte Frau im zweiten Gedicht der «Gesichte», hat er sich durch Anlehnen zu stützen, wenn er vor dem Gitter ihres Fensters oder ihrer Tür wartet, um sie wenigstens von fern zu erblicken.

Dass die Liebenden Küsse gewechselt haben, ist Vorgeschichte des neunten Liedes, nach dem der kurze Kuss das Brennen der Lippen nicht beseitigt und wie ein einziger Regentropfen von der versengten Einöde allzu rasch und allzu gierig aufgesogen wird, als dass er wirken könnte. In Hammers Übersetzung, die neben dem «Westöstlichen Divan» dem Dichter bekannt war, heisst es:

> Alle Lieb ist Leidenschaft,
> Wolke tränkt sie, doch sie dürstet
> Nach des Freundes Regenkraft.

In dem Zeitraum, der zwischen der Handlung des neunten Liedes und der des zehnten liegt, ist, wie bereits gesagt, die leibliche Erfüllung als vollzogen zu denken. Die Schilderung des Blumenbeetes im zehnten Gedicht enthält, in Bilder gefasst, eine Erinnerung des Liebenden an die leibliche Erfüllung. Der Odem aus dem feuchten Mund der in der Mitte des konzentrisch bepflanzten Beetes aufspriessenden weissen, milden Blumenglocken wird als der Hauch süsser Frucht aus überirdischen Gefilden gepriesen. Dies legt einen Vergleich mit der Schilderung im «Lobgesang» des «Ringes» nahe. Beginnend mit dem zehnten Lied wird der Gesamtton gesättigt und beruhigt. Technisch wird dies dadurch erreicht, dass die Gedichte mit Hilfe von geraden Verszahlen aufgebaut sind, dass die meisten dieser Lieder aus Versen mit fünf Hebungen bestehen und dass vom dreifachen Reim Abstand genommen ist.

Im elften Gedicht fragt der Liebende, ob beiden die im voraus erträumten Seligkeiten wirklich zuteil geworden sind, als sie beim ersten Alleinsein hinter dem blumenumrankten «Tor» des Gartengemaches ihrer Liebe Ausdruck geben durften. Er erinnert sich, dass sie nur hilflos und stumm bebten und weinten, sobald sie sich einander nah fühlten. Bei ihrem «heiligen Ruhen» – die Wendung kehrt im «Stern» wieder – auf weichen Matten ergriff sie ausweislich des zwölften Gedichts das Gefühl einer gegenseitigen Verehrung, die im «Stern» und im «Reich» «Ehre» oder «heilige Ehre» genannt wird, so sehr und zwar zugleich mit dem Glück der Erfüllung, dass das Auftauchen und Verschwinden der Schatten von windbewegten Sträuchern an der Wand des Gemaches sie nicht erschreckte und dass sie ihre vielleicht bevorstehende Entdeckung durch Wächter nicht mehr fürchteten, obwohl sie ihnen Trennung oder sogar Tod durch Enthauptung gebracht hätte.

Das dreizehnte Lied klingt schon beruhigt und entrückt im Ton des «Jahrs der Seele». Der Liebende beschreibt die Geliebte, wie er sie, am Ufer stehend, von seinem Boot aus sieht, das unter überhängenden Weidenästen verborgen liegt. Nur die Art, in der sie mit Fächer und Geschmeide spielt, hat noch einen, wenn auch nur leicht orientalischen Einschlag. Die sich neigenden Weiden und die im Wasser schwimmen-

den Blumen scheinen der Geliebten Verehrung zu zollen, und solche
Ehrung des Menschen durch die unbeseelte Natur kehrt im Werk
Stefan Georges häufig wieder.

Im vierzehnten Gedicht spricht der Liebende nicht zu sich selbst,
sondern in gebrochenem Rhythmus zu der Geliebten, die das Bevorstehen einer Trennung ahnt und auf Vergänglichkeit von Schönheit
und Liebe durch einen Hinweis auf notwendigen Wechsel von Wetter
und Jahreszeit in der Natur deutet. Ihre Beispiele, die er in diesem
Lied wiederholt, sprechen unwiderlegbar für ein zeitliches Begrenzt-
sein allen Wachsens und Fühlens. Das Lied schliesst an das erste Gedicht dieser Reihe an, indem es das Bild der brennenden Kerzen wieder
aufnimmt, deren Flammen hier nicht mehr zündend, sondern wandel-
bar flimmernd genannt werden. Das Gedicht wird noch im Sommer
gesprochen, deutet aber auf den Herbst, dessen Wind als ein «Ver-
nichter» bezeichnet wird.

Das letzte Lied des zweiten Teils beginnt mit der Erinnerung an
ihr freudenbringendes Zusammensein im Garten mit den stets im Dämmer liegenden Lauben, den lichten Tempeln, den Pfaden und dem
«schönen» Beet, das hier nochmals erwähnt wird. Die Erfüllung der
Liebe wird dadurch hervorgehoben, dass die Spannung sich in sein
Flüstern und ihr Lächeln aufgelöst hat. Der Liebende weiss, dass die
Geliebte ihn unwiderruflich verlassen wird, und jetzt ist er es, der das
Ende des Liebens im Bilde der ihn umgebenden Herbstlandschaft
sieht. Die hohen Blumen und der Spiegel des Sees, an dessen Ufer sie
vordem gestanden hat, werden vom Wind gebrochen und erscheinen
blasser gefärbt – die Verwendung der gleichen Verben in zwei Bildern
aus der Natur betont hier den Rhythmus des Scheidens. Die Palmen,
die sich früher scheinbar geneigt und gegrüsst haben, verwunden jetzt
mit spitzen, harten Blätterenden. Um das Gartengemach, das ein Eden
der Liebe gewesen ist, jagt der Wind Schwärme von verdorrenden
Blättern. Die Nacht, in den ersten Gedichten des Buches als heiss und
balsamisch geschildert, wird überwölkt und schwül. – Ebenso wie die
«Sänge» enden diese Lieder im Herbst, mit dem das «Jahr der Seele»
anfängt.

Der dritte Teil des «Buches der hängenden Gärten» beginnt mit
dem Gedicht «Des Ruhmes leere Dränge», vor dem eine leere Seite
eingeschaltet ist. Die Gedichte dieses Teils tragen, bis auf das letzte,
keine Titel, sie gehen wieder auf das Schicksal des orientalischen Herrschers zurück, von dem der erste Teil der «Hängenden Gärten» berichtet hat. Das Dramatische in diesen Gedichten wird durch Wiedergabe von körperlichen Gesten betont. Der Herrscher hat die Hälfte
seines Reiches an eindringende Feinde verloren, weil er von dem
Wunsch, eine Geliebte zu erringen – dies ist die Verbindung zum zwei-

ten Teil – so stark ergriffen war, dass er es unterliess, die Kraft seiner Herrscherhand im Kampf zu erproben. Die Geste des Herrschers wird im Vorwärtsstrecken der Arme und Hände gegeben, im Gegensatz zur Geste des Anbetens der Geliebten, die sich im Hochheben von Arm und Hand vor ihr zeigt. Auf Grund seiner Leidenschaft für die errungene Geliebte erscheint ihm sein früheres Streben nach Kriegsruhm jetzt leer und bedeutungslos, er fühlt keinen Durst mehr nach grösserem Prunk, der neue Taten verherrlichen könnte. Aber er hat das Bewusstsein dafür behalten, dass er die Heiligkeit des Amtes des Herrschers, der im Orient zugleich Seher für das Schicksal des Staates ist, verletzt, indem er sich – anders als der Eroberer im «Brand des Tempels» – wegen und vor der Geliebten erniedrigt, deren Fuss ihm weisser erscheint als die Farben von Milch und Elfenbein im kostbarsten Teppich. Die Ekstase irdischer Liebe wird «heidnische Verzückung» genannt. Erträumte Taten fesseln ihn mehr als der Wunsch, wirkliche Taten zu vollbringen, er hat die für den Täter notwendige Einfachheit und Zielstrebigkeit des Denkens und Planens verloren. Lieder, die er zur Feier der Geliebten geformt hat, haben ihn wirkliches Geschehen vergessen lassen – daraus könnte man folgern, dass dieser Herrscher als Dichter der voraufgegangenen Lieder angesehen werden soll.

Er hat die Kraft eingebüsst, die in sein Land, seinen geistigen Bereich, eingedrungenen Feinde durch Kampf zu vertreiben. Zu schwach und zu gleichgültig gegen heroische Taten, erinnert er sich dennoch im zweiten Gedicht daran, dass er zum letztenmal als Herrscher handelte, als er die Todesstrafe über die Verräter von der Küste durch seinen Machtspruch verhängte und sogar selbst der Hinrichtung beiwohnte. Das Richtfeld wird damit charakterisiert, dass es rot genannt wird, eine Farbe, die hier Macht über Leben und Blut ausdrückt und wohl zu solcher Symbolisierung für Roben höchster Richter und Vorhänge in Gerichtsstätten noch heute benutzt wird. Ungemischte Farben werden von dem Dichter zur einfachen und zugleich funktionellen Spezifizierung von Orten und Gegenständen wiederholt verwendet, so spricht er in den «Gesichten» vom «roten Turm» und im «Brand des Tempels» von der Schlacht im «roten Feld». – Der Vorgang der Hinrichtung durch das Schwert wird stilisiert geschildert in ähnlicher Weise wie das Schlachtfeld in «Algabal». Ein ästhetisches Element kommt durch die Wahl der Beiworte und die Gebärde des Nickens als Befehl zum Ausdruck. Die Trauer des Herrschers um den Verlust der Hälfte seines Reiches ist als Geste in seinem Gebeugtsein wiedergegeben, sein Verzicht auf die Herrschaft durch das Fortwerfen des Stirnbandes, das er an Stelle einer Krone trägt. Sein einziger Trost bleibt, dass er sich einem Vogel gleich fühlt, der unbekümmert um die Vernichtungen des Krieges, um von Rossen zertretene Felder, um

102

Mauern und Dächer, die von der Flamme in Feuerroste verwandelt werden, in der unveränderlichen Frische eines Myrtenhaines unablässig sein eigenes Lied singt.

Er verlässt die Stätten früheren Ruhmes, das mit Beute angefüllte Gewölbe des dritten Gedichtes des ersten Teils – hier wird es «Saal» genannt – die in den Liedern beschriebenen Gärten mit ihren Wasserkünsten und die Palasthallen, von denen das vierte Gedicht des ersten Teils spricht. Charakteristisch ist aber für diesen Herrscher, dass er nicht in ein sein Leben rettendes Exil flüchtet, sondern sich freiwillig zum Diener eines machtvollen Fürsten macht, dessen Reich mit der Rosenöl erzeugenden persischen Stadt Schiras verglichen wird. Der Dichter spricht hier von «einer» Schiras ebenso, wie er in den Hymnen «die» Tyrus erwähnt hatte. Ihn interessierte besonders, wie er mir sagte, dass ein orientalischer Herrscher sich in kürzester Frist zum Diener eines Mächtigeren zu machen vermag, dass dies ein Beispiel für enges Verbundensein von Herrschen und Dienen ist und die innere Würde des früheren Herrschers nicht herabsetzt, eher erhöht. Hierauf zielt der zweite Spruch zum Abschluss des «Siebenten Ringes» ebenso wie das Gespräch zwischen Manuel und Menes in «Gestalten». Goethe sieht im Felix der «Wanderjahre» ein eignes Gemisch von «Herrschen und Dienen». – Der Herrscher von gestern dient dem Pascha nicht als Krieger, sondern als Sänger, dem – trotz oder wegen seines Leides – Gesänge gelingen, in denen er die Erfolge seines neuen Herren preist. Aber in das Gefühl der Bewunderung mischt sich bald das des Neides. Er beschliesst, den Pascha nach dessen Rückkehr von einem Siegeszug im Augenblick zu ermorden, in dem das Wachs der Kerzen im Saal verzehrt sein wird. Als er ihn jedoch unter dem brausenden Jubel des Volkes die Stufen zum Palast emporsteigen sieht und den Ehrentrunk für ihn bereitet hat, empfindet er so starke Bewunderung für die Grösse und den Stolz seines Herren, dass er etwas wie Reue im voraus fühlt, von der Tat Abstand nimmt und blass und stumm nachts aus der Stadt flieht, während das Volk mit Musik, Wein und Liebe bei gelbem Fackelschein den Sieg feiert. In den zwei letzten Strophen spricht er nicht selbst, es wird objektivierend von ihm, der jetzt Sklave genannt wird, erzählt. Die drittletzte Strophe, in der er selbst noch von der nächtlichen Feier berichtet, bildet dazu die Überleitung. Kurz vor dem Stadttor sieht er einen Strauch, dessen breite, bunte Blüten ihn noch einmal an Ruhm und Schmach erinnern. – Es muss offen bleiben, ob dies eine Anspielung auf den Basilienbusch, dessen Blüten jedoch kaum «breit» genannt werden können, sein soll, den Busch, auf dessen Blättern er ruhte, ehe er durch seine Eroberung einer Stadt den Bann des Geniessens noch einmal brach. – Der Basilienbusch und die Sykomore wurden im Mittelalter, das keine einheitliche Pflanzensymbolik kannte, zur Symbolisierung sehr verschiedener, oft völlig entgegengesetzter Eigenschaften benutzt. – Die Erinnerung an Ruhm und Schmach hält den früheren Herrscher nicht lange zurück, alle früheren Ziele erscheinen ihm jetzt trügerisch. Das Brechen des Sykomorenzweiges kann eine doppelte Bedeutung haben: es ist sowohl ein Symbol der Reinigung wie auch ein Zeichen dafür, dass er weiss, dass seine innere Würde jetzt, wohl infolge der Richtung seiner eignen Gedanken, gebrochen ist. Die doppelte Verwendung des Tätigkeitswortes «brechen» nach der doppelten Benutzung des gleichen Verbs im letzten Lied und die nochmalige Benutzung im drittletzten Gedicht erfolgen sehr bewusst, um den Rhythmus zu verinnerlichen und zum Kreisen zu bringen.

Er nimmt den Weg zum Strom in der Absicht, sich selbst ein Ende zu setzen. Niemand erkennt in ihm den früheren Fürsten, so wird in einem den Rhythmus des Reitens festhaltenden Gedicht gesagt. Wie jedem andern durstigen Wanderer bieten ihm Wasserträgerinnen am letzten Rastort, vor der Stadt am Strom, einen Trank mit heiterem Gruss an. Er dankt ihnen lächelnd, aber scheu, weil jede Nähe zu Menschen ihn zittern lässt und er beinahe Furcht vor dem Licht der Sonne empfindet.

Am Strom lässt er sich auf einen Stein nieder, sein Haupt in die Hände vergrabend, wie der Knappe der «Sporenwache» am Anfang und die Frau des «Seeliedes» im «Neuen Reich» am Ende ihrer Lebensbahnen. Seine Gedanken haften nicht mehr an seinem früheren Königreich. Sein Schmerz ist die den Menschen unverständliche Trauer eines Mannes, der sein Herrschertum, die Fähigkeit zur Ausübung des Königsamtes verloren hat. Wieder ist es die unbeseelte Natur, die den menschlichen Geist versteht. Die am Strom wachsenden Gräser und Bäume, die nördlichen Erlen und die südlichen Zedern, sowie das tropfende Wasser glaubt er im Rauschen des Stromes tröstend sprechen zu hören.

«Stimmen im Strom» heisst das letzte Gedicht des dritten Teils und des ganzen «Buches der hängenden Gärten». Zugleich bildet dieses Gedicht den Abschluss des Bandes, hat also die gleiche Sonderstellung wie die «Vogelschau» in «Algabal» und wird deshalb durch ein vorangeschicktes leeres Blatt äusserlich besonders gekennzeichnet. In der ersten Strophe werden Menschen «liebende, klagende, zagende Wesen» genannt, die nur unter dem Meeresspiegel, das heisst abgesondert von der Aussenwelt, die von ihnen ersehnte Ruhe finden können. In gleitenden und wiegenden Daktylen wird das Reich unter dem Wasser mit Hilfe von optischen und akustischen Eindrücken geschildert. Die zweite Strophe handelt von Objekten der Liebe, die hier wie lebendige Meereswesen: Muscheln, Korallen und Algen erscheinen. Die Umgebung, in der diese Liebe lebt, wird in der dritten Strophe wiedergegeben. Die vierte Strophe spricht von der Auflösung allen Sinnens und Singens durch die flüchtig zarte Bewegung eines einzigen Kusses, der nicht nur die Kreisform der Ringe im Wasser – die als Symbol der Kunst in «König und Harfner» wiederkehrt – erzeugt, sondern auch Wellen hervorruft, die vernichtend und erhebend hinab- und hinauftragen. – Der Dichter erzählte, dass bei Erscheinen dieses Gedichtes behauptet worden sei, er habe zu Goethes Sehens- und Dichtart zurückzukehren gesucht. Stefan George wies demgegenüber darauf hin, dass schon der Inhalt des Gedichtes sich nicht mit Goethes Anschauungen vereinen lasse. Er sei, so erzählte er weiter, damals mit Wolfskehl in einen erbitterten Streit über Positionslängen in deutschen Versfüssen geraten, da der eine manche Silben als kurz angesehen, die der andere als lang empfunden habe. Dies sei vielleicht auf unbewusst dialektische Färbung einer jeden Umgangssprache zurückzuführen.

Nach der ersten Schaffensperiode des Dichters, den Jugendgedichten, die in der «Fibel» und im «Schlussband» in Auswahl erschienen sind, und zwar insbesondere nach den «Zeichnungen in Grau» und «Legenden», die man als expressionistisch bezeichnen könnte, bilden die Bände «Hymnen, Pilgerfahrten und Algabal» und «Bücher der Hirtengedichte und Preisgedichte, der Sagen und Sänge und der hängenden Gärten» einen zweiten Abschnitt in seinem Werk, der vor seinem achtundzwanzigsten Lebensjahr endet. Die Früchte dieser Lebens- und Schaffensperiode könnte man nach Inhalt und Form symbolistisch und impressionistisch nennen, wenn man Klassifizierungsversuche der bildenden Kunst auf Dichtung anwenden wollte. Als Unterschied vom Werk Goethes wäre hervorzuheben, dass jener erst im Alter aus der Gesellschaft seiner Zeit Zuflucht in einen Traumorient nahm, während umgekehrt Stefan George von Jugend an ausserhalb der Gesellschaft seiner Zeit stand und vor und in dem vierten Jahrsiebent seines Lebens – jedoch nicht mehr später – einen erdachten Orient als Medium für seine Kunst benutzte.

DAS JAHR DER SEELE

Der Titel dieses im Herbst 1897 erschienenen Bandes sollte, wie die Bezeichnung in dem ersten Band der dritten Folge der «Blätter für die Kunst» vom Januar 1896 darlegt, ursprünglich Annum Animae (nicht annus) lauten. Als Stefan George diese Worte wählte und sie in die deutsche Sprache übertrug, war er sich – wie er mir sagte – nicht bewusst, dass Hölderlin «Menons Klage um Diotima» mit dem Vers geschlossen hatte: «Und von neuem ein Jahr unserer Seele beginnt». – Die erste Auflage, die von Melchior Lechter mit einer Einbandzeichnung versehen war, im übrigen aber in Grösse, Gedichtanordnung und Färbung der Initialen genau einem von Stefan George zum erstenmal in stilisierter Schrift geschriebenen und selbst gebundenen Manuskript – er zeigte es mir mit dem Bemerken, es sei sein «Reiseexemplar» gewesen – entsprach, enthielt noch nicht die Widmung an die fast zweiundeinhalb Jahre ältere Schwester des Dichters, die ebenso wie sein zweiundeinhalb Jahre jüngerer Bruder unverheiratet starb. Die Widmung wurde in der öffentlichen Ausgabe zuerst gedruckt, die 1898 für 1899 erschien. – Der Band umfasst siebenundneunzig Gedichte, die nicht gleichmässig auf Bücher, Teile und Gruppen verteilt sind, und ist deshalb zahlenmässig nicht so streng aufgebaut wie «Der Stern des Bundes». Doch ist eine äussere Teilung in drei Bücher, von denen jedes wiederum in zwei oder drei Teile zerfällt, durchgeführt, die Teilung des dritten Buchs ist eine innere und als solche durch grössere Druckabstände im Inhaltsverzeichnis früherer Ausgaben kenntlich gemacht.

Das erste Buch enthält das eigentliche «Jahr der Seele» und wird gemäss den Jahreszeiten in drei Teile, handelnd von Herbst, Winter und Sommer, geteilt. Das zweite Buch ist «Überschriften und Widmungen» benannt und beginnt mit vier nicht besonders betitelten Gedichten, die zu den «Überschriften» gehören. Unter dem Begriff «Überschrift» ist hier nämlich nicht Betitelung zu verstehen, sondern innere Transposition: Geschehnisse der Vergangenheit werden retrospektiv betrachtet und, mit Betonung ihres Sinnes und ihrer Bedeutung für die Gegenwart, in die Form des Gedichtes gebannt, das heisst hinübergeschrieben. Ein einzelnes Wort, das alles dies zusammenfassen und im allgemeinen Sprachgebrauch verständlich sein würde, gibt es weder in der deutschen noch in der englischen Sprache. Der Gehalt dieses Wortes «Überschrift» ist ähnlich zu fassen wie der des vom Dichter gebrauchten

Wortes «Umschreibung», das nicht inhaltliche Zirkumskription bedeutet, sondern ein Umformen in eine andere Art des Sagens. – Der
zweite Teil des zweiten Buches des Bandes enthält die «Widmungen»
und trägt die Sonderbezeichnung: «Verstattet dies Spiel: Eure flüchtig
geschnittenen Schatten zum Schmuck für meiner Angedenken Saal».
Das dritte Buch des Bandes heisst «Traurige Tänze», und seine drei
Teile weisen gemäss innerer Teilung keine Sondertitel auf. Nachdem
eine neue Art des Sagens und Sehens in den voraufgegangenen Bänden
erprobt ist, wird jetzt eine neue Wortmelodie hörbar gemacht.

NACH DER LESE

Das erste Buch des «Jahrs der Seele» im engeren Sinn beginnt mit
einem Teil, der «Nach der Lese» betitelt ist. Dem Sinn der Worte nach
deutet er auf die herbstliche Ährenlese, die nach der Ernte stattfindet,
in einer Jahreszeit, in der bei Völkern des Altertums das neue Jahr
begann. Es handelt sich nicht um die Weinlese, die, wie der Dichter
sagte, bei Bingen am Rhein erst Ende Oktober stattfand. Die Verbindung dieser Gedichte zu den Liedern des «Buches der hängenden
Gärten» wird dadurch hergestellt, dass jene mit einem einzigen Herbstgedicht schlossen. Diese Erwägung führt zur inneren Bedeutung der
Worte «Nach der Lese», nämlich zum Sammeln von Resten von Erlebnissen, die hier in Verbindung mit Landschaft und Jahreszeit
konkrete Form gewinnen. Die in den «Hängenden Gärten» geschilderte Sinnlichkeit der Körper geht jetzt in Landschaftsschilderung
über.

Das erste Gedicht dient als Einleitung des ersten Buchs, seines
ersten Teils und zugleich des ganzen Bandes, es gibt den Ton, die Ton-
art und die Klangfarbe durch reine Landschaftsschilderung an, die
der Seele nicht unmittelbar Erwähnung tut. Aber trotzdem ist der
Seelenzustand ebenso eindringlich wie indirekt durch die Art der Beschreibung des Parks geschildert, und dies bedeutet technisch eine
Vervollkommnung des neuen Dichtstils, zu dem das Lied «Du lehnest»
in den «Hängenden Gärten» den Übergang bildet. Das Wort «tot-
gesagt» bedeutet, dass man den Park wegen des Schwindens oder
Stockens des Wachstums der Pflanzen für tot halten könnte, und übertragen, dass auch die Seele anscheinend in der Ruhe eines Sterbens
befangen ist. Aber diese Annahmen werden schon durch die plötzliche
Erhellung widerlegt. «Der Schimmer ferner lächelnder Gestade»
weist auf das Leuchten der Ufer südlicher Seen, etwa in Oberitalien,
und das von Hofmannsthal so eindrucksvoll gepriesene «unverhoffte
Blau der reinen Wolken» ist der klare Herbsthimmel, der unvermutet

zwischen weissen Herbstwolken sichtbar wird. Beide Helligkeiten senden Strahlen aus, die die Seen und die mit herbstlichen Blättern bedeckten Pfade des Parks in ein belebendes Licht tauchen. Der Park ist, wie die hier genannten Gewächse, besonders die nördliche Birke, zeigen, ein deutscher Park, und zwar hat, wie mir Karl Wolfskehl bestätigte, der Park des Schlosses Nymphenburg bei München als Vorbild gedient, den der Dichter damals wie auch später bei jedem Aufenthalt in München besuchte und in der Maximinvorrede nochmals beschrieb. Zu den Kindheitsfarben Blau und Weiss, die schon in «Hymnen» zu Blau und Gold vertieft waren, treten jetzt das heraldisch für Gold stehende volle Gelb und als erste gebrochene Farbe ein weiches Grau. Die Färbung der späten Rosen ist vorwiegend ein verblichenes Rosa, die der letzten Astern ein stumpfes Blau oder gelbliches Weiss. Dazu kommen das Purpurrot der herbstlich getönten Blätter des wilden Weins und das sehr dunkle Grün noch nicht verwelkten Laubes. Zusammen bilden diese Tönungen eine vollständige Palette der Grundfarben in gedämpften, aufeinander abgestimmten Schattierungen, und unter Benutzung dieser besonderen Zusammenstellung wird die Landschaft gemalt und der Seelenzustand indirekt geschildert. – Das Wort «Gesicht» bedeutet hier nicht Sehkraft oder Vision, sondern wie das holländische Gezicht, ein Abbild der Herbstlandschaft und der Seele, das der aus späten Blumen gelesene und erlesene Strauss in seinen Farben widerspiegelt.

Das zweite Gedicht – es hat wie alle Gedichte des ersten Buchs keinen Sondertitel, vielleicht um die Gleichordnung zwecks Gesamtwirkung nicht zu unterbrechen – beginnt mit indirekter Seelenschilderung und projiziert sie auf die Umgebung. Die «Rufe» sind die von der jugendlichen Seele in Laute, vielleicht Gedichte, umgesetzten Wünsche nach Erscheinen der Traumgeliebten auf dieser Erde. Überall, auch hier im herbstlichen Park, hat der Dichter sie bisher vergeblich gesucht. Er verneint nicht allein, sie gefunden zu haben, sondern sogar noch Hoffnung zu hegen, dass er sie finden könnte. Er ist sich klar darüber geworden, dass sie unter andern Lichtstrahlen als denen, die diese Erde treffen, unerweckt ruht. Deshalb würde es ihm jetzt genügen, wenn jene Frau, die sich ihm früher schüchtern zur Begleiterin angeboten habe, durch die Intensität seiner Wünsche nochmals zu ihm gezogen würde. Im Brand des Sommers habe er nur eine flüchtige Neigung, die durch das Bild vom «Flattern» der Aphrodite begleitenden Eroten angedeutet wird, für sie empfunden. Jetzt würde er sie freudig als Weggenossin anerkennen. Da er noch in innerer Gärung, vergleichbar der von Trauben in den Bütten, befangen sei, würde er ihr keine andre Gabe zum Dank bieten können als all das, was ihm an edlen Trieben – das Wort ist in doppelter Bedeutung für belebte

Sprossen und seelische Regungen gebraucht – und von der Sommersaat der Kunst nach der Lese noch übriggeblieben sei. Die Worte «denn» im vierten Vers der ersten Strophe und «doch» im zweiten Vers der dritten Strophe leiten starke Zusammenziehungen im Satzbau und im Inhalt ein, da sie ohne sonstigen Übergang Inneres mit Äusserem und Äusseres mit Innerem in Verbindung bringen.

Das dritte Gedicht feiert das nochmalige Erscheinen dieser Gefährtin an der Seite des Dichters. Er redet sie «Teure» an und dankt ihr dafür, dass das schmerzhafte Gären in ihm durch ein Gefühl der Erwartung gemildert wird, mit der er in diesen besonnten Herbstwochen ihrem Kommen und ihrem verstehenden Schweigen – hier durch das Hauptwort «Sachte» bezeichnet – immer von neuem entgegensieht. Er verspricht, sich zu bemühen, sanfte Worte für sie zu finden und sie auf den gemeinsamen Gängen in der Herbstsonne zu preisen, als wäre sie in Wahrheit die Traumgeliebte. – Auf zwei dreistrophige Gedichte, die Schilderungen enthalten, folgt ein zweistrophiges Gedicht mit direkter Anrede, und eine solche Gruppierung wird im ganzen ersten Teil beibehalten, aber, nach dem sechsten Gedicht, in umgekehrter Reihenfolge und mit Gesten schildernden, zweistrophigen Gedichten. Das ergibt eine Gliederung des ersten Teils in drei Dreiergruppen mit einer Zweiergruppe am Schluss, von denen jede eine Art Triptychon bildet. Die erste Dreiergruppe ist als Einleitung zwar bildhaft, aber inhaltlich allgemein gehalten, die zweite stellt Gänge der beiden durch den Park dar, die dritte gibt sie stehend oder sitzend und die zwei Endgedichte zeigen den Abschied und bilden den Schluss, für den das letzte Gedicht um eine weitere Strophe verlängert wird.

Das vierte Gedicht beschreibt eine der «Sonnenwanderungen» des dritten Gedichtes. Unter Buchen fast bis zum Ausgang des Parks wandernd, sehen sie hinter dem Gitter des Tors einen niedrigen Mandelbaum, wie er in der Rheinebene gedeiht, auf freiem Feld in zweiter Blüte stehen. Die Vormittagssonne flimmert durch die noch belaubten Buchenäste. Sie suchen wieder eine in der Sonne stehende Bank im Park auf, die ihnen schon früher Rast und Schutz vor den Blicken Fremder geboten hat. Vom langen Geniessen noch wärmender Strahlen unter Wipfeln, die im Wind ein leises Brausen ertönen lassen, werden sie nur dann abgelenkt, wenn in Pausen reife Früchte von den Ästen der Bäume zur Erde fallen – ein Bild, das auch de Régnier benutzt hat. Es braucht bei der symbolischen und assoziierenden Bedeutung eines jeden Wortes in diesem Band nicht besonders vermerkt zu werden, dass hier eine Stimmung neuen Hoffens auf Erreichen des bisher Nichterreichten ausgedrückt wird. «Früchte» schliessen an die vordem genannten «Triebe» und «Saat» an, indem sie das Bild abrunden.

Der zweite Gang findet an einem Nachmittag statt und führt zum Teich, in dem die schmalen, den Park versorgenden Wasseradern münden. Die Luft ist – wie im ersten Gedicht – weich, als wäre es Frühling. Sie sucht ihn zu erfreuen, indem sie in klugen Worten die gleichen Gedanken über die Herbstlandschaft, die hier ein buntes Bilderbuch genannt wird, äussert, die sie früher aus seinem Mund vernommen hat. Seine freundliche Dankbarkeit wird durch den Wohlgeruch der trocknenden Blätter umschrieben, den er hier gleichsam zum erstenmal wahrnimmt. Er fragt sich selbst, ob sie auch fähig sei, ein nicht in Worten ausdrückbares, tieferes Glück und stumme Tränen zu verstehen, und sucht die Antwort ihrer Geste zu entnehmen: mit der Hand ihre Augen gegen die Sonne schirmend, verfolgt sie von der Brücke aus den Zug der hintereinander schwimmenden Schwäne.

Im sechsten zweistrophigen Gedicht sind sie bis zu einer Begrenzung des Parks gewandert und erblicken, über die Hecke schauend, Reihen von Kindern, die von einer Nonne geführt ein frommes Lied mit erdenfrischen Stimmen singen. Es ist Abend und beide erschrecken bei dem von ihr geäusserten Gedanken, dass sie nur so lange sich wahrhaft glücklich gefühlt haben, als sie noch Kinder und zu klein gewesen sind, um sehen zu können, was jenseits schützender Hecken liegt.

Das siebente Gedicht, mit dem eine Umkehrung der Trias beginnt, gibt beide an einem Brunnen stehend wieder, der in eine Mauer eingebaut ist. Aus zwei Löwenköpfen fallen Strahlen in ein Becken. Sie hört unvermittelt und verwirrt auf, ihre Hände spielend in den Wasserstrahlen zu bewegen, er versucht, ihr einen Ring mit einem nicht mehr glänzenden Schmuckstein, dem Symbol ihrer Form des Liebens, vom Finger zu ziehen, und auf sein hierdurch ausgedrücktes Flehen, das «unverhüllt» trotz der Indirektheit der Schilderung durch Gesten genannt wird, gibt sie mit nichts anderm als einem Blick Antwort, der tief in ihn dringt. – Dieses Gedicht, das mir wegen seiner beiwerklosen Prägnanz in äusserster Kürze besonders lieb war, las ich laut vor Stefan George, als ich ihn zum erstenmal im Herbst 1905 in Melchior Lechters jetzt zerstörtem Atelier, fünf Treppen hoch im zweiten Gartenhaus des Gebäudes Kleiststrasse 3 in Berlin, sah und er mich aufforderte, ein Gedicht auszuwählen und zu lesen. Um mir zu zeigen, wie man es besser machen könne, als ich es getan hätte, las er mir sodann das gleiche Gedicht vor, und damals hörte ich zum erstenmal, wie er mit einer dunklen, mittellauten, nachhallenden Stimme langsam jeden Vers einzeln in rhythmischer Gleichförmigkeit sprach, ohne jemals den Ton zu heben oder zu senken.

Das achte Gedicht enthält eine Mahnung, die Gaben des Herbstes einzusammeln, bevor der Winter, dessen Kommen durch die geballten grauen Wolken angedeutet wird, in letzter Güte das Land unter einer Schneedecke weise vor Vereisung schützt. Das Gedicht wird bei einer Bootsfahrt am frühen Vormittag gesprochen, darauf deutet das schwache Flöten der Vögel. Die «Gaben» sind hier eine symbolische Bezeichnung für diese Form des Zusammenseins.

Im neunten Gedicht beginnen Zweifel des Dichters an Wert und Dauer des Herbsterlebnisses laut zu werden. Der Garten hat zwar durch leichten Duft und leises Wehen Erinnerungen an lang vergessene Freuden wachgerufen, aber die Untergangsstimmung des späten Herbstes, die sich in den vom Sturm gebrochenen Baumästen verkörpert – sie werden hier «Leichen» in der Schlacht der Winde genannt, und dies deutet auf das Bemühen des neuen Stils, Worte, die im allgemeinen Sprachgebrauch bisher nur konkret gebraucht wurden, durch ihre Stellung zu Trägern einer symbolischen oder assoziativen Wirkung zu machen, wie zum Beispiel auch «Schuh» in «Stimmen im Strom» – diese Untergangsstimmung beschwört Gespenster früheren bedrohlichen Erlebens und Gedenken an ermüdendes Leid herauf. Während die Bootsfahrt in der dritten Strophe des achten Gedichtes noch den Genuss einer schönen Fülle gestattete, ist jetzt der Blick auf das rostbedeckte Tor und auf die hier eine späte Nachmittagsstunde andeutenden Vögel, vom Fenster des Zimmers aus gerichtet, als ein Vorzeichen nahen Scheidens. Dass solch ein Abschied notwendig geworden ist, ergeben die im zehnten Gedicht festgehaltenen Gesten.

Die Gründe der Trennung werden nicht ausgesprochen, da der Dichter sich scheut, sie in Worte zu fassen, und da er weiss, dass sein Verhalten von der bisherigen Gefährtin nicht verstanden werden kann. Es wird nur angedeutet, dass er dieses Zusammensein nicht oder nicht mehr als beginnende Erfüllung eines noch von ihm erhofften Glückes ansieht – ein Gedanke, den sie, die schon von seiner blossen Nähe erfüllt wird, nicht zu begreifen vermag. Er zieht es vor, von der Trennung nicht zu ihr zu sprechen, sondern ihr einen Brief zu übergeben – so pflegte Stefan George bei besonders wichtigen Anlässen zu handeln, und meistens bat er, den ohne Umschlag gefalteten Brief, der «urendum» überschrieben war, nicht in seiner Gegenwart zu lesen. Von fern beobachtet er, wie sie das Schreiben, im vollen Tageslicht des Gartens stehend, entfaltet, liest und enttäuscht zur Erde fallen lässt. Das grelle Weiss des Papiers stört die milde Farbensymphonie des Herbstgartens, und das deutet auf Zerstörung des Erlebnisses.

Das letzte Gedicht, das hier allein an Stelle von zwei Gedichten dem zweistrophigen Gedicht folgt und vielleicht schon deshalb den Zusatz einer vierten Strophe benötigt hat, schliesst äusserlich an das neunte Gedicht durch Erwähnung des Basaltbehälters für abgebrochene Äste an und betont innerlich die Verschiedenartigkeit der Seelenlage beider als Grund ihrer verschiedenen Haltung und Gesten. Sie ist von der

Schönheit der sternklaren Herbstnacht so freudig ergriffen, dass sie wünscht, Worte darüber zu wechseln. Er fühlt nur das Endhafte im Schein des Mondes über den dunklen Baumsilhouetten und über dem Basalttrog, wünscht zu schweigen und den wahren Grund seiner Trennungstrauer vor ihr zu ihrer Schonung verborgen zu halten. Er weiss, dass er im schon nahen Winter nicht von ihr träumen wird und dass höchstens schöne Reste ihres Zusammenseins, wie der getrocknete Blumenstrauss des ersten Gedichts und Briefe, die sie an ihn gerichtet hat, ihm leisen Trost in der tiefen, kalten, beschneiten Stille, die er für sich voraussieht, gewähren werden. Der letzte Vers enthält die Überleitung und das Anschlagen des Tones für den folgenden Teil, der «Waller im Schnee» betitelt ist und ebenso wie die Herbstgedichte dreissig Strophen umfasst, obwohl die Zahl der Gedichte verschieden ist.

Man könnte die Frage aufwerfen, ob der Dichter bei seinen herbstlichen Gängen wirklich eine Begleiterin hatte oder ob es sich in diesen Gedichten um ein Gespräch des Dichters mit sich selbst, entsprechend der Vorrede zur öffentlichen Ausgabe, handelt, gleichgültig ob man darin eine Spaltung oder Verdoppelung seines Ichs erblickt. Die Lösung der Frage scheint zwischen beiden Möglichkeiten zu liegen. Als Gesamtkonzept sind die Herbstgedichte ein Gespräch des Dichters mit sich selbst, aber einzelne Züge der erdachten Gefährtin, soweit sie überhaupt individualisiert und charakterisiert ist, sind der Persönlichkeit der Isi Coblenz entnommen oder angeglichen, deren Bild den Dichter noch lange nach seinem Bruch mit ihr nicht verliess. Sie ist, wie sie selbst Robert Boehringer gegenüber angegeben hat und wie durch den Inhalt der Gedichte des folgenden Teils bestätigt wird, die Begleiterin des Dichters im winterlichen Bingen gewesen.

WALLER IM SCHNEE

Die zehn Gedichte des zweiten Teils des «Jahres der Seele» im engeren Sinn – «Waller im Schnee» betitelt – zerfallen wiederum in vier Gruppen. Die erste Gruppe besteht aus einem vierstrophigen, einem dreistrophigen und einem zweistrophigen Gedicht, die zweite umgekehrt aus einem zweistrophigen und zwei vierstrophigen Gedichten, die dritte und vierte aus je einem zweistrophigen und einem dreistrophigen oder als Abschluss des Teils einem vierstrophigen Gedicht. – Die drei Gedichte der ersten Gruppe spielen am späten Abend. Im ersten dieser Gedichte wird ein Gang geschildert, den der Dichter allein in die offene Landschaft, nicht mehr in einen Park, unternimmt, während langsam Schnee fällt. Er wünscht ebenso wie

113

das Land in dem weichen Schnee, dessen Flocken wie Tränen seine Augenwimpern bei Berührung zittern machen, bestattet zu werden, fühlt aber, dass er sich nicht in sein Ende fügen, sondern nach einem schützenden Dach suchen würde, da vielleicht doch noch, hinter den Höhenzügen seiner Heimat verborgen, eine jugendliche Seele schlafen könnte, die in einem Frühling erwachen und zum ersehnten Gefährten werden würde.

Der Träger dieser «jungen Hoffnung» ist nicht identisch mit der Frau, die ihn im zweiten Gedicht zu ihrem Begleiter erkoren hat, während in den Herbstgedichten er selbst die Begleiterin erwählt hatte. Ihre winterliche Wanderung mit ihm preist er deswegen, weil beide das gleiche Leid des Einsamseins tragen und ihr Schreiten und ihre Stimme ihn rühren. Beide nannten die winterliche Erde, die ihnen durch die Kühle der Wintersonne, die Stille der Luft und den Glanz der von Schnee und Eis versilberten Blätter innerlich verwandt erschien, einsam, keusch und fahl, also ähnlich der Erscheinungsform, in der beide sich selbst sahen, und sie bekannten, dass das Dunkel der rauhen Winterabende mit reinen Lüften und lang nachhallenden Tönen die Himmel ihrer Phantasie mit Gestalten füllte, die erhabener – das deutet hier auf den ursprünglichen Sinn des Wortes «herrlich» – waren als Verkörperungen in Träumen, zu denen linde Nächte des Mai den Hintergrund geboten hatten.

Im dritten Gedicht wird das «frohe Grauen» geschildert, mit dem er und die winterliche Gefährtin, die ihn führt, an späten Mondabenden oft ein und denselben Weg einschlugen, um den Anblick der mit Schnee bedeckten Stämme und Äste zu geniessen, die – mit Schnee wie mit feuchten Blüten für die Wandernden besät – beide an einen Wald der Sage aus alten Zeiten erinnerten. Sie glaubten, verwunschene Täler in körperloser Helle, gehüllt in kaum spürbar blasse Düfte, und in der Ferne Grüfte – vielleicht auf dem alten Friedhof in Bingen, auf dem der in «Tage und Taten» erwähnte, alte, eiserne Anker als Symbol unverbrüchlicher Hoffnung noch heute steht – zu erblicken, aus denen eine trübe, nur qualenbringende Liebe wuchs, die symbolisch für die damaligen Empfindungen des Dichters war.

Auf die drei Schilderungen von Wanderungen folgen als zweite Gruppe drei Gedichte, die von gemeinsam verbrachten Winterabenden in einer Umgebung handeln, die an Räume im Haus des Vaters von Isi Coblenz in Bingen erinnert. Im ersten dieser Gedichte, das das vierte der Winterreihe ist, betont der Dichter die Ähnlichkeit seines Leides des Gesondertseins mit dem der Begleiterin und ihre Abneigung, über diese Seelenverwandtschaft zu sprechen, sowie seinen Dank für solch ein inneres Verwandtsein entgegenzunehmen. Sie ist, so sagt der Dichter, dem Geist der gleichen Flur wie er entstiegen, beide sind in oder um Bingen geboren, sie ist nur etwa einundeinhalb Jahre jünger als er, und beide sind durch ein gleiches, starkes Gefühl für die Landschaft ihrer Heimat, besonders in Winterschönheit, verbunden. Die zwei letzten Verse deuten nicht auf einen bestimmten, tatsächlich am Rhein unternommenen Gang beider, sie besagen, dass die einzige Art, in der die Gefährtin sich gestattet, die innere Gemeinschaft zum Ausdruck zu bringen, ihre Bereitwilligkeit zu gemeinsamen Gängen am Strom ist, der wie ein Abbild der kühlen Klarheit ihrer in tiefem Schlaf befangenen Seele anmutet.

Der Demant des fünften Gedichtes – die altertümliche Form der Bezeichnung des Edelsteins ist nicht gewählt, um eine romantische Stimmung hervorzurufen, sondern weil sie im Vers selbstverständlicher klingt als das längere Wort Diamant – ist ein Symbol für die Kunst des Dichters, der ihr eine Frucht seines Dichtens zeigt oder schenkt, die etwas wie einen Segenswunsch für sie enthält. – Es war eine seltene Auszeichnung, wenn der Dichter ein neues Gedicht vorlas oder gar in schöner Abschrift verschenkte, da er in tiefster Verschwiegenheit an seinem Werk zu arbeiten pflegte und es nicht liebte, soeben erst vollendete Gedichte andern zugänglich zu machen. Die Gedichte sollten, wie er sagte, erst Patina ansetzen und nicht mehr seinen letzten Schritt in der Kunst darstellen, vielmehr für ihn selbst schon durch ein späteres Werk überholt sein, ehe er sich von ihnen durch Bekanntgabe an andre trennte. Deswegen sah er es auch höchst ungern, wenn es sich herausstellte, dass in einem Blätterband das Material nicht ausreichte, um die geplante Seitenzahl zu füllen, und er sich unter diesem Zwang entschliessen musste, eigne, kürzlich erst entstandene Gedichte zum Abdruck herzugeben. So geschah es mit den damals gerade gedichteten «Sprüchen» des «Neuen Reichs», die in der elften und zwölften Blätterfolge, um vorhandenen Raum zu füllen, veröffentlicht werden mussten. – Für ihn bedeutet die Mitteilung oder Gabe seines neuen Gedichtes an die Gefährtin ein Opfer, der durch Kerzen beleuchtete Raum, in dem das Opfer im fünften Gedicht dargebracht wird, verwandelt sich für ihn in einen Tempel, und seine Bitten nehmen die Intensität von Gebeten an. Ihr hingegen fehlt der Sinn für sakrale Bedeutung, sie begreift es nicht, dass erdhaftes Begehren durch den von ihm innegehaltenen Ritus hindurchklingt, und blickt fragend, kalt und unentschlossen auf solche Gabe, die zusammenfassend ein Edelstein aus Gluten, Tränen und aufgefangenen Schimmern genannt wird. – Die Aufrechterhaltung der inneren Verbundenheit von erdenfernem Gebet mit erdennahem Begehren, die nichts mit äusserlicher Frömmigkeit zu tun hat, betrachtete der Dichter als ein wichtiges Erbe der Antike, das die katholische Kirche durch die Wirren des Mittelalters hindurch gerettet und bis heute erhalten habe. Er sah einen Mangel an Verständnis und Gefühl für diese Erscheinung als ein Fehlen seelischer Kraft an, das er auf zu dünn gewordenes Blut zurückführte, wie es in dem «Gespräch des Herrn mit dem römischen Hauptmann» heisst.

Während im fünften Gedicht nur die zwei Gesten des Gebens und Empfangens einer für den Dichter besonders wertvollen Gabe geschildert und ausgedeutet werden, enthält das sechste Gedicht eine ganze Folge von Gesten. Freude an der Schönheit des winterlichen Zimmers, dem Reiz der Stille, dem leisen Raunen, das aus dunklen Ecken zu klingen scheint, dem Flimmern des Kaminfeuers und der altmodischen Lampen veranlasst ihn, auch sie auf diese Erscheinungen aufmerksam zu machen, um sie aus ihrer Starrheit zu erwecken. Sie aber zeigt nichts als ein unverändertes Staunen gegenüber seinem Versuch, so dass er sich enttäuscht und sorgenvoll in den nur durch einen zurückgeschlagenen Vorhang gesonderten Nebenraum und somit seelisch zurückzieht. Er benutzt sein Alleinsein, um schweigsam und – von ihr ungesehen – «ins Knie gesunken», also fromm, über ihr Schicksal zu sinnen. Sooft er in das anstossende Zimmer zurücksieht, erblickt er sie auf dem gleichen Platz, den sie vordem eingenommen hat, in einer unveränderten Haltung. Ihre Augen starren ins Leere, ihr Schatten, den das Kaminfeuer sichtbar macht, kreuzt die gleichen Ranken des Teppichs wie zuvor. In dieser Lage scheut er sich nicht, für ihre innere Befreiung ein stummes Gebet an Maria, die grösste und betrübteste der Mütter, zu richten. – Ohne sich den äusseren Vorschriften der Kirche zu unterwerfen, glaubte er, dass menschliche Seelen der Erhebung durch das Gebet nicht entbehren können, und begründete dies in der Vorrede zum Maximin-Gedenkbuch, wie auch in dem Maximin-Ring, dem «Traumdunkel» und den «Tafeln».

Die zwei Gedichte der dritten Gruppe handeln von dem Dichter allein. Er legt vor sich selbst – vielleicht in seinem Zimmer in Bingen – Rechenschaft über sein Verhalten gegenüber der winterlichen Gefährtin ab. – Wenn er es jemandem gestattete, ihm innerlich näher zu kommen, übernahm er selbst dadurch die Verpflichtung, für den andern einzutreten und dieser Aufgabe treu zu bleiben. Er pflegte manchmal halb scherzend zu sagen, dass ihn dies zum Treusten der Treuen mache und dass er seine Treue nur brechen dürfe, wenn der andre sich vorher als treulos erwiesen habe. – So zwingt ihn Treue, über die Gefährtin zu wachen. Er kennt den Unterschied im Fühlen, weiss, dass diese Verschiedenheit auf ihn lähmend wirkt, aber er zögert, sich zu trennen, weil er die Schönheit und Grösse ihres Leides bewundert. Er versucht sogar, ihre Trauer zu der seinen zu machen, um sie wahrhaft zu teilen. Doch das hindert ihn nicht, schon jetzt darüber klar zu werden, dass ihn niemals ein warmer Anruf von ihr treffen wird und dass das herbe Schicksal dieses stets winterlich bleibenden Bundes hierdurch besiegelt ist.

Die Trennung selbst wird im achten Gedicht im Bild des Zerstörens einer nicht gedeihenden Zimmerpflanze beschrieben, parallel zu dem Bild der Wiedergabe der körperlichen Einung im Blumenbeet-Gedicht der «Hängenden Gärten». – Der Dichter entnimmt Bilder für menschliches Verhalten der Pflanzenwelt und nicht der Tierwelt, weil, wie bereits gesagt, ihm eine Vermenschlichung von Tieren geradezu unangenehm war, da sie den wahren Charakter der Tiere vernichte, wie er sagte und im Wildschwan-Gedicht des «Sterns» zum Ausdruck brachte. Dies ist der Grund dafür, dass er die Wahl von Hunden zu Begleitern bei Erwachsenen durchaus nicht schätzte und als mangelhaftes Surrogat für eigenes Erleben ansah. Pflanzen erachtete er hingegen als so weit entfernt von Menschenwesen, dass er ihnen im Gedicht – selbst auf die Gefahr hin, romantisch zu wirken – die Fähigkeit des Verstehens der menschlichen Seele beizulegen wagte, um eine Verbindung zwischen Natur und Mensch herzustellen und die dichterische Umschreibungsform zu erweitern. – Im achten Gedicht legt er dar, dass und warum er es vorzieht, eine Zimmerpflanze, die nach ihrem Blühen trotz seiner Pflege langsam auf seinem Fensterbrett dahinsiecht, mit einem Messer, dessen betonte Schärfe in bewusster Antithese zur Bewegung des Knickens steht, rasch zu zerstören, als noch länger den hoffnungslosen Anblick des Welkens zu ertragen. Dieses Tun entspringt dem doppelten Grund, dass er selbst lieber in die Leere als auf etwas, das langsamem Sterben unweigerlich geweiht ist, blickt und dass er ein hier nutzloses Verantwortungsgefühl der Pflanze gegenüber fühlt, das erst mit ihrem Verschwinden erlischt. Er vermied wegen dieses ihn allzu sehr innerlich beschäftigenden Verantwortungsgefühls nach Möglichkeit, Topfpflanzen oder selbst Schnittblumen im Zimmer zu halten, da ihn der Gedanke, zuviel oder zuwenig Wasser gegeben zu haben, verfolgte und vom Sinnen über sein Werk abhielt. Seine Konzentration auf sein Werk war so stark, dass er auf Fragen Dritter oft stereotype, sich gleichbleibende Antworten gab und auf Äusserungen Dritter oft in immer gleichbleibender Weise reagierte, ein Verhalten, dessen er sich voll bewusst war und das er selbst bisweilen scherzend seine «epische Echolalie» nannte. – Das Wort «Scherbe» ist ein dialektisch gefärbter Ausdruck für «Blumentopf aus Ton», den auch Goethe in der Zwingerszene in Faust I benutzt hat.

Die zwei letzten Gedichte des Winter-Teils sprechen vom nahenden Frühling, mit dem ein neues Erlebnis sich ankündigt. Der Dichter sieht den Frühling nicht als gesonderte Jahreszeit, gerade so wie die Griechen es taten, für die erst Alkman den schon von Homer erwähnten Frühling als vierte, den Menschen und Tieren Hunger bringende Jahreszeit

117

neben die drei vorher allein anerkannten Jahreszeiten gestellt hat. Der Bann, in dem die winterliche Gefährtin ihn gehalten hat, bricht wie das Eis auf den Seen beim ersten Wehen des Frühjahres, das er als blau empfindet. Es ist der Hauch der Auferstehung, der im Grünwerden der erstarrten Natur, sogar der Gräber, lebendigen Ausdruck findet, ein lebensnotwendiger und deshalb von allen Religionen besonders gefeierter Umschwung von erstarrtem und erstarrendem Schmerz, aus dem sein Gebet die Gefährtin vergeblich zu reissen versucht hat, zu einer neuen, fruchtbaren Hoffnung, die sie nicht zu teilen vermag und die ihn deshalb zwingt, sich um der Erhaltung seines Daseins und seiner Kunst willen von ihr zu trennen.

Sein Weiterschreiten wird im Schlussgedicht dieses Teils, das zugleich der Übergang zum «Sieg des Sommers» ist, versinnbildlicht. Es wird wieder, um eine fortschreitende Entwicklung zu geben, eine Reihe von Gesten geschildert. Auf dem heimatlichen Feld, auf dem das Wasser von geschmolzenem Schnee und Eis sich in Furchen gesammelt hat und von dem es, zu Rinnsalen vereint, zum grossen Strom fliesst, baut der Dichter symbolisch einen Scheiterhaufen für seine Erinnerungen an die spröden Freuden von Herbst und Winter und lässt ihn in Flammen aufgehen, um nicht mehr beschwert von Gedanken an früheres Leid, seinen Weg in die Zukunft zu nehmen. Er setzt in einem Boot über den Strom, denn auf der anderen Seite steht ein neuer Gefährte und schwenkt froh ein Banner. Der Gefährte ist ein Verkörperer jener jungen Hoffnung, auf den das erste der Wintergedichte bereits erwartungsvoll gedeutet hat, vielleicht, um von Anfang an die Winterstarre erträglicher zu machen, die nach dem letzten Herbstgedicht Leben und Erleben zum Stillstand gebracht hatte. Die Stösse des Tauwindes und die welken Seelen der Gefährtin oder Gefährtinnen von Herbst und Winter dienen jetzt dazu, die Erde für neue Ernte fruchtbar zu machen.

SIEG DES SOMMERS

Der «Sieg des Sommers» besteht wie «Waller im Schnee» aus zehn Gedichten, umfasst aber nur achtundzwanzig Strophen. Dieser dritte Teil des ersten Buchs ist wiederum in vier Gruppen geteilt, von denen die erste und die zweite je drei und die dritte und die vierte je zwei Gedichte verschiedener Länge enthalten. Die erste Gruppe dieses Teils, der im Vergleich zu den Herbst- und Wintergedichten ein freudiges Geschehen, einen Sieg feiert, zeigt den Dichter mehr zu sich selbst als zu dem neu gewonnenen Freund sprechend. Wie er mir erzählte, war Edmond Rassenfosse, den er durch Gérardy kennengelernt hatte, das lebende Vorbild für diese Gedichte, deren Landschaft dem Park von

Tervueren bei Brüssel angeähnelt ist. Das Finden dieses Freundes, der im letzten Gedicht der Winterreihe als «ein Bruder» bezeichnet wurde, war für den Dichter um so wichtiger, als sein Glaube an eine solche Möglichkeit durch den unglücklichen Ausgang des Treffens mit Hofmannsthal nicht nur erschüttert, sondern sogar im Schwinden war. Edmond Rassenfosse war jünger als Stefan George, ihr Verhältnis zueinander hatte aber keinen erzieherischen Einschlag wie spätere Beziehungen Stefan Georges zu Jüngeren. Der junge Belgier trat schon fertig geformt dem Dichter gegenüber und was sie verband, war die Fähigkeit und der Wille des Jüngeren, Kunst zu empfinden und in den Mittelpunkt des Daseins zu stellen, wie der Dichter selbst es tat. Deshalb bildet nicht so sehr ein Feiern menschlicher Nähe den Inhalt der Sommergedichte – die dazu notwendige Fähigkeit des Traums, wie der Dichter jenes besondere Verbundensein von Geist mit Schicksal nannte, und die erforderliche Intensität des Fühlens besass dieser Freund nicht – als ein Preisen des Mitschwingens beim künstlerischen Sehen und Geniessen, das der Dichter hier in einem Jüngeren als angeborene Gabe fand. Das Einbrechen solchen Frühlings, der gleichsam voll mit neuen Dingen erscheint – das Wort «neu» wird zwecks stärkster Hervorhebung zweimal innerhalb der gleichen Strophe benutzt – ist durch starke Bewegungen des grauen Gewölks und den Flug der nach Norden zurückkehrenden Zugvögel charakterisiert. Das Verbum «entbietet» ist eine Singularform, obwohl es sich auf drei verschiedene, gleichgeordnete Subjekte bezieht. Das ist eine bewusste Abweichung von der üblichen Grammatik, die hier die dritte Person des Plurals für die Verbform vorschreibt. Der Dichter denkt vor «entbietet» Worte wie «dies alles» eingeschaltet, die den Singular des Verbums rechtfertigen würden, lässt aber diese Worte als selbstverständlich zwecks Verkürzung und Zusammenziehung fort. Die Frühlingserscheinungen locken zu einem neuen «Abenteuer» – das Wort ist gewählt, um die Ungewissheit des Ausganges anzudeuten – und das Abenteuer wird erlebt «bei» dem Freund, das heisst an der Seite des Freundes, und nicht «mit» dem Freunde, was in innerer Einigkeit mit dem Freunde bedeuten würde. Es war ein Freund, dessen Kommen vom Dichter erwartet worden war, an dessen Kommen er die ganzen Jahre der Einsamkeit hindurch, wenn auch mit wechselnder Stärke, geglaubt hatte, und es war die niemals völlig aufgegebene Hoffnung auf solch ein Kommen, die selbst leeren Jahren einen Glanz verliehen hatte. Das Beieinandersein findet in einem Park statt, dessen Bäume vorher stumme Zeugen des Wechsels von Angst und Hoffen im Dichter gewesen sind. Trotz der Anrede an den Freund spricht der Dichter mehr zu sich selbst als zu jenem, wie die unmittelbar angefügte, begründende letzte Strophe, eingeleitet durch «denn» im vierten Vers der zweiten Strophe, beweist. Der Dichter – und nicht der Freund – fühlt, dass das volle Glück sich niemals offenbaren kann, wenn das jetzige Erleben nicht schon als Beginn eines Glückes empfunden wird, wenn dieses Erleben nicht als gross genug gefühlt wird, um das volle Glück durch die Schönheit dieser Nacht, die verkürzend zum Subjekt gemacht ist, sichtbar werden und um Nähe des vollen Glückes in der reichen Blumenernte und im glutenspendenden Wind erraten zu lassen. Die Fragen am Ende des Gedichtes sind somit eine Art Ermahnung des Dichters, die mehr an ihn selbst als an den ihre Tiefe kaum begreifenden Freund gerichtet ist. Grammatikalisch stellen die Verkürzungen dieses Gedichts einen der kühnsten Versuche des neuen Stils dar. Inhaltlich deutet es an, dass dieses Erlebnis noch nicht volle Erfüllung ist, wohl aber Vorstufe dazu sein könnte.

Die Mahnung wird im zweiten Gedicht in einzelnen Gesten erweitert und erläutert. Der Weg soll noch nicht in das die Ernte liefernde Getreidefeld, in dem farbige Kornblumen und Mohn als nichts anders als Unkraut wachsen, genommen werden, vielmehr in eine Waldung, einen kunstvoll angelegten Park mit vielverschlungenen Pfaden, deren Ende noch nicht völlig sichtbar ist, da wahre Erfüllung zwar nah, aber noch nicht erreicht ist. Die in die Birkenstämme geschnittenen Zeichen sollen durch Erinnerung an früheres Erleben mit anderen Seelen nicht davon abhalten, jetzt zu jungen, frischen Stämmen in der Waldung, also zu neuen Gefährten die Schritte zu lenken. Von dem jetzt weniger beschwerten Herzen sollen das frühere Leid der Einsamkeit und das beim Suchen von Gefährten vergossene Blut – man denkt an die erste Landschaft im «Traumdunkel» des «Rings» – nicht mehr beklagt werden. Die Reste der schmerzlichen Vergangenheit werden zu dürren Blättern aus verflossenen Herbsten und Wintern, über die eine neue Bahn hinwegführt und der Fuss hinwegschreitet.

Das dritte Gedicht gibt in Worten des Dichters ein Bild der Seele des neuen Freundes, es hebt sein Geeignetsein und seine Geneigtheit, den Weg des Dichters mitzugehen, hervor. Freude am Diesseits soll in dem Reich der Sonne, das ein Reich der apollinischen Kunst ist, die herrschende Macht sein. Der Freund fügt Worte und ersinnt Lieder, in denen solch süsses Leben auf dieser Erde dankbar gepriesen wird und durch die alle Klagen um das Noch-nicht-Erreichte vertrieben werden, so dass sie Vögeln gleichen, die aufgescheucht zu den höchsten Ästen flüchten. Das ist der Inhalt der Lieder des Freundes, die er tatsächlich gedichtet hat, die das vom Summen der Bienen – man wird an das Rhein-Gedicht in den Liedern des «Rings» erinnert – klingende sommerliche Land oder die sanften Abendsänge vor einer Dorftür oder Tränen der einfach starken Seelen feiern, Tränen, die scheu in Lächeln verborgen werden. Das Bild der flatternden Vögel wird noch einmal,

um den Ring zu schliessen, aufgenommen: sie fliehen vor den Schlehen-
früchten, da sie ihnen zu herb sind – der Dichter hatte beobachtet,
dass die Vögel Schlehen erst fressen, wenn ein Frost die Herbheit gemildert hat. Schmetterlinge verbergen sich während des Sturms, um
nach seinem Enden von neuem im Flug zu funkeln. Ebenso solle man
sich im Reich der Sonne verhalten: dankbar und zufrieden mit der
Schönheit der Kunst sein, alles zu Herbe und zu Stürmische meiden
und leben gleich den Blumen, die noch niemand habe weinen sehen.
Das erinnert wiederum an den dritten Nachtgesang in «Lieder von
Traum und Tod». – Bernhard Uxkull hat in einem in der elften und
zwölften Folge der «Blätter für die Kunst» veröffentlichten Gedicht
bewusst umgekehrt vom «Weinen der Blumen in den Bächen» gesprochen.

In der zweiten Trias des «Siegs des Sommers» schildert der Dichter
gemeinsam mit dem Freund verbrachte Stunden. Bei einer Wanderung
erkennen die Pflanzen am Wegrand die beiden Freunde als ihnen verwandt. Die Gewächse werden hier wiederum vermenschlicht. Unter
«Silberbüschel» ist nicht eine bestimmte Pflanze, wie etwa die Silber-
trespe des «Weissen Gesangs», zu verstehen, vielmehr sind es die
dichtgedrängten Blätter verschiedener Pflanzenarten, die gegenüber
dem Grün des Grases silbrig wirken. Tageskerze ist eine Bezeichnung
für die Königskerze, die Maria als Symbol der Königswürde auf manchen mittelalterlichen Bildern in der Hand hält. Vielleicht soll hierdurch auch an den Königsbusch, den Basilienbusch der «Hängenden
Gärten», entfernt erinnert werden. – Die Pflanzen scheinen zu forschen,
ob die Wandernden von einem Stern gelenkt würden, der gütiger ist
als der, von dem andre Sterbliche geleitet werden. Die Zweige der
Bäume bilden eine lebendige äussere Verbindung zwischen den Häup-
tern der beiden, die ihren gemeinsamen Wunsch nach der Schaffung
des Sonnenreichs einander bekannt haben, aber noch zögern, sich
innere Verbundenheit einzugestehen. Sie sollen sich, so mahnt der
Dichter, davor bewahren, dass ein widriges Schicksal ihre Einigkeit
gefährde, und ihr vereintes Spiegelbild, wie im «Erkenntag», im
hellen Fluss vor dem sommerblauen Hintergrund mit Dankbarkeit begrüssen, eine Spiegelung in der Welle, die hier wiederum erwähnt wird,
um sich über das seelisch Erreichte durch Erforschung körperlicher
Züge klar zu werden.

Im fünften Gedicht wird das äussere Bild des Freundes gegeben,
dessen inneres Bild bereits im dritten Gedicht gezeichnet war. Er ist
kühn und stark genug, um Blumen zu pflücken, die am Rand gefährlicher Abgründe wachsen. Er ist künstlerisch und hingabefähig genug,
um über solchem Vorhaben und über dem Geniessen des Blumen-
nektars das Alltägliche zu vergessen. Und er ist sowohl feinfühlend

121

wie auch klug genug, Ruhe und Besinnen im Park zu suchen, wenn ihn die Jagd nach schillerndem Erleben zu weit von seinem inneren Ziel fortgetrieben hat. Er versteht es, den Stimmen der Einsamkeit, am Rand eines Sees sitzend, zu lauschen. Sogar der Schwan verlässt freiwillig die Insel am Wasserfall, um seinen Hals in die Hand des Freundes zu legen – diese Verbundenheit eines nicht zahmen Tiers mit einem Menschen hatte der Dichter in Wirklichkeit beobachtet. Wir besitzen auch zarte und dennoch kräftige Gedichte, die Rassenfosse geschrieben hat.

Im sechsten Gedicht wird das Verhalten des Freundes in Stunden geschildert, in denen der alles Leben erhaltende Wechsel der Gefühle erhebende Freude in bedrückende Furcht verwandelt. Dann bleibt dieser Freund zuversichtlich und betont, dass die Verbundenheit beider so stark sei, dass sie die nur kurz anhaltenden Ängste überstehen werde. Es sei nötig, dass der Dichter sich nicht aus dem Schutz, den er ihm biete, entferne, bevor sich das überscharfe Tageslicht, das schrekkende Gedanken erwecke, gemildert habe und der Park wieder versöhnlich und ernst den Schatten zu abendlicher Ruhe biete. – Um die Wiederholung des Wortes «Park» zu vermeiden, werden verschiedene, umschreibende Worte dafür benutzt oder sogar geprägt, wie «Garten-Aue, Waldung und Gartenwald».

Das siebente und achte Gedicht handeln von dem, was beide durch ihre Gemeinschaft gewonnen haben. Das siebente Gedicht stellt das Bändigen der Erinnerung an schmerzhafte Erlebnisse der Vergangenheit und die Herstellung einer lang erhofften Verbundenheit dem Erwachen zu einem anderen Dasein gleich. Es scheint ihnen jetzt, als ob alle mühevollen Stunden der Vergangenheit nur darauf gerichtet gewesen sind, die hohe Stunde der seelischen Nähe herbeizuführen, die durch ihre Glut Gewalten und Gestalten getilgt hat, die sie früher mit Angst und Schrecken bedrängt haben. Diese Verbundenheit gibt beiden die Möglichkeit, den Augenblick auszukosten. Sie sollen lernen, so sagt das achte Gedicht in kunstvoll ausgebauten Imperativformen, ihre höchsten Schätze freigiebig zu verschwenden, ebenso grosszügig, wie sie sich am frohen Ort des Zusammenseins nach verdorrender Hitze erfrischendem Regen überlassen. Sie sollen nicht vergessen, dass sie vom Schönsten, das diese Erde gewährt, in Abenden und Nächten gepflückt und dadurch so viel genossen haben, wie zu geniessen gegeben ist, mögen auch die stets wechselnden Erscheinungen der Welt bisweilen wechselnde, trübe Empfindungen in ihnen wachrufen. Sie sollen nicht mehr so töricht sein, darüber zu trauern, dass sie Bilder schon lang vergangener Zeiten in sich genährt, aber noch nicht das Mittel gefunden haben, ihr wirkliches Lieben mit der Grösse ihres Traumliebens in Einklang zu bringen.

Alle diese Mahnungen, ja schon die Notwendigkeit solcher Mahnungen, beweisen in sich, dass für den Dichter die Verbindung mit diesem Freund noch nicht volle Erfüllung bedeutet. Deshalb ändert der «Sieg des Sommers» auch nichts an dem gedämpften Ton, der im ganzen Band vorherrscht und ihm den besonderen, fälschlich als sentimental angesehenen, schwingenden Charakter verleiht.

Die beiden Schlussgedichte berichten von der inneren und äusseren Trennung. Der Dichter empfindet bereits seine eigne Stimme als nicht mehr angepasst, als zu rauh, als so hart wie es der unter seinem Fuss knirrende Kies ist, wenn er im taufrischen Park, der zum Symbol dieser morgendlichen Freundschaft wird, ein Bangen um die Zukunft bei dem ihm noch nahen Freund wahrnimmt und mit Worten zu beschwichtigen sucht. Tau ist hier, wie oft im Werk Stefan Georges, ein Symbol für Tränen. Er fühlt, dass das Glück ihn nur gestreift und etwas so unfassbar Zartes, wie den Schmelz auf Früchten, an seinen Händen zurückgelassen hat. Der Sommer ist jetzt dem Herbst nah und das schliesst den Jahresring. Der Abfahrtswimpel am Schiff, das den Freund von ihm führt, ist gesetzt, und der Freund trennt sich in unverhülltem Schmerz und voll Zweifel an der Möglichkeit einer Wiederkehr. – Der Dichter war von dieser endgültigen Trennung tief erschüttert, darauf deutet der zweite Vers der zweiten Strophe des letzten Gedichts trotz der zurückhaltenden, unpersönlichen Fassung, und suchte Zuflucht im Hoffen auf die Zukunft, das vom Zusammensein mit diesem Freund wieder belebt worden war. In der sinkenden Nacht lauschte er, ob nicht ein letztes Vogellied Kunde vom Leben einer voll erfüllenden Liebe bringe, die noch im «Land der Strahlen» schlafe, wie es im zweiten Herbstgedicht hiess, aber «beim ersten lauen Hauch wach» werden würde, wie das erste Wintergedicht prophetisch verkündet hatte.

ÜBERSCHRIFTEN UND WIDMUNGEN

Das zweite Buch des «Jahres der Seele» zerfällt in die zwei Teile der «Überschriften» und der «Widmungen». Der erste dieser Teile endet nicht nach dem achten, sondern erst nach dem achtzehnten Gedicht, umfasst also sowohl die «Erinnerungen an einige Abende innerer Geselligkeit», als auch die «Nachtwachen». Dies könnte fraglich sein, weil die Druckanordnung im Inhaltsverzeichnis keinen Aufschluss hierüber gibt. Die Frage wird aber durch die Erwägung entschieden, dass kein innerer Grund dafür vorliegt, die «Nachtwachen» in die «Widmungen» einzuordnen, zumal sie nach der Typengrösse im Inhaltsverzeichnis zu den «Erinnerungen» hinsichtlich der äusseren

Teilung gehören. Ausserdem ergibt diese Art der Teilung eine fast gleiche Anzahl von Gedichten in jedem der beiden Teile, die architektonisch erstrebenswert ist.

Nur wenige der achtzehn Gedichte des ersten Teils haben Überschriften, so dass der Titel «Überschriften» nicht in dem äusserlichen Sinn des Wortes gemeint sein kann. Er soll vielmehr, wie schon angedeutet, darauf hinweisen, dass es sich hier um Rückerinnerungen – das Wort «Erinnerungen» erscheint in einem Titel – an frühere Erlebnisse handelt, die in einer späteren Erlebensstufe wieder vor dem inneren Auge des Dichters aufgetaucht und erst in ihr zum Gedicht geformt, also übergeschrieben, nicht überschrieben, sind. Das Wort würde den vom Dichter ihm beigelegten Sondersinn äusserlich klarer verständlich machen, wenn es als Über-Schriften gedruckt worden wäre, so wie der Dichter das Wort Um-Schreibungen in den «Blättern» zwecks Kennzeichnung einer Sonderbedeutung bisweilen drucken liess. Hiermit ist bereits gesagt, dass die Gedichte dieses Teils das in allen Werken des Dichters zu beobachtende Zurücksinken in die Vergangenheit enthalten, das ihm über die Zeit eines Stockens des Erlebens hinweghilft und eine «schöpferische Pause» ausfüllt.

Das Eingangsgedicht ist liedhaft und schliesst wohl an das ersehnte abendliche Lied des Vogels im letzten Sommergedicht an. Die erste Strophe betont, dass der Dichter Lieder, die Erfüllung seines Traumes verkünden, noch nicht zu singen vermag. Er ist nur fähig, mit Hilfe seiner Kunst scheue Reime zu einem Gesamt zu vereinen, das in Rebenlauben gesungen oder wie Wein kredenzt in fahlen, das heisst an Erlebnissen armen Frühlingen Trost und, in stillen Zimmern klingend, Freude in weissen, das heisst sonst unbelebten Wintern gewährt. Diese Gedichte enthalten in sanghafter Form das, was der Dichter aus den schweren, inneren Kämpfen seines Daseins – sie sind im ersten «Zeitgedicht» des «Rings» geschildert – in den Schoss des Friedens, das heisst in bewahrende Kunst betten und aus der eignen Jugend, die ihm im Rückblick als reiches Eden erscheint, in sein jetziges Leben hinüberretten, hinüberschreiben kann.

In den folgenden drei Gedichten sieht der Dichter auf Stadien seiner Jugend zurück, die der im «Kindlichen Königtum» und in der Schülerlegende geschilderten Frühzeit gefolgt sind. Es war das Ephebenalter um das achtzehnte Lebensjahr, in dem er sich, wie er hervorhebt, von den Bewohnern seiner Heimat fernhielt, in die Weite fremder Länder floh und von seinem jugendlichen Kampf um Erfüllung seines Traums nur zu Sternen und Wolken sprach. Was er als schön, als «Blume», empfand, flocht er um die festen Gefüge der neuen Kunst, die hier ihrer Formung nach Kreise – an Stelle von Ringen, die sich kreisförmig schliessen – genannt werden. In seinen

Gedichten verklang der Schmerz des Alleinseins in feierliches Tönen, wie es für einen Epheben angemessen war, der durch sein Versunkensein in fernes Licht der Vergangenheit geheiligt wurde. Das ist eine Anspielung auf die «Hymnen». Die dritte Strophe spricht rückblickend vom Wandern seiner Seele in die Täler der Götter und zu Flüssen, die wie der Mäander blinken, und deutet damit auf die Zeit der «Hirten- und Preisgedichte». Die Stätten innig hoher Sitten, in die er sich zeitweise versetzt hat, sind die Schilderungen in den mittelalterlich eingekleideten «Sagen und Sängen», und der gekrönte Martertod der Seele im Süden deutet auf den «Algabal», wie in der Aufschrift an Ludwig II. von Bayern ausgedrückt ist. Das Algabal-Erlebnis wird hier aber fortgesetzt und zusammengebracht mit dem Erlebnis der «Hängenden Gärten» und erscheint deshalb in der zeitlichen Aufzählung erst hinter den «Sagen und Sängen», zu denen die «Pilgerfahrten» bei dieser Art der Zusammenfassung wohl hinzuzurechnen sind. Die beiden letzten Verse beziehen sich auf das Leben des Dichters zu der Zeit, in der dieses Gedicht geschrieben wurde. Er bricht sein Schweigen aus Freude an Gesprächen mit seiner eignen Seele, die er «düstere Schwester» nennt, nachdem sie als solche schon in «Algabal» und «Nach der Lese» erschienen ist. Sie lehrt ihn, dass sie, wenn sie in dieser Pause des Erlebens ihre Kraft nicht verlieren soll, den Trank aus seinen klingenden Pokalen, das heisst die Vervollkommnung seiner Kunst, nicht missen kann und dass das Licht, das sie benötigt, um ihren Weg in der sie umgebenden Finsternis zu finden, nur die aus seinen eignen Wunden, wie nach einer Stigmatisierung, hervorbrechenden Strahlen sein können. Ohne Begründung hat Isi Coblenz sich Robert Boehringer gegenüber mit der «düsteren Schwester» identifiziert.

Schilderte das zweite Gedicht die Entwicklung vom Erlebnis her, so behandelt sie das dritte Gedicht von der Kunst und der Sprache her, führt aber in eine noch frühere Jugendzeit zurück als das zweite Gedicht, wohl weil diese Seite der Entwicklung im «Kindlichen Königtum» und in der Schülerlegende nicht berührt worden war. Einer der frühsten geistigen Wünsche, die schon im Knaben laut wurden, war das Begehren, für gewohnte Dinge neue Namen zu finden, und dies führte zur Schöpfung jener Geheimsprache, in der romanische und griechische Elemente gemischt zu sein scheinen und deren einziger erhaltener Rest die zwei letzten Verse in den «Ursprüngen» des «Rings» sind. Das Wort, die Sprache des Sehers, kann nur von wenigen verstanden werden. Der junge Dichter, der in ein Reich der Phantasie geflüchtet war, suchte eine neue Bezeichnung für die Dinge zu finden, die das ausdrückte, was er an und in ihnen neu «sah». Die Worte, die er dafür erfand, donnerten für sein Ohr wie Befehle oder lispelten wie

Bitten, glitten in tiefrotem Licht wie der Paktolusfluss dahin, dessen Gold den Reichtum des Crösus begründet haben soll, oder in sanftem Schein wie Bäche der Heimat im Frühling. Sie halfen ihm, sich in eine Traumwelt aufzuschwingen, in ihnen hörte er die Stimme des Gottes, die sonst nur im Tempel ertönt. Die neuen Worte oder ein neuer Ton in alten Worten und nicht die milden, überlieferten, mütterlichen Lehren leiteten ihn, als er, vom Frühlingsrausch des Gestaltens besessen, die Gedichte schrieb, die von den Trägern seiner frühsten Sehnsucht berichteten, worunter die ersten Fassungen von «Manuel und Leila» und «Prinz Indra» fallen könnten. Schon damals formte er aus solchen Worten seine Gebete zu der ihn lenkenden Macht, die darauf gerichtet waren, dass die Verheissung, die er, wie aus der Vorrede zu «Hymnen» und einzelnen Gedichten, zum Beispiel dem dritten Zwergenlied, ersichtlich ist, schon früh in sich spürte, nicht lügen und dass durch die magische Wirkung echter Kunst das Denkbild sich «zur Sonne heben», verkörpern möge. Unter Denkbild versteht der Dichter, von der holländischen Sprache ausgehend, nicht die Idee, sondern das Ideal, nämlich das Bild des volle Erfüllung bringenden Gefährten, das bisher nur in seinen Träumen geformt war und das er im Licht der Sonne auf dieser Erde verleiblicht zu finden sein Leben lang strebte.

Im vierten Gedicht sieht der Dichter auf drei Wanderzeiten in früheren Tagen zurück, deren Erkenntnis für sein eignes Verstehen seiner Berufung notwendig ist. Er sieht sich als den Sänger der «Sagen und Sänge», der sich nicht in der Haft eines goldenen Bauers halten lässt, auf seiner Wanderung Segen in reichem Mass geniesst und von Frauen mit Blumen, wie «Frauenlob», belohnt wird. Er erblickt sich ferner bei seinem Zug durch die Länder der Wunder zu Palästen aus Marmor, wie in «Algabal» und in den «Hängenden Gärten», oder zu heiligen Gezelten voller Grauen, wie im «Geheimopfer», stets in Einsamkeit und nur selten seine Kunst übend. Er fühlt sich schliesslich nach Jahren in die Heimat zurückgekehrt, in der Rauch des Herdes zum meist grauen Himmel wirbelt, nicht mehr erhoffend als ein Vergessen, Ruhe und in blasse Farben getauchte Träume. Hiermit endet bei innerer Teilung die erste Gruppe der «Überschriften», die aus einem Einleitungslied und drei Gedichten besteht, die retrospektiv Leben und Werk des Dichters behandeln.

«Die Sprüche für die Geladenen in T.» waren ebenso wie die «Nachtwachen», und zwar wohl alle fünf Nachtwachen-Gedichte, zuerst französisch gedichtet, wie die Anmerkungen zum «Jahr der Seele» in der Gesamtausgabe sagen, und sind erst später in deutsche Sprache von dem Dichter selbst umgeformt, übergeschrieben worden. Der Sagestil der beiden Gedichtgruppen, die früher entstanden sein dürften als die übrigen Gedichte dieses Bandes, ist spröder und weniger in das vereinheitlichende Medium «eingeschlagener» Farben gehüllt. Daraus mag es sich erklären, dass sie ursprünglich zur Veröffentlichung im «Buch der Sagen und Sänge» bestimmt waren, wie die Überschrift beim ersten Druck der beiden ersten Gedichte der zwei Gruppen im vierten Band der ersten Folge der «Blätter für die Kunst» vom Mai 1893 beweist. Dass sie in das «Jahr der Seele» schliesslich aufgenommen wurden, könnte eine Folge der in ihnen enthaltenen Rückblicke autobiographischer Art sein. Es ist vielleicht von Interesse, dass in diesem Band individuelle Titel nur im retrospektiven, zweiten Buch auftauchen.

Der erste der «Sprüche» war ein Gelegenheitsgedicht, ein Geschenk für Mitgäste in der Villa Joli Mont in Tilff bei Lüttich, die der Familie Rassenfosse gehörte. Die erste Strophe war für Gérardy, die jetzige dritte für Pascal und die jetzige vierte Strophe für Edmond Rassenfosse bestimmt. Die jetzige zweite Strophe ist erst später hinzugefügt worden. Sie behandeln das Los des Dichters, der von Geburt an von andern Sterblichen gesondert ist, wie schon Baudelaire es zum Ausdruck gebracht hatte. Im ersten Jahrsiebent des Lebens des Dichters singt ihm eine leidbringende Fee, noch während seine Mutter ihn säugt, von Schatten und Tod und gibt ihm als Patengeschenk verschleierte, nach innen blickende Augen, in die die Musen sich versenken. Von solchen Augen spricht der Dichter später im «Stern», und es wird von grossen Künstlern, wie Michelangelo, berichtet, dass sie trübe, dem Leben der Umwelt fern bleibende Augen hatten. Beim Aufwachsen im zweiten Jahrsiebent nimmt er, wie in der «Kindheit des Helden» im «Ring», an den Spielen seiner Altersgenossen nicht teil. Von Arbeit, die, nach Algabals Ausspruch, solche Artung erniedrigt, hält er sich fern, um nur seinen grossen und strengen Gedanken zu leben. Das erste jugendliche Leid offenbart er nicht Gefährten, sondern dem Wind in Nächten, in denen er seine Brust, um den inneren Schmerz durch äusseren zu betäuben, mit seinen Nägeln lieber verletzt, als dass er durch Aussprechen sich davon befreit. Im dritten Jahrsiebent – die davon handelnde jetzige vierte Strophe war bezeichnenderweise Edmond Rassenfosse zugedacht – wird er reif genug, um zu erkennen, dass er auf die gewohnten Freuden der Jugend verzichten und selbst das Grab für sie graben muss, da Kunst, die allein sein Ziel ist, nur aus einer solchen Gruft, begossen mit vielen Tränen des Verzichts, erwachsen kann. Stets, wenn der Dichter von Gräbern spricht, schwingt Verzicht mit. Nach seiner damaligen Lebensauffassung entsteht Kunst aus bewusst nicht ausgelebtem Leben, wie das Prosastück «Pfingsten» darlegt. Das einzig wunderbare Grün erinnert an «Grabesgrüne und sicheres Heil» des vorletzten Gedichtes in

127

«Waller im Schnee». Unter «Rosen» ist, wie aus dem Titel der vom Dichter 1887 gegründeten Schülerzeitschrift «Rosen und Disteln» zu ersehen ist, die Kunst zu verstehen.

Das Sonderschicksal des Dichters wird auch im zweiten der «Sprüche» behandelt, jedoch mehr bildhaft als abstrakt und eine spätere Altersstufe, etwa das vierte Jahrsiebent, betreffend. Nach der damaligen Auffassung des Dichters erzeugten Reichtum und Fülle herbere Schwermut als der Mangel. Wer ein Ziel bereits erreicht hat, fühlt das Schicksal des Nichtweitergelangens grausamer als der, dem Erreichung des Zieles von vornherein versagt ist. So kommt es, dass, wer ein Kleinod gewonnen hat und, mit ihm spielend, den unaufhaltbaren Ablauf der Stunden, wie Algabal, betrauert, und dass, wer die Schwere des Königseins, wie der «König» gegenüber dem «Harfner» und wie Saul gegenüber David, empfindet, am meisten unter der Grausamkeit des Schicksals leidet.

Die beiden folgenden Gedichte gehören innerlich zur zweiten Gruppe der «Überschriften», da auch sie retrospektiv autobiographisch sind. Im dritten Gedicht wird eine Frage gestellt, die unbeantwortet bleibt: Was ist der Grund dafür, dass der Klang des ersten, frühsten Saitenspiels – die Doppelbedeutung des Wortes als Bezeichnung des Instrumentes und des Spielens auf dem Instrument ist hier ausgenutzt – den Dichter noch immer mit gleich starkem, freudigem Grauen erfüllt und rührt, obwohl er jetzt viele Saitenspiele zum Preisen von tieferer Lust und grösserer Tat erklingen lassen kann. Man dürfte nicht fehlgehen, wenn man annimmt, dass das, was den Dichter an seiner frühsten Kunst noch jetzt besonders rührt, der keusch anfängliche, leise Ton ist, mit dem er bereits damals das gleiche wie jetzt, nämlich die Verkörperung von Traumgefährten durch die Kunst erstrebte. Wir wissen, dass ein oder zwei Verse dieses Gedichts ursprünglich englisch konzipiert waren.

Im vierten Gedicht dieser Gruppe sieht der Dichter sich selbst in der Mitte der Wanderung auf seiner Lebensbahn. Er rastet, um auf den zurückgelegten und den vor ihm liegenden Weg zu blicken, und fragt angstvoll, was in Zukunft geschehen könne und werde, nachdem er so viele Berge und Täler des Fühlens, soviel Glück und Tränen hinter sich gelassen habe. Er ist unschlüssig, ob es Sinn habe, die Wanderung fortzusetzen, um auf lichteren Höhen noch lauter zu frohlocken und in wilderen Schluchten noch tiefer zu stöhnen. Gegenüber dem, was ihm bevorsteht, könnte, so ahnt er, der bisher zurückgelegte Weg so leicht wie ein Morgengang gewesen sein.

Fünf Gedichte, die den Titel «Erinnerungen an einige Abende innerer Geselligkeit» tragen, bilden die dritte Gruppe der «Überschriften». Die drei ersten dieser fünf Gedichte trugen bei der ersten

Veröffentlichung im dritten Band der zweiten Folge der «Blätter für die Kunst» vom August 1894 folgende Widmung: «I. C. einer Freundin zur Erinnerung an einige Abende innerer Geselligkeit.» In der ersten Ausgabe des ganzen Bandes blieb diese Widmung an Isi Coblenz fort. Sie hat Robert Boehringer gegenüber angegeben, dass der Dichter das fünfte Gedicht dieser Gruppe gedichtet habe, um sie über den Tod ihrer jüngeren Schwester zu trösten. Das ist glaubwürdig und spricht dafür, dass auch das vierte Gedicht, also die ganze Gruppe, sich auf ein Erlebnis mit Isi Coblenz bezieht und deshalb als retrospektiv unter «Überschriften» aufgenommen worden ist, zumal der Stil des Sagens noch dem der «Sagen und Sänge» infolge der spröden Verbindungen und starken Farbigkeit mehr ähnelt als der stillen Dichtigkeit und den «eingeschlagenen» Farben des «Jahrs der Seele» im engeren Sinne, die technisch eine Fortführung der Sageart der Lieder der «Hängenden Gärten» sind.

Das erste dieser Gedichte, die als einzige im Band individuelle Titel, entsprechend der Retrospektivität im zweiten Buch, aufweisen, klingt wie ein Vorgeschehen zum Gedicht von der geknickten Blume in «Waller im Schnee». Beide hatten die Pflanzen ihres Vereintseins in einem März gesät, in dem die Leiden des vergangenen Jahres ebensowenig überwunden waren wie das Eis von der Wärme der Sonne. Sie begossen und hegten die Gewächse, die nicht im Zimmer, sondern im Garten und am Rand der Rebenhänge gediehen, und pflückten sie, nachdem sie in der Obhut von hellen und liebevollen Blicken ihre Blüten entfaltet hatten. Sie trugen die Blumen bei gemeinsamen Gängen durch die glänzende Nacht in ihren Händen, deren Bezeichnung als «Kinderhände» sich nicht auf Grösse und Alter bezieht, sondern, wie oft im Werk Stefan Georges, auf ein individuelles Verhalten, das gegenüber dem alltäglichen Tun der Umwelt als kindlich erscheint.

«Rückkehr» gibt die Gedanken des Dichters bei einer abendlichen Heimkehr nach Bingen auf einem Rheinschiff, wohl von Norden her aus der Fremde kommend, wieder. Die wohlbekannten Ufer und Gelände und das Läuten der Glocken empfindet er, durch seine Erlebnisse verändert, jetzt als neu, selbst der Wind scheint ihm neue Freuden zu verheissen. In dem bewegten Wasser des Flusses glaubt er Wellenfrauen zu sehen und zu hören, wie sie ihn begrüssen, als ob er nur einen einzigen Tag in fremden Ländern geweilt hätte. Sie versichern, ihre Liebe für ihn sei, obwohl er sie verlassen habe, lebendig geblieben. – Franziska Bram, die Schwester von Luise Brück, hat sich erinnert, dass dieses Gedicht an Isi Coblenz zur gleichen Zeit gegeben wurde, zu der Luise Brück vom Dichter das Luzilla-Gedicht erhielt. Das belegt jedenfalls die auf Grund des Sagestils bereits geäusserte Vermutung, dass diese fünf Gedichte vor dem Entstehen der Gedichte des ersten

Buches des Bandes, aber nach Entstehung der ursprünglich französisch gefassten «Sprüche» und «Nachtwachen» gedichtet worden sind. «Entführung» erscheint technisch als Fortsetzung des Stils in «Sieh mein Kind ich gehe». Die «Wälder ferner Kunde» sind ein Land, in dem Fabeln und Märchen spielen. «Angebind» bedeutet hier nicht nur Geschenk, sondern, entsprechend dem Wortsinn, auch dasjenige, was noch an das frühere Leben bindet und durch das Lied des Dichters zum Ausdruck kommt. Das Überschreiten der Grenzen der bisherigen Stätte, die durch Ferne blau gefärbt sind, wird, wie das Bad der «Vorbereitungen», ihre Leiber zum neuen Dasein läutern. Die «Sommerfäden» werden sich zu Stoffen für sie spinnen, die volle Sonne zu Farbe und Zartheit von Schnee und Sternenlicht bleichen soll. Der Schwere enthoben, werden sie um den See schweben, singend und weisse Blumen, Nelken und Klee streuend – ein Versuch, die weisse Farbe vorherrschen zu lassen, der im «Weissen Gesang» intensiver fortgesetzt wird.

«Reifefreuden» ist ein Herbstgedicht, so dass diese Gedichtgruppe zwischen März und September spielt. Es handelt sich um einen Gang am Abend, bei dem beide die Fülle der Früchte in der umgebenden Landschaft so stark spüren, dass sie nur wenige Worte zu äussern vermögen. Nach dem Inhalt der zweiten Strophe sinken diese Worte, die, wie bei Homer, beflügelt gedacht sind, langsam zu den Obstspalieren nieder oder steigen zu den noch nicht geernteten Trauben der Binger Weinberge auf. In dieser Dämmerung wagt keiner dem anderen näher zu kommen oder den Zauber durch Reden zu unterbrechen, um nicht das von der untergehenden Sonne zwischen ihnen gewobene Band zu zerstören.

«Weisser Gesang» schildert, in entäusserlichter Abwandlung ähnlich benannter französischer Gedichte, Landschaft, Bauten und Kinder mit besonders hell klingenden Vokalen völlig imaginär, um für die Gefährtin einen nur in weissem Licht glänzenden Traum zu formen. Herbe Strahlen fallen auf ein Schloss, so dass es durchsichtig weiss wirkt. Weiss blühende Bäume umgeben es, damit der Traum von einem frühen Tag zweier Kinder sich im weissen Raum abspielt. «Früh» weist sowohl auf die Jugend der Kinder als auch auf die Frühe des Morgens, an dem die Kinder sich langsam zum See des Schlosses bewegen. Sie wanken manchmal auf den weissen Marmorfliesen des Weges und tragen weiss flimmernde Sträusse, die aus zitterndem Laub, wie dem der Espe, in der Mitte überragt von silbrigem Gras, bestehen und über die fast noch durchscheinend weissen Stirnen der Kinder emporreichen. Dies alles erweckt den Eindruck der Ferne, Zartheit, Unwirklichkeit und vor allem der uneingeschränkten Herrschaft rein weisser Farbe. Beim Nahen von weissen Reihern im schweren Flug schwanken die Sträusse in den Händen der Kinder, und diese Bewegung ist der Beginn der Auflösung des Traumes in weisses Licht. In weissem Rauch von verbrannten Narden, der «Duft-Nebel» genannt und als kühl in Übereinstimmung mit dem Eindruck der weissen Umgebung bezeichnet wird, scheinen die Kinder aufzuschweben, bis sie mit dem flaumig weissen Äther eins werden. – Eine ähnliche, aber vielfarbige Auflösung eines Traums wird am Ende des «Verwunschenen Gartens» gegeben.

Nach der Grösse der Lettern im Inhaltsverzeichnis sollen die «Nachtwachen» hinsichtlich äusserer Teilung zu den «Erinnerungen» gehören. Innerlich bilden sie aber, hinter der dritten Gruppe der fünf Erinnerungen an das Isi-Coblenz-Erlebnis, eine neue vierte und letzte Gruppe der «Überschriften». Wer die Frau dieses Erlebnisses ist, kann nicht festgestellt werden. Ausweislich der ersten «Nachtwache» war sie sehr jung, blond und blauäugig. Mascha Eckmann, die Schwester der Lilly Braun, kommt nicht in Frage. Stefan George kannte den Maler Eckmann zwar bereits seit 1894, lernte aber dessen spätere Frau Mascha erst durch Eckmann nach dessen Heirat, die im Jahre 1898 stattfand, kennen. Wahrscheinlich handelt es sich hier um ein Erlebnis des Dichters mit einer Frau in Frankreich oder Belgien, worauf auch die bereits erwähnte ursprünglich französische Fassung aller Nachtwachen-Gedichte deuten könnte. Friedrich Wolters entnahm aus Äusserungen Stefan Georges, dass der Dichter in seinen Werken, die vor dem «Teppich» entstanden, Namen oder Initialen von Frauen bewusst nicht gegeben habe – mir scheint wohl deswegen, weil er seine Erlebnisse mit ihnen als in eine mehr private Sphäre gehörend erachtete.

Im ersten Gedicht dieser in Terzinen gehaltenen Gruppe wird die Beschreibung einer Gefährtin gegeben, die jünger geschildert ist als die Frauen der «Preisgedichte». Der Dichter beobachtet sie vor und nach ihrem Einschlafen. Ihre Stirn ist durch zwei blonde, seidige Locken halb verdeckt und spricht von ihrem Erfahrensein in Jugendleid, ihre Lippen verkünden, ohne zu sprechen, durch ihre Formung das Geschick der vom «allerhöchsten Urteilsspruch» zum Künstlertum verdammten Seelen. Ihre Augen sind erregende Spiegel für den, der in sie blickt, und ihr Lächeln im Schlaf gibt ihr fast den Ausdruck des Weinens, wenn sie ihr Haupt etwas neigt, als wäre es von Kummer beschwert. Nach der frühesten Fassung soll sie mit den Spiegeln ihrer Augen nicht spielen, da ihr Zauber leicht zerbrechen kann.

Das zweite dieser fünf dreistrophigen Gedichte besagt, dass der Dichter sie nicht beachtet hatte, als er sie zum erstenmal in einem Herbst sah, in dem sogar der Wunsch nach Suchen von Gefährten in ihm stockte und er daran zweifelte, ob irgend jemand am dunklen

Tor, zu dem seine Bahn führte, um seinetwillen auf ihn harren könnte. Jetzt fühlt er Dankbarkeit, weil er die Gewissheit erlangt hat, dass sie unter dem finsteren Tor, das stets das Symbol für das Eintreten des Dichters in einen andern Lebensbereich ist, nur um seinetwillen gewartet hat, nicht einmal dadurch abgeschreckt, dass gespenstische Geräusche des Verfalls aus Mauern und Säulen tönten und dass im bitteren Frost sonst niemand in den Strassen sichtbar war. Dieses spätere Anerkennen einer beim ersten Treffen nicht beachteten Gefährtin zeigt Ähnlichkeit mit dem Erlebnis, das in der zweiten Strophe des zweiten Gedichts in «Nach der Lese» geschildert wird.

Das dritte Gedicht spricht vom Kampf der Liebe in zwei Mitternächten, wobei das Wort «beide» vielleicht auf einen doppelten Sinn von «Mitternacht» als Zeitmass und als tiefstem Punkt des Liebesempfindens deuten soll, wie auch die Worte «Wunde» und «unverbunden» in diesem Gedicht bewusst doppeldeutig gebraucht sind. Der Dichter ist der «selber Schmerzdurchbohrte», die Gefährtin ist die «Dulderin». Dass ihr eignes Empfinden dem seinen verwandt ist und dass er unter der Erkenntnis dieses Verwandtseins leidet, veranlasst ihn, sich an ihr dadurch zu rächen, dass er schonungslos ihre und seine seelischen Wunden blosslegt. Zurückblickend wünscht er, dass er damals anders gehandelt, dass er nicht hart auf sie geblickt, sondern ihr durch einen verstehenden Wink Milderung verschafft hätte. Aber zu jener Zeit sah jeder nur die «Wunde» des andern durch dichtes Dunkel zucken und bluten. Das Wort «unverbunden» hat hier den Doppelsinn von Nicht-miteinander-Verbundensein und von Ohne-schützende-Hülle-Sein. Keiner fand Worte oder Tränen für den andern.

Das vierte Gedicht enthält Gesten, Gedanken und Worte. Neben ihr liegend, erwacht er aus tiefstem Traum und neigt sich, betroffen von der Erkenntnis, sie bisher nur als Spiegel seiner selbst betrachtet zu haben, mit seinen Lippen auf ihre, die aus Schmerz über sein Verhalten die Farbe verloren zu haben scheinen. Im ersten Gedicht waren vorwegnehmend ihre Augen Spiegel genannt und ein Sich-nur-Spiegeln wird im ersten Hyperion-Gedicht den Zeitgenossen vorgeworfen. – Im ersten und zweiten Vers der zweiten Strophe gibt er ihr zu wissen, dass ihre Lippen sich in Dankbarkeit nur solchen öffnen sollten, die gross in Mitleid seien und sich ihr aus keinem andern Grund als Liebe geweiht hätten. Darin liegt eine Verurteilung seiner selbst deswegen, weil er früher nur sich in ihr gesehen hatte. Sie erkennt jedoch dieses Urteil nicht an, und als stumme Antwort treffen ihre Lippen die seinen mit einer Glut, die sein höchstes Hoffen übertrifft und ihm, obwohl er noch zweifelt, das Bewusstsein raubt. Das Verstreichen der glückseligen Minuten in dieser Nacht erscheint ihm in der Erinnerung als durch ein Wunder verlangsamtes Dahinrinnen der Zeit.

Das fünfte und letzte Gedicht sucht Klarheit über den Sinn des Nachtwachen-Erlebnisses, indem zwei Fragen vom Dichter aufgeworfen werden: Bedeutete das Sausen der Leidenschaft in den Baumwipfeln, die hier als Bild für den Geist stehen, nicht in Wahrheit mehr als eine Bedrohung seines Weiterschreitens durch ein Sehnen, das von blauen Blicken, das heisst von frohen, als blond empfundenen Blumen ausging? Bedeutete das Branden der Leidenschaft um die Festen, das heisst hier das Festgefügte, nicht in Wahrheit mehr, als dass jene Frau verlassen am Strand – wobei der Begriff des Gestrandetseins mitschwingt – irrte und Rettung vom leeren Himmel erflehte und als dass er sie blass und bebend wie niemals zuvor fand, sie, die sich damals kaum von einer am Wegrand Hilfe erflehenden Blinden unterschied? Eine Antwort auf diese Fragen wird nicht gegeben, aber die Art der Formulierung der Fragen zeigt, dass sie positiv dahin zu beantworten sind, dass dem Erlebnis der «Nachtwachen» eine über das äussere Geschehen weit hinausreichende Bedeutung für die beiden Betroffenen zukommt.

Die Gedichte der «Widmungen» tragen eine Sonderaufschrift, nach der sie alle als «Scherenschnitte» angesehen werden sollen. Die Reihe beginnt mit vier Gedichten, die, wie Friedrich Wolters mit Zustimmung von Stefan George feststellte, an Frauen gerichtet sind, deren Initialen – im Gegensatz zu dem Verfahren bei den darauf folgenden zwölf Gedichten an Männer – nicht gegeben werden. Es muss aber vermerkt werden, dass der Dichter das erste Gedicht – wohl schon im Dezember 1891 – Hofmannsthal mit leicht abgeänderter zweiter Strophe zeigte, der damals noch fast ein Kind war und dem gegenüber der Dichter sich sehr wohl als Fremdling hätte bezeichnen können. Es war Hofmannsthal aber wohl lediglich zum Abschreiben überlassen, denn er besass es nur in einer von ihm selbst gefertigten Abschrift. Auch wissen wir jetzt, dass Hofmannsthal auch eine Abschrift des Lilia-Gedichts besass und dass das Gedicht «An einen der vorübergeht», das Hofmannsthal zu jener Zeit an Stefan George sandte, nicht für den Dichter, sondern schon vor dem Zusammentreffen beider von Hofmannsthal gedichtet worden war, wie Herbert Steiner berichtet, so dass diese Gedichte sich nicht notwendigerweise auf die zu beziehen brauchen, denen sie übergeben oder zum Abschreiben überlassen wurden. Ob Hofmannsthal oder ein unbekanntes, sehr junges Mädchen im ersten Gedicht gemeint ist, könnte aus diesen Gründen fraglich erscheinen. Nach Stefan Georges eindeutiger Äusserung zu Friedrich Wolters war es aber ein Mädchen. – Wer das Vorbild für das zweite Gedicht war, lässt sich vielleicht aus dem Inhalt erraten. Für das dritte Gedicht könnte es dem Inhalt nach Isi Coblenz und für das vierte die Schwester des Dichters gewesen sein.

133

Im ersten Gedicht, das in zwei Strophen geteilt ist, fragt sich der
Dichter, ob es für ihn an der Zeit sei, seine Klagen vor diesem «Kind»
laut werden zu lassen, nachdem er zwischen erstem Frühling und spä-
tem Herbst im Verschweigen seines Leides erstarkt sei. Er sieht dieses
Kind und sein Verhalten in einem Bild: Während sein Schicksalsschiff
in toller Fahrt einem Riff entgegensegelt, steht das Mädchen, ihm mit
Blicken folgend, am Strand, und dies ist vielleicht eine Verbindung
zur letzten «Nachtwache». Seine Lage bedenkend, möge es, so
bittet er, sanfte Worte für ihn, den Fremdling, den die Weite des
kindlichen Blickes begriffen habe, finden, Worte, die ihm den entscheidenden Anstoss geben könnten, ihm sein Leid voll zu offenbaren und
sich dadurch innerlich zu befreien.

Das zweite Gedicht feiert ein Mädchen, das vielleicht wegen der
indirekten Schilderung besonderer Jugend das gleiche wie jenes im
ersten Gedicht ist, als so erfinderisch und gross im Reich der Güte, dass
es das Glück eines andern vermehren kann, ohne selbst daran teil-
zuhaben, dass es Schmerzen lindern kann, die es selbst kaum begreift,
und sogar aus schlimmen Anzeichen ein nahes Schönes errät. Das Bild
des Schiffbruchs vom ersten Gedicht wird dadurch weitergeführt, dass
das Mädchen am Strande durch seine Güte den Schiffbrüchigen hilft,
nachdem sie von Göttern und Genossen verlassen sind. Es lässt sich
nicht mit genügender Sicherheit sagen, ob das Mädchen in diesen
zwei Gedichten mit der Frauengestalt identisch ist, die in «Nachtwachen» unter einem andern Gesichtswinkel geschildert wird.

Das dritte Gedicht zeigt Ähnlichkeit mit dem zweiten Menippa-
Gedicht und könnte deshalb Isi Coblenz zum Vorbild haben. Die
nächtlichen Stunden, vielleicht im Haus ihres Vaters in Bingen, verflossen so reizvoll, dass sie und der Dichter vergassen, die Lampe, die
als Ampel gekennzeichnet ist, anzuzünden. Aber mit einer Wendung
des Gesprächs, die ihm nicht genehm war, begann sie von Dingen zu
sprechen, die er nicht hören mochte, und Fragen zu stellen, die er nicht
beantworten wollte. Er mahnt sie, ihn freiwillig zu meiden, also ohne
dass er sie zu ihrem schmerzlichen Erstaunen dazu zu zwingen habe,
falls sie nicht bedächtigere Worte finden, falls sie es nicht unterlassen
könne, Verachtung ihrer selbst wegen ihres nutzlosen Werbens zum
Ausdruck zu bringen, falls sie auch weiterhin mit ironischem Gelächter
von ihrer eignen, nicht mehr ausgeglichenen Seele sprechen müsse. –
Selbstironie war dem Dichter in allen Phasen seines Lebens geradezu
verhasst, er sah sie als eine völlig negative Eigenschaft bei Frauen und
Männern an, da, wie er sagte, jede geistige Erhebung dadurch unmöglich gemacht würde.

Das vierte Gedicht klingt, als ob es an die Schwester des Dichters
gerichtet wäre, mit der er regelmässig im Vorherbst, vor dem Lang-

werden der Nächte, zwischen seiner Rückkehr aus den Sommerferien und seiner alljährlichen Herbstreise zuerst nach München, später nach Berlin, im Elternhaus in Bingen einige Wochen zusammen war. Es ist möglich, dass dieses Gedicht, das in der ersten Ausgabe ebensowenig wie die Widmung an die Schwester enthalten ist, persönliche Widmungsverse wiedergibt, mit denen der ganze Band ihr, von der zweiten Ausgabe an, und zwar zurückdatiert, gewidmet wurde. Darauf könnte deuten, dass der Dichter es wünscht, ihr, die verblichene, bunte Reiser, das heisst hier seine früheren Erlebnisse, besonders mit Isi Coblenz, auf Grund ihrer von der Mutter ererbten Strenge und Starrheit nicht liebte, mit einer Gabe, die sie mehr erfreuen würde, nämlich mit dem «Jahr der Seele» – mit Versen, die wie der Schmelz schöner Trauer auf seinen Händen erscheinen – an einem solchen Abend im Herbst zu nahen.

Die zwölf an Freunde gerichteten, zum erstenmal im Werk mit Initialen gekennzeichneten Gedichte der «Schattenschnitte» sind weder alphabetisch nach den Anfangsbuchstaben der Namen der Bewidmeten, noch historisch nach ihrem Lebensalter, noch nach dem Datum des Beginns ihrer Freundschaft mit dem Dichter geordnet. Es ist festzustellen, dass jedes Gedicht aus acht, nicht gereimten Versen besteht und dass die drei in zwei Strophen eingeteilten Gedichte in die Mitte des Zyklus gestellt sind. Anders als in den «Preisgedichten», die mehr das Verhältnis des Dichters zu den dort als Typen Gepriesenen zum Inhalt haben als deren Persönlichkeit, sind hier persönliche Züge der Freunde in den Vordergrund gestellt.

Das erste Gedicht ist Waclaw Lieder gewidmet und nennt ihn eine der seltenen Seelen, die vom Los verbannter Herrscher erschüttert werden können. Die Worte «schon weil du bist, sei dir in Dank genaht» kehren als Motto über «Fürst und Minner» in «Gestalten» wieder. Seine Hoheit und Ritterlichkeit wird später noch einmal in der vorletzten Tafel des «Siebenten Rings» hervorgehoben.

Das zweite, an Paul Gérardy gerichtete Gedicht betont, dass, obwohl jener seine Gefühle in Schleiern der Klugheit zu verhüllen liebte, manches Treffen mit ihm, wie auch manches Scheiden von ihm innerlich stark bewegt war. Seine Ergriffenheit fand im Ton der Stimme und in der Art seines Blickens Ausdruck. Wir wissen, dass der Dichter sein erstes Zusammentreffen mit Gérardy, das im Mai 1892 in Belgien stattgefunden hatte, als einen wesentlichen Anstoss zur Gründung der «Blätter für die Kunst» – wohl in Anlehnung an «Ecrits pour l'art» benannt – ansah, in deren erstem Band der ersten Folge Gérardys Gedichte neben denen des Dichters, seines Schulkameraden Rouge und Hofmannsthals veröffentlicht sind.

Das dritte Gedicht ist an Melchior Lechter gerichtet und gibt eine

Symbolik der meist dunklen Farben, die jener bei Herstellung seiner Glasfenster bevorzugte. Veilchen-Dunkel ist ein tiefes Violett. Das vierte Gedicht ist Hugo von Hofmannsthal gewidmet. Nach dem Briefwechsel zwischen beiden bildeten ursprünglich die folgenden Worte den Anfang des Gedichts:

> Heut lass uns Frieden schliessen, ich vergebe
> Den Tropfen Gift in edlem Blute...

Mit dem «Tropfen Gift in edlem Blute» wollte Stefan George, wie er mir erzählte, auf eine gewisse seelische Unzuverlässigkeit Hofmannsthals hindeuten, die jenen nicht lange nach ihrer Bekanntschaft veranlasst habe, in einem frühen Brief an einen seiner Freunde – ich glaube an Felix Salten, der irgendwie Stefan George Kenntnis davon zukommen liess – zu schreiben, dass seine Gedichte in den «obskuren» Blättern für die Kunst veröffentlicht worden seien. Auch habe Hofmannsthal Gedichte in andern Zeitschriften zur gleichen Zeit, zu der der erste Blätterband erscheinen sollte, entgegen einer Abrede mit Stefan George veröffentlicht. Stefan George sah darin etwas wie einen eingeborenen Hang zur «Perfidie». Der Dichter selbst empfand aber später diese Anfangsworte als negativ, zu persönlich und zeitbedingt, so dass er sie weder in der ersten Ausgabe des «Jahrs der Seele», noch in den späteren Ausgaben zum Abdruck brachte und auch in den Anmerkungen zur Gesamtausgabe nicht als abweichende frühere Fassung erwähnte. – Der Scherenschnitt von Hofmannsthal besagt, dass der Dichter den Freund, dessen frühe Dichtungen er bewundere, vordem als Gegner angesehen habe, jetzt aber durch Festhalten seines Bildes ehren wolle. Das Wort «denn» deutet darauf, dass neben dem schon erwähnten Zeitablauf das Älterwerden der beiden, das ihren dichterischen Enthusiasmus naturgemäss herabsetzt, diese Ehrung ermöglicht in der Erwägung, dass jugendlich volle Begeisterung für Dichtung damals beide zusammengeführt hat und jetzt durch diese Verse gefeiert und überliefert werden muss. In diesem Zusammenhang sei erwähnt, dass Stefan George mir erzählte, Hofmannsthal sei von den ersten Bänden des Dichters so sehr ergriffen und aufgeregt worden, dass er seine Mutter, die der Dichter übrigens wegen ihres einfachen, geraden Wesens besonders schätzte, gebeten habe, die Bücher des Dichters vor ihm zu verschliessen. Über Hofmannsthal sagte mir Stefan George, jener habe in der Jugend alles ausdrücken können, was Rilke habe sagen wollen, und zwar viel besser, als Rilke es jemals zu tun vermocht habe, von dem übrigens Gedichte an die «Blätter für die Kunst» eingesandt, aber nicht angenommen worden seien. Stefan George trug sein Leben lang an dem unglücklichen Ausgang seines Treffens mit Hofmannsthal, den er erst nach einem ganzen Jahr des

Suchens in Wien – wie er erzählte – gefunden hatte. Er erachtete die späteren Werke Hofmannsthals den frühen, die ich ihm auf seinen Wunsch vor 1914 manchmal vorlas, nicht gleichwertig und fürchtete, dass sie deshalb den Glanz der frühen Dichtungen rückwirkend beeinträchtigen würden, da dies, wie er erklärte, eine Regel sei, die für Gedichte ohne Ausnahme gelte. Andererseits hat auch Hofmannsthal unter der Erfolglosigkeit seines Treffens mit Stefan George sein ganzes Leben hindurch gelitten. Wenn Hofmannsthal in einem Herbst, der seine beste Arbeitszeit im Jahr war, mit einem Werk nicht vorwärts kam, soll er geäussert haben, jetzt denke Stefan George wieder an ihn.

Das fünfte Gedicht ist an Karl Wolfskehl gerichtet, der darin als Prophet, ebenso wie später im «Geheimen Deutschland», gefeiert wird. Der Dichter nennt sich selbst und alle anderen selig, denen es vergönnt war, so oft, das bedeutet hier das Wort «täglich», die prophetischen Sprüche Wolfskehls zu vernehmen, er betont aber, und zwar in gewisser Weise sich gegenüber Wolfskehl wegen der folgenden Eröffnung rechtfertigend, dass er sich von Wolfskehls Lebensführung, die nur für jenen angemessen und beglückend sei, fern halten müsse, da er sein eignes Ziel nicht anders als auf dem Weg der leidbringenden Einsamkeit erreichen könne. Er nannte im scherzhaften Gespräch Wolfskehls Freude am täglichen Umgang mit unzählig vielen Personen jeder Art ein «Herumwuseln in Menschen».

Das Gedicht an Edmond Rassenfosse enthält eine Erkenntnis über die Bedeutung von wichtigen Jugenderlebnissen für spätere Lebensabschnitte. Manchmal scheint es, dass noch im höheren Alter wichtige Jugenderlebnisse die fruchtbarsten Erhebungen verursachen und selbst in späteren, öden Lebensphasen die zum Weiterleben notwendige Wärme hergeben. Manchmal aber erzeugen solche Jugenderlebnisse in späteren Lebensabschnitten das entgegengesetzte Gefühl dadurch nämlich, dass sie nur noch selten in nachdenklichen Nächten als Erinnerungen auftauchen und dass man, kühl und grausam vergessend, über die Trümmer eines «schönen Alters», das heisst hier der Jugend, hinwegschreitet. – Hier mag erwähnt werden, dass Stefan George von den damaligen Dichtern Belgiens Verhaeren persönlich kannte, nicht aber Maeterlinck, dessen Werke er weniger schätzte als die von Lerberghe, den er als Begründer des belgischen Symbolismus ansah.

Das folgende Gedicht ist an August Husmann gerichtet, den Klages zum Dichter gebracht hatte. Er wird ein sanfter, hilfloser Seher genannt, der sich in Trauer über unfruchtbare Träume verzehre. Der Dichter erbietet sich, ihm Felder zu zeigen, auf denen Samen der Erlösung, das heisst hier der Befreiung aus den Fesseln einer solchen

Traumwelt, wachsen könne, und hofft, dass der Befreite heiter lächeln werde, wenn die mit Blut und Tränen genährte Saat beginnen würde zu blühen. – Die Frage drängt sich auf, weshalb die acht Verse gerade der drei zuletzt erwähnten Gedichte und des ersten Gedichtes der «Widmungen» in zwei Strophen geteilt sind. Wahrscheinlich geschah es, weil hier der in den letzten vier Versen ausgedrückte Gedanke in klarem Gegensatz zu dem Inhalt der voraufgegangenen vier Verse steht und dies bei den übrigen Gedichten der «Widmungen» nicht derart antithetisch der Fall ist. Mitgesprochen mag aber auch haben, dass die in Strophen eingeteilten Gedichte vom überpersönlichen Standpunkt aus die wichtigsten des ganzen Teils sind und deshalb den Anfang und die Mitte besonders hervorheben sollen.

In dem folgenden Gedicht wird Albert Verwey als sprechend angeführt. Er fragt, ob der Dichter die Schönheit Hollands kenne, die durch tanzende Nebel über dem Moor, Stürme in den Dünen und das Rauschen der Meereswellen charakterisiert wird. Diese Frage ist als Entgegnung auf eine Frage des Dichters gedacht, ob Verwey die Umrisse der hellen Welten des Dichters wenigstens ahne, für die als Beispiele die Wiesen und Rebenhügel, die kaum vom Wind bewegten geraden Pappeln, die Napoleon im Rheinland, wie der Dichter betonte, pflanzen liess, und Flüsse, sanft wie Tiburs Wasser, angegeben werden. Ob «Tiburs Wasser» als Vergleich für deutsche Flüsse oder zur Charakterisierung des antiken Italiens als einer der «Welten» des Dichters genannt werden, muss offen bleiben, doch ist die zweite Möglichkeit, gerade wegen des gewählten, in sich selbst nicht umfassenden Bildes weniger wahrscheinlich als die erste. In diesem Gedicht werden Ahnen und Kennen, Linie und Ton bewusst einander gegenübergestellt.

Das Gedicht an Richard Perls fragt nach dem Nutzen einer Weisheit, die nicht mehr erkennt, wann sie zur Last, zum Frevel oder zum Ausdruck von Wahnsinn wird und mit ihrem zu grellen Licht erschreckt und überwältigt. Perls wird als Träger solcher Weisheit und als innerlich ruhelos bezeichnet. Er sucht immer wieder neue Felder des Geistes zu erobern, ohne am Aufgehen seiner Saat in den «drei Gärten» der antiken, der orientalischen und der deutschen Philosophie, mit denen er – von der Orientalistik kommend – sich beschäftigte, Freude zu haben. Durch ihn wurden Reinhold und Sabine Lepsius auf die Werke des Dichters aufmerksam gemacht.

Das Gedicht an Cyril Meir Scott betont dessen Verschiedenheit vom Dichter und von den deutschen Freunden Stefan Georges. Das Lächeln Scotts fordert dazu auf, die Klüfte zwischen ihnen als unergründbar anzuerkennen und dieses Geheimnis des Nichterfassens sogar zu begrüssen. Der Dichter versuchte, die Verschiedenheit durch sein Gefühl für Scott zu überbrücken, und folgte ihm ohne Furcht, den eignen Weg zu verlieren, denn er sah den Blick eines Siegers in den Augen des jungen Engländers. Es war Scott, der nach dem Tod Stefan Georges seine Verschiedenheit vom Dichter in sensationell banaler Weise und keineswegs mehr sieghaft zu erklären strebte. Sein schlechtes Gedächtnis oder sein schlechter Geschmack wird schon dadurch bewiesen, dass er ihm selbst gewidmete Gedichte des «Teppichs» vom Deutschen ins Englische übersetzte, obwohl der Dichter ihm die ursprünglich englische Fassung nicht allzu lange vorher geschenkt hatte, wie Anmerkungen in der Gesamtausgabe besagen, die lange vor Scotts Schmähungen veröffentlicht worden sind.

In dem an Alfred Schuler gerichteten Gedicht, das noch nicht in der ersten Ausgabe des Bandes enthalten war, wird von der Runde gesprochen, die sich um Schuler versammelte, wenn er ein lebendiges Bild des antiken Rom durch die Kunst seiner Worte erstehen liess. Der Götterknabe als kosmogonischer Eros und Urkind sowie dessen Verehrung gehörten für Schuler zu den Symbolen antiker Feste. Das Wort «Götterknabe» bezieht sich nicht auf Maximin, der zur Zeit der zweiten Ausgabe des «Jahres» noch nicht in das Leben des Dichters getreten war. Auch handelt es sich hier nicht um wirkliche Feiern, sondern um Schulers Erzählungen von römischen Festen, die den Hörer durch ihre Überzeugungskraft so stark beeindruckten, dass er sich tagelang als Teilnehmer fühlte, bevor jene grell-gerötete Wahneswelt ihre Bannkraft verlor. Dann glaubte man sich wie durch ein «schlimmes Prunkmahl» vergiftet und litt für neugierige Blicke in verlorene Pracht. Das Gedicht klingt wie eine Voraussage oder Voraussetzung der später gefeierten, wenigen antiken Feste und des Kommens Maximins, durch die der Traum Schulers in eine Wirklichkeit umgesetzt wurde, die Schuler selbst jedoch nicht zu erkennen und auszudeuten vermochte. Der Dichter hat übrigens Schuler nicht durch Klages, sondern durch einen Nervenarzt kennengelernt, der Schuler beobachtete, weil er ihn für krank hielt. Derleth war seit seiner Jugend mit Schuler verbunden, durch den er zum Dichter kam.

Der letzte Schattenriss ist an Ludwig Klages gerichtet, dessen gemeinsame Züge mit dem Dichter hier hervorgehoben werden, während es in dem Gedicht an Cyril Scott die Verschiedenheiten waren. Mochte Klages auch seinen Weg über Götter und Helden bracher nordischer Ebenen nehmen, sein Ziel war das Licht, zu dem die Bahn des Dichters strebte. Wie sehr der Dichter und Klages zusammengehörten, wie sehr der Dichter durch die Nähe des damaligen Freundes bewegt werde, müsse jener – so heisst es in dem Gedicht – bei jedem Treffen durch die Art, in der der Dichter ihm gegenübertrete, spüren. Der Dichter sieht darin, dass Klages ihn flieht, wie stark sein eigner Geist in dem

139

Freund lebendig ist. Stefan George hatte kurz nach seiner Ankunft in München Ludwig Klages im Herbst 1893 dadurch getroffen, dass beide, wie der Dichter erzählte, unabhängig voneinander im gleichen Haus Wohnung gefunden hatten.

TRAURIGE TÄNZE

Das dritte Buch des «Jahres der Seele», das meistens in München gedichtet ist, trägt die Überschrift «Traurige Tänze» und besteht aus zweiunddreissig dreistrophigen Gedichten mit je zwölf Versen, die in verschiedene Versmasse gefasst sind. Nach dem Inhaltsverzeichnis zu früheren Ausgaben endet bei innerer Teilung der erste Teil hinter dem sechzehnten und der zweite Teil hinter dem fünfundzwanzigsten Gedicht. – Die «Traurigen Tänze» enthalten die liedhafte Zusammenfassung und den liedhaften Ausklang des bisher vom Dichter Erlebten. Liedhaft sind sie insofern, als sie mehr gesungen als gesprochen gedacht sind und weil tatsächliches Geschehen hier abstrahiert und in Symbole gekleidet wird, deren Verwendung gerade für das Lied charakteristisch ist. Technisch handelt es sich um die zweite Vorstufe zu den «Volksliedern» des «Neuen Reichs», die der Dichter als Bekrönung seines Werks ansah, weil, nach seiner Auffassung, in der neuzeitlichen deutschen Dichtung das Volkslied die gleiche, alle Schichten des Volkes bewegende Wirkung ausübt, die in der Antike von der Hymne wegen des damaligen Lebendigseins von Mythos und Religion im ganzen Volk ausging. Die Ergriffenheit der Seele beim Volkslied und ihre Erhebung bei der Hymne beruhen weniger auf einem durch Wortinhalt ausgedrückten Gedankengehalt, als auf dem durch Wortsetzung erzeugten Ton, der den Übergang zum Überschwang bildet und dadurch zu Sublimierung und Objektivierung der eignen Gefühle des Hörers führt.

Der erste Teil der «Traurigen Tänze» enthält – allgemein gesprochen – in sechzehn Gedichten die Erkenntnis, dass jede bisher erreichte und beschriebene Zweisamkeit nicht als volle Erfüllung anzusehen ist. Bei innerer Teilung zerfällt der erste Teil in zwei Gruppen von Gedichten, die erste umfasst neun Gedichte, die das Erlebnis in konkrete Bilder, meist Landschaften, kleiden, die zweite Gruppe enthält sieben Gedichte, in denen das Erlebnis abstrakt symbolisch umschrieben wird.

Das erste Gedicht spielt im späten Herbst. Nach einer zeitlich kurzen Trennung beginnt die Begleiterin bei einem der von früher her gewohnten Gänge am Fluss einen Streit, weil sie fühlt, dass sie den Dichter nicht mehr so eng wie zuvor an sich zu fesseln vermag. Diese

Erkenntnis ist für sie das «neue Leid», für ihn besteht es darin, dass er spürt, dass das Zusammensein mit ihr ihn nicht erfüllt. Der Streit geht um die logisch kaum lösbare Frage, aus welchem Grund Herbst- und Wintertage trüber, Frühlingsstunden aber froher stimmen. Sie zürnt mit sich selbst, weil sie glaubt, er wünsche sie stürmischer, er finde sie zu ruhig. Er bedauert, dass sein Gefühl für sie nicht mehr so stark ist wie früher, als er nach jeder Trennung Tränen um sie vergoss. Sie wird im Gedicht als Kind und mit dem Namen Lilia bezeichnet. Solche gemeinhin poetisierend gebrauchten Phantasienamen erscheinen selten und dann nur wegen ihrer Klangwirkung im Werk des Dichters, der das Wort «Kind» sowohl zur Bezeichnung kindlichen Alters, wie auch zu Charakterisierung einer Denkensart verwendet, die ihn, selbst bei nur wenig Jüngeren, im Verhältnis zu seinem eigenen Denken als kindlich anmutet. Wegen des Inhalts dieses ersten Gedichts im Vergleich mit «Waller im Schnee» und wegen der Zimmerbeschreibung im zweiten Gedicht kann man annehmen, dass Isi Coblenz das Vorbild für beide Gedichte war.

Im zweiten Gedicht wird ein Raum geschildert, dessen sammetartig wirkende, grossblumige Tapeten denen im Haus ihres Vaters in Bingen ähnlich erscheinen, wie Isi Coblenz berichtet hat. Bei dem Zusammensein in diesem Raum sprechen beide von der wohltätigen Wirkung des Todes als Erlöser von einem Leben, dessen Kraft geschwunden ist. Das erinnert an das drittletzte Gedicht in «Algabal». Die Eisblumen am Fenster, die den Ausblick verhindern, und die symbolisch einander umschlingenden Flammen im offnen Kamin, der hier «Herd» genannt wird, schliessen die beiden von der Umwelt äusserlich ebenso sehr ab, wie sie innerlich sich selbst dagegen abgeriegelt haben. In der letzten Strophe richtet sie die Frage an ihn, ob er überzeugt sei, dass er niemals mehr werde dichten können, obwohl die Musen ihm früher gewogen gewesen seien. Er antwortet nicht direkt, sondern mit der Gegenfrage, ob sie glaube, dass auch in ihr das innere Licht völlig erloschen sei. Durch die Benutzung des Wortes «auch» wird angedeutet, dass er ihre Frage bejaht, selbst wenn er vorzieht, dies nicht offen auszusprechen. Offenes Aussprechen hat in sich selbst eine magische Wirkung, die erstrebt oder vermieden wird.

Von dem inneren Licht, das sowohl zur Weiterführung des Lebens als auch zum Schaffen von Kunst unerlässlich ist, wird in den folgenden vier Gedichten im Hinblick auf sein Dichten gehandelt. Das dritte Gedicht beschreibt das Gefühl des Dichters für die Begleiterin durch das Bild einer Hochsommerlandschaft. «Steigendes» Jahr bedeutet in diesem, an Horaz erinnernden Gedicht nicht die Zeit vor der Sommersonnenwende, sondern den Hochsommer vor der Ernte, in dem das Nahen des Winters infolge der Erwartung der kommenden

Erntezeit noch nicht gefühlt wird. Der Duft des Gartens, in dem beide wandeln, ist nicht mehr vielfältig. Eppich ist im streng botanischen Sinn Sellerie, die in der Antike zu Siegeskränzen benutzt wurde, in der Neuzeit aber nicht mehr als Zierpflanze verwendet wird. Hier ist Eppich, wie im «Besuch» des «Rings», poetisch für Efeu gebraucht. Ehrenpreis ist eine wildwachsende Pflanze mit kleinen, blauen Blüten. Das noch nicht geerntete Getreide auf den Feldern, die man vom Garten aus sieht, hat schon etwas vom Glanz seiner goldenen Farbe verloren, ebenso wie die jetzt noch blühenden Rosen die intensive Leuchtkraft eingebüsst haben, wodurch auf Nachlassen der Lebenskraft und Nahen des Herbstes hingewiesen wird. Er empfindet dies als Lehre, mit dem ihnen vom Schicksal zugemessenen Teil von Gemeinsamkeit zufrieden zu sein, der ihnen wenigstens noch einen Rundgang zu zweit zu geniessen gestattet. Den Rhythmus des Wandelns sucht der Dichter im Mass dieser Verse festzuhalten.

Das vierte Gedicht gibt dem Begehren, den klaren, freudigen Ton früherer Tage wiederzufinden, Ausdruck. Es ist an die Muse, nicht an die Begleiterin gerichtet, denn der Dichter klagt, dass ihm der innere Friede jetzt fehle und dass seine Hand für seine Kunst, die im Bild eines Sängers zur Leier zu denken ist, zu zage geworden sei. Umdunkelte Seelen ersinnen seltene und hohe Bilder, aber sie verfügen nicht über eine leuchtende Erinnerung und frohe und helle Farben, die nötig sind, um das befreiende Werk zu schaffen, wie am Ende von «Dante und das Zeitgedicht» dargelegt wird. Müde und leidende Seelen erfinden Reden, die schmeichelnd und lindernd tönen, sind jedoch nicht ausgeglichen genug, um einen Sang zu formen und zu singen, obwohl ihre Stimmen tief und edel klingen.

Das Gedicht vom Volkssang spricht in jeder der drei Strophen von einer andern Art des Liedes. Der Bettler wiederholt ein- und denselben Sang mit der tiefklingenden Monotonie eines Dudelsacks. Den Dichter erinnert dieses Lied des Bettlers an sein Lob, das immer wieder ertönt, ohne die Kraft zu haben, die ersehnte Geliebte zu sich zu laden. Es ist für ihn wie ein Bach, der schon fern der Quelle dahinsprudelt und dessen Wasser die Geliebte als Trunk verschmäht. Beim Sang der Blinden wird mit der höher klingenden Monotonie eines Leierkastens eine Melodie wiederholt, die einem dem Dichter nicht verständlichen Traum oder seinem eignen verschleierten Blick ähnelt, der, anders als im Gedicht «Auf der Terrasse», nicht durch Blicke erwidert wird. Das Lied, das Kinder in sehr hohen Tönen monoton trillern, ist fühllos wie die Kinder selbst und wie die Worte der Geliebten es sind, es bildet den Übergang zu stilleren Gefühlen, die sie allein noch liebt, wie schon im vierten und sechsten Gedicht in «Waller im Schnee» gesagt wurde. – Der Dichter mochte sich nicht von Kindern beobachten lassen, da er sie für fühllos hielt und ihre natürliche Grausamkeit, wie er betonte, schon Plato aufgefallen sei.

Im sechsten Gedicht wird das Thema des fünften fortgesetzt, indem von den drei Volksliedern gesprochen wird, die der blöde Knabe aus dem Dorf ständig wiederholt. Das erste berichtet von Vorfahren, die sich vor dem Tod fromm zu Gott wandten, das zweite klingt so rein und geweiht, wie Schwestern beim Spinnen oder die am Abend ins Dorf zurückkehrenden Mägde singen, und das dritte hat den drohenden Ton von ererbtem Familienleid, von bösen Sternen über manchem Haus, von Rache, die mit einem alten Dolch in himmelblauer Scheide genommen wird.

Das siebente Gedicht enthält eine Selbstmahnung des Dichters in liedhaftem Stil, der durch Gebrauch bestimmter Wendungen und Bilder, die seit Jahrhunderten in Liedern stets von neuem auftauchen, charakterisiert ist. Solche Mischung von alten und neuen Elementen bewirkt eine Selbstverständlichkeit, die Voraussetzung für die Liedhaftigkeit eines Gedichtes ist, bei der ein weit gefasster Inhalt als Begleitung zur Melodie und nicht die Umkehrung davon zu erscheinen hat und die Seele bereits durch den angeschlagenen und durchgehaltenen Ton gerührt wird. Stefan George versucht hier, den Inhalt des Liedes, der gewöhnlich nur einfache seelische Zustände umfasst, auf kompliziertere Empfindungen auszudehnen. Teile dieses Gedichtes sind antithetisch und gehen schon dadurch über Inhalt und Form früherer Lieder hinaus. – Nachdem gesagt ist, dass der Dichter an einer Stätte, an der die Lüste als quälend in Erscheinung treten, gestrandet ist, mahnt er sich, dem Befehl des Schicksals zu folgen und jene «sonnigen» Küsten zu verlassen. «Ruder» in der zweiten Strophe ist als bildhafte Verkürzung für den rudernden Arm gebraucht, der, durch Werk erstarkt, die Barke, ein altgewohntes Bild für das «Lebensschiff», von den besonnten Küsten der quälenden Lüste im sinkenden Jahr fortbringen soll. Das «sinkende Jahr», in dem die Tage kürzer werden, steht mit absteigendem Rhythmus im Gegensatz zum «steigenden Jahr» im dritten Gedicht, dessen Rhythmus ansteigt. Die langsame Fahrt wird als ein Schaukeln bezeichnet, dessen Bewegung im Gedicht festgehalten wird. Die Schaukelbewegung, die schon früher ein beliebtes Mittel zur Erzeugung von Liedhaftigkeit war, erlaubt es, die völlig abstrakt gefasste dritte Strophe einzubeziehen, nach der die Fahrt, die bildlich etwa auf einem der oberitalienischen Seen von Süden nach Norden gerichtet zu denken ist, an Gletschern, Flächen ewigen Eises auf hohen Bergen, vorbeiführt. Der Dichter strebt, sich durch das Rätsel drohender Firnen, Felder ewigen Schnees, nicht schrecken zu lassen, vielmehr die Augen noch höher zu den ihn leitenden, ernsten Sternen suchend zu erheben.

Als achtes und neuntes Gedicht folgen zwei Bildbeschreibungen, die, im Gegensatz zu früherer Wiedergabe von Bildern, liedhaft geformt sind. Sie sind das Bild eines Mädchens, deren Sehnen nach dem wahren Gefährten bis zu ihrem Tod unerfüllt bleibt, und das Bild eines jugendlichen Mannes, der seinen letzten Jugendtag nicht überleben will. Diese Bilder sind Konzentrationen von Vorstellungen, die dem Dichter in dieser Schaffensperiode als begehrenswerte Schicksalsgaben, und zwar für jedes der beiden Geschlechter verschieden, erscheinen. Man kann auch schliessen, dass Stefan George für sich selbst beides damals begehrte, denn jeder echte Dichter empfindet sowohl männlich wie weiblich, wie schon in den Sagen der Antike über den Wechsel des Geschlechts des Sehers Tiresias zutage tritt. Eine solche Feststellung ist nicht psychoanalytisch beeinflusst, sondern entspringt der zu allen Zeiten bekannten Einsicht, dass sowohl die männlichen wie auch die weiblichen Figuren, die ein Dichter schafft, notwendigerweise seine eigenen Züge tragen.

Das achte Gedicht enthält die Schilderung der Farben und Bewegungen eines Mädchens, das alljährlich vom Frühjahr an bis nach dem Erntefest zum Gitter geht, das den Garten begrenzt und hier, wie im vierten Herbstgedicht, vom Dichter als Symbol des Tors zu einem anderen Leben benutzt wird, um von dort her nach dem ersehnten Gefährten auszuschauen. Dies ist eine Abwandlung des Themas des zweiten Gedichts der «Gesichte». – Keine andere Seele, «nur eine Lerche, die im Haine schlug», bemerkte das Erschrecken jenes Mädchens, das beim Verstreichen der langen Sommertage in vergeblichem Warten bei den immergrünen Taxushecken – sie waren schon in der zweiten der «Verjährten Fahrten» genannt – in langsamem Sinnen dahinwelkte. Von der Schönheit und dem unerfüllten Sehnen der Junggestorbenen berichtet nichts als eine seidige Locke, die eine Freundin zusammen mit den Perlenschnüren der Toten fromm aufbewahrt, und ein Marmorblock auf einem nur mit Gras bewachsenen Grab.

Der Jugendliche des neunten Gedichts, dem der Dichter – selbst dem Ende sich nahe glaubend – folgt, ist das männliche Gegenspiel zu jenem Mädchen. Sein Bild als das eines Freundes der Blumen, eines Sternenkindes, eines mit Tau besprengten Wanderers wird in dem heissen Dunst des Sommermittags, der auf die Lebensphase des Dichters deutet, rasch unsichtbar. Der Freund der Blumen hatte eines Morgens, bevor die Zeit der Ernte für ihn gekommen war, seine Hände traurig an seine Stirn gelegt – die Verbform «tat» wird als konkretere und einfachere Gestenzeichnung vom Dichter gern benutzt – weil er gerade diesen Tag als seinen letzten Jugendtag empfand, vielleicht infolge eines früh über ihn ausgesprochenen Fluches, der wiederum an den ersten Spruch in «Für die Geladenen in T.» erinnert. Das Gefühl für das Ablaufen des eignen Schicksals wird durch das Bild der Sanduhr, des Stundenglases, schon im ersten Vers dieses Gedichts angeregt. Nicht einmal die schmeichelnden Sonnenstrahlen können ihn davon abhalten, in seiner noch vollen Schönheit der Jugend ohne Klage seinem Leben selbst ein Ende zu setzen und seine Freunde so heiter und leicht zu verlassen, wie ein Schmetterling, für den hier das Wort Sommervogel gesetzt wird, von einer Uferwiese fortfliegt. Eine Freundin im achten und mehrere Freunde im neunten Gedicht vermögen nicht, den Weg der Geschilderten, die ihre Jugend nicht überleben wollen, zu ändern – ein Motiv, das, wie schon hervorgehoben, häufig im Werk des Dichters wiederkehrt.

Mit dem zehnten Gedicht beginnt die zweite, mehr abstrakt geformte Gruppe des ersten Teils. – Man kann es übrigens als eine Regel beim Aufbau aller Werke des Dichters ansehen, dass spätestens nach jedem zwölften Gedicht ein deutlicher Wechsel des Stoffes und meist auch des Sagestils stattfindet. Die Zwölfzahl und nicht die Zehnzahl war für den Dichter die Zahl der Erfüllung; er pflegte zu sagen, dass es unmöglich gewesen wäre, dass Christus mehr als zwölf Jünger gehabt hätte. Während zum Beispiel für Angelus Silesius die Zehnzahl die «Krönungszahl» war, ist die Zwölfzahl wahrscheinlich die Krönungszahl, die der Dichter im «Stern des Bundes» erwähnt. Er wurde am 12. Juli 1868 geboren und starb am 4. Dezember 1933. Es wäre sinn- und zwecklos, das Vorkommen der Zwölf in diesen beiden Daten als Symbol anzusehen, andrerseits ist aber zu vermerken, dass Stefan George nicht an «Zufall» im menschlichen Dasein glaubte. Wenn jemand in seiner Gegenwart das Wort «Zufall» gebrauchte, sah der Dichter darin eine Unzulänglichkeit des Erkenntnisvermögens oder den Wunsch, solch ein Unvermögen vor anderen oder sich selbst zu verschleiern. Der Dichter liebte es übrigens, Friedrich Gundolf scherzend darauf hinzuweisen, dass es den Anschein hat, dass dessen Heros Julius Cäsar am 12. Juli des Jahres 100 geboren war.

Das zehnte Gedicht besagt, dass Kampf um Liebe vergeblich ist und jede Liebe zerstört. «Schwarze Sammetdecke» deutet die völlige Dunkelheit an, in der dieser symbolische Kampf, wie die Liebeskämpfe der «Nachtwachen», stattfindet. «Liebe» ist hier das personifizierte Symbol der Liebe, die jeder der beiden Liebenden zu töten wünscht, weil sie ihm nicht die ersehnte Erfüllung gebracht hat. Demzufolge wird die Liebe, die im deutschen und lateinischen Sprachgebrauch weiblich als Venus, im englischen und griechischen oft männlich als Cupido oder Eros personifiziert wird, auf einer Totenbahre aufgebahrt, umgeben von den Lichtern des katholischen Ritus, dargestellt. Der Reim «drum» auf «stumm» ist sehr kühn und nur im

145

Lied möglich, wo er durch andere Klangelemente mitgetragen werden kann. Die letzte Strophe sagt, dass nach dem gewollten Zerstören der Liebe der Verlust ihrer bereits gespürten Kraft um so grösser und schmerzlicher empfunden wird.

Das elfte Gedicht behandelt die Folgen der Unerfüllbarkeit, die in der jetzigen Weltepoche verschieden sind von denen in früheren Zeiten. Damals machte Liebe die von ihr Befallenen, die Liebeshelden der Sagen des Mittelalters, starr und bleich. Die Heutigen hingegen zucken nur leise und dulden sanft unter Liebe, denn sie sind Trübsal weit mehr gewohnt, als die Wesen früherer Jahrhunderte es waren. Jene Liebeshelden wurden als tapfer und frei gepriesen, obwohl ihnen der Schmerz laute Schreie entlockte, und sie kämpften noch mit Schwert und Streitaxt um ihre Liebe. Die Heutigen dulden, durch zu langes Leiden ermüdet, schweigend und opfern ihren Frieden nicht mehr Fehden um Güter der Liebe.

Das zwölfte Gedicht klingt wie ein Geschenk an einen Freund oder eine Freundin; das Wort «jemand» ist hier gesetzt, weil es unpersönlich ist. Das Gedicht könnte aber auch als Gespräch mit der eignen Seele angesehen werden. Das Vereinigende bildet der gedämpfte Schmerz, der im ersten Buch des Bandes beschrieben ist und sein Korrelat im «Herbstgeruch» hat, der später im «Stern des Bundes» vom Dichter als verführend gemieden wird. Im Haus des Dichters, das heisst hier in seinem Lebensbereich, dröhnt die Leier nicht zu Festen und Spielen zwischen Säulen. Man hört nicht lautes, selbstbewusstes Schreiten, aber dem, der an Leid gewöhnt ist, der nicht mehr hofft und bang fragt, werden tröstende und milde Worte gespendet. Der Eintritt in den Lebenskreis des Dichters wird durch einen Händedruck, der Abschied durch einen Kuss als bleibenden Ausdruck menschlichen Naheseins – wie Jean Paul sagt – gefeiert, und das Gastgeschenk ist der bescheidene Schmuck eines zarten Gedichts.

Das dreizehnte Gedicht enthält eine für diesen Lebensabschnitt des Dichters erschöpfende Zusammenfassung der Symptome des Unerfülltseins. Das Wort «dies» hat hier die Bedeutung von «wie schmerzlich ist». Wie schmerzlich sind das Leid und die Last, die man zu tragen hat, wenn man das, was man anfangs sich selbst nah glaubte und schon als sein Eigentum ansah, von sich zu verbannen hat. Wie vergeblich breitet man die Arme nach dem aus, was jetzt nicht mehr als Schein ist. Wie heilungslos bleibt der Versuch, sich mit leeren Begriffen wie «nein» und «kein» zu betäuben, Begriffen, die beweisen sollen, dass kein menschliches Lieben auf der höchsten geistigen Stufe möglich sei und sich auch in diesem Fall nicht verwirklicht habe. Wie schmerzlich ist das unbegründete Ankämpfen gegen die Unerfüllbar-

keit des Liebens und gegen deren Unabwendbarkeit. Alles dies lässt
nichts zurück als ein beklemmendes Gefühl der Schwere als Folge müd
gewordener Pein und schliesslich wiederum das dumpfe Leid der
Leere des Mit-sich-allein-seins.

Das vierzehnte Gedicht zieht die Folgerung aus der Erkenntnis des
dreizehnten Gedichts, indem es als Lehre ausspricht, es sei nicht weise,
bis zur letzten Frist dort, wo Vergängnis unabwendbar herrscht, zu
geniessen. Als Beleg für die Wahrheit des Spruches wird darauf hingewiesen, dass Vögel im Winter zu südlichen Meeren fliegen und dass
Blumen, das heisst frühere Erlebnisse und Träume, welken, bevor
Schnee sie bedeckt. – Schon hier mag darauf aufmerksam gemacht
werden, dass spätere Erlebnisse diese Anschauung des Dichters dahin
änderten, dass er die Gunst des Augenblickes, die er in den «Tafeln»
Kairos nennt und die Goethe in der «Trilogie der Leidenschaft» preist,
bis zum letzten auszukosten als erstrebenswert empfand. – Das Bild
der welkenden Blumen wird in der zweiten Strophe des vierzehnten
Gedichts wieder aufgenommen. Der Gefährte oder die Gefährtin oder
die Seele des Dichters flicht den Kranz des über den Alltag erhobenen
Lebens aus den welkenden Blumen, die allein der späte Herbst noch
spendet. Ob ein neues Frühjahr mit frischen Blüten belebt werden
wird, ist ungewiss. Es bleibt nur übrig, in sich und aus sich selbst stark
zu sein und den Park, der Erlebnisse früherer Gemeinsamkeit symbolisiert, freiwillig zu verlassen, bevor der Winter dazu zwingt. Jedes
Handeln unter Zwang erschien dem Dichter würdelos.

Im fünfzehnten Gedicht wird von dem unbestimmt bleibenden
Partner, wahrscheinlich wiederum der eignen Seele, gesagt, dass sonst
niemand so fein zu hören, so tief zu verstehen, so tröstend zu sprechen,
so fromm zu denken und dadurch den Gram der erkannten Unerfüllbarkeit zu bannen versteht. Das Wort «Gemüt» bedeutet hier mehr
sinnendes Denken als Fühlen. – Bei diesen weitgefassten Liedern
dürfte es kaum möglich sein, den Grundvers aufzuzeigen, der dem
Dichter, wie er mir sagte, intuitiv den Inhalt und Rhythmus eines
jeden Gedichtes offenbarte und dann von ihm in sorgfältiger Arbeit
benutzt wurde, um das Gedicht auf ihm oder um ihn aufzubauen. Der
Grundvers selbst kann im fertigen Gedicht an jeder Stelle, an der die
Technik des Aufbaus es fordert, erscheinen, verändert wird er aber
fast niemals. Solche Arbeitsweise behielt der Dichter während seines
ganzen Schaffens bei.

Das sechzehnte Gedicht steht zahlenmässig in der Mitte der «Traurigen Tänze» und bildet zugleich den Schluss ihres ersten Teils. Durch
die Worte «unsere Harfe» in der letzten Strophe wird angedeutet,
dass es die eigne Seele des Dichters ist, die in der ersten Strophe «mein
Geleit» genannt wird. Sie gibt ihm die Kraft, jeden noch so weiten

und steilen Weg zu gehen, keinen Abgrund zu fürchten und die Sühne auf sich zu nehmen, die er infolge seines Sonderschicksals als Dichter dafür zu leisten hat, dass er erworbenes Gut wieder aufgibt, «begräbt», wie es im Gedicht «Schweige die Klage» heisst, um auf seiner Bahn weiterzuschreiten. Von der Seele mit Kraft versorgt, durchmisst er, frei von Reue und Zorn, da er die Notwendigkeit seines Schicksals kennt, graue Gefilde einer freudlosen Einsamkeit, die jetzt unbehebbar genannt ist, in der Hoffnung, wenigstens von fern jenen Einen zu erspähen, der als Erbe seine goldene Harfe in Empfang nehmen und dadurch seine Kunst fortsetzen könnte. – Der Dichter sah seine eigne Kunst als Glied einer Kette an, die in Deutschland bis auf die Griechen, und zwar direkt, also nicht über die Römer zurückging, wie in «Der Krieg» und in «Der Dichter in Zeiten der Wirren» dargelegt wird.

Das sechzehnte Gedicht enthält zugleich die Überleitung zum zweiten Teil, in dem der künftig zurückzulegende Weg und die Art der Wanderung beschrieben werden. Sie beginnt ausweislich des siebzehnten Gedichts im späten Winter unter Stürmen, die über brache Felder brausen, aber schon voll heller Ahnung eines kommenden Frühlings sind. Das Land ist noch durch Schnee und Eis erstickt und der einzig vernehmbare Laut klingt wie ein Seufzen aus Bergschluchten. Die «schrecklich Fernen» sind die Gottheiten, die das Schicksal bestimmen, ihr Zorn wird durch den wütenden Wintersturm nach altgermanischer Vorstellung verkündet. «Friedensföhren» deutet auf Koniferen, die auf Friedhöfen gepflanzt sind, und nicht etwa nur auf Fichten im botanischen Sinn des Wortes. Aus den Gräbern, die im sechzehnten Gedicht zur Darstellung des notwendigen Zurücklassens erworbenen Gutes erwähnt waren, klingt die Mahnung: der Dichter habe versprochen, die Ruhe der von ihm selbst beerdigten Träger früherer Erlebnisse nicht durch späteres Klagen um Verlust zu stören. Dies veranlasst ihn jetzt, stumm am Christusbild am winterlichen Weg, vor dem er niemals in leerem, das heisst sinnlosem Weinen gekniet hat, vorbeizugehn mit der inneren Bitte, dem nahenden, frohen Frühling, den er selbst vielleicht nicht mehr erleben wird, seinen Gruss zu übermitteln.

Auf das Einleitungsgedicht, das durch Landschaftsschilderung einen Seelenzustand beschreibt, folgen drei mehr abstrakt gefasste Lieder. Der Begleiter oder die Begleiterin wird auf diesem Gang am Flussufer von einem leisen Rhythmus des Sanges geleitet, der Dichter hingegen leidet noch unter dem Anblick des verdorrten Laubes vom vergangenen Jahr, der dürren Distelsträucher und des Nebels auf den Bergen. Der Blick des Begleiters oder der Begleiterin schweift schon zu einer frühlingsfrischen Erde und Zukunft, die einen sicheren Hort für Gedanken bildet, während der Dichter von der Frage gequält wird, ob jemand, hier ausgedrückt durch das Wort «wer», kommen wird, der als der wahre Gefährte mit ihm den Anbruch des Frühlings feierlich zu begehen vermag.

Das neunzehnte Gedicht spielt im vollen Frühling und deutet auf eine fast sommerliche Umgebung, deren Sonnenwelten den Schmerz, den der Einsam-Gebliebene bei seiner Flucht vor Freuden empfindet, lindern. Er sieht die Landschaft als einen Taumel von goldnen und lichtblauen Traumgewalten und von Wonnen, die über Verzückung hinaus berauschen. Er zieht es aber vor, in die Stille und Trauer zu fliehen, um nicht durch den süssen Schauer des Frühlings sein Leid des Alleinseins noch zu vermehren. – Rudern und Schwimmen sind Körperbewegungen, die häufig im Werk des Dichters wiederkehren, da er in der Jugend zu rudern und bis ins Alter zu schwimmen liebte. Er ritt selbst nicht, und Reiten wird im Werk nur symbolisch als besonders markante Bewegungsform für die Schilderung von Märchen oder von Heldengeschichte benutzt.

Das zwanzigste Gedicht ist das letzte Gedicht dieser Reihe, die das Wirksamwerden von Winter, Vorfrühling, Frühling und Sommer als Symbole für seelisches Verhalten benutzt. Die Begleiterin an diesem Sommertag ist eine Frau oder wahrscheinlicher die eigne Seele des Dichters. Sie stehen, nahe beieinander, am Ufer eines Flusses, für den hier, wie schon im achtzehnten und neunzehnten Gedicht, der Rhein bei Bingen das Vorbild sein dürfte. Im feuchten Wind fallen, bald blendend, bald verwischt, Sonnenstrahlen, wie sie im Rheingedicht des «Ringes» geschildert werden, auf die Wellen, die leise zucken, als wären sie über den schleichenden Ablauf der Stunden verdrossen. Sie sah vereinzelte Getreideähren aus dem an sich nicht fruchtbaren Ufersand wachsen, brach einige davon und fand durch dieses Erlebnis die Melodie, die diesen Tag charakterisierte. Die Tonweise klang anfangs hell und leicht, als ob das ersehnte Ziel erreicht worden wäre, dann aber, als sie von dem noch fernen Glück sang, wurde sie dumpfer, bang, hallend und wechselvoll wie das Spiel der Sonnenstrahlen auf dem Wasser. Es handelt sich hier um das Finden und Feiern von Ansätzen zu Erlebnissen.

Mit dem einundzwanzigsten Gedicht beginnt die zweite Gruppe dieses Teils, in der in fünf Gedichten der Seelenzustand durch konkrete Bilder von Landschaften wiedergegeben wird. Das einundzwanzigste Gedicht schildert einen Gang während eines langen Sommerabends an einem Hügel, der bereits im Schatten liegt, während die Farben des Sonnenunterganges noch den gegenüberliegenden Berg erhellen. Auf dem zart grünen Abendhimmel im Rheinland, der später im «Stern» als rasengrün bezeichnet wird, ist der Mond nur als kleine, weisse Wolke sichtbar. In solcher Beleuchtung scheinen die Strassen blass

149

ins Endlose zu führen und sonst nicht vernehmbare Töne laut zu werden, die vielleicht vom Abendlied eines Vogels oder von unsichtbaren Bergbächen herrühren. Zwei Nachtschmetterlinge, Dunkelfalter, verfolgen sich beim Liebesspiel im verfrühten Flug, und vom Rain des Weges mit seinen Sträuchern und Sommerblumen, die in der Dunkelheit stärker zu duften beginnen, löst sich ein Geruch, der dem Wandernden als Essenz gedämpften Schmerzes erscheint.

Das zweiundzwanzigste Gedicht spricht von einer Herbstlandschaft am Rhein. Die Bergwälder und das Laub der Reben sind feurig gelb und rot gefärbt, die Trauben sind so reif, dass sie gelesen und gekeltert werden können. Der Dichter hebt eine noch am Weinstock zwischen Blättern hängende Traube mit seiner Hand behutsam zum Licht, um auf die schwellende Fülle zu blicken. In der zweiten Strophe wird das Leben des Dichters, der, ebenso wie sein Weinhandel treibender Vater und Bruder, mit dem Weinbau seiner Heimat von Jugend an vertraut war, mit dem Wachsen des Weinstocks verglichen. Er hat Strauss und Kranz, die der Sommer spendet und die hier Symbole für die früheren Werke des Dichters sind, heimgebracht und begrüsst jetzt die Traube und sein neues Werk als Erbe des Sommers und Lohn des Herbstes. In der ersten und zweiten Strophe spricht der Dichter zu sich selbst, in der dritten Strophe wird objektivierend das Fürwort «er» (ihn) gebraucht, das den Dichter miteinbezieht, da es hier den Sinn von «jeder» hat. Nur wer es versteht, so heisst es, sich froh den Knospen zu gesellen, wobei Knospe wörtlich als Spross des Weinstocks im Frühjahr und übertragen als menschliche Jugend aufzufassen ist, hat die Möglichkeit, die Gabe der Reben, den Wein, voll zu geniessen, das heisst die Möglichkeit zur Erfüllung. Dass der Dichter nicht zu denen gehört, die sich froh den Knospen gesellt haben, wird nicht ausdrücklich gesagt, da dies zu negativ klingen würde, folgt aber aus der Fassung der zwei Schlussverse des Gedichts, nach denen ein Mitfeiern des Frühlings ihm nicht zustand, wie schon «Siedlergang» zeigte, weil ihm sein einziges Heil, das Finden wahrer Gefährten, genommen, das heisst noch versagt war.

Das dreiundzwanzigste Gedicht beschreibt das suchende Wandern der Seele des Dichters, die hier objektivierend und möglichst unromantisch mit «sie», wie später in den «Liedern von Traum und Tod», bezeichnet wird. Sie empfindet jeden Abend als schwül, wie es vereinzelt noch im Herbst windstille Abende am Rhein sind, und jeden Morgen als fahl und nüchtern, so dass diese Adjektiva nicht nur den Charakter der Stunden, sondern auch den der Gefühle der Seele wiedergeben. In solchem Wechsel der Stunden und der Gefühle bewegt sich die Seele, und die Gleise ihrer Bahn sind für sie, die «ganz in Tränen, ganz in Schmerz und schüchtern» ist, vom Schicksal gezogen, das heisst im voraus bestimmt. – Der hier geschilderte Zustand der Seele erinnert an die vom Dichter gern zitierten, angeblich von Hadrian kurz vor dem Tod gedichteten Verse:

Anima vagula blandula
Comes hospesque corporis
Quae nunc abitis in loca?
Pallida frigida nudula
Nec ut soles dabis jocos.

Bei der grossen Reise, von der Plato berichtet, sucht die Seele vergeblich Eintritt an den Toren hohen Erlebens, denn niemand zeigt sich, der für ihre Treue bürgt, und keine ihr verwandte Hand reicht aus jenen Sphären bis zu ihr hernieder, womit auf Dantes Führung durch Virgil und Beatrice angespielt sein dürfte. So muss die Seele entweder mitten im Getöse der Umwelt auf ihrem Weg Halt machen oder mit einer Beute – die vielleicht eine andre Seele ist und «schlimm» genannt wird, denn sie entstammt und ist Teil der feindlichen, tosenden Umwelt – auf dem Wege umkehren. Der suchenden Seele bleibt nichts übrig, als beim Weiterwandern heute wie gestern ihren Schicksalsspruch vor sich hinzusagen, um, wie sie ahnt, die Verleiblichung des Traumgefährten zu bewirken, der, wenn er naht, sie erlösen wird. Dies wird im Wort «nahend» zusammengefasst zum Ausdruck gebracht.

Das vierundzwanzigste Gedicht hat den beginnenden Winter in Landschaft und Seele zum Vorwurf. Schwere Nebel formen bleiche Bilder, die Schatten früherer Erlebnisse sind. Der Dichter mahnt sich, ihnen furchtlos gegenüberzutreten und zu ihnen zu sprechen. Ihre Antwort wird für ihn im Weinen der Winterwinde vernehmbar. Solche Zwiegespräche halten seine müde Stirn in vereisten, erlebnisarmen Zeiten wach und bewahren ihn vor dem Absturz von steilen Felswänden, Böschungen, wenn das Licht des bisher noch niemals völlig sichtbaren Ziels und des Sterns, der allein ihn führt, ganz für ihn erlischt.

Das fünfundzwanzigste Gedicht kennzeichnet das Ende der zweiten Gruppe des zweiten Teils der «Traurigen Tänze» und enthält das Ergebnis der konkret gefassten Lieder. Die Technik des mittelbaren Sagens durch Landschaftsschilderung wird in diesem Band nur noch einmal, nämlich für das Schlussgedicht, benutzt. – Im fünfundzwanzigsten Gedicht wird das Lied, die in Klang aufgegangene Seele, mit der Landschaft in Verbindung gebracht. In der Mitte des Winters, im stärksten Frost, in dem die Umwelt verblasst und versinkt, erstirbt, das heisst verstummt auch das Lied, von Dunst und Schlaf dicht umgeben, bis ein jäher Wind das dürre Laub der Erlebnisse des Vorjahres

151

zerfetzt und die früher schmerzende Wunde wieder blutet, bis plötzlich ein Sonnenstrahl durch die Nässe bricht, ein schwarzes Fliessen das Weiss der Landschaft verändert und ein seltenes Wintergewitter durch eisige Kälte schmettert. Diese Naturereignisse wecken das Lied aus seinem Schlaf, aber es spürt in ihnen nicht den Anbruch und Einbruch einer erneuernden Leidenschaft. Das Lied bleibt rückgewandt, es vermag nur in dem grabwärts gleitenden, prunkvollen Trauerzug die über die geneigten Nacken hinausragenden Fackeln und die dröhnenden Klänge wahrzunehmen und wird dadurch angetrieben, tastend zu suchen, ob noch ein Funke ewig klarer Freude unter der Schlacke früheren, rauhen Leides glimmt. So schliesst in der Mitte eines Winters das Jahr, das im siebzehnten Gedicht, als dem ersten des zweiten Teils, mit einem Winterende begonnen hatte.

Das Suchen nach einem lebendigen Funken in früheren Erlebnissen ist zugleich die Überleitung zum dritten und letzten Teil der «Traurigen Tänze», der – die kreuzweise Gruppierung des dritten Buchs beibehaltend – aus sechs abstrakt gefassten Liedern und einer Landschaftsschilderung besteht. Unerfülltsein und Unerfüllbarsein werden in sechs Gedichten abstrakt symbolisch dargestellt durch Beschreibung eines Tages, der mehr Nacht als Helle ist, eines Flusses, dessen Wellen stromaufwärts anstatt stromabwärts zu laufen scheinen, eines Herdes, der nicht durch darin brennendes Feuer, sondern durch Mondlicht erleuchtet wird, einer Ampel, die mehr durch ihre Substanz als durch die in ihr brennende Flamme Glanz auszustrahlen scheint, einer Jagd, bei der der Jäger zum Gejagten wird, und eines Glückes, das die Seele, obwohl sie es nahe weiss, nicht zu fassen vermag. In diesen Gedichten werden Erscheinungen zusammen mit ihren Gegenerscheinungen gezeigt, Vorderseiten und Rückseiten, die nicht ohne einander bestehen können, eine – schon dem «Algabal» zugrunde liegende – Umdrehung des gemeinhin Natürlich-Genannten, das, wie der Dichter betonte, keineswegs so selbstverständlich sei, wie gewöhnlich behauptet werde. Ding und Gegending sind miteinander in einen Rundtanz ver- und gebunden, der traurig und nicht befreiend ist, weil er sich unaufhörlich und unabänderlich in ein und demselben Zirkel zu bewegen hat. Der Titel «Traurige Tänze» dürfte solchen Erwägungen entnommen sein. Die gleiche Anschauung von innerem Verbundensein findet sich in der pythagoräischen Lehre, die sinnfälligen Ausdruck zum Beispiel in der Münzprägung unteritalischer, nach den Prinzipien jener Philosophie geleiteter Städte dadurch erhielt, dass die Münzen das gleiche Bild auf der einen Seite erhaben, auf der andern Seite vertieft zeigten.

Im sechundzwanzigsten Gedicht der «Traurigen Tänze», das das erste dieses Teils ist, wird ein trüber Tag geschildert, der nur durch

einen Sturm belebt und so sehr in Dunkelheit gehüllt ist, dass eine
Eule, der Totenvogel, ihren nächtlichen Ruf hier am Tage ertönen
lässt, eine Erscheinung, die zum Beispiel bei Sonnenfinsternissen in der
Natur zu beobachten ist. Das Verstreichen der Tagesstunden zeigt
sich nicht mehr am Wechsel der Beleuchtung der die Landschaft ein-
kreisenden Hügel. Ein Baum lässt seine Äste so tief herabhängen, dass
sie wie nahrungsuchende Tiere auf der Erde nach Halmen zu greifen
scheinen, und die an eine Wüste erinnernden Felder tauchen wie mit
einem letzten, vergeblichen Schrei des klagenden Windes in den
Schacht der Nacht.

Im siebenundzwanzigsten Gedicht fragt sich der Dichter, ob seine
Augen ihn trügen, wenn er an Bewegungen der vielen, in einen Fluss
gesunkenen Äste wahrzunehmen glaubt, dass das Wasser stromaufwärts anstatt stromabwärts fliesse, eine Erscheinung, die an rasch
fliessenden Gewässern beim Hinabblicken von der Mitte einer Brücke
aus wahrgenommen werden kann und die Büchner in seiner Novelle
«Lenz» schildert. Der Dichter fühlt sich selbst als Welle in den wirbelnden, rieselnden Reigen mithineingezogen und hat sich, um das
Spiel nicht zu teuer mit seinem Leben oder Wahnsinn zu erkaufen, gewaltsam daran zu erinnern, dass er bereits wieder Wellen ihren gewohnten Lauf stromabwärts ziehen sieht. Das Wort «Begleiter» ist
vieldeutig gehalten, um sowohl Wellen wie begleitende Seelen zu umfassen.

Im achtundzwanzigsten Gedicht ist von einem Herd die Rede, der
völlig erloschen ist. Er wird nicht durch Glut von innen her, sondern
durch das Licht des Mondes – nur scheinbar von innen her – beleuchtet.
Wie das Lied selbst im fünfundzwanzigsten Gedicht, tasten hier
bleiche Finger in der Asche nach einem lebendigen Funken. Die Worte
«wird es noch einmal Schein» reichen über den Wunsch nach dem
Finden eines zündenden Funkens hinaus zur Formulierung der Ungewissheit, ob ein neues Glühen überhaupt noch möglich sei, wie schon
im zweiten Gedicht der «Traurigen Tänze» gefragt wurde. In dieser
Lage tröstet der Mond durch sein erborgtes, totes Licht: er, der erloschen ist, mahnt, dass es keinen Sinn hat, nach lebendiger Glut zu
suchen, wenn es zu spät dazu geworden ist.

Das neunundzwanzigste Gedicht beschreibt eine sehr dunkle Krypta
aus Basalt mit einer alten Ampel und einer Monstranz. In der Ampel, die
mit einem in der Dunkelheit rubinfarben empfundenen Edelstein,
einem Karfunkel des Märchens, verziert ist, brennt die nie erlöschende
Flamme. – In Goethes «Vollmondnacht» im «Divan» ist ein Karfunkel
smaragdgrün gesehen. – Nur die Monstranz, die mit goldenen Welt-
kugeln, Ringen und einem weissen Lamm geschmückt ist, wird durch
einen Strahl des Tageslichts beleuchtet, der durch das einzige, hoch in

eine Wand eingelassene Fenster auf sie fällt. In dieser Umgebung kann nicht unterschieden werden, ob der von der Ampel und dem Edelstein ausstrahlende Glanz durch die brennende Flamme oder durch ein inneres Leuchten der Substanz der zu heiligem Gebrauch bestimmten Gegenstände erzeugt wird. Ein seltsam flimmerndes Leuchten einer solchen ewigen Lampe ist auch in Faust I beschrieben.

Das dreissigste Gedicht handelt von einer Hetzjagd. Der Jäger lässt plötzlich seinen Bogen sinken, weil er einen Laut vernimmt, der nicht von den Hunden oder dem müde gewordenen Wild herrührt. Der Ton, der aus der Erde zu dringen und ein Echo des Klangs des Jagdhorns zu sein scheint, wirkt auf den Jäger wie ein Bann, er enthält einen Ruf, dem er willenlos zu folgen hat, so dass die Frage auftaucht, ob nicht der Jagende zum Gejagten wird. Der Hief ist ein auf dem Jagdhorn beim Jagen geblasener Ton.

Das einunddreissigste Gedicht handelt von den widerspruchs-vollen Gefühlen, die von Abendmelancholie wachgerufen werden. Es spricht von zwei Seelen oder vom Dichter und dessen Seele. Der Abendhauch offenbart der einen Seele, dass ihr ein Glück – vielleicht ein Sich-verbunden-Fühlen der anderen Seele – nahe sei, dass sie dieses Glück empfangen und bewahren solle, ehe ein Dritter sich dessen bemächtige. Aber der gleiche Abendhauch bringt auch dieser gleichsam in Fesseln geschnürten Seele die Einsicht, dass sie das nahe Glück zwar zu begreifen, aber nicht zu ergreifen vermag. Als einzigen Trost bietet wiederum der Abendhauch, die allabendlich sensitive Seelen befallende Melancholie, der auch der Dichter unter-worfen war, die Erkenntnis, dass die eine Seele jetzt wenigstens die trübste Stunde der andern kennt und dadurch eine Schmerzens-gemeinschaft hergestellt wird, über die hinaus keine innere Verbin-dung auf dieser Erlebnisstufe möglich ist, wie der «Teppich des Lebens» darlegt.

Das schon früh entstandene zweiunddreissigste Gedicht enthält als architektonischer Schlusstein benutzt, ebenso wie das erste Gedicht des Bandes, eine symbolische Landschaftsschilderung und spielt gleichfalls im Herbst, so dass der Kreis der Jahreszeiten geschlossen wird. Wie in vielen Gedichten des «Jahrs» mahnt die Seele den Dichter, nicht länger nach früheren, vollen Farben zu spähen, auf Früchte in Öden zu warten und vereinzelte Ähren aus vergangenen Sommern zu pflücken. Die mild schimmernden Erinnerungen früher genossener Fülle und das durch den Wind erregte Gefühl der Weite und Freiheit – es taucht am Ende des «Siebenten Ringes» wieder auf – bringen Linderung für das Brennen der Wunden, die der Dichter in bisherigen Kämpfen davongetragen hat. Nichts von dem, was einmal als schön erkannt wurde, ist verloren – alles dies, auch die jetzt als

Blumen empfundenen früheren Erlebnisse und Träume, findet sich am Quell, mag auch der Dichter ihn für tot halten, wieder zusammen. Der «tote Quell» kann somit Ausgangspunkt für neue Dichtung und neues Erlebnis werden und kennzeichnet sowohl das Ende des Bandes, der mit dem «totgesagten Park» anfing, als auch die Möglichkeit des Beginns von neuem Erleben und neuem Formen.

DER TEPPICH DES LEBENS UND
DIE LIEDER VON TRAUM UND TOD
MIT EINEM VORSPIEL

Die Erstausgabe dieses Bandes erschien im Winter 1899 mit der Jahreszahl 1900 und trug noch keine Widmung. Erst die öffentliche Ausgabe für 1901 wurde Melchior Lechter gewidmet, der die Ausstattung der ersten Ausgabe besorgt hatte. – Das grüne Leinen für die erste Ausgabe hatte Stefan George selbst ausgewählt, es war die Rückseite eines der ihm zur Auswahl vorgelegten Einbandstoffe. Er liebte die von Lechter gezeichneten Zierleisten und Bilder nicht besonders, sie erschienen ihm zu prunkvoll und in ihrer Symbolik die Grenzen eines Buchschmucks überschreitend. Doch lehnte er sie nicht ab, um Lechter, für dessen altmeisterlich ehrliche Kunst und Kunstfertigkeit er Bewunderung hegte, nicht zu verletzen. Auch glaubte er, bereits durch die Ausstattung der ersten Ausgabe des «Jahrs der Seele» über die Bände der englischen Präraffaëliten, die er weit mehr als die von ihm als süsslich empfundenen Gemälde jener Schule schätzte, hinausgegangen zu sein, da jene, seines Wissens, nicht Erstausgaben von zu ihrer Zeit lebenden Dichtern in der neuartigen Ausstattung herausgebracht hätten.

Handelt das «Jahr der Seele» vom Unerfülltsein und Unerfüllbarsein der Seele des Dichters, so zieht der Band des «Teppichs des Lebens» – diese Wortzusammensetzung wird übrigens auch von Goethe in den Noten zum «Divan» einmal gebraucht – daraus die Folgerungen für die Erscheinungen des äusseren und inneren Lebens seiner Zeit. Der Gedichtband ist ein auf dem Fundament des «Jahrs der Seele» in gleicher Weise aufgeführter Bau, wie der «Stern des Bundes» über der Grundlage des «Siebenten Ringes» in einer späteren Erlebnisstufe steht. Beide Bände enthalten eine Erweiterung und Sublimierung der durch persönliches Erleben gewonnenen Erfahrungen und zeigen, das gleiche Ziel auf verschiedenen Ebenen verfolgend, besondere Regelmässigkeit und Einfachheit in der Gesamtanlage und in den Einzelteilen, für deren Strenge die «Divina Commedia», die gleichfalls als eine Lebenslehre für Dantes Zeitalter gedacht war, das Vorbild gewesen sein mag.

Der «Teppich des Lebens» enthält als Gesamtband drei Bücher, wie schon der Titel sagt, und jedes dieser Bücher besteht, ebenso wie im «Stern des Bundes», aus der gleichen Anzahl von Gedichten. Das erste, das zweite und das dritte Buch enthalten je zweimal zwölf, also zusammen zweiundsiebzig Gedichte, die in Zweiergruppen geordnet sind. Die vollkommene äussere Symmetrie der hundert Gedichte des «Sterns des Bundes» mit im ganzen tausend Versen ist auf dieser Stufe noch nicht erreicht. Aber jedes Gedicht des «Teppichs» besteht aus vier Strophen von je vier Versen, also aus sechzehn Versen, während im «Stern des Bundes» die Verszahlen in den einzelnen Gedichten verschieden sind, wenn sie auch alle innerhalb eines Rahmens von mindestens sieben und höchstens vierzehn Versen liegen. Das Versmass wird in den Gedichten des «Teppichs des Lebens» nur selten verändert, die überwiegende Mehrzahl von ihnen ist gereimt, wogegen die überwiegende Mehrzahl der Gedichte des «Sterns des Bundes» nicht gereimt ist und der Reim dort nur bei Pfeilergedichten, die wiederum in regelmässigen Abständen voneinander stehen, verwendet wird. Im «Vorspiel» findet sich kein nichtgereimtes Gedicht, im zweiten Buch sind es nur drei und im dritten Buch acht nichtgereimte Gedichte. Teilweise gereimte Gedichte und solche mit deutschen unechten Reimen, Reimanklängen, tauchen allein in den «Liedern von Traum und Tod» und auch dort nur vereinzelt auf.

VORSPIEL

Der Gedanke an ein «Vorspiel» entspringt vielleicht der Erinnerung an die zwei Vorspiele zum «Faust». Doch werden hier nicht irdische und himmlische Vorgänge getrennt geschildert, es wird eine Synthese versucht. Die vierundzwanzig paarweise angeordneten Gedichte des «Vorspiels» tragen keine Überschriften, sind aber durch römische Ziffern gekennzeichnet. Bezeichnenderweise ist «ich» das erste Wort des ersten Gedichts und deshalb hier ein Merkmal für die Isolierung des Dichters von der Umwelt. Der Hort, das Ziel, das dem Leben den bisher vermissten Mittelpunkt geben soll, ist noch nicht gefunden, es ist nicht identisch mit den Strophen, die das Suchen nach ihm voll tiefster Kümmernis und voll dumpfer und ungewisser Dinge widerspiegeln. Die besondere «Schwere» der Worte ist charakteristisch für die vom Dichter neu geschaffene Sage- und Dichtart. Das Suchen geht, bildlich gesehen, in einer Zelle vor sich, etwa wie sie im ersten Gedicht der «Pilgerfahrten» geschildert ist, nicht im Wandern mit oder unter anderen Menschen, und hierdurch wird aufs neue die Ferne des Dichters von der Umwelt hervorgehoben. Der nackte Engel, der in die Zelle, in die Einsamkeit des Dichters, tritt, ist männlich, nicht geschlechtlos geschildert, er ist das personifizierte Ziel des Suchens und dadurch Personifizierung des Gefährten, der bisher nur im Traum des Dichters Gestalt hatte. Kultische Nacktheit – sie war wesentlich für «Die Aufnahme in den Orden» – wurde von frühen christlichen Sekten, zum Beispiel den Ophiten vorgeschrieben, sie war wahrscheinlich aus antikem Ritus, insbesondere dem Mithraskult, übernommen. Stefan George, der die Bücher des Belgiers Cumont kannte, nahm mit Renan an, dass es im ersten Jahrhundert in der Schwebe war, ob der Mithrasglaube oder das Christentum zur Weltreligion werden würde. Er zitierte oft Renans berühmten Satz: «Si le christianisme eût été arrêté dans sa croissance pour quelque maladie mortelle, le monde eût été mithriaste.» – Wie schon in der ersten Strophe dauert in der zweiten die bewusste Vermischung von sinnfälligen und transzendenten Elementen an, eine Vermischung, die zum Problem des «Vorspiels» gehört. Blumen, die der Engel dem Dichter bringt, werden zugleich zum Vergleich für die Farbe seiner Finger, die dem rosa getönten Weiss echter Mandelblüten nahekommt, herangezogen. Er trägt in seinen Armen über andern Blumen Rosen, die so hoch aufgeschichtet sind, dass sie bis an sein Kinn reichen und wie ein Kranz wirken. Er ist nach menschlichem Bild geformt, hat weder Krone noch Stirnband und seine Stimme gleicht der des Dichters, was wiederum auf eine Spaltung im Dichter, wie im «Jahr der Seele», hindeutet, so dass der Engel auch als Verkörperung der Seele des Dichters anzusehen ist. Diese doppelte Funktion des Engels erklärt seine verschiedenartige Stellung in den einzelnen Gedichten des «Vorspiels». Er kommt zu dem Dichter, so sagt er lächelnd mit einer menschlichen Stimme, als Bote, nicht einer Gottheit, vielmehr des schönen, das heisst des erhabenen und erhebenden Lebens, und dies deutet wiederum auf ihn als Verkörperung des Traumgefährten. Sein Kommen selbst ist die Botschaft, deren Inhalt nicht durch Worte, sondern durch Gesten zum Ausdruck gebracht wird: er kniet nieder, ebenso wie der Dichter selbst, um die seinen Armen entfallenen Blumen – es sind neben Rosen Lilien und die jenseits der Alpen blühenden gelben Mimosen – aufzuheben. Alle diese Blumen haben einen besonders starken Geruch, durch den sie fast eindringlicher als durch ihre Farben und Formen wirken. Die Geste des Engels unterscheidet sich in nichts von der eines Menschen, und schon dies macht den Erdgeborenen glücklich, denn er sieht darin eine Bestätigung seiner selbst. Der Dichter senkt sein Gesicht in die Blumen, nachdem er sie vom Boden aufgelesen hat, und geniesst besonders die einheimischen Rosenblüten, die nach Duft und Aussehen die am meisten esoterischen unter den genannten Blumen sind und dem Gesicht des Engels, als er sie im Arm hielt, am nächsten waren. Man kann das erste Gedicht als eine Weihe schildernd ansehen – entsprechend dem ersten Gedicht der «Hymnen», das auf einer andern Erlebensstufe spielte.

Vom zweiten bis zum sechsten Gedicht einschliesslich wird im ersten Teil des «Vorspiels» das Verhältnis des Dichters zum Engel behandelt.

Der Dichter bittet den Engel, ihm innere Glut und grossen Atem wieder zu verleihen, so dass er verjüngt sich von neuem so hoch über die Erde erheben kann, wie seine kindlich einfache Phantasie im «Kindlichen Königtum» zusammen mit dem Rauch der frühesten, von ihm bewusst dargebrachten Opfer, der «Erstlingsopfer» des sechsten Gedichts von «Auf das Leben und den Tod Maximins», sich schwang. In der leiblichen Nähe, der Ausstrahlung, dem Duft des Engels, der den Dichter von allen Erscheinungen, die von Erhebung fernhalten, abschliessen und ihm, wie der das Brot brechende Christus, Speise von seiner Speise gewähren kann, wünscht der Dichter von jetzt an immer zu atmen. Hier ist der Engel eine Personifizierung des Traumgefährten. Die «dunkle Kluft» deutet auf einsames Eingeschlossensein in sich selbst. Der Engel erwidert, dass diese stürmischen Wünsche einander widersprechen, denn ein völlig von Glut und Feierhauch Beseelter erhebe sich zu grossen Taten und begnüge sich nicht mit dem Geniessen der Nähe eines Boten. Aufschwung durch Beseelung vom grossen Hauch und Befriedung durch ein Leben nah dem Engel seien verschiedenartige Kostbarkeiten, die zu gewähren nicht Amt des Engels sei. Was er verleihe, könne, so sagt er, nicht durch Zwang, nicht durch einen Kampf, wie Jakob ihn begann, errungen werden. Aber der Dichter, der glaubt, dass das Himmelreich sich, wie Dante sagt, «vergewaltigen lässt», also mit Hilfe von Gewaltanwendung errungen werden kann, schlingt seine Arme um die Knie des Engels, um ihn nicht eher von sich zu lassen, als bis er seinen Segen empfangen habe.

Wie diese dramatische Spannung sich auflöst, wird nicht gesagt, denn das dritte Gedicht ist zeitlich nicht Fortsetzung des zweiten. Es enthält einen erst später gegebenen Bericht des Dichters darüber, wie sein Leben sich nach und durch Erscheinen des Engels gestaltet hat. Der Engel hat nicht Gaben gebracht, sondern die rechte Richtung gewiesen, er hält in schlimmen Tagen der wiederkehrenden Verzweiflung und der notwendigen Widrigkeiten die Waage des Tuns und Lassens, er gibt zur rechten Zeit das Zeichen, von einem freudelosen Ufer zu einem schöneren Strand aufzubrechen, er nimmt das Steuer, wenn bei der Schiffahrt im Gewittersturm Tod auf der einen Seite und auf der andern Seite Wahnsinn drohen. Seine Kraft ist stärker als die der Elemente, wie Christus beschwichtigt er die Wellen, so dass sich reine Bläue zwischen den Wolken – eine Erinnerung an das erste Gedicht im «Jahr» – zeigt und die Lebensschiffe auf glatten Wassern zum gesegneten Hafen einer glücklichen Insel ziehen. Das «freudelose» Ufer der zweiten Strophe ist eine Anspielung auf die grauen Schatten in der Unterwelt der Antike. Dadurch dass die Seele sich bis zum Schluchzen vergisst, gibt sie das Gleichmass, die vom Engel gelehrte Lebenshaltung auf. Der Engel, der sie zum «gelobten» Hafen, ihrem gelobten Land leitet, hat die umgekehrte Funktion des Charon. Das Aufs-hohe-Meer-geneigt-sein ist eine homerische Vorstellung, weitergeführt durch das auf Tod und Wahnsinn bezogene Bild von Scylla und Charybdis. Der Gewittersturm ist ein Symbol für Leidenschaften, die auch in den vom Wetterwind erregten Wellen Ausdruck finden. «Wenn» als Einleitungswort der zweiten und dritten Strophe hat den Sinn von «sooft» als Konjunktion. Das objektivierende Wort «dein» in der vierten Strophe gebraucht der Dichter zur Selbstermutigung.

Von dem Gewittersturm einer Leidenschaft handelt das vierte Gedicht. Im ersten Vers der ersten Strophe spricht der Dichter zu einem menschlichen Wesen, zu dem er durch Liebe hingezogen wird. «Euer Glück» bedeutet das, was Menschen der Umwelt, zu denen das geliebte Wesen gehört, als Glück ansehen. Der «Herr» ist der Engel, dessen Führung dem von Leidenschaft ergriffenen Dichter zu düster und zu einsam erscheint, seit jenes menschliche Wesen sich auf den Wegen des Dichters gezeigt hat. Über das Geschlecht dieses Wesens wird nichts gesagt oder angedeutet. Um solcher Leidenschaft willen wünscht der Dichter, dass der Engel, der «er» genannt wird, ihm die Freiheit wiedergeben und die Palmen und starren Diademe der neuen Lebenshaltung und Kunst wieder von ihm nehmen möge, damit der Dichter das durch das Erscheinen jenes menschlichen Wesens verheissene Erblühen eines neuen Morgens, jenem Menschen nahe, geniessen könne. Diesem Begehren tritt der Engel mit der beherrschenden und beherrschten Gebärde eines Fahnenschwingers, der hier der Bannerträger ist und nicht die besonders in der Schweiz geübte Kunst des Fahnenschwingens betreibt, im Gold des «verführerischen» Herbstes, wie es im «Stern» heisst, entgegen. Der Engel lenkt den Dichter in seinen Bann zurück durch blosses Erheben eines Fingers, durch ein Wort, das die Wirkung antiken Sirenengesangs hat, und durch einen Blick, der dem Christi am See von Tiberias gleicht, als er die Jünger fragte, ob sie ihn liebten.

Der Vergleich mit Christus leitet zu dem fünften Gedicht über, in dem der Engel zum Dichter spricht, so dass seine Lehre, die bisher nur in Gesten sichtbar war, jetzt in Worte gefasst wird. In diesem Lebenskreis steht es dem Dichter nicht mehr an, die Gefahren stürmischer Fahrten über trügerische Fluten des Lebens und schwindelerregender Wanderungen am Rand der höchsten Felsen zu preisen. In der einfachen Form der heimischen Gefilde mit ihren klaren Ebenen, Flüssen und gestreckten Hügeln soll die Seele die Schönheit des wärmenden Wehens, das die Kühle des Frühlings lindert, und des kühlenden Hauches, der die schwüle Hitze des Sommers vertreibt, empfinden und dem kindlich sanften Ton solcher Winde lauschen. Die strengen Linien der rheinischen Landschaft enthalten, so sagt der Engel, etwas vom Geheimnis der aus wenigen Strichen bestehenden Runenschrift, von einem Geheimnis, das der Dichter bisher nur im Bezirk der vom Zauberdunst grosser Vergangenheit umwitterten Städte geahnt hat. Der Dichter erwidert, dass ihn die Wunder der Lagunenstadt Venedig und Roms, das gross durch seine Trümmer aus allen Kulturepochen und umworben von allen Mächten im Lauf der Geschichte ist, wie später im «Neuen Reich» nochmals gesagt wird, nicht mehr so stark zu sich zögen wie der Duft der Eichen und der blühenden Reben und wie die Wogen des von jugendlichem Leben grünen Rheins, die den Hort der Deutschen, den Nibelungenhort, behüteten. Das Fürwort «dein» bezieht sich auf den Rhein, an den die Worte des Dichters gerichtet sind. Dies ist ein Anzeichen dafür, dass der Engel gerade hier nicht Personifizierung eines Traumgefährten, vielmehr der Seele des Dichters ist.

Im paarweisen Aufbau des «Vorspiels» folgt regelmässig ein mehr betrachtendes, ruhiger gehaltenes Gedicht einem mehr dramatisch bewegten, und in dieser Weise wird der dichterische Atem ausgeglichen verteilt. Das sechste, mehr dramatische Gedicht beginnt mit Worten des Engels. Er mahnt den Dichter, an frühere Qualen zurückzudenken, unter denen er nicht mehr leidet, seit er dem Engel folgt und ihn als Mittler für seine Erhebungen anerkennt. – Stefan George glaubte, dass die Verbindung zwischen Mensch und Gott stets durch einen Mittler hergestellt werden muss, wie in «Mensch und Drud» dargetan wird. – Nach dem Erscheinen des Engels, dessen höchste Gunst für den Dichter war, dass jener ihm Frieden gebracht hatte, brauchte er nicht mehr aus der «wilden Feuerbrunst trockener Sommer» – womit vielleicht das Nicht-vorhanden-sein von Verstehenden im damaligen Deutschland gemeint ist – in die Fremde, wie das Frankengedicht besagt, zu fliehen. Das Wort «Wüste» bezieht sich auf den inneren Zustand der Heimat und nicht auf die fremden Länder, die den Dichter gastlich aufgenommen hatten. – Der Dichter soll sich aber auch daran erinnern, so mahnt der Engel, dass es Zeiten gab, in denen er bereit war, vom Engel abzufallen, wie zum Beispiel im vierten Gedicht geschildert wurde. Hätte er damals auch nur für einen Augenblick (hier zu «Blick» verkürzt) die Möglichkeit gehabt, sein Erleben nach seiner eignen Wahl zu richten, so würde er willig die Lehre des Engels und den Altar, das heisst die Religion der eignen Erkenntnis, verleugnet haben. Die in Anführungsstriche gesetzten Worte sind früher einmal vom Dichter geäussert worden und werden jetzt vom Engel zitiert. Der Engel vergleicht das damalige Gefühl des Dichters mit dem eines Opfertieres, das sich am Opferaltar aufbäumt. Wessen Opfer der Dichter war, wird nicht ausgesprochen, es ist aber ausweislich des vierten Gedichts Eros, dessen Name im Werk des

Dichters zwar niemals genannt wird, der aber besonders in späteren Gedichten fast immer dort gemeint ist, wo der Dichter von dem Gott, im Gegensatz zu Gott ohne Artikel, spricht. Von dem Sich-als-Opfer-Fühlen handelt der « Stern des Bundes ». – Damals, so fährt der Engel fort, ging der Purpur wie dürres Stroh in Flammen auf und das Feuer züngelte bis zu den Kapitellen, Knäufen der Säulen. Unter Purpur kann der Purpurmantel als antikes Emblem eines jeden Dichters oder, wie es mehr dem Bild entspricht, der Tempelvorhang verstanden werden. Der Tempel der Kunst des Dichters « wankte lichterloh » – hierin liegt eine Zusammenziehung von « wanken » und « lichterloh brennen ». Das Bild des brennenden Tempels wird im « Neuen Reich » zum Symbol für den Untergang einer Kultur ausgeweitet.

Im siebenten Gedicht, mit dem der zweite, vom Wirken des Dichters handelnde Teil des « Vorspiels » beginnt, wird die Funktion des Engels dargelegt, und zwar in Gesten in der gleichen Weise, in der die Haltung des Dichters zu Gesten aufgelöst worden war. Die Schilderung von Gesten stellt die äussere Verbindung zwischen den einzelnen Gedichten des « Vorspiels » und zwischen den drei Büchern des Bandes her. Das Handeln der Menschen wirkt in gewebten Teppichen am eindringlichsten durch Gesten, die, im « fruchtbaren Augenblick » festgehalten, alles Zufällige beiseite lassen und die Phantasie des Betrachters anregen, sich Vergangenheit und Zukunft ergänzend auszumalen. – Der Engel steht dem Dichter als Freund, Führer und Ferge zur Seite. Das Wort « Ferge » deutete ursprünglich auf einen Schiffer, wurde aber später zur Bezeichnung von « Fährmann » eingeengt, so dass das Wort hier an das Tun des Engels im dritten Gedicht erinnert. Dem Dichter ziemt es nicht mehr, am Streit der Zeitgenossen, sei es auch der Weisen unter ihnen, teilzunehmen. Er hat eine Höhe erreicht, von der aus gesehen das Geschehen der Zeit wie ein Bild im Tal unter ihm erscheint und den « Teppich des Lebens » bildet. Er schaut auf eine rüstige, arbeitende Menge und hört das Leitwort für ihr mühendes Gewimmel, nach dem jedes Ding auf Nützlichkeit hin zu erforschen und zu verwenden sei, um das Leben auf der Erde als Freudenhimmel zu geniessen. – Stefan George glaubte nicht, dass es einen Fortschritt gibt und dass Vorteile aus solcher Anschauung des Geschehens erwachsen. – Von der Höhe sieht er aber auch Schwärme – das Wort klingt an Schwärmer an – einem bleichen Mann auf weissem Pferd im Weihrauchdampf folgen. – Der Dichter nahm, wie er sagte, an, dass Christus auf einem weissen Pferd, nicht auf einem Esel, in Jerusalem eingezogen sei. – Mit verhaltenen Gluten singen die Folger Christi psalmodierend, dass das Kreuz, das Symbol des Leidens auf der Erde, noch lange das einzige Licht für das Diesseits sein wird, ein Freudenhimmel sich also erst nach dem Tode eröffnet. Ein dritter Zug wird für den Dichter im Tal sichtbar, es ist eine nur kleine Schar, die auf stiller Bahn ihren Weg nimmt. Sie hält sich stolz vom Treiben der Rührigen fern und hat, im Gegensatz zu den Folgern Christi, auf ihre Fahnen geschrieben, dass niemals endende Liebe zu Hellas der Leitstern für ihr Leben auf der Erde ist. – Die Verkürzung des letzten Verses um einen Versfuss wird vom Dichter häufig als Mittel zu besonders starker Betonung benutzt.

Im achten Gedicht spricht nicht der Engel zum Dichter, sondern der Dichter zu seinen Folgern. Darauf deutet das voraufgehende Bild der Hellas-Verehrer ebenso wie der Gebrauch des Wortes «Schüler» im Plural. Im ersten Vers der ersten Strophe fragt einer der Schüler den Dichter, weshalb «Sünde» und «Sitte» in seinem Denken keine Rolle spielen, und der Dichter antwortet hierauf vom zweiten Vers der ersten Strophe an bis zum Schluss des Gedichtes. Seine Schüler erkennen und wählen das Edle mit Hilfe der Kraft ihres Blutes, von der im «Neuen Reich» Christus zum römischen Hauptmann spricht, ohne dass sie eines Dogmas, das Sünde und Sitte miteinschliessen würde, bedürfen, was durch das Wort «unbemüht» angedeutet wird. Die Kraft des Blutes, die im Dichter und in den Schülern in gleicher Weise wirksam ist, zeigt den Schülern die rechte Richtung, auch wenn der Dichter fern von ihnen ist oder nicht zu ihnen spricht. Die folgenden drei Strophen besagen, nach welchen Merkmalen der Dichter seine Schüler wählt, und bilden somit eine Vorstufe zum Gedicht «Der Eid» im «Siebenten Ring». Die erste Gruppe, aus der er seine Schüler nimmt, besteht aus solchen, die die Sprüche früherer Lehren in sich aufgenommen haben, sie aber nicht als Dogmen, sondern als Märchen ehren. In einer mittäglich stillen Umgebung schauen sie vor sich hin, sicher ihres Weges und nicht erschreckt durch Gedanken an Scham, Reue oder Fluch. Das Bild des jugendlichen Friedrich Gundolf in der Zeit, in der er «Fortunat» dichtete, zeigt einen wenn auch erst später gefundenen Schüler dieser Art. Die zweite Gruppe setzt sich aus solchen zusammen, die freiwillig nur in Gemeinschaft mit wenigen, die sie selbst gewählt haben, leben, im Lieben verschwenderisch und unermüdlich sind, ihr eignes Schicksal fast ohne Klage und Hass betrachten, aber niemals aufhören, Rache gegen ihre Feinde in sich zu nähren. Die Geschilderten in «Der Täter» und «Die Verrufung» nähern sich dieser Artung. Die dritte Gruppe wird von solchen gebildet, die Taten begehen, für die ihre Zeit und Umwelt weder Lohn noch Busse kennen, Taten, die nach Anschauung des Volkes «zum Himmel schreien». Selbst wenn sie sich strahlend vor den wenigen innerlich Freien, die den Gegensatz zur Mehrzahl der innerlich Nicht-Freien im Volk bilden, als Vollbringer derartiger Taten rühmen, zeigt der Dichter, für den sie durch solches Tun ihren Wert nicht verlieren, nur ein leichtes Zucken der Achseln und ein verstehendes Lächeln, indem er auch sie seine Söhne nennt. Vielleicht waren Figuren wie die Münchner Kosmiker Klages, Schuler und Derleth wegen ihrer Haltung in ihren jüngeren Jahren das Vorbild für die dritte Art. Diese drei Typen haben gemeinsam: die Intensität des Blutes, ein Formen des Lebens entsprechend dem eignen Inneren und völlige Unabhängigkeit von öffentlicher Meinung.

Im achten Gedicht wird – wie fast immer im Werk des Dichters – die Trennung von Rede und Gegenrede dadurch äusserlich verdeutlicht, dass nur die Gegenrede in Anführungszeichen gesetzt ist. Mit Rücksicht auf Interpunktion mag darauf hingewiesen werden, dass Stefan George Komma und Semikolon als hässlich und das Satzbild störend empfand, dass er grammatikalisch gesetzte Interpunktion für nicht gerechtfertigt erachtete und an Stelle von Komma und Semikolon einen Punkt in der Mitte der Zeile dort benutzte, wo ein Einhalt, der Beginn von etwas Neuem, sich nicht mit genügender Sicherheit aus dem Text ergab und andererseits der Satz noch nicht beendet sein sollte. Auf diesen Mitten-Punkt ist er vielleicht durch die ältere spanische Dichtung, in der ein solches Zeichen zur Andeutung der Zäsur verwendet wurde, aufmerksam geworden.

Das neunte, zehnte und elfte Gedicht handeln vom Schaffen des Dichters. Hier spricht nicht der Engel, vielmehr der Dichter zu sich selbst. Der Masstab für Bewertung von Dichtung, die in Spruch, zum Beispiel tragischer Dichtung, oder in Sang, zum Beispiel Epik und Lyrik, bestehen kann, ist nicht zu allen Zeiten der gleiche. Ein Kampflied, das gestern notwendig war – der «Stern des Bundes» erwähnt die Tat des Tyrtäus – braucht nicht mehr Kraft zu enthalten als ein Hirtenlied, das heute benötigt werden mag. Das «Zeitgedicht» im «Siebenten Ring» spricht hiervon. Über die Schönheit und Kraft des Hirtenliedes gibt es eine Aussage in Tassos «Befreitem Jerusalem», die Stefan George bisweilen zitierte. – Man kann somit nicht ein allzeit gültiges Urteil darüber fällen, welche Form der Dichtung die höchste sei. Dichtung erscheint bald als eine leuchtende, reine, kristalle (vereinfacht gebraucht an Stelle von «kristallene») Saat im Licht eines klaren Morgens, bald als dunkelädriger, scheinbar in stetem Fliessen befindlicher Achat sowie bald als ein heftig Funken sprühender Rubin. – Rubine spielen im Werk des Dichters wegen ihres dunklen Feuers die grösste Rolle unter den Edelsteinen. Er trug in seinen jüngeren Jahren einen alten, einfachen Goldring mit einem Granat der Gattung, die Kaprubin genannt wird, weil sie ein starkes, dunkles Feuer, ähnlich dem des echten Rubins, ausstrahlt. – Was in Dichtung heute wie lindes Rieseln in einer verlassenen, welkenden Allee erscheint und sanft wie ein Tropfen Tau von einer Blume in einen See sinkt, kann morgen zum Strom anschwellen, der Berge durchbricht und im dich-

165

testen Dunkel des Erdschosses als blutrote Flut in das Herz der Felsen dringt.

Im zehnten Gedicht spricht der Engel als Personifizierung der Seele zum Dichter, wie die Verwendung der Fürworte «mein» und «dir» zeigt. Ein Grund für solche Zweiteilung ist vielleicht neben dem Wunsch zu grösstmöglicher Klarheit darin zu finden, dass der Dichter die allzu leicht in der Lyrik diskreditierbare Ich-Form nach Möglichkeit zu vermeiden sucht. – Handelte es sich im neunten Gedicht um den Wert der Dichtungsformen, des Geschaffenen, so spricht das zehnte Gedicht vom Wert des Dichtens, des Schaffens. Mag es wahr sein, dass jede Tat der Täter, sie werden hier die «Starken» genannt, sowie der Geistigen, die als die «Bleichen» charakterisiert werden, in dieser Weltzeit ruhmlos untergeht und begraben wird, so treibt doch der Ruf des Engels die Seele immer wieder zu neuem Schaffen an, gerade wie der Leib unentweichbar immer von neuem zum Genuss der Sinne spornt, obwohl auch solch ein Geniessen rasch verebbt, wie in Goethes «Seliger Sehnsucht» dargetan wird. Wenn der Dichter weiterhin Zweifel empfindet, wie und in welcher Richtung er in dieser verworrenen Welt und Zeit schaffen soll, lenkt ihn die Sonne, die apollinische Lichtquelle der Seele, verkörpert im Engel, auf die rechte Bahn. Sooft der Dichter an seinem Schaffen, ähnlich wie die Vorfahren an ihrem Leben, verzagt, weil schwirrende Überfülle der Gestalten – die schon von Plato beschriebene «Buntheit» – und der Gedanke an die unendlich grosse Zahl von unbekannten Welten im Weltraum ihn verwirren, wird ihn der Bund, den seine Seele mit dem erhabenen Leben eingegangen ist, auf seinem Weg sichern. Denn jetzt gibt es für ihn nur noch eine einzige Form, in der er die Dinge, mögen sie selbst auch tausende von Formen annehmen können, im Werk und zum Werk zu gestalten hat.

Im elften Gedicht, in dem der Dichter zu sich selbst und andern Dichtern spricht, wird von der Verzweiflung gehandelt, die fast immer nach beendeter Gestaltung eines Werkes den echten Künstler befällt, da es ihm dann besonders zweifelhaft erscheint, ob er nochmals einer gleich starken Inspiration, eines von den Oberen, den Göttern der Höhe, gesandten Blitzes, teilhaft werden wird. Dieses Gefühl des Künstlers wird verglichen mit dem sinnlosen, anhaltenden Weinen (Flennen) der Kinder um eine zu rasch verflossene, freudenbringende Stunde. In solcher Verzweiflung scheint dem Dichter jedes Wort durch den Gebrauch der Massen abgenutzt, jede Süsse des Tons der Rede durch die Sprache von Toren ungeniessbar gemacht zu sein, und die Angst, dass er vielleicht niemals wieder den vollen und erhabenen Klang der Sprache mit Hilfe der Eingebung, die die Pracht der Götter enthält und enthüllt, vernehmen wird, lässt ihn in laute Klagen ausbrechen.

Das Bild der «schweren Stirn» im zweiten Vers der ersten Strophe
wird in der dritten Strophe fortgesetzt und erweitert. Sie schildert die
Geste des müde gewordenen Dichters, der hier als Vertreter einer bestimmten Gattung für alle Künstler verschiedener Gattungen angeführt wird. Sein Haupt und seine Hand, die zum Werk erhoben sind,
sinken mutlos nieder, der Stoff – für den Dichter ist es das Wort – wird
unfügbar, spröde und unbeseelt, bis ihn plötzlich die Inspiration, die
sich nicht rufen lässt, trifft und er, der sich bisher wie in einem Kerker
gefangen fühlt, einen Streif reinen Silbers durch die gespaltene Mauer
glänzen sieht. Die Wirkung der Eingebung auf die Gestaltung des
Werkes wird in der vierten Strophe beschrieben. Das neue Gebilde erhebt sich ohne Schwere aus dem Stoff, der sich kurz vorher noch
dumpf und bleiern jeder Gestaltung versagt hat. Was zuvor vom
Staub der Erde bedeckt gewesen ist, leuchtet geläutert auf. Das Werk
beginnt, die ihm inneres Leben gebende Form zu entschleiern – das
klingt wie eine alchimistische Redeweise – und der zeitlose Gott gibt
dem Künstler plötzlich das Zeichen zum Schaffen, dem er zu folgen hat.

Der Dichter spricht im zwölften Gedicht als erster. Er hat das
Recht, zu wählen und zu verwerfen wie ein Fürst, und sein Werk
vermag die Welt aus den Angeln zu heben. Dennoch zwingt ihn
das Verhalten der Umwelt, der Zeitgenossen, zu fühlen und zu glauben,
dass er des höchsten Gutes, der Liebe, ermangele. Er hat, von verborgenem Schmerz gepeinigt, nach Liebe, obwohl er ihr treuster
Priester ist, unter den Mitlebenden mit Augen, die von wildem Feuer
seiner Leidenschaft geweitet und gehöhlt sind, unerfüllt und unerfüll-
bar zu suchen. Wenn er annimmt, eine Seele gefunden zu haben, die er
mit seiner Liebe krönen, verehren und geniessen kann, muss er erfahren, dass sie zu faul und zu mürbe ist, um seinem Feuer Stand zu
halten. Das führt ihn zu dem Glauben, dass seine Götter, zu denen er
auch die von ihm Geliebten rechnet, nichts andres als Schatten und
Schaum sind. Darauf antwortet der Engel, der hier die Seele verkörpert und aus dem Wissen der Seele spricht: Der Künstler würde
verbluten, wenn nicht das Verströmen seines Blutes durch die innere
Gewissheit aufgehalten würde, dass jede vom Künstler zum Bild erhobene Seele nicht nur in der Kunst, sondern auch im Leben nur
durch die ihr vom Künstler beigelegten Eigenschaften gross und schön
und wertvoll sei. Wenn diese Seele vor dem Lieben des Künstlers ver-
sage, trauere der Künstler nur um etwas, das er selbst ihr verliehen
habe. Die Steigerung der Leidenschaft des Künstlers wird durch die
Folge der gewählten Verben: suchen, umklammern, krönen, verehren,
geniessen, flehen und fliehen angedeutet. Goethe sagt in den «Annalen»,
dass der Dichter die Welt antizipiert, dass ihm deshalb die auf ihn eindringende Welt in ihrer Wirklichkeit unbequem ist. Sie will ihm geben,

167

was er schon hat, aber in anderer Weise, so dass er es sich zum zweitenmal zueignen muss.

Im dreizehnten Gedicht, mit dem der dritte, das Verhalten des
Dichters zur Umwelt schildernde Teil des «Vorspiels» beginnt,
redet nicht der Dichter zu seinen Schülern, sondern der Engel, die
personifizierte Seele, zum Dichter, obwohl die Worte, «ihr, meine
Mündel» in der Pluralform gebraucht sind. «Märchen» bedeutet
hier: Zeit der Märchen, also die Kindheit des Dichters, in der er,
von Märchen gelenkt, schmale weisse Uferwege, mit Lilien und
Ähren- und Traubenbündeln in seinen Armen, unter dem leicht-
bewölkten und doch sonnigen Himmel im Nahetal aufzusuchen
liebte. Seit solcher Kindheit ist in dem Dichter die eine grosse Liebe
lebendig geblieben, die ihn, wie die vierte Strophe besagt, an das helle
Leuchten des Lichts, die holden Gelände, die sanften Berge der
Heimat, die schlanken Pinien des Südens, die reinen Farben, die
klaren Linien und das Flüstern der Gartenblumen in der Kunst
fesselt. Diese Liebe gab ihm die rechte Richtung, sooft er in späteren
Altersstufen von Erlebnissen in Gefilde gelockt wurde, die durch die
in der zweiten und dritten Strophe gegebenen Bilder als ein tolles
Gewirr verschlungener Äste, ein Nebel über unsicherem Morast und
ein düsteres, verfängliches Dickicht erscheinen. Selbst auf den Wegen
durch diese Öden, die der Welt seiner Kindheit entgegengesetzt waren,
verliess ihn niemals die angeborene Scheu vor ungestümen, wimmeln-
den und kämpfenden Massen, vor falschem und unedlem Mass der
Leiber und vor Übergliedern an Ungetümen, mochten die Zeitgenossen
sie auch zum Ziel in Leben und Kunst machen.

Im vierzehnten Gedicht spricht der Dichter zu sich selbst. Er verliess das Haus auf der Höhe, in dem er allein gewohnt hatte, baute seine
Klause – zu solcher wird beim Wohnen unter Menschen sein vordem
hohes Haus – neben denen von Freunden und fühlte sich dadurch
gleichsam in ein anderes Leben versetzt. Er weiss, dass er darin nicht
mehr durch Unerreichbarkeit des Gipfels, auf dem sein früheres, die
Täler überschauendes Gebäude gestanden hatte, geschützt wird. Aber
er wird sich im lautersten Gewand, das heisst ohne irgend etwas von
seiner früheren Gesinnung und Haltung aufzugeben, an dem Arm des
ihm innerlich Nächsten unter seinen Freunden stützen und wie vorher
den Vielen nur als ein Gast von einem fernen Strand erscheinen, da er
sie innerlich für immer meiden will und meidet. Es wäre heute für ihn
ebenso vergeblich, wie es vordem beim «Siedlergang» für ihn gewesen
sei, wenn er sich unter die Zeitgenossen – das sind die Vielen im
Gegensatz zu den wenigen Freunden – zu mischen oder in ihren Reihen
zu fechten versuchte. Sie sind und bleiben der Art seines Sinnens und
Seins fremd. Es ist möglich, dass aus den Vielen bisweilen ein edles

Feuer bricht, wie im Gedicht über Leo XIII. geschildert wird, aber selbst dann verbindet den Dichter mit ihnen nichts anders als eine Schmerzgemeinschaft, die auf dieser Lebensstufe die engste Form seiner Bindung sowohl an viele als auch an den Einzelnen ist, wie das Gedicht «Schmerzbrüder» verdeutlicht.

Das fünfzehnte Gedicht enthält einen Rückblick des Dichters auf zwei entscheidende Abschnitte seines bisherigen Lebens. Der erste ist die Zeit der Entstehung des «Algabal». Damals baute er Tempel, die durch bleiche Pracht alles überstrahlten, für etwas, das ihm so wertvoll wie das Goldene Vlies der antiken Sage erschien. Es war die von ihm ersonnene und geschaffene Welt, in deren verwunschenem Hafen, wie das erste Algabal-Gedicht besagt, eine nicht unterbrochene und nicht unterbrechbare Stille herrschte. Seine Träume waren in die Farbe des Goldes getaucht, wie es schon in der Aufschrift zu den «Hymnen» hiess. Später in dem zweiten, hier zusammengefasst geschilderten Abschnitt seines Lebens führte ihn ein bekannter Pfad – dies ist wohl eine vereinheitlichende Erinnerung an das Zurückgleiten in frühere Zeiten in den «Büchern der Hirtengedichte, Sagen und Hängenden Gärten» – über Felsen, die mit Geröll bedeckt waren und somit auch die winterlichen Erlebnisse in «Waller im Schnee» symbolisch miteinschliessen, in einen fruchtbeladenen Sommer, also zum «Sieg des Sommers», in dem die Erde ihn als frohen Kommer empfing und Seelen, wenn auch scheu und still, ihn grüssten. Dadurch fühlte der Dichter wieder die Macht der Erde und der Leidenschaften, die das Schicksal der Erdgeborenen bestimmen. Er begreift jetzt selbst kaum mehr, welche nicht anders als astronomisch zu messende Entfernung (Sternenmeilen) ihn in solchen früheren Zeiten so weit von den Mitlebenden trennte, dass er fähig war, die zwei geschilderten Abschnitte zu durchleben und zu gestalten – ein Wunder, vor dem sich noch heute jede Stirn staunend senken sollte. Seit jenen Tagen preist er die Schönheit der Erde mit ihren mit Blumen bestickten Wiesen, den schweren Ähren auf schwanken Stengeln – das Bild kehrt im vierundzwanzigsten Gedicht des «Sterns des Bundes» leicht abgewandelt wieder – und dem Gesang der Schnitter der «Juli-Schwermut», die ihre Sensen dengeln, das heisst schärfen, indem sie durch Hämmern die Scharten im Metall ausgleichen. Hölderlin spricht in «Der Wanderer» vom Tönen der «gehämmerten Sense».

Das sechzehnte Gedicht fasst das zusammen, was den Dichter mit bestimmten Menschentypen seiner Zeit verbindet. Er liebt es, die Märkte und das Flussufer der Städte zu besuchen, um die Starken – man denkt an die «einfach Starken» des dritten Gedichts im «Sieg des Sommers» – und die Schlanken, wie sie im Preisgedicht an Luzilla geschildert werden, beim Werk zu beobachten. Er sieht die Menge bei der Weinlese, von der «Goethes letzte Nacht in Italien» berichtet, am Ufer entlang stürmen und jauchzen. Das Gleiten nackter Glieder der Badenden in der Flut erfreut ihn, die das «Sechste Standbild», das zweite Eingangsgedicht zum «Stern des Bundes», das zweite Maximin-Gebet und der Spruch S... im «Neuen Reich» erwähnen. Er ahnt, dass in der von ihm erträumten Welt der Wettstreit der Menschen, sowie ihr Verhalten zu Tier und Erde neue Form und Farbe annehmen werden. Der Sprung der Knaben, der Ringelreihn der Mädchen, der Gang, die Gebärde und der Tanz der Erwachsenen werden eine neue Schönheit gewinnen, etwa wie sie im Gedicht «Der Tänzer» im «Neuen Reich» geschildert wird. Die «tiefsten Schätze» der dritten Strophe sind geistige Einsichten und Erkenntnisse, die sich im Umgang mit Freunden beim abendlichen Zusammensein ergeben. Bei solchen Gesprächen erhält das Wort die magische Kraft wieder, die es zum Leitstern für die Seele macht, und das Beben eines Tones, das Kreisen einer Miene künden die Verwirklichung des Traumes an, die im fünften, sechsten und neunten Eingangsgedicht zum «Stern des Bundes» später als vollzogen gefeiert wird. Nach der Auffassung Stefan Georges geht eine Änderung des Sinns und Klangs des Wortes immer einer entscheidenden Änderung des Lebendigen voraus, wie im Lied «Das Wort» im «Neuen Reich» dargetan wird. Der in Worte gebannte Traum ist es, der den Leib des neuen Menschen formt, so sagt das dritte Gedicht der «Überschriften».

Das siebzehnte Gedicht spricht vom kosmischen Gehalt des Daseins und Schaffens des Dichters. Er ist, ohne sich der Vermessenheit schuldig zu machen, zum Verkünden seines Welt- und Lebensbildes berechtigt und berufen. Ihn treibt Hochmut ebenso wenig, wie Dante davon ergriffen war, dem er nach Angaben seiner ersten Biographen Boccaccio und Bruni fälschlicherweise von Zeitgenossen vorgeworfen wurde. Ihm steht es an, wie herab von der Höhe des Äthers seine Botschaft auszurichten, denn er hat neues Licht in einer dunkelnden Zeit, in dem «Nachten» gezündet, so sagt auch das sechste Gedicht in «Auf das Leben und den Tod Maximins». Er hat den Weg zur Befreiung aus dumpfem Dasein ausweislich des ersten Gedichts in «Auf das Leben und den Tod Maximins» gewiesen und, in langer Verborgenheit zum sicheren Täter erstarkt, der welkgewordenen Erde – der Plural «Erden» bezeichnet hier nicht die Elemente wie in «Mensch und Drud», sondern die verschiedenartigen Wirkungen des Erdballs auf seine Bewohner – ein neues oder uraltes, aber vergessenes Feuer ausweislich des Templergedichtes gebracht. Denen, die ihn verstehen, er nennt sie Brüder, zeigt er ein Ziel, durch das sie den «wahren Ruhm» der Erhöhung des Lebens gewinnen können, von dem der Schlusschor im «Stern des Bundes» handelt, er weist ihnen die Möglichkeit, sich durch die Kraft des Reigens, geschildert in «Gespräch des Herrn mit dem römischen Hauptmann», ihrem Gott näher zu fühlen. Diese kurze Zusammenstellung von Gedichten beweist, dass das Zentrum des Denkens und Dichtens für Stefan George vor und nach dem Maximin-Erlebnis unverändert das gleiche war. – In der dritten und vierten Strophe des siebzehnten Gedichts spricht der Dichter von dem Lohn, der ihm zuteil wird und den er für wertvoller erachtet als alles, was weltliche Macht erringen kann. Ihm folgen nämlich in froher Huldigung Frauen, denen die Gabe der Weissagung innewohnt, wie sie Cassandra, Pythia, die Sibyllen und die Velleda besassen, und die männliche Jugend, aus der die künftigen Herrscher erwachsen werden und von denen «Die Kindheit des Helden» spricht. Ihre Huldigung, ihr Lob ist an innerem Wert nur dem Opferdampf vergleichbar, der zu den Göttern steigt. Er nennt solche Jugend heilig und verkündet, dass sie in ihrem Odem viel von seinem Odem hat und über die von ihm erreichte Stufe hinaus ihren Aufstieg nehmen wird, wie im achten Eingangsgedicht zum «Stern des Bundes» wiederholt ist.

Das achtzehnte Gedicht sagt voraus, wie die Nachwelt den Dichter sehen wird. Sie werden in Tiefen und Höhen seines Denkens (Schluchten) herumspüren nach dem, was von seiner Stimme, seinem Lebensrhythmus noch darin lebendig sei, und die einen werden die Tiefe nicht als tief genug in Vergleich zu ihren eignen Gedanken und Problemen empfinden, die anderen werden die Höhen seiner Berge und seiner Wellen als allzu flach verhöhnen. Eine dritte Gruppe wird sich von ihm abwenden, weil er «lebensfremd» gewesen sei und deshalb durch sein Werk nichts andres späteren Zeiten gegeben habe als eine Gelegenheit, Staunen und Scheu zu empfinden. Demgegenüber weiss Stefan George, dass es den Grössten unter den Dichtern ebenso ergangen ist und dass trotzdem ihr Leben und ihr Werk für ihn sowohl Trost wie auch Vorbild bleiben. Er nennt als die grössten Dichter die attischen Tragödiendichter Äschylus, Sophocles und Euripides, deren Kunst er als reinsten Dienst für die Götter der Griechen empfindet, Shakespeare, der für ihn der finstere Fürst der Geister – das Wort ist doppeldeutig für Dämonen und menschlichen Geist gebraucht – auf den Nebelinseln Englands – so schon Tacitus in «Agricola» – ist, den Siedler von Vaucluse Petrarca, und Dante, den Sohn von Florenz. Herder sagt, dass jedes Gedicht, zumal ein grosses, ein gefährlicher Verräter seines Urhebers ist, obwohl dieser sich am wenigsten zu verraten suche.

Vom neunzehnten Gedicht an werden im vierten bis zum Schluss des «Vorspiels» reichenden Teil die Bewegungen der Seele des Dichters, gleichsam in Kurven und zu Teppichbildern abstrahiert, festgehalten. Die Benutzung des Wortes «Seele» als Subjekt wird als zu abgebraucht

171

in lyrischer Dichtung vermieden. Sie wird in der ersten Strophe des neunzehnten Gedichts als die «glühend Suchende» bezeichnet. Das «du» in diesem Gedicht ist der Gott, der die Seele lenkt und leitet und dessen Bote der Engel ist. Er, der getreue Geist, ist der einzige, zu dem die Seele sich glühend und suchend wenden kann, da er ihr zuerst die Höhen des Lebens gezeigt und ein im zersplissenen Leben des Alltags nicht erreichbares Glück beschert hat. Das Wort «diese» im vierten Vers der ersten Strophe bedeutet, wie oft im Werk des Dichters, «hiesig» und «irdisch», notwendige Begriffe, die direkt bezeichnet heute leicht einen sentimentalen oder moralisierenden Beigeschmack haben. – Der Gott gibt der Seele den Rausch als Mittel, sich über die Umwelt und die eignen, durch Bindung an den Körper gesetzten Grenzen zu erheben. Im Rausch schwingt sie sich zum ewigen Tor, dem schon früher gebrauchten Symbol des Eintretens in eine andere Sphäre, das den Zugang zu dem bisher nur erträumten Strahlenbezirk der harmonischen Farbeneinheit gestattet, und gleitet durch den Saal bis zum Tisch der Götter, von dem ihr, wie der «Irrenden Schar» vom Gral her, Erfüllung leuchtet und der Chor der Befreiung schallt. Räume, die vordem für sie unerreichbar waren, liegen jetzt offen vor ihr. Sie fliegt mit dem Adler des Zeus über Abgründe, gibt Richtung der Schar der kleineren Sterne und stürzt den grossen Gestirnen, den Sonnen, entgegen, die ihre Väter sind, das heisst das männliche, zeugende, schaffende Prinzip verkörpern. Bei dieser Bewegung des Fliegens, die während der ganzen im Gedicht beschriebenen Reise der Seele, mehr oder minder beschleunigt, andauert, spielt das antike Symbol des Seelenvogels mit, der von der Sonne angezogen wird, weil er und die Sonne von gleicher Beschaffenheit, Substanz sind. Der Bote des Gottes zügelt das irre, das heisst hier: wilde Hasten der Seele, indem er sich aus Wolken zu ihr niederbeugt und sie, die mit Freuden gesättigt wie ein Vogel zittert, in seinen eignen, schweren Flügeln des Traums schützend birgt.

Im neunzehnten Gedicht wurde der Flug der Seele des Dichters geschildert, das zwanzigste gibt die schmerzlichen Empfindungen wieder, die sie vor und nach solchem Flug befallen und das gleichgewichtgebende und deshalb notwendige Gegengewicht zum Rauschzustand des Fliegens darstellen. Es heisst in der Maximingedenkrede, in der von der Notwendigkeit eines solchen Gleichgewichts die Rede ist: «Wir waren reif genug, um uns nicht mehr gegen die schicksalhafte Wiederkehr der notwendigen Leiden aufzulehnen.» – Am untersten Punkt der Kurve, bei tiefster Ebbe, bei dem Wechsel der Gezeiten des Fühlens glaubt die Seele, mehr Hunger als jemals zuvor nach der sie heiligenden Nahrung vom Tisch der Götter zu empfinden und, verstossen von blühenden, fruchtbaren Uferbänken, die sie auf ihrer

Reise sah, im Strom des Grams noch tiefer zu sinken. Ihr ist, als hätten sie die Sterne, die sie bisher geleitet haben, verlassen, der Planet Venus und das im Norden sichtbare Sternbild des Schwans, die seit der Antike Symbole für Liebe und Dichtung sind. – Der Dichter nennt nur Sterne und Sternbilder, die er selbst mit blossem Auge sehen kann und gesehen hat. – Die Seele wird in Gefahren durch den glanzumflossenen Gott, der hier der Eros der Griechen und nicht der Hermes Homers ist, gestürzt, wie das «Zeitgedicht» andeutet, und taumelt, vom Feuer des Gottes geblendet sowie angezogen, gleich einer vom Licht versengten Motte. – Der vom Dichter in der Jugend gelesene Nonnus nennt Eros leuchtend und «Fackel der Aphrodite». – In Verzweiflung, wenn ein Sonnenuntergang ihrem Leben wie einem verglühenden Span von harzigem, rasch verloderndem Kienholz das Ende zu setzen scheint und die Nebel, die ihr die Sicht nehmen, schwärzer und dichter werden, nimmt die Seele Zuflucht zu dem Gedanken, dass beim ewigen Wechsel von Licht und Dunkel auch auf die Nacht der Seele stets ein Morgen folgen muss, der selbst das tiefe Tal, in dem sie sich gerade befindet, mit Licht erfüllt und verklärt, das heisst duftig bläut, so dass ein nur ihr hörbares Singen, ein tiefes Läuten und das Spiegelbild ihrer selbst, das sie im Wasser, umrahmt von Frühlingsbüschen, erblickt, ihr beweisen, dass sie noch jung und somit zukunftsträchtig ist.

In Gedichten des «Jahrs der Seele» war bereits das Leben des Dichters als Wanderung beschrieben, im «Vorspiel» wird im einundzwanzigsten und zweiundzwanzigsten Gedicht diese Art der Beschreibung, stärker komprimiert und umrisshaft als Teppichbild gesehen, fortgesetzt. «Farbenrauch» deutet auf den abendlichen Dunst, der die brennenden Farben des Sonnenuntergangs ineinander übergehen lässt, und zugleich symbolisch auf die farbmässig vereinheitlichten Landschaftsschilderungen des Dichters im «Jahr der Seele». Solange Helle noch herrschte und der Dichter die Schönheit von Landschaften wiedergab, das heisst hier: solange noch Farbenrauch den Berg – vielleicht eine Anspielung auf den dunkelrot leuchtenden Scharlachkopf bei Bingen, bei dem das Weingut des Vaters des Dichters lag – verklärte, war der Weg im klar erkennbar begrenzten Land, dem Gehege für den Dichter vorgezeichnet, und er wurde von ihm bekannten menschlichen Stimmen begleitet, so dass er sich nicht vereinsamt fühlte. Jetzt aber hat er den Pfad im grauen Abend zu suchen, und niemand begleitet ihn mehr für eine noch so kurze Strecke, der ihm Hoffnung erwecken und begehrten Trost bieten könnte. Im vollen Dunkel stirbt der letzte Ton, das Zirpen der Grille, und die nach einem Weg tastende Seele kann sich nicht einmal mehr Erinnerungen hingeben. Der bunte Farbenrauch ist zum fahlen Nebel geworden: die Pfade, die Licht und Laut entbehren, sind verwischt. Das grenzenlos sich dehnende Land, das den Wanderer an das jeden Sterblichen erwartende Grab mahnt, umgibt ihn wie ein feuchten Geruch ausströmender Wiesengrund, Bühl. – Der Gedanke an das Grab kehrt im Werk des Dichters von den Jugendgedichten wie zum Beispiel «Abendbetrachtung» und «Gräber» an bisweilen wieder, nimmt aber seit dem «Teppich des Lebens» an Bedeutung als Mahnung an den Tod und auch an Häufigkeit ab. Das Grab wird allmählich zum Symbol für den erfüllenden Tod Maximins. Schon im einundzwanzigsten Gedicht des «Vorspiels» hat der Gedanke an das Grab nichts Lähmendes mehr für den Dichter. Er fühlt trotzdem ein vom Engel ausgehendes Wehen, das, den Grabesodem vertreibend, neue Gluten zu entfachen verspricht und das Zeichen einer grossen, noch wachen Liebe ist. Dies geht über die Erkenntnis im vierundzwanzigsten Gedicht der «Traurigen Tänze» hinaus.

Im zweiundzwanzigsten Gedicht des «Vorspiels» ist es Mittag, und damit wird zugleich auf die mittägliche Höhe des Lebens des Dichters hingewiesen, von der in der Maximinrede gesprochen wird. Die Schwierigkeiten für die Seele auf dieser Strecke der Reise waren bereits im siebenten Gedicht der «Überschriften» dargelegt, das eine Vorstufe für das jetzt wiedergegebene Gespräch zwischen dem Dichter und dem Engel ist. Auf die klagende Frage des Dichters, ob Harren und Verschmachten während des ganzen Weges ihn bei steigender Sonnenglut noch stärker peinigen würden, antwortet der Engel, dass die Kraft des Dichters nur in Kämpfen wachsen könne. Der Schmerz der Wunden, der Striemen, die der Dichter in seinen Kämpfen von Hieben mit flacher, das heisst nicht tötender Klinge davontrage, würde durch den Balsam des göttlichen Wortes gelindert werden. Aber es gebe noch niemand, der dem Dichter volle Heilung bringen könne. – Das deutet an, dass der vom Dichter erharrte Gefährte, von dem die vierte Strophe handelt, nach Angabe des Engels noch nicht auf dieser Erde zu finden ist. Deshalb würde der Dichter von den gleichen Wünschen wie bisher gepeinigt werden, auch wenn der Engel schon jetzt, das heisst hier «heute», Erfüllung versprechen würde. In der dritten Strophe fragt der Dichter den Engel, ob nicht seine Schüler ihm Heilung zu bringen vermöchten. Er deutet auf eine innere Nähe der Schüler zu ihm, indem er sagt, sie verehrten ihn und folgten seinem Fingerzeig, ihr Haupt habe an seiner Brust wie das des Johannes an Christus geruht. – Als Stefan George diese Verse dichtete, kannte er noch nicht die später von ihm bewunderten, mittelalterlichen Bodensee-Plastiken von Christus und Johannes. – Der Engel erwidert, dass die Schüler, die er Jünger nennt, den Dichter liebten, aber schwach und feige seien. In der vierten Strophe fragt der Dichter, ob es ihm bestimmt sei, bis zu seinem Tod allein zu bleiben und sich niemals dem Arm der Treue anzuvertrauen. Der Engel erwidert, dass kein andrer als er selbst Weggenosse des Dichters sein könne. Stefan George, der das Bezeugen von Mitleid eines Menschen gegenüber einem andern ebenso wie jede in Worten ausgedrückte Verzeihung als Herab- würdigung des andern empfindet und Mitleid mit sich selbst als Schwäche im achten Vorspielgedicht verwirft, lässt hier den Engel als Personifizierung übermenschlicher Kräfte vor Mitleid mit der nur menschlichen Kraft des Dichters zittern. – Der Engel tritt am Anfang und Ende des «Vorspiels» öfters und stärker personifiziert auf als in der Mitte der Gedichtreihe, in der der Dichter sozusagen zu sich selbst spricht, und dies geschieht zwecks eindringlicher Bildhaftmachung und Fesselung der Erinnerung des Hörers.

Die Erwähnung der Schüler leitet über zu dem dreiundzwanzigsten Gedicht, in dem fast in der Form eines Marschgesanges die Schüler des Dichters, zu denen er im achten Gedicht gesprochen hat, zum Dichter und vom Dichter reden. Sie folgen ohne eignen Willen wie Kinder seiner geistigen Führung, über die sie erstaunt, aber nicht erschreckt sind. Der Ruf eines Waffenknechtes – das deutet auf die Urbedeutung des Wortes «Ritter» – genügt, um sie unter die Fahnen ins offne Feld zu rufen. Abschiedstränen, der warnende Arm des Freundes bei einer Trennung, der im Werk wiederholt erwähnt wird, und Küsse der Braut halten sie nicht ab, Gefolgschaft zu leisten. Ihr «strenger Herr» – das Jünger- Gedicht benutzt ähnliche Bilder – schaut sichtend auf ihre Reihen, und in seinen Blicken lesen sie ihr Schicksal, denn nur er weiss aus seinen wachen Träumen, ob der Zug, zu dem sein erhobener oder ge- senkter Daumen mit der Geste römischer Imperatoren gegenüber den Gladiatoren sie ruft, Ehre bringen oder in das Dunkel der Vergessen- heit führen wird. Nur er ist befähigt, ihnen wenigstens auf Zeit, das heisst als Lehn das zu geben, was sie «entzückt, verherrlicht und be- freit», wie in den «Hütern des Vorhofs» dargetan wird. Auf seinen Wink hin sind sie stark und stolz bereit, für seinen Ruhm in Gefahr, also in Nacht und Tod zu gehen, wie es in «Der Eid» heisst.

Das erste Buch des Bandes schliesst, an den Todesgedanken im zweiundzwanzigsten Gedicht anknüpfend, mit der Vision des Dichters von seinem Tod. Sie wird als «dumpfe Erinnerung» bezeichnet, weil Geburt und Tod aus dem Dunkel und zurück zum Dunkel führen. Den Tod als Gang in das Dunkel fürchtet der Dichter nicht. Er wünscht, die Vision mit Würde gerade deshalb heraufzubeschwören, weil er durch so viele Jahre des Schaffens den Triumph des «grossen» Lebens – der Engel erschien im ersten Gedicht als Bote des «schönen» Lebens – in Liedern gefeiert hat. Der Dichter sieht sich, den Tod erwartend, in Erinnerungen an frühere Ehren, Siege und Kämpfe versunken. Wie durch ein Fenster – dies wird angedeutet durch das Wort «draussen» – schaut sein Geist zurück auf frühe Erlebnisse, auf Träume der Kindheit, die für ihn Blumen der frühen Heimat, wie im letzten Gedicht des «Jahrs der Seele» bedeuten. Sie nicken ihm zu, wie es die Blumen im Wallfahrt-Gedicht des «Siebenten Ringes» tun, und laden ihn mit sanftem Schaukeln zum langen Schlummer des Todes. Dann schwindet auch dieses letzte, vielleicht schönste Erinnerungsbild, es löst sich in Töne auf, in das Verrauschen der Zeit, das wie ein Singen des Windes klingt. Er fühlt Freunde nicht mehr nah und glaubt sich von allen verlassen ausser dem Engel, der den Wein der Betäubung spendet, die sich verdichtenden Schatten von dem Sterbenden fernhält und die letzten schweren Scheideblicke lindert. Der Engel, der nackt und blühend durch die Pforte eingetreten war, wacht fest und hoch am Totenbett des Dichters. – In solche Gedanken versponnen, hat der Dichter seinen Freunden durch einen Abschiedswink zu erkennen gegeben, dass er allein bleiben wollte, als er Ehrungen durch die damaligen Machthaber ablehnend in freiwilligem Exil in der Schweiz, voll Trauer über den Abfall einzelner und über das Schicksal aller Deutschen, während der Nacht vom dritten zum vierten Dezember 1933 in Locarno starb.

DER TEPPICH DES LEBENS

Die vierundzwanzig Gedichte mit je vier Strophen und sechzehn vier- bis sechsfüssigen Versen, die das zweite Buch des Bandes, den «Teppich des Lebens» im engeren Sinn, bilden, sind wiederum auf Grund innerer Zusammengehörigkeit der einzelnen Themen paarweise angeordnet. In diesen Gedichten tritt die Person des Dichters, die im Mittelpunkt des «Vorspiels» stand, hinter die geschilderten Ereignisse und Menschentypen zurück. Der erste, unpersönlich gefasste Teil dieses Buches reicht bis zum achten Gedicht.

Das erste Gedicht handelt von Absicht und Stil des ganzen Bandes und ist deshalb ein besonders gutes Beispiel für das durchaus bewusste Schaffen des Dichters. Menschen, Tiere und Pflanzen werden arabeskenhaft geschildert, sie werden in einem Element, das ihrer gewohnten Lebenssphäre «fremd» ist, vereinigt, wobei mehr als an Gobelins (Wandbildteppiche) an orientalische Teppiche, die Fransen aus Seide haben, falls sie aus Seide anstatt Wolle geknüpft sind, zu denken ist. Orientalische Teppiche, ursprünglich zum Knien beim Gebet und zum Schmuck von Zelten oder für einen Sattel bestimmt, zeigen oft blaue Mondsicheln und weisse Sterne, wobei die von der Natur abweichenden oder sie vereinfachenden Farben Mittel zur Stilisierung und Einfügung in ein stilisiertes Gesamt sind. Das Gesamt wirkt wie ein Tanz abstrahierter Gebilde, der, im fruchtbarsten Moment erstarrt, festgehalten ist, damit weite Formen die Phantasie des Betrachters anregen, sich selbst ein Bild zugleich von Vergangenheit, Gegenwart und Zukunft des Geschilderten zu schaffen. Kahle, das heisst hier unverzierte Linien ziehen durch Flächen, die reich bestickt wirken – dadurch soll nicht gesagt werden, dass es sich um gestickte Teppiche handle – die Einzeldarstellungen erscheinen wirr und einander widersprechend (gegenwendig) und ihre Verstrickung mit- und ineinander bietet unlösbare Rätsel, bis sich der Sinn plötzlich eines Abends dadurch enthüllt, dass das Werk in sich Leben gewinnt. Solche Enthüllung ist von einer besonderen Stimmung des Betrachters abhängig, die sich nicht durch den Willen herbeiführen lässt, nur wenigen und nur selten zuteil wird, nicht durch Worte vermittelt werden kann und die Gesamtwirkung als solche unmittelbar, das heisst nicht durch Verstehen von Einzelheiten erfasst. Diese Stimmung kommt nicht in jeder gewohnten Stunde, die Mörike im Gedicht «An Hermann» den «gemeinen Tag» nennt. Bei der Verlebendigung des Werks hat der Betrachter ein Gefühl, als ob die toten, blattlosen Äste und die von geometrischen Linien und Kreisen eng umspannten Wesen, also Menschen und Tiere sich im Schauer des ersten Lebensfunkens wie Michelangelos Adam regen, aus dem Rahmen der geknüpften Quäste heraustreten, die die einzelnen Fäden durch kleine Knoten längs den Seiten des Teppichs zusammenhalten, und als ob sich dadurch dem Auge eine Lösung des Gesamtbildes offenbart, die der Geist durch Denken nicht zu finden vermag.

Das zeitlich früheste der Teppichbilder ist das der biblischen Landschaft, der Urlandschaft, wie sie sich vor Adam und Eva nach der Vertreibung aus dem Paradies auftut. Aus dunklen Fichtenkronen fliegen Adler in die Bläue des Himmels, und ein Paar von Wölfen mit Jungen, die sie vor sich hertreiben und starr bewachen, treten aus einer Lichtung, um an einem flachen Wasser zu trinken. Nachdem die Wölfe wieder im Dickicht verschwunden sind, kommt ein Rudel Hirsche zur Wasserstelle, trinkt und flieht wieder in das Dunkel des Waldes, nur ein einziges Tier zurücklassend, das die Schar der anderen meidet, um seinen Tod zu erwarten. Das Gras ist noch niemals geschnitten worden, aber schon liegen Baumstämme, von einem starken Arm gefällt, am Boden und die Felder sind bereits bepflanzt als erstes Anzeichen der Landarbeit Adams, der im scharfen Glühen einer weissen Sonne und im Zeugungsgeruch der Scholle grabend dargestellt wird, während Eva die weibliche Urbeschäftigung des Melkens ausübt. Das an Geruchs- und an Gesichtsassoziationen reiche Gedicht – sie werden durch besondere Vokalsetzung eingeprägt – lässt das erste

Menschenpaar ein Werk, das für das Schicksal aller künftigen Generationen bestimmend ist, froh in Erwartung des Fruchttragens und des Segens der ihnen neu auferlegten Mühen verrichten. Die Genesis berichtet davon nichts. Doch heisst es dort, dass die Erde, erst nachdem sie Abels Blut getrunken hat, nicht mehr fruchtbar ist, und hieraus könnte der Dichter geschlossen haben, dass Adam noch froh der schweren Arbeit sein konnte. – Zur Betonung der Urbeschäftigungen des Grabens und Melkens ist der vorletzte Vers um einen Versfuss verkürzt.

Spiegelt die «Urlandschaft» die Anfänge der Kultur durch Landbestellung, so gibt «Der Freund der Fluren» die Weiterentwicklung im Bilde eines bereits erprobten Getreide-, Wein- und Obstbaus. Das Werk des Landmanns beginnt in der Frühe, kurz bevor der Himmel sich am Morgen rötet. Die «Fähren» sind Furchen in dem mit Getreide bestandenen Acker. Der Landmann hat die Hippe, ein sichelförmiges Gärtnermesser, in der einen Hand und greift mit der anderen in die schon vollen Ähren nach Körnern, um sie mit seinen Lippen auf ihre Reife zu prüfen. Dann sieht man ihn im Weinberg Reben mit Bast an feste Stöcke binden, die noch harten, grünen Trauben (Herlinge) betasten, um festzustellen, wann etwa sie reif sein werden, und eine zu üppige Ranke brechen, um die Kraft der Pflanze nicht zu vergeuden. – Das Wort «Herling» wird von Johann Heinrich Voss in einem Gedicht gebraucht, das Goethe in seiner Kritik abdruckt. – Schliesslich geht der Landmann durch den Obstgarten, schüttelt einen jungen Baum, um zu erproben, ob er noch einer Stütze bedarf oder ungestützt dem Sturm, dessen Kommen er an der Form und Bewegung der Wolken voraussieht, standhalten wird. Einem ihm besonders lieben Baum gibt er zur Vorsicht einen schützenden Pfahl und lächelt, als er die ersten Früchte an einem anderen Baum bemerkt. Mit einem halben, ausgehöhlten Kürbis schöpft und giesst er Wasser und scheut nicht, sich oft zu bücken, um Unkraut zu entfernen, das gutes Wachstum der Reben und des edlen Obstes durch Verbrauch der Kraft des Bodens hindert. Unter seiner Pflege, seinem Schritt (Stapfe), so sagen die beiden letzten Verse, gedeihen die Pflanzen, blühen üppig und tragen reiche Frucht. – Es kann nicht zweifelhaft sein, dass diese genaue Schilderung auf Erfahrungen beruht, die der Dichter in seiner Jugend selbst gemacht hat. Obwohl das Gedicht mit keinem Wort über die Beschreibung der Landarbeit hinausgeht, deutet es durch Intensität und Bildwahl symbolisch auf das Werk der Erziehung von Menschen, die schon Plutarch in seiner Schrift «Über die Erziehung von Kindern» mit dem Werk des Landmanns vergleicht. Bernhard Uxkull hat in einem Gedicht in der elften und zwölften Folge der «Blätter» Stefan George zugleich als Landmann und Erzieher dargestellt. Die äussere Ähnlichkeit

des Dichters mit Landleuten, mit denen er sich in ihrer Weise unge-
zwungen zu unterhalten liebte, wie ich in Bingen oft feststellen konnte,
war besonders in seinem Alter auffallend stark. Er trug den Landmann
nicht nur äusserlich in seinem Familiennamen, sondern auch innerlich
in seinem Blut und Charakter.

Der Landmann fürchtet, dass ein Gewitter die mühsam erarbeitete
Ernte zerstören könnte. Irrlichter, die dem Gewitter vorausgehen,
erlöschen beim Ausbruch des Wetters. In die merkwürdige Stille
kracht jäh ein Donnerschlag, der die hoch geschossene Saat, die sich
im Sturm beugt, zu dreschen scheint. Im Forst werden Äste von den
Bäumen gerissen und Lager der Tiere sowie Nester der Vögel zerstört. – Den Eber gibt es im Rheinland, den Geier aber nicht, so dass
dieses Wort wohl für grössere Raubvögel im allgemeinen gesetzt ist,
deren Nester umfangreich genug sind, um als Horste bezeichnet zu
werden. In ähnlicher Weise gebraucht der Dichter das Wort Geier bisweilen an Stelle von Adler wie zum Beispiel in der «Kindheit des
Helden», nämlich dann, wenn «Adler» infolge der das Wort ein-
rahmenden Schilderung allzu romantisch klingen könnte. – In den
folgenden drei Strophen wird ein nordischer Mythos des Gewitters
abgewandelt. Der Dichter sieht in den jagenden Gewitterwolken einen
strengen König das Wolkenschloss verlassen und mit grossem,
blitzendem Gefolge die untreue oder ungehorsame (falsche) Gemahlin
verfolgen, die es liebt, sich im Sturm zu tummeln, und dadurch jedem
zügellosen Retter preisgegeben ist. Sooft der König und Gemahl sie
zu fassen sucht, entwindet sie sich ihm mit leisem Kichern, und als er
sie endlich quer zwischen seinem Gürtel und dem Hals des Pferdes gefangen hält, zeigt sie ihm vor Wut weinend ihre Zähne und schüttelt
in ohnmächtigem Zorn ihr aufgelöstes Haar. Schiefer Gewitterregen
trifft ihre nackten Glieder. Ohne Liebe für ihren Gatten (mit kaltem
Busen), sieht sie der Haft im Schloss entgegen, die über sie verhängt
werden wird. Die sechsfüssigen Rhythmen spiegeln besonders starke
Erregung. – Nach nordgermanischer Sage verfolgt Odin seine Gattin
Freia, die Windsbraut, und nach griechischer Sage hängt Zeus seine
Gemahlin Hera, die Wolkengöttin, mit Gewitterhämmern an ihren
Füssen, zum Himmel heraus. Es ist möglich, dass solche Sagen dem
Dichter bekannt waren, als er sein eignes symbolisches Bild des Vor-
gangs aus dem Anblick der dahinstürmenden Gewitterwolken schuf,
die vielleicht auch den Anlass zur Entstehung jener nach der ver-
schiedenartigen Phantasie der Völker verschieden gefassten Sagen
bildeten. Manhardt, dessen Werke der Dichter kannte, bringt übrigens
diese Sage von Zeus und Hera im Zusammenhang mit einer vom
Dichter im «Krieg» verwendeten Sage, nach der Odin am eisigen
Baum Yggdrasil hängend die Runen fand. «Yggr» soll nach Man-

hardt ein Beiname des Odin und «drasil» eine Bezeichnung für «Träger» oder «Ross» sein, und in alten Formeln soll für «hangen» die Wendung «am Galgen reiten» benutzt sein.

In den folgenden zwei Gedichten sind ein Märchen von der «Fremden» und eine Symbolbeschreibung der «Lämmer» einander gegenübergestellt. In vierfüssigen Versen, die balladenhaft kurz wirken, wird ein Bild der nordischen Hexe gegeben. Sie ist insofern «fremd», als niemand weiss, woher sie kommt und wohin sie gehört. Ihr Dasein bleibt, selbst wenn sie kocht und bäckt – der Dichter erhöht den balladesken Ton und Eindruck durch Benutzung der alten Form «buk», wie er auch gelegentlich «jug» an Stelle von «jagte» setzt – und selbst wenn sie nicht wahrsagt oder im Mond, ihrem weiblichen Schutzgestirn, mit offnem Haar Beschwörungslieder singt, dem Volk des Dorfes, in dem sie lebt, unheimlich. An Sonn- und Feiertagen kleidet sie sich festlich, wie alle Frauen es dort tun, benutzt aber ihren Putz auch, um vom Fenster (Luke) aus den Männern der Ortschaft süss und herb verführerisch zuzulächeln. Ungefähr ein Jahr später verschwindet sie. Die einen sagen, sie sei im Torf versunken, als sie im Dunkel nach Zauberpflanzen, Ranunkel und Attich, das heisst hier Holunder, dessen schwarzen Beeren Zauberkräfte beigelegt wurden, gesucht habe. Die anderen sind überzeugt, dass sie vor dem Dorf mitten auf einem Wege plötzlich unsichtbar geworden sei. Ihr Kind, das im Februar, dem Hexenmonat, geboren ist, hat sie sozusagen als Pfand ihres Aufenthaltes oder ihrer Wiederkehr im Dorf zurückgelassen, es ist ein Knabe mit nachtschwarzem Haar und linnenbleicher Haut. – In «Der kindliche Kalender» spricht der Dichter von der seltenen Blume Diptam, die, wie Renata von Scheliha mitteilt, schon Dioscorides erwähnt.

In einem stockenden, fast gemächlichen Rhythmus wird das Dasein der «Lämmer» geschildert, das ein Symbol für das Leben der Mehrzahl der Zeitgenossen, jener «Nichtfreien» des achten Gedichts des «Vorspiels», ist. Die Lämmer ziehen in gedrängter Schar mit Bewegungen, die ihre Rücken von fern wie Wellen aussehen lassen, aus einer breiten Lichtung durch Wiesen zur Schwemme, zur Wasserstelle, an Abenden, die ihren Tag, der voll von erinnerungschwerem Dahindämmern war, beschliessen. – «Breit» wird vom Dichter als Beiwort benutzt, da es einen sinnfälligen Eindruck vermittelt, klangvoll und poetisch nicht so abgebraucht ist wie zum Beispiel «hoch» und «schmal». – Der Zug der Lämmer, in dem das einzelne Tier hinter dem Gesamt völlig zurücktritt, erscheint als in die schon fast vergessene Schönheit einer fahl gewordenen Dichtung gekleidet, für die gerade das «weisse Lamm» ein leitendes Motiv war. Bemerkenswert ist, wie in der ersten Strophe inneres und äusseres in einen einzigen Satz zusammengefasst wird. – Diese Lämmer sind froh, wenn die Sonne scheint, und traurig im romantischen Licht des Mondes. Sie sind nicht mit Wünschen nach in der Ferne lockenden Schätzen beschwert, etwas leer an besonderen, eigenen Gefühlen und stolz und eitel deswegen, weil ihre Führer-Böcke durch goldene Glocken, die hier Abstammung oder Reichtum andeuten, ausgezeichnet sind. Auf den Dichter wirken die Lämmer veraltet, obwohl ihr Denken ewig jung, das heisst unbelastet bleibt, und ihre Freuden verursachen in ihm eher ein Gefühl der Kälte. Sie gehen ihren Weg mit schweren Schritten, jedoch unerwartet leichtem Sprung, sind von Natur vorsichtig, scheuen aber vor keinem Abhang zurück. Sie lassen sich willig in umzäunte Plätze einpferchen, wenn sie dort nur mühelos ihren Durst löschen können (Zisternen). Für ihr heute kaum mehr begreifbares Fühlen – der Dichter benutzt in solchen Fällen oft an Stelle eines adjektivierten Partizipiums des Präsens das weniger komplizierte und kürzere adjektivierte Partizipium des Perfektums – bietet selbst die Ferne keine Schrecken. Die Treue, mit der sie an ihrer gewohnten Daseinsart festhalten, ist etwas altmodisch, jedoch seit langem bewährt.

Die beiden folgenden Gedichte behandeln die «Herzensdame» und die «Maske». Das Wort «Herzensdame» ist klangvoller als das mehr übliche Wort «Herzdame» und hat mehrfache Bedeutung, es weist auf die Madonna, eine geliebte Frau und eine bestimmte Karte im Kartenspiel, das wiederum in sich Symbole der Mystik enthält. Das Gedicht beginnt mit dem Bild einer mittelalterlichen Stadt, in der ein Küster schreckerfüllt aus der Kirche in das winklige Düster der engen Gassen stürzt, weil er gesehen hat, dass das Bild der Madonna die Augen starr nach oben gerichtet hält. – Madonnen wurden gewöhnlich geradeaus blickend dargestellt, und es wird im Mittelalter als Wunder angesehen, wenn sie Tränen vergiessen oder auch nur die Augen oder Augenlider senken. Dies wandelt der Dichter in ein Starren nach oben und ein Offenstehen der Lippen ab, als ob sie Worte formen wollten. – Die Frauen des Bezirks strömen zur Kirche, werfen sich ihrer letzten Sünden eingedenk vor der Madonna nieder, und selbst die Gerechten unter ihnen, die nicht gesündigt haben, zittern vor dem Geschehen. Bei Einbruch der Nacht verlassen alle, schaudernd vor dem Wunder, in einem langsam und feierlich schreitenden Zug die Kirche. Nur eine einzige Frau, die in einem weissen, faltigen Gewand als erste gekommen war und die als «Getreue» und «schöne Herzensdame», das heisst Frau mit reinem Herzen, angesehen wird, hat betend und schauend den Sinn des Wunders voll und richtig verstanden. Sie schaudert nicht und schliesst sich nicht dem büssenden Zug der andern Frauen an, sondern wandelt allein mit leicht geneigtem Haupt in einer Verzückung, die als blau vom Dichter gesehen wird, und in wunder-

181

barer Trauer – die Vokale u und au wirken hier durch Wechsel besonders stark – aus dem Tor der Kirche. Blau dient zur Kennzeichnung des Schmerzes in der Symbolik der Kirchenfarben, deshalb wird die trauernde Madonna meist in blauem Gewand oder blauem Mantel auf mittelalterlichen Bildern dargestellt, während Rot die Kirchenfarbe der Freude ist, wie der Dichter sagte. Das völlig in der Beschreibung von Gesten aufgehende Gedicht wächst aus sich selbst zum Symbol für Frauen nicht nur des Mittelalters, sondern auch späterer Zeiten.

Ebenso ragt die Schilderung des Maskenfestes über die rokokohafte Zeit, in der das Gedicht spielt, hinaus, ähnlich wie es bei Bildern Watteaus geschieht. Der Dichter betonte, dass der Rokokostil von einem Einzelnen, nämlich von Watteau ersonnen und geschaffen worden sei und dass hierin der «Übergang» von Kunst zu Leben einen klaren Ausdruck gefunden habe. Im Maskenfest des Gedichtes tragen die Teilnehmer nicht Larven, sondern haben sich sehr stark geschminkt, um den wahren Ausdruck ihrer Gesichtszüge zu verbergen. Da eine Zeitspanne im Gedicht nicht festgelegt ist, bleibt es unerheblich, ob nicht ein starkes Sich-Schminken an Stelle des Tragens von Masken erst nach dem Rokokozeitalter aufgekommen ist. – In dem hellen und tollen Spiel der «seidnen Puppen» verbirgt eine Maske – es bleibt offen, ob es ein Mann oder eine Frau ist – ihre innere Fieber verratenden Gesichtszüge unter weisser Schminke oder dichtem Puder, das kühn «Mehl» genannt wird, ohne dass dieses sehr realistische Wort das Gefüge des Gedichtes stört. Mit dem Gefühl, dass Aschermittwoch, das heisst das Ende des Karnevals des Lebens, schon nahe ist, schleicht sie in den noch winterlich öden Park, winkt vom Ufer eines Sees kurz zurück zu den Feiernden und sucht den Tod in dem von dünner Eisdecke bedeckten Wasser. Niemand vermisst sie, niemand sieht ihren Leichnam, der mit Tang und Kieseln bedeckt im See ruht. Aber als die leichte Gesellschaft im Frühling ihr festliches Leben im Park fortsetzt, hört sie oft ein dumpfes Rieseln vom Wasser her tönen. Die Herzen der galanten Ritter und Damen werden hierdurch jedoch nicht beunruhigt, sie nehmen es als eine Laune, als ein Spiel der Wellen gedankenlos hin.

«Die Verrufung» und «Der Täter» bilden die erste Gedichtgruppe des zweiten, mehr persönlich gefassten Teils des zweiten Buchs, der zehn Gedichte enthält. «Die Verrufung» und das «Sechste Standbild» sind die einzigen Gedichte dieses Buches, in denen, um besondere Schwere der Strophen zu erzeugen, jeder Vers mit einer betonten Silbe beginnt. In «Der Verrufung» wird zuerst die Landschaft geschildert, durch die der Rache suchende Mann reitet. Die Kunst besteht hier darin, dass die Stärke seiner Rache indirekt durch das Landschaftsbild zum Ausdruck gebracht ist, bevor von diesem Gefühl unmittelbar gesprochen wird. Der Weg des Reiters scheint hinter Stümpfen von Weidenbäumen im Gras, das sich vor dem Gewitter duckt, zu enden. Der Fluss führt scheinbar in Sümpfe, aus denen ein giftiger Hauch kommt. Irrlichter, die hier nicht nur als «irrende Flämmchen» wie im Gewitter-Gedicht aufleuchten, sondern als grünliche Flammen im Sumpf zueinanderzucken, kennzeichnen die Beleuchtung der Landschaft, und züngelnde Schlangen verdeutlichen die Grösse und Nähe von Gefahr. So sieht der vom Hass zur Eile Getriebene die Landschaft, in der er stromaufwärts reitet – es ist ein natürlicher Trieb, die Landschaft in der Färbung der eignen Seelenstimmung zu sehen, um sich durch Einklang mit der Natur gestärkt zu fühlen. – Der Reiter lebt nur für den einen Wunsch, für die Sünde, die an ihm verübt ist, für das Unrecht, das ihm zugefügt worden ist, dadurch Rache zu nehmen, dass er mit eigner Hand den Feind tötet. Worin die Sünden oder das Unrecht bestanden haben, wird nicht gesagt, nur ihre Schwere ist dadurch kenntlich gemacht, dass sie mit der bewusst zugefügten Beleidigung eines Schlags ins Gesicht verglichen wird. Das Wort «rufen» hat, wie der Titel des Gedichtes zeigt, hier die Bedeutung von «verrufen», verfluchen. Die Verrufung kann erst enden, wenn der Leichnam des Feindes vom Wasser des Flusses stromabwärts getragen noch mit dem blanken Dolch im Herzen, durch die hohlen Brückenbogen treibt. – In diesem Gedicht liegt eine Anerkennung des Talionsprinzips, das sowohl von den Völkern des «Alten Testaments» als auch als «neoptolemische Vergeltung», nach Pausanias, von den Griechen für gerechtfertigt erachtet wurde. Schon im achten Gedicht des «Vorspiels» wurde Rache als eine keineswegs unedle Empfindung angesehen.

«Der Täter» wird am Abend vor der Tat über sie und ihre zu erwartenden Folgen sinnend dargestellt. Das Motiv für den offenbar von ihm geplanten Mord wird nicht gegeben, es könnte Rache sein, aber es ist anzunehmen, dass auch andere Gründe schwerwiegender Art zu solchem Tun nach Auffassung des Dichters bestimmen können. Das Fenster wird «vergessen» genannt, weil «Der Täter» auf die Tat konzentriert es lange nicht benutzt hat, um in die Landschaft zu schauen. Jetzt sieht er das Land in der Abenddämmerung, die er stets als seinem Sinnen Frieden bringend und deshalb segnend ersehnt hat, vor sich ausgebreitet ruhen. – Es ist bereits darauf hingewiesen worden, dass der Dichter etwa bis zum fünfzigsten Lebensjahr in Gesellschaft seiner Freunde zu betrachtenden Gesprächen am Abend lange aufzubleiben pflegte. Gewöhnlich arbeitete er in der besonderen Stille der Stunden von fünf bis acht Uhr morgens, nahm ein sehr leichtes Frühstück, schlief noch einmal, unternahm um zwölf Uhr einen Gang, ass um ein Uhr Mittag, schlief bis vier Uhr und empfing dann Freunde. In späteren Jahren zog er sich um neun Uhr abends zurück, behielt aber sonst die frühere Zeiteinteilung bei. – Der Täter ist gewiss, dass die Tat von ihm ausgeführt sein wird, wenn die ersten schrägen Sonnenstrahlen die Erde treffen, und erwägt im voraus alle Folgen seines Tuns. – Der Dichter bedachte die Folgen eines jeden seiner Schritte sehr lange und sorgfältig, er konnte impulsives Handeln verstehen und als Zeichen von Grosszügigkeit oder Jugend loben, hielt es aber für sich selbst infolge seines ausgeprägten Verantwortungsgefühls nicht für angemessen. – Das Aufschieben der Tat hat den Täter während der langen Zeit des Planens unentrinnbar gepeinigt. Nach der Ausführung der Tat werden, so weiss er, Verfolger wie sein eigner Schatten hinter ihm stehen, und die Menge, die seine Tat nicht begreifen kann und nicht begreift, wird ihn steinigen, das heisst: seinen Tod als Bestrafung verlangen. Mit einem Anflug von Ironie, die selten im Werk des Dichters laut wird, nennt der Täter das Leben aller derer leicht, die niemals an ihrem Nächsten, der hier wie im siebzehnten Vorspielgedicht «Bruder» genannt wird, danach gespäht haben, auf welche Weise es möglich sein könnte, ihn zu töten, wenn es notwendig würde. Er erachtet das Denken aller derer «dünn» – dieses Wort deutet bei Stefan George stets auf ein Fehlen angeborener innerer Kraft – die niemals von den Körnern des Schierlings gegessen haben. Der Satz vom Essen der betäubenden Körner des Schierlings ist nicht eindeutig. Er gehört, wie das Fehlen von trennender Interpunktion in der Erstausgabe beweist, zu der zweiten Hälfte des voraufgehenden Verses. Das Bild weist auf das Gefühl der unentrinnbaren Nähe des Todes, das Socrates empfand, als er den Schierlingsbecher fast heiter leerte. Das Wort «betäubend» könnte in diesem Zusammenhang darauf deuten, dass der Tod alle Qualen des Lebens «betäubt». Eine solche Auslegung dürfte aber kaum der konkreten Denkweise des Dichters entsprechen, zumal er im vierundzwanzigsten Vorspielgedicht von Betäubung der Sinne vor Eintritt des Todes spricht. Man erachtet heute die Frucht des Schierlings als den giftigsten Teil der Pflanze, weiss aber nicht, aus welchen Teilen einer wahrscheinlich nur in der Nähe Athens wachsenden Schierlingsart die Athener den Gifttrank jedesmal frisch, wie Plato sagt, «rieben». Es scheint nach Theophrast, als ob dieses Gift vor der tötenden eine betäubende Wirkung ausübte. Keats spricht vom «betäubenden Schierling» in der Ode an die Nachtigall. Vielleicht dachte Stefan George an eine die Sinne betäubende, besänftigende Wirkung des Schierlings neben oder vor jener, die den Tod bringt. «Essen von etwas» bedeutet bei dem Dichter stets «essen» generell, man könnte hier aber auch an ein Essen einer besonders kleinen Quantität von Körnern des Schierlings denken, die nur betäuben, nicht töten sollen. – Der Täter verachtet alle «ein wenig», deren Denken so dünn ist, dass sie sich niemals ein Ziel stecken, das nur zu erreichen ist, wenn als

184

Folge der Tat die Notwendigkeit von Betäubung oder sogar Tod in Rechnung gestellt wird. Er weiss, dass selbst seine Freunde am Morgen nach der Tat die üblichen Worte des Bedauerns darüber äussern werden, dass sein Leben, das bisher voller Hoffnung und Ehren gewesen sei, ein so unerwartetes Ende nehme. Er hingegen fühlt gerade heute den vollen Frieden des Abends und seine innere Zugehörigkeit zur in Schlummer sinkenden Landschaft.

Das Gedicht «Schmerzbrüder» steht, zusammen mit «Der Jünger», nicht zufällig in der Mitte des ganzen Bandes. Sie stellen nämlich Formen der menschlichen Verbindung und Bindung dar, die der Dichter auf dieser Lebensstufe, also noch vor dem Maximin-Erlebnis, als die engsten, die überhaupt möglich seien, erachtet. Die «Schmerzbrüder» handeln von einem Zusammengehen, das nicht zu einer echten und dauernden Gemeinschaft führt. Die Sucher solchen Zusammengehns werden Verkörperer einer sinkenden Zeit genannt. – Der Dichter glaubte, dass es ansteigende und absteigende Kulturepochen gebe, die notwendigerweise einander ablösten, wie am Ende von «Der Brand des Tempels» dargelegt wird. – Diese Sucher ziehen im Düster durch das Leben, und nur manchmal ist ein lächelnder Strahl ihr Geleit. Das deutet, wörtlich genommen, auf einen Sonnenstrahl, der den Weg kurz erhellt, und übertragen verstanden auf einen unbefangen frohen, jüngeren Menschen, der mehr aus Herzlichkeit als aus eigner Notwendigkeit einen älteren Suchenden für kurze Zeit begleitet, etwa so wie es der Begleiter im «Sieg des Sommers» tat. Die Nähe eines solchen Begleiters sagt dem einsamen Sucher mehr als alles, was durch Worte ausgedrückt und ausdrückbar ist, sie lehrt ihn aber auch, mit unabwendbarer Pein zu fühlen und zu ertragen, dass alle, die wie er ihre volle Seele geben, im Grunde nur wenig dafür empfangen, da die blühende Stirn des Begleiters in Wahrheit von ihm fort in eine Ferne mit erhofften Wundern drängt. Nur in seltenen Augenblicken – das ist in diesem Gedicht die Bedeutung des Wortes «manchmal» – fühlt der Einsame eine engere Verbindung in einem Wort oder einem Schmiegen oder einem bedeutungsvollen Schweigen, und dadurch wird in ihm eine leise Hoffnung auf echte und dauernde Gemeinschaft geweckt oder wach erhalten. Das sind die Minuten, die er an sich zu pressen wünscht, um den Flug der Zeit wenigstens für eine einzige Abendstunde aufzuhalten, aber der frohe jüngere Begleiter träumt bereits von einem verheissungsvollen Morgen. Dieses Gedicht korrespondiert mit dem zwölften des «Vorspiels».

«Der Jünger» gibt wieder, wie ein echter Jünger nach Ansicht des Dichters seine Beziehung zum Meister sieht. Er begehrt nicht die Wonnen, die das Ziel der Wünsche seiner Altersgenossen sind, ein Gedankengang, der später in «Algabal und der Lyder» wiederkehrt.

Die Adjektiva, die der Jünger gebraucht, charakterisieren seine eignen Wünsche und zugleich das Wesen des Meisters. Aus Liebe zu dem Meister wünscht er, ihm bei dem hehren (heroischen) Werk zu dienen und für ihn zu leben, während die Altersgenossen nach Genüssen suchen, das heisst doppeldeutig: «die Süsse kennen». Er fühlt sich zum Werk des Meisters mehr als zu jedem andern Tun geschickt, das heisst hier «befähigt» und nicht etwa «berufen» («Stern» III, 28). Da der Meister milde ist, wird er die Dienste des Jüngers gelten lassen. Er kennt die Gefährlichkeit des Werkes, es führt in dunkle, unerforschte Bereiche, in denen viele ihr Leben verloren haben, wie es im «Eid» heisst, aber solange er seinem Meister nahe sein kann, trotzt er aller Gefahr, weil er der Weisheit des Meisters vertraut. Auch wenn er keinen Lohn erhalten würde, sind ihm die Blicke des Meisters Belohnung genug. Denn er ist davon überzeugt, dass der Meister an innerer Grösse alle andern, mögen sie auch reicher sein, überragt. – Beim Vergleich dieses Gedichts mit dem dreiundzwanzigsten Vorspielgedicht fällt auf, dass dort der mehr täterhaft geschilderte Führer «streng» genannt und seine Weisheit als Vorauswissen durch «erhellten Traum» gekennzeichnet wird. – Blickt man vom Jünger-Gedicht als in der Mitte des ganzen Bandes stehend auf die voraufgehenden Gedichte zurück, so ergibt sich als vom Dichter bewusst geplante und geschaffene architektonische Anlage, dass im «Vorspiel» die geistigen Erkenntnisse dieser Lebensstufe zusammengefasst sind, dass sodann die Welt von der Urlandschaft an im neuen Geist teppichhaft gesehen und dargestellt wird, dass Schmerzbrüderschaft die engste Form menschlicher Verbindung in jener Welt bildet und dass die uralte Bindung des Jüngers an den Meister als Grundlage einer künftigen Gemeinschaft angesehen wird.

«Der Erkorene» ist schon seit physischer Geburt zum Jüngertum bestimmt. Er erfährt durch den Meister eine zweite, geistige Geburt – die ursprünglichen Taufriten symbolisieren durch das notwendig neue Atemholen nach völligem Untertauchen im Wasser eine solche zweite, geistige Geburt. Diese Umgeburt, von der in «Stern» III, 2 die Rede ist, wird hier als die «schönere Geburt» bezeichnet, da sie den Weg in das «schöne Leben» des ersten Vorspielgedichtes eröffnet. Die bereits als Jünger Anerkannten begrüssen den in ihren Kreis Tretenden, den bisher Dunkel umgab. Ihm gab das Schicksal schon bei Geburt alles, was sich schwer durch eigne Kraft erringen lässt, er wächst zum Gegenstand des Liedes und wird dadurch verewigt. Nicht sein eignes Lied erhält den Preis, das Lied des Meisters verherrlicht ihn und seine Kraft wird durch die Kräfte im Ring gestärkt, wie es später in «Stern des Bundes» III, 20 heisst. Der Erkorene empfängt die ihm dargebrachten Huldigungen froh, aber mit gesenkter Stirn und einem Zagen, das der Ehrfurcht entspringt, die er von Natur aus allen Gaben des Schicksals entgegenbringt. Er bejaht und liebt das Leben, verschliesst aber niemals sein stets prüfendes äusseres und inneres Auge, er nimmt das ihm Gebotene mit lauterer Hand, frommer Zurückhaltung und einer Scheu entgegen, die allen edleren Wesen, dem edleren Tier («Stern» III, 15), als reicherer Trieb eingeboren ist. – Die Fähigkeit zur Ehrfurcht, auf die die Erziehung in «Wilhelm Meisters Wanderjahren» gegründet ist, war für den Dichter das Kennzeichen echter Jugend. – Diesen Gaben stehen Pflichten des Geistes gegenüber. Alles, was den «Erkorenen» am Tag der Umgeburt, das heisst hier «heute», erhöht und wie ein Kranz krönt, wird zur dornigen Last, zur Dornenkrone, wenn es welkt, weil der «Erkorene» sich selbst nicht mehr wahrt, das heisst nicht mehr in der ihm angemessenen Lebensform verharrt und sich dadurch verschwendet. Das ist das Abirren von der Flamme der Mitte, von dem später der «Stern des Bundes» III, 3 handelt. Nur solange der Erkorene die Fähigkeit zur Ehrfurcht behält, ist er sich selbst treu, und ebensowenig wie er selbst, welkt der ihm verliehene Kranz. Die «heilige Ehre» des «Sterns des Bundes» II, 14 ist die Fähigkeit zur Ehrfurcht, der Dichter fand ihren reinsten und tiefsten Ausdruck in Goethes Versen vom Streben, das in jedes Busens Reine wohnt, und legte ihr das entscheidende Gewicht bei Beurteilung von Menschen bei.

«Dem Erkorenen» ist «Der Verworfene» gegenübergestellt. Er nimmt schon früh mit erhitzten Sinnen alles in Gedanken vorweg, was das Leben bieten könnte, und formt es im und als Spiel, bevor er es selbst erlebt. Wenn ihm später im Leben die Träger hoher Eigenschaften wie Schönheit, Liebe und Grösse begegnen, empfindet er sie gegenüber seinem vorgeformten Gedankenbild als blass und schal. Auf allen Wegen, an jedem Markt horcht er ängstlich auf das Lautwerden verborgener Regungen, deren alle er zu kennen begehrt, und ist gierig, in die Seelen aller Menschen einzuschlüpfen – dadurch bleibt seine eigne Seele unfruchtbar öde, sie wächst nicht durch eignes Erleben. Überall rafft er seltene Farben, tönende Schellen, die das «Neue Testament» nennt, bunte Scherben zusammen und wirft sie in seinem Werk unter das blinde und wirre Volk, dessen überlautes Preisen ihn berauscht. Aber in ihm nagt geheimer Gram, denn er weiss, dass er vor dem prüfenden Blick der Reinen sich beschämt und unstet fühlt und dass er zwar geschmückt, aber nicht geheiligt, unwert dessen, was ihm vom Geschick gegeben ist, und ohne Kranz, den die zweite Geburt verleiht, zum grossen Fest des Lebens gekommen ist.

Zu den Fragen, ob und inwieweit Friedrich Gundolf das Vorbild für den «Erkorenen» war und Hugo von Hofmannsthal im «Verworfenen» portraitiert wurde, wäre hinsichtlich Friedrich Gundolfs zu

bemerken, dass der Dichter ihn nicht vor April 1899 bei Karl Wolfskehl in München kennengelernt hatte und das Manuskript dieses
Bandes bereits im Sommer 1899 abgeschlossen war, so dass nicht anzunehmen ist, dass dieses Erlebnis, mag die persönlich gehaltene Gundolf-
Tafel des «Rings» auch schon kurz nach dem ersten Treffen gedichtet
sein, sich bis zum Sommer so weit entwickelt hatte, wie das Gedicht
voraussetzt. Tatsächlich ist das Gundolf-Erlebnis erst in den «Gezeiten» verdichtet. Wolfskehl hat mir übrigens erzählt, dass er schon
vorher den Dichter mit Gundolf bekanntmachen wollte, dass aber
Gundolfs Vater gewünscht habe, sein Sohn solle zunächst das Abi-
turientenexamen hinter sich bringen. – Das Bild vom «Erkorenen»
ist somit wohl als ein Traum des Dichters anzusehen, der dem Leben
vorausging und sich später in Leben umsetzte. Darauf deutet auch die
– allerdings nur äusserliche – Tatsache, dass es damals noch keinen
Kreis andrer Jüngerer gab, die einen Neu-Hinzutretenden hätten begrüssen können. Friedrich Gundolf war nämlich der erste Jüngere, der
dem Dichter gefühlsmässig und geistig nahe kam und Jahrzehnte hindurch nahe blieb. Man kann somit schliessen, dass der Dichter bei
Fertigstellung des «Teppichs des Lebens» zwar Schmerzbrüderschaft
erlebt, aber Jüngerschaft nur erahnt hatte. – Anders verhält es sich
mit Hugo von Hofmannsthal und dem Gedicht «Der Verworfene».
Das Erlebnis mit Hofmannsthal lag schon Jahre zurück, als das Gedicht geschrieben wurde, und der Dichter litt unter dem Ausgang des
Zusammentreffens, den er sein Leben lang – vom Persönlichen ganz
abgesehen – als ein Unglück für die deutsche Literatur betrachtete.
Das Gedicht enthält Wendungen, die Hofmannsthal selbst gebrauchte,
zum Beispiel den Hinweis auf Schaffen und Erleben als ein Spiel,
worauf Hofmannsthal in «Der Tor und der Tod» durch Charakterisierung des «Ewig Spielenden» weist. Schon im Alter von neunzehn
Jahren hatte er am 30. Mai 1893 in einem Brief an Edgar von Karg
über sich selbst geschrieben: «Denn nicht wir haben und halten die
Menschen, sondern sie haben und halten uns. Dabei kommt man sich
freilich nicht leer vor, aber was noch viel unheimlicher ist: man ist
wie ein Gespenst bei hellem Tage, fremde Gedanken denken in einem,
alte künstliche Stimmungen leben in einem, man sieht die Dinge wie
in einem Schleier, wie fremd und ausgeschlossen geht man im Leben
herum, nichts packt, nichts erfüllt einen ganz, endlich bricht doch
etwas menschliches, etwas ursprüngliches durch.» Man kann somit
annehmen, dass der Dichter das Erlebnis mit Hofmannsthal zum Anlass für das Gedicht «Der Verworfene» nahm und auch Züge Hofmannsthals, wie er ihn sah, hineinverwob.

Die folgenden Gedichte sprechen von inneren Gemeinschaften und
Gemeinschaftsbildungen einer grösseren Zahl von Personen. Das

Gedicht «Rom-Fahrer» steht dem «Das Kloster» beschreibenden gegenüber. Die Deutschen werden aufgefordert, mit Freude zu begrüssen, dass sie noch heute die gleiche Sehnsucht nach Italien und Rom empfinden, mit der ihre Vorfahren jene Stätten als Land der Weihe, als Paradies auf Erden und als Befreiung von Nebelträumen des Nordens ansahen und in ihrer Kunst oft mehr als die Heimat priesen. Der Duft und Rausch der italienischen antiken und mittelalterlichen Plastik, ausgedrückt durch das Wort «Marmor», und der Malerei, die hier in dem Wort «Paneele» zusammengefasst wird, zaubern noch immer den Deutschen ein erhabenes Ziel für ihr eignes Denken und Tun vor, das Wort «gaukeln» deutet an, dass der Dichter Zweifel hegt, ob sich im Süden in Wirklichkeit noch für die heutigen Deutschen das erhabene Ziel bietet. Dort haben die Deutschen in unzähligen Kriegen ihre junge Mannschaft, ihr bestes Blut geopfert, und für alle Zeiten (ewig) wird Italien wie ein «schöner Buhle» die trunknen Seelen der Deutschen, wenn es ihnen auch Untergang bringt, in Fesseln schlagen. Der Dichter benutzt die Maskulinform des Wortes «Buhle» im Sinn von Geliebter, da er sich auf Italien bezieht. Wohl in Anlehnung an Dantes Bezeichnung von Florenz als Hure, spricht Stefan George im Schuler-Gedicht des «Sterns» I, 29 vom «Weib Rom», mit dem die Könige «buhlen». – Die Vorfahren der Deutschen haben ihre edelste Jugend Italien geopfert, wenn ihnen der Zauber des Südens die kalte Treue gegenüber ihren eignen Fürsten dürftig erscheinen liess, wie die unglücklichen Italienzüge Ottos des Dritten, der «Wunder der Welt» im Mittelalter genannt wurde, und des Letzten der Hohenstaufen, des Dichters Konradin, beweisen. Das Wertvollste an diesem Traum der Deutschen ist, dass ein solches Sehnen sie ewig – das Wort wird zwecks stärkster Betonung zweimal im gleichen Gedicht gebraucht – an der Schönheit des Gleitens silberner Galeeren, im weitesten Sinn des Wortes gemeint, teilnehmen und einen Landungsplatz für die Barken ihrer Phantasie bei den Palästen Venedigs finden lässt.

«Das Kloster» wird als Stätte geistiger Einung gefeiert. Dabei wird nicht an einen bestehenden Orden, sondern an eine in Zukunft zu gründende Gemeinschaft gedacht. Nur wenige Brüder, gewählt nach dem Ritual der «Aufnahme in den Orden», sollen sie bilden, um ihre Kräfte inmitten einer kalten, vergifteten und vergiftenden Umwelt zu bewahren. Ihr Haus soll nach dem jugendlichen Traum eines der Brüder als Zufluchtsstätte vor dem Lärmen der Massen in einem stillen, das heisst abgelegenen Tal errichtet werden. Das ist eine Anlehnung an die Regel Bernhards von Clairvaux, der die Bestimmungen des heiligen Benedikt dahin änderte, dass die Klöster in Tälern und nicht mehr auf Bergen (wie vordem zum Beispiel Monte Cassino) gebaut werden sollten. Der Tag soll für den neu zu errichtenden Orden nach alter Weise in sieben Teilen verfliessen, in den horae canonicae, auf Psalm 119, 164 gegründet, die nach Mitternacht mit Matutina beginnen und sodann über Prima, die Kindheit um die Zeit der Morgendämmerung symbolisiert, zu Tertia, dem Symbol der Jugend, weiter zu Sexta als Bild voller Lebenskraft, dann zu Nona, dem Symbol der Altersschwäche, ferner zu Vespera, die gegen sechs Uhr abends gesungen werden, und endlich zu Completaria als Bild des Todes am späten Abend führen. Auch die Feldarbeit der Ordensbrüder und ihrer Helfer folgt der Regel des heiligen Benedikt, ausgebaut durch Bernhard von Clairvaux für die Zisterzienserklöster. Die Arbeitshelfer für die wenigen Ordensbrüder, eine Art jüngerer Laienbrüder, sind die reine Schar derer, die für das Leben im neuen Kloster gewonnen (gedungen) werden. Feldarbeit erhält die Wünsche und das Denken jung, wie Goethe im Faust I und II betont. In La Trappe, dem 1127 von Bernhard von Clairvaux in einem feuchten Tal gegründeten Zisterzienserkloster, sollen sich sogar die Stimmen jung erhalten. – Die «frommen Paare» der dritten Strophe werden durch die Ordensbrüder miteinander oder mit den Jüngeren der reinen Schar oder durch die Jüngeren miteinander gebildet. Sie formen, vereint ohne lechzende Begierde und befreundet ohne Bangen umeinander und ohne Verdruss miteinander, eine Arbeits- und Schmerzgemeinschaft. Bei den Feiern des Abends gehen sie umschlungen, und der «Kuss des Friedens», den die Zisterziensermönche vor der Kommunion einander geben, ist Symbol ihrer Einung um einen geistigen Mittelpunkt. Ihr Ziel ist, Leid und Lust in stets gleich bleibender Weise, das heisst ohne Höhen und Tiefen der Empfindungen, zu tragen, den Blick auf ätherblaue, das heisst überirdische Schönheit zu richten und geweihtem Streben ebenso wie göttlichem Verzichten zu leben, wie es der Dominikaner Fra Angelico durch sein Werk lehrt.

Die Gedichte «Wahrzeichen» und «Jean Paul» geben Beispiele für verinnerlichtes Leben, dessen Werk Ewigkeitswert gewonnen hat. In «Wahrzeichen» spricht der Dichter von der Kultur in Deutschland. Nach verhältnismässig kurzen Fristen eines Blühens gewinnen Verächter der lichten, lichtbringenden Kultur stets von neuem die Oberhand, und die rohen Schwärme, das heisst die Scharen der Schwärmer, deren ungezügelte, rohe Phantasie den Versprechungen der Lichtverächter Glauben schenkt, folgen ihnen nur allzu willig. So kommt es, dass dann giftige Schlangen von Gedanken und Taten in Deutschland nisten und nur im Verborgenen die zarten Keime zu einer künftigen Blüte betreut werden können. Dies entspricht der Auffassung des Dichters von steigenden und sinkenden Zeitabschnitten, die in der Geschichte eines Volkes sich nicht nur im ausgleichenden Wechsel der

Kulturepochen, sondern auch in Schwankungen innerhalb ein und derselben Kulturepoche offenbaren. – Die wenigen, die das Sinken einer Zeit erkennen und dadurch enttäuscht werden, sollen Trost und Ermutigung in den frühen deutschen Madonnenbildern, etwa des Meister Wilhelm und Stefan Lochners, von denen die «Tafeln» in diesem Sinn sprechen, und in den Werken des jüngeren Holbein finden, den der Dichter, wohl im Vergleich zu Dürer, «einzig» nennt und als höchste Zinne am Turm der Schönheit bezeichnet. In dem rauhen Sturm der Herrschaft der Lichtverächter beschützt diese Schar der Künstler vom Rhein und Main mit ihrer unvergänglichen Glorie das wahre deutsche Heiligtum der Traumfähigkeit, und es bleibt unversehrt im Hain ihres Wirkens erhalten, selbst wenn Würmer das Land für eine Zeit, wie zum Beispiel nach Ansicht des Dichters die Reformationskämpfe es waren, unfruchtbar machen. In solcher Zeit hat man sich mit den alt erprobten Leidensregeln zu bescheiden, nach denen ein Glanz, ein Licht, das einmal geleuchtet hat, nicht erlischt, ohne Früchte wenn auch spät zur Reife zu bringen, und Geister, die vor Zeiten den Traum in Geist und Auge der Bewohner des Landes gezaubert und seine Legenden, Sagen belebt haben, immer wieder mit vollen Segeln zu ihrem früheren Sitz zurückkehren.

Im folgenden Gedicht wird Jean Paul Friedrich Richter als Verkörperer der wesentlichen Eigenschaften der Deutschen gefeiert. Er ruft sie, die von der Liebe zu schöneren Nachbarländern wie Italien ergriffen in die Fremde wandern, durch sein Werk, das zugleich verlockend und quälend, gespeist vom Drang zum Gott und von der Nähe des Gottes ist, in die Heimat zurück. Mehr als die andern Dichter und Philosophen, die in den grauen Gauen – das Wort Gau deutet bei Stefan George meist auf den Norden – zwischen den nördlichen Meeren und südlichen, feuchten, Deutschland begrenzenden Wiesen und dem Bodensee (Kolk) gewirkt haben, verkörpert Jean Paul das Wesen des Deutschen. Denn er ist Träger der Sehnsucht nach der Heiterkeit des Südens, er beschreibt die Isola Bella im «Titan» in ihren echten Farben, ohne sie jemals gesehen zu haben, birgt aber auch, ebenso wie das tiefe, jedoch nicht voll entwickelte (breite) und von ungeklärten, verfliessenden Leidenschaften beeinflusste, etwas schlaffe Volk, im trüben Dämmer seiner Seele Stahl und Zunder, die sowohl grelle wie auch schillernd milde Feuer zu entzünden vermögen. (Albanos Genesung und Traum in «Titan», Emanuels Traum und Tod in «Hesperus».) Er führt in ein Land der Wunder und ist wiederum Herr und Kind, Gebieter und Folger auf dem tragenden Boden der Heimat, dem Saatgefilde des deutschen Geistes. Er regt das Herz, das matt geworden ist, an, ihm zu dem Flor der Sterne zu folgen, und bettet den Wahn der Leidenschaft auf dem weichen Pfühl

191

seiner Traumgesichte, wie in der Jean-Paul-Rede des Dichters angedeutet wird. Seine Sprache ist der tiefste Klang einer goldenen Harfe
im Chor der Sphärenmusik, sie ist aber auch – und dies sind Worte von
Jean Paul selbst – die Flöte (Julius, Vult) von Maiental («Hesperus»)
und Blumenbühl («Titan»).

Als dritter und letzter Teil dieses Buches werden die Grundkräfte
im Leben des Künstlers in sieben «Standbildern» verkörpert, die
Frauen darstellen, weil gerade sie Vermittlerinnen des göttlichen
Willens sowohl als Velleda der Germanen wie auch als Diotima des
Socrates sind. Das erste Standbild, das wegen enger innerer Verwandtschaft zusammen mit dem zweiten im gleichen Gedicht errichtet wird,
stellt das diesseitige, erdverbundene Streben und die Kraft der griechischen Tempelarchitektur dar. Sie hat ihr Mass im Einklang mit dem der
umgebenden Landschaft entwickelt, so dass die Höhe des Tempels durch
die des nahen Baums begrenzt wird, und steht im Gegensatz zu einem
im Turmbau von Babel begehrten, übermässigen Aufragen bis in den
Himmel. Der griechische Tempel ist ein Symbol für das Wünschen
und Wollen der griechischen und jeder echten Jugend, die Mädchen
weihen in ihm ihre Locken und die Jünglinge schliessen in ihm, wie
zum Beispiel im Tempel des Eros in Thespiae, ihren glühend grossen
Bund, von dem «Goethes letzte Nacht in Italien» ein Bild gibt. Der
Tempel, symbolisiert durch die Statue einer Frau, etwa einer Kult-
statue archaischen Stils, der eine besondere Geste bei der «stillen
Grösse» griechischer Kunst nicht angesonnen zu werden braucht,
schaut in blauer, das heisst hier wissender Klarheit – sie ist griechischer
Darstellung eigentümlich – auf die Schar der Beter, die stets bereit
sind, das heiter tiefe Fest der Götter zu begehen, und froh ihres Leibes
und seiner Lust, stolz und lächelnd auf einer Blumen tragenden Erde
wandeln. – Dieser das Diesseits verherrlichenden Kraft wird die das
Jenseits einbeziehende Macht der gotischen Kathedrale, wiederum
verkörpert im Standbild einer Frau, gegenübergestellt. Türme der
Gotik, die, wie der Dichter betonte, in Nordfrankreich und nicht in
Deutschland ihren Ursprung hatte, streben bis in den Nebel der
Wolken, der menschliche Geist erhält durch sie Flügel, um von der
schweren Scholle der Erde aufwärtszufliehen. Wie der spröde Stein
des Baus in immer zartere Rosen aufgelöst Gewicht verliert und
Höhe gewinnt, sollen der Körper und seine Lust zermalmt werden, um
der Seele Eingang zum Paradies des Himmels zu verschaffen. Die
Frau, die als Statue die Macht der Kathedrale symbolisch darstellt,
hat überspitze Finger, die von Kasteiungen Kunde gebend in Andacht gefaltet sind. Sie hebt ihre weit geöffneten Augen zum Himmel,
und der fromme Rausch des Gebetes hat ihre Glieder gelöst, so dass sie
kniet, ebenso wie das ganze Volk um sie vor dem Wunder niedersinkt,

schluchzt und zittert. Diese Statue zeigt, in welcher Haltung «Die Herrin betet».

Das dritte Standbild symbolisiert eine Kraft, die dadurch antreibt, dass sie lockt, etwas vom Schicksal Verhülltes zu enträtseln. Sie ist dargestellt durch die Statue einer verschleierten Frau, etwa wie das Bild von Saïs, von dem Novalis spricht. Goethe betont in den «Wanderjahren» Sinn und Kraft des Geheimnisses. Der Gedanke, dass ausserordentliche Schönheit hinter dem Schleier verborgen sei, ist so belebend, dass er jeden noch so leiderfüllten Tag durch das Hoffen überstehen lässt, ein Paradies auf dieser Erde zu finden. Wenn das allzu träge Blut – vielleicht eine entfernte Erinnerung an «Hamlet» – nicht mehr zu pulsieren droht, gibt ein Blitz, der im Schleier aufleuchtet, den Müden, Kranken und Irren neuen Lebensmut. Auf die Frage, was diese stets weiter lockende Macht sei, antwortet die Statue, der Frager sei ein Kind, wenn er nicht merke, dass nur seine eigne Not und Schaudern ihm befohlen hätten, auf seinem Weg weiter zu schreiten. Es sei seine eigne Hoffnung gewesen, die ferne Hügel in lockende Farben gehüllt habe. In dieser Weise ersetze die nie endende Hoffnung, zu deren Symbolisierung die Statue ebenso wie die Frauen des fünften, sechsten und siebenten Standbildes die Ich-Form in der Rede verwendet, stets alte Qual durch neue Qualen. Die Statue fordert den ungeduldigen Frager auf, den Schleier zu heben, denn er könne ihm jetzt, nachdem er wissend geworden sei, nicht mehr von Nutzen sein. Dann werde er sehen, dass das, was er Jahre hindurch als blitzende Diamanten (ausgedrückt durch die Worte «Demant-Tüpfel» hinter dem «Geweb») angesehen habe, nichts anders als hinter dem Schleier aufleuchtende Tränen gewesen seien, Tränen der Qual, die stets neue Hoffnung wecke, um den Menschen, der nach seiner Artung in der Vergangenheit erlittene Pein rasch vergesse, die schmerzvolle Gegenwart und die Ungewissheit der Zukunft überleben zu lassen. Dass es sich hier um Tränen handelt, hat der Dichter selbst erklärend gesagt.

Die Frau des vierten Standbildes symbolisiert die Kraft der Pflicht, das heisst hier der inneren Verpflichtung des Künstlers zum Schaffen eines Werkes. Der Künstler, der Dichter sucht sich dieser Pflicht jetzt nicht mehr zu entziehen, wie er es früher zusammen mit seinen Jugendgenossen ausweislich der zweiten, dritten und vierten Strophe des Gedichts getan hat. Jetzt stellt er ihre Statue an einen tragenden Pfeiler in dem Marmorbau, den er für die sieben Statuen der Grundkräfte errichtet hat – von diesem Gesamtbild geht der Dichter aus – und beugt sich im Gebet vor dem «edlen Zwang», den sie auf die Seelen ausübt. Früher schauderten er und seine damaligen Freunde, die hier «Gespielen» genannt werden und denen in diesem Gedicht ein

Denkmal gesetzt wird, davor zurück, der Pflicht zu dienen. Der «Zweig von fremdem Stamm» dürfte Waclaw Lieder sein, der Dichter weist bereits im Gedicht an Callimachus auf das «fremde Blut» des Polen hin, den er 1889 in Paris kennengelernt hatte. Mit «Kuss der Dämmerung» wird Paul Gérardy benannt sein, das Preisgedicht «An Phaon» spricht von Gängen in der Abenddämmerung, die Abende mit Gérardy werden im «Schattenschnitt P. G.» gefeiert, auch könnte «Dämmerung» sich auf die westliche Lage und Kultur Belgiens beziehen, das Gérardy als seine wahre Heimat ansah. Rimbaud nennt den Faun «le baiser d'or du bois». Die «Flamme des Morgens» dürfte Karl Wolfskehl sein, auf dessen östliche Prophetengestalt «Geheimes Deutschland» deutet und der als «gottgesandter Sprecher» im «Schattenschnitt K. W.» gepriesen wird. Diese drei Freunde, die der Dichter hier in der Zeitfolge seiner Begegnung mit ihnen nennt, erachtete Stefan George als die nach Hofmannsthal wichtigsten Mitarbeiter der frühen Folgen der «Blätter für die Kunst», und ihnen als Dichtern widmete er zurückdatiert die öffentliche Ausgabe des Bandes der «Hirten- und Preisgedichte». Er kannte die Art, in der sie arbeiteten, und wusste, dass sie wie er selbst als echte Künstler unter der Aufgabe des Schaffens litten und deshalb die dazu nötige, aufreibende Konzentration besonders in ihrer Jugend gern, solange wie möglich, hinausschoben. Wolfskehl erzählte mir zum Beispiel, dass einmal leere Seiten in der bereits im Satz befindlichen siebenten Blätterfolge gefüllt werden mussten und Stefan George ihn bat, sogleich ein Gedicht dafür zu schreiben. Wolfskehl sagte zu unter der Bedingung, dass auch Stefan George ein Gedicht für die Folge fertigstelle. Der Dichter willigte ein, stöhnte aber unter dieser Aufgabe, die sofort zu erledigen war, da der Druck beendet werden musste, und so entstand an einem einzigen Vormittag das Gedicht «Ursprünge» des «Siebenten Ringes». Dieses Widerstreben, das ich selbst am Dichter zu beobachten Gelegenheit hatte, zeigt den Schauder, der den Künstler befällt, wenn die Pflicht zum Schaffen sich ihm kund tut, wenn sie, wie es umschrieben ausgedrückt wird, mit starrer, kalter Miene die Bucht betritt, an der er seinen, im Verhältnis zur Schwere des Schaffens frohen Lebensreigen schwingt. Dann rafft er so viel an farbigem Tand des Lebens als seine «lustverwöhnten» Arme zu halten vermögen in Eile zusammen und flieht aus der Bucht, in der die Pflicht ihn heimsucht, auf beladenem Kahn mit Frauen und Knaben auf das hellschimmernde Meer, um ein anderes frohes Eiland, wohin die Pflicht ihm, wie er hofft, nicht so rasch folgen wird, für seine Freuden zu suchen. Die Frau, die die Pflicht des Künstlers zum Schaffen als Standbild verkörpert, dürfte als mit kalten, starren Mienen schreitend dargestellt zu denken sein.

Das fünfte Standbild symbolisiert die Kraft der Liebe. Die Frau, die diese Macht darstellt, spricht in dem Gedicht aus, dass sie allein sogar die Klugen zu verwirren vermag, dass schon ein Wink der Lider ihrer Augen, die in den «Nachtwachen» erregende Spiegel genannt werden, genügt, um feste Gedankengefüge mürb und öd erscheinen zu lassen und die noch so Verständigen zu zwingen, ihr zu folgen, wie Kinder dem Rattenfänger im «Zeitgedicht» gedankenlos nachlaufen. Die Liebenden werden sich selber fremd und vergessen Wünsche, Taten und Rechte, seit sie der Liebe als Knechte dienen. Sie ertragen jede Qual, die Liebe bringt, ohne nach dem Wie und Warum zu fragen, eine bisher ihnen unbekannte, göttliche Raserei hat sie ergriffen. Selbst wenn die Liebe das grausamste Gesetz für sie verkündet, nach dem niemand, der die Gunst ihres Schosses genossen hat, die Süsse ihrer Lippen spüren soll, mit anderem Wort, dass ihr Objekt sich lieben lässt, ohne selbst zu lieben, fragen die Betroffenen nicht nach dem Grund und Sinn des Gebotes, sondern glauben und dulden. Liebe verwandelt den engen Himmel zu Weiten, die von Strahlen des Ruhms und Blut des Kampfes (wie zum Beispiel des Trojanischen Krieges) farbig umrandet sind, und sie verändert das Fühlen der Menschen so sehr, dass sie das Sausen eines Abgrunds nur als schwachen Schrei und den Fluch des Todes als sanftes Klingen einer Schalmei empfinden. Auf den Ausdruck des Standbildes der Frau, die die Macht der Liebe symbolisiert, deutet das lockende Spiel ihrer Augenlider. – Dass Einzelzüge der sieben Statuen ebensowenig wie die des Engels im «Vorspiel» geschildert werden, beruht darauf, dass die Standbilder wie der Engel in erster Reihe zur Verdeutlichung eines Gedankeninhalts dienen und die Hörer von der Folge der Gedanken nicht durch Äusseres abgelenkt werden sollen.

Das sechste Standbild ist das einer Frau, die eine griechische Vase betrachtend in ihren Händen dreht. Sie symbolisiert die Kraft der Leidenschaft, die in Kunstwerke früherer Zeiten gebannt ist und aus ihnen durch Jahrtausende spricht. Die rötliche Farbe kennzeichnet die Urnen als griechische Vasen, die meist als Grabbeigaben die Zeiten überdauert haben. Eine Frau spricht in diesem Gedicht, sie sucht durch die Verwitterung der Aussenseite der Vase hindurch Malereien zu erspähen, die Körper der Stattlichen bei der Bewegung der Glieder im mühevollen Kampf und in der spielenden Lust des Bades darstellen. Durch das Zusammenbringen der Worte «in Kämpfen» mit dem erst von Jahn geschaffenen Begriff des Turnens weist der Dichter auf zahlreiche griechische Vasenbilder, auf denen ein Streit der Heroen zur Eleganz gymnastischer Übungen stilisiert wird. Badende Knaben sind auf der Hydria des Antimenes-Malers in Leyden dargestellt. – An den Engeln aus Marmor, wie sie etwa Donatello und

Bernini in seiner «Stigmatisierung der heiligen Theresa» schufen, sucht jene Frau unter dem fast quälenden Glanz polierten Steins die pulsierenden Adern und vorwärtsdrängenden Rippen, sie wird erfasst von menschlichen Gluten, die jene Bildhauer zum Werk befeuerten, und geht in ihrer Leidenschaft zum Bildwerk und dessen Modell so weit, dass sie den Marmor, als wäre er lebendig, küsst. Die klingenden Namen der prunkenden Fürsten und Führer, die in Farben von Gold und Rubin von Malern wie etwa von Greco in «Ludwig der Heilige» mit dem Sohn des Malers als Pagen, von Caravaggio in «Hochmeister der Malteser» und von Rosendaal in «Der Bischof von Paderborn mit Hendryk Daemen» im Louvre aufbewahrt portraitiert sind, erwecken in jener Frau Verlangen gepaart mit Angst, und sie glaubt, dass die Augen der Portraitierten, vom Silberdunkel und blassen Karmin des Bildhintergrundes her, aus altersrissigen Rahmen gerade auf sie geheftet seien. Alle diese Kunstwerke bestimmen sie zu den Fragen, warum, wodurch und wie sehr die Schönheit der Haare und Blicke der im Kunstwerk Dargestellten die Menschen der früheren Zeit, zu denen die Bildhauer und Maler der Kunstwerke gehörten, gefangen und erobert haben und mit wie grosser Leidenschaft die Dargestellten im Leben geküsst haben mögen, da sogar noch im Bildwerk ihre Begierden ungezügelt und wild bis zur Sinnlosigkeit, wie ein Rauch ohne Flamme, zu ihrem Mund emporzuringeln scheinen.

Das siebente Standbild ist das einer Frau, die einen Schleier in ihrer Hand schwingt. Man könnte dabei an «voile de grâce» am Ende von Brentanos Märchen vom schönen Annerl denken. Sie symbolisiert die Kraft künstlerischer Gestaltung. Ein Kunstwerk kann verschieden geformt sein und mannigfaltige Dinge zum Vorwurf haben, auch sehr unterschiedliche Wirkungen auf den Hörer oder Betrachter ausüben. In der ersten Strophe wird, wie die Frau des Standbildes aussagt, der Schleier – Goethe spricht von ihm in der «Zueignung» – so geworfen, dass Menschen, die bisher nur die Früchte der Heimat, der heimischen Obstbäume, wörtlich und übertragen gemeint, genossen haben, plötzlich in der Ferne eine Stadt mit Kuppeln, Zelten und Zinnen, also das Bild eines ihnen bisher völlig fremden Lebens, vor sich auftauchen sehen und dadurch in Bann geschlagen werden. Anders geworfen, entsteht ein Kunstwerk, bei dem die vorher öden Schranken der Stadthäuser in der Nässe nach einem Regen unerwartet silberblass aufleuchten und jene, die vordem nur von heimischer Frucht gekostet haben, sich von einem ihnen unbekannten Mondlicht der Gedanken, obwohl voller Mittag ist, verzaubert fühlen. Beim dritten Wurf sehen die früher nur von heimischen Früchten Genährten unvermutet ein Kunstwerk vor sich, in dem Hirten in Tälern einer anfänglichen Welt,

Mädchen, die sich in fernsten Zeiten im Rausch der «grossen Göttin» weihten, Paare, die zart wie Schatten unter Myrten sind, lebendig werden. Beim vierten Wurf zeigt das Kunstwerk, wie die Finder nie endender Freuden und leichten Glückes nicht nur einzeln, sondern zu zehnen, strahlend als wären sie Kinder der Sonne (Sonnenkinder) eines Tages durch ein Tor ziehen, das den Betrachtern durch täglichen Gang vertraut war und ihnen bisher noch niemals eine Überraschung bot. Das ist eine Vorahnung des Schreitens Maximins aus dem Siegesbogen in München, von dem die Maximin-Vorrede berichtet, und dieser Sondercharakter wird vom Dichter unbewusst dadurch hervorgehoben, dass die Worte an einen einzelnen, nicht an eine Mehrzahl von Personen, wie in den voraufgehenden Strophen, gerichtet sind. – Der «Teppich des Lebens» im engeren Sinne endet mit der Feststellung, dass das Kunstwerk dem Sehnen der Seele die Richtung und die Färbung verleiht. Schloss das «Vorspiel» mit dem Tod des Künstlers, so endet das zweite Buch des Bandes mit der lebenerhaltenden und lebendigen, ewigen und verewigenden Wirkung des Werkes des Künstlers.

DIE LIEDER VON TRAUM UND TOD

Das dritte Buch des Bandes besteht aus vierundzwanzig, wiederum paarweise angeordneten Gedichten, die Lieder genannt werden, weil sie Reste, Rückstände von Erlebnissen und Einsichten dieser Lebensstufe des Dichters, die bisher nicht ins Werk gebannt waren, in mehr sanghafte Form aufgelöst, zum Ausdruck bringen. Sie sind als eine weitere Vorstufe zu den Volksliedern des «Neuen Reichs» anzusehen. Traum und Tod formen neben Liebe gemeinhin den Inhalt eines Liedes, hier aber ist der Titel um so mehr angebracht, als es sich nicht nur um Abschluss eines Bandes handelt, der in den voraufgehenden zwei Büchern vom Künstler und vom Kunstwerk berichtete, sondern auch um das Abschliessen einer Lebensstufe des Dichters, jenseits der er vor dem Erscheinen Maximins kein andres ihm erstrebenswertes Ziel erblickt. Die Gedichte sollen, nach Verweys Bericht, im Umgang mit Richard Perls, vor dessen Tod im Jahr 1898 in München, wo der Dichter damals in der Hesstrasse wohnte, entstanden sein. Sie weisen die gleiche Strophen- und Verszahl wie die der voraufgehenden zwei Bücher dieses Bandes auf, sind aber rhythmisch weit mehr aufgelockert und differenziert, um sanghaft zu wirken. Es findet sich kaum ein Reimpaar im gleichen Band mehr als einmal benutzt. Die ersten zwölf Gedichte, der erste Teil dieser «Lieder» ist Personen gewidmet, deren voller Name hier zum erstenmal im Werk des Dichters genannt wird, da ihnen ein ehrendes Denkmal errichtet werden soll. Das deutet nach der Lebensauffassung des Dichters darauf, dass sein Erlebnis mit den Bewidmeten bereits beendet ist. Hätte er eine Weiterentwicklung seines Erlebnisses mit ihnen für möglich gehalten, so würde er ihren Namen verschwiegen oder nur angedeutet haben. Dadurch, dass er den vollen Namen nennt, reiht er die Bewidmeten ein, wie es in «Stern» I, 20 heisst, und ist sich bewusst, dass sie ihn auf seinem künftigen Weg nicht mehr begleiten werden, wie im vorletzten Gedicht in «Waller im Schnee» gesagt wird.

Das Gedicht «Blaue Stunde» ist dem Malerehepaar Reinhold und Sabine Lepsius gewidmet, die durch Richard Perls in Rom auf Stefan Georges Gedichte aufmerksam gemacht worden waren und ihn zum erstenmal im Jahr 1896 sahen und sprachen, als er sie in ihrer Wohnung in Berlin-Westend besuchte. Das Gedicht berichtet von einer gemeinsam verbrachten Spätnachmittagsstunde in ihrem Garten in Westend, die blau genannt wird, nicht um die schmerzliche Stimmung des kirchlichen Blaus wie in «Herzensdame», hervorzurufen vielmehr wegen der blauen wissenden Klarheit, die im ersten «Standbild» gefeiert wird. Jene Stunde hatte geistige Funde geschenkt, die den Dichter froh machten und ihm Entgelt für viele leer vorübergehende Stunden, die «bleichen Schwestern» der gepriesenen Stunde, boten. Um ihr Scheiden zu verdeutlichen, wird sie, ohne dass Einzelheiten gegeben werden, personifiziert, sie enteilt zusammen mit den windgetriebenen Wolken am Himmel hinter der Gartenlaube, sie verglüht als Opfer auf den bereits brennenden Scheiten des Sonnenuntergangs im Westen. Sie selbst wird erregt, gross und heiter genannt, und dadurch werden in einer verkürzten Form, deren Vollendung die technische Aufgabe des Bandes ist, zugleich die Stimmungen, die sie erzeugt, charakterisiert. Ihre Bedeutung zeigt sich bei ihrem Schwinden so stark, dass der Dichter sie aufhalten möchte, obwohl er weiss, dass das Dunkelwerden bereits neue, reiche Freuden als wölbende Bogen im Hallenbau der Nacht zu spannen beginnt. Er vergleicht die fliehende Stunde, der er und seine Gastgeber sich ganz geweiht hatten, mit einem tiefgreifenden Lied, das Jubel und Leid enthält und bis in neue Bereiche frohen Erlebens lockend und rührend nachklingt, nachdem es selbst verstummt ist. Dieses Gedicht gibt nichts über die Art der inneren Beziehungen des Dichters zu seinen Gastgebern – die Tafel «An Sabine» sagt mehr darüber aus – und stellt sich deshalb als eine aus Dankbarkeit erwiesene Ehrung dar.

Das zweite Gedicht ist an Albert und Kitty Verwey gerichtet, mit denen der Dichter – er kannte Albert Verwey persönlich seit September 1895 – lange befreundet war und die er oft in ihrem Haus in Nordwijk nahe bei Leyden in Holland für längere Zeit besuchte. Doch spielte

Verweys Gattin hierbei eine weit weniger bedeutsame Rolle als Sabine Lepsius, die selbst Malerin war und deren scharfen Geist verbunden mit ihrer grossen Aufopferungsfähigkeit für ihren völlig lebensfremden Gatten der Dichter besonders schätzte. Er preist das Haus, das heisst das Leben der Verweys wegen des tiefen Friedens und des freien Stolzes, die es neben innerer Fülle ausstrahlt. Er bezeichnet sich selbst als einen düsteren, starren Gast, der vom Haus in den Dünen angezogen wurde und oft noch in der Ferne daran dachte. Er schildert die Gespräche, in denen die Gastgeber freundschaftlich nach Gemeinsamkeiten und Gegensätzen in seinem Denken und Fühlen und dem ihren forschten, während weiche Abendschatten über Holland sanken. Solche Wechselreden hatten das Einschmeichelnde leichter Wellen, die an die Binsen der unzähligen holländischen Kanäle schlagen. Aber sie erfüllen den Dichter nicht – dieser überleitende Gedanke ist zwecks Verkürzung als sich von selbst ergebend nicht direkt zum Ausdruck gebracht. Der Dichter weiss, dass starke Stimmen, Leidenschaften jederzeit darauf lauern, im frischen Meereswind eines Erlebnisses aufzurauschen, und dass er, wenn er sie wahrnimmt, die Trauer seiner Gastgeber über sein Fortgehen nicht schonen, sie vielmehr verlassen wird. Denn das aufregende Pfeifen der Schiffe und die Vorstellung von Kampf und Lust in Städten werden ihn aus dem Frieden des Dünenhauses herauslocken, selbst wenn er dabei sein Leben verlieren sollte. Er vergleicht sich nicht mehr mit Ikarus wie im Fibel-Gedicht, sondern mit Phaëton, der die Sicherheit geruhigen Lebens aufgab, um das von ihm erträumte Glück des Lenkens des Sonnengespanns zu erreichen, und dazu nicht fähig an Wolken hin irrend den Tod fand. In der vierten Strophe ist das Wort «Er» gross gedruckt, um anzudeuten, dass es sich auf das weit entfernt stehende Wort «Gast» in der ersten Strophe bezieht. Die Verkürzungen in der dritten und vierten Strophe gehen bis an die Grenze der neuen Technik, die auch Adjektiva möglichst sparsam und hauptsächlich zu visuellen Zwecken verwendet. – Mehr als Gemeinsamkeiten betont das Gedicht den unüberbrückbaren Gegensatz im Fühlen des rastlos suchenden Gastes und der in der Ruhe des Hauses aufgehenden Gastgeber. Von diesem Gesichtspunkt aus ist Sinn und Zweck des Gedichts in Ehrung der Gastgeber aus Dankbarkeit zu erblicken.

An Cyril Meir Scott sind drei ursprünglich englisch geschriebene Gedichte gerichtet, die englische Fassung des ersten und zweiten Gedichtes ist im Schlussband veröffentlicht. Durch Clemens von Frankenstein, einen Freund Hofmannsthals, hatte Stefan George den damals siebzehn Jahre alten Scott in Frankfurt am Main, wo Franckenstein und Scott Musik studierten, im Jahre 1896 kennengelernt. Der Titel der drei Gedichte rührt davon her, dass Scott die «Sänge eines fahrenden Spielmanns» in Musik gesetzt hatte und Stefan George dieser Musik Interesse entgegenbrachte. Die erste Strophe des ersten Gedichts besagt, dass das Verbindende zwischen beiden darin liegt, dass sie, wenn sie aus wachem Träumen um des erdhaften Grams und Erlebnisses willen sich lösen, die entschwundene Pracht ihres Traumes um so stärker empfinden. Dann füllen sie ihre Stunden mit Erinnerungen an ihr Träumen von märchenblauen Ufern, an denen Kinder mit goldnen Flügeln wandeln und die eben aus ihrem Kerker befreiten, noch von der Helle des Traumlandes verwirrten Seelen grüssen. Dies alles bezieht sich inhaltlich und bildhaft auf einen Traumzustand, der durch Anhören von Scotts Kompositionen im Dichter hervorgerufen wurde. – Der Grabesluft hauchende Kerker ist das wirkliche Leben im Gegensatz zum wachen Traum, nicht aber der Leib vor dem Tod. – Der Dichter betonte übrigens oft, dass zwischen der Musik der Sprache und der Instrumentalmusik kein direkter Zusammenhang besteht und dass völlig verschiedene Gesetze für die zwei Klangarten Geltung hätten. – «Die Wahrheit» der dritten Strophe ist das wirkliche Leben auf der Erde, in das der Dichter und Scott mitgefangen sind. Der Dichter mahnt – in einem leicht ironischen Ton, wie ihn Scott im Gespräch bevorzugte – einen Weg aus dieser Wahrheit zu suchen, und sieht einen Trost für das Leben im Bann der Erde darin, dass ein Schatten, das heisst die Andeutung eines Lächelns, eines Sich-Zulächelns beiden das Wissen vermittelt, dass sie zwar in gleicher Weise leiden, dass aber schon ein flüchtiger Blick, der als zündender Funke in das Gitter ihrer Verkerkerung fällt, die Hoffnung auf Befreiung aus der «engen Wüste» – diese Worte sind bewusst antithetisch zur Kennzeichnung des wirklichen Lebens auf der Erde benutzt – neu beleben kann. Ein solches Wunder der Versetzung in träumende Schau vollzieht sich für den Dichter dadurch, dass er sieht, wie ein Lichtstrahl bleich und plötzlich auf das besonders schöne hellblonde Haar des jungen Engländers fällt – ein Erlebnis, das dem am Ende des Gedichts «Einem jungen Führer im ersten Weltkrieg» geschilderten Vorgang ähnlich ist.

Das zweite Gedicht an Cyril Scott behandelt, wie der Dichter in den beiden Einleitungsversen sagt, den Abfall des Bewidmeten vom Gott von einst, der sich mit alttestamentarisch rachevoller Miene zeigt und in der zweiten Hälfte der ersten Strophe sowie in der zweiten Strophe in vom Dichter zitierten Worten dem Bewidmeten vorhält, der Abtrünnige habe sein (Gottes) kostbarstes Gesetz ein Joch (Vorspiel IV) genannt und sein Gotteshaus verlassen, weil er sich für zu stolz, um sich zu beugen, gehalten habe. Sodann stellt Gott die – vom Dichter zitierte – Frage, ob der Abtrünnige sich nicht jetzt einem schmählicheren Dienst zuwende, der seine hilfeflehenden Arme mehr ermatte als die aus Klängen gefertigte Kette, die er gebrochen habe, und ob er jetzt nicht, wachend und weinend, um Gnade flehe und rufe. Darauf erwidert, wie die englische Fassung klar macht, der Bewidmete in der dritten und vierten Strophe, er kniee ebenso demütig und verlangend zugleich, wie er früher vor den blutigen Füssen des Heilands nieder-gesunken sei, jetzt huldigend vor seinem neuen Gott und ebenso wie früher fühle er sich durch Zittern, Ehrfurcht und Verzückung erhöht, jetzt aber mischten sich jene Gefühle mit andern mehr verzehrenden und weniger verzichtenden Empfindungen, wenn das schwere Licht des Abends in Gold und Purpur der Fenster seines Doms der Andacht sinke. Dass in diesem Gedicht «ihr» und «wir» die Bedeutung von «Du» und «ich» haben, ergibt sich aus der englischen Fassung.

Das dritte Gedicht an Cyril Scott spricht vom Ende dieses Erleb-nisses für den Dichter. In sorglosem Glauben hatte er einen Sommer hindurch auf einen andern Ausgang des Erlebnisses gewartet. Er-bleichend sieht er jetzt, dass die Zeit dafür verstrichen ist, dass das scharlachrote Banner des Herbstes bereits weht, der die Ernter fröhlich beim Tanz schon mit winterlicher Nähe des Grabes und mit Gedanken an ungepflückte, vom Sturm vernichtete Früchte schreckt. In der kurzen, noch bleibenden Frist beeilt sich der Dichter, die verstreut blühenden, letzten Blumen zu pflücken und mit herbst-buntem Laub wie im ersten Gedicht des «Jahres der Seele» zu einem Strauss zusammenzuwinden. In dankbarer Verehrung reicht er den Strauss dem Bewidmeten, beschämt durch das Wissen, dass diese Gabe, wenn die Blumen auch von mancher seltenen Träne leuchten, kaum als ein Zeichen der erträumten Pracht des ersten Gedichts ange-sehen werden kann und dass sie ebensowenig eine Auswahl von Edel-steinen, die der Dichter für den Bewidmeten vom Geschick zu erobern hoffte, darstellt, wie die Geschichte eines flammenden Hasses und einer flammenden Liebe jemals durch die versagend leise Stimme dieser Lieder kundgegeben werden kann.

«Juli-Schwermut» ist Ernest Dowson gewidmet, auf dessen Ge-dichte Stefan George durch Albert Verwey aufmerksam gemacht worden war und um dessentwillen er seine zweite und letzte Reise nach England im Jahr 1898 unternahm. Er hielt übrigens, wie er mir sagte, die von ihm übersetzten Gedichte für die schönsten Dowsons. – «Juli-Schwermut» gibt die Stimmung wieder, in der er Dowson damals in London im Verfall sah und die, wie er glaubte, der Grundstimmung Dowsons entsprach. Die stolzen Gärten mit ihren ausländischen Ge-wächsen, der reiche Duft der Sommerblumen locken den Dichter weni-ger als die einfache Ackerwinde, die im herben Saatgeruch reifender Ähren am dorrenden Geländer blüht. Diese bescheidene Blume – man denkt an das vom Dichter besonders geschätzte Gedicht des jungen

Platen «An eine Geisblattranke» – weckt Erinnerung an die Kindheit. Er sieht sich als Kind neben nackten Schnittern bei versiegtem Krug in der Glut des Erntetages im Getreidefeld rasten, während Wespen in der Sonne schaukeln und Mohnblätter wie Blutstropfen durch die kaum Schatten gebenden Getreidehalme auf die heisse Stirn des Knaben sinken. Als Dichter fühlt er heute, dass die Vergänglichkeit ihm nichts, was er jemals erlebt hat, rauben kann, aber er weiss auch, dass alle Schmerzen früherer Empfindungen in ihm lebendig bleiben. Wie er als Kind an jenem Erntetag schmachtend vor Durst der Blumen müde war, so fühlt er sich auch heute innerlich verschmachtend müde der Schönheit aller Blumen. Hier mag angefügt werden, dass Stefan George für den Typ des aristokratischen jungen Engländers Byrons Schilderung im Jugendgedicht «To E-» als charakteristisch ansah.

Die beiden folgenden Gedichte sind dem Maler Ludwig von Hofmann gewidmet, den der Dichter beim ersten Aufenthalt in Rom kennengelernt hatte und dessen Jugendwerke, meist Pastelle und Zeichnungen, er bewunderte. Das erste Gedicht handelt von einem Gang in die Campagna, den der Dichter und der Maler an einem Abend unternehmen. Die Jahreszeit wird dadurch als März oder Anfang April technisch kunstvoll gekennzeichnet, dass beide den nur in jenen Wochen blühenden Asphodill pflücken. «Abendgegend» deutet sowohl auf die abendliche Beleuchtung der Landschaft wie auch auf das abendlich endhafte Gefühl, das die Via Appia mit ihren Gräberresten zu jeder Tageszeit erweckt. Ein Hauch von nah und fern ist die Erinnerung an die vielen vergangenen Geschichtsepochen, die die öde und strenge Landschaft mit ihren verschiedenartigen Ruinen auslöst. Dieser Anblick erzeugt in beiden ein gleiches Gefühl von Bangigkeit und Enge, wie sie es beim Betrachten des in italienischen Schlössern und Museen angehäuften Prunkes, der mit Kunstwerken geschmückten Grüfte und der Ruhm verkündenden, ragenden Säulen verspürten, und sie sehen darin einen Beweis für die unvermeidliche Vergänglichkeit der Pracht der Kronen und der Macht der Völker. Von der Campagna scheidend empfinden beide, dass dieser Boden zu stolz ist, um sich von Menschen, die als «Schmerzliche», wie in «Vorspiel» IV, charakterisiert werden, besäen oder auch nur roden zu lassen. Die Kuppel von St. Peter, die sie in der Ferne in Wolken schwimmend erblicken, erscheint ihnen als ewiges Tor, als ein Zugang zu einer andern Welt (Matthäus 16, 18). Im sinkenden Abend fliegen Florschleier des Sonnenuntergangs in blutroten und veilchenfarbnen Falten über das wehe Grün der hügeligen Ebene, Frascati, das sich an den Berg schmiegt, verblasst langsam. Die Blume, deren Blüten sie noch einmal ausschauend pflücken, wird Schattenlilie genannt, weil sie in der Antike ein Symbol für die Unterwelt und die Schatten der Gestorbenen war.

Die südliche Bucht ist an der italienischen Riviera gelegen zu denken, die Buchten um Neapel kannte der Dichter zu jener Zeit noch nicht. Er schildert die Bucht in Formen und Farben, wie sie Ludwig von Hofmann – durch bewegte, nackte Figuren belebt – damals zeichnete. Der «Gebundene» ist der Dichter selbst, der sich im «Dünenhaus» «düstermütig und starr» genannt hatte. In dieser Landschaft und ihrer Atmosphäre fühlt er die Fesseln, die metallenen Härten brechen, ein froher Schauer verjüngt ihn, er wird so stark ergriffen, das heisst: trunken, dass er mit voller Intensität des Liebens ein und denselben Namen seufzend, rufend, singend immer von neuem wiederholt. Die Landschaft umgibt ihn wie ein Zauberring, ihr Atem verhilft ihm, wie der aus der Antike bekannte Genuss von Wein und Honig und wie der Anblick von Meer und Tempelgruft, zu Träumen, in denen er sich langsam innerlich löst, so dass er seine undurchglühte Heimat und die Schwere seines Werkes, das er als steil sieht, zu vergessen vermag.

Die beiden folgenden Gedichte sind den österreichischen Freunden Hugo von Hofmannsthals, Clemens von Franckenstein und Leopold zu Andrian-Werburg gewidmet. Mit Franckenstein verbanden den Dichter gemeinsam verbrachte Winterabende in Frankfurt, die, wie der von Robert Boehringer veröffentlichte Brief an ihn vom 22. Oktober 1899 besagt, voll mit «Ab-Durch-Rückreisen» von Freunden waren. Um die erregende Unruhe jener Abende wieder aufleben zu lassen, benutzt der Dichter das Aufleuchten der starken Lichter der Eisenbahnzüge, deren unwirkliche Helle bei der Einfahrt plötzlich die Bahnhofshalle und die Landschaft davor verklärt und die Strassen ringsum, die sonst erstarrt wie das alternde Byzanz ruhen, verwandelt. Byzanz ist zugleich eine Anspielung auf den sehr alten, verfeinerten Adel von Clemens Franckenstein und dessen zuletzt in England lebenden Bruder Georg. Dieser Lichtschein, von dem im ersten Augenblick ungewiss ist, ob er nicht von Sonne oder Mond herrühre, spiegelt den Einsamen, die hier verwaiste Gänger beim Tor des Lebens genannt werden, die Freuden menschlicher Nähe bei Empfängen und Abschieden von Freunden vor, die sie durch ihre Stärke staunen und zittern lassen und ihnen als Wunder in einem sonst an Erlebnissen dürren Jahr erscheinen. Ihre Blicke, die zu Taten erwacht und kühn in das Dunkel der Nacht dringen, verraten, dass sie niemals die Bedeutung dieser Zeit vergessen werden.

Stefan George hat Leopold Andrian nur einmal oder zweimal gesehen, nämlich als jener in einer Mansardenstube in Wien am «Garten der Erkenntnis» arbeitete und trotz seiner Jugend einen «roten

Schnauzbart kultivierte», wie der Dichter mir sagte. Das Zusammensein beeindruckte den Dichter nicht, da Andrian nichts als banale Alltäglichkeiten aus Wiener Gesellschaftskreisen in mokanter Weise erzählte. Der Dichter fügte aber hinzu, dass der «Garten der Erkenntnis» ein grosses Dokument des Österreichs jener Tage sei und den Ruhm verdient haben würde, den Hermann Bahr ihm in einer Kritik voraussagte und den zum Beispiel in Belgien und Frankreich Maeterlinck durch eine einzige Besprechung, geschrieben von Octave Mirbeau, der ihn «Shakespeare enfant» nannte, gewonnen habe. Der Dichter zitierte gern einen Ausspruch Byrons, er sei eines Morgens aufgewacht und berühmt gewesen. – In dem Gedicht nennt Stefan George die Österreicher Brüder der Deutschen. Er liebte in seiner Jugend das damals in Deutschland viel geschmähte Österreich gerade um seiner absteigenden Kultur willen, die stets eine kräftige Jugend besonders anzieht. Er verstand es, dass die jungen österreichischen Künstler den Deutschen, die sie als «glücklichere Barbaren» betrachteten, wohl in Anschluss an Ibsen beweisen wollten, dass Sterben in Schönheit zu höchstem Stolz berechtige. Aber als er in sich das Wirken von stärkeren Trieben, von Leidenschaften spürte, änderte sich seine Haltung gegenüber seinen österreichischen Freunden, er versuchte, wenn auch vergeblich, sie mitzureissen und an der von ihm geschauten, kreissend reichen Fülle teilnehmen zu lassen, denn er liebte sie zu sehr, um an ihnen nichts andres als die schwanke Schönheit grabesmüder Seelen und den farbenvollen Untergang wie ein Spiel und einen Klang zu geniessen.

In dieser Gedichtreihe folgen in der paarweisen Anordnung des Bandes den zwei, nicht starke innere Nähe wiedergebenden Gedichten an die Ehepaare Lepsius und Verwey, drei Gedichte an Scott, die von einem menschlich nahe bringenden, aber unerfüllt bleibenden Erlebnis Kunde geben, verbunden mit dem Gedicht an den Engländer Dowson, in dem der Dichter ein ihm und vielleicht auch Scott verwandtes Grundgefühl ahnte. Die zwei Gedichte an Ludwig von Hofmann und die weiteren zwei an die Österreicher Clemens Franckenstein und Leopold Andrian handeln mehr von einer Verwandtschaft im künstlerischen Fühlen, als im Lebensgefühl. Die zwei letzten Widmungsgedichte hingegen kehren zu der den Dichter am meisten bewegenden Frage eines gleichen Lebensgefühls zurück, um folgerichtig den gewichtigen Abschluss der Reihe der Widmungsgedichte zu bilden. Der Dichter zieht in dieser Schaffensphase gesteigerte Schlüsse den verklingenden vor und fügt, falls es möglich ist, noch eine Überleitung zum Folgenden an.

Stefan George hatte Carl August Klein im Jahr 1889 als Student in Berlin kennengelernt und in ihm den treusten Folger vor dem Erscheinen Friedrich Gundolfs gefunden. Er sprach von Klein mit einer an Ehrfurcht grenzenden Bewunderung noch in einer Zeit, in der beider Leben eine verschiedene Richtung genommen hatten und sie sich nicht mehr sahen. «Die Ebene» und das Zeitgedicht «Carl August» geben Kunde von allem, was beide verband und trennte. In dem ersten Gedicht an Klein sieht er ihn, der wie er selbst ein Hesse war, über das ihnen vom Schicksal Gegebene sinnen, das, so heisst es, beide lange verkannt haben. Das Sinnen und Verkennen werden als Gesten Kleins in der Ebene, die sich bei Darmstadt, der Heimat Kleins und dem Schulort des Dichters, ausbreitet, beschrieben. Die Frage nach dem ihm und dem Freund bestimmten Schicksal führt den Dichter zu Gedanken über Kindheit und Alter als Grenzen des Lebens, das sich in der Weite der Ebene symbolisch ausdrückt. Im Geist sieht er den Freund und sich selbst als Kinder im ersten Frühling entzückt den scherzenden Tönen einer Flöte lauschen und hoffend und kühn, das heisst nicht von Empfindsamkeit bedrängt, in die veilchen-farbige Abendröte hüpfen und tanzen. Das Ende des Lebens ver-körpert sich für ihn im Bild einer Greisin, für die die verwitwete Mutter seines Freundes das Vorbild ist. Diese fromme Frau lebte welt-abgewandt der Pflege des Grabes eines verstorbenen Sohns und nahm das ihre Religiosität manchmal verletzende Stürmen und Drängen der beiden Freunde mit der Weisheit eines Alters hin, das sich schon dem Diesseits entrückt fühlt. Die flitternde Hülle der Kindheit beschützt die beiden Freunde nicht mehr, aber wie früher in der Kindheit hegen sie, anders als die Greisin, noch jetzt irdische Wünsche, so be-sagt die letzte Strophe des Gedichts, die mit den Fragen des Dichters an den Freund endet, ob er nach einem Symbol für ihr jetziges Leben suche und ob er ein solches Symbol nötig habe, weil er, der hier als «bleicher Gefährte» gekennzeichnet wird, den Gang der beiden ins Dunkel des Ungewissen fürchte.

Der Dichter scheint Richard Perls Anfang 1895 kennengelernt zu haben, ihre Freundschaft dauerte bis zu Perls' Tod im November 1898. Die Tempeldielen, die das Gedicht «Fahrt-Ende» erwähnt, be-ziehen sich nicht direkt auf antike Ruinen in Italien, die beiden Freunde waren dorthin nicht zusammen gereist, sie besuchten aber vereint die mittelalterlichen Kirchen Belgiens, vor allem die Kathe-drale St. Gudula in Brüssel, von der die Perls gewidmete «Tafel» spricht. Gegenüber der verzichtenden Klage des damals schon kranken Perls über einen unaufhaltsamen Verfall der Kultur war der Dichter von der Notwendigkeit und Fruchtbarkeit seines eignen Kämpfens im Stadion des Lebens überzeugt, dies wird durch die Geste seines herrischen Stehens an einer Meta, inspiriert durch eine hoch aufragende, vielleicht antike Säule, wie er sie im Innern der Kirche gesehen hatte, ausgedrückt. Vor dem Auge des Kranken gleiten und verschwimmen alle Erscheinungen, er hört mit Staunen, dass der Dichter trotz langen, bisher vergeblichen Suchens noch immer ein unverlierbar Festes und Bleibendes ihm gegenüber in Abendgesprächen in Flandern zu preisen vermag. Die sinnliche Schönheit Belgiens und seiner Malerei von Roger bis Rubens wird in dem vierten Vers der zweiten Strophe verbildlicht. Die dritte Strophe zeigt, dass der Dichter den Weg zu masslosen Titanen und grausen Müttern, den Perls als allein noch lockend empfand, nicht mitging, da er vergebliche Züge ins Dunkel hasste. Nachdem er die Nachricht von Perls' Tod empfangen hatte, besuchte er den Platz wieder, an dem der Tote oft gerastet hatte, in der Absicht sich, wie es des Dichters Gewohnheit war, über den Sinn eines Erlebnisses von rückwärts her klar zu werden. Es ist möglich und bei der Dichtweise Stefan Georges sogar wahrscheinlich, dass die Pagode hier nicht nur als Symbol für das Nicht-mehr-Suchen und Nicht-mehr-Tun gesehen und genannt ist, dass es sich vielmehr um Gänge des Dichters zu der von nächtigem Grün umgebenen Pagode im Englischen Garten in München, dem Todesort Richard Perls', handelt und somit eine vorhandene Pagode als ein nicht unübliches Symbol für die Endhaftigkeit allen Strebens benutzt wird. – Bei starker Erregung pflegte der Dichter den Aufenthalt im Zimmer als bedrückend zu empfinden und mit sehr raschen, langen Schritten im Freien Beruhigung zu suchen. – Dass er den Toten und dessen Denkrichtung zu Zeiten als den Stärkeren empfand, rührt daher, dass er selbst die ersehnte Erfüllung bisher nicht gefunden hatte und beim Suchen nach ihr völliger Verzweiflung mehr als einmal nahe war.

Mit dem Gedicht «Gartenfrühlinge» beginnt der zweite, gleichfalls zwölf Gedichte umfassende Teil der Lieder, in dem es sich nicht um Erlebnisse mit Menschen, sondern um ein Auffangen der Essenz von Gefühlen des Dichters handelt. Äusserlich kommt dies durch häufigen und starken Wechsel der Versmasse unter Beibehaltung der Strophen- und Verszahl zum Ausdruck, der die Liedhaftigkeit erhöht. Von den letzten sieben Gedichten der «Traurigen Tänze» unterscheiden sich diese zwölf Lieder dadurch, dass in ihnen das, was gesagt werden soll, unter möglichst sparsamer Benutzung von Vergleichen und Bildern direkt und abstrakt verdichtet wird, so dass es dem Hörer überlassen bleibt, dem Bericht eine übertragene Bedeutung beizulegen. Solch Anregen und bewusstes In-Dienst-stellen der Phantasie des Hörers ist ein Charakteristikum des echten Liedes, zu dem die «Lieder von Traum und Tod» ein weiterer Schritt der technischen Vorbereitung sind.

Der Titel «Gartenfrühlinge» deutet nicht auf Erstlingsfrüchte aus Gärten oder auf Erscheinungen in verschiedenen Frühlingen, er besagt, dass es sich um Empfindungen handelt, die durch Frühlingserscheinungen in verschiedenartigen Gärten im Dichter hervorgerufen werden. Der erste Garten ist architektonisch einfach angelegt und waldartig gehalten. Sein Dunkel wird durch das besonders helle Grün der ersten Blätter an Bäumen und Sträuchern aufgehellt. Die Ginsterpflanzen, die nahe dem Boden ihre bescheidenen, dünnen Zweige und Blüten ausstrecken, sollen die unbewegt stille Trauer des Dichters inmitten des strahlenden Grüns mildern. Im zweiten Garten, der architektonisch mehr kompliziert geplant ist und schon seltenere Gewächse enthält, wie es die in der Rheinebene gedeihenden echten Mandelbäume sind, sieht der Dichter – durch den Geruch der Mandelblüten angeregt – Augen voll Glut und voll Traum und wünscht, wieder durch diesen Garten zu wandern und dessen Sinnlichkeit wenigstens dadurch zu geniessen, dass er seine Hände den Flaum der Blüten fühlen lässt. Der dritte Garten enthält zu Kunstformen wie der körperhaft symbolischen Gestalt des Kegels geschnittene Büsche, zwischen denen das Gefieder seltener Vögel glitzert und vom Blütennektar trunkene Schmetterlinge «segeln». Der Dichter hört dort reicher tönende Lieder schallen, und diese Andeutung könnte den Gedanken aufkommen lassen, dass hier auf die Lieder der «Hängenden Gärten» angespielt werden soll. Ginge man so weit, dann könnte man auch im zweiten Garten eine Erinnerung an den Garten im vierten Gedicht in «Nach der Lese» erblicken, von dem aus ein Mandelbaum sichtbar ist, im ersten Garten eine Erinnerung an die Waldlandschaft in der ersten der «Verjährten Fahrten», und im Garten mit dem Springbrunnen in der vierten Strophe eine Erinnerung an die Fontäne in «Im Park» der «Hymnen». Solche Zusammenhänge erscheinen jedoch nicht innerlich notwendig und bleiben deshalb blosse Konstruktionen, für die naturgemäss desto mehr Anhaltspunkte auftauchen, je abstrakter ein Gedicht gefasst ist. Man sollte auch nicht deswegen, weil die Versmasse in den Strophen eins und drei und den Strophen zwei und vier die gleichen sind, darauf schliessen, dass es sich nur um zwei Gärten handeln könne. Dagegen spricht die Verschiedenheit der Gärten, wie sie in den Strophen eins und drei geschildert werden. Möglich wäre, dass in den Strophen drei und vier der gleiche Garten beschrieben wird, aber auch hierfür liegt kein zwingender Grund vor. In der vierten Strophe tauchen vielmehr die Traum-Augen, die schon in der zweiten Strophe erwähnt waren, wieder auf, nicht weil der Garten der gleiche ist, sondern weil die den Dichter bewegende Grundfrage die gleiche beim Erleben vom Frühling in den vier Gärten bleibt, nämlich ob die Traum-Augen sich ihm in Wirklichkeit zeigen würden und ob er noch die Kraft haben werde, sie zu lieben, wenn sie sich endlich zeigen sollten, wie es in «Das Bild» in «Sagen» heisst. In den vier Gärten enthüllt also der Frühling dem Dichter die Möglichkeit des Keimens neuer Erlebnisse, die die ersehnte Erfüllung bringen könnten. – Da die Phantasie und Ausdrucksfähigkeit jedes Menschen – auch der grössten Dichter, deren Werke von inhaltlichen Wiederholungen keineswegs frei sind – naturgegebene Grenzen haben, kann man aus der blossen Tatsache einer Wiederholung nicht sichere Schlüsse auf bewusste und beabsichtigte Inhaltsgleichheit ziehen. Wiederholungen sind bisweilen zum Zweck einer Vertiefung oder als neue Ansatzpunkte technisch unvermeidbar. Bei Erörterung des Bandes des «Teppichs des Lebens», der die erste Hälfte des Werkes abschliesst und zusammenfasst, muss wieder darauf hingewiesen werden, dass alle den Dichter vor dem Maximin-Erlebnis beherrschenden Gefühle und Gedanken sich unschwer als bereits in seinen frühsten Dichtungen angedeutet finden lassen.

Unbestimmte Vorahnung einer fruchtbringenden Zukunft, wie sie der Anbruch des Frühlings erzeugt, wird auch dadurch hervorgerufen, dass, wie das zwanzigste Vorspielgedicht darlegt, jeder Nacht mit Notwendigkeit ein Morgen folgt. Der Schauer, den das frühe Licht erweckt, ist zugleich schmerzlich und süss. Grammatikalisch kann die Überschrift «Morgenschauer» als Singular oder Plural angesehen werden, sachlich würde eine Lösung dieser Frage aber kaum Bedeutung haben, da das Wort auch im Singular, der hier vorzuziehen sein dürfte, die verschiedenen, in der vierten Strophe aufgezählten Gefühle in sich schliessen kann. – Das Erscheinen des morgendlichen Lichtes wirkt fremd und zugleich beseligend, es bringt das Gefühl eines unheilbaren (nicht zu nietenden) Schmerzes, verbunden mit der beglückenden Gewissheit einer Wiederkehr von Sonne und sanftem Wind. Es ist, als ob sich im neuen Licht im Gefilde Wege öffneten, die schon vorher die Seele in sich geschaffen hat. Nach der erschreckenden Leere der Nacht verbreitet sich jetzt ein Duft, der zuerst mild ist und sodann heftiger, wilder und erregender wird. Im Morgengrauen erscheinen die Bäume und das nahe Haus trüb wie durch Tränen gesehen. Mit dem Steigen der Sonne nimmt der weissblühende Kirschenzweig überm Weg ein festtägliches Leuchten an, die Landschaft glänzt zitternd und klingt so stark zusammen, dass die Seele Qual und Entzücken, Schwere und Gewichtlosigkeit, ein Schwanken zwischen Süsse und Bitternis in rätselhaftem Einklang empfindet, wie schon in «Ein Sonnenaufgang» in überrealistischer Weise gezeigt wird.

Das dritte, eine fruchtbringende Zukunft verheissende Gefühl ist das Wahrnehmen des Pulsierens des eignen Blutes, das der Rhythmus des Herzens und des Lebens ist. Es sagt durch Art und Stärke, was die Seele hinter sich gelassen hat und was, nachdem die Freude Abschied genommen hat, an der leeren Stätte noch lebendig quillt. Die Freude ist als Mädchen gedacht, wie die weiblichen Pronomina in der zweiten und dritten Strophe in Übereinstimmung mit der Schilderung im folgenden Gedicht und mit der Tendenz des ganzen Bandes, ausgedrückt durch die Wahl der Symbole für die sieben Standbilder, beweisen. Weil die Freude sich entfernt hat, sind bestimmte Stunden des Tages und gewohnte Wege, die früher durch sie beglückt worden waren, für die Seele wertlos geworden. Das Pochen des eignen Blutes lehrt, dass jetzt die Seele gleichsam im Schlaf wandelnd umherirrt, dass alle Worte, die den Abschiedsworten der Freude ähnlich sind, schrill klingend stören, dass jeder Stein auf dem Weg zu einem kaum überwindbaren Hindernis wird, weil die Seele so lange auf nichts wie sich selbst ebenso wie in der vierten «Nachtwache» geblickt hat, und dass die Beklemmung für die Seele ins Unerträgliche wächst, wenn sie sich Dingen nähert, die Zeugen eines früheren, frohen Erlebens gewesen sind. Dieses Pochen kann nur durch Wehmut, also ein Verebben des Schmerzes langsam beruhigt werden – erfolglos bleiben die Versuche der Seele, es durch die Erkenntnis zu dämpfen, dass ernste Taten durch ein Streben nach so kleinen Zielen, wie es die durch Freude erreichbaren sind, nicht aufgehalten werden dürfen. Über die Art des früheren, freudigen Erlebnisses sagt das Gedicht nichts aus, es erscheint aber im Gefüge des Ganzen selbstverständlich, dass es sich um das Finden und Verlieren eines Menschen gehandelt hat. – Das neue an diesen und den folgenden Liedern ist, dass nicht das Visuelle der Frühlingsgärten, des Morgenlichts, des schlagenden Herzens im Vordergrund steht, sondern das Gefühl selbst, das hier mit Hilfe eines sichtbaren Mediums konzentriert und zugleich durch eine fast kurvenmässige Art der Aufzeichnung als kontinuierlich dargestellt wird.

Das Gedicht «Lachende Herzen» komprimiert den inneren Gehalt des Lämmer-Gedichts. Es handelt von Menschen, unter denen der Dichter lebt. Sie erscheinen ihm hier nicht antiquiert, wie in «Lämmer», er bewundert sie bis zu einem gewissen Grad wegen ihrer Unbeschwertheit. Sie sehen die Freude im Bilde der Fortuna mit dem Füllhorn, die aus einem Himmel unvermutet niederschwebt und die von Menschen begehrten, greifbaren Gaben als Geschenke verteilt, so dass die Hoffnung auf bevorstehende, noch schönere Feste erhöht wird. Sie kennen nicht beschwerende Gedanken, sind nicht mit der Qual des Schaffens belastet. Für sie vereinen sich die lieblichsten Sonnenstrahlen auf dem geröteten Schmelz zartblumiger Wangen – eine Erinnerung an einen Antigone-Chor des Sophocles – und sie sehen glücklose Tage nur als kurze, vorübergehende Busse für heiteres Geniessen an. Der Dichter sucht die Gemeinschaft mit den tanzenden und spielenden Herzen der Leichten und Frohen, er mischt sich gern unter sie, ohne ihre Feste zu stören, ihr anmutiges Flehen verbietet ein über den Augenblick hinausgehendes Denken, sie empfangen ihn als

Freund, obwohl sie über die Verehrung, die er ihnen entgegenbringt, lächelnd staunen. Der Dichter bleibt sich jedoch bewusst, dass diese Gemeinschaft ihn insofern erniedert (nicht erniedrigt), als er sich durch sie von seiner höheren Aufgabe abhalten lässt, dass ferner die Leichten nicht erkennen, weshalb nur seine Verkleidung ihnen ähnelt – dies war schon im sechsten Gedicht der «Tage» Algabals angedeutet worden – und wie fern sie seinem pochenden Herzen, das nach Werk und wahren Gefährten begehrt, für immer sind. Die Rückverbindung dieses Gedichts mit dem voraufgegangenen durch Erwähnung des pochenden Herzens ist ein besonderes Kunstmittel dieses Bandes.

Behandelte «Das Pochen» das Pulsieren des Blutes als Masstab für das Fühlen, so geben die «Flutungen» eine Entwicklungsgeschichte der Seele, die hier, wie schon im neunzehnten Gedicht des «Vorspiels», verkürzt mit «sie» bezeichnet wird. Zu innerem Leben gereift, war die Seele so voll mit eignem Licht, dass sie unter der Helle litt und Gaben, die ihr die Huldigung der Menschen damals bot, kaum beachtete, so dass sie im starren Stolz verschwiegener Jugend ein ihr nahes Glück oft ungenossen vorübergehen liess. Aus diesem Jugendzustand herausgewachsen begann sie selbst zu wandern, zu suchen und um Menschen, die ihr entwichen, zu werben. Mit brennendem Verlangen sah sie den Lebenden nach, die sie nicht liebten, und den Toten, zu denen sie wegen ihrer Jugend noch keine innere Beziehung hatte. Da fühlte sie sich eines Tages völlig allein in ihrem Schmerz der Vereinsamung, den sie so lange getragen hatte, dass er ihr leicht und leer erschien. Wie «Die Maske» blickte sie noch einmal prüfend zurück und fröstelte wie ein blindes Kind, dem Kühle sagt, dass der Abend schon angebrochen ist. Damit beginnt für den Dichter eine neue, das heisst: seine gegenwärtige Erlebensstufe. Sie wird in der vierten Strophe des Gedichts geschildert, in der der zweite Vers, in der Fassung der Erstausgabe, durch kein Interpunktionszeichen vom dritten Vers getrennt ist und vor «dass» zwecks Verdeutlichung des Zusammenhangs ein «nur» einzufügen wäre. Der Dichter, der Wortwiederholungen ebenso wie Reimwiederholungen als stilwidrig vermeidet, unterlässt dies, da er das Setzen des Wortes «nur» im dritten Vers für notwendiger erachtet. – In dieser Erlebensstufe brennt der Schmerz des Alleingebliebenseins wie früher unaufhörlich in der Seele, sie hat aber jetzt die volle Gewissheit erlangt, dass, wenn auch vieles zu Ende oder vorüber ging und dem Wechsel unterworfen war, alles, was sie ergreift und wonach sie immer noch sucht, im wesentlichen unverändert gleich geblieben ist.

Es folgen je drei Tag- und Nacht-Gesänge, die reich an Erinnerungen und Erkenntnissen sind. Technisch stellen sie weit getriebene rhythmische Experimente zur Ausnutzung des verkürzenden Stils dar. – Die Kindheit, mit Verheissungen erfüllt, erscheint als freudiges Leben in einem hellen Tal. Der Dichter sieht sich nach Vollendung seiner Jugendwerke in Strahlen und Blüten wandeln. Es folgten Tage, die er bei ihn umschwärmenden Chören in zitternder Jagd durchlebte und die ihre Färbung nicht mehr von Silberbächen in lichten Wiesen, sondern vom tiefen Smaragd gefährlicher Wogen erhielten. Der erste und zweite Vers der vierten Strophe des Gedichts deuten auf das siebzehnte Vorspielgedicht zurück und betreffen ebenso wie die dritte Strophe die gegenwärtige Erlebensstufe des Dichters, der sich selbst seine frohen Folger kürt und den Gesang mit einem Preislied auf die allzu rasch verrauschenden, erhebenden Tage endet. Es ist möglich, dass der dritte und vierte Vers der vierten Strophe ein bewusstes Zitat aus Corneilles «Cid» darstellen:

«Que notre heure fût si proche et sitôt se perdit.»

Der zweite Tag-Gesang enthält Reflektionen des Dichters über den Abschied von einem Freund. Das freudige Gefühl, der Rausch, den die Gegenwart des Freundes erzeugt hat, hält noch an, wenn jener sich nach dem Fortgehen umwendet und zu dem ihm nachschauenden Dichter zurückblickt. Der Dichter, der ihm liebende Abschiedsworte mitgegeben hat, lässt ihm sein Lob, das beflügelt wie Tag und Nacht in diesen Gedichten gedacht wird, auf den Weg folgen, bis er in Wolken des Sonnenuntergangs verschwindet. Die Schilderung ist ähnlich der im «Seelied». – Der Dichter fühlt, dass ihm nach dieser Trennung niemand nahe ist, der ebenso gross und umfassend wie jener, der fortging, wäre und um den wenn auch mit minderer Intensität zu werben lohnend sein würde. Das Wort «Er» ist hier gross geschrieben, damit es nicht auf «der Hall» bezogen wird. Wie in «Fahrt-Ende» setzt der Dichter allein seine Wanderung fort und sucht den Willen des Schicksals dadurch zu ergründen, dass er sich, um auf Stimmen aus dem Inneren der Erde lauschen zu können, zu Schluchten niederbeugt.

Der dritte Tag-Gesang ist ebenso wie der erste und zweite ein Selbstgespräch. In dem leisen Singen eines Vogels, der auf einer Pappel am Rand eines Wassers sitzt, glaubt der Dichter fast spöttisch leicht geäusserte Fragen zu hören. Die Zeit des Blühens, so singt der Vogel, sei vorüber, aber fühle sich nicht jedes Wesen trotzdem schön, das heisst hier «berechtigt» im ewigen Kreislauf, schöpfe es nicht immer wieder neue Hoffnung aus einem Anblick wie dem des Glühens der Berggipfel? Jener, der seinen Zug zu Glücklicheren angetreten habe, lasse nichts als Erinnerung als Traumlohn zurück, das Traumgold verschenke er früh und nur im Flug. Der Dichter solle sein Haupt, das gebeugt auf eine Vision oder Stimme aus der Tiefe warte (so schloss der zweite Tag-Gesang) wieder heben und harren, bis der Sang ende und das Licht sinke. – Wer der zu Glücklicheren Ziehende ist, wird im Gedicht nicht gesagt. Es ist aber anzunehmen, dass es der Freund des zweiten Tag-Gesangs ist, der andre durch sein Kommen glücklicher macht, nicht aber eine Personifizierung der Sonne, die nach antiker Sage im Untergang zu den Hesperiden zieht, die wohl kaum mit dem Komparativ «glücklichere» gemeint sein könnten. Hingegen werden im drittletzten Lied des «Neuen Reichs» die andern, zu denen ein jüngerer Freund des Dichters sich wendet, komparativisch «mehr beglückt» genannt.

Die Nacht-Gesänge sind wiederum Selbstgespräche. Der erste spiegelt die endhafte Stimmung des Dichters in Betrachtungen, wie sie sich in schlaflosen Nächten, von denen die Mehrzahl der Gedichte der «Zeichnungen in Grau» berichtet, aufdrängen. Das Vorherrschen dunkler Vokale, die Abgerissenheit der Sätze, die Kürze von Wort und Vers verstärken den Eindruck von der Tiefe der Nacht. Alles was mild und trüb in menschlichen Empfindungen und Beziehungen ist, erscheint dem Dichter jetzt fremd. Er sieht sein Geschick darin, dass er nach kurzem Rasten sein suchendes Wandern fortzusetzen hat. Der Gedanke an Sturm und Herbst verbindet sich für ihn mit dem an den Tod, ebenso wie Glanz und Mai untrennbar von Glück geworden sind. Was er tat und sann und litt, das Gesamt seines Lebens, vergleicht er mit einem in Rauch vergehenden Feuer, mit einem verklingenden Sang.

Der zweite Nacht-Gesang gibt eine Zusammenfassung von dem, was der Dichter in den bereits hinter ihm liegenden Lebensphasen als wertvoll empfunden hat. Es waren die Erscheinungen einer tiefdunklen Pracht, der gluterfüllten Ernten, der Seufzer im Dunkel. An Menschen waren es die Schar der Frauen, die mit wallendem Haar im Tanz ihre volle Schönheit entfalteten und sich gebend die Seelen der Männer lenkten, sowie der Chor der Jünglinge, die ihn, wie es im ersten Tag-Gesang heisst, feurig begrüssten, deren Wort er lobte und deren ehrfürchtige Jugendlichkeit er ermutigte. Diese Seelen lernte er als «hohe Freunde» anzuerkennen, er kam aber zu dieser Einsicht nur nach einem Verzicht und spät, nämlich nachdem er in der eignen Jugend nach einem leitenden älteren Freund und in der Zeit der Reife nach gleichaltrigen, wahren Gefährten, wie es im zweiten «Kunfttag» heisst, vergebens gesucht hatte. Er fühlt, dass in den ihm folgenden Frauen und Jünglingen etwas glüht, das ewig lebendig bleibt, während alles übrige allmählich zerfällt.

Der dritte Nacht-Gesang enthält die Selbstmahnung, das Leben so zu führen, dass es wie die Rebe duftende Blüten und berauschende Frucht trägt. Die Worte «dir lieb und gerühmt» enthalten die Auf-

forderung, Zufriedenheit dem eignen Schicksal gegenüber zu empfinden, ja dieses Schicksal trotz der Schwere der Sonderung zu preisen.
Ein solches Leben setzt voraus, dass alles vermieden wird, was vom
Erreichen des Zieles abhält, alles was siecht und vermorscht, was
hastet und lärmt. Das Ziel des Dichters kann nur von Wenigen
(Seltenen) erforscht werden und bleibt der Menge für immer verhüllt,
wie das Teppich-Gedicht besagt. Das Ziel wird im Werk verkörpert,
es besteht im Suchen und Festhalten von Ehrfurcht und Schönheit,
sie erzeugen einen Schauer, der ohne zu sprengen, schwellt, ein Gefühl, das ohne zu versengen, wärmt, bis auf der höchsten erreichbaren
Stufe in der Stille des Traums ein andres Licht die Seele erfüllt und das
Dasein in goldnen Tönen verrauscht.

Daraus ergibt sich der Übergang zum letzten der «Lieder von
Traum und Tod», das zugleich den Abschluss des Bandes und damit
der ersten Hälfte des Werks Stefan Georges bildet. Das «Vorspiel»
schloss mit dem Bild vom Tod des Dichters, der «Teppich» im
engeren Sinn mit dem Bild ewigen Lebens des Traums und der
Dichtung, die Lieder enden mit dem Bild des Verbundenseins von
Traum mit Tod. Was in der vierten Strophe des dritten Nacht-Gesangs
allgemein gehalten gesagt war, wird im Schlussgedicht im einzelnen
durch Verkettung von Symbolen dargestellt, nachdem die sechs Tag-
und Nacht-Gesänge den Lebensraum des Dichters begrenzt haben,
über dem die Gestirne seiner Welt im Rhythmus des letzten Liedes
rollen. Die erste Strophe des Gedichts schildert die Gefühle von Glanz und
Ruhm, mit denen begreifende Kindheit die Welt sieht. Gleich den
Heroen der Vorgeschichte strebt solche Kindheit, die das zweite Jahrsiebent des Lebens umfasst, alles, was zwischen Berg und Belt liegt –
und dies deutet nicht nur auf die Grenzen Deutschlands, sondern auch
auf die eines jeden Landes – für sich zu erobern. Der Geist blickt in
diesem Zustand des zufriedenen Traums noch gross in sich selbst und
ohne Unterwerfung unter die Herrschaft einer andern Seele auf die ihn
umgebende Welt. In den Jahren des dritten Jahrsiebent sucht die
Seele im sehnenden Traum unter den Bildern und Lichtern, die auf
ihrem Weg auftauchen und verschwinden, von Rausch und Qual zugleich geschüttelt nach einer andern grösseren Seele, deren Führung sie
anerkennen und preisen kann. Danach vom vierten Jahrsiebent an beginnt die Zeit der auf das Werk gerichteten Verinnerlichung, des
schaffenden Traums, mit dem die Seele den Gott, in dessen Gefolge sie
nach Plato eingeordnet ist, durch die Kraft ihres Werkes kühn überwältigt, bis der Ruf der Erdgebundenheit sie aus der von ihr erreichten
Höhe herabzwingt und vor der Macht des Todes entblösst. Diese das
Leben bestimmenden Zustände des Traums stürmen reissend, schlagend, blitzend und brennend auf die Seele ein und erscheinen zu einem

Sternbild vereinigt erst spät am nächtlichen Firmament. Mit dieser Erkenntnis schliessen der Band und die erste Lebenshälfte des Dichters. – Die Dichtungen seines fünften Jahrsiebents, das «Jahr der Seele» und den «Teppich des Lebens», kann man, wenn man eine für Schöpfungen der bildenden Kunst übliche Klassifizierung auf Gedichte anwenden will, als monochrom und linear gesehen und gestaltet bezeichnen.

DER SIEBENTE RING

Das Werk wurde als der siebente Gedichtband des Dichters in der Ausstattung von Melchior Lechter im Jahr 1907 veröffentlicht, also sieben Jahre nach dem Erscheinen des «Teppichs des Lebens». Die erste öffentliche Ausgabe erfolgte, und zwar wie alle Werke der zweiten Lebenshälfte des Dichters ohne Widmung im Jahr 1908 für das Jahr 1909. Der Titel ist von Baumringen genommen, die konzentrische Kreise bilden und aus deren Zahl das Alter eines Baumes bestimmt werden kann. Der Band enthält sieben Bücher, die einzelnen Ringe, von denen jeder eine durch sieben teilbare Zahl von Gedichten, zwischen vierzehn und siebzig, zusammenfasst, während alle vorher und nachher veröffentlichten Bände weniger, meist nur drei Bücher in sich schliessen. Die Anzahl der Verse in den einzelnen Ringen ist verschieden, hält sich aber bei weitester Zählung in einem Rahmen von dreihundertfünfundzwanzig zu vierhundertfünfzig. Ob man sie als durch sieben teilbar betrachtet, hängt von der Bewertung der Mottos und Halbverse beim Zählen ab. – Irrtümlicherweise hat Melchior Lechter in der Erstausgabe die Ringe als Metallringe angesehen und gezeichnet. Im Auftrag Stefan Georges sandte ich das von Friedrich Gundolf geschriebene Druckerexemplar aus Heidelberg im Sommer 1907 an Melchior Lechter, der nach dem Wunsch des Dichters den Druck des Buches bei Otto von Holten in Berlin beaufsichtigen sollte. Aus eignen Stücken zeichnete sodann Melchior Lechter den Buchschmuck und schickte die Zeichnungen an Stefan George, so dass dieser nicht in der Lage war, den Buchschmuck abzulehnen, ohne den Maler zu verletzen. Der Dichter würde, so sagte er wiederholt, für dieses Buch ebenso wie schon für den «Teppich des Lebens» einen einfachen, schmucklosen Druck in der inzwischen von ihm selbst entworfenen Drucktype, die übrigens nur hinsichtlich weniger neu gezeichneter und neu gegossener Buchstaben eine Abänderung der sogenannten «Grotesk»-Type darstellt, vorgezogen haben. Das Maximin-Gedenkbuch, das im Jahre 1906 erschien, war hingegen von vornherein vom Dichter für einen Druck mit reichem Buchschmuck gedacht, und Melchior Lechter erzählte gern, wie schwierig es für ihn gewesen sei, das vom Dichter gefertigte Lichtbild Maximins, auf dessen Veröffentlichung der Dichter bestand, in die zeichnerische Ausstattung nach Möglichkeit einzubeziehen.

Im «Siebenten Ring» ist der Maximin-Ring der vierte Ring und somit das Zentrum des Bandes. Er gibt zusammen mit der Prosa der Maximin-Gedenkrede und den Maximin-Gedichten im «Stern des Bundes» und «Neuen Reich» eine möglichst direkte Schilderung des Maximin-Erlebnisses des Dichters, das sich von der zweiten Hälfte des Jahres 1901 an bis zur ersten Hälfte des Jahres 1904 vollzog. Die im «Siebenten Ring» veröffentlichten Gedichte sind teils vor, teils nach dem Maximin-Erlebnis gedichtet, doch schwingt in allen nach Abschluss des «Teppichs des Lebens» entstandenen Gedichten zumindest die Vorahnung von der Nähe des Maximin-Erlebnisses mit, wie der Dichter betonte.

ZEITGEDICHTE

Der erste Ring enthält vierzehn Zeitgedichte, in denen in je vier Strophen mit je acht reimlosen, fünffüssigen Versen – es sind im ganzen 448 Verse – die Stellung des Dichters zu dem Leben und zu den Anschauungen seiner Zeitgenossen dargetan wird. Soweit der «Teppich» schon dieses Thema behandelte, geschah es mit einer mehr oder minder verzichtenden Geste des Dichters, für den damals die Kunst der Darstellung in Bildern das wesentliche Problem gewesen war. Im «Siebenten Ring» hingegen nimmt er kämpfend selbst Stellung, da er sich durch das Maximin-Erlebnis mit Rückwirkung für berechtigt und verpflichtet ansieht, als Richter und Seher im Kunstwerk, das, wie er erfahren hat, das künftige Leben schafft, seine Stimme zu erheben. – Den Rahmen bilden die beiden Zeitgedichte – die englische und deutsche Dichtung benutzte schon früher ähnliche Benennungen – am Anfang und am Ende des ersten Ringes.

Das Einleitungsgedicht behandelt die Aufgabe, die der Dichter von seinen frühen Werken an jetzt zurückschauend in logischer Abfolge sieht. Geistige Entwicklung ist für den Künstler selbst nur im Rückblick, nicht schon während seines Wachstums erkennbar. – In den Jahren zwischen 1880 und 1913, die in Deutschland durch prahlendes Lärmen und die Sucht nach Gewinn und Vergnügen gekennzeichnet waren, hielten die Zeitgenossen den Dichter auf Grund seiner vor dem «Jahr der Seele» geschaffenen Werke für einen nur sich selbst liebenden, salbentrunkenen Prinzen, der seiner Kunst lebe und kühl hoheitsvoll, blutlos und festlich in einem Elfenbeinturm sein Dasein verbringe. Sie sahen nicht, dass sich hinter diesen scheinbar erdenfernen Versen das rauhe Wirken einer Jugend verbarg, die Qualen litt, weil sie nach dem höchsten Ziel, dem höchsten First strebte, indem sie ihre Träume in Leben umzusetzen begehrte – ein Beginnen, das nicht nur gefährlich ist, sondern sogar oft den Tod nach sich zieht. Dieses Ziel erforderte das Finden eines in gleicher Weise denkenden und fühlenden Gefährten, der einen Bund zu formen fähig und bereit wäre. Denn die neu zu schaffende Welt ist nach der Anschauung und Erfahrung des Dichters erst dann zum Leben erwacht, wenn zwei Wesen, nicht nur der allein, der sie erträumte, in ihr atmen. Um einen solchen Freund zu finden und zu erringen, drang der Dichter, wie er in bildhafter Umschreibung sagt, als Empörer gegen bestehende Sitte mit seiner Fackel verbrennend und mit seinem Dolch mordend – dies sind Worte, die Cicero in der ersten Rede gegen Catilina gebraucht – in die bürgerliche Gesellschaft seiner Zeit ein. – Die Gestalt des Catilina interessierte, nebenbei bemerkt, den Dichter, der Teile von Ibsens Jugendwerk übersetzt hatte und einen seiner Freunde gern eine «catilinarische Existenz» in Anlehnung an Nietzsche nannte. – Die Worte «Ihr Kundige» sind ironisch gemeint, sie sahen nicht hinter dem Schleier, den seine Kunst im Werk schützend über Traum und Tat breitete, die Schauer und das Lächeln des Dichters. In der dritten Strophe beschreibt der Dichter die Wirkung des «Jahrs der Seele» auf die Zeitgenossen, das damals den bei weitem grössten Anklang von allen Bänden gefunden hatte. Er vergleicht sich mit dem Rattenfänger von Hameln, dessen Töne zuerst die Ratten und dann die Kinder der Zeitgenossen, als man das ihm gegebene Versprechen nicht hielt, bezauberten. Er zeigte den Mitlebenden mit Tönen, die für sie in gewohnter Weise schmeichelnd und verliebt klangen, Schätze im Wunderberg, die ihnen bisher unbekannt gewesen waren und plötzlich das, was sie als «Seelengut» gepriesen hatten, schal erscheinen liessen. Sie begreifen nicht, dass und weshalb er, nachdem schon andre im gleichen, als erfolgreich erprobten Ton «arkadisch säuseln» und blutleer prunken, zur Kriegstrompete greift und wie ein Reiter sein Pferd das morsche Fleisch der Zeitgenossen mit seinen Sporen in einen von ihnen nicht gewünschten Kampf treibt. Einige sehr alte Leute, die vor allem froh sind, nicht mehr selbst mitkämpfen zu brauchen – das liegt hier im Wort «schielend» – preisen dies als Tapferkeit, aber die Mehrzahl der Mitlebenden sieht hierin einen Abstieg von Hoheit, ein Schreien an Stelle eines Singens aus verklärten Wolken. Beiden Beurteilern hält der Dichter entgegen, dass sie an ihm einen Wechsel gesehen hätten, dass er aber stets das gleiche Endziel, wenn auch mit verschiedenen Mitteln, verfolgt habe und verfolge. Hölderlin sagt in «Dichtermut» (zweite Fassung) über das Gleichbleiben bei Kenntnis des Wandels, mit dem auch Stefan Georges Gedicht «Der Krieg» endet:

> ... und das edle Licht
> Gehet, kundig des Wandels,
> Gleichgesinnet hinab den Pfad.

217

Änderungen im Wesentlichen erachtete der Dichter bei Männern nur in der Jugendstufe als entschuldbar, nach Erreichung des dreissigsten Lebensjahres aber als unstatthaft. Eine Änderung im Wesentlichen ist verschieden von einer Wandlung, die nur einen Wechsel der Mittel betrifft, die geeignet sind, ein gleichbleibendes und gleichgebliebenes Ziel zu erreichen. Die Notwendigkeit einer solchen Wandlung wird hier und am Ende des «Kriegs» vom Dichter betont. Er bleibt sich bewusst, dass seine Verse, die heute eifernd wie Posaunen klingen und fliessende Flammen, wie das «griechische Feuer» des Mittelalters, verbreiten, morgen vielleicht durch ein Flötenlied, das ein Knabe für sich selbst (still) erfindet und spielt, nicht nur an Schönheit, sondern auch an Kraft und Grösse überboten werden.

In «Dante und das Zeitgedicht» lässt der Dichter Dante sprechen, zugleich enthält das Gedicht ein Spiegelbild von Stefan George im Verhältnis zu seinen Zeitgenossen. Das «Niedersinken am Torgang» ist ein Protest gegen die populär gewordene, süssliche Darstellung der Präraffaëliten von der Begegnung Dantes mit Beatrice, enthält aber auch eine Übersetzung des Familiennamens der Beatrice: Portinari und deutet symbolisch darauf, dass Liebe zu ihr zum Tor, zu dem Zugang zum Bereich der «Göttlichen Komödie» wurde. Es ist nicht überliefert, dass Dante bei ihrem Anblick gerade an einem «Torgang» die Gewalt über seine Sinne verloren hätte. Der Vorname Beatrice wird gleichfalls übersetzt, und zwar mit «Holdselige». Das Wort «Torgang» enthält weiterhin einen Hinweis auf den «Siegesbogen» in München, an dem der Dichter zum erstenmal Maximilian Kronberger in der zweiten Hälfte des Jahres 1901 erblickte, wie aus der Gedenkrede und dem zweiten «Gebet» im «Neuen Reich» hervorgeht. Das Tor symbolisch gebraucht als Zugang zu einer andern Lebensstufe erschien schon in früheren Werken des Dichters, zum Beispiel in der zweiten «Nachtwache». Das Wort Tor wird als Gegensatz zu «Tür» benutzt, die stets nur als Bezeichnung für einen äusseren Zugang verwendet wird. – Es ist überliefert, dass der Dichter Guido Cavalcanti seinen Freund Dante tröstete, als jener nur noch durch die Kraft seines eignen Liedes, der «Vita nuova» weiterzuleben schien. Damals war der Grad der Ergriffenheit Dantes für Beatrice, die selbst nach den Massstäben der Renaissance noch ein Kind bei der ersten Begegnung war, so stark, dass seine Zeitgenossen darüber spotteten. Hierin liegt der Hinweis, dass die Zeitgenossen Stefan Georges sein Ergriffenwerden beim Erscheinen des im Jahre 1901 erst dreizehn Jahre alten Maximin nicht verstanden oder falsch auslegten. Niemals wird die Menge es hinnehmen, dass ein Mitlebender trotz seines Wissens von der Vergänglichkeit alles Irdischen durch ein solches Erlebnis zu überzeitlichem Planen, Lieben und Klagen hingerissen wird. – Zum Manne gereift bewegte Dante das Schicksal seiner Vaterstadt Florenz und des Reiches, da er sie durch falsche Führer an den Rand des Abgrunds gebracht glaubte. Er eilte mit seinem Geist und auch, wie berichtet wird, mit seinem Vermögen zu Hilfe und kämpfte offen gegen alle, die er für Verderber hielt. Zum Lohn hierfür, wie es in dem Gedicht ironisch heisst, musste er Florenz verlassen, wurde seiner Güter beraubt und hatte als Bettler viele Jahre hindurch am Hof fremder Fürsten, an «fremden Türen» mit dem einzigen Trost zu leben, dass sein Werk seinen Namen ewig mache, während der Name seiner Feinde mit ihrem Tod vergessen sein würde. In der dritten Strophe werden die Gefühle charakterisiert, die Dante zum Gestalten der «Hölle» veranlassten. Es sind der Zwang zum Wandern, die trübe Heimatlosigkeit, der Schmerz durch Qualen, die sein eignes Denken vergrösserte, und der Zorn gegen träge, niedrige und frevelhafte Zeitgenossen. Die Form seines Gedichtes wird als aus «Erz» gegossen bezeichnet, um ihre unvergängliche Härte zu veranschaulichen. Die «Hölle» erweckte in Dantes Mitlebenden anfangs Grauen, dann aber wurde sie gepriesen, ohne dass die Lober sich darüber klar wurden, dass das Feuer und die Waffe des Dichters gegen sie selbst gerichtet waren. So mag Stefan George seinen eignen Kampf gegen die Anschauungen der Zeit im ersten, zweiten und siebenten Ring des «Siebenten Rings» und später im «Stern des Bundes» und im «Neuen Reich» empfunden haben. – Das Bild vom Flötenlied eines Knaben in der vierten Strophe des ersten Zeitgedichtes wird in der vierten Strophe des zweiten ergänzt, die von Dantes «Paradies» handelt. Solche Schilderung wurde von Zeitgenossen als schwächlich wie ein Werk von Greisen oder Kindern empfunden. Demgegenüber betont Dante, dass nur ein einziges Scheit seines Feuers notwendig war, um die Hölle lebendig werden zu lassen, dass es aber der vollen Glut bedurfte, um die Strahlung der höchsten Liebe sichtbar zu machen und, wie es am Schluss der «Göttlichen Komödie» heisst, Kunde von Sonne und Stern zu geben. – Oberste Dichtung besteht im Preisen. Negieren hat nur dann Sinn in der Dichtung, wenn es vom Preisen übertroffen wird und zur Erhöhung des Preisens beiträgt. Wegen des Überwiegens der negativen Elemente gab Stefan George es auf, ein Zeitgedicht auf Bismarck und das Preussentum, an dem er viele Jahre arbeitete und von dem er, wie Karl Wolfskehl erzählte, einmal sogar einen Teil bei einer Lesung im Hause von Dr. Bondi in Berlin vortrug, zu beenden und in sein Werk aufzunehmen. Berlin wurde in jenem Gedicht, dessen Fragmente Robert Boehringer im Nachlass des Dichters fand und veröffentlichte, in folgender Weise bezeichnet: «Berlin, die Stadt der Handels-, Heer- und Huren-Knechte.» Später sah er Berlin durch die Geburt Maximins, die dort erfolgt war, als «entsühnt» an, wie das erste Gedicht «Auf das Leben und den Tod Maximins» durch Strophe vier besagt. Er wandelte sogar die ursprüngliche Fassung vom Preis des Landes, in dem Maximin geboren war, in den Preis der Geburtsstadt, das heisst Berlins um.

Das «Goethe»-Gedicht und das «Nietzsche»-Gedicht sind zu bestimmten Gelegenheiten, nämlich zu der einhundertfünfzigsten Wiederkehr von Goethes Geburtstag und zum Todestag Nietzsches, der am 5. August 1900 in Weimar gestorben war, gedichtet und stellen die am frühsten geschaffenen Zeitgedichte dar. Ihre Entstehung liegt vor dem Maximin-Erlebnis, sie waren bereits in der vierten und fünften Folge der «Blätter für die Kunst», die 1897–1899 und 1900/01 erschienen, veröffentlicht. Das Wort «Zeitgedicht» wird zum erstenmal in der sechsten Folge, erschienen 1902/03, benutzt, es bedeutet ein die gegenwärtige Zeit behandelndes Gedicht und ist ähnlich wie das Wort «Stundenbuch» gebildet, das Stefan George im Titel der im Jahre 1900 erschienenen Jean-Paul-Auswahl verwandte. – Das Goethe-Gedicht berichtet von einem Besuch des Dichters in Frankfurt am Main am 28. August 1899. Er war vor Sonnenaufgang von Bingen aufgebrochen, als noch Nebel über den Feldern rauchte, das heisst in Bewegung war. Er sah die plumpen Mauern und die für die öffentliche Feier aufgeschlagenen Tribünen frei von Menschen in einem unirdisch rein wirkenden und fast erhabenen, noch nicht vollen Tageslicht. Er grüsste Goethes Geburtshaus von aussen schweigend mit ehrfürchtigen Blicken und verliess sogleich die Stadt wieder. Er malte sich aus, wie sich die lärmende Menge an diesem Tage wenige Stunden später durch die geweihten Räume drängen würde, da sie nicht glauben könne, ohne zu betasten. Die Farben der Kleider und Fahnen, so sieht er voraus, werden grell in den Gassen leuchten, denn die Menge schmückt den Grossen nur, um Gelegenheit zu haben, sich selbst zu schmücken, und trachtet, ihn als Schild für ihre eignen Schwächen zu benutzen. Sie hört allein auf den, der am lautesten zu schreien weiss, besitzt kein Unterscheidungsvermögen für echte und hohe Eigenschaften, kennt nicht seelische Höhen. Nach dieser an Nietzsche erinnernden Charakterisierung der Mehrzahl der Zeitgenossen wendet sich der Dichter in der dritten Strophe zu den Zügen, die er an Goethe bewundert und von denen die Menge nichts sieht und nichts weiss. Der Reichtum an Traum und Sang, der von den Heutigen ohne Verständnis bestaunt wird, konnte sich nur auf der Grundlage von Leid entfalten, das schon der Knabe fühlte, wenn er unerfüllt («Zueignung» Strophe fünf und sechs) zum Stadtwall ging und sein Spiegelbild im Brunnen zu enträtseln suchte. Diese Geste ist auch Stefan George eigentümlich. Die Menge ahnt nicht, wie sehr Goethe als Jüngling unter Qual und Unrast litt. Nach einem Bericht wollte der junge Goethe einen Zigeunerknaben, den ein alter Musiker begleitete und der Vorbild zu Mignon, dem Knaben-Mädchen oder Schein-Knaben, wie Goethe sagt, gewesen sein soll, mit sich zur Erziehung in das elterliche Haus nehmen, wurde aber durch seine Mutter daran gehindert. Von dem Leid des Alleinseins und der Unrast wegen seines Andersseins als die Gleichaltrigen gibt «Dichtung und Wahrheit», wenn auch bewusst geglättet, ein Bild, und welche Qual im Mann Goethe wohnte, obwohl er schon seinen wahren Beruf erkannt hatte, zeigen die «Tag- und Jahreshefte» sogar noch in einer Zeit, in der Goethe weise genug geworden war, seine Wehmut hinter Lächeln zu verbergen. Dies ist wiederum eine für Stefan George typische Geste. – Die Menge bewunderte Goethes Werk erst, nachdem und weil er tot war, so dass seine Sonderexistenz ihr gleichförmiges Dasein nicht mehr im Leben beunruhigte. Würde er als ein noch schöneres, das heisst noch höheres Wesen zu gleicher Zeit mit den Heutigen leben, so würde niemand ihn ehren, er würde unerkannt gekrönt vorübergehen. – Technisch bemerkenswert ist, wie kunstvoll in der zweiten Strophe das bei Wiederholung undichterisch wirkende Wort «nur» vermieden ist, obgleich der Sinn dieses Wortes in jedem Vers mitschwingt, und wie vorsichtig in der dritten Strophe eine an sich undichterische Negierung durch direkte Fragen umschrieben wird. – Die Menge nennt den Toten einen der «ihren», dankt ihm, jauchzt ihm zu und weiss nicht, dass sie seine Triebe, zu denen seine Fähigkeit zu lieben gehört, nur in den unteren, rein animalischen Lagen besitzt. Deswegen ist das Lob der Menge ein Gebell räudiger Hunde. – Im «Stern» wird der Nachwuchs der Menge ein «Rudel verrasster Hunde» genannt. – Zu unrecht glaubt sie, ihn ganz zu kennen. Sie ahnt nicht, dass er, obwohl zu Staub geworden, noch viele Geheimnisse in seinem Werk verschliesst und dass andererseits schon viel von dem verblichen ist, was sie an ihm ewig nennt.

Im Nietzsche-Gedicht wird in der Schilderung der Stellung der Zeitgenossen zu Nietzsche das Verhältnis des Dichters zu ihm deutlich gemacht. An dem Tag, an dem der Dichter Weimar als Todesstadt Nietzsches besuchte, herrschte ein Wetter, das durch das Ziehen schwergelber Wolken und das Wehen eines kühlen Sturms zweifelhaft erscheinen liess, ob es Vorherbst oder Vorfrühling war. Die Mauer ist die Aussenwand des Hauses, in dem Nietzsche starb. Er wird mit dem Zeus entlehnten Titel des Donnerers benannt, um seine Gewalt in Gegensatz zu dem Dasein der nur aus Rauch und Staub bestehenden Tausenden von Zeitgenossen zu setzen. Als letzter Mahner erscheint er später im «Stern». Das Land um Weimar ist flach und von niedrigen Hügeln umgeben, die Stadt, die in den «Tafeln» beschrieben wird, wirkt wie tot und verödet. Die letzten stumpfen Blitze sind die letzten

Gedanken und Worte des Donnerers, der aus langer geistiger Umnachtung in die längste Nacht des Todes ging. – Der Dichter lehnte es ab, über das, was nach dem Tod geschieht, nachzudenken oder zu streiten. Tod bedeutete für ihn ein Dunkel, das undurchdringlich sein soll und sein muss, wie im Hyperion-Gedicht im «Neuen Reich» zum Ausdruck gebracht wird. – Stefan George sieht die Menge unter sich, das ist sowohl geistig wie auch tatsächlich von der etwas erhöhten Lage des Todeshauses Nietzsches in Weimar aus betrachtet, blöd und gleichmässig ihren gewohnten Geschäften nachgehen und hütet sich, sie dabei zu stören, denn dies wäre ebenso unsinnig, wie wenn man eine Qualle durch einen Stich töten oder Unkraut durch Abschneiden ausrotten wollte. Um den Grossen und sein Werk soll fromme Stille walten, bis das Getier verendet ist, das ihn zu erwürgen half und sich im Dunst des eignen Moderns, da Nietzsche ihnen die Luft abgeschnitten hatte, mästete. Ihr Lob kann Nietzsche nicht erhöhen, nur beflecken – das gleiche sagte mir Stefan George einmal, als wir einen Kritiker auf der Strasse sahen und dieser den Dichter, ohne mit ihm bekannt zu sein, grüsste. Damit ist auch auf Elisabeth Förster-Nietzsche angespielt, die der Dichter nicht achtete und kennenzulernen ablehnte, weil er glaubte, dass sie den literarischen Nachlass Nietzsches unterdrückt oder verfälscht und sich in ungerechtfertigter Weise mit Nietzsche gegen dessen Willen identifiziert habe. – Nietzsche wird als «strahlend» (so war auch Goethe genannt) «vor den Zeiten» stehend bezeichnet, das heisst als Führer in eine neue Zeit und zugleich als zeitlos. Die sonst eindeutige Präposition «vor» wird bewusst doppeldeutig benutzt, gerade den Gebrauch von Präpositionen strebt der Dichter zu variieren und zu erweitern. – Nietzsche wird unter die Führer mit der blutigen Krone, die während ihres Lebens für die Ewigkeit ihres Bildes zu leiden haben, gerechnet, sie, die selber unselig im Leben sind, werden Erlöser für die Künftigen. Nietzsche hat niemals einen Blick in das Land seiner Sehnsucht tun dürfen, weil er vom Schicksal mit der Schwere des Loses jener, die als Opfer ihrer Sendung zu fallen haben, beladen war, wie durch die rhetorische Frage im Gedicht angedeutet wird. – Der gleiche Opfergedanke kehrt in den Maximin-Gedichten wieder. – Nietzsche durfte nicht rasten, er hatte seine Götter zu erschaffen, um selbst sie wieder zu stürzen, und das ihm Liebste in sich zu töten, um ein neues, stärkeres Begehren danach zu fühlen und grössere Schmerzen der Einsamkeit zu spüren, wie er im «Zarathustra» sagt. Die vierte Strophe beginnt damit, dass der Dichter feststellt, dass er zu spät gekommen sein würde, wenn er Nietzsche im Jahr 1889 in Turin aufgesucht hätte, wo er, wie er erzählte, gerade weilte, als Nietzsches Krankheit sich im Umarmen eines Pferdes als einer Bruder-Seele kundtat. Damals wäre Nietzsche nicht mehr für den Gedanken empfänglich gewesen, dass es keinen Weg hoch über vereisten Feldern und Nestern grauenhafter Vögel, das heisst toten, verödeten Revieren, gebe und dass es nötig sei, sich mit einem Kreis, den Liebe schliesse, zu umgeben, um leben und schaffen zu können. Man denkt an Nietzsches missglückte Versuche zu einer engeren Freundschaft mit Peter Gast und von Gersdorff. In den Briefen an Gersdorff und Rohde entwickelt Nietzsche ähnliche Gedanken über Freundschaft, wie sie sich in den Briefen Winckelmanns an Berendis und von Berg finden. – Nietzsches Stimme wird als streng und gequält bezeichnet, und dies ist sowohl portraitmässig wie auch ins Geistige übertragen zu verstehen. Das Loblied in blaue Nacht gesungen spielt auf Zarathustras Nachtlied an und erweckt durch die Worte «helle Flut» das Bild vom Aufenthalt Nietzsches an der Riviera. Die Worte «sie hätte singen, nicht reden sollen, diese neue Seele» sind ein Zitat Nietzsches über sich selbst aus dem «Versuch einer Selbstkritik». – Ich erinnere mich, dass, bevor ich dieses Gedicht kannte und etwa neunzehn Jahre alt war, Stefan George mich bei unserm zweiten Zusammensein in Freiburg im Breisgau fragte, ob ich Nietzsches Werke gelesen hätte. Ich bejahte die Frage und fügte hinzu, ich hätte «Zarathustra» nicht gern, weil das Buch mir verkrampft und herausgeschrien vorkomme. Daraufhin tadelte Stefan George mich scharf, es stehe einem jungen Menschen nicht zu, ein Urteil über einen Genius zu fällen, dessen Bedeutung der Beurteiler noch gar nicht ermessen könne. Lange Zeit hindurch erinnerte er mich mündlich und in Briefen an diese unangebrachte Äusserung. – Wenn man etwas gegen Schillers Pathos sagte, zitierte er Goethe, der zu Ottilie, als sie Schillers Werk «oft langweilig» fand, gesagt hatte: «Ihr seid alle viel zu armselig und irdisch für ihn!» – Stefan George erklärte, er verstehe Goethes Handlungsweise gegenüber Kleist und Hölderlin. Wenn jemand käme und ein Werk schaffen würde, das dem seinen entgegengesetzt sei, würde er es, selbst wenn es gut sei, nicht billigen und sich dagegen wehren.

Der Schweizer Maler Arnold Böcklin, geboren am 16. Oktober 1827 in Basel, gestorben am 16. Januar 1901 in St. Domenico bei Florenz, wird im fünften Zeitgedicht als einer der – örtlich gesehen – «nahen und fernen» Frommen geschildert, weil er wie nur sehr wenige seiner Zeitgenossen für nichts als die Erreichung seines künstlerischen Zieles lebte. Er zieht den Sonnen der Ewigkeit entgegen verschont von Gnadenbeweisen der Mächtigen seiner Zeit, die in Wahrheit beflecken, wie es im Nietzsche-Gedicht hiess, und nicht angekündigt durch prahlende Trompetenstösse der Kritiker, wie sie für feiste Krämer, wobei der Dichter wohl an Portraitisten wie Max Liebermann dachte, und umflitterte Popanze ertönen, womit wohl symbolistische

Maler wie Franz von Stuck auf Grund seiner späteren Werke – die
früheren hatte der Dichter geschätzt, wie seine Skizze in «Tage und
Taten» zeigt – gemeint sind. Böcklin suchte und fand Ruhe in der
«Schönen» der Städte, Florenz, unter den der Schönheit treuen
Fichten Toskanas und an den besonnten Felsen des mütterlichen
Ligurischen Meers. Hiermit sind die Grundelemente von Böcklins Gemälden gekennzeichnet. Er flieht aus Protest gegen die hässliche und
leere Hast der Zeitgenossen, die in ihrer Kunst die Glieder eines
Körpers bis auf eines, das, um Interesse zu erregen, absonderlich
wuchern sollte, abschnürten oder Unrat aufgeschönt wiedergaben
oder sich erlogen genialisch als Himmelstürmer gebärdeten. Er
meidet den frechen Jubel des Alltags, indem er den Deutschen und
Schweizern zuruft, dass sie nicht mehr das kennen und ehren, was
allein über Schlamm und Schutt erhebt. Er strebt, das Kleinod der
reinen Kunst nach Italien zu bringen und dadurch zu retten, bis das
deutschsprechende Volk wieder sehen gelernt hat und sich hungrig
nach einer Kunst, die es im Augenblick nicht versteht und achtet,
sehnt und ruft. Die Zeitgenossen – so sagt der Dichter – leben in einer
Welt, die von Gier nach Macht, Reichtum und prahlerischem Ruhm
in Knechtschaft gehalten und unwirklicher ist als die Märchenwelt,
die in Böcklins Gemälden lebendig wird. Seine Kunst wird durch
Einzelheiten, die auf seinen Bildern hervorgehoben werden, in der
dritten Strophe charakterisiert. Es sind die nackten, warmen Leiber
mit ihrem süssen und heissen Verlangen, ihren klaren Freuden und
die urgeborenen Schauer, die der Maler aus der Silberluft, den schmalen
Wipfeln der Zypressen, dem zaubergrünen Meer, den blumigen
Wiesen und der nächtigen Schlucht aufsteigen lässt. Dabei ist an
Bilder wie «Die Gefilde der Seligen», «Der Triton», «Das Spiel der
Wellen», «Der Heilige Hain», «Odysseus und Kalypso», «Vita
somnium breve» und «Brandung» gedacht. In seinen frühen italienischen Landschaften malt er das Land mit einem Hintergrund von
Lorbeer und Oliven im verklärenden Duft der Ferne. Die vierte
Strophe handelt von der Symbolik Böcklins. Er hat dem Schmerz das
rechte Mass zu geben verstanden, das Rauschen der Brandung wird
bei ihm zum Tönen, der Schrei zum Klang einer goldenen Harfe, und
selbst noch über Öde und Untergang wölbt er das hoffnungsvoll tiefe
Blau des Himmels, wie zum Beispiel auf dem vom Dichter besonders
geschätzten Bild «Die Pest» in Basel. Stefan George schliesst mit
einem Preislied auf den Maler, weil er das heilige Feuer nicht erlöschen liess, weil durch sein Wirken der Dichter frei, leichten Hauptes
und nicht verarmt seinen Weg nehmen kann, ohne über einen un-
wiederbringlichen Verlust im Dunkel klagen zu brauchen. – Von
Bildern der Maler der Böcklin-Zeit schätzte der Dichter besonders ein

oder zwei frühe Gemälde Lenbachs, sowie das frühste Selbstportrait von Feuerbach, dessen spätere Bilder er jedoch als zu romantisch empfand. Stefan George war der erste Deutsche, der für die Kunst Friedrich Wasmanns eintrat. Bei den französischen Impressionisten und Pointillisten bewunderte er die jugendliche Kühnheit von Seurat. Dem deutschen Expressionismus warf er Verzerrung der Leiber vor. Er gab aber im Sommer 1933 seine Zustimmung zur Benutzung eines Holzschnittes von Erich Heckel, mit dem ich seit 1915 befreundet war, für die Titelseite eines Buches über seine Dichtung, eine Zustimmung, die nötig war, um das Buch mit der Marke der «Blätter für die Kunst» erscheinen zu lassen, über die nur ihm das Verfügungsrecht zustand.

Das Porta-Nigra-Gedicht ist Alfred Schuler gewidmet. Er spricht darin, indem er mit einem römischen Knaben identifiziert wird, dessen Reïnkarnation in heutiger Zeit er im Gedicht zu sein glaubt. Der Knabe beschreibt Trier, wie es zur Zeit der römischen Cäsaren war, als es als nördliche Schwesterstadt Roms angesehen wurde, als es den Ruhm Roms als Hauptlager Augusta Treverorum (Augusta wäre mit «Ruhm» zu übersetzen) teilte, als es Residenz römischer Kaiser wie Constantius Chlorus war und noch grosse und glühende Augen der Römer auf die in Waffen klirrenden Legionen, auf die blonden Franken bei deren Kampf mit Löwen in der Arena, auf die Träger der Tuben vor den Palästen und den vergöttlichten Augustus im Purpurgewand auf dem Triumphwagen bewundernd blickten. Heitere, nicht plumpe Villen säumten damals die Mosel, beim Fest der Weinlese herrschte bacchischer Rausch, Mädchen trugen Urnen, deren weiblich symbolische Form von Leben geschwellt erschien. Jetzt hingegen in der Zeit, in der der mit einem römischen Knaben identifizierte Schuler (wobei die Klangnähe, der Sinn des Wortes und seine Ableitung zusammen verwertet werden) spricht, sind nur noch Trümmer früherer Grösse sichtbar, der Kaiser-Palast liegt in Schutt, an dem Nebel leckt, heilige Gegenstände sind im Museum «eingesargt», Neubauten in wahllosem Stil, die wie «hingewühlt» aussehen, stehen neben antiken Ruinen, und aufrecht ragt allein die Porta Nigra. Sie ist vom Trauerflor der Zeiten in Schwarz gehüllt, blickt aber noch voll ungebrochenen Stolzes und Verachtung aus Hunderten von Fenstern auf die armseligen Behausungen der Zeitgenossen, die besser täten, das Tor einzureissen als solchen Hohn hinzunehmen. Die Worte «so dauernd» betonen die Ironie, mit der zum Abbruch des Tores geraten wird. Im Verhältnis zu diesem Tor wirken die Heutigen, gleichgültig ob sie Fürsten, Priester oder Knechte sind (dies ist eine Vereinfachung der alten Ständeordnung) wie aufgedunsene Larven mit erloschenen Blicken, und die heutigen Frauen würden selbst von Sklaven der Römer als zu feil, zu leicht habbar befunden werden. Nichts, was die

Heutigen rühmen, hat echten Wert. Der Grund dafür ist, dass sie das Edelste, die Kraft des Blutes verloren haben, eine Kraft, die in der Zeit der Macht des alten Roms noch so stark war, dass sogar ein Schatten, wie es der tote römische Knabe Manlius nach antikem Glauben ist, mehr Feuer in sich hat als ein Heutiger, der jenem Knaben wie ein lebendiges Gespenst vorkommt. Manlius verspottet die Heutigen wegen dieses Mangels, und er empfindet sich als zu gut, um über sie zu herrschen, obwohl er im Leben sich eines so niedrigen Erwerbs beflissen hat, dass ihn die Heutigen unzweideutig zu benennen sich scheuen. Es gibt kein allgemein gültiges Wort für einen männlichen Prostituierten in der deutschen Sprache, die Bezeichnung «Lustknabe» ist weder eindeutig, noch allgemein in dieser Bedeutung bekannt. Das Gewerbe des Manlius bestand darin, dass er, mit Perserdüften, dem Königsbalsam der Griechen gesalbt, wartend um das nächtige Tor strich, um seinen Leib den Söldnern der Cäsaren anzubieten.

Das «Zeitgedicht» leitet den ersten Ring ein. Es folgt der erste Teil dieses Buchs, der die geistigen Ahnen von Dante bis Böcklin behandelt. Mit «Porta Nigra» beginnt ein neuer Teil, der von den Zeitgenossen in ihrem Verhältnis zur Vergangenheit spricht und bis zu «Die Gräber in Speier» reicht, also wiederum vier Gedichte, das heisst die gleiche Anzahl wie der erste Teil, umfasst. Die darauf folgenden drei Gedichte feiern als dritter Teil vier Zeitgenossen. Die «Tote Stadt» gibt eine Gegenüberstellung der früheren mit der neuen Lebenshaltung. Das «Zeitgedicht» des Endes setzt das «Zeitgedicht» des Beginns des ersten Rings fort, so dass der Gedichtkreis dadurch geschlossen wird.

Unter «Franken» versteht der Dichter nicht jene Teile des heutigen Bayern, die Franken genannt werden, sondern das weite Gebiete von Frankreich und Deutschland umfassende Frankenreich Karls des Grossen, also eine Vereinigung von Frankreich und Deutschland. Damit ist die historische Folge zum Porta-Nigra-Gedicht, das bereits den Stamm der Franken erwähnt, gegeben, sie wird in den Gedichten über «Die Gräber in Speier» und «Leo XIII» bis zu den Mitlebende preisenden Gesängen fortgesetzt. Zu beachten ist aber, dass das Geographische und Historische den Dichter nur soweit interessiert, als es für die heute noch im Individuum lebendigen Kräfte bedeutungsvoll ist. – Am schlimmsten, das heisst hier: gefährlichsten Kreuzweg stand der Dichter, so erkennt er rückblickend, in seiner Jugend um sein zwanzigstes Lebensjahr. Die giftigen Flammen aus dem Abgrund drohten jeden zu verbrennen, der seiner eignen Aufgabe noch nicht gewahr war, aber die Ziele, die die Zeitgenossen verfolgten, bereits verwarf und sich ohne klare Richtung treiben liess. Andererseits wusste der Dichter sich schon damals so weit entfernt von allem, was die Zeit ihm an Möglichkeiten für den Aufbau seines Lebens in Deutschland bot, dass er die heimatlichen Bereiche zu meiden hatte, um nicht am Ekel zu ersticken. Die innere Armut des damaligen deutschen Sprachbereiches tat sich im Schicksal seiner wenigen Künstler und Denker kund, die Stefan George hier zusammenfassend als «Dichter» bezeichnet. Böcklin lebte in selbstgewählter Verbannung in Italien und Nietzsche war durch geistige Umnachtung von der Umwelt gesondert. In dieser Not erinnerte sich Stefan George an die Berichte seines französisch sprechenden Grossvaters über Frankreich, denen er als Kind auf der heute noch vorhandenen Steinbank vor dem Haus des Grossonkels in Büdesheim sitzend gelauscht hatte und die er älter geworden in den Werken der französischen Literatur bestätigt fand. Ihn lockte, was an ewiger Jugendlichkeit und an Grossmut in Frankreich lebendig war, das damals die Wahlheimat für die Fremden, Unerkannten und Verjagten aus allen Ländern bildete. Der Dichter sah sich als Erbe der Gefühle des Grossvaters väterlicherseits, der bis zu seinem Tod als Verehrer Napoleons die Besiegung Frankreichs durch die Preussen betrauert hatte, er beschloss, in Frankreich die Lösung für seine Lebensfragen zu suchen, und glaubte, dass die Maas und Marne ihm rauschend Willkommen boten, als ihn der Nachtzug von Bingerbrück durch freundliche und üppige Ebenen Frankreichs an einem frühen Morgen nach Paris trug. Diese Stadt wird in der dritten Strophe wegen ihrer heiteren Anmut und des wehmütigen Reizes ihrer öffentlichen Gärten gefeiert. Dort grüsste den Dichter damals eine Jugend, die wie er selbst von einem hohen Leben träumte, sich unter den selbst nachts noch strahlenden Türmen von Notre-Dame und Sainte-Chapelle zusammenfand und das Geheimnis der Verbindung von Kunst mit Leben bewahrt hatte. Vorbilder, wie es sie in Deutschland zu jener Zeit nicht gab, lebten in ihrer Mitte: Villiers de l'Isle-Adam, der sich bis zu seinem Tod am 18. August 1889 würdig für den Thron Griechenlands erachtete, den Stefan George zwar nicht mehr im Leben traf, an dessen Beerdigung er aber teilnahm, Verlaine, der noch im Untergang fromm und kindlich sein Werk vollendete, Mallarmé, der bescheiden und ruhig sein Leben als Lehrer an einer Mädchenschule fristete, um sein Werk, das eine Revolution in der Dichtkunst bedeutete, zu schaffen. – Stefan George erzählte mir, dass jemand in seiner Gegenwart Mallarmé über dessen Werk befragt und Mallarmé darauf stumm auf einen Stoss noch nicht korrigierter Schulhefte gewiesen habe. – In der vierten Strophe dankt Stefan George den französischen Dichtern dafür, dass sie ihm die Luft zum Atmen in seiner Jugend gegeben haben, die Traum und ferne Wunder, wie die Italiens, nicht gewähren können. – Er erzählte mir, dass er Puvis de Chavannes, Odilon Redon, Cézanne und Rodin, dessen

Bronze «L'enfant prodigue» er besonders schätzte und den er erst 1908 bei seinem letzten Aufenthalt in Paris kennenlernte, sowie den berühmten Impressionisten in seiner Jugend nicht persönlich begegnet sei und dass unter all denen, die er getroffen habe, menschlich Henri de Régnier wegen seiner vornehmen Haltung auf ihn wie auch auf die andern jüngeren Dichter den grössten Eindruck gemacht habe. Sogar Verlaine, der sich sonst nicht bei nächtlichem Zusammentreffen an einzelne zu wenden pflegte, habe de Régnier wiedererkannt und wiederholt mit Namen angeredet. Régnier habe erzählt, er habe Rom wohl nur deshalb anschaulich schildern können, weil er es, als er es beschrieb, noch nicht selbst gesehen habe, und diesen Ausspruch wiederholte Stefan George, wenn man ihn fragte, ob er nicht Griechenland mit eignen Augen zu sehen wünsche. Er fügte lächelnd hinzu, wo er sei, sei Griechenland! – Eine geheime Verwandtschaft zu Frankreich, die sich im Raunen der Worte des Rolandliedes ausdrückt, des frühsten Werks der französischen Literatur, das Stefan George an dichterischem Gehalt über das Nibelungenlied stellte, gab ihm von neuem auch später noch Kraft, als er schon in Deutschland Boden in seinem Kampf gewonnen hatte, aber des Sieges noch nicht gewiss war. Er glaubte übrigens, dass das Nibelungenlied ursprünglich lateinisch gedichtet worden sei. Er betonte, dass der von ihm herangezogene Vers des Rolandliedes so zu verstehen sei, dass jeder Franke nach Franken, und nicht nach Frankreich im heutigen Sinn, als zu seiner süssen Heimaterde zurückkehren möge.

Leo XIII, der als Gioachimo Pecci am 2. März 1810 in Carpineto geboren und am 20. Juli 1903 in Rom gestorben war, verkörperte für den Dichter den lebendig gebliebenen Rest antiker Kräfte im Katholizismus und Papsttum. Er machte den Kardinal Rampolla (1843–1913) zu seinem Staatssekretär, der auf Einspruch des Kaisers Franz Joseph, wohl veranlasst durch Wilhelm II, nicht zum Nachfolger-Papst von den Kardinälen gewählt wurde – ein Vorgang, den der Dichter bedauerte, da er Rampolla für weise und politisch besonders begabt hielt. In Leo XIII bewunderte der Dichter angeborene Hoheit, die durch väterlichen Ernst und Güte im Gegensatz zur Eitelkeit der damaligen Fürsten, ihrem Bankiergehaben und ihrem Säbelrasseln stand. Dieser Träger der dreifachen Tiara erschien ihm der Verehrung würdig, die jeder schaffende Geist zu zollen willig ist, und zwar nicht so sehr wegen seiner Erhebung zum Papst wie wegen der seelischen Grösse, mit der der fast Hundertjährige, der nur noch ein Schatten eines schön erfüllten Daseins war, von der ewigen Burg des Vatikan, in dem er in selbst gewählter Gefangenschaft lebte, auf die Zeitgenossen herabschaute. Nach seinem Werk der Sorge für die ganze Erde fand er in seinem Rebengarten Freude und Ruhe, sein Mahl bestand aus

Malve, die Plutarch im «Gastmahl der sieben Weisen» als besonders gesunde Urnahrung erwähnt und von der Horaz (Carmina I, 31) spricht, und aus Brot und Wein. Die schlaflosen Nächte seines Alters waren nicht von der Sucht nach persönlichen Ehrungen vor und nach dem Tod erfüllt, er dichtete vielmehr lateinische Hymnen auf Maria und ihr Kind und aus einer von ihnen wird im ersten bis sechsten Vers der dritten Strophe eine Übersetzung gegeben. Die Bezeichnungen «Dichter» und «Seher» beziehen sich auf Leo XIII. Die neue Liebe, von der das neue Heil kommt, ist Freundschaft, über die Hölderlin im «Hyperion» auf den griechischen Mythos von Eros als Weltenschöpfer anspielend gesagt hat: «Liebe gebar die Welt, Freundschaft wird sie neu gebären.» Der Dichter zitiert diesen Ausspruch mit bewusster Abänderung im Hyperion-Gedicht des «Neuen Reichs». – Auf die Beschreibung des Tagewerks des Papstes in der dritten Strophe folgt in der vierten Strophe die Darstellung seiner Erscheinung, wie ihn der Dichter in Rom sah. Er wurde im päpstlichen Ornat unter einem Baldachin durch die Peterskirche getragen und spendete umgeben von Weihrauchdampf und dem Glanz unzähliger Lichter, seinen Segen der gesamten Welt, «urbi et orbi». Seine echte Majestät verschmolz die an sich nicht schöne, knieende Menge zu einer Einheit, die plötzlich vom Wunder ergriffen und dadurch verklärt wurde.

Die Gräber deutscher Könige und Kaiser in Speier wurden auf Wunsch von Wilhelm II geöffnet. In dem Gedicht bringt Stefan George neben seinem Zorn über die Graböffnung zum Ausdruck, was er an noch heute fruchtbarer Lebenskraft in den mittelalterlichen Kaisern bewundert. Ein Besuch in der erstaunlich engen Gruft des Domes in Speier, der kurz nach der Graböffnung im Jahr 1900 stattfand, gab Anlass zu dem Gedicht. Es beginnt – wie die Aachen-Tafel im «Ring» – mit der Klage über verbrecherische Öffnung der Gräber, die als Leichenschändung bezeichnet wird und mit Tränen des Zorns entsühnt werden soll, damit das Kostbarste vom Blut dieser Könige den Deutschen erhalten bleibe und sich nicht verflüchtige. Sonst würden Spätere, das heisst kommende Generationen in Speier nur tote Steine, einen beraubten Tempel und unfruchtbaren Boden finden. Auf die Beschwörung durch das Blut des Dichters wird die Schar der erlauchten Könige wie in einer Prozession sichtbar. Die Gründer des Domes werden in ihrer Gesamtheit dadurch charakterisiert, dass sie mit Strenge nicht nur gegen andre sondern auch gegen sich selbst die Krone trugen, dass sie standhaft sogar im Missgeschick blieben und dass sie noch in der Busse gross waren. Konrad II begann den Bau des Domes in Speier im Jahr 1030, in ihm sind neben Konrad II sieben deutsche Kaiser oder Könige: Heinrich III, Heinrich IV, Heinrich V,

Philip von Schwaben, Rudolf von Habsburg, Adolf von Nassau sowie Albrecht I begraben und ausserdem Gisela, die Gattin von Konrad II, Bertha, die Frau von Heinrich IV, und Beatrix, die zweite Gemahlin von Friedrich I, sowie deren Tochter Agnes. Die Stärke Heinrichs III (1039–1056) in wälschen Wirren, die weit genug reichte, um vier Deutsche zu Päpsten zu nominieren, wird vom Dichter gepriesen. Das Schicksal des Kaisers Heinrich IV (1056–1106) wird reich genannt: sein Sohn (Heinrich V) lehnte sich gegen ihn auf und setzte ihn im Jahr 1105 gefangen, aber Heinrich IV entfloh. Über ihn war vom Papst Gregor VII (Hildebrand) im Jahr 1076 wegen Simonie der Kirchenbann verhängt worden, er hatte Busse vor dem Papst in Canossa getan (25.–27. Januar 1077) – ein Vorgang, den der Dichter für weniger schmählich erachtet als andre Vorkommnisse in der Geschichte der Deutschen. – Stefan George bewertet hier, ebenso wie in der Napoleon-Jena-Tafel des «Rings», historische Ereignisse entgegengesetzt den Anschauungen der Mehrzahl seiner Zeitgenossen. – Rudolf von Habsburg, der späteste Repräsentant des Glanzes des Reichs und Begründer einer Hausmacht, aus dessen Sippe der «letzte Ritter» Maximilian hervorging, sieht den Verfall des Reiches und seines Hauses durch die Reformation, die der Dichter hier ebenso wie in der Worms-Tafel des «Rings» auf Mönchezank zurückführt, durch Empörung und Fremdherrschaft voraus. Maximilian wird weniger wegen historisch bedeutsamer Taten als wegen der Namensgleichheit mit Maximilian Kronberger hervorgehoben – ein Verfahren, das der Dichter in den Werken der zweiten Lebenshälfte wiederholt anwandte, zum Beispiel bei Nennung des heiligen Bernhard im Hinblick auf Bernhard Uxkull im «Stern» und des «deutschen Adelbert» mit Bezug auf Adalbert Cohrs in der Dante-Übertragung. – Noch vor Beginn des ersten Weltkrieges wird hier vom Dichter das Ende der Herrschaft der Habsburger sogar für Österreich prophezeit, dessen Untergang schon seine Klage in dem Andrian-Gedicht des «Teppichs» gegolten hatte. Mehr als das Geschlecht der Habsburger bedeutete im Hinblick auf den deutschen Geist die Familie der Staufer für den Dichter. Eine Ahnmutter ist die im Dom in Speier begrabene Beatrix von Burgund, die als zweite Gemahlin Friedrichs I die Mutter Heinrichs VI und als solche die Grossmutter väterlicherseits des Staufers Friedrich II (1212–1250) war, der in Palermo beigesetzt ist, hier aber, von Beatrix gerufen, zusammen mit seinem natürlichen Sohn Enzio erscheint. Friedrich II, den das Mittelalter stupor mundi nannte, wurde von Stefan George als der bedeutendste unter den mittelalterlichen deutschen Kaisern angesehen, und es war der Dichter, der darauf drang, dass seine Geschichte als Mythos vom Sehnen des ganzen Volkes nach Einung von Nord und Süd neu geschrieben wurde. Stefan George nennt ihn den «grössten

Friedrich», um kundzutun, dass er ihn für den deutschen Geist für wichtiger als den Hohenzollern Friedrich den Grossen hielt, weil in ihm nicht nur die Pläne Karls des Grossen, seiner Söhne und Enkel, der Karolinger sowie der Ottonen, der Sachsenkaiser auf Ausdehnung des Reiches auf alle deutsch sprechenden Gebiete, sondern noch dazu der «ungeheure Traum» des Morgenlandes von der Verschmelzung der Lebenshöhe der Griechen, die in den sizilischen Tempeln und Festen von Agrigent und Selinunt zutage getreten war, mit der Würde der Weltherrschaft der Römer und der Weisheit der Kabbala der Juden Leben und Form gewonnen hatten. – Im Gegensatz zu dieser Auffassung glaubte Karl Wolfskehl vom Dichter gehört zu haben, dass «Plan» hier «Ebne» im konkreten Sinn des Wortes bedeuten solle.

«Pente Pigadia» heisst der Ort, an dem ein junger englischer Freund des Dichters, Hugh Clement Gilbert Harris (geboren am 8. Juli 1871), im griechisch-türkischen Krieg am 23. April 1897 den Tod fand. Er hatte sich von seinem Vater, einem Schiffsreeder, sein Erbteil im voraus auszahlen lassen und das Geld benutzt, um ein griechisches Corps zur Befreiung des Landes in Korfu aufzustellen. Beim Kampf in Epirus, wohin das Corps übersetzte, wurde er von den Türken verwundet, gefangengenommen und, als er später wegen seiner Verwundung einen Rückzug der Türken nicht mitmachen konnte, von ihnen erschossen. Er war Komponist, als Bewunderer Richard Wagners mit Cosima Wagner befreundet und hatte Siegfried Wagner auf eine Reise nach China in einem Schiff seines Vaters mitgenommen. Die Griechen feierten ihn durch eine Gedenktafel in einer Kirche in Athen. Er ist nicht identisch mit dem Hugh der «Tafeln» im «Ring». – Das Gedicht beginnt mit der Trauer über den frühen Tod des jüngeren Freundes, der freilich als «Liebling der Götter» vor der ärgsten Qual, dem Erkennen der menschlichen Ohnmacht gegenüber schicksalsmässigen Grenzen und Öden, und vor physischem, langsamem Welken verschont geblieben sei. Er habe beim Sterben nur Schwermut darüber verspürt, dass ihm Bereiche verborgenen Glückes noch verschlossen gewesen seien. Als verwundeter Gefangener habe er nicht mehr auf Heimkehr gerechnet, in seinem Fieber seien ihm die Gebirge von Attika und das Inselmeer in so grosser Pracht erschienen, dass er enttäuscht gewesen sein würde, wenn er sie mit eignen Augen gesehen hätte. Im Geist habe er das nach Horaz «brausende» Lob der Heroen gehört, wie Pindar es gesungen habe, vermischt mit den Versen, die er selbst dafür geformt habe. Dies seien seine Gefühle gewesen, als er von den Türken den Schuss ins Herz erhalten habe. – Damals bestand bei den Türken der Brauch, Verwundete, die bei einem Rückzug nicht abtransportiert werden konnten, zu erschiessen. – In der dritten Strophe wird sein Leben von früher Jugend an beschrieben: der Glanz des Reichtums bei seiner Geburt, Ruhm und Huldigung wegen seiner ersten Kompositionen, seine Verachtung gegen alles, was ihm nicht als frommes, das heisst erhabenes Tun erschien. Als Dank für das Glück, das ihm der Traum vom antiken Hellas spendete, beschloss er, den Griechen der Gegenwart, die «matte Erben» genannt werden, bei ihrer Befreiung von den Türken zu helfen, und errang im Kampf Wunden und Lorbeer, die die heutige Jugend beschämen müssen, da sie im schalen Vorgenuss künftiger Amtstellen ihre Kräfte verprasst. Der Dichter preist ihn, weil er bei allen seinen Taten des Gottes voll gewesen ist und durch seinen Tod bewiesen hat, dass die kalt gewordene Erde noch Seelen schafft und trägt, die für die Vollendung von Wort und Gestalt ein zukunftsreiches Leben früh zu opfern bereit sind. Erinnerung an sie und die Nennung ihrer Namen wirken wie edler Wein und verheissen Morgen, an denen es noch ein Erwachen zu neuem Leben gibt und frei von jeder alltäglichen Bindung das Dunkel der Ferne und Freude am Wagnis zu künftiger Tat befeuern.

In dem den «Schwestern» gewidmeten Gedicht feiert der Dichter die Töchter des Herzogs Maximilian Joseph in Bayern und der Prinzessin Ludovika von Bayern: die spätere Kaiserin Elisabeth von Österreich, geboren am 24. Dezember 1837 in München, ermordet von dem Anarchisten Luccheni in Genf am 10. September 1898, und Sophie von Alençon, geboren am 22. Februar 1847 in München, gestorben am 4. Mai 1897 in Paris. Der Dichter hat Elisabeth, die seit 1854 als Gemahlin von Franz Joseph Kaiserin von Österreich war, und Sophie von fern gesehen und preist ihre Haltung als königlich, da sie neben dem Gefühl angeborener Hoheit den Schauer tiefen Leides und unabwendbarer Tragik einflössten. Die beiden Schwestern lebten stolz und adlig fern vom Gebaren feiler Gleichheit und trugen ihr Haupt und Haar herrlicher als andre zeitgenössische Fürsten ihre befleckten Kronen. Die jüngere Schwester Sophie war 1867 mit König Ludwig II von Bayern (geboren 25. August 1845 in Nymphenburg, gestorben durch Selbstmord in Schloss Berg am 13. Juni 1886) verlobt gewesen, das Verlöbnis wurde jedoch auf Vereinbarung gelöst. Nach dieser «brachen Brautschaft» mit dem «strahlend Unseligen», wie der Dichter Ludwig II nennt, heiratete sie den Herzog Ferdinand von Alençon (1844–1910), der als Spross der Bourbons-Orléans die drei heiligen Lilien von Frankreich im Wappen führte. Sie starb nach einem stillen, der Sorge für Arme gewidmeten Leben beim Brand in einem Pariser Wohltätigkeitsbazar, nachdem sie es abgelehnt hatte, vor den andern Gästen die brennenden Säle zu verlassen. – Auf Elisabeth gibt es ein Gedicht von Francis Thompson mit dem Titel «The house of sorrow» mit besonders schönem «envoy». Sie begeisterte in ihrer Jugend durch Huld und den Ausdruck von Leid. Gegenüber dem Jauchzen des Volkes blieb sie stumm, erschien nicht berührt von dem nur mit Fakten rechnenden Sinn der Alltäglichen und war Träger von einer rätselhaften Ähnlichkeit mit den Zügen des jungen Alfred Schuler, wie der Dichter mir sagte, und dadurch von «fern aufflakkerndem Schimmer von Welten, die eben erst im Entstehen waren». Schuler habe vergeblich um eine Audienz bei Elisabeth nachgesucht. Der Dichter, der die Aufzeichnungen ihres Vorlesers Christomanos schätzte und glaubte, dass es noch weitere, damals vom österreichischen Hof unterdrückte Notizen des gleichen Verfassers gebe, pflegte zu erzählen, dass Elisabeth einen Briefwechsel mit Ludwig II geführt habe, in dem er sie «Taube» und sie ihn «Adler» genannt habe. Sie habe vor Ludwigs Tod geträumt, Ludwig II habe sie mit sich ins Wasser gezogen, wie es später mit seinem Leibarzt tatsächlich geschehen sei. Sie habe dem Dichter Heinrich Heine ein Denkmal in ihrer 1860 erbauten Villa Achilleion auf Korfu gesetzt. Ihre Schwermut machte sie unstet, auf einer ihrer Reisen wurde sie in Genf nicht aus persönlichen Gründen, nur deshalb weil sie eine Kaiserin war, ermordet. Es erscheint dem Dichter des Fragens wert, ob nicht das, was als blindes Wüten des Schicksals gegen die Schwestern angesehen werden könnte, in Wahrheit Voraussicht und Milde der Sterne war. Denn beide fürchteten nichts so sehr wie ein Formloswerden in langsamem Altern und beide starben gerade, bevor ihre Schönheit zu schwinden begann. Der Dichter fragt weiter, ob es nicht ein Zeichen ihrer angeborenen inneren Schönheit war, dass sie eine ihnen geltende, sehr alte Weissagung, nach der ihnen – wie er mir erzählte – vor dem Altwerden zu sterben bestimmt war, noch unmittelbar vor dem Sichtbar- und Fühlbarwerden des Alterns erfüllten.

Die Überschrift des zwölften Zeitgedichts «Carl August» enthält nur die vom Dichter gewählten Vornamen von Klein, um anzudeuten, dass er im Leben Stefan Georges eine ähnliche Rolle spielte, wie der Herzog Carl August im Leben Goethes. Der Dichter hatte als Student der romanischen Philologie in Berlin Klein im Jahre 1889 kennengelernt, und sie kamen sich in der folgenden Zeit so nah, dass er ihn zum Herausgeber der «Blätter für die Kunst» machte, diese Bezeichnung bis zur letzten Blätterfolge im Jahre 1919 bestehen liess und in den Jahren ihrer engeren Freundschaft unter dem Namen Kleins bisweilen auftrat, zum Beispiel beim ersten Besuch bei Melchior Lechter (1894) und im Briefwechsel mit Hofmannsthal (1893/94). An Klein ist eine Tafel im «Siebenten Ring» gerichtet, in der ihre Freundschaft sowie ihr Schicksal gefeiert wird. Der Dichter besuchte ihn öfters in der Martinsmühle bei Darmstadt, bei der Klein und dessen verwitwete

Mutter in einem, wie der Dichter erzählte, «unbeschreiblich mit nutzlosen Gegenständen angefüllten Haushalt» lebten. Dies fiel dem Dichter um so mehr auf, als alle nutzlosen Gegenstände im Haus seiner Eltern in Bingen verpönt waren. Als Verwey einmal die Mutter Stefan Georges fragte, weshalb sie keine Ziergegenstände in ihrer Wohnung aufgestellt habe, erwiderte sie kurz: «Den Gefallen tun wir Ihnen nicht!» – Unter dem ersten Stürmejahr in der ersten Strophe des Zeitgedichts ist das erste Jahr ihrer Freundschaft, in dem sie zusammen in Berlin, Bingen und Darmstadt waren, zu verstehen. Das Sich-zu-Boden-Werfen Kleins aus Trotz spielte sich bei der Martinsmühle ab. Die finsteren Bahnen deuten auf Erlebnisse und schreckende Träume, die kennzeichnend für Jugend sind. Bevor jeder von ihnen wusste, wofür das Schicksal ihn bestimmt hatte, gerieten beide – und das war das sie Verbindende – in eine fiebernde Erregung, sobald sie Menschen sahen, deren Blick ein dem ihren gleiches Lebensgefühl zu offenbaren schien. Klein ist ein Spross der Heimaterde des Dichters, eines Bodens, dessen durchdringbare Tiefe und quellende Fruchtbarkeit in der zweiten Strophe gepriesen wird. Er wurde dem Dichter ein unersetzlicher Mitkämpfer, er hatte den fast legendären Willen und Mut, ohne nach eignem Vorteil zu fragen oder Lohn zu erwarten, einer Sache, die er für wertvoll erkannt hatte, zu dienen und zu folgen und, sobald er sich selbst dazu nicht mehr tauglich befand, schweigend ins Dunkel unterzutauchen. Erst auf diese Charakteristik Kleins in der zweiten Strophe folgt der Bericht über sein äusseres Leben in der dritten Strophe. Die Pflicht, in die er sich einspannen liess, war die Sorge für seine durch frühe Heirat begründete Familie von Frau und Tochter. Obwohl dies ein Joch für ihn wurde, suchte er nicht es abzuwerfen, wie andre es vielleicht getan haben würden, sondern ehrte die «fromme Bindung» und verzichtete, um ihr gerecht zu werden, auf Einsammeln der besten Früchte seiner Jugend. – Ein ähnliches, mühseliges Leben durch Erteilen von Privatstunden in Schulfächern fristete der allerdings unverheiratet gebliebene Lothar Treuge. – Der Dichter preist die Treue Kleins in der vierten Strophe nicht so sehr, weil sie ihm persönlich entgegengebracht worden war, vielmehr als eine generell hessische Eigenschaft, die nicht davor zurückschreckt, sogar das Leben zu opfern, wenn es sich um Erreichung eines einmal anerkannten Zieles handelt. Dass eine Seele lebt, deren Verhalten beweist, dass solche Kraft im Volk noch lebendig ist, bleibt für die Allgemeinheit weit wichtiger, als dass ein Einzelner mit mehr oder minder Erfolg mit seinem Pfunde wuchert, erworbene Güter in Sicherheit bringt oder Weisheiten von sich gibt. Es mag hinzugefügt werden, dass Stefan George, der wenigstens nach 1905 Klein nicht mehr gesehen und gesprochen hat, es ihm nicht verübelte, als er seine Lebenserinnerungen drucken liess, und zu mir nur sagte, er bedaure, dass die «Misere» des Lebens Klein dazu gezwungen habe. Ihn berührte es übrigens auch nicht, als er durch Wolfskehl hörte, dass Maximin Erinnerungen niedergeschrieben und hinterlassen hatte.

Das äussere Bild für «Die tote Stadt» ist von Genua genommen und nicht von Camogli und dem darüber liegenden Ruta, wie Wolfskehl glaubte, dessen Gedichte «Bucht» und «Kuppe», wie er mir sagte, bei Camogli entstanden sind. Im «Siebenten Ring» gehört es zu der Technik des Dichters, durch optisch wahrnehmbare Bilder den Gedankeninhalt fassbar und eindrücklich zu gestalten. – Der Hafen und die neue Stadt liegen in einer Bucht am Fuss eines weiten Bergrundes, auf dessen Höhe die alte Stadt von zeitgeschwärzten Mauern festungsartig umgeben erbaut ist. Ihre düstere Farbe steht im Kontrast zu den glitzernd rauhen Häuserwänden der Hafenstadt. Die alte Stadt ist klein und wird nur noch von so wenigen bewohnt, dass sie verlassen wirkt, während in den scheinbar endlosen Strassen der Hafenstadt Unzählige mit gleicher Gier tags Handel treiben und nachts Vergnügungen suchen. Die Geschäftigen des Hafens haben für die alte Stadt kein andres Gefühl als Hohn und Mitleid, die Bewohner der alten Stadt hingegen sehen ihren Turm unerschütterlich in den lichten Himmel ragen, schützen schweigend ihre Weihebilder – man denkt an das «Schutzbild» in der letzten Strophe von «Der Krieg» – und empfinden kein Leid über ihre Dürftigkeit, denn sie wissen, dass die Zeit kommen muss, in der die Bewohner der Hafenstadt Zuflucht in den alten verfallenen Mauern suchen werden. Ein ödes Weh – es bleibt im Gedicht offen, ob dies eine geistige Not oder eine physische Krankheit ist – befällt eines Tages die Massen in der Hafenstadt. Sie erbitten Unterkunft in der alten Stadt, um in reiner Luft der Höhe und am Wasser der klaren Quellen zu genesen, und bieten als Entgelt Edelsteine und Schmuckstücke vom «Wert ganzer Länderbreiten» – dies ist vielleicht eine Erinnerung an das «göttliche Stirnband» des Dichters bei Baudelaire – aber die Bewohner der alten Stadt bedeuten ihnen, dass solche Güter nicht durch Kauf erworben werden könnten. Der falsche Prunk, den die Schutzflehenden als Gabe böten, sei nicht besser als Schutt, die Knaben der alten Stadt würden die Kostbarkeiten mit ihren nackten Füssen ins Meer stossen (wie es nach Tacitus die Cimbern mit erbeutetem Gold und Schmuck taten). Schon die Unzahl der in der Hafenstadt Hausenden an sich sei Frevel. Nur sieben von ihnen – dies erinnert an die «Winke» im «Neuen Reich» – könnten vom Untergang gerettet werden, da sie schon früher in die alte Stadt aufgenommen seien, weil deren Kinder ihnen, als sie kamen, zugelächelt hätten. – Hierdurch ist die Haltung des Dichters in Gegensatz zur Haltung seiner Zeitgenossen gebracht, und darüber hinaus wird das neue – man kann auch sagen uralte – Lebensgefühl von Wenigen den heutigen Anschauungen der Massen gegenübergestellt. Die Rolle, die der Instinkt der Kinder, der noch nicht durch Erfahrung des Lebens getrübt ist, spielt, ist Kennzeichen für die Gedankenrichtung des Dichters nach und gemäss dem Maximin-Erlebnis. Maximin hatte nach seinen Aufzeichnungen gleichfalls ein Gedicht «Die tote Stadt» geschrieben. Ob dies den Dichter zu seinem Gedicht veranlasst hat, lässt sich nicht entscheiden.

Das den ersten Ring schliessende Zeitgedicht geht, nachdem das neue und das alte Lebensgefühl als Gesamt in der «Toten Stadt» bildhaft einander gegenübergestellt sind, wieder auf die individuelle Haltung des Dichters im Zeitgeschehen zurück und knüpft dadurch an das Zeitgedicht des Anfangs an. Als Prophet, der das Gewissen des Volkes verkörpert, und als Seher, der Vorahnungen Ausdruck gibt, erteilt der Dichter denen die Antwort, die klagen, dass nur niedere Seelen herrschten, die edlen untergegangen seien, der Glaube aufgelöst, Liebe verdorrt und Flucht aus der allgemeinen Verwesung unmöglich scheine. Der Dichter verspricht, die Fackel des göttlichen Feuers in einer Zeit zu halten, in der an jedem das Verderben zehrt und jeder das Verderben durch seine eignen überhitzten Sinne und die nicht mehr einheitlich strahlende Glut des Herzens vermehrt. Er bedeutet den Zeitgenossen, sie hätten aus eignem Willen eine Stellung eingenommen, von der aus sie die Schönen und Grossen unter den Menschen (Stern III, 29) missverstehen, deren alte und neue Bilder ikonoklastisch stürzen und Sein und Wert leugnen müssten. Den menschlichen Körper und die Kräfte der Erde nicht länger achtend strebten sie, einen proportionslosen, gigantischen Bau (Standbilder I und II) aus substanzlosem Material wie Rauch, Staub und Dunst bis zu ihrem Himmel aufragen zu lassen, und wüssten nicht, dass er schon vor Vollendung verfallen müsse, während die noch höher schwebenden Wolken dies lange vorausahnten. – Die Vermenschlichung der Wolke, die im Werk des Dichters vom Anfang bis zum Ende wiederkehrt, beruht wahrscheinlich auf ihm eingeborenem keltischen Sagengut und nicht nur auf durch Bildung erworbenem Wissen von der Erscheinung Gottes in der Wolke gemäss der Bibel und der Götter nach zahlreichen Sagen antiker Mythologie. – Als der Bau erfunden von haltlosem Hirngespinst zusammengefallen sei, so besagt die dritte Strophe, hätten die Zeitgenossen in Höhlen Zuflucht gesucht, das Licht des Tages nicht mehr als wirkende Kraft anerkannt und Ewigkeit (Dauer) dadurch zu erlangen gesucht, dass sie das Begehren des Leibes in sich töteten. Wie Alchimisten, die Gold und den ewiges Leben verleihenden Stein der Weisen aus Erzen und Tinkturen gewinnen wollten, hätten sie Seelen aus Gift und Kot destilliert, den Rest der wertvollen

Lebenssubstanz verspritzt und den Blick dafür verloren, dass besonnte Wege ausserhalb ihrer Höhlen zum wahren Ziel führten. Demgegenüber beruft sich der Dichter auf die von ihm beobachtete, notwendige Folge von Ding und Gegending, auf die Enantiodromie, die den Kreislauf des Lebens herbeiführt. Er sieht in den Augen der Jahrtausende alten Steinbilder von Königen das gleiche Leid und den gleichen Traum wie in den Augen von Heutigen. Damit ist nicht an steinerne Statuen deutscher Herrscher gedacht, die nicht Jahrtausende zurückreichen und selbst in den ersten Jahrhunderten des gegenwärtigen Jahrtausends nur schematisch gemeisselte Augen zeigen. Der Dichter hatte kurz vor Niederschrift des Gedichts die damals zum erstenmal ausgestellte Büste von Amenophis IV in Berlin gesehen und gerade die Art des Blickens an ihr bewundert. Die frühere Fassung «jahrtausendfern» wurde als leicht zu Missverständnissen führend aufgegeben. Aus der Gleichheit von Traum und Leid in Augen von Wesen, deren Dasein durch Jahrtausende getrennt ist, schöpft der Dichter das Wissen und Vertrauen, dass es naturgewollt und deshalb lebenerhaltend ist, dass auf Gärten Wüsten, auf Gluten Frost, auf den Tag die Nacht und auf Glück Busse folgen. Wenn auch in einer Zeitspanne ein Dunkel alle und die Trauer aller umschliesst, ein Ding, das keiner ganz begreifen kann, lebt fort und wirkt über die Zeit der Finsternis hinaus in der gleichen, unvergänglichen Weise, in der immer von neuem Jugend lacht, Blumen blühen und Sang ertönt.

GESTALTEN

Im zweiten Ring, der «Gestalten» betitelt ist, werden in 420 Versen die Kräfte, die das neue Leben heraufführen, in Typen bildhaft personifiziert. Sie ziehen in einer bestimmten inneren Ordnung vorüber. Wo zwei von ihnen im gleichen Gedicht erscheinen, geschieht dies nicht zur Gegenüberstellung von scharfen Gegensätzen, vielmehr zwecks Zusammenfassung von Teilen des Notwendigen. Als Urtypen menschlichen Wesens bedürfen sie keines historischen Vorbildes, um lebenswahr zu wirken. Auf Grund der Anordnung im Inhaltsverzeichnis, nach der das erste und das zweite Führer-Gedicht als Einheit anzusehen sind, besteht dieser Ring ebenso wie der erste aus vierzehn Gedichten.

«Der Kampf» verdeutlicht den ewigen Streit zwischen Helle und Dunkelheit, den allen Sonnenreligionen zugrunde liegenden Sieg einer jüngeren, vaterrechtlichen Epoche über eine ältere, mutterrechtliche Weltzeit, sei es dass Helios-Apollo als Personifizierung der Sonne nach Plutarchs «Über den Verfall der Orakel» gegen chthonische Gottheiten, sei es dass Baldur gegen Hödr kämpft. Der Dichter kannte und schätzte das Buch «Sternglaube und Sterndeutung» von Boll-Betzold. – Stefan George wandelt die alten Sagen, die er schon im Fibel-Gedicht «Erster Frühlingstag» gestreift hatte, insofern ab, als er den erwachsenen Titanen der Tiefe einen kindlich jungen Sonnengott angreifen und den Besiegten, nicht den Sieger den Hergang des Kampfes berichten lässt. Trunken von Sonne und Blut, also nicht nur vom Blut der Erdkraft, sondern auch schon von der Wirkung des Lichtes, stürmt der Titan aus der Dunkelheit seiner Höhle im Erd-innern, um auf den Sonnengott, dessen tanzend leichter Schritt und singender Mund die rohe Kraft der Tiefe verhöhnt, im vollen Licht zu lauern und ihn anzugreifen. In der ersten Fassung wurde der jugend-liche Gott als der «mit der Leier von Gold» bezeichnet, dies hätte aber das Bild zu sehr auf einen kindlichen Hermes oder einen jugendlichen Apollo konzentriert und eingeengt. – Der Titan würgt den noch rosigen Leib des Gottes, wirft die Keule, eine urzeitliche Waffe, fort und versucht, mit unbewehrter Hand den Verhassten niederzu-zwingen. Aber ein Lichtstrahl aus dem Auge des jungen Gottes blendet den Angreifer, der diese Art des Kämpfens als Feigheit an-sieht, da für ihn von altersher die Kraft des Arms die Entscheidung bringt. Der Gott setzt seinen Fuss auf die keuchende Brust des zu Boden gesunkenen Titanen und singt unbekümmert sein Lied. Trunken von Sonne und Blut – dieser Anfangsvers wird unerwartet im vorletzten Vers des Gedichts wiederholt, um die fast abrupt knappe Schilderung zusammenzuraffen – sieht der Angreifer sein Ende und beklagt es wegen der Art seiner Besiegung als ruhmlos. Die Sonder-heit dieses Gedichts, das generell gehalten ist, um als Einleitung weit genug zu wirken, liegt darin, dass der Gedanke von der Macht des Lichtes fortschreitend erweitert wird, bis die Helle mühelos das Dunkel überwindet.

Im zweiten Gedicht werden die Führer zum neuen Leben in Bildern personifiziert, und zwar wird hier das Wort «Führer» benutzt, lange bevor es durch europäische Diktatoren in fragwürdigen Umlauf ge-setzt worden war. Der erste Führer ist der Täter, der anders als im «Teppich» in seinem Verhalten während der Zeit der Tat symbolisch geschildert wird. Er verschmäht es, sich auf dem goldenen Wagen der das Erreichte Geniessenden, die halbnackt mit ihren glitzernden, kostbaren Schnüren prangen, fortbewegen zu lassen, er wartet völlig nackt, bis der Wagen – hier mögen die Vorstellungen vom Sonnen-wagen und vom Karnevalswagen mithineinspielen – an ihm vorbei-fährt, dann holt er ihn ein, umkreist ihn im Triumph und läuft be-feuernd voraus, so dass alle, die sich auf dem Weg nach einem ihnen noch verhüllten Ziel befinden, ihm folgen und eine Kette mit ihm bilden. Wie er umkreisen sie das Gefährt mit Sang, Tanz und Sprung und eilen ihm mit wildem Jauchzen und unbändigem Schwung zum Sieg strebend voraus.

Der zweite Führer ist der zu geistiger Leitung Berufene, der die notwendigen Voraussetzungen für den Sieg des neuen Lebensgefühls durch die in ihm verkörperte Kraft von Mut und Glauben schafft. Inmitten der Betriebsamen (nicht der Untätig-Geniessenden des voraufgehenden Gedichtes), die der «Stern des Bundes» III, 4 «Gewühle» nennt, deren Augen alles ihnen für den Bau ihrer Häuser und die Förderung ihres Handels Nützliche erspähen, aber keinen inneren Glanz haben, inmitten eines in einem Garten gefeierten Festes, bei dem viele Weiber mitsingen, die Stimmen aber trotz der vielen Singenden und Lachenden keinen Klang haben, sondert sich dieser Führer, der noch ein Jüngling ist, mit zurückgeworfenem Haupt von der Menge und wandert vor das westliche Tor, um, wie der Hirt in «Tag des Hirten» vor dem Weiterzug der Sonne, sein Gebet zu verrichten. Er weiss, dass er als der «Erkorene» des «Teppichs» den Kranz des Lebens zu tragen hat. Das Gedicht ist ein Vorläufer des Christus-Gedichts in «Stern des Bundes» I, 19.

Das Motto über den Versen, in denen der als Fürst geborene, legitime Herrscher spricht, ist dem «Schattenschnitt Waclaw Lieders» im «Jahr der Seele» entnommen, weil jener durch seine Haltung für den Dichter das Vorbild eines solchen Fürsten im geistigen Bereich geworden war. Der Fürst wendet sich an den «Minner», ein Wort, das schon vor seinem Gebrauch durch den Dichter in der Bedeutung von «Liebender» allgemein bekannt gewesen ist. Der Fürst beugt sich vor dem Minner, weil ihn die Kraft der Täter, obwohl sie Welten planmässig zu bauen, Königreiche zu schmieden und Kriege zu gewinnen ausreicht, nicht zu erschaffen vermag. Er sieht den Minner als «Gebieter im inneren Glanz der Krone», der in den Hallen steter Ehrung, das heisst hier: Ehrfurcht, erstanden ist und solche Ehrfurcht dadurch verkörpert, dass er schon seit der Kindheit anders denkt, fühlt und handelt wie die ihn Umgebenden und voll Stolz und Huld den ihm eignen, geistigen Bereich niemals verlässt. Das Wort Ehre umfasste ursprünglich auch den Begriff der Ehrfurcht, für die das Sonderwort erst später geschaffen wurde. – Vor ihm knien Starke und Weise in gleicher Art, er lenkt sie durch ein Lächeln, nicht durch Befehle. Gnaden, die nur er verleihen kann, sind eine Berührung seiner Hände, die Heil im weitesten Sinn des Wortes bringen, wie nach dem Glauben des Volkes die Hände der Capetinger von Skrofeln heilten, und ein Blick seines leuchtenden Auges, der den Sich-Mühenden unergründliche Freuden spendet. – In den Worten «im inneren Glanz der Krone» liegt eine Anspielung auf Maximins Nachnamen Kronberger, da

239

Maximin das Vorbild für den Minner ist. Verse Maximins sind deshalb das Motto zu der Rede des Minners, die sich über den Fürsten hinaus an die Allgemeinheit wendet. Der Minner, den der Dichter als charakteristisch deutsch erachtete, bereut sein Opfer nicht, selbst wenn es nicht den von ihm erhofften Erfolg bringt. Das liegt in der Frage, die an Stelle von Negierung die Rede des Minners einleitet. Jedes Opfer birgt einen Sinn in sich selbst, wie es im Gedicht « Einem jungen Führer im ersten Weltkrieg » im « Neuen Reich » heisst. Der Minner sieht vom Fenster aus, und das deutet auf äussere und innere Warte zugleich, die Menge nach der Arbeit des Tages bei Sonnenuntergang auseinandergehen und verrichtet sein Werk an ihnen dadurch, dass er ihnen, die im Grunde nichts als glücklich und heiter zu leben wünschen, schöne Träume sendet, indem er und sein ihnen südlich leicht erscheinendes Tun zum schönen Traum für sie wird. Sie rufen im Vorübergehen zu ihm hinauf, dass er am kommenden Morgen gezwungen sein wird, sie in den Krieg zu führen, Städte zu bauen und starke Söhne zu Erben zu erziehen, denn in jedem menschlichen Wesen wird der Wunsch wach, die Ernte einzusammeln, wie im Zeitgedicht « Carl August » angedeutet ist. Der Minner sagt zwar nicht, aber spürt, dass dies nicht seine Aufgabe ist. Er ist dazu bestimmt, in Festlichkeit seinen Hauch und sein Blut im Purpur des Abends zu verströmen, um der Gesamtheit aller, die er liebt, « all den Geliebten » einen beglückenden Rausch, der ihre Lebenskraft erhält, zuteil werden zu lassen. Er lobt sein Schicksal, das seinen Tod als Opfer fordert, selbst wenn er dabei zu leiden hat. Die Worte « ich leide » stehen allein und sind so weit, dass sie auch andeuten könnten, der Minner leide unter dem Wissen, dass sein Opfer nicht die Härte des Krieges und die Mühen des alltäglichen Lebens für die Allgemeinheit beseitigen könne, doch liegt dies kaum in der Gedankenrichtung des Dichters. Die Aufgabe des Minners besteht darin, durch seinen Anhauch Mut und Kraft zu beleben und seinen Kuss tief in die Seelen zu brennen – so sagt das dritte Gedicht des « Eingangs » zum « Stern des Bundes », es ist eines der wenigen, in denen der Dichter Maximin sprechen lässt.

Das Gedicht « Manuel und Menes » trägt als Motto Worte aus einem dramatischen Entwurf, der den Dichter in verschiedenen Altersstufen beschäftigte und von dem Bruchstücke im « Schlussband » veröffentlicht sind. In dem Ring-Gedicht sieht der Dichter rückblickend die Fragestellung des Dramas als Hinweis auf das Erscheinen Maximins an. Menes ist älter als Manuel, der von Gott gesandt ist, wie der Name andeutet, Menes ist ein Krieger, der mühevoll seine Taten geplant und mit dem Schwert ausgeführt hat, Manuel ist der geborene Herrscher, der zugleich Fähigkeiten des Minners besitzt. Menes wird sich über den von ihm zurückgelegten und noch vor ihm liegenden

Weg erst durch das Zusammentreffen mit Manuel klar. Er unterwirft sich Manuel, weil er ihn als geborenen Träger der Fähigkeit sowohl des Herrschens als auch des Heilens und der Huld anerkennt. Nachdem Manuel Treue geschworen hat, sieht Menes in ihm den stärkeren, vom Schicksal berufenen Führer, dem er sich freiwillig unterstellt. Er vertröstet seine Mannen auf die künftigen Taten Manuels und führt seine eignen Pläne, obwohl sie nahe dem Reifen sind, nicht weiter. Dieser Verzicht würde ihn zerbrochen haben, wenn ihn die Gegenwart Manuels nicht stark und heil – das Wort «heil» ist in allen diesen Gedichten im weitesten Sinn zu verstehen – gemacht und ihm das Wissen gebracht hätte, dass die besondere Kraft einer jeden Altersstufe nicht abstirbt, vielmehr in die Träger der nachfolgenden Altersstufe übergeht und dass sein eignes Tun sich deshalb in der Tat Manuels fortsetzt. Menes überlässt die Macht dem Manuel, obwohl Freunde ihn davor warnen – der warnende Freund, dessen Warnung jedoch nicht beachtet wird, erscheint, wie bereits angedeutet, zwecks Verdeutlichung durch Gesten fast in jedem Band des Dichters. – Nach Manuels Erwiderung gibt der Sieg über sich selbst dem Menes einen Vorsprung, beide haben das gleiche Recht zur Vollendung des Werkes, das ebensosehr des Wirkens des Manuel, der hier der Lenker ist, wie der Tat des Menes, der zum Wächter im Sinne Platos wird, benötigt. Beide sind zum Werk geweiht, da sie als echte Sprossen nur der untrüglichen inneren Stimme und nicht wie Räuber von Würden einer Gier der Besitz ergreifenden Hand folgen.

«Algabal und der Lyder» stellen das «Gleichgewicht der ungeheuren Wage» der Seelen her. Der römische Kaiser ist nicht mehr fähig, Freude zu empfinden, da er bei jedem Atemzug die Vergänglichkeit deutlicher und ihm selbst näher empfindet. Andererseits verrinnt der Tag für ihn nicht schnell genug. Der Zeitablauf hat somit für ihn eine zweifache Bedeutung, das heisst er kennt den Sinn und die Bedeutung des Augenblicks nicht oder nicht mehr und fühlt sich als «ein Spiel von jedem Druck der Luft», wie es in Faust I heisst. Anlass zu dem Bild der Seelenwage mag neben andern antiken Darstellungen eines Wägens das Mittelrelief des griechischen «Throns» in Boston gewesen sein, dessen erste in Deutschland befindliche Nachbildung der Dichter im Herbst 1905 in Leipzig besichtigte. – Für den Lyder, der hier nicht als Sklave wie im «Algabal» gekennzeichnet wird, ist der Zeitablauf ohne Bedeutung, denn er ist besessen von der Gier und dem Rasen nach einem Unnahbaren, das für ihn der Mond, eine vielleicht doppelgeschlechtliche lydische Gottheit, vollkommen und zeitlos symbolisiert. Das Gefühl des Rasens nach dem Unnahbaren hat solche Gewalt über ihn, dass weder für Schmerz noch für Freude, die das Licht, die männlich siegreiche Sonne bringen könnte, Raum in seiner Seele ist.

Er sieht für sich keinen Sinn in den Spielen und Begierden seiner Freunde, die mit ihren Leibern prunken und Lüste und Schauer von Nächten rühmen, in denen sie sich mit Göttern zu messen glauben. Für den Lyder, der nur vom Wunsch nach einem Unerreichbaren getrieben wird, gibt es keine andere Lösung als das Verströmen seines eignen Blutes, eine Lösung, die Algabal für sich selbst zwar ersehnt, aber auch fürchtet. Solche Artung des angeborenen Charakters des Lyders trägt dazu bei, das Motiv für seinen Selbstmord, wie er in den «Tagen» des Algabal-Bandes geschildert ist, zu vertiefen. Keats sagt in der «Ode to a Nightingale»: «Where but to think is to be full of sorrow.»

Rembrandts Bild «Saul und David» im Haag hat neben der Bibel den Dichter wahrscheinlich zu dem Gedicht «König und Harfner» angeregt. Der Harfner zum Sang geboren fragt den erwählten und gesalbten König – der Dichter unterscheidet stets zwischen zum Thron geborenen «Fürsten» und erwählten «Königen» – weshalb er sein Auge und seine Tränen vor ihm verberge. Der König könne ihm nicht zürnen, denn er selbst habe ihm geboten, immer mit seinen Liedern dem Thron nah zu sein. Der Grund für das Verhalten des Königs könne nur darin liegen, dass das undankbare Volk sich auflehne, die stolzen Priester Gehorsam verweigerten oder der «eifersüchtige» Gott den Sieg missgönne. Der König erachtet zwar selbst sein verändertes Verhalten gegenüber dem Harfner als unköniglich, ja sogar als eine Schande, er gesteht aber dem Harfner nicht das Recht zu, nach dem Grund seiner Abkehr zu fragen. Es zieme nicht einmal dem Harfner, der den König zu lieben behaupte, den Grund zu kennen. Der König enthüllt ihn nicht freiwillig, er weiss, dass die Kenntnis des Grundes den Harfner lähmen wird, will aber aus einem Gefühl ohnmächtiger Rache den Harfner ein Schicksal, das niemand erleichtern kann, ebenso tragen lassen, wie er (der König) unter dem eignen Schicksal leidet. – Man denkt an das sechste Gedicht in Algabals «Tagen». – Nicht innere und äussere Feinde, denen er überlegen bleibe, könnten den König, so sagt er, vernichten, wohl aber der Harfner, den er nicht missen wolle und dennoch hasse, weil er das erhabene Königsleid spielerisch in eitlen Klang umschmelze und nicht fühle, wie sehr solch ein Tun den König lähme und vergifte. Mit Blut erkaufte Siege verwandle der Harfner in bezaubernde Töne, die Früchte des Wirkens des Königs, die in heissen Sommern mühselig zur Reife gebracht worden seien, sammle der Harfner achtlos, um seinen satten Mund mit ihnen zu kühlen, die Qualen der Nächte des Königs lasse er in süssen Klang verwehen und forme aus dem Sinnen des Königs schillernde Blasen, die in der Luft zerschellten. – Das Verhalten des zur Macht gewählten Königs gegenüber dem vom Schicksal

242

begnadeten Harfner steht im Gegensatz zu dem Verhalten des zur Macht geborenen Fürsten gegenüber dem vom Schicksal bestimmten Minner, deshalb rahmen die zwei Gedichte die Reihe der Reden der repräsentativen Typen ein. Alle, die in diesen Gedichten sprechen, sind Führer im Sinn der Führer-Terzinen, sei es dass sie durch eigene Aktivität die Passiven antreiben, sei es dass sie durch ihr Dasein oder Tun die für das Gelingen einer Tat nötige Luft, von der der «Stern» handelt, schaffen. Nur Menes, Algabal und der König haben die Aufgabe und Möglichkeit, ihren Weg zu wählen, die übrigen Repräsentanten folgen der inneren Stimme ihrer Berufung, deren Bedeutung für das neue Leben der Dichter dadurch hervorhebt, dass er fünf vom Schicksal ausersehene Repräsentanten den drei von Menschen gewählten gegenüberstellt.

Mit dem «Sonnwendzug» beginnt der zweite Teil der «Gestalten», in dem nicht mehr Einzeltypen, vielmehr Gruppen geschildert werden, in denen das neue Leben wirksam ist. Der «Sonnwendzug» zeigt die Verbindung der geistigen Kräfte mit den ungeweckten, dumpfen Seelen des Volkes durch die Gewalt der vom Denken unabhängigen Sinne, es ist das «Knüpfen der zersplissnen goldnen Fäden», von dem in «Stern des Bundes» I, 16 die Rede ist. – In den Sälen, in denen die Geistigen das urtümliche Fest der Sommersonnenwende feiern, wird die Schwüle unerträglich. Die Leiber, in Glut und Schatten der lang ausgedehnten Feier getaucht, starren wie Elfenbein inmitten von Früchten und Blumen, die in Überfülle aus den Wänden zu quellen scheinen, bei dem aufreizenden Klang der Flöten und der berauschenden Wirkung des Weins. Ein plötzlicher Stoss des Nachtwindes wirft die Fenster auf, die Fackeln erlöschen, die Feiernden stürmen auf die Strasse, brechen durch die Stadttore in die Dörfer, sehen im brünstigen Licht des Sonnenaufgangs die Landleute bei der Arbeit und stürzen deren strotzenden Kräften entgegen. Weisse Glieder umschlingen sehnige, braune Leiber, die sich langsam an der Glut entzünden, und klammern sich an sie, fest wie die Reben an Mutterbäume, ein Bild, das schon Johannes Secundus benutzt. Rufe von Lust und von Grausen, von beginnendem Jagen schallen im Hain. Fast verdurstet von Fang und Flucht saugen die einen Blut und Speichel von harten Lippen, während andre hingesunken auf stäubende Garben beide Spitzen der Brüste der von ihnen Erwählten küssen, die Blumen genannt werden – vielleicht entsprechend der Blumenform der Brustspitzen bei den Buddhastatuen der indochinesischen Khmer-Plastik des XI. und XII. Jahrhunderts, die der Dichter im Musée Guimet in Paris gesehen hatte. Der Dichter glaubte übrigens, dass die Gründung der Freimaurer in England eine Erneuerung durch bewusste Mischung geistiger und ungeistiger Volksschichten zum Ziel gehabt habe.

Das Hexenhafte wurde vom Dichter als eine nicht zu leugnende Kraft im Weltgefüge angesehen. Auf die Schilderung der nicht vom Geist abhängigen Gewalt der Sinne im «Sonnwendzug» folgt die des Hexenwesens, das gleichfalls durch Denken nicht bestimmt und gelenkt werden kann und nach Ansicht des Dichters auf einer besonderen Bindung der Frau an die Erdmächte beruht. Im «Hexenreihen» verhöhnt die Hexe den Menschen, als «unechten» Spross, weil er nur die Gewalten des Tages, nicht die der Nacht zu erkennen vermag und weil nur die Aussenseite der Dinge ihm bekannt und von ihm benannt wird. Im Gegensatz zum Menschen sieht die Hexe einen Tanz auch in der Verzerrung und Schönheit selbst in Wulst und Geschling, sie empfindet Duft im Dampf des Moders, Töne im wirbelnden Getöse, denn sie fühlt, dass kein Ding ohne sein Gegending bestehen kann. Der meerfarbene Most, mit Hilfe dessen sie Totes und Lebendiges durch Beschwörung zum Erscheinen zwingt, ist wie menschliche Substanz ein trübes, rätselhaft bleibendes Erzeugnis. Die Hexe treibt alles durch ihr Sieb, um bis zum innersten Kern der Dinge, die der Mensch für wertvoll hält, zu gelangen, bis schliesslich nichts übrig bleibt als das Symbol der Sinnlichkeit, der Triebhaftigkeit: ein Gebild aus Stein, das in Form den Hoden eines Tieres ähnelt. Die Hexe stellt höhnend fest, dass der Mensch blind ist und blind bleiben wird, da ihm niemals der Star gestochen worden ist und werden wird. Sie feiert ihre Feste am Sumpf und auf der übelriechenden Grasfläche (dem Wasen), auf der der Abdecker (der Kafiller oder Wasenmeister) gefallene oder getötete Tiere häutet und die Reste vergräbt. Der Mensch begreift den Sinn von all dem ebensowenig, wie er das Wesen des Lebendigen wahrnimmt, das diese wie von Bosch gemalte Hexe in schillernden Abwässern klar zu erkennen vermag.

Die Kämpfer für das neue Leben sieht der Dichter im Bild – nicht etwa in Wiederbelebung oder Fortsetzung – der Templer des Mittelalters, und das Wort «Templer» als Symbol für die vom Dichter beschriebenen Kämpfer kehrt in «Stern des Bundes» III, 20 in «Tempeleis» wieder. Das Ritual und die Geschichte des Ordens, besonders auch der Prozess, durch den er aufgelöst wurde, interessierten den Dichter; ich erinnere mich, dass er sich ein damals erschienenes Buch von Schlosser trotz seiner im Alter wachsenden Abneigung gegen dicke Bände besorgen liess und sorgfältig las. – «Goldner Lauf» ist eine Bezeichnung für das Goldene Zeitalter, das in dem diesen Versen voraufgegangenen Gedicht von der «Irrenden Schar» durch «goldne Pflüge» gekennzeichnet worden war. Nur im Goldenen Zeitalter sind die vom Schicksal zu «Templern» Bestimmten nicht von ihren Zeitgenossen verschieden. Seit der undenkbar langen Zeit aber, die dem Goldenen Zeitalter folgte, denken und handeln die Templer entgegengesetzt den

244

Wünschen und Zielen der Massen, denen sie als Minderheit gegenüberstehen. Symbole der Templer sind für den Dichter die Rose, die innere jugendliche Brunst andeutet, und das Kreuz, das für die Fähigkeit, Leiden stolz zu ertragen, bezeichnend ist. Das ist eine Verbindung des historischen Templertums mit den legendären Rosenkreuzern, von denen Goethes Fragment «Die Geheimnisse» handelt, ein Gedicht, zu dem Goethe auf Befragen ebensowenig eine volle Erklärung gegeben hat, wie Schiller zu seinem Entwurf eines Malteser-Dramas. Auch Johann vom Kreuz hat seinen Kommentar zu dem von Stefan George übersetzten Gedicht von der Seele gerade vor der wichtigsten Stelle abgebrochen. – Auf die generelle Charakterisierung derer, die der Dichter Templer nennt, folgt die Beschreibung ihres Tuns, die das in der «Irrenden Schar» und in der vierten Strophe des achten Vorspiel-Gedichtes gegebene Bild ergänzt. Sie drehen, das heisst setzen in Bewegung, und nutzen das männliche Symbol des Speers und das weibliche Symbol der Spille, Spindel, Kunkel, die dunkel genannt wird, um auf Nähe zum Erdschoss hinzuweisen, nicht zum Zweck selbstsüchtiger Freuden, sondern nur dann, wenn das Schicksal solch ein Tun von ihnen verlangt. Das ist ein Hinweis auf die beiden letzten Strophen des Gedichts. Wenn die Zeit und die in ihr Lebenden feige geworden sind, werden sie durch das Glänzen der geschwungenen Schwerter, der Waffen der Templer, aufgeschreckt, und die Templer geisseln das Volk zu neuen Taten und schlagen Lärm an satten, schläfrig gewordenen Thronen. Die Sitten und «Spiele» (im weitesten Sinne des Wortes) der Massen werden von den Templern nicht anerkannt und nicht mitgemacht, so dass die eine Mehrzahl bildende Menge stets mit Argwohn auf sie blickt und Grauen empfindet, wenn selbst vereinter Hass nicht ausreicht, das zu vernichten, was die Templer durch den wilden Sturm der Liebe ihrer kleinen Schar ins Leben gerufen und zusammengeschlossen haben. Die Templer verschenken, verschwenden, was sie unter Einsatz ihres Lebens mit bewaffneter Hand erbeutet haben, sie erstreben und achten eignen Besitz nicht. Obwohl ihr Wüten die härtesten Urteile fällt und vollstreckt, vermögen sie vor einem Kind anbetend ins Knie zu sinken. Sie brüsten sich nicht ihrer Sonderart, sie verbergen die Glut ihres Auges und die Locken ihres ungeschorenen Haares – ein germanisches Zeichen der Geburt als Freier – vor der dreisten, Ehrfurcht nicht kennenden Menge, die eine Tat der Templer, die für das ganze Volk Rettung bedeutet, erst nach deren Tod preist.

Der künftige Templer reift unter anderer Obhut als der seiner Familie, wie in «Die Hüter des Vorhofes» dargetan wird. Der Dichter wies im Gespräch darauf hin, dass Campanella, der Verfasser des «Sonnenstaates», von einem unbekannten Fremden erzogen worden sei und dass man den Namen des Mannes, dem der junge Dschelal-ed-Din Rumi (1207–1273) folgte, noch heute nicht kenne. Helden des griechischen Mythos und der antiken Geschichte, wie zum Beispiel Sargon von Akkad, Ödipus und nach Herodot Cyrus, seien nicht im Schoss der Familie zu ihrer Tat gereift, und Christus habe eine entscheidende Zeit in der Wüste verbracht. – Der Nachwuchs der Templer wird aus solchen gebildet, die stammlos im Gewühle wachsen, wie es in «Stern des Bundes» III, 4 heisst, und deren Auge ihre Bestimmung anzeigt – er besteht nicht aus leiblichen Sprossen der Templer, so dass er nicht durch Altern oder Kraftloswerden von Familien belastet oder aus der Bahn geworfen (versprengt) wird. In ihm ist eine bisher unerschöpfte Glut der Liebe lebendig. Nur eine derart zusammengesetzte und aufgebaute Schar ist fähig, die Tat der eisernen Notwendigkeit und der unaufschiebbaren Wende zu vollbringen, zu der die Menge in ärgster Not die Templer ruft, nach deren Vollendung aber die Massen den Täter steinigen, da sie stets verfluchen, was sie nicht begreifen. Die schwerste Tat ist zu vollbringen, wenn die «grosse Nährerin», die Erde beim Mischen am untern Born, das heisst beim Schaffen kraftvoller Generationen erstarrt und ermüdet, so dass das innere Feuer der Seelen zu erlöschen scheint und eine Weltnacht, der «längste Winter» der nordischen Sage, wie das Gedicht vom «Krieg» es ausdrückt, herabzusinken droht. Dann kann nur einer, der wie ein Templer unaufhörlich gegen ein Vorrecht der Erdkräfte focht, sie durch Aufwendung gestauter Kraft erneut willfährig dazu machen, dass sie das erneuernde Werk der Vergottung des Leibes und der Verleiblichung des Gottes wieder aufnehmen. «Der Gott war zum Menschen geworden, um den Menschen zum Gott zu erheben», sagt Goethe im Winckelmann-Aufsatz.

«Die Hüter des Vorhofs» zeigen, wie der Dichter sich die Erziehung solcher Templer vorstellt. Auf ein Leben der Kargheit voll fiebernden Suchens und leidvoller Vereinsamung, in dem Sehnsucht als treibende Kraft zu voller Stärke entwickelt wird und Frömmigkeit und Erhabenheit alle Alltagsgefühle überwältigen, soll für kurze Zeit ein Dasein in einem besonnten Land, üppig mit Rosen und Reben, folgen, so dass die Erzogenen das Leben auf der Erde als Himmelsfreude (Vorspiel VII) empfinden. Stefan George dachte hierbei an die Erziehung der Jünglinge in der 1081 gegründeten Vereinigung der Assassinen durch den «Alten vom Berg», die, wie der Dichter erzählte, zuerst äusserste Kargheit ertragen lernten, dann aus einem Haschisch-Rausch für kurze Zeit zu einem Leben grösster Üppigkeit erwachten, aus dem sie wiederum im künstlich bewirkten Schlaf herausgerissen wurden. Nach solcher Vorbereitung verrichteten sie die ihnen aufgetragenen, gefährlichen Taten willig und freudig, da sie hofften, bald wieder in das üppige Land zurückversetzt zu werden. – Das Gedicht sagt in der dritten Strophe, dass durch Verweilen in den zwei entgegengesetzten Bereichen das Gefühl der Würde und Ferne, eine Fähigkeit zu warten, ohne nach erniedrigendem Ersatz zu greifen, in den Seelen wachse und die innere Glut so verstärke, dass das Bild des Sehnens, das Denkbild des dritten Gedichts der «Überschriften», die reinste Form annehme. Diese Eigenschaften würden die volle Helle geben, mit der das menschliche Vorbild und die zu durchmessende Bahn, umschrieben durch den von Tau blitzenden Wegrand und das alte, vom Zauber angerötete Tal, bis zur Verklärung erhoben werden könnten. Solche Art des Lebens würde die Verbrechen, die durch zerwühlende Gier an der Erde als dem gebärenden Stoff begangen seien, sühnen, so dass sie, die gespalten sei, sich wieder schliessen und neues Leben hervorbringen werde und wie in frühsten Zeiten noch einmal nackter Tanz auf junger Heide beginnen könne. Die Träger der neuen Lebensform würden ebenso ehrfürchtig wie kühn mit schönem, stets wachem Begehren nach Perlen in jeder Muschel, nach seltenen Früchten auf allen Feldern spähen, um jeden holden Schimmer in künftige Zeiten hinüberzuretten. Mauern, die andre gefangen hielten, würden sich vor ihnen öffnen. Ebenso gefeit wie gegen Gefangennahme seien sie gegen Verführung durch Macht und Besitz, ausgedrückt durch «Gleiss und Sammet». Kein auf der Erde erreichbares und erreichtes Gut kann nämlich in ihnen die Erinnerung daran vermindern, dass und weshalb sie Göttern verwandt sind.

Den «Templern» und den «Hütern des Vorhofs» ist das Bild des «Widerchrists» gegenübergestellt. Eine stilistische Studie zu diesen Versen enthält das zweite, auf Seite 38 der elften und zwölften Folge der «Blätter für die Kunst» gedruckte Gedicht Stefan Georges, das er ohne Wolfskehls Wissen unter dessen Gedichten – wie Wolfskehl mir weise lächelnd erzählte – erscheinen liess, weil er darin Wolfskehls Stil zu treffen versucht hatte. Das Gedicht ist mit einem kleinen Stern bezeichnet, wie ihn der Dichter auch manchmal auf handgeschriebene Visitenkarten, zum Beispiel bei seinem Besuch bei Rodin, über den eignen Namen und auf drei Petschaftsentwürfe für jüngere Freunde über deren Initialen setzte oder im Titel des Viktor Adalbert-Gedichts verwandte – er mag dazu durch die Verwendung eines solchen Sterns auf mittelalterlichen Bildern angeregt worden sein, Fra Angelico kennzeichnete durch ihn das Haupt des Dominicus auf den Predella-Schilderungen zur «Krönung Mariae». – Zur Beschreibung des falschen Führers ist wie zu der des echten Führers eine Abart von Terzinen benutzt, da sie in deutscher Sprache dem Gesagten besondere Härte verleihen. Doch zeigt «Der Widerchrist» nur Reimanklänge – ein «Haarbreit» fehlt auch hinsichtlich der Form. Das Gedicht beginnt mit der Beschreibung des Eindrucks, den das Erscheinen des Widerchrists im Volk hervorruft. Jedermann behauptet, er habe ihn mit eignen Augen kommen, Wasser in Wein, wie Christus es tat, verwandeln und Tote beschwören sehen. In der zweiten Strophe spricht der Widerchrist, allmählich geht aber seine Rede in die des Dichters selbst über, mit der das Gedicht schliesst. Der Widerchrist verrät, dass er nachts, wenn unbeobachtet, über die Leichtgläubigkeit der Massen lacht. Er spottet darüber, dass sie sein Garn, das heisst hier sein Stellnetz so füllen, wie Fische in den Hamen, ein beutelförmiges Fangnetz, strömen. Das Volk, seien es Weise, seien es Narren, drängt in seine Nähe, der Zug derer, die ihn begrüssen wollen, vergrössert sich so sehr, dass sein Anmarsch Bäume entwurzelt und das Korn in den Feldern, das die tägliche Nahrung bietet, in unbenutzbaren Brei zertritt. Er verspricht, für sie alle Werke zu tun, die keine Macht als die des Himmels zu vollenden vermag, aber er selbst weiss, dass stets ein «Haarbreit» bei seinen Wundern fehlt, dass jedoch die geschlagnen Sinne der Betrogenen dies nicht wahrnehmen. An Stelle des Seltenen und Schweren, an Stelle von Gold bringt er ihnen etwas, das wie Gold aussieht, und an Stelle von Wein etwas, das ein duftender, würziger Saft zu sein scheint, ohne aus Trauben gepresst zu sein. Er gibt vor, mehr für sie vollbringen zu können, als der grosse Prophet, womit wohl Moses gemeint ist, zu bewirken sich getraut hat, nämlich die in der Erde aufgespeicherten Kräfte nutzbar zu machen, ohne dass es der Arbeit des Rodens, Pflügens und Säens bedarf. Er ist es, durch den der Fürst des Geziefers (Beelzebub) seine Herrschaft verbreitet – es gibt keinen Schatz, den er nicht besitzt, kein Glück, das er nicht verleihen kann. Alle, die sich gegen ihn auflehnen, so schreit das Volk, sollten ausgerottet werden. Es jauchzt zu seinen Schein-Taten, vergeudet im Vertrauen auf seine Macht alles Wertvolle, was es noch aus früherer Zeit besitzt, und fühlt nicht die Not, bevor es verhungert und verdurstet. Dann lässt es, wie Vieh, die Zunge am ausgetrockneten Trog heraushängen und irrt ratlos durch den brennenden Hof, während schon die Posaune des Gerichts erschallt.

In gleicher Weise, wie ein historischer Aufbau innerhalb des einzelnen Gedichtes vom Dichter meist vermieden wird, ist auch hier die Folge der Gedichte nicht historisch gegeben. Deshalb ist der «Widerchrist», der innerlich zum «Hexenreihen» gehören würde, zwischen die «Hüter des Vorhofs» und «Die Kindheit des Helden» geschoben. – Das Gedicht spricht vom Aufwachsen eines Knaben in einem frühen, heroischen Zeitalter. Er sondert sich schon sehr jung von Geschwistern und Gleichaltrigen, er zieht es vor, allein über Schluchten zu sprengen und hoch im Gebirge Nester der Raubvögel auszunehmen. Nur mit einem Schurz bekleidet, mit einer Haut, die braun wie Felle ist, mit hellem, flatterndem Haar und lichtblauen Augen legt er Schlingen für Tiere, deren Wege er mühsam erkundet hat – Goethe vergleicht in einem Aufsatz Kotzebue mit einem schönen, munteren Knaben, der mutwillig den «Sprenkel» für Vögel in Goethes Garten lege. – In seinen Träumen trifft der Knabe – wie der Knappe der «Sagen» – Ungeheuer, kämpft von reichgeschirrten Rossen und kehrt nur selten zum heimischen Herd zurück. Alle, die ihn schmähen und schelten, sollen – das ist sein Ziel – sich in Angst und Ehrfurcht vor ihm beugen, wenn er als Sieger durch die Länder ziehen wird. Sie werden, so sieht er voraus, als Zeichen ihrer Unterwerfung ihre Stirnen und ihre Bärte mit Russ, der hier an Stelle von Asche gebraucht wird, bestreuen, um Gnade vor seinen brennenden Blicken flehen und ihm den Staub vom Fuss lecken, wie es nach Napoleons Ausspruch bei Las Cases die Souveräne Europas taten. Das weist auf das Bild des Eroberers in «Mahnung» der «Pilgerfahrten» zurück und ist sehr verschieden von der spätesten Schilderung eines Eroberers im «Brand des Tempels».

Der «Eid» bindet die Folger an den Führer und an die Mitfolger. Im Gedicht stehen sie im Kreis um den Führenden, der sie gewählt hat, wie das achte Gedicht des «Vorspiels» besagt, und dessen Ruf sie gefolgt sind, wie es im dreiundzwanzigsten Vorspiel-Gedicht heisst. Die Folger setzen sich aus solchen zusammen, die in der Gesellschaftsordnung einer untergehenden Welt als Abschaum angesehen wurden, wie es zum Beispiel die Folger des Romulus und in neuerer Zeit die ersten englischen Besiedler Australiens waren. Man könnte an die Gesellschaft denken, aus der Matthäus von Christus in Caravaggios Bild berufen wird. – Im achten Vorspiel-Gedicht waren die seelischen Eigenschaften der zu Folgern Erwählten dargelegt, im «Eid» wird ihre Stellung zu den Zeitgenossen, die auf jenen Eigenschaften beruht, hervorgehoben. Der Führer schildert ihre Taten. Die einen sind nach langer Haft, die ihrer Haut die Farbe von Leichen gegeben hat, aus Gefängnissen entflohen, andre vermochten nicht, sich in der Gesellschaft ihrer Zeit zu behaupten und kamen dadurch dem Untergang nah. Vor dem Sturz ins Nichts oder vor dem Selbstmord rettete sie der Führer. Allen ist eine wilde, nicht durch Innehalten von Konventionen gemilderte Stärke eigentümlich, alle sind versprengte Kräfte, die im Gegensatz zum planmässig angelegten und geregelten Tun der Mehrzahl ihr Sonderdasein führen. Sie werden zu einem Bund, der stärker als leibliche Verwandtschaft ist, vereinigt, weil jeder von ihnen vom Blut des anderen zwecks Blutsbrüderschaft genossen hat. Dadurch glüht das Feuer des einen auch im andern (Stern III, 20). In ihnen ist der Atem des Führers lebendig, den er in einem Ritus, der ebenso alt ist wie der der Blutsbrüderschaft, in sie gehaucht hat (Stern II, 1). Erst wenn sie ihm folgen, sehen sie ihr Dasein als ein

Glück. Der Führer fühlt sich durch ihren Treuschwur, wie Menes durch den des Manuel, mächtig und kühn, und ihre Stärke vermehrt seine eigne Kraft. Sie schwören unbedingten Gehorsam – eine Tat, die an sich schon nach der Auffassung der Mehrzahl der Zeitgenossen ein strafbares Vergehen darstellt. Ohne nach dem Sinn der Bräuche des Führers zu fragen und ohne durch seine ihnen unverständlichen, dunkelsten Gebote abgeschreckt zu werden, sind sie bereit, ihm zu folgen, selbst wenn er, über ihre Leiber pflügend, ihnen Tod bringt. Denn sie wissen, er allein kennt das Ziel, das vor ihrem Auge nur unbestimmt in der Ferne aufblitzt, es ist in das harte Metall seiner Seele unauslöschbar eingegraben. Er «sieht» das Ziel, selbst wenn der Weg dorthin auch ihm noch verhüllt ist, er ist gewiss, dass in dem notwendigen Kampf die Kraft des Erdschosses den Waffen seiner Schar helfen wird, da sie der Erde traut, da sie der Erde sowohl vertraut wie traut ist, und dass auch die Macht des Himmels sich gegen die ihnen verhassten Feinde wenden wird. In dieser Weise verbunden, und zwar sowohl mit den Sonnen- wie auch mit den Erdkräften, kann für die Folger, die hier Söhne des Führers genannt werden (Stern III, 2), keine Feindesschar zu dicht und kein abwehrender Wall zu steil sein, sobald sie mit ihrem Schlachtruf zum Angriff stürmen. Das Wort «Heil» als Gruss und als Ruf wird von Goethe und Schiller gebraucht, war und ist der Gruss der Turner und stellt keineswegs eine Schöpfung neuzeitlicher europäischer Diktatoren dar.

Das Gedicht «Einzug» gibt sozusagen den Inhalt des Heilrufens des «Eides» wieder. Der Dichter erzählte, dass die deutschen Kommunisten, während ihrer Herrschaft über Bayern nach dem ersten Weltkrieg, es ohne sein Wissen und ohne seinen Willen zu ihrem Marschlied gemacht hätten. – Die Zeit ist reif für die Wende, die sich schon unendlich lange («Jahrnächte lang») vorbereitet und durch Zeichen, wie Donner eines noch fernen Gewitters (Stern I, 15), angekündigt hat. Das nichtige, das heisst vergebliche Dursten der Scholle, der Erdkruste hat unendlich lange die Erscheinungsformen (Äusserungen) des grausamen Geheisses des Schicksals, des dem Tod nahen Stöhnens, des ohnmächtigen Schreis der Besessenen, der hilflosen Qual, des fluchwürdigen Mals und des im Tod verstummenden Flehens der Vergessenen heimlich in sich gesogen. Jetzt hat die Erde sich geöffnet – in Maximins Gedicht steigt der neue Halbgott jung und schön aus der «weit geborstenen Erde» auf. Die bisher bergende Hülle ist zerrissen und der lange Zeit verborgene Same wächst zum Licht der Sonne, deren Geschöpf er ist. Das Reich derer hat begonnen, die aus der Erde, mit deren Kräften ausgestattet, emporgebrochen sind – das schliesst an das erste Gedicht der «Gestalten» an und formt den Ring. Sie sind die Retter, die aus der Kluft

250

in leuchtenden Heeren heraussprengen und alles Abgelebte sichten und vernichten. – Die frühere Fassung «Schlucht» wurde vom Dichter als zu konkret in «Kluft» geändert. – Sie, die Helden, sondern von neuem festes Land vom Meer und machen Öden urbar. Ihr Sturm und ihr Feuer bewirken frische Saat und bringen eine Blütezeit, eine wieder fruchtbare Einung der Elemente, herauf. Der Dichter, der seit Beginn seines Schaffens, ausweislich eines Merkspruchs in den «Blättern für die Kunst», an eine Wiedergeburt in der Kunst geglaubt hatte, empfand und feierte in der zweiten Hälfte seines Wirkens auf Grund des Maximin-Erlebnisses eine Wiedergeburt im Lebendigen.

GEZEITEN

Nach Lebenserinnerungen von Schulfreunden hat Maximin eine Gedichtfolge, die er schrieb, «Gezeiten» benannt. Sie ist nicht veröffentlicht, und es ist nicht bekannt, wann sie entstanden ist. Es lässt sich deshalb nicht sagen, ob sie schon vor den vor seinem Tod entstandenen Gedichten des dritten «Rings» diesen Titel trug und Stefan George den Titel übernahm, um ihn zu verewigen, oder ob der Dichter den Titel unabhängig von Maximin fand und wählte, wie es nach Maximins Lebenserinnerungen mit der Überschrift «Die tote Stadt» geschah. Ein Denken in gleicher Richtung lässt sich unter nahen Freunden oft feststellen und könnte eine Folge des in diesem Dichter besonders stark ausgeprägten Ahnungsvermögens sein.

Vor Maximins Tod ist der erste Teil des dritten «Rings» gedichtet, der aus zwölf Gedichten besteht. Acht dieser Gedichte sind für Friedrich Gundolf, dessen jugendliches Bild sie wiedergeben, vom Dichter im Juni 1902 abgeschrieben worden, und der Rest von vier Gedichten, nämlich das dritte, vierte, elfte und zwölfte, stimmt in Inhalt und Ton so sehr mit den 1902 an Gundolf gegebenen Gedichten überein, dass es wohl nicht zu gewagt ist, anzunehmen, dass auch sie schon vor dem Tod Maximins gedichtet und in die Architektur eingefügt worden sind.

Der gesamte dritte «Ring» umfasst einundzwanzig Gedichte, also wie alle Ringe eine durch sieben teilbare Zahl, und besteht aus dreihundertsiebenundfünfzig Versen, falls man das zweite Gedicht zwölf und nicht nur sechs Verse enthaltend erachtet. «Sang und Gegensang» werden auf Grund der Anordnung und der Druckart im Inhaltsverzeichnis als nur ein Gedicht gerechnet.

Der zweite Teil der «Gezeiten» umfasst sechs Gedichte und reicht vom dreizehnten bis zum achtzehnten Gedicht einschliesslich. Der letzte, dritte Teil enthält drei als Abschluss gedachte Gedichte. Auf diese innere Teilung hat mich der Dichter selbst aufmerksam gemacht.

Er betonte auch, dass der erste Teil sein Erlebnis mit Friedrich Gundolf betrifft und vor seinem näheren Bekanntwerden mit Maximin entstanden ist. Es ist aber zu bedenken, dass echte Dichter für Vorausfühlen der Zukunft empfänglich sind, sie wirft – so drückte Stefan George es im Gespräch aus – oft ihren Schatten voraus. Ebenso wie er das Erscheinen Maximins nicht nur ersehnte, sondern nach 1900 bereits voraussah, dürfte das sich Mitte 1901 anbahnende Maximin-Erlebnis auch den Ton der an Friedrich Gundolf gerichteten Gedichte beeinflusst haben, die kaum vor Mitte 1900 geschrieben sind.

Edmond Rassenfosse, der erste jüngere Freund des Dichters, war ihm, ebenso wie die gleichaltrigen Freunde, Begleiter für ein Stück seines künstlerischen Weges gewesen, doch hatte Rassenfosse von vornherein sein eignes Lebensziel in sich getragen und verfolgt, während der junge Friedrich Gundolf in Denken und Fühlen so eng mit dem Dichter verbunden war, dass Stefan George ihn als ersten geistigen Sohn empfand und Gundolf selbst sich als solcher etwa bis zu seinem vierzigsten Lebensjahr fühlte. In ihm sah der Dichter zum erstenmal eine Verkörperung seines Traums von einer neuen Jugend, die bereits als angeboren in sich trug, was der Dichter hatte erkämpfen müssen, und die schon in der Ausstrahlung des Wirkens des Dichters aufgewachsen war. Dass der Dichter niemals endende Sorgen und Wünsche für den Bewidmeten hegte und die Verpflichtung dazu gerade wegen des Altersunterschiedes anerkannte, gibt den Gedichten eine besondere Färbung. Bei innerer Teilung zerfallen sie in drei Gruppen von je vier Gedichten.

Das erste Gedicht des dritten «Rings» spricht von den Gefühlen und dem Verhalten bei dem Zusammentreffen. Der Dichter sieht sich selbst infolge seines Alters und seiner vorher bestandenen Kämpfe um sein Werk als einen rauhen Umschlinger, der Jüngere wird mit einem biegsamen Baum verglichen. In dem leidenden Hauch des Dichters schwingen alle Hoffnungen, die der Jüngere kaum begreift. Er lebt in Träumen und Mären, sie erheben ihn über Erde und Tag und rühren ihn, locken ihn aber nicht wie den Dichter, den eignen Traum in Leben umzusetzen. Nicht die Tragik des Nicht- oder Noch-nicht-verwirklichen-Könnens des eignen Traums ist für den Jüngeren charakteristisch, sondern die Fähigkeit, ein Übermass von Bewunderung und Liebe für jedes heroische Tun aufzubringen und neidlos jedes geistig höhere Wirken als überlegen anzuerkennen. Das Problem der Neugestaltung des Lebens hindert andererseits den Dichter, sich mit dem Nachempfinden früherer oder gegenwärtiger Grösse zu begnügen. Diese Unzufriedenheit des Dichters mit sich selbst, im sechsten Fibel-Gedicht gestreift, ist in der ersten Strophe des ersten Gedichts des dritten Rings fühlbar. Die zweite Strophe enthält die Schilderung der durch Sinken des Abends begünstigten Erhebung beider in den Bereich des Geistes und die dritte behandelt die Verschiedenheit ihrer Gefühle, die Ursache jenes Aufschwunges sind. Weniger als in den früheren Werken spricht der Dichter hier als ein Betrachtender, er dichtet aus einer tiefergehenden Erschütterung seines Fühlens heraus, das vielleicht nicht nur durch die wirkliche Nähe dieses Freundes, sondern auch durch die geahnte Nähe Maximins gesteigert wird.

Auf die indischen Veden wurde der Dichter durch Schopenhauer aufmerksam gemacht – er hatte bei Melchior Lechter deutsche Übersetzungen gefunden und gelesen, als er in dessen Werkstatt in Berlin viele Herbst- und Wintertage nach 1900 verbrachte. Inhaltlich hat das zweite Gedicht nicht viel mit den vier alten Spruch- und Liedersammlungen zu tun, von denen drei als göttliche Überlieferung von den Indern angesehen werden. Aber das Jubelnde im Ton, das Jauchzen des Rhythmus könnte als ähnlich empfunden werden. Das zu feiernde Wunder ist das Zusammentreffen mit Friedrich Gundolf, dem die Rolle eines Schülers der Weisheit zugewiesen wird, der durch ein vielleicht ihm selbst nicht bewusstes Bewegen seiner Hand Rätsel löst, für die der denkende Geist die Lösung nicht zu finden vermochte. Sein stilles Kommen verwandelt die Nacht des bisher – wie es heisst – nicht sehenden Dichters in besonnte Helle, sein unbewusstes, durch Geburt bestimmtes Wirken wird für den noch kämpfenden Dichter ebenso köstlich wie wertvoll. Bei dem Bild vom blinden Dichter mögen Sagen um Homer mitgespielt haben, da die Alten ihrem grössten Dichter äussere Blindheit vielleicht gerade deshalb beilegten, damit er mit seinem inneren Auge desto schärfer und klarer sehen könnte.

Das dritte Gedicht, von dem wir nicht wissen, ob und wann es an Friedrich Gundolf in Abschrift gegeben worden ist, spricht von der Bedeutung des Treffens für beide. Für den Dichter wird der jüngere Freund zum Stern, der das Jahr regiert, eine bildliche Ausdrucksweise, die im achtzehnten Gedicht wiederkehrt und für die Auffassung des Dichters, dass jedes Erlebnis die das Fühlen erfüllende Stärke nur für eine gewisse Zeitspanne behält und später noch im Geist fortwirkt, bezeichnend ist. Der Keimmonat (germinal) ist der ausgehende März, dessen Stürme zum Streit laden, obgleich der neue Stern bereits Sommerblumen und Ernte verspricht. Die Wirkung des Keim-Monats, dessen Schauer die Leiden vergangener Tage verdrängen, war bereits in dem Fibel-Gedicht «Keim-Monat» beschrieben worden, das den Übergang von den Reise-Gedichten zu den schon 1889 entstandenen «Zeichnungen in Grau» darstellt. – Unbewusste Weisheit zeigt jetzt einen sicheren Weg durch überfinsterte Gebiete voller böser Gefahren, setzt ein Ziel für die bisher schweifenden Wünsche des Dichters und löst seinen Zweifel am Sinn und Gelingen seines Tuns, das Rätsel, von dem bereits im voraufgegangenen Gedicht die Rede war, ohne dass sein Inhalt dort kenntlich gemacht worden wäre. Eine solche Lösung ist nur durch das Erscheinen eines lebendigen Wesens möglich, wie der Dichter bereits früher erkannt und wiederholt im Werk zum Ausdruck gebracht hatte. Eine solche Lösung setzt voraus, dass eine andere Seele aus sich heraus, das heisst aus eigner, innerer Notwendigkeit und nicht aus Mitempfinden oder Nachahmung, die Welt in gleicher Weise wie der Dichter sieht und erkennt und dass dadurch eine Einheit in Fühlen und Denken geschaffen wird, die es dem Jüngeren selbstverständlich erscheinen lässt, sich der Führung des Älteren mit dem Wunsch, sich völlig zu überantworten, ohne Rückhalt anzuvertrauen – ein Wunsch, der nach Goethes Wort für die «Reine» des sich hingebenden Herzens Zeugnis ablegt. Das innere Einswerden findet Ausdruck in dem Gefühl der Nähe und der Ergriffenheit, von dem die zweite Strophe des Ring-Gedichts handelt. Beide vernehmen Klänge, die durch die geistige Verschmelzung erzeugt, aus ihnen selbst bisher unbekannten Tiefen ihrer Seelen tönen. Durch verwandelte Gegenwart ändert sich das Bild von der Vergangenheit, die jetzt als das neue Erlebnis vorbereitend betrachtet wird. Der Jüngere ist soweit gereift, dass er das leidvolle Schicksal begreift, das der Dichter rückblickend nunmehr als Gnade, da es zum jetzigen Erlebnis geführt hat, empfindet. Der Jüngere bleibt bis zum Kommen der Morgenröte im Bann der Schilderungen des Dichters, dessen Schicksal für ihn ebenso bestimmend wird, wie es für Doniazade das Schicksal ihrer Schwester Scheherazade in «Tausendundeiner Nacht» ist, deren kaum zu entwirrenden Erzählungen sie ohne Ermüden lauscht.

Das erste Gedicht dieser Gruppe deutete auf einen Abend, das zweite wohl auf frühe, das dritte auf späte Nacht und auch das vierte Gedicht ist ein Nachtstück, wie man es in der Malerei nennen würde. Es ist eine Zusammenfassung dessen, was der Dichter bisher mit diesem Freund erlebt hat. Der Dichter schildert die Veränderung, die in ihm selbst stattgefunden hat. Der Raum, in dem er lebt, die von Bäumen eingerahmte Strasse, sogar die ganze Stadt bieten ihm ein andres Bild als das bisher gewohnte, denn sie sind in die Farbe dieses neuen Erlebnisses getaucht, von dem erfüllt, der Dichter verzückt und dadurch sich selbst fremd geworden über den mondbeschienenen Schnee wandert. Das Erlebnis begann im Frühjahr, jetzt ist es bereits Winter und das Verstreichen dieses Teils des Jahres erlaubt es dem Dichter, mit Hilfe des grösseren Zeitabstandes einen Überblick zu gewinnen und sich selbst Rechenschaft zu geben. Er fragt sich, ob das, was der im dritten Gedicht noch erhoffte Sommer inzwischen gebracht hat, die ersehnte volle Erfüllung seines Traums gewesen ist. Sein Fragen sieht er im Bild eines Mannes, der zwar nicht schiffbrüchig wie bei Dante ist, aber die vor langer Zeit verlassene Heimat von fern wiedersieht und im Übermass des Fühlens den eignen Arm presst, um sich durch Schmerz von der Wirklichkeit des Geschehens zu überzeugen. Der Freudentaumel, in den der Beginn des Erlebens ihn versetzt hatte, war mildem Warten gewichen, während dessen langsamen Verstreichens Träume in Nächten das am Tage Erlebte verschönt hatten. Jede Ferne von dem Freund war zur Qual und zugleich zum Versprechen noch ungenossener Freuden geworden. Was gemeinsam erlebt worden ist, spiegelt sich in den beiden letzten Strophen des vierten Gedichts. Die geistige Einung, die rauschhafte Nähe, die fast betäubende, umformende Ergriffenheit gipfeln in dem Gefühl, dass hier sogar die von Sternen erhellte Nacht in der reinen Atmosphäre des Erhobenseins zur ekstatischen Dämmerung verklärt wird. Die Farben von Rosen und Gold, in denen diese irreale Morgendämmerung strahlt, verbinden den Ton des vierten mit dem leiser schwingenden Klang des dritten Gedichts, das mit einer wirklichen Morgendämmerung endet.

Die zweite Gruppe von vier Gedichten beginnt mit «Sang und Gegensang», vom Dichter im Juni 1902 an Gundolf in Abschrift gegeben. Die Unterschiede im Fühlen zwischen dem Dichter und dem jüngeren Freund treten klarer zutage. Die Zweifel des Dichters, auf die schon die Frage in der zweiten Strophe des vierten Gedichts vorsichtig gedeutet hatte, werden näher begründet. Es ist die Angst des Dichters, dass das Erlebnis des Zusammentreffens, das ihn restlos beglückt und sogar verwandelt hat, von dem Freund als ein nur vorübergehendes, vergänglich-schönes Ereignis angesehen werden könnte und dass der Jüngere vielleicht nicht fähig wäre, das, was für ihn verströmt wird, voll zu begreifen und in sich aufzunehmen. Dieser Zweifel bringt den Dichter dahin, dass er nicht mit Sicherheit ergründen kann, ob die Stimme, die er im «Gegensang» hört, in Wahrheit die Stimme des Freundes oder nur ein Klangwerden seiner eigenen Gedanken, seiner eignen Angst ist. Es bleibt demnach in diesem Gedicht noch dahingestellt, was in den folgenden Gedichten unzweifelhaft wird: die Verschiedenheit des Empfindens beider hinsichtlich der Bedeutung dieses Geschehnisses für die Gestaltung der beiden Leben. Für den mehr betrachtenden Freund, der die Gabe und den Hang zum Einordnen jedes Geschehens in das Gefüge der Weltgeschichte besitzt und in sich nährt, hat das Zusammentreffen nicht die gleiche Tiefe und Einzigkeit wie für den Dichter, der als schaffender Künstler nach Verwirklichung eines Gedachten strebt. Gegenüber der Seele des Dichters erscheint die Seele des Jüngeren ermattet und absteigend, und der Freund ist wissend genug, um dies selbst zu empfinden. Er fragt – oder der Dichter fragt sich selbst – ob der

Zauber, den dieser Freund ausübt, vielleicht etwas von dem vorübergehenden Reiz hat, den das Schwirren eines Leuchtkäfers oder das helle Leuchten einer schwanken Blume auslöst. Vielleicht wird der Dichter auf seinem Weg durch das Dunkel zu nur kurzem Verweilen, das er selbst müde und nächtig ersehnt, durch den Reiz dieser Seele gerührt und verlockt, deren Lied vom Versinken Kunde gibt und spät, wie aus einer Erdspalte (Schrunde) heraus, vom Tang zurückgehalten, ertönt. Die Bilder von den «toten Augen» und vom «Kerker» entsprechen einander. Das «dumpfe Gurgeln aus dem Tang» erinnert an die «Maske» im «Teppich des Lebens».

Der traurige Ton, mit dem das fünfte Gedicht endet, bereitet die Stimmung des sechsten Gedichts vor, das an Gundolf im Juni 1902 gegeben wurde. Es enthält die Bestätigung des Zweifels des Dichters. Der Weg, auf dem beide sich getroffen haben und gemeinsam weitergewandert sind, liegt im grauen Licht des Vorfrühlings und führt zu einem Begräbnisplatz für die kühnste Hoffnung des Dichters auf dauernde, volle Einung, aber die regenfeuchte Luft macht die Nähe eines stärkeren Erlebnisses, des Kommens Maximins, fühlbar. Die noch blattlosen Hecken an beiden Seiten der Strasse werden mit starren Händen verglichen, die sich vergebens zu ergreifen trachten – ähnlich dem Bild in der ersten Landschaft in «Traumdunkel». Für das Auge scheinen die Hecken sich in fernster Ferne zu vereinen, sie laufen in einen Schacht zusammen, an dessen Ende ein fahles Leuchten sichtbar wird. Vögel rufen, aber hoch und klagend, das Schwarz von Stamm und Ast der Eichen wird nur vom Grün der geheimnisvollen Mistel der keltischen und germanischen Sage unterbrochen. Doch wird Wachsen und Blühen bereits durch die ersten Grashalme und frühe Anemonen angedeutet, deren blaue Blütenblätter in Verbindung mit goldenen Blumenkelchen die Landschaft als imaginär kennzeichnen. Es sind Traumblumen, die zum Symbol der Seelen der Wandernden werden. Sie getrauen sich noch nicht, ihre halberwachten Wünsche zu gestehen, denn lauerndes Verderben, die Gefahr des Unterganges, liegt beklemmend in der Luft.

Auch das dritte Gedicht der Gruppe spielt im – wenn auch vorgerückten – Frühling. In ihm wie im vierten Gedicht, die beide 1902 an Gundolf gegeben wurden, kommt die Verschiedenheit im Fühlen durch Gegenüberstellung zum Ausdruck. Mit dem Fortschreiten der Jahreszeit hat das Erlebnis sich weiter entwickelt und das Überraschende eines plötzlichen Beginns verloren. Das soeben sichtbar gewordene Grün, die Belebung der Umwelt, versetzt den Jüngeren in heiteres Erstaunen, während der Dichter trotz alledem durch nichts andres als ein Trümmerfeld seiner Träume zu schreiten glaubt und das frohe Preisen des Gefährten als Ton von Totenglocken empfindet.

Das zwingt den Dichter, an jene zu denken, die sich von ihm früher, wenn auch unter Tränen, getrennt haben – vielleicht in Vorahnung von Gundolfs Jahrzehnte später erfolgter Trennung, über deren Schmerz Gundolf ebensowenig wie der Dichter, solange sie lebten, hinwegkam – und er wünscht den gemeinsamen Gang schon jetzt abzubrechen, da ihm davor graut, dem nichts ahnenden Jüngeren inmitten der Freundschaft die volle Qual in Worte gefasst gestehen zu müssen. Die Bezeichnung «im Mittagsieden» bleibt im Bild der Landschaft, in der beide wandern, weist aber zugleich auf die Weiterentwicklung der menschlichen Beziehung, die notwendigerweise eine spätere Trennung noch schmerzlicher machen wird. Der Dichter fühlt Dank für die kurze Zeitspanne, umschrieben durch «Minuten», in der ihm der Freund in voller Schönheit, das heisst als Verkörperung des Traumes von der neuen Jugend, erschien und ihn dadurch fesselte. Er möchte sich, um ihn zu schonen, von ihm trennen, bevor er die Kraft verliert, zu verschweigen, dass beide sich im letzten über sich selbst getäuscht haben, ein Irrtum, der seelische Vereinsamung und geistigen Tod für den Dichter zur Folge haben mag, für den Jüngeren aber Leben bringendes Heil bedeutet, da er sich innerhalb seiner von Natur gesetzten Grenzen einheitlicher entwickeln kann, wenn er sich des Unterschiedes zwischen tragischem und nicht tragischem Schicksal nicht voll bewusst wird. Der Dichter beschliesst, sich von dem Jüngeren in einer Weise innerlich zu trennen, die für jenen die Schwere der Trennung – verbildlicht in der Art des Blickens des Dichters und in der Beschreibung des Sonnenuntergangs in der Frühlingslandschaft – nicht fühlbar werden lässt.

Das vierte Gedicht dieser zweiten Gruppe wirkt wie eine Fortsetzung von «Sang und Gegensang». Doch ist hier unzweifelhaft der Jüngere selbst der Fragende, mag auch das ganze Gespräch eine imaginäre Konzentrierung sein. Auf die Frage nach dem Grund der für ihn nicht verständlichen Trauer des Dichters, die von dem Jüngeren als Undankbarkeit gegen das beide zusammenführende Schicksal ausgelegt wird, antwortet der Dichter, dass die Seele des Fragers schwach, das heisst zu leicht sei, um zu erkennen, dass für ihn die Freude des Sich-Treffens bereits in Schmerz verwandelt sei. Der Freund sieht dies als Erlöschen der göttlichen Flamme im Dichter an, und jener erwidert, der Jüngere sei zu blind, um zu erkennen, dass gerade das volle Brennen der Sehnsucht dem Dichter die Trauer um Nicht-Erreichtes bringe. Der Freund nennt ihn hart, weil er nicht anerkennt, dass Jugend alles gibt, wenn sie sich selbst überantwortet, und dass für Jugend kein schöneres Ziel besteht, als ihr Blut zum Heil eines als höher erachteten menschlichen Wesens zu opfern. Darauf vergleicht der Dichter die Seele des Freundes mit formlosem Schaum,

257

da für sie Lieben nicht einmal ein Schatten von dem sei, was der Dichter an Intensität des Fühlens geboten habe. Das Gedicht endet mit dem Geständnis des Jüngeren, dass er den Dichter lieben muss, obwohl ihm dessen Empfinden unfassbar bleibt und sein eigner Traum von einem leicht beschwingten Leben im Geist, das beide über die Schwere des Erdentags erheben würde, durch das tragisch-trübe Verhalten des Dichters vernichtet ist.

Die dritte Gruppe des ersten Teils des dritten « Rings » enthält die Rechenschaft, die der Dichter immer dann vor sich selbst ablegt, wenn ein Erlebnis innerlich ein Ende gefunden hat. Sobald der Wille zum Schaffen weiter drängt, wendet sich der Dichter zu dem mütterlichen Element des Wassers, um im «Spiegel» der Oberfläche die Veränderung seiner eignen Gestalt durch das Erlebnis zu erforschen. Das ist weder die Freude des Narcissus am eignen Spiegelbild noch der Wunsch, in andern Menschen sich selbst zu bespiegeln, von dem das erste Hyperion-Gedicht als Symptom des Zeitalters spricht. Der Dichter sucht, durch Erforschen seiner veränderten Gesichtszüge im Spiegel eines klaren, nicht von umgebenden Blumen verschönten Teiches sich selbst Klarheit über das zu verschaffen, was er auf dem Weg, der zur Verkörperung seines Traumes führen soll, bisher erreicht hat. Vor dem Erlebnis mit diesem jüngeren Freund hatte er – so besagt die erste Strophe – kein Zeichen der Erfüllung im Spiegelbild seiner selbst erblickt. Das «Glück» des Zusammentreffens mit diesem Freund wird in der zweiten Strophe im Bild des Sich-Neigens zu einem überirdischen Wesen gefeiert, das wie auf mittelalterlichen deutschen Zeichnungen als männlich personifiziert wird. Nachdem dieses Erlebnis an Intensität verloren hat, sucht der Dichter wiederum im Wasserspiegel zu ergründen, wieweit sich seine Träume und Wünsche – die früher mitgenannten Gedanken werden hier bewusst nicht mitaufgezählt – erfüllt haben. Aber auch jetzt sieht er keine Bejahung in den gespiegelten Zügen seines Antlitzes und bleibt zu gerecht und streng gegen sich selbst, um das negative Ergebnis etwa darauf zurückzuführen, dass die Wasserfläche durch Treiben welker Pflanzen, das heisst früherer toter Erlebnisse, oder durch den schon herbstlichen Wind des späten Jahres, das heisst durch altersmässige Veränderung seiner eignen Seele, die zum Spiegeln notwendige Glätte verloren habe.

Das zweite Gedicht der dritten Gruppe enthält eine Mahnung an den jüngeren Freund. Die Beschreibung der Wirkung des Erlebnisses auf den Jüngeren wird antithetisch verwendet, um die Wirkung auf den Dichter deutlich zu machen. Schon geraume, das heisst beträchtliche Zeit nimmt der Jüngere die geistigen Gaben des Dichters, seine Gedanken in Empfang und sammelt sie in «arme Reffe», das heisst in armselige Körbe, wie sie von Webern zum Fortschaffen ihres Webematerials auf dem Rücken getragen werden. Das Wort «arm» ist hier Adjektivum und hat die Bedeutung von «armselig», in der der Dichter dieses kürzere Wort auch im Gespräch zu verwenden pflegte. Dass nicht an das Hauptwort «der Arm» gedacht ist, ergibt sich daraus, dass in der ersten Ausgabe, der die Dünnpapierausgabe folgt, kein trennendes Interpunktionszeichen zwischen «armen» und «Reffen» zu finden ist. Auch wäre eine Zusammenstellung von Arm und Reff als Bild undichterisch. Die Benutzung des Wortes «das Reff», das auf das Weben von gesponnenem Material hinweist, hat innere Bedeutung. Der Dichter pflegte, wenn Friedrich Gundolf einen Gedanken verfolgte und ausbaute und dem Dichter dies unfruchtbar schien, scherzend zu sagen, er «spinne» wieder. Das Aufnehmen, Sammeln und Einordnen der Gedanken des Dichters hielt dieser selbst für weniger wesentlich als ein Erkennen der Intensität seines Fühlens. Denn, so glaubte der Dichter, das Fühlen wirke im Kunstwerk fort, während Gedankengefüge zeitgebunden seien. Deshalb bezeichnete er geistesgeschichtliche Werke über Philosophie, Kunst und Geschichte als politische, das heisst an die Gedanken des Zeitalters gebundene Werke, die von später aufkommenden Gedankengängen überholt werden können und dann antiquiert wirken. Friedrich Gundolf sah, anders als später Maximilian Kommerell, die Logik dieser Anschauung ein, litt aber unter ihr. Denn, obwohl Friedrich Gundolf die Traumfähigkeit besass, die Rassenfosse und Scott nicht hatten, sah er seine Aufgabe im Ausbau und in der Einordnung von Gedanken über geschichtliches Geschehen im weitesten Sinn. Er war zu klug, um nicht zu erkennen, dass seine Dichtungen an einem Mangel an dichterischer Intensität litten – dem gleichen Mangel, den der Dichter ihm auch beim Erleben im dritten und vierten Vers des zehnten Gedichts der «Gezeiten» zum Vorwurf macht. Weil der Jüngere das Tragische nicht selbst in sich trägt, obwohl er es mit Hilfe seines Geistes in andern spürt, vermag er nicht, wahre Siege, die der Dichter in Leben und Kunst zu erringen sucht, von Waffenspielen, das heisst Turnieren zu unterscheiden, mit denen die Tage des Jüngeren ausgefüllt sind. Das Turnier wurde in übertragener Bedeutung für geistigen Wettstreit bereits von mittelalterlichen deutschen Mystikern gebraucht. Der Freund folgt willig dem Dichter, aber seine Gefolgschaft bleibt jung, sie reift nicht zur vollen Erkenntnis des Wesentlichen. Er nimmt jedes Zusammensein mit dem Dichter als ein frohes Fest, nach dessen Ende er sich gern mit Hilfe neu erworbener geistiger Waffen mit Dritten im Waffenspiel misst. Er verspürt nicht für sich selbst den Drang des Künstlers, mit Hilfe vertieften Gefühls ein bleibendes Kunstwerk zu schaffen, deshalb wünscht ihm der Dichter – der andern, zum Beispiel den Münchener Kosmikern, ein Masshalten anempfohlen hatte – er möge mehr Hunger empfinden. In dem Ausspruch über das Masshalten kann auch eine Vorahnung des Dichters von dem Erlebnis gesehen werden, das im zweiten Teil der «Gezeiten» umschrieben wird. – In der dritten Strophe des zehnten Gedichts sieht der Dichter das Wesentliche beim Zusammentreffen mit diesem Freund in den wenigen Stunden, in denen beide von gleichen Gefühlen ergriffen und darin so aufgegangen waren, dass für Fragen oder Zweifel kein Raum blieb. Das waren Stunden, deren Niederschlag in den Gedichten der ersten Gruppe zu finden ist. Der Dichter bleibt ängstlich bemüht, den Keim und den Stoff, das heisst die Nähre jener Stunden lebenskräftig zu erhalten, so dass sie zur Bereicherung für Spätere dienen, nicht etwa zu eigennützigen Zwecken, wie hier besonders betont wird. – Angefügt mag werden, dass ich beim Lesen der Korrekturen zur ersten Ausgabe des «Siebenten Rings» fand, dass der Trennungsstrich, der jetzt richtig zwischen «andre» und «nie» gesetzt ist, hinter «nie» gerückt war. Als ich darauf hinwies, dass dies bedeuten würde, dass andre nie durch dieses Erlebnis bereichert werden sollten, lächelte der Dichter und setzte den Trennungsstrich an die richtige Stelle. – Das Verblassen des «süssen Lichts», das in griechischer Dichtung zuweilen zur Bezeichnung geliebter Menschen verwendet wird und in den Liedern des «Neuen Reichs» in gleicher Bedeutung erscheint, und der «sicheren Fährte» als des gesicherten Weges deutet im Bild an, dass der Traum des Dichters, das Ziel seines Wirkens verblassen müsste, wenn es nicht gelänge, den Keim und die Nähre jener Stunden echter Gemeinsamkeit für die Zukunft lebendig zu erhalten.

Als drittes Gedicht der dritten Gruppe folgt die «Danksagung» an den Freund für das, was er im Leben des Dichters bewirkt hat. Die erste Strophe enthält einen Rückblick auf die Zeit des Alleinseins des Dichters vor dem Kommen dieses Freundes im Bild einer von Sommerhitze ausgedörrten Wiese, auf das damalige Lebensalter des Dichters anspielend. Es ist fast die gleiche Zeit, mit deren Beschreibung die Gedenkrede auf Maximin beginnt, also kurz nach Vollendung des dreissigsten Lebensjahrs des Dichters, das er selbst schon früh als Mitte seines Lebens betrachtete. Er sagte mir um 1907, dass er das fünfundsechzigste Jahr kaum überleben würde. – Um die Mitte des Lebens, so heisst es im elften Gedicht, sah er sein Spiegelbild in einem unter trübrotem Gewitterhimmel fliessenden Fluss inmitten von scheinbar undurchdringlichem Schlamm, während er selbst auf dem zertretenen und dadurch wertlos gewordenen Klee des dürren Uferpfades stand. Dieses Wasser stellt somit das Gegenteil von dem erst nach diesem Erlebnis aufgesuchten klaren Teich des Spiegel-Gedichts dar. Was er vor dem Erlebnis erreicht hatte, erschien ihm wertlos und ohne Bedeutung für die Zukunft. Die Morgen hatten für ihn keine erneuernde Kraft mehr, die Gärten des «Jahrs der Seele» und der «Lieder von Traum und Tod» waren zu dumpfen Einpferchungen geworden und schienen keinen fruchtbringenden Baum, nur giftige Scheinblüten zu bergen. Selbst das Lied der Lerche, von dem Dante spricht, klang für den Dichter verheissungslos. Da trat der Freund in sein Leben und liess ihn die Erde wieder in so hellen Farben sehen, wie sie sich dem Auge des Jüngeren darbot. Er veranlasste den Dichter, Früchte einzusammeln und die Schatten früherer, nicht gereifter Erlebnisse zu vertreiben. Das stille Leuchten des Freundes – eine Erinnerung an den «Gegensang» – und sein Wirken sollen durch die Kunst des Dichters als Dank dafür verewigt werden, dass es Tage gab, in denen er dem Dichter mehr als die Sonne strahlte, und Abende, in denen er ihm mehr als das Funkeln der Sterne bedeutete.

In «Abschluss» behandelt der Dichter das innere Abschiednehmen von dem Freund. Wenn auch die Farben, in denen das gemeinsame Erleben bei seinem Höhepunkt gestrahlt hatte, ebenso verblassen wie nach der Ernte die Sommerfarben der Erde, wenn auch jeder der beiden wieder seinen eignen Weg allein zu suchen und ohne die Nähe einer andern Seele zu gehen hat, fühlt sich der Dichter dennoch durch das Erlebnis verpflichtet, die Sorge für den Freund nicht enden zu lassen. Denn was der Frühling dieses Erlebens dem Dichter gebracht hat, bleibt ihm unverwelkbar erhalten. Obwohl weiches, grünes Gras des Frühlings im Duft verschieden ist von den silbrig welkenden Grashalmen des Herbstes – der Dichter spricht hier wie Walt Whitman vom «Blatt» des Grases – bleibt er aus Dankbarkeit dafür, dass er die Erde frühlingshaft mit den Augen des Jüngeren schauen durfte, von dem Wunsch beseelt, dass der Jüngere froh bleiben und wachsen möge. Dieses unbegrenzte Verantwortungsgefühl war für den Dichter bis in seine letzten Lebensjahre charakteristisch. – Auf die Veränderung eines Erlebnisses durch Zeitablauf wird in der Friedrich Gundolf gewidmeten «Tafel» noch besonders hingewiesen. Der Dichter spürt zwar beim Abklingen eines Erlebnisses den dumpfen Trieb aller Schaffenden, Freiheit oder neue Freuden zu gewinnen, so sagt der Anfang der vierten Strophe von «Abschluss», dennoch bleibt er an den Freund innerlich gebunden, dessen Wünsche unaufhörlich zu ihm als Zittern wie zu verwandtem Blut dringen. Das Zusammenwandern auf einem langen Stück Weges hat beide insgeheim unlöslich verknüpft, obschon der Dichter schon früh die Qual der nicht vollen Erfüllung seines Traums durch diesen Freund spürte und der Jüngere sich mehr von dem Geist als vom Fühlen des Dichters in ihm sonst unerreichbare Höhen emporheben liess.

Ebenso wie das Gundolf-Erlebnis im Bild einer Landschaft und deren Veränderung in der Folge der Jahreszeiten geschildert ist, dient

Beschreibung der Natur in den folgenden sechs Gedichten dazu, die Essenz des Erlebens des Dichters mit Robert Boehringer aufzufangen, den er erst nach dem Tod Maximins im April 1905 durch Rudolf Burckhardt in Basel kennenlernte. Das Maximin-Erlebnis, das inzwischen durch das Sterben Maximins äusserlich abgeschlossen war, hatte der Kunst des Dichters vollere Töne und neue Konzentrationsmöglichkeiten gegeben, wie zum Beispiel ein Vergleich der ersten vier Verse des dreizehnten Gedichts mit den ersten acht Versen von « Danksagung » zeigt. – Der zweite Teil der « Gezeiten » beginnt, wie das neue Erlebnis selbst, mit einem Frühling. Der Dichter vergleicht seine damalige Geistigkeit mit einem bereits aufgelockerten, aber noch nicht besäten Feld, über das heftige Märzwinde gebraust sind. Von dem jüngeren Freund, der jetzt in das Leben des Dichters tritt, erhofft er ein neues Fruchtbarwerden seiner infolge des Todes von Maximin stockenden Schaffenskraft, deshalb spricht er von «fruchtendem Bad» und «lindem Trank» und preist die Merkmale einer Jugendlichkeit, die von gleich starker Traumkraft wie die Friedrich Gundolfs war, aber nicht so sehr auf ein Betrachten der Grossen der Vergangenheit, wie auf künftige eigne Tathaftigkeit drängte.

Das vierzehnte Gedicht enthält, in Symbole gekleidet, die Entwicklung dieses Erlebnisses, die plötzlich, im Gegensatz zum langsamen Reifen des Sich-zusammen-Findens mit Gundolf, vor sich ging. Eine einzige Stunde unmittelbar nach dem ersten Treffen genügte, um die geistige Einung herbeizuführen. Hier war die Intensität des Fühlens, die der Dichter bei dem voraufgegangenen Erleben im Gegenpart vermisst hatte, voll auf seiten des jüngeren Freundes vorhanden. Um in die notwendige seelische Nähe des Freundes zu gelangen, war es für den Dichter nicht erforderlich, den Weg versperrende Hindernisse zu zertrümmern oder den Erfolg von Sehnen und Werben abzuwarten. Wie durch Zauber brachte die Tatsache des Zusammentreffens an sich die volle Entfaltung. In einem unversehens befallenden apollinischen Licht-Rausch eröffneten sich neue Räume des Traums und Gestaltens, und zu gleicher Zeit bewirkte ein dionysisches Rasen, das durch keine Kraft einzudämmen war, grenzenloses Geben und Nehmen, wie der Schluss des vierzehnten Gedichtes zeigt, das zusammen mit dem dreizehnten Gedicht die gleichen Bereiche umspannt, die in den ersten vier Gedichten der « Gezeiten » hinsichtlich des früheren Erlebnisses geschildert waren. Diese stärkere Konzentration von Inhalt und Ton ist die Erklärung dafür, dass die drei Gruppen im zweiten Teil der « Gezeiten » aus je zwei, nicht vier Gedichten wie im ersten Teil, bestehen.

Parallel zur zweiten Vierergruppe des ersten Teils enthalten das fünfzehnte und sechzehnte Gedicht eine Darlegung der Verschiedenheit der Artung des Dichters und dieses jüngeren Freundes. Die geistige Auseinandersetzung, die bei jeder menschlich nahen Beziehung früher oder später unausbleiblich ist, erfolgt hier, nachdem der Höhepunkt der Einung bereits überschritten ist. Das Kampfspiel, das Turnier, das schon im zehnten Gedicht als Bild für die Beziehungen des Jüngeren zu dem Dichter gebraucht worden war, vollzieht sich im fünfzehnten Gedicht zwischen dem Dichter und diesem jüngeren Freund. Der Dichter offenbart im geistigen Ringen dem Jüngeren die Grenzen von dessen Kräften und die Möglichkeit ihrer Steigerung und erkennt für sich selbst aus dem Verhalten des im Kampfspiel Besiegten die Grösse von dessen Seele, wenn er den Verlauf des Streites nachträglich überdenkt. Das nachträgliche Wiedererleben im Geist, das Voraussetzung für das Entstehen eines Kunstwerkes ist, wird hier Traum genannt. Die Wildheit des Begehrens nach dem Unschöpfbaren, die ebenso verzehrend wie duldend ist, erscheint dem Dichter im Rückblick gemildert, und sogar die Trennung, deren Bitterkeit der Dichter dem Freund verschweigt und hinter Abschiedsgrüssen verbirgt, gewinnt Sanftheit und Süsse für den rückschauenden Geist, der den hemmungslosen Ausbruch der Leidenschaft des Jüngeren sinnend bewundert und im Werk gebändigt zu verewigen strebt.

Die Probleme des Jüngeren bestehen hier nicht darin, dass er sich etwa als absinkender Spross einer späten Weltzeit fühlte, sondern rühren von Schatten früherer Erlebnisse her, die sein ungestümes Feuer nicht bis zur Lösung hatte treiben können. Das war das gleiche seelische Leiden, an dem der Dichter ausweislich der zweiten Strophe von «Danksagung» trug. Der Dichter hatte diese Schatten, so sagt der Jüngere im sechzehnten Gedicht, während des Hochsommers gemeinsamen Erlebens zu bannen und dadurch von dem Jüngeren fernzuhalten verstanden. Jetzt bei Sommerende – das ist landschaftlich und zugleich symbolisch mit Bezug auf das Erlebnis zu nehmen – bedrängen die Schatten den Jüngeren von neuem, und selbst der sonst Geister verscheuchende Morgenwind vermag sie nicht zu vertreiben. Sie lassen dem Jüngeren in diesem Gedicht, das nicht lange vor Morgengrauen spielt, die Mauern und verschlungenen, umbuschten Pfade bedrückend erscheinen. Hinter dem sechsten Vers dieses Gedichts befinden sich als Interpunktion zwei Punkte. Sie deuten bei dem Dichter stets eine längere Pause als nur ein das Satzende kennzeichnender Punkt an. Sie werden aber vom Dichter auch verwendet, um, wie hier, anzudeuten, dass die in Worte gefassten Gedanken einer Person, die nicht in direkte Rede aufgehen und deshalb nicht durch Anführungszeichen abgesetzt werden, enden und dass die Gegengedanken einer anderen Person beginnen. – Hier mag generell bemerkt werden, dass die längste Pause, die oft ein Verklingen zur Folge haben soll, vom Dichter durch drei Punkte gekennzeichnet wird. Der Gedankenstrich und das Kolon werden von ihm in der in deutscher Sprache üblichen Weise verwendet. Das Komma empfindet er, wie schon gesagt, als das Satzbild verhässlichendes «Schwänzchen», dafür setzt er den Punkt in der Höhe über der Zeile, aber nicht nach den festen grammatikalischen Regeln, nach denen das Komma gebraucht wird, sondern nur dort, wo der Text ohne ein Zeichen unverständlich oder missverständlich sein würde. Wenn direkte Reden aufeinanderfolgen, setzt er nur eine der beiden durch Anführungszeichen ab. Ausrufungs- und Fragezeichen benutzt er in der üblichen Weise. – Im elften Vers des sechzehnten Gedichts beginnt die Wiedergabe der Gedanken des Dichters über das Fortwirken der Schatten früherer, nicht ausgereifter Erlebnisse. Er deutet das Nachleben der Schemen in einem dem Jüngeren günstigen Sinn. Sie sind so lange wirksam geblieben, um die Luft zu bereiten, in der er selbst sich zum Erlebnis mit dem Freund entzünden konnte – über den Freund aber, der in Wahrheit ihr Schöpfer gewesen ist, haben sie keinerlei Macht mehr.

Das siebzehnte und achtzehnte Gedicht sprechen von der Bedeutung des Erlebnisses für den Dichter, bevor er sich davon löst. Wer den jüngeren Freund gerade diese beiden Gedichte hat vorlesen hören, erhielt einen unauslöschlichen Eindruck von der Intensität, die selbst den Dichter beim Hören jedesmal von neuem aufs tiefste ergriff. – Kaum ein Jahr war seit dem ersten Treffen vergangen, als der Dichter, so heisst es im siebzehnten Gedicht, gewahr wurde, dass der Überschwang seiner Freude sich bereits in Trauer verwandelte und die Zeit der Erfüllung zugleich mit dem Ablauf des Jahres im Schwinden war, wie es das Gesetz vom notwendigen Wandel jedes irdischen Erlebens verlangte. Die Furcht des Dichters, dass die Wirkung des Erlebens wie eine Saat durch Hagelschlag vernichtet werden könnte, wird durch zwei Erwägungen gemindert. Einmal scheint es ihm, dass keine geistige Saat ohne benetzende Träne gedeihen kann, wie schon im «Jahr der Seele» gesagt worden ist, und zweitens ist es eine Notwendigkeit, dass die Schönheit der schwellenden Trauben zerstört wird und der unscheinbare Most lange im Dunkel gärt, um Wein zu werden. Dies deutet auf das Entstehen aller echten Kunstwerke aus Schmerz und Dunkel, auf den tragischen Ursprung selbst heiter und leicht anmutender Kunst. Für das lebendige Herz ist es ein – wenn auch trauriger – Trost, dass das Glück des Erlebens durch das Kunstwerk verewigt werden kann, mag auch das Erlebnis wie der die Ernte bringende Herbst mit dem Weiterzug der Schwalben verblassen.

Das siebzehnte Gedicht handelt von dem Endgefühl des Dichters. Das achtzehnte Gedicht, das letzte des zweiten Teils der «Gezeiten», enthält in ähnlicher Weise wie «Abschluss» den Dank an den jüngeren Freund. Es spielt im späten Winter, so dass der Freund, ohne sich seiner Macht bewusst zu sein, den Dichter durch ein ganzes Jahr des Erlebens geleitet hat. Das Zusammentreffen ist dem Dichter anfangs leicht wie ein Spiel, später aber bestärkend wie ein Trost erschienen. Rückblickend gedenkt er gemeinsam verbrachter Tage in Frühling, Sommer und Herbst, die für ihn besondere Farbe nur durch die Nähe dieses Freundes erhalten hatten. Der Sang, die Ausdrucksform des Jüngeren im gesprochenen Wort und im niedergeschriebenen Gedicht, war sanft trotz seiner nicht zu bändigenden Leidenschaftlichkeit, und diese Mischung gab ihm die besondere Schönheit, die in den zwei ihm gewidmeten «Tafeln» vom Dichter gefeiert wird. Die Rauschhaftigkeit der plötzlichen Erfüllung hatte keinen Raum für Qualen gelassen, wie sie etwa in der fünften Strophe von «Abschluss» in Erinnerung gerufen werden. Hier erfolgt das Weiterschreiten und Sich-Lösen des Dichters, weil das, was er und der Jüngere vom gemeinsamen Erleben erhofft hatten, erfüllt ist und weil der Weg des Dichters zur Gestaltung des Kunstwerks sich von dem des Jüngeren zur äusseren Tat von jetzt an trennt.

Die drei letzten Gedichte der «Gezeiten» bilden den dritten Teil dieses «Rings», in dem, wie häufig im Werk des Dichters, das Ergebnis der beiden Erlebnisse zusammengefasst und auf das Wesentliche zurückgeführt wird. Das Beseelende ist der Anhauch des Gottes, dem der «Lobgesang» gilt. Die Vorsokratiker stritten schon, welchem der vier Elemente der Vorrang gebühre. Für den Dichter ist es die Luft, die als Wind Feuer und Wasser bewegt und als Anhauch des Gottes Körper und Seele lebendig macht und erhält. Das Feuer der Seele wird durch ein Wehen, den Anhauch des Gottes, zur Flamme entfacht. Das Wort «flacken» hat hier die Bedeutung von «aufflackern». Die Frage im ersten Vers von «Flammen» geht nicht darauf, was geschieht, sondern weshalb es geschieht, dass ein stets ferner und fremder erscheinendes Wehen das Seelenfeuer zu höherem, stärkerem Rasen zwingt, so dass es nicht Zeit und Ruhe findet, gleichmässig zu Ende zu brennen. «Ein neuer Mund» hat die doppelte Bedeutung eines neuen Anhauchs und des entflammenden Anblicks eines menschlichen Antlitzes, von dem schon die letzte Strophe des sechsten «Standbildes» handelte. Die entfachte Glut ist so stark und verzehrend, dass die von früheren Erlebnissen leuchtenden Barren, die den Stoff der Seele bilden, zerfurcht werden und die heissen Tropfen kaum Zeit haben, zu Perlen, das heisst hier Gebilden der Kunst, zu erstarren, vielmehr im Sieden (Sode) überfliessend, alle Form und jede Kraft verlieren. Die alles lösende Antwort wird von dem hier Eros ähnlichen Gott gegeben. Eros wurde in spätantiker Kunst bisweilen mit einer Fackel dargestellt. – Der Hauch, der die Flammen stets von neuem entfacht, wird – so heisst es im Gedicht – von den gleichen Stoffen geschwellt, durch die die Seele zum Brennen und Leuchten geeignet gemacht ist, und ihr volles Licht wird erst dann sichtbar und wirksam, wenn sie sich selbst in der Glut verzehrt.

Der gleiche Anhauch des Gottes, der die Seele des Menschen erglühen lässt, bewegt als Wind die Wasser des Schicksals. Als Quelle spülen sie im Waldtal um die blauen Kiesel der Kindheit, bevor die Wege des Einzellebens sich getrennt haben. Sie verspritzen klagend an grünen, besonnten Ufern der Bäche der Jugend, werden reifend zum Fluss und ergiessen sich alternd in das allgemeine Meer, nachdem sie dem Unwetter des individuellen Schicksals ausgesetzt gewesen sind. Das Meer schlägt an Myrten bewachsene Felsen des Südens oder an Stein und Sand unfruchtbarer Küstenstriche. Es trägt willig perlmutterfarbene Leiber der Schwimmer und der Gestalten der Sage, wie auch die Lasten für menschliches Glück, bis das zum Sturm gewachsene Wehen die Wellen in öde Weiten jagt und sie an Riffen und Klippen zerschellen lässt, so dass nur noch der Stoff, aus dem sie bestehen, in undurchdringlicher Tiefe ohne eigenes Ziel und ohne eignen Willen als uferloser Strom umgetrieben wird. Die Myrte, im Altertum der Aphrodite geweiht, wurde noch in der Jugend des Dichters von Mädchen im Zimmer gezogen, um später das Grün der Blätter und das Weiss der Blüten für ihren Brautkranz zu liefern.

Der Gott, von dem der bewegende und belebende Anhauch ausgeht, wird im letzten Gedicht des dritten «Rings» gefeiert. Er lässt sich nicht mit einem einzelnen Gott der Mythologie oder Religionsgeschichte identifizieren. Er weist Züge des kosmogonischen und des späteren Eros sowie des Dionysos und des Apollo auf. Auf der Erde erscheint er in viel wechselnder Gestalt, die aber stets nach menschlichem Vorbild geformt ist. Er trägt weder Gewand, noch den Bogen, noch eine andere Waffe, hat keine Flügel, nur den Kranz des Engels des «Vorspiels». Der Kranz ist im Werk des Dichters Symbol der über den Alltag erhebenden Rauschfähigkeit. Schon der Anhauch des Gottes ist Berührung und versetzt in geistigen Rausch. Unter seiner Hand gerät jeder Nerv in Aufruhr. Sein Finger und seine Ferse können zermalmen, obwohl sie schlank und rosig sind, so dass er zu Unrecht in der Vergangenheit «Sänftiger» genannt worden ist. Durch dieses Wort deutet der Dichter wahrscheinlich auf die früheste Beschreibung des kosmogonischen Eros in Hesiods Theogonie, nach der Eros der schönste unter den Göttern ist, die Glieder löst, verständigen Ratschlag überwältigt und den Sinn aller Götter und Menschen bändigt. Der Gott bringt die Pein der Leidenschaft, die wiederum Leben erhält. Der Dichter wirft duldend seinen Leib zurück, wenn der Gott naht, der hier wie Dionysos ein Gefolge von Tieren hat, die mit scharfen

Klauen Wunden reissen und Mäler eingraben. Von ihnen handelte schon «Mahnung» in «Pilgerfahrten». Während der Gott selbst den Geruch von frischem Grün und weichen Früchten um sich verbreitet, entströmt seinen Tieren der Dunst der Wildnis. Aber ihr Staub und ihre Feuchte der ungebändigten Leidenschaft sind nicht Abscheu erregend, denn kein Ding im Umkreis des Gottes ist niedrig, es enthält den Keim allen Lebens. Der Gott reinigt von Befleckung und heilt die geschlagenen Wunden, er trocknet Tränen und in seinem Anhauch findet jeder Tag, mag er auch mit Gefahren und Frondienst begonnen haben, sein Ende in einem Sieg. Der Dienst für diesen Gott bedeutet eine niemals nachlassende Huldigung an die in ihm verkörperte Kraft, ein stetes Sich-bereit-Halten, das Ausdruck in einem den Qualen des Selbst entrückten Lächeln in die Unermesslichkeit der besternten Nacht findet, und ein wissendes Sich-Fügen in seinen lebenerhaltenden Willen.

MAXIMIN

Der «Lobgesang», der Abschluss des dritten Rings, ist zugleich Auftakt für den vierten, Maximin geweihten Ring, der im Mittelpunkt des «Siebenten Ringes» steht. Er enthält einundzwanzig Gedichte, die aus dreihundertfünfundfünfzig bis dreihundertdreiundsechzig Versen je nach Art der Zählung bestehen. Eine innere Teilung in sechs Teile ergibt sich daraus, dass, mit Ausnahme der drei abschliessenden Gedichte, die voraufgehenden unter fünf Obertiteln erscheinen.

Von dem Zusammentreffen des Dichters mit dem weit jüngeren Maximilian Kronberger in München handelt die Vorrede zum Maximin-Gedenkbuch neben den Gedichten, die im «Siebenten Ring», im «Stern des Bundes» und im «Neuen Reich» dieses Erlebnis betreffen, und neben Prosasätzen in «Kunst und menschliches Urbild» und «Über Dichtung II» in «Tage und Taten» sowie der Vorrede zu der Übersetzung der Sonnette Shakespeares. Ausserdem liegen Aufzeichnungen Maximins im Druck vor.

Die deutsche Dichtung vergangener Jahrhunderte hat derartige Erlebnisse kaum in den Mittelpunkt gestellt. Wenn man von griechischer Kunst absieht, muss man auf italienische Dichtung des Mittelalters und englische Dichtung neuerer Zeiten zurückgehen, um Parallelen zu finden, die den Sinn eines solchen Erlebnisses der «übergeschlechtlichen Liebe», wie es in der Vorrede zur Übersetzung von Shakespeares Sonnetten heisst, erhellen könnten. Es handelt sich um das Entflammtwerden eines Dichters für ein menschliches Wesen, das ihm als Verkörperung aller seiner Wünsche und Träume gerade deswegen erscheint, weil es noch nicht durch das Leben des Alltags und seine Kompromisse die volle Einheitlichkeit von Denken und Fühlen verloren hat. Ein solches Wesen ist geeignet, vom Dichter als Führer in eine neue, reinere Welt und Zeit angesehen zu werden. Für Dante war es – dem weiblich gedachten Ideal der frühsten Renaissance und der romanischen Länder entsprechend – das Mädchen Beatrice, die selbst nach den Anschauungen jenes Zeitalters bei ihrem Zusammentreffen mit jenem Dichter zu jung war, um Dantes Preisen ihrer Wirkung als Äusserung der Liebe zwischen Mann und Frau erscheinen zu lassen. In der neueren englischen Dichtung ist es – wohl einer germanischen Grundeinstellung entsprechend – der jüngere Freund, dessen Namen Shakespeare in den Sonnetten bewusst und mit Erfolg verbirgt, dessen Wirkung er aber im weitesten Umfang beschreibt. Dass dieses Erlebnis nicht Einzelerscheinung ist, sondern Weiterwirken des platonischen und frühchristlichen Geistes, geht aus dem Verhalten andrer englischer Dichter hervor. John Milton (1608–1674) schrieb ein lateinisches Gedicht «Epitaphium Damonis» auf den frühen Tod seines jüngeren Schulfreundes Charles Diodati (1609–1638), das anerkanntermassen an Leidenschaftlichkeit des Tons und Inhalts nichts seinesgleichen im Werk Miltons hat. Es übertrifft an Intensität sein englisch geschriebenes Gedicht «Lycidas», das wiederum den frühen Tod seines Universitätskameraden Edward King verherrlicht. Näher zum Maximin-Erlebnis führt Tennysons (1809–1892) Gedichtzyklus «In memoriam A. H. H.». Er ist unter dem Eindruck des frühen Todes von Arthur H. Hallam geschrieben, den Tennyson 1828 als Student in Cambridge kennengelernt hatte und der im Alter von zweiundzwanzig Jahren am 15. September 1833 in Wien, der Stadt, in der Maximin tödlich an Meningitis erkrankte, starb. Tennyson arbeitete an dem Zyklus von 1833 bis 1850, er besteht aus einhunderteinunddreissig Gedichten und einem Einleitungs- und Schlussgedicht von meist vier Strophen aus je vier Versen mit vier Hebungen. Die für die menschliche Nähe zwischen Tennyson und Hallam bezeichnenden Gedichte beginnen mit dem neunundzwanzigsten Gedicht und weisen zahlreiche Parallelen in Bild und Ton mit den Gedichten auf Maximin auf. Dieser Zyklus Tennysons gilt als sein an Gedanken tiefstes sowie an Gefühl leidenschaftlichstes Werk, wurde schon beim Erscheinen im Jahr 1850 voll anerkannt und trug äusserlich dem Dichter im gleichen Jahr die Ernennung zum poeta laureatus ein. Von Hallam wissen wir, dass Gladstone (1809–1898), der mit ihm zusammen auf der Schule in Eton war, im Alter geäussert hat, Hallam sei der von Natur begabteste Mensch gewesen, dem er in seinem langen Leben begegnet sei.

Maximilian Kronberger wurde am 14. April 1888 in Berlin geboren, als sich seine Mutter auf einer Reise gerade dort aufhielt. Er lebte in

München und starb dort am 15. April 1904, einen Tag nach seinem
sechzehnten Geburtstag, nachdem er kurz zuvor von einer in den
Osterschulferien unternommenen Reise zu Verwandten, der Familie
Dietrich, aus Wien zurückgekehrt war. Der Dichter, der – wie er erzählte – bereits seit 1900 ein nahe bevorstehendes Zusammentreffen
mit einem Jüngeren, der die Verkörperung seines Traums darstellen
würde, ahnte, sah den damals dreizehn Jahre alten Maximin zum
erstenmal am Siegesbogen in München in der zweiten Hälfte des
Jahres 1901, sprach mit ihm aber nicht vor Februar oder März 1902,
und auch dann nur zweimal, wie Maximin berichtet. Erst vom Januar
1903 an entwickelte sich eine Freundschaft zwischen dem Dichter und
Maximin sowie dessen Eltern, die bis zum Tode Maximins dauerte.
Einundeinviertel Jahr hindurch sahen und sprachen sie sich häufig,
zum letztenmal in Wien am 30. März 1904.

Aus den Aufzeichnungen Maximins und seiner Mitschüler Seidel
und Oldenbourg ist zu entnehmen, dass er sich nicht anders als seine
Schulkameraden seiner näheren Umgebung gegenüber verhielt. Einige
seiner Gedichtfragmente, die im Gedenkbuch und in der achten Folge
der «Blätter für die Kunst» veröffentlicht sind, zeigen jedoch neben
besonderer Zartheit aussergewöhnliche Kraft, Tiefe und Transzendenz
in Gedanken und Ton, die weit über das hinausgehen, was begabte
Kinder nicht selten aus noch unbelastetem und unbewusstem Jugend-
empfinden heraus hervorbringen. Es ist unerheblich, ob Maximin ein
dichterisches Genie war oder ob nur Stefan George in ihm ein solches
erblickte. Wichtig ist allein, dass der Dichter ihn als Verkörperung
einer von ihm erträumten und durch solchen Traum geschaffenen
neuen Jugend sah. Dadurch wurde Maximin zum ersten Bewohner
einer vom Dichter erschaffenen Welt, die bisher nur im Sehnen des
Dichters bestanden hatte, und mit Maximin zusammen fand er Einlass in den neuen Bereich, wie Dante von Beatrice in neu erschlossene
Räume geführt wurde. Dieses Erlebnis, mag man es als noch so unwirklich erachten, wurde für den Dichter zur bisher nicht erreichten
vollen Erfüllung seines Traumes und bestimmte den Inhalt und den
Ton seiner Kunst. Wie weit der Dichter schon vor dem Tod Maximins
die Bedeutung des Zusammentreffens erkannt hat, lässt sich nicht mit
Sicherheit entscheiden. Dass er in ihm noch nicht die Verkörperung
des Gottes damals sah, ist im zweiten Gedicht des «Sterns» ausgedrückt. Manches spricht aber dafür, dass der Dichter zumindest eine
starke Vorahnung von Maximins Sonderheit hatte, zum Beispiel die
Tatsache, dass «Der Minner», «Das Wunder» und «Die Verkennung»
schon zu Lebzeiten Maximins gedichtet und ihm gezeigt worden sind.
Für die nachträgliche Beurteilung des Erlebnisses ist diese Frage
ebensowenig ausschlaggebend, wie die Folgerungen, die an das spätere

Leben von Beatrice Portinari oder Shakespeares noch heute nicht eindeutig identifizierten Freund oder Charles Diodati oder Arthur Hallam geknüpft werden könnten. Gedichte reifen langsam und meist erst in einem gewissen Zeitabstand vom Erlebnis, weswegen Wordsworth sie geradezu als «emotion recollected in tranquility» definiert. Dass Stefan George nicht den vollen Namen Maximins nannte, sondern ihn in der Gedenkrede durch Erwähnung des Märchens von dem Waisenkind, das von der Unke zum Berger der Krone bestellt wird, umschreibt und die Initialen M. K. unter dem von Maximin gedichteten Motto zum «Minner», die in der siebenten Folge der «Blätter» gedruckt worden waren, im «Siebenten Ring» fortlässt, ist daraus zu erklären, dass Dichter meist Scheu verspüren, ihr Vorbild durch Nennung einer Äusserlichkeit, wie der des Namens, in die Alltäglichkeit einzuordnen. Man kann aus dem Schweigen des Dichters über äussere Umstände auch nicht den Schluss ziehen, er habe eine Geheimreligion für eine Sekte schaffen wollen. Er hat im Werk und bei den wenigen Gesprächen, die er selbst mit nächsten Freunden selten über diesen Gegenstand führte, stets betont, dass es sich hier um eine höchst persönliche Lebenserfahrung handle, die nicht anders als im Kunstwerk gestaltet übermittelt werden könne. Den grundsätzlichen Unterschied zwischen dem schaffenden Dichter und dem organisierenden Religionsstifter hat er niemals verkannt. Seine Freunde mieden es, ihn über das Maximin-Erlebnis zu befragen, sie beachteten seinen Wunsch, der im siebenten Gedicht des «Eingangs» zum «Stern des Bundes» klar ausgesprochen war, und liessen sogar viele Jahre nach dem Tode Maximins verstreichen, bevor sie bei gemeinsamen Lesungen Maximin betreffende Gedichte vortrugen. Der Dichter war von der Echtheit und Bedeutung dieses Erlebnisses so überzeugt, dass er, wie schon angedeutet, nur die Achseln zuckte, als Karl Wolfskehl ihm im Jahr 1928 mitteilte, dass Maximins Aufzeichnungen gedruckt werden sollten.

Die Verkürzung des Vornamens Maximilian in Maximin ist in Frankreich und Westdeutschland nicht unüblich. Der Bischof Maximin von Trier und der Schäferknabe Maximin, dem und dessen Schwester Melanie am 9. September 1846, also zwölf Jahre vor dem Wunder von Lourdes, Maria in La Salette (Dauphiné) erschienen sein soll, sind in Westeuropa weiten Kreisen bekannt. Dass mit ihnen Maximin Kronberger ebenso wenig gemein hat, wie mit den zwei römischen Kaisern, die unter dem Namen Maximin in die Geschichte eingegangen sind, hat der Dichter wiederholt zum Ausdruck gebracht.

In den einundzwanzig Gedichten des vierten Ringes spricht Maximin unmittelbar nur in den drei «Gebeten». In drei weiteren Gedichten, nämlich «Trauer I», «Auf das Leben und den Tod Maximins IV und V» zitiert der Dichter Worte, die Maximin vorher gesprochen hat oder gesprochen haben könnte. Das seltene Lautwerden der Stimme Maximins spricht nicht für Schwäche, eher für Stärke des Erlebnisses. Mommsen sah es, wie Friedrich Gundolf oft zitierte, als ein Zeichen des feinen Dichtertaktes der Völker an, dass ihre Dichter überragende Persönlichkeiten nicht direkt durch deren eigne Worte schildern, sondern durch ihren Eindruck auf Dritte, wie es in Shakespeares «Julius Cäsar» geschieht. Hölderlin sagt – und zwar wohl im Hinblick auf Napoleon – dass die Heroen des christlichen Zeitalters wie Morgenluft sind und sich deshalb direkter Schilderung entziehen. Über Homer sagt Hölderlin: «Man hat sich oft gewundert, warum Homer, der doch den Zorn des Achill besingen wollte, ihn fast gar nicht erscheinen lasse... Er wolle den Götterjüngling nicht profanieren in dem Getümmel vor Troja. Das Idealische durfte nicht alltäglich erscheinen.»

Die Gedichte des Maximin-Ringes können nicht früher als 1902 und nicht später als Ende 1906, Anfang 1907 entstanden sein. Durch Abdruck in der siebenten Folge und aus Maximins Aufzeichnungen wissen wir, dass – wie schon erwähnt – «Der Minner», «Das Wunder» und «Die Verkennung» vor April 1904 gedichtet worden sind. Die Gedichtgruppen «Trauer» und «Auf das Leben und den Tod Maximins» können ihrem Inhalt nach erst nach dem Tod Maximins entstanden sein. Das gleiche ist wohl auch für die Kunfttag-Gedichte, die «Gebete» und die drei Schlussgedichte wegen ihres Inhaltes anzunehmen, so dass nur fraglich bleibt, ob nicht die «Erwiderung» mit dem Untertitel «Einführung», ebenso wie «Verkennung» und «Wunder», schon zu Lebzeiten Maximins gedichtet worden ist.

Die drei Gedichte, die den Obertitel «Kunfttag» als Übersetzung des Wortes Advent tragen, umschreiben rückblickend die Gefühle des Dichters vor und beim Erscheinen Maximins. Er, den seine Familie als Kind, den seine Mitschüler als Kameraden und Freund betrachteten, ist für den Dichter die Verkörperung des Gottes, weil er unter allen Sterblichen dem innerlich geschauten Urbild am nächsten kommt, wie es im neunten Gedicht des «Eingangs» des «Sterns des Bundes» heisst. Das erkannte der Dichter ausweislich der «Gedenkrede» an dem Schauer, den er beim ersten Sehen Maximins verspürte. Nach dem Tod zollt der Dichter ihm Andacht, weil das Zusammentreffen mit ihm die entscheidende Wendung in Leben und Kunst herbeigeführt hat. Er hatte zu ihm drängend die Einsamkeit des Dichters durchbrochen, als dieser seinen Weg verloren zu haben glaubte. Das von ihm ausgehende Licht erhellte ein scheinbar undurchdringliches Dunkel, die Natur offenbarte wieder ihre Keimkraft, die Zeichen der Lebenserneuerung in jedem Frühling ist und als solche zu allen Zeiten von allen Völkern gefeiert worden ist und wird. Maximin wird für den Dichter zur

271

Verleiblichung seiner Gottesvorstellung auf der Erde, wie sie im
«Maskenzug» als an jeder Zeitenwende erforderlich geschildert ist.
Das ist vielleicht der Grund, aus dem den Göttern der Antike nicht nur
menschliches Fühlen beigelegt, sondern auch, wie bereits berichtet,
ihre Verkörperung durch Menschen – so die des Apollo durch einen
Knaben, dessen beide Eltern am Leben sein mussten – dargestellt
wurde. Dass gerade jugendliche Wesen den Göttern besonders nahe-
stehend geglaubt wurden, beweisen die Verwendung von Knaben als
Mystagogen in der Antike und der Glaube des Mittelalters, dass Kinder
die reinsten Vermittler des göttlichen Willens wegen ihres Freiseins
von geistig belastenden Notwendigkeiten des Alltags sind. So erklärt
sich wohl auch, dass die Griechen schon in archaischer Zeit einen Tod
im jungen Alter, wie den des Cleobis und Biton, als höchste Gnade der
Götter ansahen, eine Anschauung, die später Menander zur Prägung
des berühmten Satzes veranlasste: «Jung stirbt, wen die Götter lieben.»
Der frühe Tod solcher Wesen wurde als mehr oder minder bewusst dar-
gebrachtes Opfer ihrer selbst angesehen und dadurch ein wesentliches
Element zur Bildung von Mythen und Sagen. Weil hier Form und Inhalt des Lebendigen noch ungetrennt und rein erhalten sind, weist der
Dichter in der «Gedenkrede» darauf hin, dass nicht nur Alexander der
Grosse, sondern auch Christus – nach des Dichters persönlicher Auffassung – schon vor Erreichung des dreissigsten Lebensjahres den Tod
gefunden habe. Dass Alexander volles Bewusstsein für die mythische
Bedeutung eines frühen Todes hatte, ergibt sich aus der – wenn auch
späten – Erzählung, er habe sich in seiner letzten Krankheit bis zum
Euphrat geschleppt, um seinen Leichnam unauffindbar und sich selbst
entrückt erscheinen zu lassen, sei aber durch seine Gemahlin in das
Sterbehaus zurückgebracht worden. Dies alles mag auch ein Anlass dafür gewesen sein, dass bei den Griechen die Darstellung des jugendlichen, aber noch nicht voll entwickelten Körpers, oft unter Mischung
der Merkmale, zur vornehmsten Aufgabe der Bildhauer wurde, zum
Beispiel im Piombino in Paris und im Wagenlenker in Delphi. Goethe
sagt in seinen Anmerkungen zu Diderots «Versuch über Malerei»:
«Der Augenblick der Pubertät ist der der schönsten Schönheit bei
Knaben und Mädchen, er ist kurz, Zeugenkönnen vernichtet die
Schönheit. Aber die Kunst bewahrt sie, indem sie die Merkmale
mischt. Niobe hat die Brüste einer Jungfrau, die griechischen Götter
haben solche gemischten Merkmale, das ist ihre Schönheit.»
    Stefan George sah in Maximin, der noch vor Erreichung des Jüng-
lingsalters starb, ein Wesen, das Denken und Schaffen des Dichters
aus angeborenem Verstehen ohne zergliederndes Eingreifen des Geistes als innerlich gerechtfertigt achtete. Zu gleicher Zeit verkörperte
Maximin in reinster, noch nicht irdisch belasteter Form für den Dich-

ter das Tragische, das im Dichter selbst wirkte und sein Dasein zum Leid werden liess, wie es im fünften Gedicht des ersten Buches des «Sterns des Bundes» heisst. Maximins Tragik offenbart sich in seinem in den Gedichtfragmenten ausgedrückten, mehr gefühlten als bedachten Wissen um die Notwendigkeit seines frühen Todes als Opfer, das das Leben andrer befeuern würde. Es ist solch ein Opfer, von dem die «Nachthymne» vorausahnend gesprochen hatte.

Alle diese Gedanken veranlassten den Dichter, in Maximins Erscheinen die volle Erfüllung, die ihm die bisherigen jüngeren Freunde nicht hatten bieten können, zu erblicken. Solche Erwägungen, die in späteren Gedichten gesondert Ausdruck finden, schwingen bereits als Unterton in den drei Kunfttag-Gedichten mit. Das erste von ihnen handelt vom Erscheinen Maximins, das zweite von dem Seelenzustand des Dichters vor Maximins Kommen, einem verzweifelten Harren, das in der zweiten Strophe des ersten Gedichts bereits angedeutet ist und jetzt durch Bilder in seiner Schwere fühlbar gemacht wird.

Es wird im zweiten Gedicht an Zeiten erinnert, in denen nicht nur ein Einzelner, sondern ein ganzes Volk das Erscheinen eines Erlösers als letztmögliche Rettung aus innerer Not erfleht und für ihn, wie für Elias und Christus, einen Platz im Hause tatsächlich vorbereitet. Ebenso wie solch ein Volk durch vergebliches Warten in einen Zustand von Hohn und Grimm gegen das eigne Schicksal verfallen kann, fühlt der Dichter seine Kraft, zu glauben, schwinden. Zum drittenmal in seinem Leben sieht er sich durch fruchtloses Harren enttäuscht. Als Kind hatte er nicht den Älteren gefunden, der ihm zum Vorbild und Anlass zur Nacheiferung hätte werden können, als Jüngling hatte er vergeblich das Kommen eines Gleichaltrigen von gleicher Geistigkeit erhofft und als Mann hatte er bis zum Zusammentreffen mit Maximin erfolglos auf einen Jüngeren gewartet, der die Verkörperung seines Traums gewesen wäre. Er erachtete das Schwinden der Kraft, zu glauben, als Selbstvernichtung und sah Goethe in der «Letzten Nacht in Italien» vor das gleiche Problem gestellt. Das Auftauchen Maximins bewahrte ihn vor vernichtender Verneinung.

Auch im dritten Kunfttag-Gedicht ist es der Dichter, der spricht. Es handelt von der Zeit nach dem Kommen Maximins. Für Stefan George hat sich die Frühlings-Auferstehung vollzogen. Er dankt Maximin dafür, dass durch seine Blicke die Luft, der Weg, der Dichter selbst wieder geweiht sind. Das zu bewirken, ist die Funktion, das Wunder des «Minners», über den bezeichnenderweise Verse Maximins schon zu dessen Lebzeiten als Motto gesetzt worden sind. Der Dichter erachtete, wie schon gesagt, eine solche Fähigkeit als eine gerade in Deutschland zu findende, angeborene Gabe. Sie geht, indem sie durch blosse Ausstrahlung der Persönlichkeit ausgeübt wird, dem Wort und

273

der Tat voraus. Unter dem Blick Maximins sieht der Dichter den ver-
trockneten Stamm wieder grünen und hört die starr gewordene Erde
des Templer-Gedichtes im Rhythmus dieses menschlichen Herzens
von neuem pochen.

Der Obertitel «Erwiderungen», den die drei folgenden Gedichte
tragen, deutet nicht an, dass Fragen Dritter beantwortet werden
sollen, sondern dass der Dichter Fragen, die er sich selbst gestellt hat,
beantwortet und Zweifel, die ihn befallen haben, lösen will. Aus
menschlich verständlichen Gründen hat er, als er das erste dieser
Gedichte Maximin zeigte, nicht zugegeben, dass es sich auf Maximin
bezieht. In Wahrheit gehört es mit dem «Minner» eng zusammen.
Der Dichter spricht von sich selbst mit «du» und «dein». Das, wie
häufig, nur einmal im Gedicht in Versalien gedruckte «er» bezieht
sich auf den Gott, als dessen «Gesandter» Maximin hier gefeiert wird.
In übertragenem Sinn wird von Maximins Hand in der dritten Strophe
gesprochen. Das Durchwandern von Bezirken, die verboten sind, weil
sie zum Wahnsinn führen, in einem Zustand verwirrender Verzweiflung deutet auf das vergebliche Suchen des Dichters und vielleicht
besonders auf sein Verweilen unter den Münchner Kosmikern. Die beiden letzten Verse der ersten Strophe beziehen sich, ebenso wie die
darauf folgenden, auf das Wirken Maximins. Durch ihn zeigt es sich,
dass der Gott die Erde erneuert und dass göttliches Feuer den Staub
der Erde belebt, wobei auch an die Beseelung irdischer Form gedacht
sein mag. Der Gebrauch des starken Wortes «fahre» entspricht der
Technik des Dichters, durch bewusste Überbetonung einer Bewegung
die Plastik eines Bildes hervorzuheben. – Vor allen andern glaubt der
Dichter sich erleuchtet, den Gesandten des Gottes in Maximin zu erkennen, wenn jener mit Kränzen – wie der Engel des «Vorspiels» –
zur Feier gerüstet naht und selbst zum Gott des Dichters betet. Der
Schrein des jungen, das heisst hier schon in früher Jugend geschauten
Traums des Dichters ist ein Symbol für den Gott, für den ein Altar
errichtet gedacht wird. Die Nähe Maximins hat zur Folge, dass die
Abendwolken, von denen schon im «Minner» die Rede war und deren
Schilderung offenbar auf ein Erlebnis im Nymphenburger Park ausweislich der Gedenkrede zurückgeht, vom Dichter als Hallen voll milder Flammen göttlichen Feuers empfunden werden. Das höchste Wunder, das dem Gedicht den Titel gibt und über die Wirkung des «Minners» hinausgeht, besteht darin, dass der Traum des Dichters und
Maximins eins werden und dass sich daraus eine geistige Zeugung,
die Kommunion des Geistes, ergibt, auf der, wie der Dichter annimmt,
sein ganzes späteres Werk beruht.

Die Entstehungszeit der zweiten «Erwiderung» mit dem Untertitel
«Einführung» kann, wie schon erwähnt, zweifelhaft sein. Doch dürfte

auch dieses Gedicht, gerade weil es eine Erwiderung auf eine Frage
ist, die der Dichter sich selbst stellte, ausschlaggebende Bedeutung
für die Zeit vor dem Tod Maximins gehabt haben. Hier beziehen sich
«du» und «dein» auf den in diesen Versen sprechenden Dichter und
«sein» auf den Engel. Der Dichter lernt, dass sein langes vergebliches
Suchen ihn nicht entweiht und dadurch unfähig gemacht hat, selbst
die neu erschlossenen Gefilde zu betreten. Das Trinken aus der Quelle
des neuen Lebens wird als notwendige Voraussetzung dazu angesehen.
Im Gegensatz zu den bisher durchwanderten finsteren Tälern und
drohenden Abgründen liegt das neue Land offen und blühend wie eine
Hain- und Gartenlandschaft vor ihm, weniger vergeistigt als es später
im ersten Gedicht des dritten Buches des «Sterns des Bundes» gezeichnet ist. Der Engel ist eine Erinnerung an den des «Vorspiels»,
der dort bereits verschiedene Formen annahm und hier mit Maximin
verschmolzen wird.

Die dritte «Erwiderung» mit dem Untertitel «Die Verkennung»
löst die dem Dichter offenbar vor dem Tod Maximins gekommenen
Zweifel darüber, ob es ihm ergehen könnte, wie im Johannes-Evangelium 20, 14 und 21, 4 geschildert wird. Die biblische Erzählung ist
vom Dichter verändert; nicht von Maria Magdalena, sondern von
einem nicht benannten Jünger, der aber als «der» Jünger Johannes
sein könnte, wird Christus hier verkannt. Zur Zeit der Entstehung
dieses Gedichts wurden in Deutschland die mittelalterlichen Bodensee-
Skulpturen von Christus und Johannes wiederentdeckt. – Der Jünger
klagt, dass der von der Erde erhobene Christus sich nicht mehr um die
einsam zurückgelassenen Jünger kümmere und ihnen kein Zeichen
seiner weiterbestehenden Nähe gebe. Christus erscheint in der Gestalt
eines vorübergehenden Fremden, der seine Frage nach dem Grund des
Schmerzes des Jüngers damit begründet, dass er das gleiche Leid wie
der Jünger spüren würde, wenn er dessen Schmerz nicht lindere. Der
Jünger erwidert, dass der Fremde ihm nicht helfen könne, und erkennt
erst, als jener schon seinem Blick entschwunden ist, dass Christus
selbst zu ihm gesprochen hat. Das Nichterkennen von Christus im
Lukas-Evangelium 24, 15, im Markus-Evangelium 16 und im Mat-
thäus-Evangelium 28 bleibt von der Darstellung des Dichters weiter
entfernt als der Bericht im Johannes-Evangelium. Die Schilderung des
Dichters hebt die Körperlichkeit durch Betonen des Nie-mehr-Hörens
der Stimme und des Nicht-mehr-Küssens von Saum und Fuss hervor.
Die Gewalt des Schmerzes wird durch Beschreibung des Anblicks der
Wangen und Heraufbeschwören des Mitleidens gesteigert. Der Schrei
des Erkennens ist als laut bezeichnet, und ein Glanz bleibt an der
Stelle der Erscheinung haften. Alles dies sind Kunstmittel, um das
Bild greifbarer zu gestalten.

Das erste der drei «Trauer» benannten Gedichte wird nach dem Tod Maximins vom Dichter gesprochen, der in der dritten Strophe Worte zitiert, die Maximin im Leben gesprochen hat oder gesprochen haben könnte. Rückblickend bringt der Dichter zum Ausdruck, dass es an ihm gewesen sei, an Stelle von Maximin zu sterben. Dass es sich hier nicht um Gedanken handelt, die zu Lebzeiten Maximins geäussert worden wären, ergeben der dritte und der vierte Vers der zweiten Strophe, die Antwort von dem nicht mehr auf der Erde weilenden Maximin erbitten. Wie tief der Schmerz um früh Verstorbene sein kann, deren Dasein das Leben Älterer erhellt hatte und geeignet erschien, dies auch in Zukunft zu tun, zeigt zum Beispiel das Verhalten Friedrichs des Grossen, der bei dem zufälligen Tod seines siebzehn Jahre alten Pagen Carl Friedrich von Pirch, der seit seinem vierzehnten Lebensjahr am Hof des Königs gelebt hatte, ernstlich wünschte, an dessen Stelle gestorben zu sein. – Die vom Dichter in der dritten Strophe wiedergegebenen Worte Maximins werden inhaltlich durch seine Gedichtfragmente belegt, soweit sie sich auf einen frühen Tod beziehen. Soweit sie auf die Pflicht des Dichters zum Weiterleben gerichtet sind, dürften sie auf Schlüssen beruhen, die der Dichter aus dem Zusammentreffen für sich selbst zog. Das Wort «Ehre» in dem vierten Vers der ersten Strophe wird vom Dichter vieldeutig gebraucht, hier bedeutet es «Erhöhung», während es oft für den Begriff der Ehrfurcht gesetzt wird, der, wie erwähnt, ursprünglich seine Bedeutung war und erst in dem später aufkommenden Sonderwort «Ehrfurcht» spezifiziert wurde. Das Zurückgehen auf den ursprünglichen Sinn von Worten betrachtet der Dichter als schöpferische Aufgabe. Die «Finsteren» und die «traurige Stufe», die Ödipus in Kolonos hinabsteigt, deuten, wie in der Antike, auf eine Unterwelt der Schatten als Aufenthalt solcher Gestorbener, die nicht zu den Sternen, wie Kastor und Pollux in der griechischen Mythologie und Antinous nach dem Glauben Hadrians und der Römer, entrückt worden sind. «Sünde» kennzeichnet hier nutzlos verbrachte Zeit.

Das zweite Trauer-Gedicht fasst den Schmerz um Maximins Tod in das Bild eines Waldes im ersten Frühlingsgrün, in dem junge Bäume gefällt werden. Damit wird auf die Zeit des Todes Maximins in der Mitte des Monats April angespielt. Das betrauerte Ereignis wird klanglich symbolisiert durch den Schall der Äxte, die den krachenden Sturz der jungen Bäume bewirken – die einzig hörbaren Geräusche, da hier – ähnlich wie bei Keats – «kein Vogel singt». Die Bilder der dritten Strophe korrespondieren abschliessend mit denen der ersten, während die zweite Strophe Maximin in direkten Zusammenhang mit der Landschaft bringt. Nach solchem Frühlingsgeschehen glaubt der Dichter nicht mehr an Blumen und Früchte, die ein Sommer bringen könnte.

Das Flechten der Äste bezieht sich auf das vom Dichter häufig benutzte Bild des Kranzes, der von ihm nicht romantisch zur Verschönerung, sondern als Symbol der Festlichkeit, wie bei den Griechen, verwendet wird. Das Kosten der Früchte war bereits im siebenten «Standbild», das Erblühen der Blumen unter menschlichem Tritt im «Freund der Fluren» und das erste Gras, das hier nicht ohne Berührung mit dem Fuss des Menschen gedeihen kann, im sechsten Gedicht der «Gezeiten» erwähnt.

Im dritten Trauer-Gedicht werden nur zwei Reime, und zwar in stets abgewandelter Bedeutung des Wortes fünfmal oder viermal verwendet, um die Monotonie der Trauer hörbar zu machen. Die Kunst liegt in der Art und Weise, in der trotzdem der Sinn durch Vorsilben oder Beiworte variiert wird. «Ehre» bedeutet hier «Ehrung». «Wann» nimmt den Sinn von «ob» und «wann» zugleich an, so dass es «wann jemals» bedeutet. Der Begriff «die Tage» wird abgewandelt in «unsere Tage» und weiter in «meine Tage», um schliesslich wieder in die allgemeine Fassung «die Tage» zu münden. «Weise» erscheint zweimal als Hauptwort und zweimal als Verbform in verschiedenen Bedeutungen. Die Bezeichnung «Weise» für Lied deutet bei dem Dichter stets auf Monotonie, so wird das Wort bereits in den «Traurigen Tänzen» gebraucht. «Eingraben» hat hier den Sinn von «begraben», wie im zwölften Gedicht der «Pilgerfahrten» Mantel und Pilgerstab begraben werden. «Hinschleppend» weist auf allzulangsames Verstreichen des Tages, über das Algabal in «Gestalten» klagte. Schliesslich mag nach dieser Wortanalyse, die zur Erklärung des Inhalts dieses Gedichts ausreicht, hervorgehoben werden, dass die Wiederholung des Obertitels vor jedem Gedicht den Sinn hat, dass jedes der drei Gedichte als besondere Einheit für den architektonischen Aufbau gelten soll.

Der Obertitel der folgenden sechs Gedichte «Auf das Leben und den Tod Maximins» erinnert an Petrarcas «Trionfi sulla vita e morte di Madonna Laura», ein Werk, mit dem der Dichter sich schon in seiner Schulzeit beschäftigte. Im ersten dieser Gedichte – es findet sich hier der Weite des Themas entsprechend die doppelte Anzahl der in den bisherigen und kommenden Teilen dieses Ringes enthaltenen Gedichte – preist Stefan George das Zusammentreffen mit Maximin. Der Dichter spricht zu seinen Freunden, deren Augen vorher durch unerfüllte Träume getrübt waren und die bereits aufgeben wollten, für die Erhaltung des heiligen Feuers, des ihnen anvertrauten Lebens zu sorgen, da sie um sich nichts als Verfall spürten. Von der Notwendigkeit der Bewahrung dieses Feuers gibt «Der Dichter in Zeiten der Wirren» Kunde. Mit dem Kommen Maximins sei – so sagt der Dichter – ein neuer Frühling in ihre kalten Jahre eingebrochen. Das Wort «Haus» hat die Bedeutung von Erde und von Wohnstätte und lässt auch den astrologischen Begriff mitschwingen. Jetzt könnten die Freunde sich froh vereinen, denn sie hätten das Erscheinen der Verkörperung des Gottes, das an jeder Zeitenwende notwendig sei, selbst miterlebt. Dadurch sei ihre Berufung zum Werk inmitten einer feindlichen Welt neu bestätigt. Die Stadt, die sie jetzt preisen sollen, ist Berlin, das der Dichter wegen der Betriebsamkeit und Anmasslichkeit der wilhelminischen Ära, wie schon angedeutet, nicht sonderlich liebte, aber durch die Geburt Maximins als entsühnt erachtete. Die langverwichene Pracht ist die Schönheit des Erscheinens der Götter im Mythos der Griechen, die von ihnen in Festen lebendig erhalten wurde.

Im zweiten Gedicht dieser Gruppe mit dem Sondertitel «Wallfahrt» spricht der Dichter von sich selbst als dem «Fremden», wie er sich schon im ersten der «Schattenschnitte» «Fremdling» genannt hatte. Er betrachtete in der Zeit, in der das zweite Gedicht spielt, Berlin nicht als seinen Wohnsitz. Die ersten drei Strophen beschreiben die Gegend am Mariannenplatz in Berlin, an dem das Krankenhaus Bethanien, die Geburtsstätte Maximins, gelegen ist. Der gerade Zug von Gleis und Mauer deutet auf die vom Dichter häufig betonte Hässlichkeit der Strassen Berlins, die im Gegensatz zu denen Münchens keinen architektonischen Abschluss haben, sondern damals mit den Strassenbahnschienen zusammen ins Endlose zu laufen schienen. Flecken von Gras, spärliche Hecken und Blumenbeete bildeten die Anlagen auf dem Mariannenplatz, der zu den verkehrsreichsten Gegenden des damaligen Berlins gehörte. Der Hinweis auf Maria als Tochter Annas ist eine Art Kryptogramm, wie der Dichter mir sagte, für das Wort Mariannenplatz. Bei dieser Art der Nennung mag auch an die Renaissancebilder der «Anna selbdritt» gedacht worden sein. «Verkannt» besagt, dass damals niemand die Bedeutung von Maximins Geburt erkannt hat. Die vierte Strophe schildert das Wetter an dem Apriltag der Geburt mit seinem besonderen, nur für nicht abgestumpfte Kinder wahrnehmbaren Frühlingszauber selbst inmitten einer trüben Umgebung. Das allen gleiche Haus ist das Krankenhaus Bethanien, dessen graue Front sich damals nicht von denen der Nachbarhäuser unterschied, und die kahle Halle ist der öde Eintrittsraum im Krankenhaus, das dem Stall gleichgestellt wird, zu dem drei Könige, dem Stern folgend, zogen. Alles dies setzt voraus, dass der Dichter das Erscheinen Christi als Verkörperung Gottes in einem menschlichen Wesen an einer Zeitenwende erachtet, wie in der Gedenkrede zum Ausdruck gebracht ist.

Im dritten Gedicht der Gruppe spricht der Dichter von Maximin mit «du» und «dein», und zwar in der Zeit nach dessen Tod. Maximin, eins geworden mit dem Wort der Berufung, wacht auch jetzt noch über dem Dichter und dessen Freunden. Das Wort steht, wie das neunte Gedicht des ersten Buchs des «Sterns des Bundes» zeigt, für den Dichter vor der Tat. Er wendet sich vor jedem Tun an Maximin als Vermittler des göttlichen Willens. Der Gott spricht niemals unmittelbar zum Menschen, vielmehr nur durch einen Mittler, das wird in «Mensch und Drud» generell gesagt. Bei Plutarch («Orakel in Prosa») heisst es, dass der Gott die Orakel mit Hilfe einer menschlichen Seele gibt, die nicht unbewegt, nicht unverändert ist, sondern sich infolge ihrer eigenen Affekte in steter Unruhe befindet. «Milde» wird hier im Sinn von Frömmigkeit gebraucht, die ebenso beglückt, wie ein Lächeln der Könige deren Diener beschenkt. Beim Sinken des Abends, der immer das Gefühl der Einsamkeit steigert, wie «Schmerzbrüder» darlegt, werden die auf der Erde Zurückgelassenen von Erinnerungen an den lebenden Maximin, von seiner Memorie ergriffen, und ihre Sehnsucht nach seiner leibhaften Gegenwart findet in der Schilderung ihrer Bewegungen plastischen Ausdruck. Wie sein Erscheinen auf sie gewirkt hatte, ist im «Geheimen Deutschland» beschrieben.

Im vierten Gedicht der Gruppe berichtet der Dichter rückblickend von Maximins Verhalten kurz vor dem Tode. Innerlich war er bereits damals irdischem Treiben entrückt und verwandelt. Er verkörperte die seltsame Trauer des Sonntags, von der sein Motto zum «Minner» spricht, stand den Freunden, insofern als sie notgedrungen im Tag und für den Tag lebten, innerlich schon fern, während er sich auch äusserlich von ihnen bereits fernhielt. Aber noch war ein Anzeichen dafür vorhanden, dass die Erde ihm Freuden schenkte. Der untere Strahl, der ihn traf und entzückte, war die erste Liebe, die er für ein Mädchen, in seinen Gedichten Leda genannt, empfand. Die Vorrede berichtet darüber. Es scheint eine Verwandte, eine Schwester oder Cousine der Brüder Dietrich in Wien gewesen zu sein, die sehr jung nur wenige Jahre nach dem Tod Maximins aus dem Leben geschieden sein soll. Um dieser Liebe willen empfand er, wie die vom Dichter zitierten Worte besagen, den als nahe bevorstehend geahnten Abschied von der Erde als schwer und wünschte, noch einen Mai zu erleben. Die «lieblichsten Blumen» sind ebenso wie im letzten Gedicht des «Vorspiels» ein generelles Bild für Jugenderlebnisse. – Zum Besuch der Familie Dietrich trat er seine letzte Reise nach Wien an, es lebten dort ausser der mit ihm fast gleichaltrigen Leda drei Vettern, von denen der Dichter zwei bei ihrem Aufenthalt in München kennengelernt hatte. Das O. D. gezeichnete Gedicht im Gedenkbuch stammt von dem dritten Vetter Oskar Dietrich, den der Dichter wahrscheinlich nicht persönlich kannte. – In der vierten Strophe sind die Worte «die mir teuer» ein verkürzter Relativsatz, der zu «mit euch» gehört. Die Freunde des Dichters, die Maximin näher kannten, waren Karl Wolfskehl und Friedrich Gundolf. Andre, wie Schuler und Klages und solche, die am Dichterzug im Haus Henry Heiselers teilnahmen, hat Maximin nur gestreift. Dass die Münchener Kosmiker die Bedeutung Maximins nicht erkannten, war für den Dichter ein Beweis ihres Versagens. Lothar Treuge, von dem ein Gedicht im Gedenkbuch stammt, hat Maximin niemals gesehen, das zeigt die Tafel «An Lothar».

Im fünften Gedicht mit dem Sondertitel «Erhebung» enthüllt der Dichter die Richtung seiner Gedanken nach Maximins Tod. Er glaubt, während seines Trauerns die Stimme Maximins die Mahnung aussprechen zu hören, dass es Zeit sei, das Totenamt, die Seelenmesse zu beenden, den bleichen Glanz der Trauerkerzen verlöschen zu lassen und die Tore wieder aufzutun. Von der zweiten Strophe an spricht der Dichter zu sich selbst und zu seinen Freunden, denen er schon die in der ersten Strophe zitierten Worte mitgeteilt hat. Jeder solle das, was er durch das Verweilen Maximins auf der Erde gewonnen habe, in sich bewahren und nähren, damit eine erneute Verkörperung des Gottes, die Kraft des Glaubens voraussetze, stattfinden könne. Das ist ein Hinweis auf die Anschauung des Dichters, dass Kunst nicht nur den Erscheinungen des Lebens vorauseilt, sondern sogar deren Gestaltung bewirkt und dem «Denkbild» zum Leben verhilft. Das Wort «blitzen» ist hier mit Hilfe eines Beiwortes für ständiges Leuchten gesetzt, während es gemeinhin das Gegenteil, nämlich nur ein sehr kurzes Aufleuchten andeutet: es handelt sich also wiederum um emotionelle Exaggerierung zum Zweck der Plastik des Eindrucks. «Glosen» bedeutet ein Glimmen, ein langsames Dahinschwinden, ohne dass eine Flamme sichtbar wird. – In kalter Zeit hatte das Erscheinen Maximins eine Wirkung, die der des brennenden Dornbusches (2. Moses 3, 2) ähnlich genannt wird. Der Hauch Maximins, der für den Dichter die Essenz von dessen Wesen ist, verwandelt sich nach dem Tod in ein feuriges Wehen, das den Freunden befiehlt, sich mit seinem Übergang in eine andre Form zu versöhnen, das von ihnen nach seinem Tode geführte Dasein trauernder Schatten aufzugeben und die Freude über das Erlebte so stark zu empfinden, dass dadurch die Trauer um den Tod überwunden wird. Die Rosen, die Maximin ebenso wie der Engel des «Vorspiels» gebracht hat, werden unverwelkt, im Sinn von unverwelkbar genannt. Mit dem Verdecken des Grabes durch Blumen – einem Bild für das innerlich befreiende Gestalten der Kunst – schliesst das fünfte Gedicht.

Das letzte Gedicht dieses Teils enthält eine symbolische Zusammenfassung der Wirkung des Lebens und des Todes Maximins. Der Dichter, der früher Maximin als Gesandten des Gottes bezeichnet hatte, nennt ihn hier einen Freudenboten, der ihn aus einem Winter voller Gram vordem (weiland) zu einem fruchtbaren Eiland geführt habe.

280

Von jenem Eiland handelt das zehnte Gedicht des dritten Buches des
«Sterns des Bundes», und zugleich deutet die Beschreibung des neuen
Lebensbereiches als Insel auf den höchst persönlichen, keineswegs
allgemein religiösen Charakter des Erlebnisses. Dementsprechend
heisst es weiter in der zweiten Strophe, dass nur dem Einen die sonst
verborgene Fülle der Güter entdeckt wird, dem als Hüter Maximin
seine Liebe und den Schmuck seiner Jugend, das heisst die von Jugend
meist verschwiegenen Gedanken widmet und offenbart. In der dritten
Strophe wird Maximin «feierfroh» genannt. Er ruft im Dichter wieder
die fromme Hast wach, mit der Jugend Erstlingsopfer darbringt, ein
Opfern, dessen Inbrunst der Dichter in der eignen Jugend erlebt hat,
von der aber nur ein schwacher Abglanz in ihm vor dem Kommen
Maximins erhalten geblieben ist. Dies kann sich sowohl auf die Kunst
Maximins wie auch auf sein Verhalten im Leben beziehen. Unter Erst-
lingsopfer brauchen nicht nur konkrete Darbringungen von ersten
Früchten und Erstgeburten bestimmter lebender Wesen verstanden
zu werden, von denen die Bibel sowie griechische und römische Riten
berichten, wie zum Beispiel das in Weizenstroh gehüllte, geheime
Erstlingsopfer, das die Hyperboreer nach Pausanias jährlich dem
Apollo durch die Gebiete vieler Völker hindurch nach Delos sandten.
Es gibt auch die geistigen Erstlingsopfer eines grossen Herzens,
von denen Schiller redet, und die Erstlingsopfer der Liebe, die
Rousseau im vierten Buch von «Emile» erwähnt. Die fromme Hast
ist die Eile, voll und sofort zu geben, die gerade Jugend beseelt, wenn
sie den für sie nicht leichten Entschluss, alles zu geben, einmal gefasst hat. – In der vierten Strophe wird Maximin – bei Steigerung
seiner Bedeutung – als Helfer, wie in der Gedenkrede, gefeiert. Der
Bolzen einer Armbrust, der abgeschossen und treffend das aus-
getrocknete Holz, das Herz und den darin gespeicherten Stoff, zum
Entflammen bringt, wird zum Symbol der Intensität seines Wirkens.
Im Streben nach Vergöttlichung eines Irdischen, von dem das neunundzwanzigste Gedicht im zweiten Buch des «Sterns des Bundes»
berichtet, verschmelzen die anfangs einzeln lodernden Flammen zu
dem notwendig einheitlichen Feuer. Maximin wird für den Dichter
zum Deuter des bisher nur im Nebel von einer Bergspitze aus erblick-
ten, neuen geistigen Lebensbereichs, und dies erinnert an die «Winke»
im «Neuen Reich», über denen wiederum ein Gedicht Maximins,
durch einen Stern über einem M gekennzeichnet, als Motto steht. Das
Schauen von einem Berg aus ist bereits im siebenten Gedicht des
«Vorspiels» erwähnt. Ausweislich der sechsten Strophe genügt ein
Blick Maximins – wie er im vierten Gedicht des dritten Buches des
«Sterns des Bundes» beschrieben wird – um alle Unreinen aus seinem
und des Dichters Tempel zu ihren Futtertrögen zurückzutreiben, das

sind solche, die mit dem vom Dichter durch Maximin erworbenen Gut Raubbau treiben. Von ihnen als den Verführern der Jugend handeln die Tafeln «Verführer I», «Zweiter Jahrhundertspruch» und «Dritter Spruch zum Abschluss des Siebenten Ringes». Ein Tempel als Symbol erscheint schon im sechsten und fünfzehnten Gedicht des «Vorspiels», und im «Brand des Tempels» kommt dieses Symbol zur vollen Bedeutung. «Tempelbögen» soll keinen bestimmten Baustil andeuten, da dies die Kraft des Symbols abschwächen würde. Die Priestereigenschaft muss angeboren sein und wird durch Reinbleiben erhalten, das besagt das zwölfte Vorspiel-Gedicht. Sie spielt die entscheidende Rolle im «Gespräch des Herrn mit dem römischen Hauptmann», denn sie beruht auf der Kraft des Blutes. – Die siebente, letzte Strophe des letzten Gedichts dieses Teils ist dem Andenken Maximins gewidmet. Sein Name dringt, in der Kunst des Dichters verewigt, als Stern durch dunklen Raum und unmessbare Zeiten, um Denken und Fühlen kommender Generationen zu läutern. Dem Dichter gelingt es, dieses Licht zu entzünden – sein darauf gerichteter Wunsch war schon im dritten Trauer-Gedicht laut geworden.

Die Anordnung der einzelnen Teile in diesem «Ring» ist nicht chronologisch, sie erfolgt vielmehr in dem Bestreben, den Ton und die Intensität des Sagens abzustufen. Dies wird dadurch bewiesen, dass erst jetzt der Teil der drei «Gebete» folgt. Im ersten dieser Gedichte berichtet der lebende Maximin selbst in besonders einfach gehaltenen Worten und in unkomplizierter Satz- und Gedankenfügung, dass jeder seiner Tage dem Streben nach der Liebe seines Gottes gewidmet ist, dass er sich seiner Berufung zum Opfer bewusst bleibt, dass er begehrt, sich rein von den Beschwerden der Welt als Opfer darzubieten und von der starren Erdenform frei zu werden. Die Worte «wo ich dir am nächsten pflichte» enthalten sowohl den Wunsch, durch das Sterben seinen Dienst am Gott in der für ihn bestmöglichen Weise zu erfüllen, als auch die Hoffnung, durch solch ein Opfer dem Gott möglichst nahe zu kommen, sein nächster dienstpflichtiger Vasall zu werden. Nur ein früher Tod kann ihn dem Gott so nahe bringen, dass er in der weissen Flamme des göttlichen Feuers auflodert und mit ihr eins wird.

Gibt das erste Gedicht das Begehren um frühe Entrückung von der Erde und die Begründung dafür wieder, so enthält das zweite Gedicht Maximins Fragen über das Verhältnis des Menschen zu Gott. Ist nur eine vom Menschen zu fürchtende Macht, die nichts als ihren Zorn im Donner verkündet, so dass für den Menschen keine Wahl bleibt, als vor dem Furchtbaren der Höhen, wie vor dem Jehovah des Alten Testaments, zitternd aus nie-endender Angst im Staub zu kauern? Diese Fragen werden nicht ausdrücklich, vielmehr durch den Sinn von

Gegenfragen beantwortet. Wäre dem so, weshalb gewährt die gleiche Gottheit die Freuden des Sommers, so dass der Mensch im Genuss von vollster Freiheit in einen apollinischen Rausch gerät, in dem er fromm und ohne Überhebung, ohne Hybris, dem die menschliche Form in Vollendung darstellenden Gott so nahe kommt, dass er sich als Nachbar des Gottes fühlt? Diese Raserei ist, wie es im Gedicht heisst, eine «helle», und das bedeutet nicht wie im üblichen Sprachgebrauch ein alles Mass übersteigendes Rasen, sondern einen Sonnenrausch, eine durch Lichtgewalt bewirkte Ekstase, die schon von den Griechen von der durch dionysischen Rausch erzeugten Raserei, die von den dunklen Erdmächten ausgeht, unterschieden wird. Dieser gestaltende Lichtrausch ist im «Minner» und im «Wunder» geschildert. Die dritte Strophe des zweiten «Gebets» und alle Kosmiker-Gedichte behandeln den dionysischen Rausch, den die Griechen im Gegensatz zur Ekstase Enthusiasmus nannten. In ihm wird der Stolz des Menschen so gesteigert, dass er sich selbst nicht etwa nur in die Nähe des Gottes versetzt fühlt, sondern im Überschwang das Tosen des Gottes in sich zu spüren meint. Der Dichter gebraucht hier das Verbum «täuschen», das bei ihm vieldeutig ist, da es bedeuten kann: sich selbst täuschen, andere täuschen und enttäuschen. Im dionysischen Rausch «täuscht» sich der Mensch über sein Einswerden mit Gott und erwacht deshalb aus diesem Rausch leidvoll wie aus einem schweren Traum, während der apollinische Rausch dem Menschen die Kraft zum Gestalten verleiht und ihm dadurch ein fortdauerndes Gefühl der Grösse gibt. Die Verbindung beider Rausch-Arten trat in Delphi darin zutage, dass der Ort im Sommer als Wohnstätte Apollos, im Winter wenn auch für eine kürzere Zeitspanne als Sitz des Dionysos angesehen wurde. – Das Gebet selbst ist in der vierten Strophe enthalten. Der Gott möge durch seinen Anhauch den Beter aus niederer Erdenzelle zu den Sternen emporwirbeln, damit er ihm nicht nur nahe und ähnlich sei, sondern sogar durch Auflodern im göttlichen Feuer gleich werden könne, wie es Welle, Wolke und Wind seien, da in ihnen sich der göttliche Hauch wirksam manifestiere.

Der gesteigerte Ton wird im dritten Gebet wieder gesenkt. Es enthält den Dank für die auf der Erde gewährten Freuden, ist also nach der Unterscheidung im «Kindlichen Kalender» kein Bitt- sondern ein Dankgebet. Maximin dankt der Sonne, der Lichtgewalt dafür, dass sie ihn morgens und mittags mit wärmenden Strahlen entzückt hat. Im «Brand des Tempels» wird später der Wirkung der Sonne auf den Dichter in seiner Kindheit besonders gedacht. Maximin dankt dem zarten Wind, in dem er den Atem der Gottheit spürt, und der Fruchtbarkeit des irdischen Frühlings. Er preist die Hochsommernachmittage, die er im leicht bewegten Boot auf den Flüssen und Seen seiner Heimat verbracht hat, als Stunden, in denen er sich in Mythos und Geschichte der Grossen vergangener Zeiten, Heroen, wie Alexander und Cäsar, und Magier, wie Leonardo da Vinci und Michelangelo, vertiefte und die Erde als Spielball in der Hand von Menschen empfand. Er rühmt die Abende, die eine stets mit gleicher Inbrunst ersehnte Festlichkeit gewähren. Sie waren damals auch für den Dichter die Zeit, in der er am liebsten mit Freunden sprach oder mit ihnen zusammen die Werke von Dichtern las, so dass der Satz vom liebenden An-sich-Pressen teurer Bilder doppelte Bedeutung hat. Nach dem Vorlesen von Dichtungen, an dem der Dichter sich meistens beteiligte, trennte man sich schweigend, um das Gelesene nicht zu «zerreden», wie er es nannte. Es kann nach alledem kein Zweifel bestehen, dass auch der Dichter im dritten «Gebet» durch Maximin für das dankt, was die Erde ihm selbst bietet.

In den drei letzten Gedichten des vierten Ringes, die als summierender Abschluss keinen Obertitel tragen, spricht der Dichter nach dem Tode Maximins. Versmass und Form sind hier in jedem Gedicht verschieden, und auch ihr Grundton ist nicht gleichbleibend, da von verschiedenen Gesichtspunkten aus gesehen wird.

Die «Einverleibung» schliesst dadurch an das dritte «Gebet» an, dass in ihr ein Dankgebet des Dichters enthalten ist. Die Worte «du» und «dein» beziehen sich auf Maximin, der durch seine Entrückung die höchste Macht, die Macht des Thrones genannt wird, erhalten hat. In dieser veränderten Form schliesst Maximin, entsprechend der Verheissung im dritten Gedicht des «Auf sein Leben und seinen Tod» gedichteten Teils, einen neuen Bund mit dem Dichter, durch den jener zum Kind seines Kindes wird. Hierin liegt eine Anspielung auf den vom Dichter als besondere Weisheit empfundenen und oft zitierten Spruch aus dem Gesetzbuch des Manu: «Der Erleuchtete, der der Geber der Geburt ist in der Weisheit und der Lehrer der Pflichten, wird durch das Gesetz der Vater eines älteren Mannes, sogar wenn er selbst ein Kind wäre.» In der Bhagavata Puranea (10, 14, 1) erkennt Brahma den Krishna als Kind in der Familie eines Kuhhirten.

Das Zustandekommen eines Bundes zwischen irdischen und überirdischen Wesen beruht auf orientalischer Anschauung. Diese Verbindung ist hier eng wie eine Ehe gedacht, die, da sie äusserlich nicht sichtbar wird, geheimste Ehe genannt wird. Von nun an ist Maximin geistig an jedem Tun des Dichters beteiligt, und dies gibt der Verbundenheit zugleich den Charakter von leiblicher Verwandtschaft. Maximin wirkt im Blut des Dichters nicht nur als abgeschiedener Schatten und entschwundene Verkörperung des Gottes, sondern als verwandte Substanz. Es besteht zwischen beiden eine unlösbare «selige Einung», die über die «Selige Sehnsucht» Goethes infolge der

284

Güte Maximins, das heisst infolge seiner überströmenden Liebe als «Minner», hinausgeht. Diese «Güte» ist das Korrelat zu seiner schon früher gepriesenen «Milde», seiner Frömmigkeit. Die Einung zwischen Maximin und dem Dichter hat zur Folge, dass das Denken des Dichters dem Denken Maximins in jeder Hinsicht gleich geworden ist, dies wird deutlich gemacht durch Gleichheit der Farbgebung, der Glanzwirkung und der Strukturart. Hier mag angefügt werden, dass der Dichter beim Schaffen neuer Reime, wie «Maser» und «Faser» niemals ein Reimwort aus lautlichen Gründen neu schuf, sondern grössten Wert darauf legte, dass das von ihm benutzte Wort im deutschen Sprachschatz bereits vorhanden war, wie es sich als Folge seines Liedes «Das Wort» im «Neuen Reich» ergibt. Vor Drucklegung des «Siebenten Ringes» habe ich ihn in die Universitätsbibliothek in Heidelberg begleitet, da er sich durch Einsicht in Grimms Wörterbuch nochmals vergewissern wollte, ob einige von ihm benutzte Worte im Sprachgebrauch zu finden waren. – In jeder Faser seines Seins fühlt der Dichter das Feuer Maximins als Belebung, wie die beiden letzten Verse der vierten Strophe von «Einverleibung» sagen, und dieses Feuer, die Wirkung des göttlichen Hauches, wird zum Keim für sein Werk und zur Labung für sein wartendes Verlangen. Sein Begehren ist, wie die fünfte Strophe darlegt, auf Verleiblichung seines und Maximins Traumes zunächst im Werk und als Folge davon im Leben gerichtet. Um die Verleiblichung zu bewirken, ist Zusammenfliessen von «hellem» apollinischem Rausch, hier «Schein» genannt, mit dunklem dionysischem Rausch, hier als «dunkler Schaum» bezeichnet, erforderlich. «Freudenruf» ist die Folge des apollinischen und «Zähre», die für Leid und Leiden steht, das Ergebnis des dionysischen Rausches.

Das Warten des Dichters auf die Wiederkehr einer Verleiblichung des Gottes wird im Gedicht «Besuch» zum Ausdruck gebracht. Ein Garten der in einzelnen Zügen dem kleinen Garten vor dem Haus in Bingen ähnelt, wird für die erhoffte Wiederkehr hergerichtet. Die Schilderung hat die entrückte Transparenz der wenigen landschaftlichen Bilder Vermeers van Delft, dessen Werk der Dichter am meisten von aller holländischen Malerei schätzte. — Als Parallele dürfte interessant sein, dass vor dem Erscheinen Maximins das erste Vorspiel-Gedicht bei der ersten Veröffentlichung in den «Blättern für die Kunst» den Titel «Der Besuch» trug. – Der Dichter spricht im vorletzten Gedicht des vierten Ringes zu sich selbst. Die Abendsonne des heissen Spätsommers fällt durch die Scharten der hohen Mauer, die den Garten und das Haus am Hag umgibt. Die Abendstimmung deutet auf einen Weltabend, von dem das neunzehnte Gedicht des ersten Buches des «Sterns des Bundes» handelt. Eine langsame Bewegung belebt die Landschaft nach der lähmenden Glut des Tages. Die Beschreibung der

Wirkung der Jahreszeit deutet auf das Lebensalter des Dichters zur Zeit der Entstehung dieses Gedichtes. Jetzt ist die Stunde gekommen, in der man sogleich – das Wort «strack» ist hier im Sinn von «stracks» gebraucht – den Eimer mit Wasser füllen soll, um Büsche, Beete und den Kies des Pfades zu begiessen. Hängros ist für die kletternde Rose und Güldenlack für die Pflanze Goldlack gesetzt. Eppich bedeutet wiederum Efeu, der zu wirr und zu dicht an der Innenseite der Mauer um den dort befindlichen hölzernen Sitz wächst und entfernt werden soll. Dies sind Vorbereitungen für das Kommen der Verleiblichung des Gottes, wenn er als Pilger in einer solchen Dämmerung die Erde von neuem betreten und mit seinem heiligen Odem das Geäst über dem Weg am Eingang des Gartens teilen wird, um den Bereich des Dichters für kurze Zeit zu seinem Aufenthalt zu wählen.

«Entrückung» handelt in Bildern von der geistigen Wandlung im Dichter nach dem Tod Maximins. Die Terzinenform entspricht hier einem erregten Tasten nach Worten und Tönen. Obschon dem Leben der Erde angehörend, fühlt der Dichter sich plötzlich in die Luft eines andern Planeten versetzt. Die Gesichter der Menschen, die ihm eben noch freundlich zugewandt waren, verblassen im Dunkel des Weltraums. Die Erinnerung an Baum und Weg, die er früher aufsuchte, wird allmählich so fahl, dass er sie nicht mehr vor sein inneres Auge rufen kann, und sogar das vordem strahlende Bild Maximins, an dessen Tod zu denken ihm Qualen bereitet hat, verliert sich in tiefere Gluten und mutet nach dem Enden des Streits der eignen Gefühle nur noch als frommer Schauer an. Er glaubt sich selbst in Töne aufgelöst, die kreisend und webend mit dem göttlichen Hauch, dem grossen Atem, dem Erreger der alles verschmelzenden Glut, eins werden, und ist von keinem anderen Wunsch mehr beseelt als dem, zu preisen und namenloses Lob sowie unermesslichen Dank zu zollen. Der Hauch, von dem er ergriffen ist, verstärkt sich zu einem ungestümen Wehen, das ihn in einen lichten Rausch versetzt, der ebenso stark ist wie der, den Beterinnen – in den Staub geworfen und inbrünstige Schreie wie Pythia ausstossend – zur Einung mit dem Gott erflehen. Der Rausch hebt ihn durch sich lüftende Nebel in eine klare, freie Zone, die von Sonnenlicht so sehr durchtränkt wird, wie es auf der Erde nur die Luft auf höchsten Bergen ist. Das Wort «duftig» deutet hier auf den Grad der Durchsichtigkeit des Nebels. Der Boden, den der Fuss des Dichters in dieser Lichtzone betritt, schwankt weich und weiss wie Molke. Über ungeheure Schluchten aufwärts steigend, lässt er die höchste Wolke hinter sich und schwimmt gleichsam in einem Meer von kristallnem Glanz. Jedes Gefühl der Schwere ist von ihm gewichen, er entkörpert sich zu einem «Funken des heiligen Feuers», zu einem Ton, dem Widerhall der heiligen Stimme. Das ist das Bild-

werden des Sich-Lösens aus der früheren Form und leitet den Traumzustand des Überganges ein, der Niederschlag im fünften Ring des
Werkes findet und sich langsam zu den Liedern des sechsten und den
lyrischen Epigrammen des siebenten Ringes verdichtet. Die neue
Form selbst tritt erst im «Stern des Bundes» und im «Neuen Reich»
voll zutage.

TRAUMDUNKEL

Der fünfte Ring, in dem die Ekstase des Aufstiegs durch Sinken in
gärendes Dunkel des Traumes ausgeglichen wird, besteht aus vierzehn
Gedichten, die je nach der Art der Zählung dreihundertsechsundfünf-
zig bis dreihundertzweiundsiebzig Verse enthalten. Eine innere Teilung kann darin erblickt werden, dass das Seelische in den ersten
sieben Gedichten indirekt, besonders durch Landschaftsschilderung,
in den zweiten sieben aber direkt und unmittelbar zum Ausdruck gebracht wird.

Der Dichter hat von der Welt der Gestalten Abschied genommen.
Sein Geist weilt in einer Zone von Dämmerung und Traum, in der
sogar das Vegetative als kristallinisch empfunden und dadurch in be-
ginnlicher Ruhe dargestellt wird. Der Wald der Gedanken und Gefühle, der sich vor ihm öffnet, besteht aus hochragenden Stämmen von
makellosem Weiss, deren Wipfel, zur Kammform stilisiert, in das Blau
ragen. Die kühle Farbgebung wird durch das Gold der Blätter und
das stumpfe Karneolrot der Früchte, die nur hoch oben an Ästen
sichtbar werden, vervollständigt. In der Mitte dieser Landschaft und
mitten in einer Marmorfassung – «mitten» verbunden mit der Präposition «bei» hat hier diese Doppelbedeutung – sprudelt, spielend in
blumenhaften Gebilden, das Wasser einer Quelle und rinnt über den
Rand eines gewölbten Beckens auf den Marmorboden ebenso langsam,
wie ein Korn einer Pflanze oder eines Minerals nach dem anderen in
gleichmässigem Zeitabstand auf eine silberne Schale fällt. Dieses
«Marmormal» ist ähnlich dem römischen Brunnen auf dem Pincio
gedacht. Die Luft ist von uranfänglicher Kühle, die als Zeichen innerer Bewegung körperliche Schauer hervorruft. Die Worte «schauernd»
und meist auch «schaurig» haben diese Bedeutung. Die Atmosphäre
einer Morgendämmerung, noch in den Bäumen hängend, bildet einen
abschliessenden Zaubergürtel um die Landschaft, sie wird nicht durch
Worte oder Töne gestört, so dass ein nur mit dem inneren Ohr wahr-
nehmbares Klingen der Traumharfe und Rauschen des Traumfittichs
vernehmbar sind. Im «Geheimen Deutschland» wird der Traumfittich
als hymnisches Element verwendet. Eine ähnliche Stimmung der
Landschaft in früher Zeit wird später, jedoch mehr erdhaft und weni-

287

ger den Märchenton hervorrufend, im ersten Gedicht des dritten Buches des «Sterns des Bundes» gegeben.

Auf dieses allgemein gehaltene Bild einer bereits von Menschen betretenen Landschaft folgen die «Ursprünge», in denen der Einfluss von Geschichte auf die Landschaft bei Bingen und ihre Bewohner in historischer Abfolge zum Ausdruck kommt. Dass dieses Gedicht Züge von fast zwanghaft Gewolltem aufweist, die sonst im Werk des Dichters kaum spürbar sind, dürfte durch die Art seiner Entstehung begründet sein, über die bereits berichtet worden ist. Es wurden damals wegen der Notwendigkeit, Druckseiten in der siebenten Folge der «Blätter für die Kunst» zu füllen, am gleichen Tag in Wolfskehls Wohnung in München Stefan Georges «Ursprünge» und Karl Wolfskehls «Maskenzug 1904» niedergeschrieben.

Die «Ursprünge» trugen beim ersten Druck in der siebenten Folge eine Art Widmung «als Preis und Danksagung», durch die sie deutlich als Gelegenheitsgedicht charakterisiert wurden, und waren entsprechend der Verschiedenheit der Strophen in vier durch Zahlen voneinander getrennte Teile zerlegt. Dies alles blieb beim Ersterscheinen des «Siebenten Ringes» zum Zweck der Vereinheitlichung fort.

Die erste Strophe feiert das Auftauchen eines Zuges, der wegen der inneren und äusseren Jugendlichkeit seines Gehalts und seiner Träger als lachend bezeichnet wird. Für diesen erdachten Zug, der ausweislich der folgenden Strophen auch abstrakte Elemente einschliessen soll, haben dem Dichter festliche Züge der Bewohner Bingens zum Vorbild gedient, die schon Goethe beim Rochusfest miterlebt hat und die noch heute in Bingen zur Feier des Weins veranstaltet werden. Der Dichter glaubte an den Einfluss einer Landschaft und der Geschichte, die sich in einer Landschaft abgespielt hat, auf den Charakter der Bewohner und empfahl deshalb Jüngeren die Lektüre der Lebensbeschreibungen des Plutarch und der Werke von Hehn, Otfried Müller und Fallmerayer, sowie besonders eines Buches von Braun «Historische Landschaften».

Die Bewohner der Heimat werden in diesem festlich heiteren Zug zu Bewahrern eines ideellen Gutes, das, weil es nicht durch Kauf erworben werden kann, das herrlichste genannt wird, und des unerschöpflichen Glückes des ganzen Stamms. Ob sie Kronreifen als Symbol weltlichen Herrschens oder Psalter zur Kennzeichnung kirchlicher Macht tragen, in jedem Fall sind sie vom Schicksal zur Entwicklung des Geistes der Landschaft und ihrer Kinder berufen. Der Jugendtraum, der weit stärker als das Denken des reiferen Alters die Heimat von einheitlichem Geist durchdrungen und in die Hand des Träumenden gegeben erscheinen lässt, bezieht sich nicht nur auf den Dichter selbst, sondern auch auf das Fühlen jeder Jugend, wie bereits in der dritten Strophe des dritten Gebetes Maximins angedeutet ist. Eine Erinnerung der schon in früher Jugend vom Dichter geschauten historischen Abfolge in Form eines Festzuges wird in den folgenden Strophen hervorgerufen. Es waren die Römer, die den Anbau der Rebe aus Italien in die sonnenfrohe Rheinlandschaft bei Bingium, nach Tacitus einer Stadt der Vangionen, brachten. Die Rebe wird wegen ihres dionysischen Charakters – er wird in «Goethes letzte Nacht in Italien» gefeiert – heilig genannt. Sie machte die Seelen der Bewohner für die Schönheit antiker Religion und Lebensart empfänglich. Nach Ansicht des Dichters endete der Einfluss des Südens bei dem Limes der Römer. – Nachdem das Land durch Beseitigung undurchdringlicher Wälder und wilder Tiere urbar gemacht worden war, hielten Pan und Hebe, die Verkörperungen landwirtschaftlicher Kultur, zum Dankfest für Ernten bekränzt, ihren Einzug. Dem Treiben rauher Jäger folgte die Übernahme antiken Denkens und antiker Kunst, deren Reste in Skulpturen und Inschriften im Rheinland gefunden wurden und werden, wie durch Erwähnung von Gliedern aus weissem Marmor gesagt wird. Damals entstanden dort sogar Bauten in der für den Süden geschaffenen Form der offenen Halle. Schon als Kind empfing der Dichter einen Schimmer von jener römischen Kultur, wenn er – wie er erzählte – irgendwo bei Bingen in der Erde grub und antike Münzen, kleine Bronzestücke und römische Tonscherben fand. Seine Phantasie ergänzte das Bild, indem er den Atem der Legionäre sowie der Frauen und Buben ihres Trosses aus der aufgegrabenen Erde aufsteigen spürte und glaubte, auf dem Bergweg von Bingerbrück, den er vom Fenster des Elternhauses am Nahequai aus jenseits des Flusses vor Augen hatte, den Schritt der Kohorten zu hören und Adlerzeichen getragen zu sehen.

Nach dem Aufkommen des Christentums sank die römische Kultur des Rheinlands in Trümmer. Der Katholizismus kasteite und geisselte zwar mit selbst beigebrachten Wunden die freien und nackten Leiber, er fühlte sich aber auch zum Erben der Antike berufen und bewahrte in seinen Riten manches von ihrer Pracht, so dass sie nicht völlig vernichtet wurde, sondern in erstarrenden Schlaf verfiel. Die Masse antiker Baukunst lebten im romanischen Kirchenstil weiter und wurden zum gothischen Stil entwickelt, um das Aufwärtsstreben von Seele und Geist, losgelöst vom Körper, zum Preis Gottes zu verdeutlichen. Das Wort Hosannah war bereits in «Irrende Schar» als zusammenfassende Kennzeichnung des Strebens zu Gott verwendet worden. – Nach solchem Flug über Wolken fühlte die mittelalterliche Seele den Drang, sich vor Gott und Mensch zu erniedrigen. Die Standesherren liessen sich unter den Fliesen der Kirchen bestatten, damit sie zwar am geweihten Ort ruhten, ihre Demut aber zu gleicher Zeit dadurch zum

19

Ausdruck brachten, dass kommende Generationen auf die Grabplatten den Fuss setzen sollten.

Trotz der neuen Formung der Seelen blieb der antike Geist in den Bewohnern der Binger Landschaft – der Dichter liebte es zu betonen, dass sie hessisch und nicht preussisch sei – lebendig und wirksam. Er war der «römische Hauch» des Rheins, der sie umwehte und in der sechsten Rheintafel gepriesen wird. Die Kinder bauten sich am stilleren Ufer der Nahe, nicht fern von der Mündung dieses Flusses in den Rhein, Schilfhütten, die sie als Paläste ansahen. Jugendgefährten der Binger Zeit berichten, dass sie aus grenzenloser Lust am Lebendig-Sein, die der Dichter Wollust benennt, sich als Herrscher ihrer eignen Welt in «Kindlichem Königtum» fühlten und ihrem Überschwang in Gesängen Ausdruck gaben, deren Sinn niemand als ihnen selbst deutbar war. Von solchen vielleicht wortlosen, vielleicht in «Imri»-Sprache gefassten Liedern handeln der dritte und vierte Vers der letzten Strophe der «Ursprünge». Der fünfte und sechste Vers sprechen von einer späteren Zeit, in der der Dichter, und zwar erst nachdem er Griechisch zu lernen begonnen hatte, für sich allein eine eigene Sprache erdachte, die süss und befeuernd wie die Chöre Attikas klingen sollte. Der einzige Rest dieser Sprache ist im siebenten und achten Vers der Schlusstrophe der «Ursprünge» erhalten. Wie geheim der Dichter diese Sprache, in der er sein Leben lang Notizen niederschrieb, zu halten wünschte, habe ich selbst erfahren, als er mir einmal um 1910 eine solche Notiz zeigte – sie waren oft mit Stecknadeln an die Wand seines Zimmers geheftet – und mich fragte, ob ich ihren Sinn verstände. Da mir das Geschriebene als dem Griechischen verwandt erschien, versuchte ich von dieser Richtung her den Sinn zu erraten. Was ich hervorbrachte, muss etwas Richtiges enthalten haben, denn zu meinem Vergnügen wurde der Dichter aufgeregt, examinierte mich weiter und gab sich erst zufrieden, als meine Auslegungskunst völlig versagte. Robert Boehringer berichtet, dass sich unter den wenigen Dingen, die der Dichter im Handkoffer bis zu seinem Tod mit sich führte, ein blaues Schulheft in Oktavformat befand, das den ersten Gesang der Odyssee in diese Sprache übersetzt enthalten und die Aufschrift «Odyssaias I» getragen habe. Es entsprach sicherlich dem Wunsch des Dichters, dass die Seiten dieses Heftes nach seinem Tode ungelesen verbrannt und dadurch die beiden letzten Verse der «Ursprünge» dem Sinn nach undeutbar wurden. Sie waren von vornherein bestimmt, nur als Klang zu wirken. Diese Sprache ist verschieden von der vom Dichter schon im Alter von acht oder neun Jahren geschaffenen, durchaus kindlichen Sprache für seine Freunde, die sich «Imri» nannten und deren Reich «Amhara» hiess. Der Dichter hat übrigens später geäussert, er habe gehört, dass Hildegard von Bingen, deren

Kloster auf dem Rupertsberg bei Bingen gestanden habe, eine Geheimsprache entwickelt und verwendet habe, die der seinen der «Ursprünge» ähnlich sei.

In der Lobrede auf Mallarmé sagt der Dichter, dass jeden echten Künstler zuzeiten die Sehnsucht befalle, sich in einer der unheiligen Menge nicht verständlichen Sprache auszudrücken. Er dachte dabei, wie er mir sagte, an Dante, Hölle VII, Vers 1, und XXXI, Vers 67. Es war damals noch nicht erforscht, dass Dante dort ein italienisch geschriebenes Arabisch, das zu Dantes Zeit und in seinen Kreisen in Italien nicht unbekannt war, benutzt hat und dass der Inhalt der Verse, nach der mir von Olga Marx mitgeteilten Übersetzung von Giuseppe Scialhub in «Due versi danteschi», Livorno 1938, lautet: «Am Tor, Satan, am Tor, Satan, mache Halt» und «Tief wie der Grund eines Wasserbrunnens ist mein Schrei, mein Schmerz». – Die dunkle Ausdrucksweise Pindars wird schon von Horaz hervorgehoben. Bei Goethe erscheinen Inhalt und Bild bisweilen dunkler als die Ausdrucksform.

Die drei Landschaftsgedichte, die aus je sechs Strophen bestehen, sind eine Weiterentwicklung des Schilderungsstiles des «Jahrs der Seele», gehen aber mehr von malerischer Gesamtkomposition und Steigerung aus und enden bejahend und hoffnungsvoll. Es handelt sich um ein Festhalten und Vertiefen von Eindrücken, die der Dichter tatsächlich von verschiedenartigen Landschaften erhalten hat. Die erste Landschaft wird in einer Abenddämmerung des vorgeschrittenen Herbstes, die zweite im Sonnenuntergang des frühen Herbstes und die dritte in einer Morgendämmerung des Hochsommers geschildert, so dass bei ihrer Anordnung im «Ring» nicht chronologisch vorgegangen ist.

Die wilde Glorie des Jahrs in der ersten Landschaft ist die Farbenbuntheit des späten Herbstes. Im Mittag seines Lebens hat sich der trübe Sinn des Dichters, der einsam durch die Landschaft geht, in ihr, als ihm innerlich verwandt, verloren. Sein eigenes Leid leuchtet ihm aus den Farben der verwelkten Blätter: Safrangelb, Rostbraun und Purpurrot entgegen. Blatt auf Blatt sinkt auf die schwarze Oberfläche eines unbewegten, kleinen Teiches, an dem sich die Dämmerung in der Gestalt eines die Quelle bewachenden Knaben zu personifizieren scheint. Er wird grausamer Gespons, also der Finsternis angelobt, genannt, weil er seelisch ebenso kühl, vegetativ und regungslos wie der Quellteich ist. Eine Verkörperung des Landschaftsgeistes zu einem Kind findet sich bereits in dem Pilgerfahrten-Gedicht «Beträufelt an Baum und Zaun». – Zwischen den Ästen der Bäume hinter dem Teich werden die letzten abendlichen Farben des Himmels in den Einsamkeiten sichtbar – der Plural des Wortes, hier verstärkend gebraucht, hat seither in deutscher Dichtung vielfach Verwendung gefunden – bis die Tönung des welken Laubes in Dunst der zunehmenden Dämmerung verschwimmt. Ranken des Nachtschattens verbrämen die Zweige und schlingen sich um blattlose, dichte Dornbüsche, die den Eindruck erwecken, als wären sie durch Wunden von Händen, die sie vergebens zu durchdringen suchen, mit Blut befleckt. Noch ist die ausgleichende Ruhe des Schlafes nicht über die Landschaft gebreitet. Eine neue Helligkeit blinkt aber schon durch die graue Dämmerung dort, wo der Wald sich zu einer Wiese auf einem Felsvorsprung lichtet. Vor der besternten Wölbung des Blaus ragen auf der mit Violen bewachsenen, ebenen Fläche schlanke Bäume in fast regelmässigen Abständen auf, ein lauer, feuchter Wind erhebt sich, und diese Umgebung erweckt den Eindruck, als befände sich unterhalb des Felsvorsprunges ein offenes Meer. Es ist nicht gesagt, dass die Landschaft tatsächlich an der See liegt. Ihr Wald- und Gebirgscharakter lässt eher die Vermutung aufkommen, dass es sich um eine Gegend am nördlichen Gardasee, nahe dem bis 1918 österreichischen Ort Torbole, handelt. Fraglich kann sein, ob mit Violen Veilchen oder Nachtviolen (Hesperis matronalis) gemeint sind. Da im Zweifel die Angaben des Dichters wörtlich zu verstehen sind, dürfte er die kurzgestielten Blätter und purpurvioletten, ähnlich wie Veilchen duftenden Blüten der Nachtviole beobachtet haben, die wild gerade in lichten Wäldern Mitteleuropas vorkommt.

In dem zweiten Landschaftsgedicht wird die Erinnerung an einen Gang geschildert, den der Dichter früher mit einem von ihm geliebten Menschen unternommen hatte. Die Anrede «Liebe», die mit hellem Vokal den Klangzauber des ersten Verses verstärkt, richtet sich auf das Lieben des Dichters selbst und ist nicht Benennung des menschlichen Wesens, mit dem er gemeinsam, aber durch Zwist von Liebenden getrennt, zwischen herbstroten Laubbäumen und metallisch grün schimmernden Fichtenstämmen in den Abend wandert. Sie folgen anfangs dem ihnen vertrauten Laut eines Baches, der unterhalb ihres Weges fliesst, lassen sich aber später durch sein Verstummen und das Sinken des Lichtes nicht davon abhalten, weiter in den Wald vorzudringen. Schliesslich zeigt ihnen ein Kind, das zu dieser Stunde noch Beeren sammelt, die rechte Richtung, und sie tasten sich vorwärts, bis sie durch dünner werdende Zweige das Tal mit dem noch fernen Haus erblicken. Die Landschaft mutet wie eine der bewaldeten Schluchten bei Bingen an.

Das dritte Landschaftsgedicht dürfte eine Wanderung des Dichters zum und über den Gemmipass in der Schweiz um 1910 beschreiben, bei der Friedrich Gundolf den Dichter fast bis zur Passhöhe begleitete. Blasser Mondschein leuchtet noch von Schneefeldern her in der Morgendämmerung durch das Fenster der Berghütte unterhalb der Passhöhe, in der die Freunde übernachtet haben. Der Dichter, der über den Pass zu wandern plant, ist bereits wach; sein Begleiter, der umkehren will, schläft noch. Sich über den Schlafenden beugend, gedenkt der Dichter der Freude, die ihm der jugendlich-frohe Begleiter während des Anstiegs bereitet hat. Der Abschied von ihm fällt dem Dichter schwer, aber er weiss – und dies ist sowohl faktisch wie auch symbolisch gemeint und durch die vorausgehende Schilderung der Einsamkeit der Passlandschaft bildhaft gemacht – dass er die Wanderung von jetzt an allein fortsetzen muss. Er hat an engen, auch im Hochsommer vereisten Stellen und an schneebedeckten Felsspitzen vorbei auf nicht klar vorgezeichnetem Weg bis zu den Arven der letzten Vegetation zu klimmen, wo Leben sich nur noch durch ein Summen aus Abgründen bemerkbar macht. Das deutet auf innere Gefahren, die der Dichter für sich voraussieht und zu deren Überwindung der Begleiter ihm nicht zu helfen vermag.

«Nacht» schildert ein Gefühl, das zwei Liebende, von denen der eine zum anderen spricht, im Schoss der Dunkelheit überkommt. Im verworrenen und verwirrenden Dickicht der Nacht haben die vielfältig weiten Begebnisse des Tages ihre Bedeutung verloren und sind dem stärkeren Bann in den Seelen derer gewichen, die im Rausch des Sich-Gebens und -Nehmens zu versinken bestimmt sind. Vor ihren inneren Augen schliessen sich die Bäume im Wald der Nacht zu Leitern zusammen, die, wie die Jakobsleiter der Bibel, Platos goldene Kette und Goethes Leiter für die Träger der goldenen Eimer im «Faust», bis in ausserirdische Gefilde aufragen. Das leuchtende Tor dieses nächtlichen Träumens ist dem Treppenbogen im Tagtraum des «Siedlergangs» vergleichbar. – Der Boden der Erde, der ihrem Tag sicheren Grund geboten hat, scheint den Umschlungenen in solchen Nächten zu wanken, und die Frage wird laut, ob es der Atem des einen im andern ist, der als Wehen aus dem Bereich des Rausches zur Vermischung der Leiber, zum Verwischen des Selbst, zur Knüpfung eines schauererregenden Bundes für den Anstieg ins Pfadlose antreibt. Keine Antwort ist vernehmbar, aber das gedachte Tönen des heiligen Brunnens, aus blütenumsponnener Höhlung quellend, wird zu einem einfachen und klaren Sang, der die Lust am Lebendigen preist. Sie ist Liebenden gemäss, die bereit sind, bewusst dunkelster Trunkenheit zu verfallen und im Meer des Träumens zu zerrinnen. Nicht das Gefühl eines Sterbens und Wiederauflebens der Leidenschaft ist das Ende dieses Erlebnisses, sondern das Versinken in einen Rausch, der zu neuem Gestalten führt.

Das Gedicht vom «Verwunschenen Garten» schätzte der Dichter als Versuch, neuzeitliche Schicksale in Märchenform zu fassen, wie er mir gegenüber äusserte, als er das Gedicht vorlas. Die Szenerie wird zwar im einzelnen geschildert, aber die Angaben sind so gehalten, dass durch jede von ihnen das Entrücktsein dieses Gartens von der Wirklichkeit mehr und mehr begreifbar wird. In diesem Garten liegen, durch das Wasser eines Sees getrennt, der Palast des Fürsten, der – wie in «Gestalten» – zur Herrschaft geboren ist, und der Fürstin, die er zu seiner Gemahlin erwählt hat. Sie leben jeder für sich und treffen sich nur einmal im Jahr zu einem gemeinsamen Gang durch den Garten, der nur bei dieser Gelegenheit betreten wird und dessen einsames Ruhen in der ersten Strophe durch die Einzelheiten seiner Anlage dargetan ist. Die Fürstin wohnt in einem Gemach, das in den Farben von Silber und Seegrün gehalten ist. Sie lebt allein und in Trauer, die sich selten in abendlichem Lautenspiel kund gibt, weil ihr Empfinden zu zart ist, um ihrem Lieben Ausdruck zu verleihen. Sie wird eine liebliche, nicht welkende Blume genannt mit einem Duft, der von denen, die sie lieben möchten, nicht genossen werden kann.

Auf der anderen Seite des Sees ist der mattrot und goldene Saal des Fürsten. Er wird als welkend trotz seiner Jugend geschildert. Auch er sehnt sich zu lieben, aber der ihm vom Schicksal zuerteilte Rang verbietet ihm, eine andere Seele auf der gleichen Ebene mit ihm weilen zu lassen. Gegen dieses Gesetz hat er verstossen, er hat, indem er trachtete, die Fürstin an seinem Sonderschicksal teilnehmen zu lassen, die Krone seiner eignen Würde nicht gewahrt. So hat sich ein Mann, der seinem Schicksal entsprechend nicht lieben darf, mit einer Frau vermählt, die aus Zartheit des Empfindens ihrem Liebesbedürfnis nicht Ausdruck geben, nicht lieben kann. Dieses in Märchenform gekleidete Erlebnis zeigt Ähnlichkeiten mit der Darstellung in «Pfingsten» in «Tage und Taten» hinsichtlich des Mannes und mit den «Schwestern» in den «Zeitgedichten» hinsichtlich der Frau.

Nur einmal im Jahr, so sagen die beiden letzten Strophen des «Verwunschenen Gartens», treffen sich Fürst und Fürstin auf der Terrasse, um Hand in Hand die sonst nicht betretenen Wege des Gartens zu beschreiten. Nur zu dieser Gelegenheit öffnen sich die Tore des Gartens und gestatten denen, die hier die Treuesten genannt werden, Anblick und Huldigung. Sie sind noch fähig, Ehrfurcht für das Los der beiden zu fühlen und ihre unerfüllte und unerfüllbare Schönheit zu begreifen. Während sie ihre Huldigung bezeigen, hat sich der Zug bei einem der schon in der ersten Strophe geschilderten Brunnen gewendet und ist in der Öffnung eines Laubganges, die hier kühn als Ausgang bietende «Tür» bezeichnet ist, verschwunden. Der Garten selbst wird im Purpur des Sonnenuntergangs unsichtbar. – Die Seelenbewegung ist durch Gesten verdeutlicht – der Phantasie des Hörers oder Lesers wird, wie immer im Märchen, weitester Spielraum gelassen, um die Geschehnisse mit Hilfe eigner Wünsche und Träume zu ergänzen. Das dichterische Problem ist die Atemverteilung in diesem verhältnismässig langen Gedicht. Entgegengesetzte Begriffe, wie süss und herb, jung und welkend, werden zur Schilderung ein und derselben Gestalt verwendet, und auch dies ist bezeichnend für den Märchenton. Die äusserlich fast romantisch wirkende Darstellung soll hier, wie später im «Brand des Tempels», jeden Gedanken an psychologische Zergliederung fernhalten, die der Dichter als Darstellungsmittel in der Kunst ablehnte, da sie eine allzu billige und nicht den Kern treffende Umschreibung sei.

Mit «Rosen» beginnt der zweite Teil von «Traumdunkel», in dem Erlebnisse direkt dargestellt werden. Es handelt sich um eine Seele, die sich in der Jugend in Betrachtung des Schönen verloren und dabei den Ruf des Lebendigen überhört hat. In ihrem Morgen spielt sie mit der Schönheit der Erde, angedeutet durch die weissen und dunkelroten Rosen, und im Mittag ihres Lebens spielen die Rosen mit ihr. Aber beim abendlichen Gereiftsein spürt sie, dass sie weder sich selbst, noch was sie benötigt, erkannt hat und dass es jetzt zu spät dazu ist. Sie irrt unter den Rosen umher, und ihre Bereitschaft, sich zu geben, trägt ihr Verwundung durch Rosendorne ein. Vom Wind der Nacht getragen sinken Blätter der Rosenblüten auf die erst jetzt ernst gewordene, trauernde Seele – nicht mehr wie früher zum und im Spiel, sondern nur noch, um eine Schwäche, die hier sogar «Schmach» genannt wird, zu verhüllen. Das Gedicht erinnert an den «Verworfenen» im «Teppich des Lebens», doch ist es innerlich weniger persönlich und äusserlich mehr als symbolische Gemäldefolge gestaltet.

«Stimmen der Wolkentöchter» gibt den schon in früheren Gedichten enthaltenen Wunsch von Naturgeistern wieder, sich mit menschlichen Wesen zu einen. Die personifizierten Wolken des keltischen Sagenkreises erachten den Menschen als Träger vollere Seims, weil er neben Geistigkeit die ihnen fehlende Leiblichkeit besitzt. Obwohl sie im voraus wissen, dass der Umgang mit harten und grausamen Wesen, die sie entwaffnen und zu besitzen streben, ihre Zartheit vernichtet, fühlen sie sich immer wieder auf die Erde herabgezogen. Wegen der Verschiedenheit des Stoffes können sie sich den Menschen niemals ganz geben, die ihrerseits klagen, dass die Geister nur Spiel mit ihnen treiben. Sie gewähren den gierigen Menschen so viel an Früchten, so viel von ihrem Lieben, wie ihre dafür vorbestimmte Zeit und die den Menschen zugemessene Zeit erlaubt. – Wenn man nach Auslegung eines jeden Gedichtes ohne Rücksicht darauf, dass gerade die Traumdunkel-Verse durch Klangzauber zu wirken haben, sucht, könnte man in diesen Strophen ein Symbol für den nicht endenden Kampf des Künstlers mit den Gebilden seiner eignen Phantasie finden, die er niemals in einer ihn voll befriedigenden Weise im menschlich geschaffenen und deshalb menschlich begrenzten Kunstwerk fassen, zum Ausdruck bringen und dadurch zu selbständigem Leben erwecken kann. Der Mensch ist es, dessen Phantasie in Wolken Naturgeister sieht, der ihnen Gestalt und Stimme verleiht. Er vernichtet die Zartheit dieser Phantasiegebilde, wenn er sie mit den rohen Mitteln der Erde in seine Kunst zu bannen versucht. Es ist eine Sonderheit des Dichters, die Gebilde der Phantasie ein Eigenleben führen zu lassen, indem sie nach engster Verbindung mit Menschen streben, obwohl sie ahnen, dass ihr zarter Stoff dabei zugrunde gehen muss, wie schon früh in «Weihe» und im «Gespräch» der «Hymnen» zum Ausdruck gebracht worden ist.

Keltische Elemente – vielleicht eine Mitgift der Heimaterde – finden sich auch in dem Gedicht «Feier». Es ist erzählend, aber mit bewusster Vermeidung des Märchentons geschrieben, da es durch Wirklichkeit im Sinn der «Ursprünge» beeindrucken soll. An der gleichen Stelle, an der die Vorfahren den Geheimdienst für ihre Götter ausübten, sieht der Dichter die Menschen seines erträumten Reiches ihre Riten der Gottesverehrung vollziehen. Dahinter steht die Tatsache, dass verschiedenartige Religionen oft die gleiche Stelle als Kultstätte wählen, die sich bereits in der Vergangenheit durch besondere Lage oder Beschaffenheit als geeignet erwiesen hat, Verehrung für übermenschliche Wesen im menschlichen Geist zu erwecken. Der Dichter wies im Gespräch darauf hin, dass diese besondere Eigenschaft neben dem Wunsch, eine frühere Gottheit als unterworfen darzustellen, dazu geführt haben mag, dass Kirchen über den Resten antiker Tempel oder in sie hinein gebaut wurden, gerade wie die Griechen Tempel über Grotten und Erdspalten errichteten, die schon in vorgriechischer Zeit als Sitz von Erddämonen angesehen worden waren. Im Gedicht ist kein Bauwerk die Stätte des alten und des neues Kultes, er wird nicht hinter Mauern vollzogen, sondern in einem heiligen Hain, etwa wie Böcklins vom Dichter bewundertes Bild ihn zeigt, auf einer mit Bäumen in natürlichen Abständen bewachsenen Wiesenfläche. Die Ahnen kamen zu dieser Stätte nur mit geheimem Grausen wegen der Nähe eines im wesentlichen als vernichtend gedachten und gefürchteten Gottes. Die Semnonen, der vornehmste Stamm der Sueven, betraten, als sie noch in Mitteldeutschland ansässig waren, den heiligen Hain ihres gestaltlosen Kriegsgottes Thiuz, nach Tacitus, nicht anders als gefesselt, um ihre Abhängigkeit vom göttlichen Willen kundzutun. Wer von den gefesselten Betern zu Boden fiel, durfte sich nicht wieder erheben, musste sich vielmehr auf der Erde liegend vorwärtswälzen. Germanischen Göttern wurden Menschenopfer gebracht, bei den Cimbern durch Priesterinnen. Im Gedicht sind es greise Priester im weissen Gewand, die das Opfer mit der primitiven Waffe der Keule vor einem roh behauenen Stein als Altar erschlagen. Das deutet bewusst zurück auf die Druiden und somit auf eine Zeit, in der die Kelten noch vor den Germanen die Heimat des Dichters bewohnten. Die Druiden bildeten den nicht vererblichen Priesterstand der Kelten, von denen die Germanen wahrscheinlich religiöse Riten übernahmen. Die Druiden bewahrten eine wohl aus Britannien stammende Geheimlehre und wirkten als Weissager, Ärzte, Richter sowie Erzieher der Kinder der Vornehmen. Zur Zeit Julius Cäsars waren die Kelten in Gallien ansässig, und die Druiden versammelten sich einmal im Jahr im Gebiet der Carnuten, vielleicht in der Gegend von Chartres, das später durch seine auf geheiligter Erde gebaute Kathedrale zu einer der berühmtesten Stätten der christlichen Religion wurde. Zu einem solchen, durch den Gottesdienst früherer Zeiten geweihten Ort ziehen im Gedicht die neuen Beter der Tafel «Feste» im vollen Licht der Sonne. Sie tragen ebenso, wie es von den freigeborenen römischen Knaben berichtet und auf Statuen gezeigt wird, eine vollmondförmige, goldene Scheibe auf ihren nackten Leibern und sind, um frohe Festlichkeit anzudeuten, mit grünen Blättern bekränzt. Sie opfern nicht mehr Menschenblut am Altar – es wird berichtet, dass die Griechen Menschenopfer dadurch ersetzten, dass die zum Opfer Bestimmten als Ersatz eine Zeitlang dem Gott zu dienen hatten – sondern giessen roten Wein in das auf dem Altar brennende Feuer, von dem die zweite «Erwiderung» spricht. Sie bringen sich nicht mehr selbst Wunden bei, wie ihre Vorfahren es taten, die ihr eignes Blut opferten, sie feiern ihren Gott mit ernsten Gesängen und kultischem Tanz, von dem das «Gespräch des Herrn mit dem römischen Hauptmann» handelt. Als Reinigungsritus springen sie nach uraltem Brauch der Johannisnacht im Tanz durch die hochschlagenden Flammen. Kultische Tänze von nackten Figuren, die Sonnenscheiben tragen, finden sich auf prähistorischen Felsbildern in Schweden. – Die ernsten Lieder klingen dumpf und hallend. Das schon im «Verwunschenen Garten» konkret für ein Gebäude gebrauchte Wort «Gebäu» kehrt in der letzten Strophe von «Feier», und zwar abstrakt verwendet, wieder, indem es hier, der Technik des Dichters entsprechend, mit einem andern Reimwort gepaart, auf den hochaufragenden Baumbestand des Hains als mauerlose Kultstätte hinweist. Nach Grimm wurde «Gebäu» bereits in der älteren Literatur in abstraktem Sinn verwandt. Die Esche als heiliger Baum der Germanen weist wiederum auf Deutschland, und durch das Verbum «blinken» wird nochmals besonders betont, dass diese Feier nicht in geheimnisvoll verhüllender Nacht, vielmehr im vollen Licht des Tages unter blauem Himmel stattfindet, was bereits durch das Glitzern der goldnen Scheiben in der vierten Strophe angedeutet ist.

297

«Empfängnis» erinnert an das Gedicht «Entrückung», ist in die gleiche Terzinenzahl gefasst, weist aber nur vier Hebungen in jedem Vers auf, so dass das Tempo unruhiger und beschleunigt wirkt. Das Gedicht schildert die Empfindung des Dichters bei der Konzeption eines Kunstwerks, beim Entstehen eines neuen, für Inhalt und Rhythmus wesentlichen Gedankens. Die Worte «du» und «dein» beziehen sich auf die inspirierende Gottheit. Die Einordnung dieses Gedichtes gerade in den Traumdunkelring entspringt der Überlegung, dass solche Empfängnis unabhängig vom Maximin-Erlebnis ist und vor und nach jenem Geschehen stattgefunden hat und stattfindet, während «Einverleibung» und «Entrückung» Folgen des Maximin-Erlebnisses gewesen sind. – Der Gott schärft das innere Auge des Dichters in der lang erwarteten und heraufbeschworenen Stunde der Empfängnis, so dass sich ihm bisher nicht erkennbare Dinge offenbaren. Der Atem des Rausches, der Anhauch des Gottes verdichtet sich zum Sturm, der den hilflosen Dichter in den Abgrund des dionysischen Rausches wälzt, um ihn, nachdem er zum Ertragen eines anderen Lichts stark genug geworden ist, auf die hohen Felsspitzen des apollinischen Schauers zu reissen. Die übertreibenden Verben drücken die Gewaltsamkeit der Bewegungen aus. Die beiden Rauschformen des zweiten Gebetes Maximins haben zur Folge, dass der Dichter das Feuer des Gottes, das geheimste Wesen des Gottes, jetzt in sich selbst wirkend spürt. Das Wort «er» in der zweiten und dritten Strophe bezieht sich auf den in der ersten Strophe erwähnten «Sturm des Gottes», dessen Wehen den Dichter erglühen lässt wegen des Geschenks besonderer Gnade und vergehen lässt angesichts überwältigender Grösse. Die Mischung dieser entgegengesetzten Gefühle entzieht dem Dichter die Möglichkeit, einen festen Stand und Halt auf der Erde zu behaupten. Das gleiche Gefühl wie in der Stunde der «Entrückung» ergreift ihn, die hier als die erste Stunde eines neuen Lebens bezeichnet wird und in der er erschreckt, geblendet und im Licht-Rausch schauernd sich dem Gott völlig überantwortet hat. Der Boden auf dem Felsen scheint zu bersten und in die Tiefe zu sinken, so dass er in einem Meer kristallnen Glanzes schwimmt und nichts als ein Funke des heiligen Feuers und ein Dröhnen der heiligen Stimme, also ein Teil des Gottes, zu sein glaubt. Kein anderer Wunsch lebt mehr in ihm, kein anderer Laut tönt mehr in ihm als der dem Gott gemässe. Die Worte «verschwenden» und «Joch» haben hier den preisenden Sinn einer ersehnten Unterwerfung unter die Macht des Gottes, wie aus den letzten Versen des Gedichtes hervorgeht. Der Dichter begehrt, von dem Gott überschattet, von ihm genommen, als sein Gefäss wie die heilige Theresa von Avila geweiht und gefüllt zu werden. Dem männlichen Akt des Schaffens von Kunst geht ein weibliches Empfangen, die Konzeption des Werkes, voraus, wie in der Sage vom Geschlechtswechsel des Tiresias und im Mythos von Zeus sichtbar wird.

«Litanei» ist der Versuch einen neuzeitlichen Choral zu dichten, eine Aufgabe, die als Wiederbelebung einer alten, nur durch echte Frömmigkeit zu füllenden Sonderform der Dichtung jeden Künstler unablässig anzieht. Christus wird, wie später im «Gespräch mit dem römischen Hauptmann», Herr genannt. Seine Kirche ist es, die dieser Beter in tiefer Trauer wieder betritt, nachdem er sich lange von ihr ferngehalten hat. Sein Atem, so klagt er, ist nicht mehr kraftvoll genug, um seinen Traum zu beschwören und zu bannen. Sein Mund ist fiebrig trocken, seine Hände sind leer und seine Glieder sind von vergeblichen Kämpfen und den Mühen der langen Wanderung ermattet. Ärmer an innerem Besitz, reicher nur an Qualen, fleht er um göttliche Speisung und um sichernde Ruhe, die das Aufgehen in Gott verleiht. Er erbittet Kühlung, damit der Brand des Unbefriedigtseins in ihm gelöscht wird, Befreiung von vergeblichem Hoffen, Sehnen und Lieben und das Glück des Glaubenkönnens. Diese Wünsche eines Betenden werden durch Eintönigkeit des strengen und starken Rhythmus, Verwendung religiös überkommener Bilder sowie Einfachheit der Worte und der Satzformung zu einem Kirchenlied vereint, das moderne Künstler, wie Edvard Munch und Arnold Schönberg, besonders angezogen hat.

Ein anderes Gefühl der Frömmigkeit kommt in «Ellora» zum Ausdruck. Es spielt an und in dem Felsentempel des Dorfes Ellora in Haiderabad, der zwischen dem vierten und zehnten Jahrhundert von unbekannten Händen in den Stein geschlagen ist. Das Fühlen, das den Vorwurf zu diesem Gedicht bildet, ist nicht an Indien und eine bestimmte Religion gebunden, es ist auch neuzeitlich und heute weit verbreitet. Der Beter, der hier als Pilger zum Tempel kommt, wird aufgefordert, die Freude an Farbe und Ton in sich selbst zu töten, Blumen und Flöten, die er, noch geniessend, auf die Pilgerfahrt mit sich genommen hat, vor der Schwelle des Tempels von sich zu werfen und sich freiwillig von Licht und Laut zu trennen, um dem Sinn des Glaubens näherzukommen. In der Finsternis des Höhlentempels bleibt nur das matte Sprühen der unberührt stummen Rubinaugen der Götterbilder und ihrer mit Opalen besetzten Ringe sichtbar, hörbar nichts als dumpf klingende Gebete der auf den Steinboden gesunkenen Beter. Die dritte Strophe des Gedichts enthält die Stellungnahme des Dichters zu solcher Art der Frömmigkeit. Er sieht darin eine Abkehr vom Lebendigen, von der das sechzehnte Gedicht im dritten Buch des «Sterns der Bundes» handelt, und will sie nur dann gelten lassen, wenn die Fähigkeit zum Rausch und die Leidenschaft des Gestaltens in einer Seele völlig erloschen sind. Erst dann werden rauhe Altarstufen und kühle Säulen, wie jene im Tempel von Ellora, zum rechten Mittel, um ein Fiebern der Sinne zu mildern.

Nach dem Volksglauben bringen Opale Unglück, wenn sie nicht von Menschen, die in einem bestimmten Monat geboren sind, getragen werden. Der Dichter erzählte lachend, Karl Wolfskehl habe sich in den wildesten Tagen der Münchner Kosmiker vom Unglück verfolgt geglaubt und die Schuld daran auf den Opalschmuck seiner Frau geschoben. Er habe die Halbedelsteine in die Isar geworfen, nicht ohne sie vorher sorgsam aus der Goldfassung gelöst zu haben. Da diese Tat den Bann nicht gebrochen, er sich sogar in seinem Leben bedroht gefühlt habe, sei er dazu übergegangen, ständig einen geladenen Revolver in der Tasche zu tragen. Erst als er sich beim Spielen mit dem Revolver durch die Tasche ins Bein geschossen habe und sein Blut geflossen sei, habe er sich als vom Unglück endgültig befreit angesehen.

Indische Einflüsse sind im Werk des Dichters selten zu finden. Doch knüpft er einige Male an das Gesetz des Manu an. Das Jugendgedicht «Prinz Indra» enthält kaum indische Sonderzüge. In «An die Kinder des Meeres» soll nach einer Äusserung des Dichters das Bild des Nachziehens einer Seele an einem feinen Faden auf indischer Anschauung beruhen. Bisweilen sprach er vom «grossen Wesen», wie es ein alter Weiser im jugendlichen Buddha inkarniert sah. Die Szenen von «Manuel und Leila» sind eher in persischer Umgebung gedacht.

«Hehre Harfe» ist der Abschluss des zweiten Teils und zugleich des fünften «Ringes». Das Gedicht besagt, dass es sinnlos ist, ein Übel, an dem ein Zeitalter krankt, ausserhalb der menschlichen Seele zu suchen. Alles hängt davon ab, ob die menschliche Seele noch genügend Kraft in sich birgt, durch Gebet entzückt und verzückt zu werden, wie der Mönch von Heisterbach in einer der «Tafeln» verkündet, so dass sie im Feuer einer grossen Liebe aufflammt, mag sich ihr Lieben auf Gott, den Freund oder die Braut beziehen. Heilmittel, die in früheren Zeiten Nöte der Seelen beseitigt haben, können nicht von neuem die Heilung bringen, denn keine Ära kann von einem früheren Zeitalter Lebenssubstanz borgen. Stets muss ein Sturm die Erde säubern, damit die Bringer eines neuen Heils ihr morgendliches Werk zu beginnen vermögen. Sie verzaubern durch die Art ihres Blickes ihr Bereich, ihr Volk und das ganze noch in beginnlichen Dämmer gehüllte Land, dessen Berufensein sie schon früh, gleichsam als Bild im Spiegel des tiefen Brunnens des «Wort-Liedes», erkannt haben. Der Zauber des Blicks der neuen Jugend wird im vierten Gedicht des dritten Buches des «Sterns des Bundes» beschrieben. Der Lobgesang auf die Erde, im apollinischen Licht-Rausch geschaffen und deshalb sonnig genannt, ertönt in den beiden letzten Gedichten des «Sterns des Bundes». Er gewinnt seine Stärke aus Staunen und Überschwang, aus dem Entzücken über den Anblick holder Blumen am Boden und hoher Sterne am Himmel. Unter holden Blumen sind, wie häufig im Werk des Dichters, auch menschliche Erlebnisse und unter hohen Sternen auch Erkenntnisse zu verstehen. So schliesst der Ring des «Traumdunkels» mit einem Preislied auf die erneuernde Kraft der Seele des Menschen, wie der Ring der «Gezeiten» mit dem Lobgesang auf den Gott, der neues Leben schafft, geendet hatte.

LIEDER

Das in Sang aufgegangene Erleben eines Altersabschnittes, dem bereits in früheren Werken des Dichters ein besonderer Teil zugewiesen war, erscheint im sechsten Ring unter dem Titel «Lieder». Es sind achtundzwanzig meist nach dem Maximin-Erlebnis entstandene Gedichte mit je nach Art der Zählung dreihundertsiebenundachtzig bis vierhundertundsechs Versen. Eine innere Teilung in drei Abschnitte aus je neun Gedichten mit «Vorklang» als gemeinsamem Einleitungsgedicht ergibt sich laut Inhaltsverzeichnis durch die Anordnung der Obertitel. Das Liedhafte ist der Ausklang des Heroischen, deshalb stehen «Gestalten» und «Lieder» innerhalb des Werkaufbaus im gleichen Abstand vom Maximin-Ring. Die Verbindung zwischen Heroischem und Liedhaftem äussert sich in der Kunst in einer besonderen Wechselwirkung von Sicht- und Klangzauber, wie sie zum Beispiel aus den Bildern Giorgiones spricht.

In «Vorklang» wird das Lied als Wechselgesang zwischen steigenden und sinkenden Sternen, als Harmonie der Sphären gefeiert. Schönheit ist die Kraft, die Welten zum harmonischen Kreisen bewegt. Das Streben nach Schönheit, der Wunsch sie zu fassen, verleiht dem Menschen Macht, den Sternenlauf als von seinem Willen abhängig zu fühlen, zwingt ihn aber auch, Unterwerfung, Not und Tod auf sich zu nehmen. Diese allgemeine Erkenntnis ist in die anrufenden Worte der zweiten und dritten Strophe gekleidet, die den ersten vier, generell den Sternwandel zeichnenden Versen folgen. Die vierte Strophe enthält eine Antwort auf die im siebenten und achten Vers des Gedichts enthaltene Frage nach dem Sich-zu-eigen-Geben der Schönheit. Sie ahnt, dass sie schön ist, aus dem ihr gezollten Lob, es «deucht» ihr, dass sie schön ist. Klar ist ihr und wird von ihr ausgesprochen, dass sie selbst begehrt, sich ganz dem zu geben, der sie zu eigen zu nehmen trachtet. Das Wesentliche und zugleich Liedhafte in diesem Gedicht ist, dass abstraktes Lob der Schönheit einerseits und Schönheitssuchen der menschlichen Leidenschaften andererseits durch Sanghaftigkeit so eng ineinander gefügt sind, dass ihre Verschiedenheit kein Erstaunen erregt. Eingefangen in Melodie wirkt Symbolisches hier real und Reales symbolisch und diese Doppelwirkung ist charakteristisch für Lieder.

Der erste Teil des sechsten «Ringes» besteht aus neun Liedern, die Begebnisse mit Menschen, Erlebnisse des Fühlens beschreiben und umschreiben. In sechs Gedichten, die den gemeinsamen Obertitel «Lieder I bis VI» tragen, wird verschiedenartiges Fühlen gegenüber verschiedenen Menschen mittelbar mit Hilfe von Landschaftsschilderung sanghaft zum Ausdruck gebracht, während die daran anschliessenden drei Gedichte mit dem gemeinsamen Obertitel «Lieder I–III» ein Einzelerlebnis enthalten und die Umgebung mehr als Hintergrund behandeln. Vorgreifend soll schon jetzt darauf hingewiesen werden, dass in einer dritten, «Lieder I–III» benannten Gruppe individuelle Gefühle zu allgemeinen Lebenssymbolen verdichtet werden und dass dies der Grund für die architektonische Einordnung jener dritten Gruppe «Lieder I–III» in einen andern, nämlich den dritten Teil dieses Ringes ist. Alle Gedichte des sechsten Ringes sind, wie sein Titel besagt, dem Rhythmus nach sanghaft, sie sind deshalb Vorstufe zu den sogenannten Volksliedern, die erst am Ende des «Neuen Reichs» als Abschluss des Gesamtwerkes des Dichters ihren Platz finden.

«Kindisches Wähnen» im ersten der sechs Lieder deutet kindliche Vorstellungen eines Erwachsenen von einer Zukunft an, von der ungewiss ist, ob sie nicht Leid bringen wird, und zwar Vorstellungen, die mit gläubig vergossenen Tränen noch eng verknüpft sind. Das Lied, bestimmt eine andere Seele zu rühren, klingt leichtbeschwingt wie der Frühlingswind in morgendlich anmutenden Gärten.

Die ersten sieben Verse des zweiten der sechs Lieder weisen auf eine vergangene Zeit zurück, in der Jugend alles Fragen als Traum und alles Antworten als Lächeln ansah, so dass spätere Erinnerung daran sich zum Bild eines plötzlichen Glanzes formt, der eine regenschwere Frühlingsnacht erhellt. Lieben war damals Erfüllung in sich, erst jetzt in einer späteren als Mai charakterisierten Altersstufe wird Lieben zu einem nicht endenden Sehnen, dem geliebten Haupt, seinem Auge und Haar Tag für Tag nahe zu sein.

Auch das dritte dieser sechs Lieder spielt im Frühling, wenn auch in einem Monat, wohl dem April, der dem im zweiten Gedicht symbolisch genannten Mai vorangeht, so dass sich hier wiederum ergibt, dass jede chronologische Anordnung der Gedichte bewusst vermieden wird. Das Feld ist noch brach, der Baum blattlos, Haselsträucher blühen am Rand des Baches und nur ein Vogel, vielleicht ein Regenpfeifer, wird hörbar. Die Sonne, kurz durch Wolken leuchtend, spendet wenig Wärme, aber Hoffnung auf Erblühen ist schon wach.

Im vierten Gedicht wird von einer späteren Zeit im Frühling gesprochen, in der die Kirschblüten sich bereits geöffnet haben. Die beiden Liebenden geniessen im Wehen des Südwindes zusammen den Anblick des Blühens und den Duft des grünenden Rasens, doch scheint die Zeit des Laub- und Früchtetragens, die ersehnt wird, noch weit entfernt, und ihr Kommen ist noch nicht voraussehbar. Dies wird angedeutet durch das Bild des in der Ferne fliegenden Staubes. Technisch ist die Einfügung des in heutiger Dichtung schwierig zu handhabenden Wortes «Natur» als Reimwort auf «nur» bedeutsam. Übrigens enthält jedes dieser kurzen Lieder den Versuch einer Lösung technischer Probleme. Im ersten ist es das Glaubhaftmachen des gewagten Reims «Klingt es» mit «leichtbeschwingtes», im zweiten das allzuoft in Gedichten missbrauchte Wort «Träumerei» im Reim mit Mai, im dritten das Bild vom Nachstreuen der Blumen, das die Benutzung des poetisierenden Wortes «Lenz» ermöglicht, und im fünften das bildhafte Zusammenbringen vom geistigen Traum, der sich vor dem Baum «heben» möge, mit dem vegetativen Warten des Stamms auf wärmere Jahreszeit. Im sechsten Lied werden das Reimwort «nicht» viermal und die Reimworte «Strasse», «End», «schon» und «müde» zweimal innerhalb eines nur aus sechzehn Versen bestehenden Gedichtes verwendet. In allen diesen Fällen soll trotz technischer Gewagtheit der Eindruck der Selbstverständlichkeit erzeugt werden.

Das fünfte Lied spielt im tiefen Winter. Der Baum scheint die Äste im Warten auf den Frühling in gleicher Weise zu «dehnen», wie sich menschliche Arme im Sehnen nach Erfüllung eines Traumes ausstrecken, die äussere Ähnlichkeit der Naturform mit einer menschlichen Geste hält das Gedicht zusammen.

Das Geschehen im sechsten dieser Gedichte ist nicht an eine bestimmte Jahreszeit gebunden, es ist ein Abschiedslied, gesungen bei der Trennung an einer Wegscheide nach unerfüllt gebliebenem Erlebnis. Die Mehrzahl der benutzten Worte ist einsilbig, dies und der vereinfachte Satzbau erzeugen zusammen mit der kunstvollen Reimfügung den schwingenden und rührenden Ton, der diesen die Gruppe abschliessenden Versen eine über das Individuelle hinausgehende Bedeutung gibt.

Der Dichter hatte um 1902 in der Pension Blasig an der Ecke Bayreuther- und Augsburgerstrasse, in der er damals beim Aufenthalt in Berlin zu wohnen pflegte, einen etwa zwölf Jahre alten Südamerikaner, Argentinier deutscher Abstammung, namens Hugo Zernik, den Ugolino der «Tafeln», kennengelernt, der mit seiner Mutter und einem ihm etwa gleichaltrigen Vetter Fritz in der gleichen Pension

303

wohnte. Der Dichter war von der Schönheit und der selbstverständlich noblen Haltung des Kindes ergriffen, in dem er Ähnlichkeiten mit seiner eigenen Jugend sah. Er hatte Hugo Zernik später wieder gesehen, als dieser im Alter von etwa fünfzehn Jahren nach Deutschland kam und den Dichter wohl Anfang 1905 nochmals aufsuchte. Nach dem zweiten Besuch, nicht nach dem ersten Sehen, wurden die drei Lieder und noch etwas später die Ugolino-Tafel gedichtet.

Das erste Lied spricht im Bild von Strand und See von der Einsamkeit des Dichters, die diesem Erlebnis vorausgeht, und zwar in dreizehn Versen, einer im Werk des Dichters sehr selten zum Aufbau verwendeten Zahl, da er im Gegensatz zum Volksglauben der Zahl dreizehn jede symbolische Bedeutung sowohl als Unglückszahl wie auch als Glückszahl absprach. – Die Küstenlandschaft ist durch Camogli, wo der Dichter sich damals verschiedentlich aufhielt, angeregt. Der vom Lärm von Genua entfernte, ruhige, besonnte Strand, die vom Wind auf dem hohen Meer aufgepeitschten Wellen, die am Strand sich brechenden Wogen und eine an nördlichen Dünen sich in dunklen Schaum lösende Brandung geben das aus gemischten Elementen bestehende Bild wachsender, vernichtender und schliesslich vernichteter Leidenschaft, deren Anblick die Seele des Dichters vorbereitet, die selbstsichere Haltung des zwischen zwei Kontinenten und Kulturen aufwachsenden Knaben zu bewundern.

Vom zweiten, ohne Sondertitel gedruckten Lied hatte der Dichter Abschriften an Sabine Lepsius, wohl am 13. Oktober 1905, und am 9. Oktober an Gundolf gegeben, die die Überschrift «An mein Kind» trugen. In der Abschrift für Sabine Lepsius endete der sechste Vers mit «tiefes Braun» an Stelle von «brauner Schmelz», im achtzehnten Vers war ein Mittelpunkt zwischen «mir» und «zu» gesetzt und im neunzehnten Vers befand sich ein vom Dichter später kaum noch benutzter Apostroph hinter «erblüht». – Die Veränderungen, die der Dichter in dem nochmals nach Deutschland gekommenen, zum Jüngling rasch im Süden reifenden Knaben wahrnimmt, und die Stellung des Dichters zu ihm bilden den Inhalt des Gedichts. Die Zeichensetzung in der Abschrift macht es unzweideutig, dass im zweiten Vers der letzten Strophe die Worte «von mir» zu «was unbewegt» gehören und dass «erblüht» entweder eine Form des Imperfektums sein soll, bei der das endende «e» wegen des Beginns des folgenden Wortes «und» mit einem Vokal fortgelassen wird, oder als ein Perfekt Participium mit ausgelassenem Hilfsverbum «ist» zu betrachten ist.

Das dritte Gedicht enthält die Gründe für das in den beiden Schlussstrophen des vorangegangenen Gedichts beschriebene Verhalten des Dichters. Die erste Strophe gibt generelle Züge jeden Liebens. Es erwartet niemals Dank, dauert fort, sofern es nur das, was geliebt wird, vor Augen behalten darf, und segnet, selbst wenn es im opfernden Feuer seinen Untergang findet. Es ist die Grösse der Liebe, dass sie weiter besteht, obwohl sie Mängel erkennt und von ihr erträumte Eigenschaften in dem, was sie liebt, nicht findet. Sie geht, so sagt die zweite Strophe, in Selbstaufopferung so weit, dass sie sich freiwillig fernhält, um den Weg des Geliebten nicht zu verdunkeln und ihn nicht durch ungewolltes Eingestehen ihrer Empfindungen zu verwirren. Die tragische Seele des Dichters sieht die Bahn, die die andre Seele ihrem eignen Schicksal gemäss nimmt, als ein holdes Spielen an und macht es sich selbst zur Pflicht, sich von ihr fernzuhalten, obwohl der Anblick solchen Spielens ihr Freude bereitet hat und bereiten würde. Die Worte «doppelt duldend» beziehen sich auf das zweifache Leid des Dichters, das für ihn dadurch entsteht, dass er sich nicht nur fortwendet, sondern auch niemals zurückkehren wird. Das Gedicht erinnert an «Sieh, mein Kind, ich gehe», dessen Thema erweitert und vertieft wird, wie es bei Stefan George stets geschieht, wenn ein gleiches oder ähnliches Thema zum zweitenmal später erneut behandelt wird.

Mit drei den Obertitel «Südlicher Strand» tragenden Gedichten beginnt der zweite Teil des sechsten «Ringes». Hier handelt es sich nicht um Liebe entfachende Erlebnisse, sondern um künstlerisch bewegende, durch das Auge gewonnene Eindrücke, die sanghaft gestaltet werden. Das erste dieser Gedichte, das den Untertitel «Bucht» trägt, spielt an der italienischen Riviera. Der Dichter hat die Orte jener Küste wiederholt aufgesucht in der Absicht, einen von ihnen zu seinem Wohnsitz zu wählen, dies wird durch das «Rüsten des Hochzeitstisches» umschrieben. Aber er hat sich bei allen Gängen dort als Fremdling gefühlt, weil er – wie die zweite Strophe besagt – trotz lang gehegter Hoffnung keine ihm verwandte menschliche Seele in der südlichen Landschaft fand. So kam es, dass er nicht weiser, aber vergrämter jedes Mal, inmitten aller landschaftlichen Schönheit weilte. Er lässt sich nicht in den Tanz der heiter geniessenden und geschmückten Paare in den Sälen der Reichen einbeziehen, sie bleiben seinem Wesen und Wollen fremd. Im vergeblichen Wunsch, seine Einsamkeit zu brechen, folgt er den ihm innerlich näher stehenden Ärmsten auf ihren Wegen durch die engen Hafengassen. Die letzte Zeile dieses Gedichtes ist der einzige von Stefan George in italienischer Sprache konzipierte Vers: «Tanto m'incresce il caminare solo.»

Das Gedicht, das den Untertitel «See» trägt, spielt nicht am Meer, sondern an einem südlichen See, dem Gardasee. Die Heimat bleibt Deutschland, das vom Gardasee aus gesehen als schwarze, das heisst im Winter farblose Wüste hinter der Wehr der teilweise schneebedeckten Alpen liegt. Kein Laut, der aus der Heimat nach dem Süden dringt, kann den Dichter zur Rückkehr bewegen, da die Wunder des Südens ihn noch zu stark anziehen. Von solchen Wundern handeln die zweite und die dritte Strophe mit der Beschreibung des im kühlen Glanz ruhenden Gartens, der Farbigkeit des Bootes unten auf dem glatten Wasser und der mit Duft gesättigten Luft. Selbst der Tod, der hier «Fürst des Endes» genannt wird, während er im «Algabal» als «trübster Tröster» und «Sohn der Nacht» bezeichnet war, verwandelt in der lösenden Schönheit dieser Umgebung seine Strenge in ein Lächeln und scheint sein Schreiten zu verlangsamen. Die Ruhe, die das Bild dieses Sees vermittelt, steht im Gegensatz zu der Erregtheit, die von der Schilderung des Genfersees in den Reisegedichten der «Fibel» ausgeht.

Das dritte Gedicht mit dem Untertitel «Tänzer» spielt bei Camogli am Mittelmeer. Die Tänzer sind beschrieben, als hätte der Euaion-Maler sie gemalt. Ob ein tatsächlich beobachteter Tanz oder beim Anblick der Landschaft und ihrer Fischer-Bevölkerung die Möglichkeit eines solchen Tanzes den Anlass für den Dichter bot, lässt sich nicht entscheiden und ist im Grunde unerheblich. Eunapius berichtet, dass Iamblichus aus den Quellen Eros und Anteros bei Gadara in Syrien zwei Knaben heraufgezaubert habe, die den Tänzern des Gedichts ähnlich gewesen sein könnten. Das Wesen von Eros und Anteros tritt vielleicht in Pausanias' Bericht von dem Athener Meles und dem Metöken Timagoras am deutlichsten zutage. – Aufgabe des Gedichtes ist es, die Körper der Tänzer und ihre Bewegungen im Tanz plastisch vor dem inneren Auge des Hörers oder Lesers auftauchen zu lassen. Zugleich ergibt sich aber aus dem Inhalt und der Einordnung des Gedichtes, dass solch ein Eindruck in menschlicher Hinsicht das tiefstgehende Erlebnis ist, das der Süden dem Dichter zu bieten vermag. Dadurch erhält der Obertitel der drei Gedichte «Südlicher Strand» über das Geographische und Äussere hinaus eine innere, die Begrenzung des Erlebens im Süden absteckende Bedeutung.

Der Schilderung der Wirkung des Südens folgen drei Gedichte, die durch heimische Landschaft Erlebtes wiedergeben. In dem an spanische Formen erinnernden Gedicht «Rhein» wird dieser Fluss als der wahre Gefährte des Dichters gepriesen. Es ist das besondere Licht, die besondere Atmosphäre, die das Land um Bingen verklärt und vergeistigt. Der Duft der blühenden Eichen und Reben wurde vom Dichter oft in Gesprächen gerühmt. Selbst der feuchte Nebel und der dichte Brodem, der Dunst am Fluss, laden noch ein, Spuren im Sand zu folgen, die Nähe gesuchter Gefährten verraten. In der dritten Strophe bringt das im Summen der Bienen tönende Lob der Heimat die Zugehörigkeit des Dichters zu ihr zum Ausdruck. Die beiden ersten Verse der vierten Strophe schildern die Weite des Horizonts beim

Blick von der Höhe des Rochusberges. Das heitere Rund umschliesst ferne Hoffnungen zusammen mit dem von der Gegenwart bereits gewährten Glück des Augenblicks und verscheucht jeden Anflug von Trauer, die durch eine hoch oben in einer Nische stehende Figur des Schutzheiligen von Bingen, des aus Frankreich stammenden heiligen Rochus, erweckt werden könnte, wenn er mit ernstem Stolz auf seine Wunde am Oberschenkel deutet. Echte Heiterkeit gedeiht auf der Grundlage immanenter Frömmigkeit bei diesem Dichter ähnlich wie bei Bach und Mozart in der Musik. – Stefan George plante, ein längeres Gedicht über den Lauf des Rheins zu schreiben. Ansätze dazu sind in den Rhein-Tafeln und der preisende Kern ist in diesem Lied erhalten. – Die besondere Form ist gewählt, um Rezitationseinhalte deutlich zu machen, die in antiken Gedichten durch Wortstellung angezeigt werden konnten.

Das Gedicht «Schlucht» beschreibt eine Landschaft in Anlehnung an die Morgenbachschlucht bei Bingen, die der Dichter häufig zu Gängen wählte. In den Zerstörungen, denen das Land durch wechselndes Wetter und beutesuchende Tiere ausgesetzt war, sieht der Dichter Ähnlichkeit mit Wunden, die er selbst innerlich durch Kämpfe davongetragen hat. Falls man den Vergleich in nicht sehr sinnvoller Weise weiterführen wollte, könnten das Wetter auf die widrigen Zeitumstände und die Tiere auf feindliche Menschen als den Dichter verwundende Kräfte bezogen werden. Wegen der Gleichheit des Schicksals scheut der Dichter, der sich im Gedicht selbst anredet, sich nicht, der verletzten Erde sein Leid, sogar seine Tränen zu offenbaren.

Das Gedicht «Wilder Park» dürfte den vom Dichter gern besuchten Park des Schlosses Schleissheim bei München, in dem damals Bilder von Hans von Marées aufbewahrt wurden, zum Vorwurf haben. Die Schilderung erinnert an «Die Gärten schliessen», doch ist die frühere bange Endfrage durch die Erfüllung im Maximin-Erlebnis überholt und die verwilderte Fruchtbarkeit des Parks erzeugt jetzt eher ein Glücksgefühl als eine Bedrückung. Trotz des Gerauns aus dem moorig gewordenen Teich, das an «Die Maske» erinnert, trotz der Trauer der mit Moos bewachsenen Götterstatuen, trotz vorjähriger Früchte, die ungeerntet und vertrocknet an den Ästen hängen, und der Sprödigkeit des diesjährigen Laubes lächelt der Dichter im Vorbeigehen über den Prunk der hohen steinernen Vasen, die auf den mit wucherndem Gras bewachsenen Beeten stehen. Beim Verlassen des Parks fühlt er sich durch einen Hauch beglückt, der ihn aus undurchdringlicher Ferne, wie im «Lobgesang», erreicht, durch einen Zweig, der wie im vierten Gedicht im «Sieg des Sommers» seine Stirn berührt, durch eine Blume, die ihm wie in «Wallfahrt» winkt, und durch den Lichtstrahl des ersten Kunfttag-Gedichtes und der «Empfängnis». Somit

verheissen die drei heimischen Landschaften das Nahesein von mitfühlenden Wesen, die am «Südlichen Strand» nicht zu finden sind.

Die drei folgenden Gedichte, die keinen Titel tragen, bilden den
Übergang zum dritten Teil des sechsten Ringes. Gemeinsam ist ihnen,
dass sie Abschiede beschreiben, bei denen die umgebenden Landschaften eine wesentliche Rolle spielen. – Isi Coblenz hat zu Robert
Boehringer nach dem Lesen dieser Gedichte geäussert, dass das Gedicht «Fenster wo ich einst mit dir...» sich auf ein Erlebnis des
Dichters mit ihr beziehe. Das ist dem Inhalt des Gedichtes nach
durchaus möglich, zumal der Dichter mir im Gespräch angedeutet hat,
dass es sich hier um die Landschaft bei Kreuznach handelt. Der Anblick,
den erleuchtete Fenster von aussen bieten, hat den Dichter auch noch
in späteren Jahren bewegt, da Gedanken über das unbekannte Schicksal der in jenen Zimmern weilenden Menschen geweckt werden. Im
Gedicht sieht er von aussen Licht in Fenstern, von denen aus er selbst
früher mit einem ihm nahen Menschen in die abendliche Landschaft
geschaut hatte, bevor der andere sich, ohne zurückzublicken, von ihm
trennte und der allein gebliebene Dichter auf den Pfad starrte, an
dessen Wendung das Gesicht des anderen noch einmal im Mondschein
bleich auftauchte.

Ebenso wie dieses Gedicht enthält das folgende eine Erinnerung.
Es ist im tiefen Winter gesprochen. Die Erlebnisse eines vergangenen
Sommers waren mit einem Turm verbunden, der sich auf einem schrof-
fen Felsen erhebt. Vor dem Turm auf dem Felsen stehend, sieht der
Dichter auf die unter ihm ausgebreitete Winterlandschaft. Dem
Sommererlebnis hatten der Dichter und ein ihm naher Mensch bewusst
ein Ende gesetzt, dies wird im Bild dadurch ausgedrückt, dass sie
selbst die Eingangstür zum Turm so unzugänglich gemacht, so ver-
rammt haben, dass es später trotz trauervoller Versuche nicht mehr
möglich war, sie zu öffnen und die Kommunion an der gewohnten
Stätte wieder zu erleben. Die Unmöglichkeit wird durch den im Schnee
verlorenen goldenen Schlüssel dargetan, dessen Wiederfinden beim
Tauen des Frühjahrs völlig unwahrscheinlich erscheint, wie die Fassung der Frage am Schluss des Gedichtes andeutet.

Das letzte Gedicht des zweiten Teils des sechsten Ringes ist im
Klang den «Stimmen der Wolkentöchter» ähnlich, behandelt aber das
Schicksal des Dichters, der sich selbst als Künstler objektivierend
sieht. Seine Aufgabe verbietet ihm, sich in den Reigen der Frohen im
Tal des «Siedlergangs» zu mischen, obwohl auch er die morgendliche
Schönheit windbewegter Halme, die farbenvollen Blumen und den
Schmelz an Faltern und Libellen liebt und damit ein ebenso leichtes
wie zierliches Spiel zu treiben begehrt. Er muss aber, um einen andern
Fund heimzubringen, mit von dornigem Kraut, dem Brüsch (Ruscus

acuelata), zerrissenen Händen und von spitzen Steinen verletzten Sohlen über Felsen aufwärts klimmen, um das reinste Glück, die Wunderblüte des Kunstwerks zu gewinnen, die nur nah dem Abgrund wächst und hier als azurfarben und kristallen, ähnlich der blauen Blume der Romantik charakterisiert wird. Dieses romantische Element dient ebenso wie der «goldene Schlüssel» des voraufgegangenen Gedichtes dazu, die beiden Abschiede in einen der Gegenwart entrückten Märchenton – angenähert an den des «Verwunschenen Gartens» – zu kleiden. Doch werden die althergebrachten Symbole hier auf neuzeitliche seelische Vorgänge bezogen, die der Kunst der Romantiker fern waren.

Mit «Lieder I–III» beginnt der dritte Teil des sechsten «Ringes». Die drei Gedichte, die die erste Gruppe dieses Teils bilden, bestehen aus je drei Strophen, die folgenden zwei Gruppen werden aus je drei Gedichten mit je vier Strophen gebildet, so dass dieser Teil, auch hinsichtlich der nur in der zweiten Gruppe erscheinenden drei Sachüberschriften, besondere Regelmässigkeit aufweist. Zusammenfassung, vereint mit einer Symbolisierung, die das Erlebnis über das Individuelle hinaushebt, ist, wie bereits erwähnt, das Problem des dritten Teils. Er entspricht dadurch den abschliessenden Teilen der «Traurigen Tänze» und der «Lieder von Traum und Tod». Neu ist hier aber der Versuch, eine sich fortsetzende seelische Entwicklung und nicht nur ein Einzelerlebnis zum allgemein gültigen Symbol zu verdichten.

Das erste Lied handelt von der Gewalt, mit der Erlebnisse unvorhersehbar in ein umflortes, verdüstertes und stockendes Dasein einbrechen. Die Trauerflöre beziehen sich auf die Zeit nach dem Tod Maximins. Die Wirkung des Einbruchs des Erlebnisses wird objektiviert deutlich gemacht durch das Bild von einer jugendlichen Stimme, die mit hellem Ton einen gedämpften Choral gleichsam «spaltet», und von einem kupfrig-blassen Lichtschein, der jugendliche Locken berührt und dadurch selbst Jugendglanz annimmt. In der mehr persönlich gefassten dritten Strophe nennt der Dichter, der sich hier als einen «kranken Klager» sieht, diesen Lebensabschnitt seinen Herbst, das heisst die Jahreszeit, in der Pflanzen ihr Grün verlierend in eine Gruft sinken, und bittet, dass das zum Glanz gewordene Licht die graue, unfruchtbare Luft um ihn teilen, also spalten möge, ebenso wie eine jugendliche Stimme ein dumpfes Kirchenlied durchbricht, damit er selbst nicht in Leid und Dunkel versinke. Das ist das Nachwirken des Maximin-Erlebnisses, das Erneuerung in der Zukunft verheisst, wie in «Besuch» bereits angedeutet wurde.

Das zweite Lied spricht von den Gefühlen des Dichters bei einer seiner zufälligen Begegnungen mit Isi Coblenz in Bingen nach dem Bruch ihrer Freundschaft. Das Motto ist, wie der Dichter mir sagte,

einem Volkslied entnommen. Die Brücke führt über die Nahe von
Bingen nach Bingerbrück, das – wie der Dichter nicht ohne Stolz be-
tonte – zu Preussen, im Gegensatz zum hessischen Bingen, gehörte.
Die erste, im unruhigen Rhythmus klingende Terzine enthält die
Erinnerung des Dichters an sein – wiederum als Licht empfundenes –
Erlebnis mit Isi Coblenz, das Erinnern wird durch den Anblick des
Wassers von der Brücke aus hervorgerufen. Die zweite Strophe schildert eine Begegnung nach dem Bruch, bei der der Dichter, ohne dass
er einen Schauder spürt, seine Augen abwendet und grusslos an der
früheren Freundin vorübergeht. Sein jetziges Fühlen äussert sich nur
in einem inneren, nach aussen hin nicht erkennbaren Sich-Neigen, wie
es üblich ist, wenn man dem Trauergeleit eines Toten begegnet, den
man während seines Lebens nicht gekannt hat. Mit dem Wort «zieht»
beginnt ein Bedingungssatz mit fortgelassener Konjunktion «wenn».
Das ist die Nachwirkung des Erlebnisses mit Isi Coblenz.

Das dritte Lied knüpft, wie der Dichter mir sagte, an den Volksglauben über den Vampir an. Isi Coblenz hat es im Haus von Robert
Boehringer zum erstenmal gelesen und, ebenso wie den «Letzten
Brief» in «Tage und Taten» auf das Erlebnis des Dichters mit ihr
bezogen. Das ist nicht richtig. Beide Kunstwerke behandeln das Erlebnis mit Hugo von Hofmannsthal, das einzige Geschehen, über dessen unfruchtbaren Ausgang der Dichter sein Leben lang nicht hinweg-
gekommen ist, da es nicht nur in menschlicher, sondern auch in künstlerischer Beziehung bedeutsame Folgen für beide Dichter hätte haben
können. Das Nicht-frei-Werden von dem Erlebnis empfand der Dichter als eine vampirhafte Wirkung. – Nach dem Volksglauben ist der
Vampir der Geist eines Toten, der nachts das Grab verlässt und am Blut
schlafender Lebender saugt. Dies ändert der Dichter, der stets von ihm
übernommenes Sagengut umgestaltet, in der ersten Strophe dahin ab,
dass der Vampir, der hier der Geist eines Lebenden ist, sowohl in der
Nacht wie auch am Tage bei jedem Erleben unausgesetzt ebenso wie
der vom Licht geworfene Schatten des Dichters selbst zugegen ist
und von jedem Ertrag und jeder Freude seinen Teil fordert. Bringt
ihm aber nicht – so fragt der Dichter sich – sogar diese vampirhafte
Nachwirkung, obwohl sein Blut, der Wein seines Lebens, ausgesaugt
und das beste Erz aus ihm geschürft wird, noch immer ein Gefühl der
Lust und – im Gegensatz zum Erlebnis mit Isi Coblenz – einen frohen
Schauder, weil sich wenigstens in dieser Weise ein inneres Verbundensein und -bleiben offenbart? Er fragt sich selbst in der letzten Strophe,
ob er, statt der langen Qual und des fortgesetzten Verlustes, dem
Treiben des Vampirs ein Ende dadurch setzen soll, dass er, entsprechend dem Volksglauben, symbolisch wenigstens, einen Pfahl durch
den Sarg treibt, der das Herz des Vampirs durchbohrt und ihn in das

Grab bannt. Die Fassung der Frage deutet darauf, dass er sich nicht zu solcher Lösung entschliesst. Das ist die Nachwirkung des Erlebnisses mit Hugo von Hofmannsthal.

Den drei Liedern, die Nachwirkungen von drei wesentlichen Erlebnissen, und zwar nicht in historischer Reihenfolge symbolisieren, folgen drei, die zweite Gruppe des dritten Teils bildende Gedichte, von denen jedes eine sachliche Überschrift aufweist. Sie behandeln die Nachwirkungen von Weltanschauungen, mit denen der Dichter in diesem Lebensabschnitt in Berührung kam. Das «Fest» spricht von den Feiern der Münchner Kosmiker in den Jahren zwischen 1900 und 1904, die dazu bestimmt waren, den Zwang des Alltags äusserlich und innerlich zu brechen, den eignen Willen auszuschalten und das Individuum – durch dionysischen Rausch – in eine Einheit aufgehen zu lassen. Die Fackeln werden durch ihren Geruch beim Brennen, die das Dunkel durchbrechenden Flammen durch ihre von Gelb bis zu Rot und Blau variierende Färbung und die grellen Töne durch Nennung von Horn und Pfeife sinnlich wahrnehmbar gemacht. Der «Herr» des Festes, der allein gebietet, ist der «Herr der Fackeln» des Flammen-Gedichtes. Der Taumel ähnelt dem des «Sonnwendzuges». In der vierten Strophe wird die Nachwirkung des alles vermischenden dionysischen Rausches geschildert, von der später das zweiundzwanzigste und das neunundzwanzigste Gedicht des ersten Buches des «Sterns des Bundes» berichten. Wenn diese Art des Rausches endet, wenn der Einzelne aus dem Gesamtempfinden wieder zum Sonderdasein erwacht, folgt ein Gefühl unsäglicher Trauer dem vorherigen Empfinden schrankenloser Freiheit und Macht, das nicht dauernde Erleuchtung und Befreiung gebracht hat. Das ist die Nachwirkung des Treibens der Kosmiker. Der Dichter erzählte, Buddha sei seiner Berufung gewahr geworden, als er nach einem Fest die Feiernden mit offenem Munde schlafen sah und von Abscheu vor ihrer Hässlichkeit ergriffen wurde. Durch Leidenschaft erzeugte Hässlichkeit wird vom Dichter nur in den «Zeichnungen in Grau» geschildert, während bereits die «Legenden» ein Bild der durch Leidenschaft erworbenen Schönheit geben. – Die Fähigkeit, den dionysischen Rausch zu empfinden, war eine, jedoch allein nicht genügende Voraussetzung für die Erhöhung des Daseins, die der Dichter erstrebte, darauf deutet das zweite Gebet Maximins.

Das folgende Gedicht mit dem Titel «Die Schwelle» spricht von einer anderen, um 1900 verbreiteten Lebensauffassung, der des ewigen Suchens, die sich in veränderten Formen, dargestellt in den vier Strophen, äussert. Sie ist verschieden von dem künstlerischen Antrieb, von dem das dritte «Standbild» handelt. Die beiden ersten Verse jeder Strophe geben den Inhalt dieser Anschauung, während die folgenden zwei Verse ihre Nachwirkung dartun, die nicht über die Schwelle zum neuen Leben verhilft. Denen, die nach Vollendung eines Baus ihres Werkes stets unzufrieden einen neuen Bau zu beginnen begehren, wird zugerufen, dass sie übersehen, dass noch kein zum neuen Bauen geeigneter Stein vorhanden ist. Andere, die sich selbst Kränze zum Tanz auf weichem Boden geflochten haben, werden daran erinnert, dass sie aus Unzufriedenheit mit sich selbst immer wieder neue Ziele suchen, die sie hinter Bergketten im Blauen vermuten. Solchen, die das Gewächs der Fremde den Äpfeln und Trauben der Heimat vorziehen, wird vorgehalten, dass währenddessen die vollste Beere und das reife Obst in ihrem eignen Garten verdorren. Dass das heimische Gewächs das edelste ist, sagt das siebenundzwanzigste Gedicht des zweiten Buches des «Sterns des Bundes». Schliesslich wird denen, die höchste Schönheit im Lied der Biene und dem Tönen des Windes finden wollen, vom Dichter gesagt, sie «überhörten gar oft die Stimme der Süssen die vorüberging». Die zitierten Worte können verschieden ausgelegt werden. Mit «der Süssen» kann der Genitiv des Singulars von «die Süsse» oder der Genitiv des Plurals von «die Süsse» oder «der Süsse» oder von beiden gemeint sein, und das Relativpronomen «die» kann sich auf «die Stimme» oder auf den Genitiv des Singulars von «die Süsse» beziehen. Da die Festlegung dieser Worte für das Verständnis des Gedichtes als Gesamt nicht ausschlaggebend ist, kann sie dem Einzelnen überlassen bleiben. Die weiteste Auslegung wäre, das Relativpronomen «die» auf «die Stimme» zu beziehen und in «der Süssen» den Genitiv des Plurals sowohl von «die Süsse» als auch «der Süsse» zu sehen, so dass den Schönheitssuchenden vorgehalten würde, sie überhörten die unvermutet erklingende Stimme von Kindern der Heimat. Eine Ergänzung findet sich im zwölften Gedicht des ersten Buches des «Sterns des Bundes». Zu dem Wort «Beere» ist zu bemerken, dass der Dichter auch im Gespräch scharf zwischen der Beere, der Traube, der Rebe und dem Getränk Wein unterschied. «Bunt» deutet auf ausgesprochen verschiedene Farben, während «farbig» auf Variierung einer und derselben Grundfarbe hinweist.

Das Gedicht «Heimgang», das die zweite Gruppe schliesst, behandelt die dritte der um 1900 herrschenden Lebensanschauungen. Es sind die vom Leben Enttäuschten, die müd-entsagenden Weltflüchtigen, von denen der Anfang der Maximin-Gedenkrede spricht und zu denen das sechzehnte Gedicht des dritten Buches des «Sterns des Bundes» Stellung nimmt. Sie werden als müde Schwärme – anklingend an Schwärmer – gesehen, die nicht Willen zur Tat auf der Erde mehr in sich tragen und deshalb für den irdischen Tag erstorben sind. Sie suchen eine neue Heimat, in der kein Wunsch die Seele «wärmt» – dies ist eine Fortführung des Bildes im Schattenschnitt E. R. – und

in der die von früherem Leid geschlagenen Wunden vernarben können. Sie lehren alle, die über Unbill des Lebens klagen und ferne,
nicht wie vordem kranke Klager genannt werden, dass das einzig
erstrebenswerte Ziel ein wenn auch noch so kurzes Verweilen noch
vor dem Tod im Schattenland sei, dem Land ohne Leidenschaften
und des Schweigens, das also dem antiken Bereich der Toten ähnelt.
Die vierte Strophe enthält die Antwort des Dichters dahin lautend,
dass sein Herz von der Glut lebendiger Leidenschaft geborsten, sein
Dasein beendet sein wird, bevor jene die von ihnen ersehnten « Frie-
densforste» – dies spielt auf die «Friedensföhren» des siebzehnten
Gedichts der «Traurigen Tänze» an – erreichen werden. In diesem
Gedicht kann man ebenso wie in «Stimmen im Strom» technische
Anklänge an Goethes Altersstil finden.

Die drei folgenden Gedichte, die keine Überschrift aufweisen, bilden
die dritte Gruppe des dritten Teils und zugleich den Abschluss des
sechsten Ringes. Sie beenden ferner den mehr lyrischen Teil des ganzen Bandes und gehen deshalb wie die Abschlüsse der früheren Bücher
auf das individuelle Schicksal des Dichters beim Verlassen eines
Altersabschnittes ein. Doch sind sie wegen der Nachwirkung des
Maximin-Erlebnisses zuversichtlich und erwartungsfroh im Grundton,
während das Ende des Bandes des «Jahrs der Seele» den Dichter als
sich bescheidend und der Schluss des Bandes des «Teppichs des
Lebens» ihn als einsam geblieben darstellten.

Die Landschaftsschilderungen in diesen drei Endgedichten haben
nur übertragenen Sinn, sie schildern lediglich das Fühlen und Denken
des Dichters oder seiner Zeitgenossen durch Umformung in landschaftliche Elemente. Nur innerlich flüchtet der Dichter im ersten Gedicht
aus dem allzu betriebsamen und lauten Tal des Alltags in die freiere
Luft der Berggipfel seiner Erhebungen. In der zweiten Strophe werden
die drei Weltanschauungen, von denen die drei voraufgegangenen
Gedichte handeln, in landschaftliche Bilder zusammengefasst, so dass
die «Säle voll Geduft» an die Kosmiker, die «Gärten dicht und üppig»
an die ewig suchenden Ästheten und «Wälder dunkel und gestrüppig»
an weltflüchtige Asketen nochmals erinnern, wobei das Bild von den
Wäldern zugleich auf die Verbosität indischer Lehren deutet. Der
Dichter, der diese Anschauungen verwirft, wendet sich mit erhöhtem
Stolz zu seinem Gott mit der Frage, ob er ihn von neuem mit sich
verknüpfen oder platonisch gesprochen in sein Gefolge aufnehmen
und lehren wird, in rechter Art auf- und abzuschauen, wie es im sechzehnten Gedicht des ersten Buches des «Sterns des Bundes» hinsichtlich des Mit- und Auf- und Unterstieges heisst. Die Stimme des unsichtbar bleibenden Gottes tönt wie aus Bergesschlüpfen. Der Schlupf
ist nach Grimm ein Ort mit engem Eingang, der zu schnellem Aus-

und Einschlüpfen geeignet ist, und der Dichter beschuldigte im Gespräch oft scherzend seinen Freund Ludwig Thormaehlen, eine besondere Vorliebe für Schlüpfe und Schlüpfen zu haben. – Die letzte Strophe besagt, dass der Dichter als erste, das heisst hier oberste Weisheit anerkennt, dass der Gott zugleich fern und erhaben ist.

Mit solchem Wissen und Glauben lebt der Dichter in einer Zeit und Umgebung, die nicht dem Lichtrevier, dem von ihm im apollinischen Rausch geschauten Land entspricht, in dem er selbst herrschen und sichten kann. Geistige Atmosphäre und geistiges Klima, übertragen ausgedrückt durch Himmel und Breitengrad, sind ihm innerlich hier nicht vertraut, das heisst fremd. Die ihn umgebende Art der Geistigkeit wird durch die Landschaftsbilder von weiten sandigen Flächen, unbebauten Feldern zwischen verdorrenden Schuttablagerungen und mit Unkraut bewachsenen Stätten, auf denen vereinzelte Bäume knorrige Stämme und Äste emporrecken, übertragen geschildert. Die Stimme, auf die der Dichter wartet, dringt leise – das ist hier die Bedeutung von Lispeln – zu ihm wie ein Zirpen von Grillen am Boden und ein Wispeln, das heisst nach Grimm ein sanftes, helles Tönen aus den Zweigen. Sie bestätigt ihm, dass der Gott auch jetzt ihm näher kommen und bald «vorscheinen», das heisst sich verkörpern wird. Obwohl der Dichter ungewiss über Ziel und Weg des neuen Aufbruchs ist und nicht weiss, wem zur Freude oder zunutze er hier wirken kann, fühlt er sich im Schutz des Gottes und auf der von Gott bestimmten Bahn.

Das Abschiednehmen von den Freunden dieses Lebenskreises bildet den Inhalt des letzten Gedichts, in dem das Tempo durch Verringerung der Zahl der Versfüsse und Satzverkürzung beschleunigt wird, um – wie bei Goethe am Schluss von «Werther» und «Faust II» – die Ungeduld des Abschieds und des Endens sinnfälliger zu machen. Die Zeit der Verkörperung des Gottes scheint so weit zurückzuliegen, dass sie als verschollen bezeichnet wird. Der Augenblick wird durch einen unbestimmten, bedrohlichen Ton aus dem Ungewissen, hier als «Abgrund» gesehen, beherrscht. Die verzehrende Glut früheren Sehnens ist durch die stärkere Flut des Maximin-Erlebnisses gelöscht. Es bedarf nicht mehr der Erneuerung des inneren Treugelöbnisses, die oft notwendig wurde, so lange der Ausgang vor dem Erscheinen Maximins noch zweifelhaft war. Die Nähe des Dichters ist für die Freunde, die Nähe der Freunde ist für den Dichter nicht mehr erforderlich, um eine das Dasein in dieser Zeit und Umgebung ermöglichende Atmosphäre zu schaffen. Die Freunde zeigen in Mienen und Gesten, dass sie Ruhe begehren, und der Dichter strebt nach dem Frieden des Alleinseins. Er trennt sich von ihnen, um im Schutz des Gottes in einen andern Kreis des Erlebens zu dringen. Die letzte Tafel des «Siebenten Ringes» spricht von seinem neuen Aufbruch.

Der siebente Ring des Werkes besteht aus siebzig Gedichten von mindestens vier und höchstens acht Zeilen, die zusammen dreihundert-neunundzwanzig Verse enthalten. Die Gedichte sind in Form und Inhalt aphoristisch zugespitzte lyrische Epigramme, deren Zusammenraffung sie zur Aufzeichnung auf «Tafeln» – vielleicht eine Erinnerung an Nietzsches «Zarathustra» – geeignet macht. Zehn der Gedichte sind in Strophen eingeteilt, von denen jede ein unteilbares Ganzes bildet, aber infolge des aphoristischen Charakters, der kompakte Fügung erfordert, nur so lose mit der folgenden Strophe verbunden ist, dass jede Strophe in sich ein gesondertes Gedicht bilden könnte. Innerlich lässt sich dieser Ring in drei Teile zerlegen, von denen der erste an Personen gerichtete Verse in siebenundzwanzig Gedichten umfasst, der zweite Orte und Kunstwerke wiederum in siebenundzwanzig Gedichten behandelt und der dritte die Zeitumstände bei Abschluss des Werkes in sechzehn Gedichten schildert. Eine Unterteilung des ersten Teiles in Gruppen lässt sich weder nach chronologischen noch sonstigen Gesichtspunkten feststellen. Wichtig für die Anordnung scheint dem Dichter in diesem, wie auch in den folgenden Teilen gewesen zu sein, dass das Satzbild in der rot und schwarz gedruckten Erstausgabe eine möglichst ausgewogene Gegenüberstellung von Titeln und Text auf den sich gegenüberstehenden Seiten zeigen sollte. In der Erstausgabe stehen sich auf nur drei Seitenpaaren die Titel der einzelnen Tafeln nicht in gleicher Höhe gegenüber. Der zweite und der dritte Teil lassen sich in je drei Gruppen von Gedichten nach der Verschiedenheit des Stoffes unterteilen, die Zahl der Gedichte in den einzelnen Gruppen ist aber verschieden.

Melchior Lechter, für den das Anfangsgedicht ursprünglich als Widmung der öffentlichen Ausgabe des «Teppichs des Lebens» geplant war, hatte sich an Carl August Klein in einem Brief gewandt, nachdem er zum erstenmal Einsicht in einen Band der «Blätter für die Kunst» erhalten hatte. Daraufhin besuchte Stefan George den Maler in seinem Atelier, stellte sich ihm aber, wie beide später scherzend berichteten und schon angedeutet wurde, als Carl August Klein vor in gleicher Weise, wie er in Briefen häufig seine Ansichten unter dem Namen Klein mitteilte, solange zwischen Klein und ihm noch eine tatsächliche Verbindung bestand. Der Dichter schätzte an Lechter die fast kindliche Einfachheit und Aufrichtigkeit in Leben und Werk, die ihn an die Einfalt in mittelalterlich deutschen Bildern und Skulpturen erinnerte. Lechter besass die handwerkliche Fähigkeit, den Fleiss und die Genauigkeit mittelalterlicher Meister des rheinisch-westfälischen Umkreises, dem er entstammte. Die im Gedicht genannten «Wunder» sind seine Werke, unter denen der Dichter, wie der «Schattenschnitt M. L.» zeigt, die meist in dunklen Farben gehaltenen Glasfenster neben den bis ins kleinste beobachteten, minutiös ausgeführten frühen Handzeichnungen bewunderte. Die gleichmässigen Anfangskonsonanten der ersten zwei Worte des ersten, dritten und fünften Verses halten die im Rhythmus lang ausgezogenen Zeilen zusammen.

Das zweite Gedicht bezieht sich auf den Hochzeitstag von Karl und Hanna Wolfskehl, zu dem es ihnen vom Dichter am 29. Dezember 1898 gegeben wurde. Die von langen Fahrten mitgebrachte Beute beider wird als bunt im Sinne Platos bezeichnet, und dies deutet auf eine Lebensführung, wie sie in der ersten Strophe des «Schattenschnittes K. W.» beschrieben ist. Der Dichter bewunderte Hanna Wolfskehls grosse Liebesfähigkeit und Karl Wolfskehls Treue, Zuverlässigkeit und Verschwiegenheit. Er spricht hier von der Heiligkeit der Ehe in gleicher Weise, wie er sie eine «fromme Bindung» in dem letzten Vers der dritten Strophe des Zeitgedichtes «Carl August» nennt.

Der Vierzeiler an Friedrich Gundolf entstand, Verwey zufolge, nicht lange nach der ersten Begegnung des Dichters mit Gundolf im August 1899 in Dornholzhausen bei Homburg v. d. H. Gundolf befasste sich damals wie auch später intensiv mit der Frage, ob Cäsar oder Alexander eine bedeutendere Rolle in der Weltgeschichte gespielt habe, er prüfte jedes Buch, das ihm in die Hände fiel, darauf hin und schlug stets instinktiv die Stellen auf, die von seinen Heroen handelten. – Der Dichter hat den Namen Gundelfinger, den er unschön fand, durch Gundolf ersetzt, wobei er wohl auch an historische Träger des Namens Guntolf dachte, wie zum Beispiel den Vater des lombardischen Mönches Anselmus, des Mitbegründers der Scholastik. Namen waren für den Dichter nicht bedeutungslos; er hielt sie zwar für etwas Äusserliches, aber nicht für zufällig. Einsilbige Nachnamen – «Monosyllaben», wie er ihre Träger nannte – und bestimmte Vornamen wie zum Beispiel Kurt und Richard waren ihm klanglich nicht angenehm. Fremdländische Vornamen wie Percy störten ihn und wurden bei Freunden durch ähnlich klingende deutsche Vornamen zum Beispiel Peter ersetzt. Die Ableitung von Vornamen interessierte ihn und wurde bisweilen in Gedichten zum Beispiel in «An die Kinder des Meeres» angedeutet, da er Nennung im Kunstwerk als bedeutungsvoll für den Namensträger ansah. – Das Gedicht an Gundolf spricht von einem Wunsch des Dichters, nicht von Erfüllung, da menschliche Nähe zwischen ihnen sich erst bei einer gemeinsam im Frühling 1900 nach Oberitalien unternommenen Reise entwickelte.

Stefan George war mit Richard Perls meistens in München, wo der Dichter damals Hesstrasse 9 wohnte und die «Traurigen Tänze» schrieb, zusammengewesen, zum letztenmal vor Perls' Tod sah er ihn aber in Brüssel bei der Kathedrale St. Gudula am Treurenberg. «Wimperge» ist der Plural von «der Wimperg» und der Bauhüttenausdruck für gotische Ziergiebel über Fenstern und Portalen sowie auch für den gesamten Aufbau auf gotischen Dächern, der ursprünglich das Dach vor dem Wind bergen, das heisst schützen sollte.

Der Spruch «Gespenster: An H.» ist an einen jungen, am Himalaja geborenen Engländer polnischer Herkunft namens Hugh Gramatzky gerichtet, der in den Tagen der Münchner Kosmiker eine Rolle spielte und im «Maskenzug 1904» den «Irrfahrer» darstellte. Er wird tagblind genannt, weil er Gespenster beschwor, mit ihnen umging und Ruinen und Gräber, nicht aber bedeutsame Geschehnisse, die sich im Licht des Tages vollzogen und hier als goldnes Lachen und goldnes Licht charakterisiert werden, richtig zu sehen vermochte.

Das Kairos-Gedicht steht zusammen mit «Vormundschaft», «Gaukler» und «Nordmenschen» im ersten Teil des Ringes, weil es wie jene Gedichte an bestimmte Personen ursprünglich gerichtet war, deren Namen vom Dichter nicht bekannt gegeben werden und mir unbekannt sind. Das Gedicht Kairos wurde geschrieben, nachdem jene Person, so sagte mir der Dichter, eine sich nur einmal bietende Gelegenheit verpasst hatte. Der Dichter glaubte nämlich, dass es in der Jugend eines jeden Menschen einen Augenblick gebe, in dem die Gestaltung seiner Zukunft von seiner eignen Wahl abhängig gemacht sei, wie es im ersten Spruch an die Lebenden im «Neuen Reich» zum Ausdruck gebracht ist. Er bedauerte, dass es in der deutschen Sprache kein einfaches Wort für den Begriff Kairos gibt, den die Griechen sogar als einen Gott ansahen und verehrten, und empfand die Umschreibung durch «Gunst des Augenblicks» als nicht bezeichnend genug.

Das Gedicht «An Henry» ist an Henry von Heiseler gerichtet, dem bedeutet wird, dass er den höchsten Kranz, obwohl er vom Schicksal begünstigt wird, nicht erringen kann, weil er sich niemals ganz gibt und den letzten Streit der Seelen flieht, der bei jedem Sich-ganz-Geben unvermeidlich ist. Der Dichter äusserte wiederholt, er müsse zu allererst den ganzen Kehricht des neunzehnten Jahrhunderts, insbesondere den Glauben an Nutzen des Fortschritts, aus dem Geist seiner Freunde fegen, wie in der «Kehraus»-Tafel gesagt wird, um sie für seine Erkenntnisse empfänglich zu machen.

«Vormundschaft» ist an eine Mutter gerichtet, die ihren Sohn in den Tagen der Kosmiker ängstlich fernhielt und ihn dadurch für nichts anderes als seine ersten Huren aufsparte. Ernst Gundolf glaubte, dass es sich um die Frau und den Sohn des Malers Schlittgen gehandelt habe.

«Gaukler» und «Nordmenschen» sind gleichfalls an Personen des Münchner Kosmikerkreises gerichtet. Der Gaukler macht sich selbst blind, um andere zu blenden, und entfacht ein ungebändigtes Feuer, das weder wärmt noch leuchtet, aber in Nächten bösen Alpdruck verursacht. Schuler kann nicht gemeint sein, da er besessen war und sich nicht selbst blind machte.

Auch kann der in Hannover geborene Klages nicht unmittelbar mit dem «Nordmenschen» Spruch angeredet worden sein, weil er nicht jedes Ziel mit sicherem Trott nahm. Dass den hellblonden Nordmenschen der dionysische Rausch nicht ansteht, ist innerlich und äusserlich aufzufassen und wird im fünfundzwanzigsten und sechsundzwanzigsten Gedicht des ersten Buches des «Sterns des Bundes» weiterverfolgt.

Mit dem Grossherzog Ernst Ludwig von Hessen (geboren am 25. November 1868, gestorben am 9. Oktober 1937) hatte der Dichter auf dessen Einladung hin am 7. September 1902 eine längere Unterredung. Bei dieser Gelegenheit hörte er im Garten des Schlosses das Lachen der kleinen Tochter des Grossherzogs, die sich in den Büschen versteckt hielt, wie mir der Dichter erzählte. Er sagte, dass der Grossherzog selbst wie ein kluges und sympathisches, aber verspieltes Kind gewirkt habe. – Das Pronomen «sie» in dem zweiten Vers deutet auf die «Stunden», die im Enteilen ihre Hände öffnen, damit sie von Menschen gefüllt werden. Der Grossherzog, der jeder Stunde lächelnd das ihr Gebührende zu schenken versteht, wird mit einem Heilruf von dem Dichter begrüsst, der umgekehrt ungezählte Stunden leer vorbeiziehen lässt, um seine Gabe für eine einzige Stunde aufzusparen.

«In Memoriam Elisabethae» bezieht sich auf die bereits erwähnte Tochter des Grossherzogs aus seiner Ehe mit der Grossherzogin Melitta. Der Dichter beklagte den frühen Tod des Kindes, das, wie er glaubte, vergiftete Erdbeeren gegessen habe, die für den damals gerade anwesenden Zaren, den Schwager des Grossherzogs, gedacht gewesen seien. Das Pronomen «sie» im vierten Vers bezieht sich auf das Hauptwort «Trauer» im zweiten Vers. Die Trauer des Liedes fliegt durch die schauervolle Weite zwischen Leben und Tod und zwischen den Seelen des Dichters und des Kindes sowie seiner Mutter, die schon getrennt lebend, zusammen mit dem Vater an der Beerdigung des Kindes teilnahm und deren Haltung bei diesem Anlass von vielen Hessen bewundert wurde. Die Mutter des toten Kindes scheint mit der Anrede «Betrübteste der Hände» gemeint zu sein.

Das folgende Gedicht ist an Sabine Lepsius gerichtet und erinnert, ebenso wie «Blaue Stunde», an die vielen Gespräche, die der Dichter mit ihr im Garten ihres Hauses in Westend bei seinen herbstlichen Berliner Aufenthalten führte. «Sommerbrand» bezieht sich nicht nur auf die solchen Herbstgesprächen voraufgehende Jahreszeit des Sommers, sondern auch auf Geschehnisse während des damaligen Alters beider, deren Mitteilung zur Sage und reifen, süssen Klage wurde. Die für beide nicht in Erfüllung gegangenen Wünsche quälten sie weniger, wenn sie die schönen Kinder der Frau Lepsius in ihrer Nähe spielen und lachen oder weinen sahen. Die Kinder waren die Blumen und die Gespräche waren die Früchte jener Tage.

An welchen Jesuitenpater der folgende Spruch gerichtet war, ist nicht bekannt. Unter Bismarcks Reichskanzlerschaft waren die Jesuiten längere Zeit hindurch in Deutschland als politisch gefährlich verfolgt worden. Der Dichter fordert die klugen und gewandten Väter auf, nach Deutschland zurückzukehren, da Dolch und Gift, deren Hilfe zu gebrauchen sie beschuldigt wurden, ihm weniger bedrohlich für den geistigen Bestand des Volkes erschienen als ein lügnerisches Loben der Gleichheit aller Menschen. Gerade ein solches Betonen der Mitte, des Mittelweges und der Mittelmässigkeit, sieht er als schlimmsten Verrat am Volk an.

Die an Albert Verwey gerichteten Verse stammen aus der Zeit kurz nach dem Krieg der Buren gegen die Engländer. «Drache» umschreibt, wie der Dichter mir sagte, den Eindruck, den er in der Kindheit beim Betrachten der Karte von England im Schulatlas empfing. Ein grosser Teil der Deutschen nahm leidenschaftlich für die Buren Partei. Der Dichter verhielt sich zweifelnd, er sah in den Taten der Buren, wie sie zum Beispiel von Botha und de Wet ausgeführt wurden, nur verwegene Streiche, bei denen er das für ihn Charakteristische echten Heldentums, «die stille Hand» vermisste. Das Ende des Krieges bezeichnet er als einen kläglichen Kauf und ein Joch. Das Gedicht schliesst mit der über jenen Krieg hinausreichenden Erkenntnis, dass man auf Massen keine Hoffnung setzen solle, da sie heute nur Schutt seien, und dass durch die Waffen und das Handeln der jetzigen Zeit niemals mehr ein Zustand des Heils erreicht werden könne. «Nie» gehört zu «mehr» und «dieser Welt» ist ein Genitiv, der von «Weg und Waffe» abhängt. «Heil» bedeutet hier sowohl «Heilung» als auch «Geheilt-Sein». Die Doppelbedeutung ein und desselben Wortes dient zur Verkürzung und Zusammenpressung des Stils in den «Tafeln» und wird im «Stern des Bundes» noch ausgedehnt.

Gerlof van Vloten war ein Schwager Verweys. Rastlosigkeit trieb ihn, wie der Dichter erzählte, unaufhörlich zu Reisen, die ihn bis nach China, in die Gärten des Ostens, führten. Er fand Ruhe erst durch freiwilliges Beenden seines Lebens auf einer Düne am Meer im Jahr 1904. «Ronde» ist das französische Wort für Runde, es wird militärisch für den vorgeschriebenen Weg einer Wache und auch für die Wache selbst nach Grimm gebraucht. Sponde ist ein norddeut-

sches Wort für das Gestell eines Bettes, abgeleitet vom lateinischen
sponda.

Carl August Klein erhielt das ihm zugeeignete Gedicht im März
1904. Mit der gleichen Entschiedenheit, mit der beide als Studenten
alles miteinander geteilt und sogar Blutsbrüderschaft geschlossen
hatten, hat jeder von ihnen einen anderen Weg in der gleichen Dekade
zwischen 1898 und 1908 eingeschlagen, um sich für die Erwartung
eines verwandelten Lebens freizumachen. Der Dichter bejaht die
Frage, ob dies dem Willen der Sterne entsprach, die das Schicksal
beider lenkten. Die Abweichungen in der Abschrift, die Klein erhielt,
ändern nichts am Sinn der Verse. Die Konstruktion der Sätze zeigt
die für den Stil der «Tafeln» typische Verkürzung und Verdichtung.

Nach dem Tod Maximins sandte der Dichter ein Lichtbild von sich
selbst, das Maximin gehört hatte und an den Dichter zurückgelangt
war, an Hanna Wolfskehl mit dem Vierzeiler, der ihr mitempfindendes
Verstehen für das Fühlen des Dichters bei dem Maximin-Erlebnis
preist. «Wieder kehre» in zwei Worten geschrieben, bedeutet nicht
«zurückkehre», sondern, dass ich «mich wiederum wende». Das
Trauerjahr ist die Zeit vom Karfreitag 1904 bis Karfreitag 1905. Der
Dichter hielt an Bräuchen, wie dem des Trauerjahres, fest, da er
glaubte, dass sie auf Grund langer Erfahrung und eines ursprünglichen
Wissens um die Seele des Menschen entstanden seien und sich im
Wechsel der Zeiten bewährt hätten. «Hier lebend» besagt «auf der
Erde lebend».

Die folgenden zwei Gedichte sind Robert Boehringer gewidmet. Die
Brücke war die völlig überdachte, hölzerne Rheinbrücke bei Rheinfelden, die später abgerissen wurde. Unter ihr strömte der Rhein noch
wild hinweg, als die beiden Freunde in den ersten Tagen des Aprils
1905 auf ihr in Rheinfelden auf- und abgingen. Bei Bingen hingegen
fliesst der Rhein in «sanftem Sprudel» und königlicher Weite. In
diesen Bildern sah der Dichter die Entwicklung seines jüngeren
Freundes von jugendlich wildem Überschäumen zu leise bewegtem,
gebietendem Dahingleiten voraus.

Das zweite Gedicht «An Robert: Abend in Arlesheim» behandelt
die Kehrseite des Überschäumens, nämlich die gleichfalls der Jugend
angemessene, zeitweilige Schwermut, die sich häufig sogleich nach
Phasen der Wildheit fühlbar macht und zu deren Ausgleich dient.
Dann erachtet das Herz sich selbst als zu sich für jeden Trieb und
verschmäht als zu sauer jede Frucht, die die Erde ihm bieten kann.
Von solcher Stimmung umfangen, sieht der Dichter den Freund im
sinkenden Abend in der Landschaft von Arlesheim sitzen und formt,
um ihn zu trösten, die zweite Strophe des Gedichts, nach der es nur
darauf ankommt, dass beide durch den naturgemässen Wechsel von

Licht und Dunkel, den Wandel der Stimmungen zwischen Erhebung
und Verzweiflung zusammen hindurchgehen, die Haltung wahrend,
die jedem von ihnen Werk und Traum verliehen haben, und die Mäler
stolz tragend, die jedem von ihnen alles Erleben – mag es Küsse oder
Tränen eingetragen haben – aufgeprägt hat. «Zusammengehn» ist,
wie das Ausrufungszeichen andeutet, hier eine Form des Imperativs
mit der Bedeutung von «lass uns zusammengehn». Leiden sind nach
Auffassung des Dichters die stets notwendigen Folgen, die Kehrseiten
von Freuden – sie werden durch das Bild vom Licht- und Schattental
umschrieben. Die Worte «und Mal» stehen verkürzend für «und in
(das heisst mit) den Mälern». Das neue Leben, vita nuova, legt nur
Wert auf solche Haltung und solches Zusammengehn.

Das Gedicht «An Ugolino» ist, wie schon erwähnt, an Hugo Zernik
gerichtet, dessen Vorname wegen seiner Jugend und zum Unterschied
vom Vornamen Hofmannsthals in der Diminutivform gegeben wird.
Der Dichter liebte es nicht, die Nachnamen junger Menschen im Werk
erscheinen zu lassen. Er sah darin die unnötige Festlegung eines sich
erst entwickelnden Daseins. Das Gedicht ist nach der Rückkehr des
Bewidmeten nach Deutschland gedichtet. Die ewigen Wogen trennen
Europa von Südamerika, die weit sich fliehenden Bogen des Geistes
sind ein vom Brückenbogen genommenes Bild für Verschiedenheit der
Ziele. Die zarten Tränen deuten auf wortlose Ergriffenheit, die Ugolino
als Kind zeigte. Die Kluft zwischen beiden beim Wiedersehn ist durch
das Verstreichen von Jahren, durch die Verschiedenheit ihres Traums
vom Ziel und durch die Weite des Meeres und der Kultur zwischen
zwei Kontinenten entstanden. Gundolf und Treuge kannten Hugo
Zernik, mit Gundolf blieb er lange im Briefwechsel.

Die beiden ersten Zeilen des folgenden Gedichts mahnen Lothar
Treuge, sich bis zum Ablauf der Zeit des Trauerns um Maximin zu
gedulden. Dabei ist nicht etwa nur an Ablauf des Trauerjahres gedacht, das lediglich die Mindestzeit des Trauerns kennzeichnet. In dem
dritten und vierten Vers bringt der Dichter zum Ausdruck, wie nah
ihm Treuge dadurch gekommen ist, dass er den Sinn des Ugolino- und
des Maximin-Erlebnisses für den Dichter begriffen hat. Dies gab
Treuge in einem Trauergedicht um Maximin zu erkennen, ohne ihm
persönlich begegnet zu sein, wie der Dichter mir sagte. Stefan George
brachte das Gedicht im Maximin-Gedenkbuch zum Abdruck.

«An Ernst» ist für Ernst Gundelfinger bestimmt. Der Dichter
pflegte scherzend von ihm zu sagen, dass er das Zimmer verdunkele,
bevor er mit der Arbeit an seinen Federzeichnungen und Pastellen
beginne. Seine Landschaften zeigen einen Urzeitcharakter, sie sind
mit Hilfe von tausend winzigen Strichen gezeichnet. Seine völlige
Wunschlosigkeit und Abgewandtheit vom Leben des Tages sprechen

aus seinen Gedichten in der siebenten Folge der «Blätter für die Kunst». Er war so belesen und so gescheit, dass sein Urteil bei Entscheidung wichtiger Fragen für den Dichter ausschlaggebend war. Seine Treue und Aufopferungsfähigkeit kannten keine Grenzen. Das Gedicht hebt hervor, dass er sehr scheu war und mit fast schmerzhaft emsiger Hand an seinem nächtig anmutenden Werk arbeitete.

Das an Ludwig Derleth, den «Kosmiker des Katholizismus», gerichtete Gedicht feiert ihn als unermüdlichen Kämpfer. Er verlangte von Jüngeren, die sich wegen eines Lebenszieles an ihn wandten, dass sie zunächst lange Fahrten zu geheiligten Orten des Katholizismus unternähmen. Den Abfall des Ludwig Klages machte er nicht mit – mit Schuler seit Jugend befreundet, billigte er dennoch dessen Sonderheiten nicht. Bisweilen blieb er längere Zeit abwesend und behauptete später, er sei in wichtigen religiösen Missionen in Rom gewesen. Sein Lebensfeld wird im Gedicht ein Totenanger genannt, weil er die niemals endende Macht der Liebe von Mensch zu Mensch verneinte. Stefan George fühlte sich ihm dadurch verbunden, dass beide sich damals frei von allem Besitz und Haus hielten und durch nichts gehindert waren, dem ersten Ruf einer Fanfare zu neuem Erleben zu folgen, wo immer sie sich gerade aufhalten mochten.

Der erste der zwei «Einem Dichter» überschriebenen Sprüche ist Walter Wenghöfer gewidmet. Ihm wird gesagt, dass auch in dem Hohlweg, in dem er sich aufhält, das heisst in der artifiziellen, reizvoll müden Rokoko-Atmosphäre seiner Gedichte, der natürliche Wechsel von herbstlich sanftem Licht und mildem Frühjahrsregen Knospen entstehen lassen und zum Öffnen bringen kann, dass sich aber Blüten zur vollen Pracht nur dann entwickeln, des vollen Segens nur dann erfreuen, wenn sie von dem mächtigen Strahl der Leidenschaft, der nicht durch die Enge eines Hohlweges an Kraft verloren hat, entfaltet werden. Der Dichter schätzte das Werk und die Lebenshaltung Wenghöfers ausserordentlich. Er hatte sich mit wenigen Büchern, die er immer von neuem las, völlig zurückgezogen und sah nur selten bestimmte Menschen, denen er ein treuer und sorgender Freund, solange er lebte, blieb. Von ihm berichtet ein nach seinem Tod geschriebenes Gedicht in den «Sprüchen an die Toten» im «Neuen Reich».

Anna Maria Derleth, die mit ihrem Bruder Ludwig in einer nur über Hausböden erreichbaren Dachwohnung nahe der Liebfrauenkirche in München hauste, wird in dem ihr gewidmeten Gedicht wegen der unbestechlichen Schärfe ihres Geistes gepriesen. In der ersten Strophe spricht sie selbst und hält den anderen Frauen, die wegen Gleichheit des Geschlechts als Schwestern angeredet werden, vor, dass sie alles mit Ausnahme des einen besässen, zu dem sie bald gerufen werden würden und das nur sie vollbringen könnten, womit die Fähigkeit gemeint ist, sich für etwas zu opfern, was grösser und wichtiger als das Glück des eignen Daseins sei. Weil jene andern diese Fähigkeit nicht besässen, ergehe es ihnen, wie es den törichten Jungfrauen der Bibel (Matthäus 25, 1–13) mit dem Öl ergangen sei. Sie werden betört genannt, da sie nicht erkennen, dass nichts als Opfer ihnen selbst Grösse verleiht. – In der zweiten Strophe spricht der Dichter zu Anna Maria Derleth. Er weiss, dass sie, gleich einer bösen Nonne, etwa wie sie die Vivarinis gemalt haben, das Planen und Tun aller Menschen für eitel hält. Wenn sie ihnen selten ein Lächeln zukommen lässt, dann verwandelt sich Düsterkeit des Geistes in sonnige Helle und die trüben Höfe der Wohnstätten, sogar die ganze Stadt werden zu einem Markt, auf dem man wunderbare Dinge erwerben kann. Das spielt auf den Jahrmarkt in München an, der Dult genannt wird und den die Kosmiker gern besuchten. Auf ihm konnte man damals noch seltene Dinge, sogar griechische Vasen und kostbare Antiquitäten wie früher auf den Trödelmärkten in Rom und Paris finden.

Das zweite «An einen Dichter» betitelte Gedicht ist an Ernst Morwitz gerichtet. Der Dichter las es mir im Herbst 1906 vor, als ich ihm bei Durchsicht einer Übersetzung der «Nachfolge Christi» half, und sagte, er freue sich, dass ich gerade noch in sein Werk «hineingeraten» sei. Es ist deshalb wahrscheinlich, dass dieses Gedicht eines der spätest entstandenen des Bandes ist. Es bezieht sich auf den farbenfreudigen Inhalt von Gedichten, die ich in meinem letzten Schuljahr vor Ostern 1906 geschrieben und dem Dichter gesandt hatte. Mit diesem Vierzeiler endet der erste Teil dieses «Ringes».

Der zweite Teil beginnt mit den sechs Rheingedichten, die die erste Gruppe dieses Teils bilden. In «Rhein I» deutet das fürstliche Geschwisterpaar, wie der Dichter mir erklärte, auf Philosophie und Musik, die die deutsche Kultur bisher beherrscht und in denen gerade die Deutschen ihr Bestes geleistet hatten. Die «Mitte des weiten Innenreiches» ist Deutschland als Mitte Europas, als Herz Europas, wie es im Wirrengedicht heisst, gesehen, und zwar wiederum auf Grund eines Eindrucks, den der Dichter als Kind beim Betrachten des Schulatlas empfangen hatte. Ausweislich der beiden letzten Verse nimmt der Dichter an, dass bald aus einem mindestens ein Jahrhundert langen Schlaf das dritte, gleichfalls echte Kind aufwachen und seine Fürstenkrone aus dem im Rhein versenkten Nibelungenschatz heben werde. Hagen hatte den von Siegfried erbeuteten Schatz der Nibelungen geraubt und ihn nach dem Nibelungenlied in «ze loche» im Rhein versenkt, womit, wie manche annehmen, das «Binger Loch» gemeint sein könnte. Der Dichter deutete mir an, dass mit dem dritten Kind die Plastik gemeint sei, in der seit der Zeit der Gotik grosse Kunstwerke in Deutschland nicht mehr geschaffen worden seien. Er selbst neigte, je älter er wurde, desto mehr dazu, die Plastik der Malerei vorzuziehen, und schätzte besonders die Tiefe von Herders Aufsatz über Plastik. Die besondere Bedeutung der Plastik geht aus dem dreiundzwanzigsten Gedicht des ersten Buches des «Sterns des Bundes» hervor.

Im zweiten Rheinspruch wird das Kommen eines Grossen vorausgesagt, der mit der Gabel, das heisst dem Dreizack, dem Symbol Poseidons, die Wasser des Rheins verzaubernd schlägt, so dass sie, vom Nibelungenhort goldrot gefärbt, hoch aufspritzen. Dann werden die Felsen und Ufer des Rheins ihren alltäglichen Anblick wechseln, aus dem «Tag» erwachen, und die toten Fabeln, die sie bisher umgaben, werden wieder zu lebendiger Pracht aufleben. Auch dies dürfte sich auf die Zeit nach dem Erwachen der Plastik, des dritten Kindes beziehen.

Im dritten Rheinspruch – die sechs Sprüche sind nicht miteinander verbunden, vielmehr wahrscheinlich einzelne Ansätze zu dem geplanten längeren Gedicht über den Rhein – handelt es sich um eine Beschreibung des Laufs des Rheins. Von der Quelle in den Alpen aus gesehen, donnert er im Wirbel durch tiefe Schluchten, erreicht Basel, nach dem römischen Namen Basilia hier «Erste Stadt» genannt, drängt von der Silberstadt Strassburg (Argentoratum oder Argentorate) nach Mainz (Maguntiacum), das seit dem Mittelalter das «goldene Mainz» genannt wird, und fliesst an Bingen vorbei nach Köln (Colonia Agrippinensis), das mit dem Adjektiv «heilig» von altersher wegen seiner vielen romanischen und gotischen Kirchen verbunden ist. Es ist wahrscheinlich, dass nicht nur der Anblick des Flusses, sondern auch die römischen Stadtnamen und die alten Beiworte für die Städte den Dichter bestimmt haben, die Begriffe des Königlichen und Fürstlichen mit dem Rhein in Verbindung zu bringen.

Im vierten Rheingedicht gibt der personifizierte Rhein die an ihn gerichtete Frage wieder, ob sich das Land an seinen Ufern nicht vor all dem scheut, was sich infolge des furchtbaren Gereuts als unwirksamer Dung im Fluss ansammelt. Das Hauptwort «Gereut» ist vom Dichter vom Verbum «roden» abgeleitet – nach Grimm wird gewöhnlich als Hauptwort «das Reut» oder «die Reute» gebraucht, um das Ausroden oder das Ausgerodete zu bezeichnen. – Hierauf erwidert wiederum der Rhein im dritten und vierten Vers, dass er selbst – eine Lustration vollziehend – den eklen Schutt in das reinigende Meer, die Nordsee, speit. Der Schutt wird als aus Rötel, Kalk und Teer gekennzeichnet. Hierin haben einige, wie der Dichter erzählte, die Farben der damaligen Reichsfahne in umgekehrter Anordnung gesehen. – Der Dichter erachtete als Hesse Bismarcks Reichsgründung in geistiger Hinsicht als nicht förderlich für die Deutschen, da sie allzu nivellierend wirken müsse und der Kulturstand des gesamten Bundesstaates nicht die Geisteshöhe einzelner süddeutscher Staaten erreichen könne. Er wies darauf hin, dass fast alle deutschen Dichter in der Vergangenheit südlich des Mains oder am Rhein geboren sind.

Das fünfte Rheingedicht umschreibt die Schönheit des Rheinlands in Bildern von Fluren, die von Getreide und Obst strotzen, von Weinbergen voll schwellender Trauben, von romanischen und gotischen hochaufragenden Kirchen und von altem Gemäuer, aus dem Rosensträucher und Fliederbüsche hervorbrechen.

Im sechsten Rheingedicht mahnt der personifizierte Fluss, man solle nicht vom nahen Bevorstehen des Festes eines erhöhten Lebens und von einem unvergänglichen inneren Reich sprechen – Fest und Reich sind, um ihren Charakter als Begriff und nicht als Einzelerscheinung anzudeuten, im Text mit grossen Anfangsbuchstaben gedruckt – und auch nicht von neuem geistigen Gehalt (Wein) in neuen Behältern (Schläuchen) reden, solange nicht die dumpfen und zähen Seelen der Deutschen von dem feurigen Atem des Flusses, seinem römischen Hauch, durchdrungen und geschmeidigt seien. Der Dichter betonte, dass geistige Kultur sich nur in den Teilen Deutschlands entwickelt habe, in die die Römer von Süden her gekommen seien – der Rhein, der Main und der Limes seien nicht nur damals die Grenze der Kultur gewesen, sondern auch Jahrhunderte hindurch geblieben. Die Bezeichnung der Seelen der Deutschen als dumpf und zäh weist zurück auf das Jean-Paul-Gedicht und geht den Hyperion-Hymnen im «Neuen Reich» vorauf.

Es folgen sieben Gedichte, die deutsche oder nordische Kunstwerke und ihre Schöpfer betreffen. Sie bilden die zweite Gruppe des zweiten Teils dieses Ringes. In den Versen über die Madonna des Meister Wilhelm in Köln wird der Einfluss betont, den deutsche mittelalterliche Malerei auf den Dichter sogar in den Jahren hatte, in denen er sich hauptsächlich in Paris oder Brüssel aufhielt. Wenn er von dort, von Westen, zum Rhein, voll Gram über die Zeitumstände in der Heimat, zurückkehrte, besuchte er das Bild der Madonna, die ihm lächelnd als Trost zu bedeuten schien, dass die Deutschen einstmals klar und tief genug gewesen waren, um ein so überragendes Kunstwerk hervorzubringen. Er nennt sie «Madonna mit der Wicke», da er ihre Blume – im Gegensatz zu den Kunsthistorikern jener Tage – als eine Wickenblüte ansah.

Das Bild der drei Könige des Lisborner Meisters, auf dem der jüngste der Könige in der im Gedicht beschriebenen Weise erscheint, befindet sich jetzt im Museum in Münster. Der Dichter war durch Friedrich Wolters auf das damals noch in Privatbesitz befindliche Gemälde aufmerksam gemacht worden. Die Verse werden dem König bei der Anbetung in den Mund gelegt, der jung und seiner eignen Jugend froh auf dem Bild dargestellt ist. Es war im Mittelalter nicht unüblich, gerade den jüngsten der drei Könige mit weltlichen Neigungen in Verbindung zu bringen. Auf einem Gemälde von Gentile da Fabriano in den Uffizien in Florenz lässt sich der jüngste König, während er anbetend kniet, die goldnen Sporen abschnallen.

Den Titel « Nordischer Maler » benutzt Goethe in Oberons Hochzeit im « Faust ». Der Vierzeiler behandelt eine Sonderheit der Kunst Rembrandts. Als Lösung für das Geheimnis dieser Kunst und als Erklärung für das, was der Dichter als ein inneres Gebrechen dieses Malers empfindet, kommt er, nachdem er sich lange Nächte mit der Frage gequält hat, darauf, dass Rembrandt Reste vom Glanz, der an dem Leib der Engel, auch nachdem sie gefallen sind, noch haftet, sogar in seine Himmel mithineinmalt. Der Dichter nannte dies eine nordische Verdrehtheit, die er bei Rembrandt verschiedentlich wahrnahm, zum Beispiel in den Engeln, die mit zeitgemässen Schnurrbärten ausgestattet sind, und in dem Ganymed, der, während er vom Adler aufwärtsgetragen wird, ein irdisches Bedürfnis verrichtet. Im ganzen schätzte der Dichter in der niederländischen Malerei Vermeers geheimnisvolles Licht mehr als Rembrandts Helldunkel und Erdhaftmachung, ebenso wie er in der flämischen Malerei die stille, abgeklärte Einfachheit Rogers van der Weyden über die ekstatische, seelische Bewegtheit der Gesichter bei van der Goes stellte. – Der Gebreste oder das Gebresten deutet als Wort auf jede Art von Gebrechen, Schaden, Beschwerde, Mangel und Fehler.

« Nordischer Bildner » bezieht sich auf die Werke eines nordischen Bildhauers, wahrscheinlich auf die Skulpturen des damals weit berühmten Stephan Sinding. « Nordisch » deutet in diesen Gedichten an, dass es sich nicht um einen deutschen Künstler, sondern um einen aus Ländern, die nördlich von Deutschland liegen, handelt. Der Lett oder Letten ist der Töpferton. Der Bildhauer wird aufgefordert, die letzten Hüllen und Ketten, die ihn an Vervollkommnung hindern, von sich zu werfen, damit er nirgends mehr in dem erdschweren Material des Tons befangen bleibe und den Sprung ins volle Licht wagen könne.

Den Altar von Matthias Grünewald im damals deutschen Kolmar behandelt das folgende Gedicht. Christus ist darauf, nach Ansicht des Dichters, derart dargestellt, dass sein wunder Leib während des Lebens alle Pein, verursacht durch die klauenartigen Hände der Henker und die Hufe und ekelerregende Behaarung der Ungeheuer, geduldig auf sich nimmt, um sich selbst nach dem Tode für einen einzigen Augenblick in einer rosenfarbenen Gloriole der Verklärung zu fühlen.

Den Mönch von Heisterbach, dem nach der Sage hundert Jahre bei seinem Sinnen so rasch wie eine Stunde vergingen, lässt der Dichter zum Ausdruck bringen, dass alles, was an grosser Tat bisher auf der Erde vollendet worden ist, wie der Bau von Türmen, die als architektonisch weithin sichtbarster Teil hier die ganze Kirche bezeichnen, das Gestalten von Sängen, das Formen von Sagen und das Davontragen von Siegen nur durch innere Frömmigkeit, durch die Inbrunst des Gebets hervorgebracht werden konnte. Wo solche Frömmigkeit fehlt, wie es heute der Fall ist, bleibt vor Gott alles Menschenwerk Spreu, das heisst fruchtloser Getreiderest, und die Menschen selbst sind nichts andres als Gewürm. Mittelbar wird in diesem Gedicht auch gesagt, dass der Dichter das Formen von Sagen – ebenso wie das Entstehen der sogenannten Volkslieder – als Kunst ansieht und auf ein Werk von Individuen zurückführt.

Im «Haus in Bonn» spricht Beethoven zu den Deutschen. Er singe ihnen in seiner Musik vom Streit und Sieg «von» das heisst hier auf oberen Sternen, bevor sie zum Kampf um die Kunst auf der Erde, ihrem Stern, erstarkt seien. Er erfinde für sie den Traum «bei» das heisst von ewigen Sternen, bevor sie die Kraft hätten, die Schönheit des menschlichen Leibes auf der Erde zu ergreifen, das heisst zu begreifen und darzustellen. Die vom Dichter gewählten Präpositionen und Verben erweitern die Bedeutung der Bilder. Für den Dichter war die Entrückung und das Abstrahieren vom Irdischen in eine Traumwelt das Charakteristische für neuzeitliche Musik. Er hasste jede Art von Sentimentalität ebenso sehr, wie Beethoven es tat, und wie jener nach dem Spielen den Klavierdeckel mit lautem Geräusch zuwarf, verliess Stefan George, nachdem er vorgelesen hatte, sogleich mit besonders festen Schritten das Zimmer. Der Dichter sah Musik als eine Kunst an, in der eine Ära ausklingt, während ihm Plastik als Kunst aufsteigender Zeiten erschien.

Im Vierzeiler «Worms», mit dem zusammen die dreizehn folgenden Sprüche über Städte des deutschen Kulturbereichs die dritte Gruppe des zweiten Teils dieses Ringes bilden, spricht der Dichter selbst. Das neue Erwachen der Welt deutet auf die Renaissance, die mit dem Südwind Blütenwolken, das heisst Kunst und fernste Schätze, das heisst die Literatur, die aus der Antike übriggeblieben war, nach dem Norden, nach Deutschland gebracht hat. Demgegenüber erscheinen dem Dichter die Reformation, die von Deutschland ausging, als das Einsetzen von Frost und die Auseinandersetzung über sie als Mönchsgezänk und starre Sätze (Thesen), auf Grund derer der schönste Frühling, die Wiedergeburt der Antike, aus Deutschland geflohen und für das Volk nur ein Stöhnen über die Leiden der Reformationskriege zurückgeblieben ist. Der Dichter teilte mit Nietzsche die Abneigung gegen Luthers Wirken. In der Reformation sah er mit dem ihm befreundeten Max Weber die Grundlage für Kapitalismus und Sozialismus, die den geistig unfruchtbaren Aufstieg der Masse ermöglicht hätten. Nietzsche sagt: «Die Deutschen (Luther) haben Europa um die Umwertung aller Werte, die die Renaissance bedeutete, gebracht.» Im folgenden Gedicht spricht der Dichter zur Günderode, die bei Winkel, das mit dem ältesten Wohnhaus Deutschlands schräg gegenüber von Bingen liegt, Selbstmord beging, indem sie sich in einem Boot nachts erdolchte und in den Rhein sinken liess. Er bezeichnet sie als die Huldin der Sagengaue, das heisst der deutschen Romantik. Das Wort «Gau» weist, wie schon erwähnt, bei Stefan George meistens auf Deutschland, es stammt aus dem Gotischen und bedeutet ursprünglich Land im Gegensatz zu Gebirge und Stadt. Huldin ist im neueren Sinn des Wortes als Bezeichnung für eine besonders anmutige Frau gebraucht, die Goethe «Holdin» nennt, während im älteren Sprachgebrauch Huldin umgekehrt eine Bezeichnung für eine besonders hässliche oder unangenehme Frau (Frau Holle) war. Der Dichter betonte, dass die romantische Bewegung von Deutschland aus in andere Länder gedrungen ist. Mit «planlosem Feuer» und «Geisterschein», das heisst einer Vorliebe für Geister und Mondschein in ein Wort zusammengepresst, charakterisiert der Dichter die Romantik, die er bisweilen als künstlich und übersüss empfand. Die Romantiker sprachen viel von ihrer der deutschen Klassik entgegengesetzten Weltanschauung, die Günderode aber setzte sie in Taten um, sie lebte und starb in ihr und für sie. Es ist gerade das Bereden und Zerreden der Dinge, das Erleben hindert und manches im Werk der Romantiker unecht erscheinen lässt, wie der Dichter es auszudrücken pflegte.

Das Öffnen der Gruft Karls des Grossen im Dom von Aachen veranlasste den Dichter zu dem im Jahr 1907 prophetisch erscheinenden Ausspruch, dass es nur einen einzigen mildernden Umstand für den Frevel des Scharrens in geheiligten Grüften gebe, nämlich die Ahnung und Furcht, ein Ende mit Pech und Schwefel, den Symbolen der damaligen Art von Kriegsführung, stehe bereits nahe bevor.

Im Hildesheim-Gedicht wird vom Dichter als Trost gegenüber der Schändung heiliger Orte darauf hingewiesen, dass einzelne der guten Kräfte noch wirksam geblieben sind. Zum Beispiel scheine der angeblich tausend Jahre alte Rosenstrauch am Dom von Hildesheim in der Obhut eines treuen Gärtners wieder farbenvolle Knospen getrieben zu haben. Das gleiche soll übrigens sowohl nach dem ersten wie auch nach dem zweiten Weltkrieg, in dem die Äste durch Bomben verletzt worden sind, von neuem geschehen sein.

Der Dichter sah, wie er mir erzählte, den Dom von Quedlinburg während eines Sturmes, der so stark war, dass die Skulpturen der Heiligen und Gesalbten der Bibel an der Aussenseite der Kirche sich heftig zu bewegen schienen. Sie sind es, die hierdurch im dritten und vierten Vers zum Ausdruck bringen, dass sie die Höhen schützen, mögen jene auch ihren früheren Glanz aus den Tagen der mittelalterlichen deutschen Kaiser verloren haben. Das Wort «Höhen» weist geographisch auf die Berge des Harz-Gebirges, die von Quedlinburg aus sichtbar sind. Der Harz ist ein Zentrum deutscher Sage. Das Wort «Höhen» deutet gleichzeitig auch auf die Höhe der Kultur Deutschlands, es wird hier im Doppelsinn im verkürzenden Epigrammstil gebraucht. Die Deutschen sollen nicht glauben, so besagt der Vierzeiler, dass für sie das Heil von der entgegengesetzten Seite, vom Osten her, aus dem Sand der Mark Brandenburg kommen werde. Die Abneigung des Dichters gegen das Preussentum tritt hier erneut zutage.

In dem Vierzeiler über München spricht der Dichter zu der Stadt. Bei «Geistern», die in München noch zu wandern wagen, denkt der Dichter sowohl an ausserhalb ihrer Zeit stehende Bewohner, wie Schuler und Derleth, als auch an geistig hochstehende Menschen, besonders Künstler im allgemeinen. Geist hat also hier eine doppelte Bedeutung, ähnlich wie «Höhe» im voraufgegangenen Gedicht. Der Dichter findet den Boden Münchens noch nicht vom Doppelgift verseucht. Es besteht, wie der sechste Jahrhundertspruch zeigt, aus Zerstreuung, die zwecks Selbstbetäubung gesucht wird, und Musik, die zu tatenhinderndem, weichem Geniessen verlockt, wie im sechsten Gedicht des dritten Buches im «Stern des Bundes» dargetan ist. Echte Jugend und unbekümmert kräftiges Volk traf der Dichter damals in München und bei den dortigen öffentlichen Festen in grösserer Zahl als im übrigen Deutschland an, deshalb fühlte er sich im Umkreis der Türme der Liebfrauenkirche beheimatet. Nur in München habe die Kosmik, die dem Erscheinen Maximins habe vorausgehen müssen, um die Atmosphäre dafür zu bereiten, gedeihen können, pflegte der Dichter zu sagen. In diesem Sinn ist München für die nach dem «Teppich des Lebens» gedichteten Werke der gegebene Ursprungsort gewesen.

Die alten, kleinen und niedrigen Häuser in der Au, einem Stadtteil Münchens, erwecken durch ihre aus den Giebeldächern vorspringenden, mit kleinen Sondergiebeln versehenen Fenster in bunt bemalten Holzrahmen, die der Dichter als ganzes Erker nennt, sowie mit ihren Schindeln und zeitgrauen Balken Erinnerungen an vergangene Zeiten. Drei oder vier dieser Häuser, die im Volksmund «Herbergen» heissen, ohne jemals Gasthäuser im heutigen Sinn des Wortes gewesen zu sein, stehen noch jetzt in der Lohstrasse in München. Es scheint, dass sie Herbergen genannt wurden und werden, weil in ihnen, als am Rand der Stadt liegend, einzelne Reisende in früheren Zeiten bisweilen gastfreundlich aufgenommen wurden. Es gab vor 1907 in der Au noch Plätze, auf denen wie auf alten, verwunschen anmutenden Dorfplätzen der leiernde Gesang eines harmlos Unbeschwerten Wehmut erregend ertönte, ähnlich wie es im fünften und sechsten Gedicht der «Traurigen Tänze» beschrieben wird. «Schalk» ist hier nicht mehr in der älteren Bedeutung «Knecht» gebraucht.

«Bozen: Erwins Schatten» bezieht sich auf den Erwin in Leopold Andrians «Garten der Erkenntnis». Das Buch machte einen stärkeren Eindruck auf den Dichter als Leopold Andrian selbst, mit dem er, wie erwähnt, nur zweimal in Wien kurz zusammentraf. In dem Gedicht wird der Eindruck geschildert, den das damals österreichische Bozen auf den Dichter machte und den Andrian als Empfindung des Erwin beim Anblick der Stadt in ähnlicher Weise schildert. Die Frage bleibt offen, ob Andrians Kunst den Eindruck erzeugt oder ob der Eindruck die Kunst Andrians für den Dichter vertieft hat.

Im «Bamberger Reiter» sieht der Dichter nicht König Stephan von Ungarn, für dessen Darstellung die damaligen Kunsthistoriker die Statue hielten, sondern die Züge und Haltung eines unbekannten, streitbaren königlichen Franken. Wegen seines Unbekanntseins nennt ihn der Dichter den «Fremdesten», wegen seines Frankentums ist er ein echter Spross Deutschlands. Das heutige bayrische Franken wird, wiederum auf Grund eines durch die Landkarte vermittelten kindlichen Eindrucks, als Flanke Deutschlands bezeichnet. «Zur guten Kehr» weist auf den Glauben des Dichters, dass solch ein echter Spross immer wieder, wenn es die Zeitumstände erfordern, aus dem unverbrauchten Volk der Deutschen hervorbricht. Die zweite Strophe handelt von dem sinnenden Arzt, der auf einem Relief an dem von Tilman Riemenschneider um 1500 aus Solenhofener Marmor geschaffenen Grabmal des Kaisers Heinrich II erscheint. Heinrich II (1002–1024) stiftete 1007 das Bistum Bamberg und gilt als Gründer des Doms, in dem sich auch die Statue der sogenannten Sibylle befindet. Auf dem Relief am Grabmal sitzt der Arzt, dessen Gesichtszüge Ähnlichkeit mit denen des Dichters zeigen, bei dem Lager des Kaisers und hält einen Blasenstein in der Hand, von dem der Kranke befreit worden ist. Die Kemenat kann nach Grimm ein Schlafzimmer jeder Art bezeichnen. In diesen für das Leben des Dichters selbst prophetischen Versen wird betont, dass der Arzt nicht als Parteigänger, Waibling oder Welfe, sondern als stiller Künstler dargestellt ist, der versonnen auf die zur Vollendung seines Werkes notwendige Hilfe des Himmels wartet. Die streitbare und die sinnende Geistesrichtung der Franken, die schon in «Porta Nigra» beschrieben wurden, sind hier einander gegenübergestellt.

Konradin ist am 25. März 1252 auf der Burg Wolfstein geboren, hat sich aber auf der Burg Trausnitz aufgehalten, die in Landshut an der Isar im Jahr 1204 von Herzog Ludwig I von Bayern an der Stelle eines

älteren Wartturms erbaut worden war. Der Dichter beschreibt, wie
Konradin über die Isar und das Flachland hinweg mit sehnsucht-
entflammtem Blick zur Alpenkette schaut, die den Zugang zum Süden,
das heisst das Tor der Selde darstellt. Unter Selde ist hier nach der
älteren Bedeutung des Wortes Segen, Glück oder Heil, nach Grimm
von einem althochdeutschen Stamm hergeleitet und seit dem sechzehnten Jahrhundert nur selten gebraucht, zu verstehen. Mit den
«Späten deiner Brüder» weist der Dichter auf die jungen Deutschen,
die noch heute laut «Südlicher Strand: See» und «Goethes letzte Nacht
in Italien» ebenso erwartungsvoll wie einst Konradin von der Heimat
aus nach dem Süden, nach Italien als Land der Erfüllung ihrer Träume
blicken. Zugleich deutet das Wort «Späte» an, dass der Dichter etwas
wie Spätlinge in den Heutigen sieht. «Süder» ist bei Grimm nur als
Adjektiv genannt und weist sowohl auf aus dem Süden kommend, aus
dem Süden stammend, wie auch auf nach dem Süden gehend oder
strebend. Von Konradin handelte bereits das Rom-Fahrer-Gedicht.
Er wurde bei dem unglücklichen Feldzug nach Sizilien zur Wieder-
erlangung seines Erbes gefangen genommen und zusammen mit seinem
Freund Friedrich von Baden nach einem Scheinprozess am 29. Oktober
1268 auf dem Marktplatz in Neapel enthauptet.

Die Schwesterstädte sind Weimar und Jena. Das Präsenz des
Verbums «schweigen» im ersten Vers hat den futurischen Sinn von
«wird schweigen». Von den prahlerisch verkündeten Errungen-
schaften der Neuzeit wird man – so sagt der Dichter – dann schon
lange nicht mehr reden, wenn noch alle Völker, nicht etwa nur die
Deutschen, die Spuren der Götter und Helden segnen werden, die
Weimar, eine fern von den grossen Verkehrsstrassen liegende Land-
stadt, für eine Weile zu ihrem Sitz gewählt hatten. Die zweite Strophe
deutet auf Napoleon, der von einem Hügel aus den Verlauf der
Schlacht bei Jena beobachtet haben soll. Er wird der letzte grosse
Stern, der letzte Heros an einer Zeitenbiege, dem Anbruch des neunzehnten Jahrhunderts genannt. Das Joch, das er den Deutschen auferlegte, scheint dem Dichter in kultureller Hinsicht mehr Früchte für
sie getragen zu haben, als manche matten, militärisch von ihnen er-
rungenen Siege, da weder zuvor noch nachher das deutsche Schrift-
tum die gleiche Höhe wie zu Goethes und Hölderlins Lebzeiten erreicht hat, die beide aus ihrer Bewunderung Napoleons kein Hehl gemacht haben. Diese Art historischer Deutung war für die Unbedingt-
heit des Dichters auch im Gespräch charakteristisch, sie findet sich
bereits hinsichtlich mittelalterlicher deutscher Kaiser in «Die Gräber
in Speier» und wird in «Burg Falkenstein» zur Sage erweitert.

Das «Heiligtum» ist für den Dichter eine in Darmstadt im Privatbesitz aufbewahrte Totenmaske, die er als Totenmaske Shakespeares

ansieht. Mit dem leblosen Gekling wird der besonders starke Lärm der Strassenbahn im damaligen Darmstadt gekennzeichnet. Das einzig lebende Ding in Darmstadt ist für den Dichter die zu jener Zeit dort befindliche sogenannte Darmstädter Madonna von Holbein. Die Totenmaske zeigt einen aussergewöhnlich ebenmässig geformten Schädel und Gesichtszüge, die tiefe Verachtung der Umwelt auszudrücken scheinen. Der Dichter sagte, dass Shakespeare nur zwei Arten von Menschen nicht verachtet habe: die Jugendlichen und die grossen Herren.

«Stadtufer» spielt an der Weidendammer Brücke, der damals verkehrsreichsten Gegend Berlins, dicht beim Bahnhof Friedrichstrasse. Der Dichter vergleicht das Wirrsal der Menschenfüsse, Pferdehufe und Wagenräder mit dem Gewimmel von Tausenden von Spinnen, die Algabal zu seinem Vergnügen in einer Holzkufe habe sammeln lassen. Überliefert ist durch Lampridius jedoch nur, dass Algabal Spinngewebe sammeln liess, um daran die Grösse Roms zu schätzen. – Grosstädte werden von Goethe durch Mephisto im Faust II als «Ameisen-Wimmel-Haufen» bezeichnet. – In der zweiten Strophe beschreibt der Dichter einen jungen Irren, der inmitten des Gewirrs am Geländer lehnend die Geister ruft und jagt. Die Gesten seiner bleichen Hände und die Blicke, mit denen er sich zum einzig Unverfälschten in dieser Umgebung, nämlich zum Himmel wendet, besitzen für den Dichter mehr Wirklichkeit als das betriebsame Hasten der Menschen auf den Strassen und über die Brücke.

Der «Stadtplatz», der letzte der Sprüche des zweiten Teils dieses «Ringes», deutet auf den Potsdamer Platz in Berlin. Der Dichter wirft den Menschen seiner Zeit vor, dass sie, ob hoch oder niedrig, dem Götzen des Geldes nachliefen, der flache, hohle und gemeine Flitter, das heisst Geld oder durch Geld erwerbbare Dinge, aus ihrem besten Pfunde münze. Blut und Seele werden zusammenfassend als Pfund im übertragenen Sinn bezeichnet, während Pfund ursprünglich umgekehrt durch Wiegen bewertetes Geld bedeutet hat. Voll Trauer prophezeit der Dichter, dass solch ein Tun durch Armut, Not und Schmach gesühnt werden muss.

Die sechs Jahrhundertsprüche bilden die erste Gruppe des dritten Teils, mit dem der Ring und der ganze Band abgeschlossen wird. «Stadtufer» und «Stadtplatz» sind der Übergang zu dem Schlussteil, da in diesen beiden Gedichten die Kritik an den Zeitumständen bereits eine wichtigere Rolle als das besondere Lokalkolorit spielt. Im ersten der die Zeit um 1900 beurteilenden Sprüche spricht der Dichter den Glauben aus, dass stets nur ein einziger Mann einen umfassenden Begriff für Denken und Sagen einer Epoche prägt, während Zehntausende sterben müssen, ohne dass ihr Dasein für die Nachwelt Klang erhält.

Für zehntausend Münder setzt nur ein einziger Mund das Mass, das heisst Ton und Rhythmus. In jeder Ewe – hier wird das alte holländische Wort für «Zeitalter» in modernes Deutsch übernommen – herrscht nur ein Gott und nur ein einziger kann sein echter Verkünder sein. Das erinnert an einen Aphorismus Hölderlins: «Meist haben sich Dichter zu Anfang oder zu Ende einer Weltperiode gebildet. Mit Gesang steigen die Völker aus dem Himmel ihrer Kindheit ins tätige Leben, ins Land der Kultur. Mit Gesang kehren sie von da zurück ins ursprüngliche Leben. Die Kunst ist der Übergang aus der Natur zur Bildung und aus der Bildung zu der Natur.» Der Dichter zitierte gern einen Spruch aus der Edda in folgender Form: «Was einer nur weiss, ist immer das Best – das ist mein letztes Lied.»

Im zweiten Jahrhundertspruch beschuldigt der Dichter seine Zeitgenossen, dass auch sie ihr Erbteil für ein Linsengericht, ein Mus, verkauft hätten, so dass sie in kurzem den köstlichsten Erwerb als Plunder ansehen würden. Sie wüssten nicht mehr zu unterscheiden, was wahr und was falsch, was echt und was unecht sei. Nur noch tollste Wundergeschichten betrachteten sie als Wahrheit und Wirklichkeit. Der letzte Vers beklagt ein Unheil, das der Dichter aus den vom Schicksal auferlegten Fesseln losbrechen und mit nacktem Fuss unhörbar, aber unheimlich rasch den Weg nehmen sieht. Dies bezieht sich, wie der Dichter mir bedeutete, auf die falschen Führer der Jugend, die gerade zu jener Zeit ihre Tätigkeit in Deutschland begannen.

Der dritte Jahrhundertspruch stellt fest, dass jedermann – sowohl Regierende wie Regierte – sich nach dem rettenden Mann und einer rettenden Tat sehne. Der Hohe Rat erscheint in «Der Dichter in Zeiten der Wirren» als der weise Rat wieder. Ihnen allen ruft der Dichter zu, dass keiner aus ihrer Mitte, keiner der mit ihnen Gemeinschaft pflegte, die ersehnte Tat vollbringen könne und vollbringen werde. Eher würde einer die Tat tun, der jahrelang mit Mördern zusammen gewesen sei oder seine Nächte, von allen verurteilt und verachtet, in Gefängnissen verbracht habe. Nach «Der Dichter in Zeiten der Wirren» besteht die grosse Tat im Wiederherstellen des rechten Masses. Es ist möglich, dass der Dichter durch das Auftreten des Schusters Voigt, des Hauptmanns von Köpenik, zu diesem Vierzeiler angeregt wurde.

Der vierte Jahrhundertspruch enthält eine Prophezeiung des damals nahe bevorstehenden ersten Weltkrieges. Der Spruch ist somit ein Vorläufer des fünfzehnten Gedichts des ersten Buches des «Sterns des Bundes». Wer zu der «kleinen Schar» gehört, wird hier nicht gesagt, doch scheint es sich aus dem siebenten Gedicht des «Vorspiels» und den «Winken» im «Neuen Reich» zu ergeben, dass der Dichter seine Freunde meint. Der letzte Vers besagt nicht nur, dass allein der Dichter den kommenden Krieg voraussieht, sondern auch dass kein anderer die Grösse der nahen Gefahr zu ermessen vermag. Diese Doppeldeutigkeit des letzten Verses ergibt sich aus der Stellung der Worte, die eine volksmässig verkürzte Ausdrucksweise mit bewusster Technik ins Gedicht übernimmt. Es ist der Ton des Sprechens, der diesen Vers bedeutungsvoll und wirksam macht.

Der fünfte Jahrhundertspruch behandelt den Russisch-Japanischen Krieg und die daran anschliessende Revolution in Russland, von der damals viele das Ende des Zarismus erwarteten. Der Dichter sieht darin ein wirkungsloses Strohfeuer, solange sich nicht inmitten ziellosen Geschreis ein einzelner als wahrer Täter erhebe und den rechten Weg erkenne und weise. Zu diesem Zweck müsse aber das russische Volk entfacht werden und das sei kaum möglich, da es seinem Denken nach aus Kindern und Greisen bestehe, also bis dahin nicht Männer mit tatkräftigem Geist hervorgebracht habe. Den gleichen Gedanken äusserte für seine Zeit Friedrich der Grosse zu dem Marquis Lucchesini in den Worten, die Russen seien aus Kindern sogleich luxuriöse, weichliche Greise geworden.

Der sechste Jahrhundertspruch besagt, dass eine Erneuerung, eine Renaissance nur aus einem geistigen Bezirk kommen könne, der den Zeitgenossen am fernsten liege – dies sei der Inhalt des prophetischen Gesangs, der bereits über das den Frühling ahnende Land brause. Das Fernste wird später als ein Schaffen von neuem Raum im Raum umschrieben. Die Frühlingstrift wird im dreissigsten Gedicht des zweiten Buches des «Sterns des Bundes» sichtbar gemacht. Die Erneuerung setzt die Heilung von zwei Übeln voraus, von denen bereits die Rede war: von der Sucht nach Zerstreuung und dem Sich-Betäuben mit zuviel Musik. Hochzeit heisst hier Einung, Vereinigung der zeugenden und gebärenden inneren Kräfte.

Mit dem Gedicht «Verführer I» beginnt die zweite Gruppe des dritten Teils des Ringes, in der in zwei Gedichten die negativen und in weiteren zwei die positiven Kräfte jener Zeit geschildert werden. Die beiden Verführer-Gedichte sind abstrakte Darlegungen der Wirkung des Widerchrists, der bereits unter den «Gestalten» aufgetreten ist. Die erste Strophe beginnt mit Worten des Widerchrists, nach denen das Streuen eines an sich wertlosen Sandes eine zweimalige Ernte und doppelten Milchertrag zur Folge hat, so dass man im Überfluss schwelgen und über die Kargheit der von den Eltern gewonnenen Erträge der Erde spotten kann. Im vierten Vers sagt der Dichter, dass als Folge solchen Tuns schon ein Jahr später alles brach und welk bleibt. Es wird demnach die Verführung durch fortgeschrittene Technik gegeisselt und erklärt, dass erzwungene Überproduktion mit verlängertem Aussetzen neuer Produktion bezahlt werden muss. In der zweiten

Strophe handelt es sich um Verführung auf geistigem Gebiet, die die Grundanschauungen und Begriffe verändert. Diese Verführer verkünden mit grellen, marktschreierischen Tönen, mit grossem oratorischen Aufwand, dass Gott zu gleicher Zeit ein Tier, dass ein Ding zugleich kein Ding, dass grade zugleich krumm sei. Die Menge glaubt diese Lehren, wenn sie ihr genügend eingehämmert werden, und sieht auf Grund solcher Veränderung der Anschauungen das Leben des Einzelnen und die Geschichte von Ländern und Zeiten in einem neuen Licht, das sie veranlasst, zu staunen und zu feiern. Von einer derartigen Veränderung der Begriffe und Ausdrucksweise bei den Bewohnern von Corcyra im Peloponnesischen Krieg berichtet, wie schon erwähnt, Thucydides im dritten Buch seines Werkes. Das Wort «durchrauschen» hat hier den doppelten Sinn des Hindurchbrausens und der Versetzung in einen Rauschzustand. Nur wer die Grundnote, das zugrunde liegende Motiv zu erkennen weiss, sagt die letzte Strophe, ist gegen die Verführung gefeit und lacht, bleibt aber stumm, da kein anderer auf ihn hören würde. Es braucht nicht besonders darauf aufmerksam gemacht zu werden, dass diese zweite Strophe eine Prophezeiung enthält, die in Deutschland zur Zeit des zweiten Weltkrieges wahr geworden ist.

Der zweite Verführer-Spruch ist eine Art Hexeneinmaleins. Hier sprechen nicht die Verführer, sondern die weltanschaulich Verführten. Sie fühlen ihre innere Leere und Unsicherheit und empfinden sich selbst als nicht voll, als eines Wesentlichen ermangelnd. Deshalb wünschen sie ihre persönliche Kraft zu verdoppeln, aus zwei vier zu machen, wobei die zwei als ein Paar von Mann und Frau angesehen werden kann. Aber die Funktion der Drei bleibt ihrer Zahlenordnung fremd, die Drei ist nämlich das Symbol für Stabilität, da ein Gegenstand nur auf drei Stützpunkten sicher auf dem Erdboden stehen kann. Wegen des Fehlens der Drei sind die Zwei gezwungen, ihre Verdoppelung zu vier auf magischem Weg mit Hilfe von Nebel, Wahn, Spuk und Hexerei zu versuchen – durch die Reihenfolge bei Aufzählung der Mittel wird deren Steigerung kenntlich gemacht. Die Verführer des zweiten Gedichts vermögen nicht einmal die scheinbaren und bestenfalls zeitweiligen Erfolge hervorzubringen, die im ersten Gedicht geschildert sind. Verführt werden im ersten Gedicht die Massen, im zweiten die Individuen, so dass man dabei an die Münchner Kosmiker denken könnte, an deren Erfolge bei Beschwörungen der Dichter ebensowenig glaubte, wie die greise Mutter Alfred Schulers, die beruhigend zum Dichter sagte, die Kosmiker hätten bei allen ihren magischen Verrichtungen «nichts gesehen». Der Dichter sprach auch mit Spott von denen, die der «geistigen oder religiösen Not der Zeit dadurch abhelfen wollten, dass sie sich leben liessen». Die Grenzen zwischen den verschiedenen Arten der Verführung sind flüssig, moderne Verführer wenden alle Arten zu gleicher Zeit an, um den Geist der Verführten völlig zu beeinflussen und unterwürfig zu machen. Von den Verführern des ersten Gedichts handeln später insbesondere «Mensch und Drud» und das vierzehnte Gedicht des ersten Buches des «Sterns des Bundes», von den Verführern des zweiten Gedichts das «Gespräch des Herrn mit dem römischen Hauptmann» sowie die Kosmiker-Verse des «Sterns des Bundes».

Die gleiche Form, die die zwei Verführer-Gedichte zur Schilderung negativer Kräfte der Zeit zeigen, findet sich in den ihnen gegenübergestellten zwei Gedichten, die positive Kräfte der Zeit zum Gegenstand haben. Sie beginnen mit der Schilderung von Masken, die bei dem sogenannten antiken Fest in der Wohnung Karl Wolfskehls in München am 22. Februar 1903 einen Umzug veranstalteten. Es war Faschingszeit, und das bot den Anlass zu der Verkleidung, hinter der sich aber ein tieferer Sinn, nämlich eine Bildhaftmachung der Rückkehr der Götter auf die Erde verbarg. Der erste bei dem Aufzug der Masken war die Magna Mater, dargestellt von Schuler als Mann und Mutter, in einen schwarzen Schleier gehüllt und eine antike Lampe für eine damals nicht brennende Ölflamme tragend. Ihm folgte der Götterbote Hermes, verkörpert durch Henry von Heiseler, der die Doppelfunktion des älteren Hermes Psychopompos symbolisieren sollte, die nach den Choephoren des Aeschylus, Homers Odyssee und Virgils Aeneïs im Überbringen von freudigen oder traurigen Botschaften der Götter an Menschen und im Geleiten der Toten in die Unterwelt bestand. Hinsichtlich der Funktionen des Hermes verwies der Dichter auf Cumonts Forschungen. – Hinter Hermes schritt Stefan George als Cäsar, er trug eine brennende Kerze in einem mit Löchern versehenen, runden Tongefäss und ihm schloss sich der Zug der übrigen Teilnehmer des Festes an. Es bleibt zu erwähnen, dass Schuler sich damals beleidigt fühlte, weil der Hausherr ihn ersucht hatte, keine Flamme in der Öllampe anzuzünden, da das Öl Flecke auf dem Parkettfussboden verursachen könne. Das Beleidigtsein Schulers dürfte sich daraus erklären, dass Cäsar eine brennende Kerze trug und dass die Römer alles Feuer als von dem des Olymp herrührend, als vestalisch so sehr in den Mittelpunkt ihres Kultes stellten, dass kein Fest ohne brennende Flamme beginnen durfte und nicht enden konnte, ohne dass das Feuer in sich selbst erlosch. – In der ersten Strophe heisst es, dass der Maskenzug eine Rampe herabsteigt, und dieses Bild deutet auf die zweite Strophe, in der die Anschauung des Dichters über das Wesen der Götter enthalten ist. Rampen und Treppen für die Götter gab es bereits in den Tempeln der Ägypter, zum Beispiel in Dendera und Abydos. Die Götter sind, so sagte der Dichter, durch die Phantasie, den Glauben der Menschen erschaffen, sie «wurden» auf der Erde. Infolgedessen ist die Dauer ihrer Wirksamkeit zeitlich nicht unbegrenzt. Nach gewissen Zeitspannen, die im Gedicht «Weltentag» genannt werden, müssen die Götter zwecks Erhaltung ihrer wirkenden Kraft auf die Erde zurückkehren und im Dienst der Menschen an menschlichem Schicksal teilnehmen. Dadurch wandeln sie sich, wie bereits Plutarch in seiner Abhandlung «Über das EI zu Delphi» unter Hinweis auf die verschiedenartigen Namen für ein- und denselben Gott, sei es Apollo, sei es Dionysos, darlegt, und entzünden die Lunten mit dem Feuer, dessen volle Flamme sie benötigen, um ihre Gloriole strahlen zu lassen und ihre Wirksamkeit wiederum für einen «Weltentag» zu erhalten. Apollo muss auf Befehl des Zeus auf die Erde, nach dem Bericht von Diodorus Siculus, zur Entsühnung herabsteigen. Nach Eliphas Levy müssen «Alle Fürsten des Lichts (Häupter der Geister) in der Reihenfolge Henoch, Moses, Elias, Jesus zur Erde zurückkehren, nachdem sie alle Globen des Sonnensystems durchwandert haben». «Die Rampe» des «Maskenzuges» deutet auf eine solche Rückkehr der Götter, bei der sie sich in irdischer Gestalt verkörpern, und dies ist der welterhaltende Sinn der Verleiblichung des Gottes auf der Erde.

Das Gedicht «Feste» handelt von den Feiern in den Jahren zwischen 1900 und 1905. Der Dichter sieht ihre Bedeutung darin, dass durch sie bewiesen wird, dass selbst inmitten einer wirren und überlauten Zeit die Fähigkeit, an einen gemeinsamen Mittelpunkt zu glauben, das heisst innere Frömmigkeit zu hegen und zu entfalten, vorhanden gewesen ist. Wegen dieser Fähigkeit nennt er die Festteilnehmer «Beter» und erachtet ihren Zug als feierlich, mögen auch die Heutigen aus Unverständnis über ein derartiges Geschehen spotten.

Die dritte Gruppe des dritten Teils bildet das Ende des Bandes und besteht aus sechs Vierzeilern mit dem Obertitel «Zum Abschluss des VII. Ringes». Der erste Spruch beschreibt im Bild des Meeres in grossen Zügen den Gang des Werkes. Hohe Wogen brechen aus wildbewegter See und verschlingen Wracke und Leichen. Aber am stillen Abend besänftigen sich die Wasser, und unter dem Sternenlicht der Nacht glitzern am Strand Korallen, Perlen und Gold als bleibende Gaben des zerstörenden Meeres.

Im zweiten Spruch wird der Dichter gefragt, mit welchem Recht er sich von den Menschen seiner Zeit fern halte, sie, die seine Brüder seien, mit herrischem Blick richte und all ihr Tun als wertlos und niedrig erachte. Der Dichter erwidert, dass er sich nur als demütiger Sklave eines Grösseren fühlt, der kommen wird, wenn der Morgen der neuen Zeit angebrochen sein wird.

Im dritten Gedicht werden Hexen und Beschwörer, die noch im geistigen Bezirk des Dichters spuken, ausgetrieben, da die Dämmerung des Morgens sich bereits bemerkbar macht. Das deutet auf den Bruch mit den Kosmikern Klages und Schuler. Nur wer sich hüllenlos im vollen Tageslicht zeigen darf, soll sich zu der gereinigten Stätte wagen. Diesen Gedanken führt der dritte Spruch «An die Lebenden» im «Neuen Reich» weiter.

Der vierte Spruch betont, dass «Der siebente Ring» ganz in Deutschland und ohne die Luft der Fremde entstanden ist. Dies mag einer der Gründe dafür sein, dass die Deutschen, die anfangs die Ausdrucksweise des Dichters als sakral und allzu schwer verständlich empfanden, jetzt glauben, seine Sprache sei der ihren näher als früher.

Das fünfte Gedicht ist an Waclaw Lieder gerichtet, der Ende 1906 mit dem Dichter noch einmal in Berlin zusammentraf, gerade als die letzte Seite des Bandes fertiggestellt worden war. Als beide lange vorher in Paris Abschied voneinander genommen hatten, wusste der Dichter noch nicht, ob er jemals in der Luft seiner Heimat ein Werk werde schaffen können. Der polnische Dichter wird ein Schatten genannt, weil sich die Spuren einer tödlichen Krankheit bereits an ihm zeigten. Seine Ritterlichkeit war schon im Preisgedicht «An Callimachus» und im «Schattenschnitt W. L.» hervorgehoben worden.

Das sechste Gedicht beschreibt die Gefühle des Dichters beim Abschied von seinen Freunden nach Abschluss des Werkes und schliesst somit an das letzte Gedicht des sechsten Ringes an. Dass er, um seinen Weg allein fortzusetzen, Abschied von den Freunden nehmen muss, rührt ihn, zugleich aber fühlt er sich jetzt weniger beschwert als je zuvor und völlig gefeit vor Feind und Freund. Die Umsetzung seiner bisherigen Erlebnisse in Kunst hat ihm die innere Freiheit verschafft, die erforderlich ist, um einen Aufbruch zu neuer geistiger Tat zu wagen.

DER STERN DES BUNDES

Der Sinn des neuen Lebens, in das der Dichter sich durch das Maximin-Erlebnis versetzt fühlte und dessen Grenzen im «Siebenten Ring» gezeichnet waren, wird in den einzelnen Gedichten des «Sterns des Bundes» abstrakt zusammengefasst. Der Band sollte anfangs den Titel «Lieder an die heilige Schar» tragen, wodurch, neben einer Erinnerung an den Stand Thebens am Anfang und am Ende der Geschichte Griechenlands, auf die «kleine Schar» im siebenten Vorspiel-Gedicht und im vierten Jahrhundertspruch hingewiesen worden wäre. – Ein Jahr vor der Veröffentlichung des Werkes, die 1914 erfolgte, waren bereits zehn Exemplare ohne Titelblatt auf besonderem Papier gedruckt und vom Dichter an seine nächsten Freunde geschenkt worden. Die Vorrede zur zweiten öffentlichen Ausgabe des Jahres 1928 sagt, dass diese Gedichte anfangs nur für die Freunde des engern Bezirks gedacht gewesen seien. Die Erwägung, dass ein Verborgenhalten von einmal Niedergeschriebenem heute kaum mehr möglich sei (wie übrigens schon im zweiten Plato-Brief dargelegt), habe die Öffentlichkeit als sichersten Schutz erscheinen lassen. Die sich sofort nach dem Erscheinen überstürzenden Weltereignisse hätten die Gemüter auch der weiteren Schichten für ein Werk empfänglich gemacht, das noch jahrelang ein Geheimbuch hätte bleiben können.

Die hundert Gedichte mit mindestens sieben und höchstens vierzehn Versen – insofern ist die Siebenteilung des «Ringes» noch zwecks Anschlusses beibehalten – sind nicht in Strophen geteilt, und jeder Vers weist zwei bis fünf Hebungen auf. Auf den aus neun Gedichten bestehenden «Eingang» folgen drei «Bücher» mit je dreissig Gedichten und ein «Schlusschor». Das neunte Gedicht des «Eingangs» ist als letztes dieses Abschnittes gereimt. In jedem «Buch» ist jedes zehnte Gedicht als architektonisch verfestigendes Ende einer Gedankenreihe in Reimen geschrieben, und die letzten vier der zwölf Verse des «Schlusschors» weisen gleichfalls Reime auf. Dass elf Gedichte ganz oder teilweise gereimt sind, zeigt an, dass das Werk als in fünf Abschnitten aufgebaut anzusehen ist. Der Begriff Abschnitt ist dem bisher gebrauchten Begriff Buch als Element in der Aufbaureihe: Band, Buch, Teil und Gruppe hier vorzuziehen, da der Dichter selbst drei «Bücher» in die Mitte dieses Bandes stellt. – Die Grundzahl für den

Aufbau der drei Mittelabschnitte ist zehn, es lässt sich ferner eine Unterteilung in je drei Gedichte feststellen.

Die deutsche Sprache erlaubt das gereimte wie das reimlose Gedicht. Die Auswahl zwischen diesen Formen ist nicht Sache der Willkür oder des Vorsatzes, sondern erfolgt unbewusst aus dem Zwang, das geistig Geschaute möglichst ohne Abweichung vom schöpferischen Gedanken in Sprache umzusetzen.

Die Gedichte des «Sterns des Bundes» enthalten Weisheiten und Gesetze (Weistümer) einer neuen Welt, des neuen Lebens. Es ist Absicht des Dichters, die Gedanken so unmittelbar und scharf zu fassen, dass eine andre wie die eine, allein gewollte Ausdeutung nicht mehr möglich ist. Hieraus mag sich erklären, dass bei der Mehrzahl der Gedichte ebenso wie auf dichterische Vergleiche auch auf den mannigfache Vorstellungen und Deutungen begünstigenden Reim verzichtet ist. Der Zusammenhalt der Worte und Verse wird nicht durch eine der Phantasie raumlassende Bilderweckung, vielmehr durch die Wucht eindeutigen Sagens, also durch die Kraft der Sprache selbst, hergestellt, die wie in der Antike nicht Mittel zur Vorstellungsanregung, sondern Endzweck und im Sinn Hölderlins «tödlich faktisch», nicht nur «tötend faktisch» ist. Die Worte, der einfachsten und ungeschmücktesten Sehens- und Redeweise entnommen, schieben sich durch ihr Eigengewicht ineinander und gewinnen auf diesem Weg einen inneren Rhythmus. Wie die einzelnen Worte verklammern sich auch die Gedichte dieses Bandes, sie sind nicht gradlinig auf- oder absteigend wie in früheren Werken, sie suchen von allen Seiten her den gedanklichen Kern möglichst eng einzukreisen. Sie klingen wie Sprüche, die von einem andern Stern auf die Erde herübergerissen sind. Sie bleiben nach Ton und Sinn anfanglos und endlos, weil der Raum, aus dem sie tönen, unbegrenzt und unbegrenzbar ist. Durch das Reime enthaltende Gedicht am Ende jedes der Abschnitte und Teile wird der kreisende Sinn und Klang der voraufgegangenen reimlosen Gedichte mit Hilfe der befestigenden Wirkung des äusseren Reimes in sich geschlossen.

Solche Weisheiten sind nur in der Form des Gedichtes, nicht in Prosa ausdrückbar. Allein der Dichter vermag, getragen vom Rausch und gebunden an die eigenlebendige Form, diese jenseits der bisherigen Grenzen sich eröffnenden Gedanken zu gestalten. Der gleiche Vorgang lässt sich bei den frühsten Gesetzgebungen der Kulturvölker verfolgen, bei denen die Gesetze (nomoi) aus einem dem Denken der Zeitgenossen vorauseilenden Erleben eines einzigen Geistes geboren und von ihm rhythmisch – und zwar rhythmisch aus innerem Zwang – festgehalten wurden. Nach Strabo waren die uralten Gesetze der Turdetaner, der vornehmsten unter den Iberern, in Verse gefasst. Der

Rhythmus ist nichts anderes wie der Takt des in jedem Lebendigen pulsierenden, lebenbedingenden Blutes und somit das einzige dem Menschen eingeborene innere Mass und nach aussen wirkende Mittel, das ihn befähigt, sich des Zeitmasses der Umwelt wie der Innenwelt, also wiederum ihrer Rhythmen, geistig zu bemächtigen. Dieser lebenerhaltende Sinn des Rhythmus ist der Grund für die magische Wirksamkeit der im Vers verfangenen Weisheiten und Gesetze, die früheren Zeiten keineswegs unbekannt war (altdeutsche Zaubersprüche). Der Vers dient nicht nur dazu, die Weisheit des Stifters dem Sinn des Hörenden, mag auch das Hören zunächst widerwillig oder nur mechanisch geschehen, leichter und tiefer einzuprägen, sondern er wirkt auch magisch, also vom Geistigen bis ins Leibliche, auf den Hörer, dessen Tun und Lassen sich als Folge der Aufzwingung eines neuen inneren Rhythmus dem Gesetz, dem formgewordenen Willen des Gründers, zugestaltet und anpasst. Deshalb begann bei den Griechen und beginnt noch heute bei manchen östlichen Völkern die Schulung der Kinder mit dem Auswendiglernen von Werken der grossen, den Nationalcharakter bestimmenden Dichter. Das ist vielleicht auch der Grund dafür, dass nach einem Gesetz bei den Panathenäen Homer vorgelesen werden musste und dass die Texte von Aeschylus, Sophocles und Euripides staatlich überwacht wurden. Stefan George war mit Nietzsche der Ansicht, dass grosse Literatur mehr zum Hören als zum Lesen bestimmt ist, eben weil sie durch Steigerung des Willens bis ins Körperliche zu wirken vermag.

EINGANG

Der «Eingang» besteht aus neun gleichmässig mit je vierzehn Versen aufgebauten Gedichten, in denen es sich um Darlegung des Sinns des Maximin-Erlebnisses handelt. Auf diesem Geschehen als Grundlage ist das Werk errichtet in ähnlicher Weise, wie der Band des «Teppichs des Lebens» die vor dem Kommen Maximins vom Dichter gewonnenen Erfahrungen zum Unterbau hat. «Eingang» deutet darauf, dass hier der Zugang zum Verständnis des Werkes ist und dass nicht Geist allein, vielmehr geistig gewordenes Erleben die Strasse bahnt und das Tor öffnet. In der Vorrede zur zweiten öffentlichen Ausgabe hiess es in dieser Hinsicht, dass der Dichter keineswegs «ein Brevier fast volksgültiger Art habe schaffen wollen», also sich nicht die Funktion eines Religionsstifters beigelegt hat.

Das erste Gedicht ist eine Anrufung des Gottes, dem der «Lobgesang» gegolten hatte. Er wird «Herr der Wende» genannt, weil er sowohl eine Wende im Leben des Dichters als auch eine Weltenwende

herbeigeführt hat, die der Dichter vorausgeahnt hatte und die sich
unmittelbar nach der Veröffentlichung des Werkes für jedermann im
Ausbruch des ersten Weltkrieges sichtbar machte. Das von Burckhardt und Nietzsche vorausgesagte Jahrhundert der Kriege war angebrochen. Der Gott dieser Weltzeit oder Ewe bedeutet für den Dichter
Anfang, Mitte und Ende zugleich, wie es Apollo für Theognis gewesen
war. Er wird auf der Erde durch Maximin verkörpert, und deshalb
gilt das Preisen des erdhaften Maximin zugleich dem Stern des
Gottes, seinem ausserirdischen Feuer. Dieser Stern des Gottes ist der
Stern des Bundes derer, die seinem Licht auf der Erde folgen. Damals, das heisst vor dem Kommen Maximins war weites, für den
menschlichen Geist undurchdringliches Dunkel über das ganze Land
gebreitet, der Tempel für alles, was bisher verehrungswürdig gewesen
war, wankte, wie das sechste Vorspiel-Gedicht berichtet hatte, das
innere Feuer war in den Seelen der Menschen so weit herunterge-
brannt, dass es zu erlöschen drohte, wie die Vorrede zum Gedenkbuch
darlegt. Ein Fieber hatte sich der Seelen der geistig Ermatteten be-
mächtigt, das verzehrender wirkte als das schon seit der Zeit der Vorfahren übliche fieberhafte Tasten der Deutschen nach unerreichbaren
Thronen der Starken und Leichten, die ihren Sitz nur im Süden, in
Italien und Griechenland, gehabt hatten, nach den Schätzen der Ferne –
ein Schweifen der Sehnsucht, das allein schon genügt hatte, um das
beste Blut der Deutschen zu fordern, wie «Goethes Letzte Nacht in
Italien» darlegt. Das noch vernichtender wirkende neue Fieber war
das Suchen nach dem Mittelpunkt für das Dasein in einer Zeit und
Umgebung, in der alles Echte verneint wurde, von der das zwölfte
Vorspiel-Gedicht und die beiden «Zeitgedichte» handeln. Die innere
Einsamkeit und die davon herrührende Verzweiflung wurden durch
das Kommen Maximins beseitigt, der als Spross der deutschen Erde
aus dem Volk des Dichters stammte, aber von ihm nicht als zu einem
bestimmten Stamm gehörend gesehen wurde. Er war dem nur im
schöpferischen Rausch vom Dichter geschauten Gott am nächsten,
schöner als jedes Standbild und greifbarer als jeder Traum in erdhafter
Wirklichkeit. Er besass durch Geburt die Gabe, mit geweihter Hand
Erfüllung zu spenden, so dass die Finsternis von Licht durchbrochen
und kein Raum mehr für Sehnen gelassen wurde.

Während somit das Anfangsgedicht in erster Reihe an den Gott und
erst in zweiter Reihe an Maximin als dessen Verkörperer gerichtet ist,
handelt das zweite Gedicht in erster Reihe von Maximin und in zweiter
Reihe von dem Gott, den er verleiblicht, wobei jedoch zu bedenken ist,
dass beide im Grunde Erscheinungsformen des einen gleichen sind.
Maximins Kommen befreite die Seele von der Qual der Zweiheit, von
der inneren Gespaltenheit, von der die ersten zehn Gedichte des

zweiten Buches des «Sterns des Bundes» handeln, indem er in sich
selbst die fleischgewordene Einheit von bisher scheinbar unverein-
baren Gegensätzen darstellte. Er war Träger sowohl des urgründig
dunklen dionysischen Rausches wie auch des gestaltenden, hellen
apollinischen Rausches (Nietzsche), wie das zweite «Gebet» zum Ausdruck bringt. Er war der Beter, der ausweislich seiner eignen Gedichte
mit dem Geist rang, bis er ihn zum Einheitlichmachen der Gegensätze
gezwungen hatte, um das der Dichter im zweiten Vorspiel-Gedicht
noch vergebens gekämpft hatte. Zugleich war er der Minner, der sich
selbst als Opfer darbrachte, um ausweislich des ersten «Gebetes»
durch sein Blut die Einheitlichkeit zu besiegeln. Er war der erdenfrohe
Schwimmer des zweiten «Gebets» und zugleich der traumergebne
Schläfer, zu dem ein Bewohner des Himmels, wie Selene zu Endymion,
sich niederliess, wie ihn das vom Dichter geschätzte Endymion-Relief
im Lateran zeigt. Diese Möglichkeiten sind Maximins «Doppel-
Schöne», um derer willen ihm der Dichter und dessen Freunde die
Palmen des Südens und die Rosen des Nordens, Umschreibungen für
den verschiedenartigen Ton der Huldigungsgedichte, schon geweiht
hatten, bevor sie gewiss waren, dass er die Verleiblichung des Gottes,
eine irdische Wiedergeburt der Kraft des Gottes war.

Im dritten Gedicht spricht Maximin selbst. Von seinem wahren, den
Freunden unbekannten Wesen enthüllt er nur, dass die Zeit nahe ist,
in der er eine neue, von ihm selbst gewählte Form annehmen wird. Er
begehrt, mit dem Gott eins zu werden, bevor er mit Wort und Tat der
Erde beginnen müsste und dadurch zu irdischem Wesen gestempelt
werden würde. Den Freunden niemals im Letzten gleichend, wird und
will er sich wandeln, um das, was er durch Geburt darstellt, rein zu erhalten. Diese Wahl hat er bereits getroffen, das ist eine Anspielung auf
die Herakles und Achill im Mythos zugestandene Wahl ihres künftigen
Schicksals. Auch glaubte der Dichter, dass jeder Mensch in einem bestimmten, einmaligen Augenblick die Macht hat, selbst die Wahl über
den Verlauf seines Lebens zu treffen, wie bereits erwähnt worden ist.
Maximin wünscht seinen Abschied von den ihm nahen Freunden
durch Darbringung von grünen Zweigen, einem Symbol der Reinigung
und Erneuerung, und von Kränzen, einem Symbol des erhöhten
Lebens, feiern zu lassen, wobei die veilchenfarbenen, dunkelblauen
Anemonen nach dem Volksglauben auf Tod deuten. Das Vortragen
der reinen, zugleich reinigenden Flamme ist nach römischem Brauch
bei jeder sakralen Feier unerlässlich, wie schon angedeutet worden ist.
Unbewusst war Maximin zur Inkarnation des Gottes geworden, aber
bewusst sucht er sich wieder mit dem Gott zu einen. Beim Scheiden
lässt er eine Gabe zurück, die nur von Wesen seiner Art gespendet
werden kann, den besonderen Anhauch, der Mut und Kraft der Zu-

343

rückgelassenen auch in Zukunft belebt, und als unauslöschliches Zeichen des zeitweiligen irdischen Daseins den die Seelen durchdringenden Kuss des Minners, von dem aus diesem Grund in der Gedenkrede gesprochen wird. Der Dichter notierte sich ohne Quellenangabe das folgende Zitat: «Der Bruderkuss des Gottes heilte das Blut.»

Die drei ersten Gedichte des «Eingangs» stellen somit einen Auftakt von verschiedenen Annäherungen her dar. Das vierte, fünfte und sechste Gedicht behandeln die Veränderung der Umwelt, die kurz vor und bei dem Kommen Maximins stattfand. Das siebente, achte und neunte Gedicht sprechen vom Wechsel in der geistigen Atmosphäre durch das Leben und den Tod Maximins. Man kann also die neun Gedichte des ersten Abschnitts des Werkes, des «Eingangs», in drei Teile von je drei Gedichten entsprechend der Gruppenteilung eines jeden der drei Bücher sondern. Nur der fünfte Abschnitt des Bandes besteht aus einem einzigen, teilweise gereimten Gedicht, dem «Schlusschor».

Das vierte Gedicht des «Eingangs» beginnt damit, dass der Dichter – wie bei allen Lebenswenden – die Veränderung seiner Züge im Wasserspiegel erforscht, der hier jedoch nicht ein ruhiger Teich, sondern ein hochgehender Strom ist. Wie dieser im Steigen begriffene Fluss möchte das ungezähmte Herz des «Heimgangs» seine tausendjährige Glut in Licht und Tiefe umgestalten und verbreiten, vermag aber nicht, dies vor dem Kommen Maximins zu vollenden, da es nur von Spiegelungen, nicht von mitfühlenden lebendigen Herzen, in denen noch genügend Glut vorhanden ist, umgeben wird. Der Dichter sieht die Wellen des Flusses vorbeirauschen und trauert ihnen nach, als wären sie die vielen Wesen, die ihm trotz der Intensität seiner Leidenschaft entronnen sind und noch jetzt entrinnen. Seine Leidenschaft ist der platonische Drang nach Verschmelzung und dem Einswerden der auseinandergefallenen Kräfte. Stefan George fürchtet, dass es keine Abhilfe für seine Not geben wird, bevor die Tropfen seines Lebensblutes in dem endlos weiten und lauten Gewoge der Umwelt verströmt sein werden. Da taucht aus den Wellen die Verkörperung des Gottes vor dem Dichter auf und steigt wie der Sonnenjüngling in Sintflutsagen ans Land, so dass sein Blick ergriffen an ihm haftet. Der Erdenleib, in dem die Verkörperung sich vollzogen hat, wird ein enges Heiligtum genannt, da er kaum die ausgebreiteten Arme des Flehenden füllt, seine innere Bedeutung ist aber stark genug, um alle zu den Sternen der Ferne aufstrebenden Gedanken aufzufangen und an den Erdentag zu ketten, der mit seiner Gegenwärtigkeit der Wirkungsbereich der auf der Erde Lebenden und somit des Dichters ist.

Im fünften Gedicht kommt im Rückblick die Frage auf, ob die Zeit vor dem Kommen Maximins wieder voll geworden war, wie es in der Bibel (Gal. 4, 4) und im «Einzug» heisst, und ob damals die Welt sich in erneut auflodernder Glut, einem Vers Maximins zufolge, neu gebären wollte. Diese Wende kündet sich für den Dichter im Treiben der Kosmiker an. Damals glaubte man in den Strassen Münchens am hellen Mittag Schemen zu sehen, womit hier nicht Gespenster gemeint sind, sondern Lebende, die Träger von Substanzen vergangener Zeiten, der «Blutleuchte» der Kosmiker, waren. Der Dichter rechnete übrigens in jenen Tagen auch Wolfskehl zu den Kosmikern, dessen «rotes Kind» im «Maskenzug 1904» eine Darstellung des Gottes vor dessen irdischer Verleiblichung sein soll. Rot steht für glühend, da der Gott nach Meinung der Kosmiker glühte, leibhaft geboren zu werden, um eine neue Weltzeit heraufzuführen, und die Bezeichnung als Kind bildet eine bewusste Anknüpfung an «Faust». Dieses Kind erscheint in den «Winken» des «Neuen Reichs». Der Tanz um offene Feuer feierte das bevorstehende Werden der neuen Welt. Das Rot der fackelhaltenden Jünglinge bezieht sich nicht auf die Gewandfarbe, sondern auf die durch den Widerschein des offenen Feuers noch dunkler erscheinende männliche Haut, die – wie auf griechischen Vasen – einen starken Gegensatz zur weissen Haut der Kranzträgerinnen bildet. Die Symbole, die sie trugen, die lebendige Glut der Fackeln und die Festlichkeit betonenden Kränze steigerten zusammen mit dem gellenden Ton der Pfeifen die Fähigkeit zum dionysischen Rausch, der zu dem Aufgehn des Einzelnen in Allvermischung führte. Philo sagt, dass wir am Mittag bei uns sind, dass unser Geist aber am Abend auswandert, wenn die Ekstase beginnt (1. Moses 15, 12). Beim Dämmern des Morgens entwickelte sich ein prophetischer Zustand, der zu Rede und Gegenrede, zu dem Treuschwur des letzten Gedichts der «Lieder», zwecks Verfolgung des gemeinsamen Ziels selbst mit dem Leben einzustehen, und sogar zu der Beschwörung des Gottes begeisterte. Der körperlich gefühlte Schauer fand Ausdruck im Flehen um das Sich-Zeigen einer Verleiblichung des Gottes, die allein Halt und Rhythmus inmitten des tollen Wirbelns und Gewirbeltseins, Heilung und Bekrönung der Feier und Licht in urgründig dunklen Träumen sein konnte.

Das sechste Gedicht setzt die Beschreibung der Kosmikerfeste fort, indem es die dabei erzeugte Atmosphäre schildert. Die stolzen Schatten sind die Substanzen der Grossen vergangener Zeiten, denen die Feiernden sich innerlich verwandt glaubten. Im Sprühen der Funken der offenen Feuer und im gewunden aufsteigenden Weihrauchdampf schienen jene Substanzen sich zu Schatten aus germanischer Urzeit, die urnächtig früh genannt werden, und aus der ausgeglichenen klassischen Antike, die als edel und hold bezeichnet werden, zu verdichten und als zuckender Schein auf glänzendem Metallgerät sichtbar zu werden. Auf Grund der Beschwörung, die das voraufgegangene Ge-

345

dicht schildert, umringten solche Schatten scheinbar die Feiernden, lösten sich aber auf, ohne dass sie Gestalt gewannen, so dass ein Gefühl der Machtlosigkeit sich ausbreitete und der schmerzliche Schrei nach dem bisher nicht sichtbaren, lebendigen Kern, dem wärmenden, erdhaften Feuer, dem reinen Blut, dem Auftauchen des Gottes aus der Purpurwelle des dionysischen Rausches laut wurde. Durch die Nennung der Silberfüsse wird nicht nur auf Aphrodite und Thetis hingewiesen, sondern auch auf das Sehnen nach Gestaltung im apollinischen Rausch, dessen die Kosmiker nicht fähig waren.

Im siebenten Gedicht sieht sich der Dichter vor ein dreifaches Rätsel gestellt. Wie ist es möglich, dass er zum Kind seines Kindes geworden ist? Es sind sein Werk und dessen Wirken, die eine Verkörperung des Gottes in Maximin herbeigeführt haben, und Maximin, geistig das Geschöpf des Dichters, verhilft ihm wiederum zum Eintritt in eine bisher nur im Traum geahnte, erst jetzt wirklich gewordene Welt. Laotse sagt, das Einssein mit dem Tao hat Ähnlichkeit mit dem geistigen Zustand eines Kindes. Dante nennt im Gebet des heiligen Bernhard Maria die Tochter ihres Sohnes. Bei Angelus Silesius heisst es:

> Ich bin Gott's Kind und Sohn
> Er wieder ist mein Kind.
> Wie gehet es doch zu
> Dass beide beides sind.

Das zweite Rätsel fragt nach dem Grund für das Gesetz, nach dem die irdische Verkörperung des Gottes mit dem Lächeln und dem Schmerz des «Minners» die Erdenform wieder aufgeben muss, bevor irdisches Tun die zum Opfer notwendige Reinheit beeinträchtigt hat. Das dritte Rätsel forscht, weshalb ein Gesetz besteht, nach dem ein zur Verkörperung des Gottes geborenes menschliches Wesen sich dadurch erfüllt, dass es sich zum Opfer für sich und alle darbietet und die erfüllende Tat durch sein Sterben vollzieht. Eine Lösung für diese drei innerlich voneinander untrennbaren Fragen kennt der Dichter nicht, er glaubt, dass die Wurzel für solches Geschehen in die ewige Nacht der Schöpfungszeit hinabreicht, diese Fragen also ebenso unlösbar sind wie jene nach dem Ursprung allen Lebens. Er mahnt seine Freunde, sich mit der Erkenntnis zufriedenzugeben, dass sein Weiterleben nur durch das Kommen Maximins ermöglicht worden ist, dass er, der nach dem zweiten Kunfttag-Gedicht dem Ende verfallen war, durch Maximin neu gediehen ist und dass nichts übrig bleibt, als vor dem rätselhaften Wunder des «Minners» das Haupt zu senken und im Wehen des undurchdringlichen Grauens den Retter und die Rettung zu preisen. Hinsichtlich des Neugedeihens durch eine zweite, geistige Geburt notierte sich der Dichter das folgende, an Dantes «Bekränzung mit dem Schilf» erinnernde Zitat aus dem Gesetzbuch des Manu: «Die zweite Geburt, symbolisiert durch die Belehnung mit dem Gürtel aus Schilf.»

Im achten Gedicht beschreibt der Dichter, in welchem veränderten Licht er sogar die Vergangenheit auf Grund des Kommens Maximins sieht. Nachdem er mit Maximin den Bund der «Einverleibung», der hier ein «heimlicherer Bund» genannt wird, geschlossen hatte und dadurch so vertraut mit dessen Wirken geworden war, wie es das sechste Gedicht «Auf das Leben und den Tod Maximins» schildert, erscheint ihm das Vergangene als Vorbereitung auf das Kommen Maximins. Er erkennt den das Erscheinen Maximins ankündigenden Strahl des ersten Kunfttag-Gedichts in den Kunstwerken erlauchter Ahnen, wie zum Beispiel Dantes, Michelangelos und Shakespeares, in den entzückten Fehden und Fahrten der mittelalterlichen deutschen Kaiser, die für ihn nicht schwächer an berauschender Sagenkraft als die Mythen des klassischen Altertums sind, und im weisesten und frömmsten Seherspruch Hölderlins, in dem bereits der Gott und dessen Verkörperung, wenn auch noch schamvoll verhüllt, gefeiert wurden, wie aus den Hyperion-Hymnen im «Neuen Reich» hervorgeht. Mit dem uralten und unerschöpften Erbe des Blutes bezeichnet der Dichter den unmittelbaren, das heisst nicht erst durch Vermittlung der Römer hergestellten Zusammenhang gerade der Deutschen mit den Griechen, deren Kunst, wie Stefan George betonte, durch einen Deutschen, nämlich Winckelmann, wiederentdeckt worden war. Dieses besondere Erbe, das die Deutschen zu Fürsten unter den sich reicher und stolzer dünkenden Nachbarvölkern macht, wie im «Krieg» geschildert wird, ist durch Maximin als Verkörperer des Gottes wieder zur vollen Glut belebt und als ein aufflammendes Lohen und eine goldene Flut befruchtend in das All geworfen worden, nachdem die Frist für solch ein Geschehen verstrichen, die Zeit voll geworden und ein neuer Weltentag angebrochen ist. Im voraus wird der Gewähr und Hoffen bringende Tag gepriesen, an dem der Geist der heiligen Jugend des deutschen Volkes sich unverhüllt als Geburt dieser Erde, als belebtes Bild für Erträumtes, als Mittelpunkt einer neuen Gemeinschaft zeigen wird.

Das neunte Gedicht ist als Schlussgedicht des Eingang-Abschnittes zwecks Festigung des gesamten Werkaufbaus gereimt, obwohl es nicht wie die übrigen voll gereimten Gedichte an zehnter Stelle steht. Es enthält abschliessend die Antwort auf die an den Dichter gerichtete Frage, wer und welcher Art sein Gott sei. Er entspricht dem Begehren seines künstlerischen, gestaltenden Traumes und kommt dadurch dem in Gedanken geformten und geschauten Urbild am nächsten. Er ist sowohl die geheimste Quelle, wie der innerste Brand, kurz die Summe von

347

all dem, was die Kraft der Erde den Irdischen mitgegeben und was ihnen von jeher Wert und Grösse verliehen hat. Er verkörpert sich dort, wo er dem menschlichen inneren und äusseren Auge in reinster Form erscheint. Zuerst war der Gott nur für einen Einzelnen, nur für den Dichter, Löser aus der Qual der Zweiheit, der inneren Gespaltenheit und Führer in noch unbetretene, bisher nur erahnte Bezirke. Danach aber wird er die Glut in allen erneuern, ebenso wie er die Wirksamkeit der früheren Götter und der grossen, fast abgestorbenen Worte der Welt durch sein eignes Überströmen mit frischem Saft erfüllt. Lohen und Fluten sind hier wie im achten Gedicht verschiedene Funktionen der gleichen Eigenschaft, die sich einheitlich im Anhauch dokumentiert. Der Gott bleibt das Geheimnis der höchsten Weihe, und die von ihm herrührende Ausstrahlung zeigt den durch ihn verliehenen Grad, den menschlichen inneren Rang an. Er wird in seiner irdischen Erscheinungsform durch den Sohn aus Sternenzeugung dargestellt, womit auf Zeugung durch den Geist und Geburt aus einer neuen Mitte hingewiesen wird.

ERSTES BUCH

Die ersten zehn Gedichte des zweiten Abschnittes oder ersten Buches handeln vom Dichter. Im ersten dieser Gedichte fragt er seinen Gott, den er als Krieg und Frieden gebende Macht, als Donnerer anredet, ob es frevelhaft sei, nach klingenden Versen in einer Zeit zu suchen, in der Blitze bereits die Wolken zerreissen, der Sturm Unheil bringt und alles zu wanken beginnt, was bisher als unerschütterlich fest angesehen worden ist. Vom Gott – man könnte auch sagen: aus dem innersten Wissen des Dichters selbst – kommt die Antwort, dass Dichtung, sei sie das heroische Tönen der hehren Harfe des «Traumdunkels», sei sie das lyrische Klingen der geschmeidigen Leier des siebenten Gedichts der «Überschriften und Widmungen», den Willen des Gottes zu allen Zeiten kundzugeben hat, mögen sie den Menschen als aufsteigend und aufbauend oder als absteigend und einreissend erscheinen. Dichtung drückt aus, was unwandelbar im geordneten Lauf der Sterne ist. Die Luft auf der Erde muss von prophetischem Klang bewegt werden, wenn die Geburt eines Heilands oder eines Herzogs in einem Weltalter nötig wird. Ein Heiland – vom althochdeutschen Wort Heilant stammend – kann an sich jeder Retter sein, ist aber hier der geistige Mittler zwischen Gott und Mensch, von dem «Der Mensch und der Drud» handelt. Herzog hat hier den ursprünglichen, vom althochdeutschen herzigo hergeleiteten Sinn, der auf einen, der mit dem Heer auszieht, auf einen, der von einer Völkerschaft als bester zum Führer in einem Krieg gewählt ist, hinweist. Solch ein geistiger oder welt-

licher Führer kann nur gedeihen, wenn er mit seinem Atem schon in
der Wiege eine vom Heldensang erfüllte Luft in sich saugt. Die magische
Kraft der Dichtung bewirkt den Übergang vom Geistigen ins Leibliche.
Das Altertum nahm an, dass Dichtung die Geburt der Grossen, wie
Alexander und Augustus, vorbereitet habe – nach Hesiod sind es die
Musen, die Königen bei der Geburt die echte Würde verleihen.

Das zweite Gedicht beginnt mit der Frage, wie es sich mit dieser
magischen Wirkung vereinen lässt, dass der Dichter in seiner Jugend
Werke geschaffen hat, die leicht wie ein Tanz und wie berauschender
Klang von Horn und Flöte anmuten. Damit dürfte auf die Lieder in
den vor dem «Siebenten Ring» entstandenen Werken, ebenso wie
schon im ersten Zeitgedicht, gewiesen werden. Der Klang der hier genannten Musikinstrumente steht im Gegensatz zum gellenden Tönen
der Pfeifen im fünften Gedicht des «Eingangs». Die Antwort des
Dichters auf diese Frage ist an den Gott gerichtet, der hier wie im
«Lobgesang» als «Herr» bezeichnet wird. Verführender Klang war
erforderlich, um die Sonnensöhne des Gottes anzulocken. Damit sind
menschliche Wesen gemeint, die von Geburt an jugendlich strahlen
und Söhne der Sonne des «siebenten Standbildes», Kinder einer
apollinisch patriarchischen Weltzeit sind. Ihr in der Jugend noch rast-
loses, helles Denken und Treiben steht im Gegensatz zu dem trüben,
geordneten Sinnen des gereiften Dichters. Ihr Symbol ist Phaëton, der
tollkühne Sohn des Phoibos Helios, den bei Aeschylus Orpheus sogar
mit Apollo identifiziert. Phaëton, im «Dünenhaus» bereits erwähnt,
stürzt in den Eridanus, nachdem er die Welt in Brand gesteckt hat,
und wird von Zeus mit dem Blitz getötet. Seine Schwestern, die
Heliaden, werden von Zeus in Pappeln verwandelt, deren Tränen um
den Tod ihres Bruders zu Bernstein werden. Es ist die Aufgabe des
Dichters, die Sonnensöhne dadurch zu nähren und zu erhalten, dass
er ihnen ein Ziel zeigt, das ihren Überschwang in lebenbewirkende Tat
umsetzt. Um die Sonnensöhne zu suchen, hat der Dichter auf alles verzichtet, was Menschen als Glück erstreben. Er hat die Schwere eines
Wanderlebens auf sich genommen, da er in den Sonnensöhnen Gefährten zu finden hofft, die Züge des Gottes tragen, wie aus dem ersten
Zeitgedicht hervorgeht. Sein Sinnen und Denken hat, nach dem Inhalt
des zweiten Kunfttag-Gedichts, schon von Kindheit an diesem Zweck
gedient.

Im dritten Gedicht spricht der Dichter zu dem Gott. Er betet, dass
er während seines Daseins auf der Erde die Kraft behalten möge, die
durch den Segen des Gottes ihm verliehene Würde zu bewahren. Die
Segnung des Gottes hat den Dichter zu seiner Aufgabe berufen und
befähigt. Sein Sich-würdig-Halten besteht darin, dass er das, was der
Gott ihm unmittelbar kundtut, trotz des Preisens seiner Kunst durch

Freunde und jüngere Folger, nicht verrät. Denn das Wort des Gottes darf, um für die Allgemeinheit wirksam zu werden und zu bleiben, nicht als solches, vielmehr nur in der Einkleidung eines Ritus, das heisst einer «Begehung», oder eines Kunstwerkes, das heisst eines «Bildes», verlautbart werden, wie das zweiundzwanzigste Gedicht des dritten Buches besagt. Durch das unmittelbare Wort des Gottes wird nur der Dichter nicht vernichtet, dies ist in Hölderlins Hymne «Wie wenn am Feiertage...» dargetan. Der Dichter fleht um die Kraft, trotz des Murrens der neugierigen, betriebsamen Menge, das Geheimnis seiner grössten Nähe zum Gott, das für ihn im Rhythmus verschwiegener und verschweigender Lieder widerklingt, in sich selbst zu bewahren. Er sieht die rechte Stunde für ein Gebet um diese Kraft deswegen gekommen, weil der Same des Gottes, den er bisher mit Gefahr in sich getragen, genährt und gezogen hatte – «erzog» hat hier die doppelte Bedeutung von hochziehen und erziehen – jetzt bereits in der Aussenwelt unausrottbar grünt.

Auf diese erste Gruppe von drei Gedichten, die von der Bedeutung der Dichtung für jedes Zeitalter handeln, folgt die zweite Gruppe von drei Gedichten, die das Schicksal des Dichters inmitten seiner Zeitgenossen zum Gegenstand haben. Er nennt es im vierten Gedicht die wunderbarste Fügung, dass er bei jedem ihn bedrohenden Fall nur wankt und nicht untergeht und dass er bei jedem tödlichen Angriff sich zu spalten oder zu verdoppeln vermag, um sein Wesen zu erhalten. Bei dem ersten, vom Schicksal verhängten Angriff fallen die meisten, beim zweiten wanken die Besten, um schliesslich auch zu stürzen, er aber kann sich aufrecht halten, er ist rundum, aussen und innen, so gut durch das Schicksal selbst geschützt, dass ihn nicht brechen kann, was die andern unfehlbar zerbricht. Er wird einen Höheren, der sich ihm nach Vollendung seines Werkes zeigen könnte, nicht aus Eigensucht glücklos bekämpfen, sondern es als ein Glück empfinden, dessen erster Diener zu werden. Darauf deuten «Manuel und Menes», der zweite Spruch «Zum Abschluss des siebenten Ringes» und, in einem übertragenen Sinn, das Verhalten des früheren Herrschers in «Hängende Gärten».

Nach dem fünften Gedicht machte die Berufung den Dichter unter den Zeitgenossen zu einem Verfemten, der seinerseits in ihrer kalten, nassen Luft kaum eine Möglichkeit zu atmen fand. Er hatte als einzelner die Last aller zu empfinden und auf sich zu nehmen, wie aus dem Franken-Gedicht hervorgeht. In seiner Qual wandte er sich um Hilfe mit solcher Inbrunst an die Sterne, dass weder die unteren noch die oberen Mächte stumm blieben und die Antwort aus dem Raum mit einem noch niemals vernommenen Klang ertönte. Er erfuhr, dass er beim Beginn seines Weges nicht auf das Erscheinen eines Führers

warten dürfe und dass er Hilfe nur von denen erwarten könne, die
bereits in der von seinem Werk geschaffenen Luft geboren seien. Um
diesen Übergang von Geist zu Stoff zu vollenden, müsse er, ohne das
Recht zu Klagen zu haben, nicht nur im Leben verbleiben, sondern
auch das Leid aller verkörpern, das heisst selbst das Leid werden. Sein
Wirken werde das Leid überwinden, wenn er die althergebrachten
Symbole umkehre und die bisherige Klangordnung in das ihr Entgegengesetzte ändere. Meister Eckhart sagt: «Das schnellste Tier,
das euch zur Vollkommenheit trägt, ist Leiden.» Wiederum geht hier,
wie der Dichter betonte, Erneuerung in der Kunst einer Lebenserneuerung voraus. Taine sagt, dass jede bestehende Gesellschaft
einen ihren Zustand erst hervorrufenden psychologischen Zustand
voraussetzt.

Im sechsten Gedicht verwirft der Dichter den Glauben daran, dass
ein für den Geist undeutbares Geschehen die schicksalsbedingte Folge
von vor Geburt durchwanderten verschiedenen Leben, also von einer
Seelenwanderung, sei. Diese Ablehnung erfolgt in leicht ironischem
Ton, indem solche Begründung als angenehm verständliche «Poesie»
bezeichnet wird. Demgegenüber glaubt der Dichter, dass er – ohne
Rücksicht auf eine Wirkung von etwaigen früheren Daseinsformen
der Seele – allein dem frühsten Traum von seiner Aufgabe und Sendung zu folgen hat. Aus diesem Gefühl heraus hat er aus einem Nichts,
einem Staubkorn, seinen Staat aufgebaut, ist ohne Führung seinen
Weg gegangen und hat den Glauben an seine Berufung niemals aufgegeben, obwohl der Druck des Alls, dem er entgegenwirkte – dies
ist ein früher Vers des Dichters selbst aus dem fünften Bild der zweiten
Stufe des «Manuel» – voll auf ihm als Einzelwesen lastete. Die Gegen-
wirkung ist im Templer-Gedicht umschrieben. Unter Staat versteht
der Dichter – wie bereits erwähnt ist – nicht äussere Staatenbildung,
sondern das Verhalten von Mensch zu Mensch, eine neue Gemein-
schaftsbildung, zu der wenige von Geburt aus, wie er glaubte, befähigt
sind, eine grössere Zahl aber durch Erziehung geeignet gemacht
werden kann. Für die neue Daseinsführung formt der Dichter das
Gesetz und den Bewertungsstab, die Währung. Nach Vollendung
dieser Aufgabe teilt er den dadurch gewonnenen Thron, um selbst
gelassen, das heisst ohne Triumph zu empfinden, in weitere Bereiche
fortzuwandern und sein Suchen fortzusetzen. Das Wort «das Ver-
richte» wird vom Dichter an Stelle der üblichen Prägung «das Ver-
richtete» gebraucht.

Mit dem siebenten Gedicht beginnt eine neue Dreier-Gruppe, die
vom Wirken des Dichters selbst handelt. Das siebente Gedicht ist an
den Gott gerichtet, während im achten und neunten Gedicht der
Dichter zu seiner Umgebung spricht. Nach dem siebenten Gedicht, das

inhaltlich an das dritte Gedicht anschliesst, weiss der Dichter, dass er
das ihm allein Offenbarte – hier als das Licht bis hinauf zum Gott bezeichnet – nicht in blosse Worte gefasst der Aussenwelt übermitteln
darf, weil Worte nur eine bestimmte Zeit wirksam bleiben und nach
deren Ablauf «verderben», bis sie von einem neuen Erwecker mit
neuer Kraft erfüllt werden. Mit dieser Erkenntnis über die Wirkung
auf Dritte wird ein Gedanke verbunden, der die Wirkung auf den
Dichter selbst betrifft. Wenn er alles, was für ihn zu erfassen möglich
ist, vom Gott erobern will, hat er vorher «ein eines zu fassen», nämlich
für sich selbst den «Fussbreit festen Grundes» im neuen Raum zu
finden, von dem «Geheimes Deutschland» handelt. Das ist der vom
Gott dem Dichter zugemessene Raum, in dem der Dichter zu haften,
die schicksalsbedingte Arbeit seiner Tage auf der Erde zu vollbringen
und sich dem Traum der Zukunft, dem Traum von morgen zu dessen
Verwirklichung zu einen, zu vermählen hat. Angelus Silesius spricht
sowohl von geistiger Schwängerung, wie auch von geistiger Hochzeit,
die Mechthild von Magdeburg als bis ins Leibliche gehend empfindet.

Im achten Gedicht heisst es, dass das Berufenwerden des Dichters
zur Gesamtheit seines Wirkens in Kunst und Leben, die hier als das
in ihn zu seiner Schicksalsstunde kommende Ding bezeichnet wird,
etwas Nichtbegreifbares und Nichtgreifbares ist, mag man es als
Blitz oder Wink des Gottes, als Funken aus dem Nichts oder zyklische
Wiederkehr eines Gedankens ansehen. Trotz Unergründbarkeit besitzt
es ebensoviel Wirklichkeit und Wirksamkeit wie ein das Leben fort-
setzender Keim. Wort und Spruch können es nicht fassen, es äussert
sich als Kraft und Flamme, um in das Bild, das Kunstwerk, das
Symbol für das Reich der Menschen und des Gottes ist, gefüllt zu
werden und es dadurch zu verlebendigen. Der Dichter hat nicht ein
Neues und Einmaliges zu verkünden. Im Gegensatz zum Willen der
Gegenwart, der nach pfeilgrader Vorwärtsbewegung strebt, hat er den
Reigen, den ewigen Rundtanz, anzuführen, der in den Ring reisst und
den Ring schliesst. Nach Nietzsche ist die Lehre von der Wiederkehr
der Wendepunkt der Geschichte.

Im neunten Gedicht wird die faustische Frage gestellt, ob Wort vor
Tat oder Tat vor Wort kommt. Es wird keine generelle Antwort gegeben, nur hinsichtlich des Wirkens des Dichters wird auf ein Beispiel
aus der Antike hingewiesen und die daraus sich ergebende Folgerung
auf die Erfahrungen des Dichters angewendet. Der Sänger des Altertums – hier nordisch Barde genannt, um das Bild zu erweitern – er-
mannte das gebrochene Heer, obwohl er selbst zum Kämpfen zu ge-
brechlich war, in solchem Masse durch sein Lied, dass es den endgültigen Sieg errang, dessen wahrer Spender somit der Sänger war.
Der Dichter spielt hiermit auf Tyrtaeus an, der von den Athenern zu

den Spartanern gesandt wurde, als die Spartaner sich auf Grund eines
Orakelspruches an die Athener um Hilfe wandten. Sein Gesang soll
das spartanische Heer so begeistert haben, dass es die Schlacht «am
grossen Graben» gegen die Messenier gewann. Nach dem Bericht von
Pausanias lahmte Tyrtaeus, und es ist durchaus möglich, dass die
Athener durch Entsendung des gebrechlichen Dichters die Spartaner
zu verspotten trachteten. – Im Gesetzbuch des Manu, das eine wichtige Quelle für den Dichter bildet, heisst es, dass das Wort die Wurzel
aller Dinge ist. Die überragende Bedeutung des Wortes ist Gegenstand
eines Liedes des Dichters, das den Titel «Das Wort» trägt. Darin, dass
der körperlich schwache Barde zum Schlachtensieger wird, liegt eine
Vertauschung von Stoff und Stand, die das Schicksal mit spielender
Leichtigkeit, das heisst lächelnd bewerkstelligt. Eine demnach
mögliche Vertauschung dieser Art hat der Dichter dadurch erlebt, dass
sein Traum zu Stoff wurde und Maximin als Geschöpf aus süsser Erde
festen Schrittes in den neu geschaffenen Raum entsandte. Maximin
wird als das Kind erhabener Leidenschaft, hier hehre Lust genannt,
und eines erhebenden Dienens, der hehren Fron, bezeichnet. Im
dritten Gedicht des ersten Buches wurde bereits das Licht auf der
Erde mit dem von Sophocles gebrauchten Beiwort «süss» gekennzeichnet. – Das Wort «die Fron» ist vom althochdeutschen frono abgeleitet, das wiederum fro für Herr enthält, und weist demnach auf die
dem Gott zu leistenden Dienste des Dichters.

Das zehnte Gedicht schliesst die Gedankenreihe und ist als Träger-
pfeiler im Aufbau des Werkes gereimt. Es besteht aus Beispielen für
die indische und pythagoräische Lehre, dass jedes Ding zugleich sein
Gegending ist, und deutet somit an, dass jede Bewegung im All eine
Kreisbewegung ist. Dieser Gedanke, der schon früher Dichter beschäftigt hat, zum Beispiel Baudelaire in völlig anderm Zusammenhang in «L'Heautontimoroumenos», lässt Stefan George sich als den
einen und die beiden zugleich fühlen, wobei die Zwei Ding und Gegending völlig umschliesst. Der Dichter ist zugleich Zeuger und Schoss,
Degen und Scheide, die auf geistiges Erschaffen deuten, Opfer und
Stoss, also das Geopferte und der Opfernde, der das Opfer mit dem
Stoss seines Messers tötet, der Seher und die Sicht, die jener in der
Vision erblickt, der Bogen und der davon abgeschossene Bolzen sowie
das Feuer und das Holz, von denen das sechste Gedicht «Auf das
Leben und den Tod Maximins» handelt. Der Dichter ist der Beter und
der Altar, der in «Das Wunder» erwähnt wird, er ist sowohl der Reiche
wie auch das arme Wesen, die nach Plato die Eltern des Eros sind, das
Wahre der platonischen Idee und der Schatten ihrer irdischen Erscheinung, das Zeichen, das Symbol und dessen Sinn und, als ganzes
zum Kreis zusammengefasst, sowohl ein Ende wie auch ein Beginn.

353

Es heisst nach Clemens von Alexandria im apokryphen Ägypter-Evangelium, einer Quelle des Dichters: Als Salome fragte, wann ihre Fragen beantwortet werden würden, sagte der Herr: Wenn die zwei eins geworden sind und wenn das männliche mit dem weiblichen weder männlich noch weiblich ist.

Vom elften bis zum zwanzigsten Gedicht im zweiten Abschnitt oder ersten Buch nimmt der Dichter zu seinen Zeitgenossen Stellung. Von den Verfallenen und von den Wertvollen unter ihnen handelt die erste Gruppe von drei Gedichten. Das elfte Gedicht enthält den Urteilsspruch des Gottes, der aus endzeitlichem Abendrot seinen Zorn verkündet. Er hat sich von den Deutschen abgewendet, weil ihr Geist siech und ihre Tatkraft abgestorben ist. Seine Huld wird nur noch zwei Gattungen von Zeitgenossen gewährt, nämlich erstens solchen, die mit ausserordentlichen, dem Alltag fernen Mitteln, hier als goldene Triremen bezeichnet, in den Bezirk eines erhöhten Lebens geflüchtet sind, als Diener des Gottes die Harfe wie David spielen und noch Opfer im Tempel, wie in der «Toten Stadt», darbringen. Hiermit sind nicht dem Genuss lebende Ästheten gemeint, worauf «goldene Triremen» bezogen werden könnten, sondern solche, die sich vom Treiben und von den Zielen des Alltags bewusst abgesondert haben, weil sie nur dem Dienst des Gottes als Künstler-Priester zu leben wünschen. Die zweite Gattung der Zeitgenossen, denen der Gott günstig gesonnen ist, umfasst alle, die noch mit dem Sehnen der Jugend inbrünstig nach einem Weg für sich selbst suchen. Das wird durch die antike Geste der in flehendem Gebet zum Abendhimmel der Zeit erhobenen Arme, wie sie am zweiten Führer der «Gestalten» erscheint, sichtbar gemacht. Der Rest der Zeitgenossen wird von dem Gott verworfen, indem er als Lichtgottheit die übrigen als Nacht und Nichts bezeichnet.

Im zwölften Gedicht klagen die Zeitgenossen, für sie sei das Leben karg, armselig geworden, und es herrsche Hunger nach erhaltender Nahrung des Geistes, da Fülle überall fehle. Ihnen, die seufzen, obwohl sie alles haben und alles kennen, erwidert der Dichter, dass Speicher, in denen Fülle aufgehäuft ist, sich über jedem ihrer Häuser befinden, die voll von Korn sind, das fortgesetzt verfliegt und neu sich aufhäuft. Keiner nimmt von der Fülle in diesen Speichern. Keller sind unter jedem ihrer Höfe, in denen edler Wein austrocknet oder in den unfruchtbaren Sand fliesst, ohne dass irgendeiner davon trinkt. Der Dichter weiss, dass Tonnen lauteren Goldes im Staub verstreut liegen und dass das Volk, obwohl es nur Lumpen zu Kleidern hat, dieses Gold nicht erkennt und sammelt, es vielmehr kaum mit dem Saum streift. Das Korn, der Wein und das Gold sind die Jugend, der Nachwuchs der Zeitgenossen, der solange als zweite Gattung des voraufgegangenen Gedichts gehalt- und wertvoll bleibt, als er noch nicht die Lebensführung der Älteren nachahmend zu der seinen gemacht hat. Der Dichter glaubte, dass Jugend fast immer einen Keim zu etwas Besonderem, sogar geniale Ansätze berge, die weiterentwickelt werden könnten, wenn der rechte Augenblick dafür erkannt und genutzt würde. Auf dieser Eigenschaft der Jugend beruhen sowohl die Abenteuerlust der Knaben, wie auch ihr Gefühl der Bewunderung für Ältere, wenn jene einen vom üblichen abweichenden, kühneren Weg einschlagen. Diese Fähigkeiten der Jugend werden vom Dichter als «Traum», der sich in der Art des Blickens ausdrückt, bezeichnet. Auf Grund solcher gerade den Deutschen innewohnenden Traumfähigkeit – so pflegte der Dichter zu sagen – dichtet fast jeder deutsche Knabe mindestens einmal in seinem Leben, und die Tatsache, dass er dies tut, nicht wie er dies tut, ist für seine Entwicklung wichtig und kann sogar für sein späteres Wirken entscheidend werden.

Im dreizehnten Gedicht hält der Dichter den Zeitgenossen vor, dass sie Perioden der Weltgeschichte, so auch des Mittelalters, wild und dunkel nennen, weil sie sich selbst in die Annahme hineinlügen, sie lebten in einer freien, milden und klugen, das heisst hier aufgeklärten Zeit. Jene heute geschmähten Zeiten hatten vor der Gegenwart voraus, dass in ihnen noch der Glaube an eine höhere, das Mass setzende Macht lebendig war, selbst wenn damals der Weg zu Gott durch Grausen, Marter, Mord, Fratze, Wahn und Irrtum gesucht wurde. Die heutige Zeit ist die erste, die den Glauben an Gott völlig zu beseitigen strebt und einen Götzen für sich selbst erschafft, der nicht nach dem Bild des Gottes, der erhöhten menschlichen Form, erdacht, aber mit schmeichlerischen Namen benannt und mit allen erdenkbaren Scheusslichkeiten ausgestattet ist. Diesem Götzen werfen die Heutigen ihr Bestes in den Schlund. Das deutet auf einen Kindheitseindruck des Dichters von Erzählungen über die der indischen Göttin Kali dargebrachten Opfer, bei denen Kinder in den glühenden Rachen einer Statue der Göttin geworfen wurden. Die Ausdrucksweise, zu der den Dichter diese Kindheitserinnerung veranlasst, lässt den Schluss zu, dass er unter dem Besten der Zeitgenossen hier ihre Kinder versteht, die sie für den Götzen der Zeit erziehen und schon dadurch seelisch opfern. Die Heutigen nennen ihr Tun stolz ihren neuen und eignen Weg und hören nicht auf, ihn im trocknen, unschöpferischen Taumel – der Dichter prägte den Ausdruck «trocknen Wahnsinn» – fortzusetzen, bis in ihnen, die ebenso feige wie käuflich sind, anstatt des lebenerhaltenden, unzersetzten roten Blutes der tötende Eiter des Götzen rinnt, das heisst ihr ganzes Wünschen und Streben die Ziele verfolgt, die sie in dem Götzen verkörpert haben.

Die zweite Dreiergruppe handelt von nahe bevorstehender Vernichtung. Im vierzehnten Gedicht antwortet der Dichter auf von ihm hier zitierte Fragen der Zeitgenossen. Ihren Satz, dass das, was hoch ist, auch noch höher werden kann, lässt er nicht gelten. Für ihn ist ihre Weise des Bauens – und das bezieht sich sowohl auf Architektur wie auf jede Art eines Gedankenaufbaus – ein Verbrechen an Mass und Begrenzung. Im zweiten Zeitgedicht brachten die Riesenformen den ganzen Bau zum Wanken. Hier wird gesagt, dass kein nachträgliches Verstärken des Fundaments, vom Dichter zum Zweck der Eindeutschung und Verkürzung «Fund» genannt, kein Stützen der sich senkenden Bauteile, kein Flicken der Risse das Gebäude aufrecht zu halten vermag. Wenn dann die Zeitgenossen am Ende ihrer Weisheit sind, fragen sie den Himmel, was sie tun sollen, um nicht unter dem Schutt des zusammenbrechenden Baus zu ersticken und um nicht durch spukhafte Gebilde ihrer eignen Gedanken des Verstandes beraubt zu werden. Hohnlachend, wie es in der Antike nach den Scholiasten nur einmal der Dämon in den «Eumeniden» des Aeschylus tut, gibt der Gott ihnen die Antwort, dass es zu spät für Heilung oder auch nur für Stillstand der Erkrankung ihres Geistes ist. Der heilige Wahnsinn, das heisst hier der vom Gott gewollte Wahnsinn und nicht die im Altertum als heilig bezeichnete Fallsucht, müsse zehntausend von ihnen schlagen, wobei die Zahl nur auf eine grosse Menge deuten soll, eine vom Gott gewollte Seuche müsse zehntausend dahinraffen und der von Gott gewollte Krieg – generell gesagt – müsse Zehntausende, dies deutet auf eine noch grössere Menge, vernichten. Die Erkenntnis von der Unabwendbarkeit von weiteren Kriegen im Jahrhundert der Kriege hat der Dichter in «Der Dichter in Zeiten der Wirren» bereits im Jahre 1921, also zu einer Zeit zum Ausdruck gebracht, in der noch allgemein angenommen wurde, dass durch den ersten Weltkrieg die Gefahr künftiger Kriege beseitigt worden sei.

Im fünfzehnten Gedicht berichtet der Dichter von einer Vision, die er, wie er zu Karl Wolfskehl und jener mir sagte, vor 1913 auf einem Gang vor den Toren Münchens hatte. Ein blutroter Wolkenstreif zog sich über die Stadt hin, die so fern lag, dass man ihren Lärm nicht mehr vernehmen konnte. Aus dem Dunkel über dem Dichter bewegten sich Gewitterwolken gegen die Stadt, und inmitten von Donnerschlägen glaubte er, dumpfes Schreiten von Scharen, wie Klirren von Eisen, zu hören. Dazwischen klang, drohend und jubelnd zugleich, ein aus drei Tönen bestehender, metallisch heller Fanfarenstoss. Ihn überkamen Wut und Kraft und ein Schauer, als ob sich ihm eine flache Degenklinge aufs Haupt legte, während beschleunigtes Pochen nichtendende Scharen über ihm zu immer rascherem Schritt anzutreiben schien. Zwischen den durch ihr Dahinstürmen entstehenden Geräuschen vermeinte er wieder, den gellen Fanfarenstoss zu vernehmen. Der Dichter fragt sich selbst, ob dies der letzte Aufruhr der Götter über Deutschland sei, ob die Götter sich von Deutschland abwendeten, wie in Shakespeares «Antonius und Cleopatra» die Wache aus von ihr gehörten Tönen schliesst, dass Herkules seinen bisherigen Liebling Mark Anton verlässt. Nach Plutarch ertönte im Jahre 88 vor Christi Geburt ein scharfer, klagender Trompetenstoss aus klarem Himmel, der den Beginn eines neuen Saeculums verkündet haben soll.

Im sechzehnten Gedicht mahnt der Dichter die Zeitgenossen, nicht das «Höchste Gut» im Munde zu führen, bevor sie entsühnt, das heisst innerlich rein geworden sind. Ihre Art des Denkens und Tuns erniedrigt alles Hohe. Ein Gott, dessen Macht sie preisen, wird zum kraftlosen Schemen, wenn die Sprecher selbst ihre innere Kraft verloren haben. Zum «Höchsten Gut» – beide Worte sind zur Hervorhebung ihres weitreichenden Charakters mit grossen Anfangsbuchstaben gedruckt – gehört alles für den menschlichen Geist Unergründbare und Unzerlegbare, deshalb ausser dem Gott die gebärende Funktion der Frau und das Volk als Träger lebendiger Kraft. Die Zeitgenossen sollen so lange nicht vom Geheimnis des weiblichen Stoffes reden, als sie nicht erkannt haben, dass das Weibliche seine Aufgabe nur dann erfüllen kann, wenn es – wie das Templer-Gedicht besagt – unter dem Anprall eines stärkeren Männlichen in Lust stöhnend zum Gebären des rechten Nachwuchses gezwungen wird. Die Zeitgenossen sollen nicht vom Volk und dessen Kraft reden, wie sie es nach Ende des ersten Weltkrieges im Übermass in Deutschland taten, solange sie nicht das leiseste Wissen davon haben, was die lockere, fruchttragende Erdscholle mit dem Steinboden einer Tenne, einer der frühsten Erfindungen des menschlichen Geistes zur Nutzbarmachung der Frucht der Erde, gemeinsam hat, was also Natur mit Geist verbindet. Das ist vielleicht der Grund, aus dem sich heilige Tennen in Delphi und anderen Kultstätten der Griechen befanden. – Die Zeitgenossen wissen nichts – so sagt der Dichter – von dem rechten Mit-, Auf- und Unterstieg zwischen Naturkraft und Geisteskraft, von dem Zu-einander-Steigen beider Kräfte, die im Goldenen Zeitalter unlöslich miteinander vereint waren, deren Verbindungsfäden heute aber zerfasert sind und erst neu geknüpft und verknüpft werden müssen, wie auch der «Sonnwendzug» andeutet.

Die dritte Dreiergruppe dieses Teils von zehn Gedichten spricht von den Gütern der Zeit. Das siebzehnte Gedicht enthält eine Würdigung Nietzsches. Mit der Schärfe von Blitz und Stahl hat er die Klüfte des Daseins blossgelegt und sein Lager von dem der Zeitgenossen gesondert, indem er durch Umkehrung von dem, was jenen gegeben und selbstverständlich erschien, eine neue Form des Denkens und Handelns, ein Drüben hier auf der Erde schuf. Er schrie ihnen ihren Wahn mit solcher Wucht in die Ohren, dass seine Kehle barst und er sein

357

Ende fand. Sie hörten nicht auf ihn, mochten sie dumpf oder klug, falsch oder echt in ihrer Lebensform sein, und setzten, als wäre nichts geschehen, ihre Art bedenkenlosen Sehens, Handelns, Sprechens, Lachens und Zeugens fort. Hier wird das gewöhnlich nur für die Fortpflanzung von Tieren verwandte Wort «hecken» gebraucht, um die heutige Verantwortungslosigkeit bei der Erzeugung menschlichen Nachwuchses zu kennzeichnen. Der Warner – so sagt der Dichter – sei gegangen und jetzt gebe es niemand, der dem Rad, das auf abschüssiger Bahn zum Abgrund rollt, in die Speichen greifen und seinen Lauf aufhalten könnte. Nietzsche hat selbst den Philosophen als Hemmschuh am Rad der Zeit (Fragment aus 1872) bezeichnet und nach Angabe des Dichters sogar gesagt, man müsse dem Rad noch einen Fusstritt geben, damit es möglichst rasch hinunterrolle, denn eine Erneuerung könne erst einsetzen, wenn das Rad ohne Bewegung am Boden liege.

Im achtzehnten Gedicht wird der Dichter von den Zeitgenossen gefragt, ob er nicht die Gefahr in Betracht ziehe, in die jedes auch von ihm geschätzte, kostbare Bild und Blatt – das bezieht sich nicht nur auf Gemälde und Zeichnungen, sondern auf alle Arten von Bildwerken und Manuskripten – beim grossen Brand geraten würden. Der grosse Brand hat hier nicht die Bedeutung des Weltunterganges durch Feuer, die er in der germanischen Sage hat, vielmehr des totalen, das ganze Land verwüstenden Krieges. Der Dichter erwidert, dass solche kostbaren Werke, selbst wenn sie erhalten blieben, durch das ätzende Gift der heutigen geistigen Zergliederung und durch die Gier und Art heutigen Sammelns mit schlimmeren Folgen vernichtet würden, als wenn sie im Krieg zertrümmert und die Trümmer im mütterlichen Erdboden bewahrt wären. Denn dann bleibe wenigstens die Hoffnung bestehen, dass irgendwann später aus wieder geborgenen, noch kargeren Resten, aus den Steinen einer geborstenen Wand, aus verwitterten Blöcken, zerfressenem Erz und vergilbter Schrift sich neues Leben entzünden könne. Die Art, in der diese Schätze der Vergangenheit heute in Museen zusammengebracht werden, sieht der Dichter als Zeichen und Folge des allgemeinen Verfalls an.

Im neunzehnten Gedicht wird, wie in «Die Verkennung», von einem künftigen Wiedererscheinen von Christus auf der Erde gesprochen. Das Lohen des Abendrotes kündet das nahe Ende einer Weltzeit an. Christus betritt die reiche Stadt, die wie Jerusalem mit Tor und Tempel prangt. Er, der all dies zu stürzen berufen ist, wandert arm und verlacht inmitten der Zeitgenossen. Er weiss, dass kein von ihnen gefügter Stein stehenbleiben darf, wenn wenigstens der Grund für einen künftigen Bau erhalten bleiben soll. Die Zeitgenossen streiten zwar miteinander, aber in Wahrheit trachten sie alle nach dem gleichen. Massen rühren emsig arbeitende Hände, unzählige gewichtige Worte ertönen, aber keiner ausser Christus spürt, dass ein Ding allein not tut (Lukas 10, 42). – An diesem Weltabend ist ringsum Spiel und Sang, wie im zweiten Führergedicht der «Gestalten», und alle blicken in der gewohnten Richtung, das heisst nach rechts. Nur Christus sieht das andre, er schaut nach links. Nach den Petrus-Akten sagte Christus: «Wenn ihr nicht das Rechte wie das Linke und das Linke wie das Rechte und das Oben wie das Unten und das Hinten wie das Vorn macht, werdet ihr das Reich nicht erkennen.» Das ist der Grund, aus dem Petrus sich mit dem Kopf nach unten kreuzigen lässt.

Das zwanzigste Gedicht schliesst den zweiten Teil von zehn Gedichten und ist deshalb gereimt. Der Dichter sagt, dass man die Risse, Brüche, Wunden und Schrammen, die durch den Anbruch der neuen Aera verursacht werden und sich nicht nur auf den menschlichen Körper beziehen, nicht fürchten soll, denn sie werden durch das unausbleibliche Wirksamwerden des Gegendings zum zerstückenden Zauber von neuem zusammengefügt. Jedes Ding wird wieder ebenso heil, das heisst unversehrt und schön erscheinen, wie es vorher erschienen war, aber es wird unmerkbar von einem neuen Hauch belebt sein. Wer in die frühere Weltzeit eingeordnet war, wessen Wesen in ihr durch Benennung erfasst werden konnte, ist für die neue Weltzeit ohne Wert, wird gestürzt und stellt nichts anderes mehr dar als ein leer gewordenes Gehäuse oder eine stumpf gewordene Waffe. Der Dichter braucht hier das alte Wort «das Waffen», das nach Grimm das ursprüngliche Geschlecht des Wortes zeigt, um Neutralisierung des Lebendigen zu einem Gehäuse und zu einem Waffenstück auszudrücken. – Solche, für die der Übergang in die neue Weltzeit nicht möglich ist, werden als die Eingereihten und die Rückgewandten charakterisiert. Aufgabe für die neue Weltzeit ist es, den Kranz als Symbol erhöhten Lebens und die Krone als Symbol der durch Geburt erlangten Macht für den herbeizuschaffen, der mit keinem Namen erfasst werden kann. Das deutet auf den Schluss des «Geheimen Deutschlands».

Der dritte Teil von zehn Gedichten im ersten Buch handelt von den Gefährten des Dichters in der Zeit des Kommens Maximins. Die erste Gruppe von drei Gedichten spricht von den Münchner Kosmikern. Der Dichter nennt sie im einundzwanzigsten Gedicht «Helfer von damals», das heisst in der Zeit zwischen 1900 und Ende 1903. Jetzt sieht er den Tag der Abrechnung, den Richttag, gekommen. Das Für und Wider der von ihm zu treffenden Entscheidung ist stärker als jedes andre Band, so dass die Erinnerung an sein früheres Neigen zu Ludwig Klages, das in dem «Schattenschnitt L. K.» Ausdruck gefunden hatte, und an früheres Abschiedsleid schweigen muss. Der Ausgangspunkt für seine Entscheidung ist, dass er jetzt «hinüber» gelangt ist, das heisst Einlass in das Neue Leben gefunden hat, wäh-

359

rend die Gefährten ebendort geblieben sind, wo sie vorher gestanden hatten. Von dem neuen Blickpunkt aus sieht der Dichter, dass sie Vernunft, die Himmels-Manna, mit Hilfe von Kraft, Kunst und Begehren, mag es noch so redlich sein, in ein vergiftendes Betäubungsmittel, das heisst in giftigen Mohn umformen und deswegen in gleicher Weise wie die Mehrzahl der Zeitgenossen zu einem frevelhaften Ende treiben. Die Folge solchen Tuns ist, dass der beste Nachwuchs einem Rudel verrasster Hunde gleicht, da schon in den Gesichtern der Jugend der letzte Traum, die letzte Traumfähigkeit getilgt wird. Nur aus Traumfähigkeit, die für echte Jugend charakteristisch ist, entspringen Taten, die für die Gesamtheit wirksam sind.

Im zweiundzwanzigsten Gedicht werden die Kosmiker «Schwärmer aus Zwang», die durch Schwärmen dem Druck des Tatsächlichen zu entgehen hoffen, und «Sehner aus Not», da sie stets in sich selbst befangen bleiben, genannt. Über Schwärmer sagt Hölderlin (Aphorismus 6): «In guten Zeiten gibt es selten Schwärmer. Aber wenn's dem Menschen an grossen, reinen Gegenständen fehlt, dann schafft er irgendein Phantom aus dem und jenem und drückt die Augen zu, dass er dafür sich interessieren kann und dafür leben.» – Der Dichter rät den Kosmikern, in der Trübe, in dem Zwielicht ihres bisherigen Denkens zu bleiben, damit sie keine Schuld auf sich laden. Würden sie sich auch nur einen Schritt aus dem Halbdunkel herauswagen, dann würde ihnen alles Lebendige als eine Lüge erscheinen und Magie zum einzig Existierenden für sie werden. Das würde ein Verbrechen am Leben selbst bedeuten und sie schuldhaft machen. Sie bedürfen der Kräfte, die in dem Dichter wirksam sind, er aber bedarf nicht der in ihnen wirkenden Mächte. Was sie vollbringen, entstammt Stoffen, die sie als nicht vorhanden, als Schein verspotten. Sie warten vor der Schwelle zum neuen Leben, ohne dass es ihnen gelingt, die Schwelle zu überschreiten. Sie flehen, dass der Wirbel sie überfluten, dass ein Jenseits sie aufnehmen und dass Leuchtung und Lösung für ihre Rätsel hervorbrechen mögen. Da sie aber des gestaltenden apollinischen Rausches nicht fähig sind, geschieht nichts: nur grössere Dunkelheit, tiefe Nacht kommt.

Dem dreiundzwanzigsten Gedicht zufolge ist jetzt im letzten Augenblick nur noch ein Weg offen. Das, was bisher als das Härteste, das am meisten Widerstandsfähige von längster Dauer gegolten hat, ist ins Wanken geraten. Wenn auch alles innerlich aufgeweicht ist, der Stamm jener, die im Geist fest zu dem halten, was sie von früh an auf Grund ihres Traumes als Weg und Ziel geahnt und verfolgt haben, wird noch sein Wort sprechen, das heisst eine entscheidende Wirkung ausüben. Der Besitz und das Festhalten einer solchen Traumfähigkeit ist das einzige Zeichen des neuen Adels, wie aus dem vierten Gedicht des dritten Buches hervorgeht. Dieser Menschenschlag erfüllt sich dadurch, dass er der von ihm selbst gewählten inneren Form treu bleibt, selbst wenn er mit dem Leben dafür zu zahlen hat. Im Gegensatz dazu suchen alle Niederen, wie Insektenlarven dämmernd, um des Lebens willen sich zu erhalten und ihre Art fortzupflanzen; sie bescheiden sich damit, dass ihr Dasein ohne Selbstvollendung verrinnt. Bisher haben die Menschen Verbindung mit dem Ewigen durch Philosophie und Musik, durch das Spinnen von abstrakten Sinn- und Klangnetzen, wie «Haus in Bonn» zeigt, erstrebt, jetzt ist es Zeit, solche Verbindung durch das «Wunderwerk der Endlichkeit», die von innen her erfüllte Form, deren Vorbild die menschliche Gestalt ist, herzustellen. Das ist die Aufgabe der Plastik, des dritten Kindes des ersten Rheinspruchs, wie der Dichter mir sagte. – Er beschäftigte sich bei der Drucklegung des Bandes mit der Frage, ob das Verbum in der vorletzten Zeile dieses Gedichts «probt» oder «übt» sein sollte. Schliesslich wurde «übt» verworfen, weil es an Lehrhaftigkeit und an eine Dauertätigkeit denken lassen könnte.

Die folgende Gruppe von drei Gedichten handelt von Nordgermanen und Juden. Diese Verse sind eine Antwort an Ludwig Klages, dessen Antisemitismus einer der Gründe für Stefan Georges Bruch mit ihm und Schuler am Ende des Jahres 1903 war. Im einundzwanzigsten Gedicht werden die Nordgermanen als von den äussersten, windumsausten Klippen und von den verschneiten, nicht fruchtbaren Landstrichen an der Nord- und Ostsee stammend, den Juden, die von der glühenden Wüste kommen und deren dort entstandener Gott ein Gott-Gespenst genannt wird, gegenübergestellt. Beide sind, so sagt der Dichter, innerlich gleich weit von heiterer Mitte wie dem Mittelmeer und dem in sich ruhenden Binnenland wie Italien entfernt, in dem Leben sich in einer Umgebung zu Ende lebt, die von einem nach dem Bild des Menschen erdachten Gott bestimmt ist. Die blonden Nordgermanen und die schwarzhaarigen Juden werden vom Dichter wegen des ähnlich extremen Sondercharakters ihrer Stammlandschaften als dem gleichen Schoss entsprungen und deshalb als ungleiche Brüder, wie sie in Märchen fast aller Völker erscheinen, bezeichnet, da sie sich nicht richtig erkennen, hassen und suchen, rastlos schweifen und niemals erfüllt sind. Die Götter beider sind gestaltlos. Für die Juden gilt das Verbot, ein Abbild ihres Gottes zu schaffen, und die Gestaltlosigkeit der germanischen Götter wird in Tacitus' Germania betont. Diese Züge wurden von Stefan George als innerer Grund für den deutschen Antisemitismus angesehen, der, wie er sagte, auf einem schlechten Magen, auf mangelhafter Verdauungsfähigkeit beruhe. Der Dichter notierte sich, dass Juden die Lehrer des Bischofs Gerbert von Reims, des späteren Papstes Sylvester II, und von Campanella, der den für die Jesuiten massgeblichen «Sonnenstaat» verfasst hat, gewesen sein sollen.

Im fünfundzwanzigsten Gedicht spricht der Dichter von den Nordgermanen. Sie stürmen rastlos über Länder und Meere, weil sie sich nach einem Ziel sehnen, ohne es zu kennen und ohne es jemals zu finden. Sie hasten im überhitzten Taumel durch Scharen von Menschen und wünschen gebunden zu werden, obwohl sie nirgends zu haften vermögen. Weil sie es nicht ertragen, mit sich allein zu sein, und weil sie ihren schlimmsten Feind im eignen Innern erblicken, scheuen sie jede Art von Ruhe. Selbstgegebener Tod ist die einzige Lösung, die sie für sich finden. Hingegen sei, so sagte der Dichter unter Berufung auf Nietzsche, bei den Juden der Selbstmord seltener.

Die Nordgermanen, so heisst es im sechsundzwanzigsten Gedicht, bringen Recken hervor, die in der Nacht der Urzeit und im vorgeschichtlichen Heroenzeitalter zu wirken bestimmt sind. In historischen Zeiten haben aber solche Gestalten mit ihren Sonderkräften aus sich allein keine Bedeutung mehr. Dann müssen sie in den Süden ziehen und ihr kostbar tierhaftes und kindhaftes Blut mit dem der Bewohner von Gefilden vermischen, in denen Weizen und Wein gedeihen. Unvermischt wird, wie der Dichter glaubte, das Blut der Germanen kraftlos, falls sie nicht schon durch die Römer römisches Blut empfangen haben. Nur in solcher Blutvermischung oder Blutauffrischung wirken die Germanen in geschichtlichen Zeiten. Der Dichter erinnert sie, die er eine «hellhaarige Schar» nennt, daran, dass ihr eigner Gott sie meist kurz vorm Sieg, wie Odin im Eirickslied der Edda, meuchlerisch zu Fall bringt. Der Gott selbst tötet Sigmund, den Dänenkönig Harald und Hildebrant. Nietzsche spricht von dem Kampf mit dem rückwärts angreifenden Gott. Jean Paul sagt: «Tief-nördliche Völker, wie Schweden oder sonst abgesonderte, dürfen Jahrhunderte auf der Löwenhaut ruhen und sie richten sich doch als Löwen auf. Aber das wärmere Deutschland, dem nicht die Härte des Eises beisteht und an welches überall heisse Zungen lecken, das bedarf eigner Regsamkeit gegen jede fremde, wenn nicht seine Eisberge an dem umgebenden Süden schmelzen sollen. Man vergebe die Bilder: der Teich Bethesda heilte nur bewegt, zarte Früchte erfrieren nicht auf Zweigen, die sich regen. – Die Zeit hat uns bewegt.»

Die letzte Gruppe dieser Gedichte handelt von den Kosmikern, und zwar im einzelnen von Derleth und Schuler. Der Dichter bezeichnet sie im siebenundzwanzigsten Gedicht als unholdenhaft, also mit einem alten deutschen Wort für Kräfte, die Böses verkörpern – er nennt sie nicht völlig Gestalt geworden. Das Zeitalter, in dem die Kosmiker lebten, liebte es, auf alles zu lauschen und selbst ein schwaches, unklares Geräusch sowie die geringste Menge eines vom Wind aufgewir-

belten Staubes im Buch der Geschehnisse zu vermerken, war aber taub
für das unterirdische Donnern, das die Kosmiker hervorriefen. Jenes
vom Dichter mit Spott allweise genannte Zeitalter blieb unkundig
dessen, was wirklich vor sich ging. Es übersah die Kosmiker, die
«dunkelste Verschollene» genannt werden, weil sie von verschollenen
Substanzen früherer Jahrhunderte lebten, und versäumte, sich durch
das zu beleben, was in jenen noch lebendig war. Nicht in das Wirkungs-
feld der Zeit einbezogen, stürzten die Kosmiker in die Nacht zurück,
der sie entstiegen waren, hatten nicht die Kraft, zur Flamme zu werden, und erloschen wie Funken, die um schwelende Glut sprühen.

Das achtundzwanzigste Gedicht enthält eine Beschreibung von
Ludwig Derleth, dem Kosmiker des Katholizismus. Sein Blick wird
mit dem des Adlers seiner «Proklamationen» verglichen: mit leicht
seitwärts geneigtem Haupt schaute er nach oben und richtete sein
Auge nur abwärts zum Kampf gegen Widersacher. Sein Auge hatte
einen dem Wein ähnlichen Glanz wie das von Keats, von dem berichtet
wird, er habe Augen wie Vögel gehabt, die gewohnt sind, in die Sonne
zu schauen. Er benutzte beim Sprechen meist die gleichen apodik-
tischen Prägungen und wirkte, als der Dichter mich mit ihm um 1907
bekannt machte, befangen und zurückhaltend, wie jemand, der um
jeden Preis vermeiden will, etwas über sich selbst zu verlautbaren. Im
Gedicht wird er als zur Zunft der Mönche gehörend bezeichnet, die ihr
Fleisch als allzu feil geisseln und durch Zorn und Strenge gegen den
eignen Leib den matt gewordenen Geist zu beleben suchen. Er wird
mit Franziskus (Dante, Himmel XI, 74ff.) verglichen, der arm und
keusch durch das Land zog und selbst den Unrat mit göttlichem Licht
verklärte. Der Doktor Seraphicus ist der Franziskaner Johann Fidanza
genannt Bonaventura. Die Intensität von Ludwig Derleth hatte etwas
von der des Bernhard von Clairvaux, der ebenso wie im «Sonnen-
hymnus» Franziskus auf die Natur, auf die «Eichen und Buchen des
Waldes» als Ausgangspunkt zurückging. Der Dichter führte als
Beispiel für die Beeinflussbarkeit der Massen durch geistige Intensität
an, dass sogar Völker, die nicht französisch verstanden, durch die in
französischer Sprache gehaltenen Predigten Bernhards von Clairvaux
zum Kreuzzug fortgerissen wurden. Seine Leidenschaftlichkeit spricht,
selbst wenn man den Zeitstil in Rechnung stellt, aus der Widmung
seines Werkes «De consideratione» an seinen Schüler, den späteren
Papst Eugen III, dem gegenüber er sich «von der Mutterliebe» befreit
fühlt, doch «sei sie ihm nicht genommen». – Die Nennung des Namens
Bernhard erfolgt in diesem Gedicht, wie der Dichter mir sagte und
bereits erwähnt ist, im wesentlichen wegen Bernhard Uxkulls, auf
dessen erste Gedichte Stefan George damals gerade aufmerksam geworden war und den er später in der Vorrede zur elften und zwölften

Folge der «Blätter für die Kunst» als Enkel bezeichnete. – Am Ende des Gedichts wird Derleth als zu spät geborener Kämpe der schon müden Kirche bezeichnet. Ihr Schoss – so sieht es der Dichter – sei zu eng geworden, um noch die Erdströme zu fassen, die dieser Kosmiker in sich barg und aus sich niedergehen lassen konnte. Unter Erdstrom ist hier nicht Wasser, sondern eine Art Lawine von fruchtbarer Erde zu verstehen.

Das neunundzwanzigste Gedicht bezieht sich auf Alfred Schuler. Er wird als ein Hausgeist, ein Kobold gesehen, der nach dem deutschen Volksglauben ursprünglich ein für Ordnung im Haus sorgender Herdfeuergott ist. Als der Dichter ihn mir um 1907 auf der Strasse in München zeigte – er grüsste damals den Dichter mit Ehrerbietung – war er ein breit wirkender Mann mit etwas verschwommenen Zügen, der sich mit besonders kurzen Schritten vorwärts bewegte. Seine Furcht, verhext zu werden, war damals ebenso gross wie sein Wunsch, selbst magische Wirkungen auf Dritte auszuüben. Man sah, dass er witterte, das heisst irgendwie lediglich einem Geruchssinn zu folgen schien. Der Dichter lässt ihn nächtlich an der Porta Nigra kauern als Verkörperer des passiven römischen erotischen Begehrens, das sich nach Schwängerung sehnt und im Gegensatz zum aktiven griechischen, nach Zeugung strebenden Prinzip steht. Der Dichter glaubte, dass beide Prinzipe nach Alter und Zeiten wechseln und zur Erhaltung lebendiger Kraft in gleicher Weise nötig sind. Alfred Schuler hatte die Gabe, römische Steine in mit Stuck überzogenen Mauern und unter der Kruste von Jahrhunderten antike Inschriften zu erfühlen. So riet er dem Dichter einmal zum Ankauf einer griechischen Vase wegen einer Inschrift, die sich erst nach der Reinigung des Stückes zeigte. Sein gesprochenes Wort vermochte ein Bild der Gastmahle des kaiserlichen Roms vor den Hörern so lebendig werden zu lassen, als ob sie selbst dem Fest beiwohnten. Die Schilderung der Farbigkeit der Leiber im Gedicht erinnert an das vierte Gedicht der «Hängenden Gärten». Die von ihm durch Worte heraufbeschworenen Lebensformen der Antike hielten dem Licht des Tages nicht stand. Wie ein Spuk verschwand das Bild des späten Roms, das der Dichter als Hure sieht, mit der die Könige der Erde gebuhlt haben (Offenbarung 18, 3 und Dante, Hölle XIX, 108).

Das dreissigste Gedicht, das als architektonischer Abschluss gereimt ist, fasst das Ergebnis des von der Stellung des Dichters zur Aussenwelt handelnden ersten Buches dahin zusammen, dass es aussen keinen festen Fussbreit mehr gibt. Alles ist ebenso fragbar wie fragwürdig geworden. Der Geist hat sich ohne jede Überlegung, das heisst blindlings aus der Siele – einem aus dem Althochdeutschen stammenden Wort für das Brustgeschirr von Zugtieren – herausge-

wunden und erkennt keine Norm mehr an. Die Seele, die auseinander-
gelaufen und ohne Form ist, begreift und entschuldigt ebenso töricht
wie spielerisch jedes Tun und Wollen. Worte sind so billig und wertlos,
dass sie einem Dreschen auf leerem Stroh gleichen. Dies bildet den
bewussten Gegensatz zur Erwähnung des Dreschens auf der gesteinten
Tenne im achtzehnten Gedicht des ersten Buches. «Alles redet, alles
wird zerredet. Und was gestern noch zu hart war für die Zeit selber und
ihren Zahn, heute hängt es zerschalt und zernagt aus den Mäulern der
Heutigen. Alles wird verraten» (Nietzsche). – In solcher allgemeinen
Auflösung und Aufweichung, von denen die «Fibel» zum Teil noch in
überkommenem Stil berichtet, zeigt allein das Kommen Maximins den
Beginn des neuen Lebens, es ist die Tat, die im irdischen Jubel aufge-
rauscht ist und das von Wut und Wahn verschlackte Herz des Dichters
aus Gärung, Dunkelheit, Versponnensein und Trubel befreit. Das Bild
Maximins als das der neuen Jugend erhebt sich frei und nackt im
Licht, «schlank und leicht, wie aus dem Nichts entsprungen», wie
Schiller es in «Apotheose der Kunst» zum Ausdruck bringt.

Der dritte Abschnitt des Werkes oder das zweite Buch handelt von
dem Verhalten des Dichters zu nahen Freunden in der Zeit nach dem
Tode Maximins. Die ersten zehn Gedichte sind an Ernst Morwitz gerichtet. Ihre erste Gruppe hat innere Schwierigkeiten des Freundes
zum Gegenstand, die sich anfangs dieser Freundschaft entgegenstellten.
Der Dichter mahnt den jüngeren Freund, er möge seinen rastlosen
Geist unter dem klaren Himmel, den er ihm weise, zur Ruhe kommen
lassen und sodann getrost zur Reinigung und Stärkung dem uner-
gründlichen Dunkel anvertrauen. Seine innere Verkrustung würde
sich lösen, er würde nicht mehr taub und stumm bleiben, wenn sich der
Gott in ihm regen und die Stimme des Lebens für ihn vernehmbar
werden würden. – Das vom althochdeutschen runa hergeleitete Wort
«raunen» ist hier in dem ursprünglichen Sinn des Mitteilens einer besonderen Lehre, also nicht nur um ein besonders leises Sprechen anzudeuten, verwendet. Der Dichter glaubte übrigens, dass der Papst den
Kardinälen bei der Ernennung eine geheime Überlieferung mitteile
und dass der bekannte Brauch seines stummen Öffnens und Schliessens
des Mundes bei jener Zeremonie das Symbol für diese Einweihung sei.
In der deutschen Mystik vollzieht sich die Gottgeburt in der Seele dadurch, dass Gott das Wort in die Seele einspricht. In dieser Bedeutung
nähert sich das Raunen dem antiken Einhauchen andern Atems, wie es
zum Beispiel in Platos «Phaidros» und Xenophons «Gastmahl» be-

schrieben ist. Geliebter deutet hier sowohl auf Lieben wie auf Geliebt-
werden.

Im zweiten Gedicht spricht in den ersten vier Versen der Freund,
danach der Dichter. Der Freund bittet, ihn von seinem allzu leicht
gegebenen Wort zu entbinden und ihn wieder zu dem dumpfen, das
heisst seelisch unbewegten Volk, aus dem er zum Dichter kam, zu-
rückzusenden. Er hält sich nicht für befähigt, weitere Einweihung in
das neue Leben zu empfangen, da er fürchtet, trotz der Intensität des
Dichters nicht stark genug gebunden zu sein. Der Zweifel an der eignen
Intensität ist eine Folge der im voraufgegangenen Gedicht als « Hülle »
bezeichneten inneren Verkrustung, die die Seele stumm und taub
macht. Der Dichter erwidert, der Freund solle nicht glauben, dass dort
nichts sei, wo er selber nichts wahrzunehmen vermöge. Für ein klarer
erkennendes inneres Auge sei eine dem Freund selbst noch verborgene
Änderung, die vom Geistigen bis ins Leibliche wirke, bereits eingetreten. Eines Abends habe er durch das Antlitz des Freundes hindurch
langsam dessen Gottesantlitz, durch Schicksal und Erlebnis geformt,
wachsen sehen. Der Dichter zitierte häufig Nietzsches Worte: « Es ist
mehr Vernunft in deinem Leibe als in deiner besten Weisheit. » Die
Kabbala, die der Dichter in « Die Gräber in Speier » erwähnt, kennt den
Begriff des Gottesantlitzes, das nach dem Buch Sohar Licht unmittelbar aus der höchsten, menschlichem Wissen verborgenen Leuchte
empfängt und das innere Antlitz, das heisst das geheimnisvolle Abbild
des nur Wissenden erkennbaren Innersten des Menschen ist. In der
Kabbala findet sich auch die Lehre von einer Seelenschwängerung im
Alter von dreizehn Jahren und einem Tag.

Das dritte Gedicht spielt auf den Volksglauben an, dass es Heilungs-
steine gibt, die Gifte aus dem Körper bei Auflegung in sich aufnehmen
(Dante, Hölle XXIV, 93), sowie auf die Entfernung von Schlangengift
durch Aussaugen der Wunde. Solcher Art will der Dichter den Freund
von dem Gift, das die innere Verkrustung bewirkt, befreien. Der be-
wegtere Takt des Blutes des in diesem Gedicht allein sprechenden
Dichters, übertragen durch seine dem Freund gereichte Hand, soll
dessen Blut in einem neuen, kräftigeren Rhythmus pulsieren lassen,
so dass die Glieder sich freier regen können. Er soll nicht mehr klagen,
dass dunkle Dünste, die nur Rückstände verwester, nicht in Leben
umgesetzter Träume sind, den Geist noch anfüllen, denn sie werden
durch die Flammen dieser erziehenden Liebe rasch aufgezehrt werden.

Im vierten Gedicht, mit dem die zweite, die innere Befreiung des
Freundes feiernde Gruppe beginnt, spricht in den drei Anfangsversen
der Freund. Er bittet den Dichter, ihm, der durch Trübung der Seele
verfinstert sei, einen Halt zu geben, ihn zu fesseln und jeden Wahn in
ihm zu vernichten, so dass er selbst das Glück des Befreitseins und der

Dichter den Lohn des Befreiens geniessen können. Der Dichter fordert in der zweiten Hälfte des Gedichts den Freund auf, die tosenden, wirren Wünsche aufzugeben und mit ihm gemeinsam den Gang in das neue Leben – ausgedrückt durch ein Reichen des Arms – anzutreten. In andrer Weise, als der Freund die Bindung erwartet, und auf einem andern Weg als dem, auf dem der Freund zu erhelltem Dasein zu gelangen hofft, will der Dichter ihn dadurch binden und führen, dass er ihn die apollinische Kraft der Sonne spüren lässt, die den Bann innerer Erstarrung bricht.

Im fünften Gedicht spricht der Dichter zu sich selbst. Er bittet die Nacht, in der er die Befreiung des Freundes als vollzogen empfindet, noch nicht dem ernüchternden Tag zu weichen. Die mit grossen Anfangsbuchstaben gedruckten Worte «Ihm» in der ersten und «Ihn» in der letzten Zeile beziehen sich auf den Gott. Die Pronomina «deinen» in der zweiten, «dein» in der dritten und «du» in der vierten Zeile weisen auf die Nacht. Er nennt diese Nacht vom Gott bestimmt, das heisst befohlen, und wünscht, sie möge fortdauern, damit er durch kein Tagewerk daran gehindert werde, das in ihr begonnene Glück zu begreifen und zu vollenden. Das Licht des Gottes, das ihm durch das Dunkel geleuchtet hat, soll ihn wärmen und klären. Die Feier dieser Nacht erinnert, durch Intensität und Schlichtheit zugleich, an den «Sang von der Seele» von Juan de la Cruz.

Im sechsten Gedicht spricht der Dichter zu dem Freund. Es sind der apollinische Licht- und der dionysische Glutenrausch, deren notwendiges Wirken begreiflich gemacht wird. Beide Formen des Rausches werden von dem gleichen Gott gesandt, der schon im zweiten «Gebet» Maximins als Spender von hellem und dunklem Rausch gefeiert worden ist. In der durch Apollo verbreiteten Helle erblickt der Geist, der jetzt befreit ist und sein inneres Auge nicht mehr zu verhüllen braucht, alle Dinge in grösster Klarheit und beurteilt sie nach Nietzsche lachend, das heisst voll Freude über seine Befreiung und über sein Erhobensein auf die kristallenen Höhen der «Entrückung». Die Kraft des Gottes äussert sich aber auch im Glutenrausch dadurch, dass er die von Starrheit befreite Seele in das Dunkel zurückkehren lässt, in dem sie blind und trunken Urgrundschauer empfindet und gestaltet wird, bevor sie selbst gestaltet. Sie ist beider Formen des Rausches fähig und teilhaft geworden, vermag jedoch nicht zu ermessen, wohin der Gott mit ihr und durch sie den Dichter führen wird.

Die letzte Gruppe dieses Teils beginnt mit dem siebenten Gedicht und spricht von Erlebnissen nach der inneren Befreiung des Freundes. Wenn der Dichter die Nähe des Freundes sucht, mit seinen Lippen zu ihm drängt und im fremden Atem lebt, dann empfindet er plötzlich mit einem Erschrecken, das so gross ist, dass er vor dem umfangenden

367

Arm zurückweicht, eine Verwandtschaft zwischen sich selbst und dem Freund, die fühlbar wird, obwohl sie aus Schreckensfernen, das heisst für den menschlichen Geist unmessbar fernen Epochen herrührt. Diese überindividuelle Rückerinnerung gemahnt an Goethes Begriff von den «abgelebten Zeiten». Den Grund solcher Verwandtschaft findet der Dichter darin, dass seine Seele und die des Freundes in unausdenkbar ferner Vergangenheit dem gleichen Königstamm entsprossen sind.

Im achten Gedicht spricht, ebenso wie im voraufgegangenen, der Dichter zu dem Freund. Hier handelt es sich um die Stellungnahme des Freundes zu denen, die den Dichter umgeben, also zu dem Kreis des Dichters, der, wie gesagt, nicht durch äusserliche Einordnung oder Mitgliedschaft irgendwelcher Art gebildet, vielmehr durch die menschliche Beziehung des Einzelnen zum Dichter zusammengehalten wird, ohne dass die Einzelnen zueinander in persönlicher Bindung stehen und zu stehen haben. Der Dichter überlegte sehr lange und sorgfältig im voraus die möglichen Folgen, bevor er Menschen zusammen brachte. Er unterschied dabei auch zwischen Altersstufen und vermied alles, was gesellschaftlichem Kontakt ähnlich gewesen wäre. Der Kreis bestand in den Radien, die zum Mittelpunkt führten – die einzelnen Punkte des Kreisumfanges waren kaum miteinander verbunden. – Der neugewonnene Freund soll, so sagt der Dichter, sich in diesen Kreis, der lebensmässig auch der seine ist, einfügen. Dadurch wird nicht nur der Kreis gefüllt, im Sinne von innerlich voller werden, sondern auch er selbst wird ebenso wie der Dichter mehr als bisher erfüllt sein, wie im zwanzigsten Gedicht des dritten Buches näher dargetan ist. Ein solches Sich-Geben bedeutet eine Steigerung der seelischen Kraft des Sich-Gebenden und verleiht ihm ein stärkeres Empfinden seiner eignen Fähigkeiten. Der Raum des Erlebens, der durch und zu dem Sondererlebnis des Dichters mit diesem Freund verengt worden war, wird wiederum dadurch erweitert, dass beider durch das Erleben gesteigerte «Kräfte» in den Kreis einfliessen. Der Dichter, der allein diesem Freund innerlich nahe ist und bleibt, sieht von nun an alle Glieder des Kreises in der Form und Farbe des neuen Erlebnisses erblühen, dies ist durch ein einziges Wort, nämlich «so», im Gedicht zum Ausdruck gebracht. Wegen der Änderung der Sehweise sprengt der Sonnentag, das heisst die gestaltende Helle des neuen Erlebnisses, alle bisherigen Grenzen und wirkt nicht nur auf Gegenwart und Zukunft, sondern auch zurück in die Vergangenheit.

In der ersten Hälfte des neunten Gedichts spricht der Freund, der bisher nur im zweiten und vierten Gedicht des zweiten Buches das Wort ergriffen hatte. Der Dichter hat, so sagt ihm der Freund, aus einem erfüllten Leben, von dessen Reichtum er nach Willkür bisher gespendet hat und noch spendet, den Weg zu dem neuen Freund gefunden. Es widerstrebt dem Freund, sein ganzes Leben für einen ihm nur zugemessenen Teil zu vergeben, denn er fühlt sich, um sein Dasein zu ertragen, als Sondererscheinung am Anfang einer neuen Zeit. Deshalb begehrt er alles für alle Zukunft von allem, was der Dichter verkörpert. Der Dichter erwidert, dass der Freund für ihn das Leben selbst, also mehr als jedes Glück und jede durch die zwei Formen des Rausches sich vollziehende Erhöhung des Daseins bedeutet, solange das Schicksal beider es fordert. Das Schicksal bestimmt für den Dichter nicht nur Stärke, sondern auch Dauer der unmittelbaren Wirkung eines Erlebnisses – das war schon in der Gundolf-Tafel und im siebzehnten Gedicht der «Gezeiten» dargelegt. Für eine Zeitspanne, deren Dauer dem Los beider entspricht und, an irdischem Sein des Menschen gemessen, schon infolge der Intensität Ewigkeit bedeutet, ist dieser Freund für den Dichter das Herz, das heisst die Mitte seines ganzen Lebens und Erlebens. Von dem Wandel der Stellung eines Freundes zum Dichter berichtet das achtzehnte Gedicht des zweiten Buches. Über die Zeitspanne des Erglühens und Erfülltseins hinaus vermag der Mensch ebensowenig frei zu bestimmen wie über Dauer und Ablauf der eignen Existenz.

Das zehnte Gedicht bildet den Abschluss des Teils und ist deshalb gereimt. Der Dämon im Blut dieses Freundes, der noch im früheren Lebensbereich geboren ist und deshalb vom Dichter nicht ohne Kampf der Seelen gebunden und in das neue, die Spaltung von Körper und Seele beseitigende Leben geleitet werden kann, ist vom Dichter bezwungen worden. Die Frage, wann Geist, wann Leib, hat für den Freund sich gelöst. In dem Endgedicht fordert der Dichter den Freund auf, die Leiden des notwendigen Seelenkampfes zu vergessen, da der Widergeist, die Gegenmacht im Freund, niedergerungen und der Gott allein zur «Richte», das heisst die Richtung weisend, geworden ist. Bei solchem Kampf der gestaltenden Liebe, für den die Waffen jedesmal neu geformt werden müssen, steht das Leben beider auf dem Spiel. Der Freund wird innerlich zerstört, wenn er nicht stark genug bleibt, um die Erkenntnisse des neuen Lebens zu tragen und umzusetzen. Der Dichter verliert den Boden unter den Füssen und versinkt, wenn er sich bei der Wahl des Freundes über dessen seelische Kraft getäuscht hat. Der Kampf der Verknüpfung spielt sich für beide als wilder Traum ab, über den die Seele Herr werden muss, und endet durch wechselseitiges Aufgehen von einem Ich im andern, in einer Selbstvernichtung, die notwendigerweise jedem Aufstieg voraufgeht. Ob sich der Dichter in dem Freund vollendet, so dass er dies im Werk zum Ausdruck zu bringen vermag, hängt vom Schicksal des Dichters ab, ebenso wie es durch das Schicksal des Freundes bestimmt wird, ob er die oberste Grenze seiner eingeborenen Möglichkeiten durch das neue Erlebnis

369

erreicht. Gregor von Nyssa sagt: «Wie ein Siegel dem Wachs, so prägen die Strahlen der Gestirnstellung in der Geburtsstunde dem Menschen sein Schicksal auf.» Daran glaubte Goethe und hinsichtlich des Umfanges der Möglichkeiten des Individuums auch Stefan George.

Mit der gleichen eingeborenen Sicherheit, mit der der Dichter eine vom Dämon getriebene Seele als verwandt erkannt und trotz ihres Widerstandes geleitet hat, vermag er auch die Zugehörigkeit von Seelen im voraus zu fühlen, die – ihrer Kraft noch unbewusst – nach verschiedenen Richtungen schwanken und durch dämmernde Jugend vor geistigem Kampf mit der Umwelt bewahrt sind. Von ihnen handeln die zweiten zehn Gedichte des zweiten Buches des «Sterns des Bundes», denen Erfahrungen zugrunde liegen, die der Dichter in Erlebnissen mit Ludwig Thormaehlen, der über die Magdeburger Brüder Andreae durch Berthold Vallentin zum Dichter gekommen war, und Percy Gothein gewonnen hat. Der Dichter hat mir bedeutet, dass diese Gedichte die Essenz von seinen Erlebnissen mit diesen beiden Freunden enthielten und dass er selbst kaum noch in der Lage sei, dieses oder jenes Gedicht auf den einen oder den anderen unmittelbar zu beziehen. Nur das verschiedene Lebensalter, das beide um 1910 erreicht hätten – Thormaehlen war damals etwa einundzwanzig Jahre und Gothein erst fünfzehn Jahre alt – gestatte vielleicht einen, wenn auch unsicheren Rückschluss auf die Art der Probleme eines jeden von ihnen in der Zeit der Entstehung dieser Gedichte. Hinzu kommt, dass der Dichter in Widmungsgedichten meist die individuelle Sprechweise der Bewidmeten zu treffen und hörbar zu machen sucht.

Im elften Gedicht des zweiten Buches spricht der Dichter. Wer seinen Reichtum nicht nutzt, wird dadurch dieses Reichtums unwürdig und muss über den eignen Unwert klagen. Wer innerlich arm ist oder seinen inneren Reichtum verliert, hat keinen Grund über Unwürdigkeit zu klagen. Der Reichtum äussert sich hier im Finden und Besitzen einer Wünschelrute, deren Zucken in der Hand des Trägers verrät, wo Wasserquellen oder Lagen von wertvollen Metallen in der Erde verborgen ruhen. Der Finder der Wünschelrute ist hier der jüngere Freund, der unbewusst den Dichter an sich gefesselt hat. Er soll nicht darüber staunen und erschreckt fragen, warum gerade er dies zu tun vermochte, auch nicht im Trotz das Wunderding, das heisst die Wünschelrute, als Symbol seiner unbewussten Macht über eine andre Seele, beiseite werfen, weil er das Geschehen nicht begreift. Er soll vielmehr den Besitz der Wünschelrute geniessen und durch sie beim Finden von geistig Verborgenem helfen, solange sie in seiner Hand ihre geheimnisvolle Wirkung ausübt. Nietzsche sagt ähnliches in «Jenseits von Gut und Böse» 295. – Percy Gothein, den der Dichter in dessen Elternhaus kennengelernt hatte, hörte bei einem Besuch in Bingen den Dichter die Verse dieses Gedichts im Nebenzimmer vor sich hinsagen und bezog sie deshalb auf sich.

Im zwölften Gedicht, das das zweite der ersten, bestimmte Probleme der Jugend beschreibenden Gruppe ist, spricht ein Freund des Dichters. Die Möglichkeiten des Wachsens, die er dumpf in sich fühlt, werden durch den Blätterreichtum eines Baumes umschrieben, der seine Äste weit in das Land ragen lässt. Doch weiss dieser Jüngere noch nicht, wonach er sucht, er kennt sein Ziel bisher nicht. Ihn hat ein Anhauch aus dem dämmernden Schlaf der Jugend erweckt – von wem der Anhauch ausgeht, wird nicht gesagt, doch ergibt sich aus den folgenden Versen, dass er vom Dichter herrührt. Den Dichter bittet er zu helfen, damit er erstarke, da nur er seine Nöte kenne, und ihn aus der Starre zu lösen, die hier nicht durch Dämonen im eignen Blut, sondern durch jugendliches Ungewissein erzeugt und deshalb mit Eis, nicht mit «Hüllen» bezeichnet wird.

Im dreizehnten Gedicht spricht der Dichter zu einem Freund – im Gegensatz zu den ersten zehn Gedichten des zweiten Buches sprechen im zweiten Zehnt Dichter und Freund nicht im gleichen Gedicht. Der Jüngere hat vom Dichter empfangen und dem Dichter gegeben, wie es das Gesetz verlangt, nach dem jedes Leben auf Wechselseitigkeit beruht. Jetzt entgleitet dem Freund nichts mehr von dem, was wesentlich für sein neues Leben ist, und er wird den Dichter nichts vermissen lassen, solange der Umlauf dieser Freundschaft, als sich schliessender Kreis gesehen, dauert. Dem Freund wird bedeutet, er solle nicht nach mehr suchen, als diese Freundschaft ihm bietet, nicht nach andren Zielen oder Freuden oder nach etwas, was ihm bedeutsamer als diese Freundschaft erscheinen könnte. Denn der Edle, das heisst ein solcher Gabe des Schicksals Würdiger trinkt nicht den Wein des Gottes in einem einzigen gierigen Zug. Das Wort «schlürfen» ist antithetisch zu «gierig» gesetzt, um die Geste zu verdeutlichen. – Der Freund soll unter dem Schatten der Begehung, das heisst der Einführung in das neue Leben durch den Dichter, die ihm vom Schicksal auferlegte Bürde eines Daseins inmitten des früheren, ihm fremden Lebensbereiches stolz tragen und sein Los preisen, das ihn davor bewahrt, jemals durch Leidenschaft in den Abgrund gerissen zu werden. – Wollte man versuchen, aus dem Alter und der Sprechweise der beiden Freunde zur Zeit der Entstehung dieser Gedichte auf ihre individuellen Probleme Schlüsse zu ziehen, so würde man vielleicht dieses dreizehnte Gedicht ebenso wie das zwölfte, vierzehnte, fünfzehnte und achtzehnte Gedicht mit Ludwig Thormaehlen und das elfte, sechzehnte und siebzehnte und neunzehnte Gedicht mit Percy Gothein in engere Verbindung bringen können. Aber ein sicherer Anhalt ist bei der möglichen Verschiedenheit geistiger Entwicklung in jenen Altersstufen keineswegs vorhanden.

Die zweite Gruppe von drei Gedichten behandelt die Lösung der Probleme der Freunde. Im vierzehnten Gedicht spricht der Freund zum Dichter. Weil er sich ihm mit allen Fasern verbunden fühlt, wünscht er, sich voller und schöner zu entfalten, um dem Dichter eine grössere, wertvollere Gabe bieten zu können. Selbst frei und aus freien Stücken hat er sich dem Dichter zu eigen gegeben. Er ist bereit, sein Selbst für den Dichter aufzugeben, durch das den Dichter belebende Feuer verzehren zu lassen. Kein anderes menschliches Band hat für ihn Geltung, seit der Wunsch, dem Dichter den letzten Dienst der Liebe zu leisten, jedes andre Begehren getilgt hat. Von allen Regungen ist nur die zarteste und stärkste, nämlich die der «heiligen Ehre» in ihm lebendig geblieben. Darunter ist die heilige und heiligende Ehrfurcht des Jüngeren vor dem Genius des Älteren zu verstehen.

Im fünfzehnten Gedicht spricht der Dichter zu dem Freund. Der sicherste Beweis für sein Freundschaftsempfinden ist, dass er sich wie zu formender Thon in die Hände des jüngeren Freundes gibt, sein ganzes Sinnen auf den Lebensrhythmus des Freundes abstimmt, sich ihm durch In-sich-Nehmen seines Wesens langsam anähnelt und Schritt und Blick des Freundes sein eignes Denken und Tun bestimmen lässt. Dieser Einfluss des Freundes wird in den drei Schlussversen des Gedichtes hinsichtlich des Werkes des Dichters zusammengefasst. Die Farbe, in der das Leben des Freundes für den Dichter leuchtet – das könnte auf die dem Dichter bekannte indische Anschauung von der Farbe der jeden Menschen umgebenden Aura zurückgehen – tränkt die Träume des Dichters, aus denen sein Werk entsteht. Die Erinnerung an die Sprechweise des Freundes hilft dem Dichter die Laute bilden, mit denen er sein Werk – er nennt es hier seine Gebete – formt. Der Atem des Freundes verleiht dem Wort der Sterne, dem Gedicht des Dichters, den besonderen Rhythmus.

Im sechzehnten Gedicht spricht der Freund, und zwar zum Dichter, obwohl es klingt, als spräche er zu sich selbst, denn der ganze Teil ist nach dem Prinzip von «Sang und Gegensang» gestaltet. Der Freund ist erstaunt über die Wirkung seiner von ihm nicht begriffenen inneren Wandlung, von der auch Schillers «Philosophische Briefe» handeln. Er fühlt, dass er anders und mehr erfüllt als bisher geworden ist. Von seinen früheren Freuden hat er nichts eingebüsst. Er geniesst den Sommer, wie es im zweiten «Gebet» beschrieben ist, und wird nicht weniger geliebt und geehrt wie vordem. Gefährten suchen wie früher seine Nähe, und zwar jetzt sogar mit einer ihm wahrnehmbaren, schönen Scheu, stolze Träume begeistern ihn und der Kuss weicher Lippen entzückt ihn. Die Wandlung aber macht sich durch ein kühneres Pochen in seinem Blut bemerkbar, das ihm zeigt, wie arm er war, als er sein Selbst noch wahren zu müssen glaubte. Erst seit er ganz sich gegeben hat, fühlt er sich ganz erfüllt.

Die dritte und letzte Gruppe dieses Teils handelt von dem, was sich nach der Lösung der Probleme der Freunde begibt, so dass der Stoff in dem Abschnitt vom elften bis zum zwanzigsten Gedicht in gleicher Weise angeordnet ist wie in den ersten zehn Gedichten des zweiten Buches. Im siebzehnten Gedicht spricht der Dichter zu dem Freund, nachdem jener es als grösste Gabe bezeichnet hat, dass ihm von nun an der innere Besitz des Dichters mitgehört. Das umfasst aber, so sagt der Dichter, keineswegs alles, was er für den Freund getan und aus Verbundenheit zu tun hat. Der Tag des Dichters, jede seiner Stunden sind erfüllt von Gedanken an den Freund, ebenso wie nach dem fünfzehnten Gedicht die Farbe des Freundes den Traum des Dichters tränkt. Bitten des Freundes sind für den Dichter so beachtlich geworden, als wären sie Befehle. Er hat den Freund zu schützen, wenn jener sich – wie der jüngere «Waffengefährte» – in Gefahr begibt, und den Schwertstreich – übertragen gemeint – aufzufangen, der jenem gilt. Für jeden Mangel des Freundes hat der Dichter zu bürgen, er muss die Lasten tragen, die der Freund als zu schwer abwirft, und Tränen weinen, die jener hätte weinen sollen, aber niemals weint. Solchem Einstehen gegenüber, das für Gegenwart und Zukunft gilt, bedeutet das Einräumen von Mitbesitz nicht allzu viel.

Im achtzehnten Gedicht spricht der Freund zum Dichter. Er ist im vollen Sturm der Jugend zu dem Dichter geeilt, der in Reife seine Gunst verleiht, und von dem Gedanken erfüllt worden, lieber jedes andre Leid auf sich zu nehmen als eine Änderung seines Verbundenseins mit dem Dichter. Es war die Furcht vor der naturgemässen Lockerung und Schwächung dieses Bundes durch Zeitablauf und Geschehen, die den Jüngeren «verhohlen gequält» hatte. Dies ist zugleich eine Begründung für die im neunten Gedicht geäusserten Wünsche eines andern Freundes. Jetzt wird dem Jüngeren der seine Zweifel beseitigende Sinn klar. Die von ihm gefühlte Lebenserhöhung, der «glühende Schwung, der ihn ergriffen» hat, gibt ihm Gewissheit, inwieweit er seine bisherige Stellung zum Dichter zu behalten und zu wechseln hat. Die Spaltung von irdisch und ewig, die ebenso wie jene von Körper und Seele sich erst nach dem Enden der Antike bedrückend fühlbar gemacht hat, weicht dem neuen Lebensgefühl, das dem Freund ermöglicht, das Glück jeder veränderten inneren Stellung zum Dichter als Sonderheit zu geniessen und den Übergang von einer zur andern Stellung als so natürlich und sanft wie den gewohnten Wechsel der Jahreszeiten zu empfinden. Deswegen nimmt der Freund es willig und schweigsam hin, dass er bereits in die andere Riege, das heisst in die Reihe älterer Freunde getreten ist. Dieser Übergang ist die notwendige Folge seines Erstarkens zur eignen Tat und findet seelisch Ausdruck darin, dass Geliebte zu Liebenden zu reifen haben.

Im neunzehnten Gedicht spricht der Dichter zum Freund. Er vergleicht die rückblickenden Gedanken des Freundes an die Gefahren des von beiden zurückgelegten Weges mit denen eines Schiffbrüchigen, der nach Erreichung des Strandes auf den von ihm überschrittenen Klippensteg zurücksieht und das Bewusstsein erlangt, dass er sich nicht hätte retten können, wenn er die Gefahr jedes Trittes im voraus erkannt hätte. Das ist eine Anlehnung an Dante, Hölle I, 22 ff. So schaudert der Freund, wenn er an die Aufgabe denkt, die für ihn dadurch erwuchs, dass der Dichter, um ihn zu befreien, sich in seine Hände zu befehlen hatte. Auch diese Befreiung kann nicht ohne einen Kampf der Seelen vollendet werden, bei dem das Dasein beider Kämpfer auf dem Spiel steht. Nur setzt hier der in Wahrheit verknüpfende Kampf erst ein, nachdem der Freund die Schwelle vom früheren Lebensbereich, zu dem auch er noch durch Geburt gehört, zum neuen Leben noch unbewusst jugendlich dämmernd überschritten hat. Wären die Hände des Jüngeren – so wird das Bild vom Schreiten über den Klippensteg weitergeführt – leichtfertiger oder mürber gewesen, so wäre das Dasein des Dichters, der sich zur Durchführung seines Tuns in die Hände des Jüngeren geben musste, zerstört worden, er wäre an den Klippen zerschellt. Der Freund soll das unabänderliche Gesetz und die Art, in der der Dichter diesem Gesetz nachkommt, ehren, das heisst auch seinerseits voll Ehrfurcht erfüllen. Das Gesetz legt fest, dass immer wieder ein dunkles Opfer erforderlich ist, wenn Menschenwesen, menschliche Kräfte, wirksam erhalten werden sollen. Nur durch Einsatz des Lebens, also durch Opferung für ein nicht im voraus berechenbares, ungewisses, noch dunkles Ziel kann – so zeigt das Opfer Maximins – seelische Kraft wirksam bleiben, und solch ein Opfer hat sich stets von neuem zu vollziehen, bevor eine geistige Früchte tragende Einung zweier Seelen zustande kommt.

Im Schlussgedicht dieses Teils, das wiederum gereimt ist, spricht der Dichter zusammenfassend zu jedem der beiden Freunde, von denen diese Gedichte berichten. Das im Dunkel des Erdschosses wachsende Samenkorn lehrt, dass alles Lebendige, hier «Ding» genannt, sich aus Finsternis und Dunst emporzuringen hat. Deswegen soll der Freund das Grausen, das ihn beim Beginn des Weges im Dunkel und Dunst ergriffen hat, nicht verdammen, vielmehr als Notwendigkeit hinnehmen. Die Gefahren des Weges werden vom Dichter als Mühen der notwendigen Trage bezeichnet, wobei Trage sowohl auf geistig zu bewältigende Last, wie auf geistiges Schwangersein deutet. In Grimms Wörterbuch wird dieses Gedicht als Beispiel dafür zitiert, dass der

Dichter hier «Trage» für Austragungszeit gesetzt habe. Das dürfte zu weit gehen. Der Dichter spricht von der Bürde und nicht von der Dauer des Austragens, da die beiden letzten Verse von den vorausgesehenen Freuden der geistigen Geburt in den Tagen, in denen die Frucht der Seeleneinung im Licht der Sonne sein wird, handeln. Eine Ausdehnung des Bildes der geistigen Schwangerschaft auf eine irgendwie bestimmbare Austragsdauer erscheint unnötig und undichterisch.

Der dritte Teil von zehn Gedichten des zweiten Buches handelt von dem Gott als Eros. Die erste Gruppe zeigt ihn in seiner Erscheinungsform unterschieden vom Liebesgott der späteren Antike, dem er bis in die Gegenwart hinein angeähnelt worden ist. Im einundzwanzigsten Gedicht fragt der Dichter sich selbst, und zwar weniger seinen Verstand als sein Herz als die «untere Kammer der Weisheit», ob der Gott, der ihn erleuchtet hat, und der Geist, der ihm in Maximin verkörpert erschienen ist, aus unmessbar fernen Höhen stammen oder er sie aus sich selbst geboren hat. Diese Frage ist für ihn unlösbar, er hört auf, darüber zu sinnen, und sucht Zuflucht im Gebet als Dank dafür, dass dem ihm vergönnten Erleben des ganzen Jahres mit Maximin kein anderes Wunder an Bedeutung gleichkommt. Durch die Intensität seines Liebens hat er einen Stern aus seiner Bahn gerissen, das heisst die Verkörperung des Gottes in das enge, irdische Dasein hinabgezwungen. Die letzten Sätze des Gedichts sind zwar in die Form von Fragen gekleidet, ihre Formulierung lässt aber keinen Zweifel, dass eine zustimmende Antwort zu erwarten ist, während keine Antwort für die in dem fünften und sechsten Vers gestellten Fragen aus ihrer Fassung entnommen werden kann.

Im zweiundzwanzigsten Gedicht sind die Worte des Dichters an die neue Erscheinungsform des Eros gerichtet. Der Dichter sieht ihn in irdischer Verleiblichung inmitten des deutschen Frühlings, nachdem er aus dem Land des Rausches, von Stränden, die an Blumen und Früchten reich sind und mit denen hier weniger auf Frankreich, als auf Italien angespielt wird, in die Heimat zurückgekehrt ist. Der deutsche Frühling bildet den Gegensatz zu jeder Art von Üppigkeit, er wird als goldgrün, zart und spröde gekennzeichnet. Der Dichter sieht die Verkörperung des Gottes – ob mit dem äusseren oder nur mit dem inneren Auge bleibt offen – neben dem weissen Stamm einer Birke, die Symbol für diese Art des Frühlings ist, nackt, ledig aller äusseren und inneren Hüllen, mit festem Fuss auf dem heimatlichen, blühenden Grund stehen. Er erblickt in ihm einen Gott der Nähe, das heisst eine Gottheit, die zur Erde der Menschen und nicht zu einem erdachten Jenseits gehört. Zugleich ist er ein Gott der Frühe, das heisst einer frühen, ansteigenden Weltzeit, wie sie in den «Hirtengedichten» und in der dritten Strophe des «Siebenten Standbildes» geschildert wird. Denn sein Körper ähnelt dem eines Hirten. Sein Auge ist hell und noch ohne Schatten. Viktor Hehn sagt in dem vom Dichter besonders geschätzten Buch über Kulturpflanzen: «Erst die Kultur, die inneres Leben weckt, beseelt das Auge, das bei den Wald- und Steppenbewohnern noch den eigentümlich frischen Blick des Jagdtieres oder den scharfen des Raubvogels hat.» Augen ohne Schatten zeigen an, dass noch kein Sehnen nach Erlösung in einem Jenseits die Seele belastet. In ägyptischen Mumienbildnissen der ersten christlichen Jahrhunderte wird Jenseitsglauben, wie der Dichter sagte, zum erstenmal durch Schatten am Auge zum Ausdruck gebracht. – Erdgebundenheit und Frühzeitlichkeit dieses Gottes zeigen sich auch in der Stärke der Ballen an seinen sicher zugreifenden Händen und an der jugendlich geprägten Form von Brust und Knien, die auf ein einfaches und hartes Dasein deuten. In der Bezeichnung als Gott der Frühe liegt weiterhin der Hinweis, dass es sich um einen Gott der Jugend handelt, der mit Jugend verbunden ist und auf Jugend wirkt.

Im dreiundzwanzigsten Gedicht wird der Unterschied zwischen diesem Gott und dem Eros der späteren Antike hervorgehoben. Damals wurde Eros, im Gegensatz zu Hesiods kosmogonischem Eros der längsten, das heisst ältesten Sage und zum älteren, von Aristophanes spottend in den «Vögeln» und von Plato im Gastmahl geschilderten Gott der Liebe, als Knabe mit schmeichlerischen Augen, rosig weichen Gliedern und lockigem, mit üppigen Binden geziertem Haar gedacht und dargestellt. Ihm ähnelt der Eros des Dichters nicht. Sein Leib ist schlank und straff geworden, er trägt keinen Schmuck und wirkt nicht mehr durch Verlocken, sondern durch Ergreifen und Ergriffenhalten. Aus seinem Blick leuchtet nicht Bezauberung, vielmehr Mut und Lust zum Kampf, und er besiegelt mit kurzem und brennendem Kuss ein Verbundensein zum Überwinden von Mühen und Gefahren, von denen der «Lobgesang» spricht. Das Besämen aus heiligem, männlichem Schoss deutet auf Zeugen und Erzeugen im physischen und geistigen Sinn, auf den Nachwuchs und auf das Kunstwerk, dessen Entstehung die Voraussetzung für jede Verkörperung des Denkbildes ist.

Mit dem vierundzwanzigsten Gedicht beginnt die zweite Gruppe, in der der Dichter zu einem Freund, Ernst Morwitz, spricht und die von der Art des neuen Verbundenseins handelt. Das dreiundzwanzigste Gedicht hatte bereits den kriegerischen Charakter des neuen Eros hervorgehoben. Im vierundzwanzigsten Gedicht sagt der Dichter, dass die Zeit des holden, das heisst angenehmen Friedens und der holden Freiheit, von denen das dreissigste Gedicht des dritten Buches handelt, noch nicht gekommen ist. Deshalb dürfen in der Kunst noch nicht Dankhymnen zum Preis der Mächtigen, das heisst der überirdischen

Mächte erklingen, und im Leben noch nicht Paare, seelisch unbeschwert, in Hainen lustwandeln und, unbedachten Regungen folgend, die Süsse des Liebens geniessen. Der Dichter darf dem Glücksgefühl der neuen Einung nicht nachgeben, er muss Zucht gegen sich selbst üben und kann sich dem Freund nicht ergeben, das heisst dessen Weg als den seinen ansehen. Die Zeit dafür könnte erst dann anbrechen, wenn der Freund zur Kenntnis der letzten, das heisst der innersten Würde des Dichters gelangt sein und den dem Dichter vom Schicksal zubedungenen Rang wenigstens ahnen würde. – Die längere Pause, die durch das besondere Interpunktionszeichen der zwei Punkte am Ende der fünften Zeile kenntlich gemacht wird, deutet an, dass hier ein neuer Gedanke beginnt, dessen Zusammenhang mit dem vorher Gesagten sich erst nach dem Verstehen des ganzen Gedichts von rückwärts her erschliessen lässt.

Das fünfundzwanzigste Gedicht hält die Erinnerung an einen im Jahr 1907 gemeinsam in Bingen verbrachten Nachmittag und Abend fest. Vor-Abend heisst in der hier gewählten Schreibweise, dass es sich nicht um den Abend vor einem darauf folgenden Tag, vielmehr um Stunden zwischen dem Nachmittag und Abend ein und desselben Tages handelt. Das Wort ist im Sinn des holländischen «vooravond» gebraucht und setzt somit die Übernahme von holländischen Worten wie «ewe» (neuzeitlich eeuw) und «denkbild» in die deutsche Sprache fort. – Es war damals einige Stunden vor dem Abend, an dem der Dichter und dieser Freund im Arbeitszimmer in Bingen Wein aus einem silbernen Familienbecher tranken. In diesen Stunden eines Frühlingsspätnachmittags waren beide vom Rhein aus auf einen Hügel bei Bingen gestiegen und hatten bemerkt, wie der leicht grün wirkende Himmel plötzlich seine Färbung in ein durchleuchtetes Blau veränderte, das Erinnerung an die Farbe des Meeres in südlichen Buchten Europas wachrief. Über Häuser und Bäume, die von der Höhe des Hügels aus sichtbar waren, breitete sich ein die Wirklichkeit verklärender, goldner Schimmer, so dass sie wie Sitze ausserirdischer Wesen, der Götter und Heroen Griechenlands, wirkten, die hier «Selige» genannt werden. Es war einer jener seltenen Augenblicke (Nu), in denen die Landschaft so vergeistigt erscheint, wie grosse Maler sie darzustellen suchen. Zugleich schien der Traum, nämlich das Bild Griechenlands, wie es der Dichter und sein Freund in sich trugen, zur Wirklichkeit erwacht zu sein. Beide schauderten im Gefühl unerwarteter Beglückung, die ihr bisheriges Sein umfasste und krönte und alles Sehnen nach dem Glanz der die griechischen Inseln umgebenden See zum Schweigen brachte.

Das sechundzwanzigste Gedicht hat den Charakter eines Schlachtengesanges, den, ebenso wie einen Choral, jeder Dichter zu Zeiten zu schaffen begehrt, weil es sich dabei um eine Grundform der Dichtung handelt. Der Dichter dankt dem Gott dafür, dass er ihn zusammen mit dem Freund als Bruder im Kampf zur künftigen Tat berufen hat, die das Leben beider zum Preis der Sterne, das heisst wie im fünfzehnten Gedicht zum Preis des Erscheinens des Gottes, als Opfer fordert. Der Freund träumt jugendlich von Ruhm, der Dichter nur noch von willkommener Rast. Das innere Feuer, das der Freund im Dichter entzündet hat, flammt so stark, dass es durch Geben und Nehmen nicht mehr gelöscht werden kann, und die Kraft, die den Dichter gebunden hat, würde ihn durch ihre Intensität verzehren, wenn er sie nicht im Kampf auszustrahlen hätte. Blutige Taufe bedeutet hier nicht frühchristliches Märtyrertum, sondern Kugeltaufe in der Schlacht, in der beide fallen mögen. Der Dichter spricht von der Ruhe der letzten Nacht und dem berauschenden Glück der letzten Morgendämmerung, bevor das Signal beide zur Schlacht und ihn in den ersehnten Frieden rufen wird.

Mit dem folgenden Gedicht beginnt die dritte Gruppe, die von der Wirkung des Eros handelt. Im siebenundzwanzigsten Gedicht bezeichnet der Dichter den hier mit Zügen des Dionysos ausgestatteten Gott als den Herrn des Herbstes und lässt ihn, trunken vom Wein des Herbstes, ein Geheimnis enthüllen, das er unberauscht verschwiegen haben würde. Der Gott bietet dem Dichter eine in dessen Heimat gewachsene Frucht und eine Schale heimischen Weins und fordert ihn auf, davon zu kosten, bevor er wagt, den Zwillingsbruder des griechischen Gottes, den deutschen dionysischen Gott, in dessen eigner Erscheinungsform in der Heimat zu suchen. Solches Unterfangen wird allzu kühn und ein allzu überschwengliches Hoffen genannt. Der Grund für das Tun des Gottes wird in den drei letzten Versen des Gedichts gegeben, denen zufolge das edelste Gewächs nur in Deutschland, und zwar nicht in Mengen gedeiht, während das an Güte mittlere Gewächs – auf Frucht, Wein und menschlichen Nachwuchs bezogen – dort drüben, das heisst jenseits der Alpen in Italien sowohl voller, wie auch duftiger und reichlich blüht und wächst. Herodot lässt am Ende seines Geschichtswerkes Cyrus zum Ausdruck bringen, dass ein weiches Land weiche Männer hervorbringt und dass ein Land, das weiche Früchte trägt, nicht gute Krieger erzeugt.

Im achtundzwanzigsten Gedicht spricht der Dichter zu sich selbst. Er ist im Zweifel, ob er den Geborenen, das heisst die irdische Erscheinungsform des Gottes, und den Ungeborenen, das heisst die unsterbliche Idee des Gottes, in einer würdigen Weise gepriesen hat. Brihadaranyaka Upanishad besagt: «Fürwahr es gibt zwei Formen des Brahman: das Gestaltete und das Ungestaltete, das Sterbliche und das Unsterbliche, das Stehende und das Gehende, das Seiende und das Jen-

378

seitige.» – Der Dichter ist nur zu dem einen Wissen gelangt, dass beide Formen das gleiche, in Wahrheit also ein- und dasselbe sind, das in mannigfacher Weise sich auswächst, nach Vernichtung strebt und durch neue Entflammung wiederauflebt. Das bezieht sich auf menschliche Leidenschaft und den sie entfachenden Eros. Der Gott verkörpert sich anfangs in einem einzigen Wesen, dann aber wird er, sei es stärker, sei es schwächer, in vielen menschlichen Leibern sichtbar und fühlbar, und zwar stets in andrer und doch gleicher Weise und Herrlichkeit, wobei dieses Wort sowohl auf Pracht wie auch auf Herrschertum hinweist. Der Gott wird ebenso wie die von ihm entzündete Leidenschaft im Urgrund der Nacht, die reinigt, sowohl vernichtet wie wiedergeboren. Der platonische Gedankengang dieses Gedichts ist im ersten «Gebet» des «Neuen Reichs» weitergeführt.

Im neunundzwanzigsten Gedicht spricht der Dichter von dem Unterschied zwischen den damals herrschenden Grundanschauungen und seinem Glauben. Manche nehmen an, dass das Wesen des Menschen auf der Erde vergänglich, im Jenseits aber ewig, das heisst unvergänglich sei. Andre behaupten, dass dem einen Notdurft, dem andern Fülle auf der Erde bestimmt sei. Demgegenüber glaubt der Dichter daran, dass ein Irdisches ewig sein und Notdurft des einen zur Fülle für den andern auf der Erde werden kann. Schönheit blüht und welkt als Jugend auf der Erde, ohne dass das Schöne sich der eignen Schönheit und der Notwendigkeit ihres Blühens und Welkens bewusst ist. Der Geist des Menschen, der Nichtwelkendes zu schaffen vermag, reisst die vergängliche Schönheit in sein Bereich und bedenkt, vermehrt und erhält sie unvergänglich. In dieser Weise wirkt ein Leib, der Träger vergänglicher Schönheit ist, im Blut des Dichters, er entfacht die Leidenschaft des Dichters. Dadurch entzückt, umfängt der Geist des Dichters die vergängliche Schönheit und gestaltet sie neu im Werk von Blut und Geist, so dass sie sein Eigentum und zu dauernd Entzücken spendender, unvergänglicher Kunstform wird. Das deutet auf die weltschaffende Kraft der übergeschlechtlichen Liebe, von der der Dichter in seiner Vorrede zur Übertragung von Shakespeares Sonnetten spricht. – Technisch gibt die Wiederholung von je zwei gleichen Worten an Vers-Enden dem Gedicht den kreisenden Rhythmus.

Das dreissigste Gedicht, das den dritten Teil und das ganze Buch abschliesst, ist gereimt. Es berichtet vom Verlassen des Bereichs der Leidenschaft, die im Mittelpunkt des zweiten Buches steht. Die Zeit für das Spiel von Werben und Gewähren ist für den Dichter vorüber. Nicht ungern vergossene, hier «süss» genannte Tränen, die als Perlen gesehen werden, und reichlich gespendete Rosen, die einen «üppigen Pfühl» gebildet haben, locken ihn nicht mehr. Der Prunk ist welk, der Duft schwül geworden. Der Dichter verlässt diesen Lebenskreis und

unterwirft sich strengster Stille als Sühne. Dem Herbst des siebenundzwanzigsten Gedichtes ist wieder ein Frühling gefolgt. Die neue Keimzeit, die angebrochen ist, wird durch die Bezeichnung als frühste
Frühe, verhülltes Sprossen, keusches Blühen, kühles Licht und herber
Hauch den Sinnen greifbar dargestellt.

DRITTES BUCH

Das letzte Gedicht des zweiten Buches gibt die Schilderung einer
Atmosphäre, die in manchen Zügen mit der des «Eingangs» zum
fünften «Ring» übereinstimmt. Während dort aber ein Eingehen in
das Dunkel des Traumes beschrieben wird, in das die Seele untertaucht, um sich zu künftigem, neuem Aufschwung zu stärken, findet
sie im dritten Buch oder vierten Abschnitt des «Sterns des Bundes»
Einlass in eine Welt äusserster Helle und Klarheit, nämlich in das neue
Leben, das sich dem Dichter durch das Maximin-Erlebnis eröffnet hat.
In den ersten zehn Gedichten, die von der Zugehörigkeit zum neuen
Leben handeln, spricht der Dichter nicht als Prophet einer kommenden
Welt, sondern als Verkünder einer bereits von ihm erreichten Daseinsform.

Die erste Gruppe von drei Gedichten hat den Eintritt in das neue
Leben zum Gegenstand. Die Erde erscheint dem Dichter, dessen Sehweise sich völlig geändert hat, so morgendlich, als wäre der erste Tag
nach der Schöpfung von neuem angebrochen. Die Veränderung der
Umgebung, die im fünfundzwanzigsten Gedicht des zweiten Buches
als unvermutet einsetzend und nur vorübergehend wirksam beschrieben war, ist jetzt zu einem dauernden Zustand geworden. Der Wind
trägt das Tönen von neuerwachten und darüber staunenden Welten,
die von früher her bekannten, im Stoff unveränderten Umrisse der
Berge bieten einen anders gearteten Anblick, Blumen erscheinen
wieder geheimnisvoll schön wie für den Blick von Kindern, das zitternde Silber des Stroms tilgt den am Ufer angesammelten Staub vergangener Jahre und durch die ganze Landschaft, die hier zugleich die
Empfindungen der Seele wiedergibt, rinnt das leise Schauern des Urbeginns. Der Dichter ist auch an dieser Wende zum Wasser zurückgekehrt, dessen Silberfarbe bei ihm charakteristisch für Jugendfrühe
ist. Die Art, in der der Dichter Menschen in solcher Umgebung sieht,
ist gleichfalls verschieden von seiner früheren Sehweise. Jeder, der
ihm jetzt begegnet, ist Träger unbewusster Hoheit und nimmt seinen
Weg im vollen, breiten Licht der Sonne, deren Strahlen einem jeden
Heil verheissen. «Heil» stammt von dem gotischen «hails» und geht
nach Grimm auf ein indogermanisches Wort zurück, von dem auch

das griechische καλός stammt. Als Substantiv hat Heil die Bedeutung von salus, nämlich von « Glück, Wohlfahrt und Wohlbefinden », als Adjektiv von « ganz an Gesundheit, frei von Sünde und – hinsichtlich von Gegenständen – unzerrissen ». In diesem Sinn wird es von Goethe und von Schiller (Braut von Messina) gebraucht.

Im zweiten Gedicht nennt der Dichter die ihn verändert anmutende Umgebung ein « Reich des Geistes », das der Abglanz seines vordem nur im Traum geschauten Reiches ist. Hof und Hain, zwischen denen hier unterschieden wird, beziehen sich auf die durch Menschen bearbeitete und die im ursprünglichen Zustand verbliebene Natur im neuen Bereich. Seine Bewohner, noch aus einem früheren Leben stammend, werden zu oder bei ihrem Eintritt in das Neue Leben umgeboren und umgestaltet. Land und Haus der Heimat behalten für sie nur noch die Bedeutung von Märchen, wie es von den früheren Lehren im achten Gedicht des « Vorspiels » hiess. Berufung und Segen haben die Loslösung von den Blutbanden der Familie zur Folge und stellen eine durch Geist begründete Verwandtschaft her. Wie Christus sieht der « Ringer » seine Eltern nicht mehr in der ihn erwartenden Menge. Der Stand der Geburt spielt keine Rolle, ebensowenig der Name der Familie. Aus der Zahl derer, die von ihrem Schicksal zur geistigen Sohnschaft bestimmt sind, wählt der Dichter solche, die er seine Herren der Welt nennt. « Sohnschaft », sonst fast nur im geistlichen Sinn als Bezeichnung von besonderer Nähe zu Gott, zum Beispiel von Angelus Silesius benutzt, wird hier vom Dichter in geistig weltlicher Beziehung verwendet. Man könnte an Adoption im Sinn Demokrits denken, die zu bestimmten Zeiten im Altertum und im orientalischen Mittelalter der leiblichen Erbfolge vorgezogen wurde. Der Namenswechsel erinnert an Ordensregeln (Offenbarung 2, 17) und an noch heute bestehende Bräuche politischer Führer. Die Freunde des Dichters wurden von ihm meist nur mit ihren Vornamen einander bekannt gemacht, um gesellschaftliche Verbindung von vornherein auszuschliessen. Diese Art der geistigen Ankindung hat nichts mit der Knabenweihe primitiver Völker zu tun, deren Beschreibung durch L. Lévy-Bruhl in dessen Buch « L'âme primitive » den Dichter interessierte.

Das dritte Gedicht behandelt die Wirkung des Eintretens und des Verlassens des Umkreises des neuen Lebens. Wer jemals im Bannkreis solcher Flamme geweilt hat und von gleichem Feuer erfüllt gewesen ist, wird dadurch zu ihrem Trabanten, das heisst ihrem Wächter und Diener. Wo er auch seinen Weg, sei es gradlinig, sei es in Kurven, in Zukunft nimmt, wird er nicht vom Ziel abirren, solange das Licht der Flamme ihn erreicht. Wenn er es aber aus den Augen verliert, weil er glaubt, er könne dem Schimmer eines besonderen, persönlichen

Leuchtens folgen, dann wird er nicht mehr durch das Gesetz der Mitte, der Anziehungskraft des Mittelpunktes, auf der für ihn richtigen Bahn gehalten und zerstiebend ins Unbegrenzte getrieben werden. Christus soll gesagt haben: «Wer mir nahe ist, ist dem Feuer nah, aber wer fern von mir ist, ist dem Reich fern.»

Die zweite Gruppe behandelt die Schichtung der Menschen im neuen Lebensbereich. Das vierte Gedicht ist Anfang 1907 entstanden, nachdem ich Ende 1906 Woldemar und Bernhard von Uxkull-Gyllenband kennengelernt und dem Dichter mitgeteilt hatte, wie grosse Hoffnungen ich auf diese beiden Kinder setzte. Der Dichter, der selbst in seiner Jugend Erwartungen für den Adel gehegt hatte, wie zum Beispiel sein Brief an Hugo von Hofmannsthal vom 9. Januar 1892 beweist, sagt im vierten Gedicht, dass aus der Tatsache eines Adligseins auf Grund von Wappenschilden und Adelskronen eine besondere Befähigung zum neuen Leben nicht entnommen werden kann. Die Mehrheit derer, die aus allen Schichten der früheren Gesellschaft, einschliesslich ihres Adels, stammen, zeigt durch die Art ihres Blickens in gleicher Weise, dass sie von bestechlichen, feilen Sinnen und der Gier nach rohem Spähen geleitet wird. Das Wort «tragen» bedeutet hier nicht «ertragen», sondern «Träger sein», wie sich aus seinem Gebrauch zusammen mit «Halter» und der logischen Verknüpfung mit dem folgenden Gedanken ergibt. Die nächsten vier Verse besagen, dass seltene Sprossen besonderen Ranges im Gewühl stammlos, das heisst ohne jede Rücksicht auf irgendeine frühere Standeszugehörigkeit, wachsen und dass der innere Adel derer, die Mitgeburten im Sinn des fünften Gedichts des ersten Buches sind, an der Glut ihrer Augen erkennbar ist. Seit der deutschen Mystik hat das Wort «Adel» auch die seelische Wertung als «Edelsein» angenommen. Die deutschen Mystiker selbst scheinen bis auf Tauler adliger Abstammung gewesen zu sein. – Der Dichter glaubte übrigens, dass die Reste des alten Blutadels in der französischen Revolution ihr Ende gefunden hätten und dass aller heutige Adel, soweit er als alt bezeichnet werden könne, in Wahrheit Dienstadel sei.

Das fünfte Gedicht handelt vom leiblichen Nachwuchs. Der Dichter nennt das Zeugen von Kindern mit Frauen, die zwar nach der bisherigen Gesellschaftsordnung zu den Männern passen, aber nach den Anschauungen des neuen Lebens ihnen fremd sind, eine Befleckung des Leibes der Männer und rät ihnen, solche Frauen als Pfauen den zu ihnen gehörenden Männern, die er Affen nennt, zu überlassen. Shakespeare spricht in «Othello» von «goats and monkeys». – Die Männer des neuen Lebens sollen harren, bis die ihrer würdigen Frauen durch die am See wirkende Wellede zu ihrem wahren Beruf, nämlich dem Tragen und Gebären des echten Nachwuchses, erzogen worden sind. Dies bezieht sich nicht auf die historische Velleda, die zur Zeit der Regierung Vespasians beim Stamm der Brukterer in einem Turm an der Lippe hauste, nach Tacitus aus dem Wirbel und Tosen des Wassers weissagte und von den Germanen als Gottheit angesehen wurde. Die historische Velleda dient dem Dichter, der glaubte, dass Frauen nur durch Frauen erzogen werden können, als Symbol für eine besondere, nur Frauen zugängliche Weisheit, die er an manchen wie zum Beispiel seiner Schwester, Anna Maria Derleth, Gertrud Simmel und einer einfachen, in Tölz lebenden alten Frau, die so ähnlich wie Detzer hiess, bewunderte. Die im Gedicht beschriebene Frau ist am Wasser eines Sees, dem matriarchischen Element, wirkend gedacht, sie lehrt die Mädchen eine verschollene, das heisst heute nicht mehr bekannte und deshalb tote Kunde über ihr Berufensein zum Gebären eines Nachwuchses, der den Gegensatz zu den verrassten Kindern des einundzwanzigsten Gedichts des ersten Buches bildet. Sie eint nach Bräuchen, die seit Urzeiten gültig sind, die Männer des neuen Lebens mit den zum Gebären reifen Mädchen, die wert geworden sind, den Samen dieser Männer zu tragen. – Der Dichter sprach häufig über heutige, fast sträfliche, allgemein verbreitete Verantwortungslosigkeit beim Erzeugen von Kindern – auch glaubte er, dass Ehen, zu denen früher Mann und Frau von den Eltern ausgewählt worden seien, immerhin besser gewesen wären, als jene, bei denen heute Mann und Frau, plötzlichen Impulsen nachgebend ebenso rasch zusammen- wie auseinanderlaufen. Er pflegte zu sagen: «Geistiges soll nicht hecken.»

Das sechste Gedicht verwirft romantische Seelengemeinschaft. Grau und Gold ist, im Gegensatz zu den morgendlichen Farben Blau und Silber, die Tönung des Abends und einer späten Weltzeit, die ihren Reiz dadurch ausübt, dass sie, ohne zu klarem Denken zu führen, in Gärten des Träumens lispelt und zittert. Sommerfäden erscheinen bei Übergang des Sommers in den Herbst, und das Flöten der Wehmut kennzeichnet eine Art von Musik, die zum Schwelgen in unbestimmten Gefühlen anregt. Die Irr-Gestalt, die sich mit müder Geste Sommerfäden aus der Stirn streicht, ist das Symbol für eine Genossin zu romantischer Seelengemeinschaft, die irrtümlich als wahre Gattin angesehen und gewählt werden könnte. Dazu kann eine Musik verleiten, die in bunten, das heisst vielstimmigen Klängen ringsum fragmentarisch aus Häusern tönt und schmeichelnd süss an der Kraft der Seele zehrt. Alle diese Erscheinungen nennt der Dichter «Herbstgesang». Er betont, dass die Stimme, die in Männern des neuen Lebens laut geworden ist, weder des welken Glanzes eines seelischen Herbstes, noch des Giftes der zu schweifend unbestimmten, das heisst romantischen Gefühlen verführenden Musik, wie sie im sechsten Jahrhundertspruch geschildert ist, bedarf. – Nach der Auffassung des Dichters ist Musik die

Kunst, die den Geist einer absteigenden Weltzeit noch einmal voll ausklingen lässt. So glaubte er, dass in Bachs Musik der Geist der Reformationszeit, in Beethovens die Essenz der Romantikerepoche enthalten sei. Er notierte sich aus Eberhard Gotheins Buch über die Jesuiten die folgenden Sätze: «Vollständige Ausbildung der Indianer Paraguays in der Musik bei sonstiger Roheit» und «Musik fordert weder, noch setzt – auch bei ihrem Übrigbleiben – eine geistige Bildung voraus». Nach Nietzsche geniessen vermöge der Musik die Leidenschaften sich selbst.

Die dritte Gruppe handelt von Männern im neuen Leben. Das siebente Gedicht spricht von einem Erlebnis mit Friedrich Wolters und dem darin zutage getretenen allgemeinen Problem eines Sinnlosfühlens des eignen Daseins. Friedrich Wolters, den der Dichter zusammen mit Berthold Vallentin durch Kurt Breysig kennengelernt hatte, wird vom Dichter, der sich hier als «der Freund» bezeichnet, in das Kugelzimmer in München geführt und hört dort aus dem Mund des Dichters Begebnisse aus dem Leben Maximins. Dadurch wird er so stark erschüttert, dass er sich wortlos beugt und seine frühere Not, nämlich sein Zweifel am Sinn der eignen Existenz gebrochen, das heisst behoben wird. Im Kern ergriffen, gibt er sich geistig völlig an etwas hin, was er plötzlich als weltbewegend, als ein All erkennt. Sein Stolz und seine Freude wirken vom Geistigen her bis in das Physische, so dass es dem Dichter scheint, als ob jener nicht nur am Haupt, sondern am ganzen Leibe strahle. Das Herz beginnt als Organ der Weisheit neben dem Gehirn, das nur Organ der Klugheit ist, tätig zu werden. Dies ist in den drei letzten Versen dahin zusammengefasst, dass ein Herz voll Liebe in alle Wesen zu dringen und ein Herz voll Eifer, der gerade für Wolters bezeichnend ist, in jede Höhe zu streben vermag. Von nun an ist der Taglauf, das Tagewerk, das bisher sinnlos erschien, nicht nur nüchtern, sondern auch heilig. Das kann als Folge einer unio mystica angesehen werden, deren antike Formen A. Dieterich in dem vom Dichter geschätzten Buch «Mithrasliturgie» zusammengestellt hat. Philo spricht wiederholt von einem «nüchternen Rausch» beim Aufgehen der Seele in Gott. Hölderlin nennt das Wasser «heilignüchtern» in «Hälfte des Lebens». Im Aphorismus 242 sagt er: «Da, wo die Nüchternheit dich verlässt, ist die Grenze der Begeisterung. Der grosse Dichter ist niemals von sich selbst verlassen, er mag sich so weit über sich selbst erheben, als er will. Man kann auch in die Höhe fallen, so wie in die Tiefe. Das letztere verhindert der elastische Geist, das erstere die Schwerkraft, die im nüchternen Besinnen liegt. Das Gefühl ist aber wohl die beste Nüchternheit und Besinnung des Dichters, wenn es richtig und warm und klar und kräftig ist. Es ist Zügel und Sporn dem Geist.» – Das Wort «Begehung» hat nach

Grimm ursprünglich den Sinn von celebratio, von Feier, wenn es auch in Wendungen wie «eine Tat begehen» gebraucht wird. – Im Gesetzbuch des Manu wird von drei «höchst ehrwürdigen», verschiedenen Arten des inneren Feuers gesprochen, die sich in den Eltern und dem Lehrer darstellten. Derjenige, welcher diese Trias nicht vernachlässige, selbst nachdem er einen eignen Hausstand begründet habe, werde die drei Welten erobern, an seinem Leib wie ein Gott strahlen und sich des Segens im Himmel erfreuen.

Das achte Gedicht spricht von dem Problem des Sich-gefesselt-Fühlens durch selbstgewählte Zugehörigkeit, das früher bereits im vierten Vorspielgedicht behandelt war und später im siebenten und zehnten Spruch an die Lebenden im «Neuen Reich» nochmals berührt wird. Der «all-offene Blick» des Bejahens und Bekennens, den nach dem vierten Gedicht des dritten Buches Geburt verleiht, ist, wie der Dichter sagte, bei Kindern in Deutschland verhältnismässig oft zu finden, verwandelt sich aber beim Erwachsenwerden meist in einen «feilen Blick der Sinne» und einen «rohen Blick der Spähe». Der all-offene Blick ist bei Erwachsenen ein Zeichen innerer Frömmigkeit und innerer Freiheit, die sich auch in einer natürlichen Körperhaltung und Gangart ausdrückt, wie sie sonst nur bei besonderen dazu ausgebildeten und darin geübten Leibern zu beobachten ist. Das achte Gedicht sagt, dass das neue Leben solche physischen Merkmale einer besonderen geistigen Entwicklung bewahrt und verstärkt, was, wie der Dichter glaubte, auch das Ziel der griechischen Erziehung war. – Im vierten Vers des achten Gedichts wird ein neuer Gedanke angefügt, nämlich eine Beurteilung derer, die über diese Art des seelischen Gebundenseins spotten und auf die derart Gebundenen verachtend starren. Sie werden «elend» im Sinn von armselig genannt, weil sie sich lieber in ihren individuellen Fesseln weiter quälen, als einem Befreier danken. Ihr Zweifel an der vom neuen Leben gebrachten inneren Freiheit entspringt nicht eignem Freisein, sondern angstvollem Zwang, eigner Ungeformtheit und lähmender Müdigkeit. Sie wissen ebensowenig wie der römische Hauptmann im «Gespräch mit dem Herrn», dass Glaube die Kraft des Blutes und des schönen Lebens ist.

Das neunte Gedicht spricht von dem Gefühl der Vergänglichkeit, das zur Annahme der Nutzlosigkeit des eignen Daseins führen kann. Es beginnt mit der Feststellung, dass gegenüber der wenigstens scheinbaren Zeitlosigkeit, das heisst der Ewigkeit der Sterne, das Leben der Völker Perioden von Helle und Dunkel, von Aufstieg und Niedergang und auch der menschliche Geist Zeiten des Wachstums und der Dürre zeigen. Angesichts der Dauer der Sterne sind Schlaf und Wachen von gleicher Bedeutung. Glorreichste Staatenbildungen wie Athen, Sparta, Mazedonien und Rom werden durch langsam, aber stetig wirkende

Kräfte, gleich denen von Ebbe und Flut, aufgelockert, wobei «Satz» die Bedeutung von «Bodensatz» der Ebbe und Flut hat. Diese Erkenntnisse können in Menschen der früheren Lebensformen ein lähmendes Gefühl der Vergänglichkeit und demzufolge Sinnlosigkeit jeden menschlichen Tuns erzeugen. Dementgegen bedrückt ein solches Wissen die Teilhaber am neuen Leben nicht, die hier mit «uns» bezeichnet werden. Sie rechnen nur mit ihrem Jahr, das heisst dem Wechsel der Jahreszeiten übertragen auf den Ablauf der menschlichen Lebenszeit, also mit dem Aufwachsen als Frühling, dem Reifsein als Sommer, dem Herbst als Verfall und dem Winter als Vergehen in Hinsicht auf Vollendung ihres Werks, sie glauben nicht an und leben nicht für ein Jenseits, sie erfüllen sich im irdischen Dasein. Sie nehmen ihr Licht aus der eignen Seelenglut, die wiederum die Flamme im Kreis erzeugt und nährt, von der im dritten Gedicht des dritten Buches die Rede ist. Ihr Ziel und ihr Glück besteht darin, dass sie diese Glut durch ihren Dienst erhalten. Man kann diesen Dienst kurz als ein Sich-Anpassen an das eigne, als richtig und bindend erkannte Schicksal und als ein Handeln innerhalb der von diesem Schicksal gesetzten Grenzen bezeichnen.

Das zehnte, als Abschluss des ersten Teils des dritten Buches gereimte Gedicht feiert generell die Überwindung von Problemen der früheren Daseinsform im Bild einer Landschaft und schliesst somit an das erste Gedicht des dritten Buches an. Das frühere Leben erscheint als ein erstarrtes und starrendes Land mit Wäldern, in denen durch giftigen Wind das Grün in Grau des Alters verwandelt ist, mit einer Erde, die durch Darre, das heisst durch eine früher vom Volk so benannte Krankheit, die Auszehrung und Austrocknung zur Folge hat (Jesaias 10, 16), geborsten ist, und mit Gras und Kraut, die verbrannt sind und somit fahl aussehen. Auf diese vier Verse folgt – Ausgeglichenheit durch gleiche Zahl andeutend – in vier Versen die Beschreibung der veränderten Landschaft, die den Beginn des neuen Lebens symbolisiert. Eine Quelle ist auf Höhen entdeckt, sie fliesst, da sie entspündet, ihr Spund gezogen ist, und gewährt die zur Fruchtbarkeit notwendige Bewässerung. Süsswassermangel wird später in «Mensch und Drud» als den Untergang beschleunigend vorausgesagt. – Auf Grund der Bewässerung durch die neue Quelle bilden sich versteckte, blühende Oasen in dem früher unfruchtbar gewordenen Land, die hier «frische Inseln» genannt werden. Die Bewässerung – verinnerlicht betrachtet – geschieht durch das mit neuer Kraft ausgestattete Wort der Verkündung des neuen Lebens (Stern I, 9), und die Oasen – vergeistigt gesehen – beruhen auf der Arbeit des neu erweckten Volkes. Das Wort «wir» deutet in diesem Chorlied – die gereimten Gedichte haben von hier an den Charakter von Chören – auf die Teilhaber am neuen Leben. «Dir» ist deshalb nicht mit grossem Anfangsbuchstaben gedruckt, weil es sich nicht nur auf den Gott, sondern auch auf Maximin und den Dichter bezieht. – Über das Wort sagt das Gesetzbuch des Manu: «Die Natur aller Dinge wird durch das Wort bestimmt. Das Wort ist ihre Wurzel und vom Wort gehen sie aus. Wer unehrlich hinsichtlich des Wortes ist, ist in jeder Beziehung unehrlich.» Nach Hölderlins Aphorismus 4 ist es «die höchste Poesie, in der auch das unpoetische, weil es zur rechten Zeit und am rechten Ort im ganzen des Kunstwerkes gesagt wird, poetisch wird». Hölderlins Aphorismus 2 über die Sprache lautet: «Man hat Inversionen der Worte in der Periode. Grösser und wirksamer muss aber dann auch die Inversion der Perioden selbst sein. Die logische Stellung der Perioden, wo dem Grund (der Grundperiode) das Werden, dem Werden das Ziel, dem Ziel der Zweck folgt und die Nebensätze immer nur hinten angehängt sind an die Hauptsätze, worauf sie sich zunächst beziehen – ist dem Dichter gewiss nur höchst selten brauchbar.» Das deutet auf die besondere Schwierigkeit eines hymnischen Sagens in deutscher Sprache.

Die zweiten zehn Gedichte des dritten Buches des «Sterns des Bundes» sprechen vom Inhalt des neuen Lebens. Die erste Gruppe enthält Gesetze, die sich aus der neuen Art der Lebensführung ergeben und nicht erdachte Doktrinen sind, deren Befolgung zu neuartigem Erleben führen könnte. Im elften Gedicht bedeuten «Tafeln» die Gesetztafeln und der «Stand» die Männer des neuen Lebens. Die Güter der früheren Daseinsform haben Wert für sie verloren. Nur Greise können sich noch am Erworbenen freuen, weil sie das ferne Donnerrollen, das den Untergang verkündet, wegen ihres Alters nicht zu hören vermögen. Sie leben ihr Leben zu Ende und sind nicht zur Verantwortung zu ziehen, was durch das eine Wort «doch», das den nächsten Satz anknüpft, zum Ausdruck gebracht wird. Verantwortlich ist die Jugend, die sich selbst mit weichen Klängen betäubt und mit Rosenketten, die sie über Abgründe spannt, tändelt, das heisst mit Hilfe von weicher Musik, Spiel, Tanz und Lieben die drohende Gegenwart zu vergessen sucht. Diese Jüngeren handeln nicht wie Freie, vielmehr wie Sklaven. Die Teilhaber am neuen Leben sollen das Morsche am Geschmack erkennen und von sich speien. Sie sollen den Dolch im Lorbeerstrauss tragen, wie es im Skolion über Harmodios und Aristogeiton, die Tyrannenmörder heisst, und schon jetzt ihr Dasein in Schritt und Klang der nahe bevorstehenden Schlacht angemessen gestalten. Wal bedeutet hier Schlacht und hat nicht mehr den ursprünglichen Sinn von Schlachtentod, der in der Bedeutung des Wortes «Walküre» mitenthalten ist. Der Dichter zitierte bisweilen die drei von den Tyrannenmördern handelnden Skolien und die Übersetzung, die Hölderlin wohl noch in Maulbronn gefertigt hatte.

Das zwölfte Gedicht beginnt mit der Feststellung der Unlösbarkeit des neuen Bundes, die schon dem dritten Gedicht des dritten Buches zugrunde liegt. Davon ist die Beantwortung der Frage abhängig, was nach einem Verstoss gegen die Gesetze zu tun ist, der nicht aus freiem Willen, sondern als Folge von Verstrickung in eine zeitweise das nüchterne Denken ausschaltende Leidenschaft, hier Wahn genannt, begangen ist. Beim Erwachen aus solcher Verfinsterung und beim Erkennen, dass es nicht mehr möglich ist, frei der morgendlichen Sonne entgegenzusehen, bleibt nur übrig, sich wie Ajax in das Schwert zu stürzen, also dem eignen Dasein ein Ende zu setzen. Hat der eine Teilhaber am neuen Leben eine geringfügige Verfehlung gegen den andern begangen, so soll er stumm, das heisst ohne Versuch einer Entschuldigung, sich vom andern fernhalten, bis er durch Tat, nicht durch Wort sein Verhalten gesühnt hat. Das Erbitten, wie auch das Gewähren von Verzeihung ist ein Greuel, da es in beiden die innere Würde verletzt (Nietzsche, Fröhliche Wissenschaft, Buch III, Ende) und das Gebot der Ehrfurcht voreinander nicht achtet.

Das dreizehnte Gedicht behandelt die Notwendigkeit von Feinden als Antrieb zur Tat. Auf dieser Lebensstufe muss nach Nietzsche der Feind aus dem eignen Inneren als Gegentrieb erschaffen werden. Der Kampf findet also jetzt in der eignen Seele statt. Der innere Feind, der dazu dient, den Willen zu stärken, ist ein Blendling – so nennt Goethe einen Mischling – er verstellt und verdreht Sinn und Bedeutung, schärft aber durch sein verhasstes Tun die Waffen, liefert die zur Gesundung nötigen Gifte und spornt die guten Kräfte an. Gegen Feinde, die von aussen kommen, ist der Teilhaber am neuen Leben gefeit. Mögen sie auch den Lauf der Dinge zu hemmen versuchen, sie können das bewirkende Wort nicht mehr tilgen. Sogar ihre Gunst kann es nicht mehr kraftlos machen. Selbst wenn sie den Träger des neuen Lebens morden, blüht das Wort reicher als je zuvor. Dass die drei letzten Verse mit dem gleichen Wort «blüht» enden, gibt dem Gesagten besondere Betonung und Stärke.

Die zweite Gruppe in den zweiten zehn Gedichten des dritten Buches handelt vom Wissen im neuen Leben. Das vierzehnte Gedicht spricht von drei verschiedenen Graden des Wissens und der Wissenden. Es ist Selbstbetrug und eine Täuschung Dritter, zu behaupten, dass Wissen für alle und jeden stets das gleiche ist. Die erste Stufe des Wissens, die nicht übersprungen werden kann, umfasst das durch Geburt – hier Keim und Brut genannt – eingeborene Wissen. Dieses Wissen dringt unbewusst aus dem Ahnen, der Ahndung der dumpfen Menge in alle wachen und regen Sprossen des Stammes. Die zweite Stufe des Wissens, die gleichfalls nicht übergangen werden kann, wird durch die Bücher und Schulen der vergangenen Zeiten vermittelt. Die dritte Stufe wird

nur von denen erreicht, die besonderer Weihe würdig sind. Dementsprechend gibt es drei Grade von Wissenden. Der erste Grad umfasst
die, welche ohne ihr Zutun durch Geburt und die Weisheit ihres Leibes
zu Wissen gelangt sind. Der zweite Grad wird durch eignes Schauen und
Fassen, das heisst durch Lernen von der Vergangenheit und Begreifen
der Gegenwart erreicht. Der dritte Grad wird nur durch engste Verbindung mit dem Gott erworben. Der Dichter spielt hier auf die
Sonderheit der Bibelstellen über den unmittelbaren Umgang Gottes
mit Moses (II. Moses, Kap. 19 und 24) an, über die er lange Gespräche
mit Karl Wolfskehl hatte. Der Dichter gebraucht das Wort «beschlafen» für solches Verbundensein des Gottes mit dem Menschen,
während er «überschatten» für den Vorgang der geistigen Erweckung
benutzt. Eduard Norden sagt in dem dem Dichter bekannten Werk
«Die Geburt des Kindes», dass beim Überschatten (Markus 9, 7 und
Lukas 1, 35) die Vernunft des Menschen durch das Pneuma Gottes in
Ekstase versetzt werde und dass, nach Philo, nur im Zustand der
Ekstase der Seele geschlechtliche Vereinigung des Gottes mit einem
Menschen erfolgen könne. Weinreich zitiert in der von ihm herausge-
gebenen «Mithrasliturgie» von Dieterich die letzten vier Verse dieses
vierzehnten Gedichtes als mystischen Ausdruck nächster Verbindung
und fügt hinzu, er wisse, dass der Dichter sowohl die Quellen wie auch
die Werke von Dieterich und Reitzenstein gekannt habe. Das kann
ich bestätigen. – Ein Beschlafenwerden des Mysten durch den Gott
wird bereits im Berliner Zauberpapyrus erwähnt, wie E. Fehrle in
«Kultische Keuschheit im Altertum» berichtet. Nach griechischen
Sagen wurde Minos von Zeus, der nach andern Sagen der Vater oder
Lehrer des Minos war, beschlafen, bevor er die Gesetze für die Unterwelt aufzeichnete. Die «heilige Hochzeit» der Griechen, das connubium
spirituale und die unio mystica werden von mittelalterlichen Theo-
logen wie zum Beispiel Mechthild von Magdeburg und Bernhard von
Clairvaux einander gleichgesetzt und im einzelnen beschrieben.

Das fünfzehnte Gedicht behandelt das Verhalten von Mann und
Frau. Nach dem Buch Sohar der Kabbala sind die Urseelen vor ihrem
Abstieg in den menschlichen Körper männlich und weiblich zugleich.
Die Weltzeit, die wir kennen, das heisst die geschichtliche Weltzeit,
steht insofern im Gegensatz zur vorgeschichtlichen, uns als Ganzes
unbekannten Weltzeit, als die historische Zeit vom männlichen Geist
beherrscht wird, die vorhistorische aber, nach Bachofens Fund,
matriarchisch ist. Karl Wolfskehl erzählte übrigens, dass Ludwig
Klages und er ungefähr zur gleichen Zeit die Schriften Bachofens
wiederentdeckt hätten, die später die Bibel der Kosmiker genannt
worden seien. – Ebenso wie der Geist das Charakteristikum des Mannes
ist, hat man Stoff als das die Frau Kennzeichnende anzusehen. Stoff

389

ist nicht weniger heilig und verehrungswürdig als Geist, denn beide sind für Erhaltung des Lebens unerlässlich. Das Weib gebiert den Stoff, das Tier, und der Mann erzeugt Mann und Weib. Aeschylus lässt Apollo zur Verteidigung des Orest in den «Eumeniden» sagen, dass die Mutter nicht das Kind erzeugt, sie hegt und trägt nur das auferweckte Leben. – Die Frau ist aus der Rippe des Mannes geschaffen und verkörpert nach der Bibel sowohl Gutes als Böses, das im Gedicht vom Standpunkt des göttlichen Rechtes her «verrucht» genannt wird. Beides ist wiederum notwendig, um Fortsetzung des Lebens zu ermöglichen. Am Geheimnis der Frau und ihrer Kräfte kann und soll der sie im Letzten nicht verstehende Mann nicht rühren. Es genügt zu wissen, dass es zur Aufgabe der Frau gehört, innen Ordnung zu halten, wobei unter «innen» nicht nur Familie und Haus, sondern auch das Innenleben des Mannes zu verstehen ist. Dagegen steht es der Frau nicht zu, in der Öffentlichkeit bestimmend zu wirken. Der Dichter ändert den Spruch von Paulus, dass die Frau in der Kirche Schweigen bewahren soll, dahin ab, dass sie am Markt, das heisst von der Antike her in öffentlichen Angelegenheiten, schweigen solle. Vor jeder Weltenwende in geschichtlicher Zeit sucht die Frau – und zwar ungesetzlich und frevelhaft – ihre Stimme in der Öffentlichkeit geltend zu machen, wie sich auch aus den Führer-Gedichten und dem «Brand des Tempels» ergibt. Deshalb hat bei jeder Zeitenwende das apokryphe Wort von Christus aus dem Ägypter-Evangelium Gültigkeit, demzufolge er gekommen ist, um «die Werke des Weibes aufzulösen».

Das sechzehnte Gedicht richtet sich gegen Verneinung diesseitigen Lebens auf der Erde. Der Einsiedler, der durch sein Äusseres als solcher geschildert wird, verkörpert und bringt die Lehre, es sei letztes Ergebnis aller Weisheit, sich von den Geschehnissen der Aussenwelt abzuschliessen und nur auf eines zu konzentrieren, um sich auf das grosse Nichts vorzubereiten. Demgegenüber sagt der Dichter, dass es nur für solche, die ihr Herz weggeworfen, das heisst an Unwürdige oder Unwürdiges verschwendet und dies später erkannt haben, nötig ist, Furcht vor den Trieben des Leibes und Reue über das diesseitige Dasein auf der Erde zu empfinden.

Mit dem siebzehnten Gedicht beginnt die dritte Gruppe der zweiten zehn Gedichte des dritten Buches. Sie handelt vom Inhalt des neuen Lebens. Die Folger bitten den Meister, sie bisher Verschwiegenes verkünden zu lassen, so dass sie die ihnen vom Meister bekanntgegebene Lösung der Rune weitergeben können, die, wie sie glauben, den geistigen Hunger, die Not des ganzen Volkes beseitigen wird. Der Dichter erwidert, es sei eine irrige Annahme, dass eine Verkündung der Lösung dem Volke helfen würde. Die Folger sollten sich nicht selbst in gleicher

Weise täuschen wie die Unwissenden, hier Blöde genannt, es täten, die auf die Bekanntgabe der Enträtselung nur warteten, um die Rune zu besudeln, ihre Zauberkraft zu brechen und sie zusammen mit dem Unrat zu verscharren. Durch Preisgabe des Geheimnisses würden alle in Wahrheit noch mehr verarmen. Das lebenerhaltende Geheimnis selbst und die Zeit, zu der es bekanntgegeben werden dürfe, ohne dass es dadurch wirkungslos würde, sei nur dem Meister bekannt. Der Meister allein wisse und setze den Tag dafür. – Das Wort «Tag», das nach Grimm stets einen Zeitraum bezeichnet, wenn es allein gebraucht wird, hat hier die gleiche Bedeutung wie in der Verbindung «Tagsatzung», das heisst Ansetzung eines Termins für die Tagung einer hohen Versammlung. – Der Dichter zitierte bisweilen den Spruch aus der Edda: «Der Verständige bleibt stumm.»

Das achtzehnte Gedicht spricht vom Unterschied und der Unterscheidbarkeit echter und falscher Führer. Das Wort «Täuscher» wird hier vom Dichter in Anlehnung an Markus 4, 11. 12, Ap. 28, 26, Jesaias 6, 9. 10 und vor allem an folgende griechisch und lateinisch überlieferte Worte von Christus in den apokryphen Johannes-Akten gebraucht, die in der wohl besser erhaltenen lateinischen Fassung lauten: «Verbo illusi cuncta et non sum illusus in totum.» Der Sinn und die Übersetzung dieser Worte ist ebenso wie bei Markus 4, 11. 12 zweifelhaft. Lipsius hält sie für gnostisch und glaubt, dass sie auf den Unterschied zwischen Psychikern und Pneumatikern anspielen. Im achtzehnten Gedicht deutet «Täuscher» nicht auf einen, der durch sein Reden in Gleichnissen das Volk bewusst täuschen will, sondern auf einen, über dessen Wert die ganze Generation seiner Zeitgenossen sich deshalb täuscht, weil sie die Gleichnisse, in denen er zu ihnen nach Markus 4, 11 zu sprechen hat, nicht oder nicht richtig versteht. Grimm führt diese Bedeutung des Wortes «Täuscher» nicht an, es liegt aber kein Grund vor, in solchem Gebrauch des Wortes nicht eine dichterische Weiterbildung zu sehen, wie sie in andern Fällen von Grimm anerkannt wird. – Die Zeitgenossen vermögen, wie es im Gedicht heisst, nicht zu sehen, sie blinzeln nur, nicht zu fühlen, sie zucken und zittern nur, und deshalb können sie nicht verstehen, was ihnen durch Gleichnisse gesagt wird. Das hat zur Folge, dass sie verwirrt werden und sich über den Wert des Sprechers täuschen. Die Folger fragen, was in der Zukunft, in der sich viele mit gleissenden, das heisst äusserlich glänzenden aber lügnerischen Worten als echte Führer ausgeben werden, geschehen wird, wenn schon jetzt kaum jemand den Wert des echten Führers, wie er selbst weiss und sagt, zu erkennen in der Lage ist. Hierauf erwidert der Meister, dass sein Vermächtnis den Folgern das Mittel gibt, den echten Führer vom falschen Führer, vom «Widerchrist» zu unterscheiden. Er hat ihnen das wahre Auge ge-

391

geben, das nicht trügt, wo das Gehirn, der zerlegende Verstand, trügen könnte. Von solcher Art des Erkennens war schon im vierten Gedicht des dritten Buches die Rede. Der Dichter notierte sich aus Jean Pauls «Levana»: «Vor allem erziehet das deutsche Auge, das soweit dem deutschen Ohr nachbleibt!» – Nicht Worte, so fährt das Gedicht fort, sondern Antlitz und Wuchs unterscheiden den echten Führer von dem falschen. Der echte Führer prägt bereits im ersten Jahrsiebent seines Lebens, in dem im Inneren Licht wird, die Züge des zur künftigen Herrschaft Berufenen an sich selbst und trägt sein Berufensein sichtbar auf seiner Stirn vom Schicksal aufgeküsst. Nach SaxoGrammaticus hat der Held ein besonderes Feuer im Auge und trägt das Zeichen der Schönheit an der Stirn, zum Beispiel als einen goldenen Stern. Man könnte an die besondere Schönheit der Büste Ludwigs XIV. als Kind von Sarrazin im Louvre denken. In einem Brief an mich betont der Dichter, dass es auch geniale Kinder geben müsse, da es geniale Männer gebe. Die Einteilung des Lebens in Jahrsiebente ist antik. Nach Heraklit beginnen die Menschen nach dem zweiten Jahrsiebent, wenn die Zeugung sich regt, erwachsen zu werden.

Das neunzehnte Gedicht fängt mit einem symbolischen Ausruf an, der ankündigt, dass es sich hier um eine Geheimlehre handelt. Äusserlich genommen ist dies die Nichtnennung des Namens Hölderlins, von dem die letzten drei Verse des Gedichts sprechen und der, wie Edgar Salin fand und der Dichter ihm bestätigte, sich aus Zusammenfügung des ersten Buchstabens des ersten Verses mit dem zweiten des zweiten Verses und so fort ergibt. Ein solches Schema zum Verbergen eines Namens ist schon früher in englischer Dichtung, so zum Beispiel von Edgar Allan Poe in «A Valentine» verwandt worden. Der Dichter kannte sowohl Poes Gedichte als auch seine Kunsttheorien und bemerkte dazu, dass Poe nicht glaubhaft machen könne, dass er auch den Urvers von «The raven» auf Grund von bewusster Errechnung gefunden habe. – Innerlich geheim bleiben soll der Inhalt dieses Gedichtes, da er «Unbereiten» Schaden zufügen kann. Unbereitet sind alle, die nicht geeignet oder reif genug sind, die Lehre, das heisst das unverhüllte Wissen zu ertragen. Volle Erkenntnis würde für sie tödlich sein, da es ihnen ihre eigne Schwäche offenbaren und dadurch den Mut zum Weiterleben rauben würde. Von solchen Erwägungen und Einschätzungen seiner Umgebung wurde das Verhalten des Dichters gerade in den letzten zehn Jahren vor seinem Tod entscheidend bestimmt, in denen er wegen seines körperlichen Befindens mehr als vordem auf Gesellschaft von Menschen angewiesen war und deshalb manches in Kauf nahm, was er früher von vornherein als Schauspielerei abgelehnt hätte. – Ein ähnlicher Gedanke findet sich in «Zweifel der Jünger» im «Neuen Reich». Wegen dieser Gefahr hat die Lehre zwar nicht mehr in Gleichnissen, wohl aber in Verhüllung im Bild, das heisst in Erzeugnissen bildender Kunst, oder im Ton, das heisst in Dichtung, oder im kultischen Reigen, von dem Christus zum römischen Hauptmann spricht, dargeboten zu werden. Sie geht in unverhüllter Form nur als Weisung von Mund zu Mund weiter. Von ihrer Fülle, ihrem vollen Inhalt darf heute niemand sprechen, wobei die Worte «keins heut» ein Beispiel für die vom Dichter erstrebte Verwendung volksmässiger Ausdrucksweise in dichterischer Sprache sind. – Mit dem sechsten Vers geht der Dichter von der Lehre zu den Folgern, als Befolgern der Lehre, über. Er spricht hier von ihrem ersten Schwur, und dazu ist zu bemerken, dass dies lediglich eine bildhafte Form ist, die schon früher zum Beispiel in «Der Eid» gebraucht wurde. In Wahrheit hat der Dichter niemals Schwüre irgendwelcher Art von seinen Freunden verlangt oder erhalten, auch hat er ihnen niemals Stillschweigen über irgend etwas, was sie von ihm gehört hatten, feierlich auferlegt. Was jeder seiner Freunde für sich behalten wollte und behielt, hing von seiner eignen Erfahrung über Wert und Unwert des Aussprechens oder Besprechens von Dingen ab. Schweigen – von Goethe anempfohlen – wird von den Gnostikern als Gipfel des Seins und als Vater allen Werdens angesehen. Schweigen wird auch von den deutschen Mystikern, von Meister Eckhart und in der «Theologia Deutsch», gepriesen. Nach Friedrich Schlegel ist das Höchste, das Vollkommene unaussprechlich und kann deshalb nur allegorisch gesagt werden. – Der Dichter vermied, da er Kunstwerke und nicht Dogmen schaffen wollte, auch im Leben alles, was einem Conventikel gleich oder auch nur ähnlich gewesen wäre. Vor 1904 gab es die Kosmikerfeste in München, an denen weite Kreise teilnahmen. Zwischen 1904 und 1914 fanden Lesungen von Gedichten in den Wohnungen von Freunden in Berlin und München statt, von denen man sich sogleich nach dem Lesen von Gedichten wieder entfernte, um Gesellschaftlichkeit auszuschliessen. Das Verhältnis des Dichters zu jedem seiner Freunde war, wie schon erwähnt, nur durch den Grad menschlicher Nähe bestimmt. Der Dichter duzte seine nächsten Freunde, und sie duzten ihn auf seinen Wunsch hin. In den letzten Lebensjahren duzte er Jüngere, die wegen des zu grossen Altersabstandes ihn – jede Anrede vermeidend – nicht mehr duzten. Seine Freunde duzten, wie schon gesagt, einander nicht, wenn sie durch ihn miteinander bekannt geworden waren. – Die drei letzten Verse geben Scheu im Sinn von Ehrfurcht als Grund dafür an, dass der Name Hölderlins als der des hehren Ahnen und deutlichsten Verheissers des neuen Lebens noch nicht offen genannt werden sollte – das geschah erst später, und zwar in mehr hymnischer Form im «Neuen Reich».

393

Das zwanzigste Gedicht ist als Ende der zweiten zehn Gedichte des dritten Buches gereimt. Es enthält Gedanken der sich aus dem neuen Leben ergebenden Lehre, soweit sie unverhüllt ausgesprochen werden können. In einer Gemeinschaft wird durch Zusammenwirken mehrerer eine Kraft wirksam, die grösser ist als die Summe der Kräfte der Einzelnen, die die Gemeinschaft bilden. Das wird dadurch ausgedrückt, dass Vollzahl, das heisst Zahl aller Beteiligten, mehr gilt, also mehr vermag, als die Tucht der Teile, das heisst die Summe der individuellen positiven Kräfte der Einzelnen. Auf der erhöhten Wirkung der Vollzahl beruht es, dass neue Kraft aus der Runde hervorbricht und die individuelle Kraft des Einzelnen, der zu der Runde gehört, wiederum steigert. Die Runde, hier von der Tafelrunde genommen, bei der der Platz am runden Tisch jedem Teilhaber den gleichen Rang gibt, wird als ein durch Liebe zum Meister gebildeter Liebesring bezeichnet, dem nichts entfalle, das heisst entfallen kann. In diesem Sinn gebraucht der Dichter wiederholt den Konjunktiv, zum Beispiel im sechsundzwanzigsten Gedicht des zweiten Buches. – Aus der im Ring kreisenden, ihm deshalb niemals entfallenden Kraft holt sich jeder neu in den Kreis Tretende, der hier im Anschluss an das Templer-Gedicht Templarius, Tempeleis genannt wird, neue Kraft, und seine eigne, dadurch vermehrte Kraft fliesst in den Kreis zurück und somit auch in alle, die im Kreis vereint sind. Das Wort «Vollzahl» deutet zugleich darauf, dass der Dichter eine unbeschränkte Ausdehnung der Zahl seiner nahen Freunde weder für angemessen noch für möglich erachtete. Er pflegte zu sagen, dass es niemals mehr als zwölf zur gleichen Zeit sein könnten, und so war es auch in seinem Fall.

Mit dem einundzwanzigsten Gedicht beginnt der dritte und letzte Teil des dritten Buches, der, als Ganzes betrachtet, die neue Gemeinschaft feiert. Das entspricht dem Grundgedanken des Dichters, dass Preisen die letzte und oberste Aufgabe von Dichtung ist. Das Feiern geschieht hier in nicht-hymnischen Gedichten und bereitet das Preisen in Hymnen des «Neuen Reiches» vor. Die erste Gruppe dieser Reihe feiert die Kräfte der neuen Gemeinschaft. Im einundzwanzigsten Gedicht werden die nahen Freunde als die Gründung selbst, das heisst als solche, auf denen die neue Gemeinschaft beruht, bezeichnet. Der Dichter charakterisiert die Sonderart eines jeden von ihnen in dessen eignem Verhalten sowie im Verhalten zum Dichter und zu den andern Freunden zusammenfassend als «Betrieb der Pflicht» und als «Drang an frommes Herz». «Betrieb der Pflicht» bezieht sich auf das Erfüllen der von innen heraus erwachsenden Verpflichtung hinsichtlich der eignen Haltung und des Sich-Verhaltens andern gegenüber. «Drang an frommes Herz» deutet auf die Fähigkeit des Erglühens und des Empfindens von Ehrfurcht. Diese Folger des

Dichters werden «die Widmenden» genannt, denn sie tragen und verkörpern das an sich unsichtbare neue Reich dadurch, dass sie sich ihm ebenso ganz und ungewusst, das heisst dem zerlegenden Geist verhüllt, widmen, wie irdische Auftritte, das sind irdische Begebnisse, bald vorher, bald nachher auf andrem Stern spielen. Der Vergleichspunkt liegt im Unbegreifbarbleiben zweier Dinge, nämlich der vollen Repräsentation des unsichtbaren neuen Reiches durch bestimmte Menschen einerseits und des vollen Spielens irdischer Auftritte auf andrem Stern andrerseits. Trotz der Unbegreiflichkeit für die Beteiligten und für die Aussenstehenden sind diese beiden Dinge für den Dichter Wirklichkeiten. Vielleicht spielt auch Platons Ideenlehre hier verbindend mit hinein, die Milton in «Paradise lost» ähnlich verwendet hat. Nach Auffassung der Kabbala hat irdisches Geschehen stets ein Vorbild in himmlischem Geschehen. Kraft der Ordnung des Alls beeinflusst und beeindruckt jedes Geschehen – so glaubte der Dichter – das All, das heisst das Ganze in gleicher Weise. Wegen der All-Wirkung jeden Geschehens kommt es nicht darauf an, ob irdische Macht schneller oder langsamer wächst. Man soll darauf vertrauen, dass die Möglichkeit zur inneren und äusseren irdischen Machtentfaltung in der Krönungszahl liegt, die das Zahlensymbol für die Berufung zum Werk ist. Ich glaube, dass der Dichter hierbei hinsichtlich seiner eignen Person an die Zahl zwölf gedacht hat, die ihm nicht nur besonders genehm war, sondern auch in seinem Geburtsdatum und im «Schlusschor», seinem zahlenmässig am genausten aufgebauten Gedicht, insofern eine Rolle spielt, als jenes Gedicht aus zwölf Versen mit zusammen fünfmal zwölf Worten besteht, wobei die fünf auf die fünf Abschnitte des «Sterns des Bundes» hinweist. Doch weiss ich nicht, ob diese Annahme, die auch die Zwölfzahl seines letzten Werkes, der Volkslieder im «Neuen Reich», für sich hat, zutreffend ist, da ich aus begreiflichen Gründen den Dichter hierüber nicht befragt habe und er auch nicht von sich aus zu mir davon gesprochen hat. – Angelus Silesius spricht von zehn als der Krönungszahl. Für Dante könnte es nach der «Vita Nuova» die Zahl neun gewesen sein. – Man soll weiter darauf vertrauen, so heisst es im neunten Vers, dass die in der Krönungszahl sich ausdrückende Kraft die Allheit «bald», das heisst in nicht zu ferner Zukunft, bewirken wird. Wann dieses «bald» kommen oder sein wird, ist unerheblich, denn im neuen Leben besteht und wird nichts, was nicht schon heute erlebt werden kann. «Denken Sie weniger und leben Sie mehr!» sagt Hamann in «Sokratische Denkwürdigkeiten».

Nachdem das einundzwanzigste Gedicht die Steigerung der lebendigen Kraft des Einzelnen durch die Runde beschrieben hat, preist das zweiundzwanzigste Gedicht die magische Kraft, die durch den Einzelnen für alle wirksam wird. Wem es vergönnt ist, bis auf den Grund der Dinge – ähnlich der Norne in «Das Wort» – zu schauen, dem gelingt es auch, den von ihm erkannten Zauber, der Leben schafft und erhält, als Symbol, nämlich als Bild, das heisst hier als Kunstwerk, oder als Begehung, also als Ritus, allen andern zu übermitteln, und er selbst wird und bleibt gegen Gefahren, die solche Übermittlung in sich schliesst, gefeit. Das gleiche ist in den letzten Strophen von Hölderlins Hymne «Wie wenn am Feiertage...» zum Ausdruck gebracht, deren Entzifferung durch Norbert von Hellingrath der Dichter als den vielleicht wichtigsten Fund der neueren Literaturgeschichte bezeichnete. – Wenn aber der, welcher bis zum Grund der Dinge schauen durfte, nur Zeichen und nicht Symbole des Zaubers wahrnimmt und solche Zeichen allen andern übermittelt, dann macht er sie und sich selbst wertlos. Er handelt nämlich wie einer, der zu scharf sieht, dem aber ein Auge fehlt, so dass er nicht perspektivisch und plastisch zu schauen und zu begreifen vermag und deshalb die volle Wirksamkeit des Zaubers nicht wahrnimmt. Echter Zauber in Haltung und Erleben ist entgegengesetzt einem falschen Zauber, der sich mit dem Hervorbringen äusserer Zeichen begnügt. Das Einauge des Zyklopen ist Symbol für titanische Erdzeugungen, für die das apollinisch-delphische «Erkenne dich selbst» nicht gilt. Keiner, der Weisheit unverhüllt erkannt hat, wird sie als solche, das heisst uneingekleidet, verraten. Würde er das tun, so würden die Menschen von lähmendem Entsetzen ergriffen werden. Den Mutigsten unter ihnen würden Blut und Same vereisen, sie würden absterben. Denn grausam und schreckenerregend würde sich die ihnen bisher nicht sichtbare Kehrseite der Dinge, das heisst das Andre als gleichberechtigt und gleich notwendig darbieten.

Das dreiundzwanzigste Gedicht preist die kraftspendende Erweckung durch das Maximin-Erlebnis und bildet, indem es auf ein persönliches Erleben des Dichters zurückgeht, den Übergang zu den folgenden Gedichten, die – mit Ausnahme der drei Schlussgedichte des Bandes – persönliche Erlebnisse des Dichters in einem mehr erzählenden, bewusst abklingenden Ton zum Gegenstand haben. – Der Dichter fühlte sich als der erste vom Geist völlig Gewandelte, als er sich seiner Erweckung zum neuen Leben durch Maximin bewusst geworden war. Das «du» im zweiten Vers bezieht sich auf Maximin, während «du» und «dein» im fünften, achten und neunten Vers auf den Gott weisen. Dass keins dieser Worte hier mit grossen Anfangsbuchstaben gedruckt ist, dürfte davon herrühren, dass Maximin mit dem Gott als dessen irdische Erscheinungsform hier identifiziert wird. – Unmittelbar nach der beseligenden Erweckung, deren Vollziehung das Sichtbarwerden des goldnen Sterns über dem Dach symbolisiert, wünschte der Dichter, noch eine Frage über die Bedeutung und Deutung dieses Geschehens zu stellen, und wusste auch, dass er eine Antwort darauf erwarten konnte. Als er aber erkannte, dass, wer Höchstes erlebt hat, der Deutung nicht bedarf und dass man Gott sein muss, um den Gott völlig mit Hilfe des eignen Geistes zu begreifen, unterliess er es, zu fragen, und setzte dadurch ein Beispiel für Erkennen durch Erleben. Ihn erfüllte, dass ihm ein Fussbreit festen Grundes gegeben worden war, auf dem er, inmitten allgemeinen Abgleitens, so sicher stehen konnte, dass er, nach der Erkenntnis des Archimedes, Welten zu bewegen vermochte, wie das einundzwanzigste Gedicht des zweiten Buches besagt.

Mit dem vierundzwanzigsten Gedicht beginnt die zweite Gruppe der letzten zehn Gedichte; sie handelt, wie schon angedeutet, von persönlichen Erlebnissen des Dichters im neuen Leben. Er nennt die Zeit, in der er es nicht ungern hinnahm, dass Schulen der Kunst und der Wissenschaften ihn anerkannten und krönten, eine Zeit der Einfalt, des eignen Einfältigseins, die hinter ihm liegt, seit er die echte Lehre zu erkennen begonnen hat. Ihr Erforschen hat ihn wissend darüber gemacht, dass alles, was lehrbar ist, in Wahrheit auch feil, das heisst käuflich ist. Nur wer sein Wissen unmittelbar vom Gott erhält, ist ein echter Weiser. Das war schon im vierzehnten Gedicht des dritten Buches in andrer Verbindung gesagt und wird jetzt im sechsten Vers des vierundzwanzigsten Gedichts als Zitat aus Pindars zweiter Olympischer Ode durch verändertes Versmass erneut hervorgehoben. Ich hatte diesen Vers in Tycho Mommsens Übersetzung der Oden Pindars um 1907 gefunden und ihn dem Dichter mitgeteilt, als ich die getreuere Übersetzung Hölderlins von σοφὸς ὁ πολλὰ εἰδὼς φυᾷ mit «Weis' ist wer vieles weiss von Natur» noch nicht kannte. – Durch Maximin hatte der Dichter solches Wissen erlangt, mit ihm war er durch das von jenem geheiligte Feld, wie die Gedenkrede sagt, zum heiligen Ziel geschritten, durch ihn und mit ihm hatte er den Einklang, die Harmonie von Keimen und Welken, von Werden und Vergehen begriffen und gelernt, das eigne Dasein auf der Erde als Glück zu empfinden.

Das fünfundzwanzigste Gedicht berichtet von einem Erlebnis des Dichters mit Herbert Steiner. Er hatte im Knabenalter mit dem Dichter in München mehrere Male gesprochen und die Unterhaltung mit dem geistig weit über sein Alter hinaus entwickelten Kind hatte dem Dichter Freude gemacht. In dem erst Jahre später entstandenen Gedicht nennt der zurückblickende Dichter ihn auf Grund seines damaligen Aussehens und Verhaltens eine zu volle Blume auf zu zartem Stiel, die man sich jedoch nicht anders wünschen konnte, als sie sich damals zeigte, und der man Licht und sanfte, von Stürmen freie Luft zum weiteren Gedeihen zu wünschen hatte. Der Dichter sagt aber zur gleichen Zeit, dass für jenen der Tag kommen müsse, an dem ein heilsames Unwetter den Rest von Asche, das heisst die Überbleibsel einer früheren, schon überalterten Lebensform, aus dem blonden Haar stäuben werde. In den drei letzten Versen antwortet der Bewidmete, der Dichter möge ihn, den Schwachen, der sich getrennt habe, nicht zu streng beurteilen. Er solle sich daran erinnern, dass er ihm freundlich begegnet sei, weil er ihn als ein «blondes Wunder» und nichts andres angesehen habe. Der Ausdruck «blondes Wunder» wurde, soweit ich mich erinnere, von Friedrich Gundolf in Anlehnung an die Benennung eines damals populären Sportsmannes «The little wonder» geprägt.

Das sechsundzwanzigste Gedicht spricht von einem Erlebnis des Dichters mit Albrecht von Blumenthal, der durch seinen Freund Erich Berger als Student zum Dichter gekommen war. Lebenbilder sind Eindrücke, die sich dem äusseren Auge bieten und zum Symbol für Erscheinungen des Lebens werden, deren Sinn aber durch den zerlegenden Verstand nicht erschöpft werden kann. Der Dichter sagt dem Bewidmeten, er solle nicht zu viel über das, was keiner weiss, denken und anerkennen, dass der Sinn der Lebenbilder unhebbar ist. Ein solches Lebenbild hatte sich dem Bewidmeten im Verhalten eines wilden Schwanes gezeigt. Er hatte nach dem fliegenden Vogel geschossen, und der Schwan hatte mit gebrochenem Flügel noch kurze Zeit auf seinem Gutshof gelebt. Die Art, in der der Vogel auf die ihm unbekannte neue Umwelt blickte, hatte den Bewidmeten an ihm selbst verwandtes, aber durch unmessbare Zeiträume fernes Wesen erinnert, das durch den Schuss vernichtet worden war. Der Schwan siechte ohne Groll und ohne Dank für die Pflege, als aber sein Ende kam, schien sein brechendes Auge den Vorwurf zum Ausdruck zu bringen, dass er in einen neuen, ihm nicht gemässen Kreis der Dinge hineingezwungen worden war. – Albrecht von Blumenthal ist der Verfasser der Anmerkungen in der Gesamtausgabe.

Mit dem siebenundzwanzigsten Gedicht beginnt die letzte Gruppe des «Sterns des Bundes», in der persönliche Erlebnisse des Dichters eine Grundlage für die Erörterung allgemein gültiger Fragen und für den Abschluss bilden. Im siebenundzwanzigsten Gedicht handelt es sich um das bereits früher gestreifte Problem, wann dem Geist über den Leib, und wann dem Leib über den Geist die Vorherrschaft zukommt. Der Dichter erwidert, dass es eine generelle Lösung hierfür nicht gibt. Nur die Bedeutung des Augenblicks, hier als «Sinn» verstanden, bestimmt, wem die Herrschaft gebührt. Der Sinn aber wird vom Leben diktiert, das sich nicht in Lehrsätze fassen lässt. Es verhält sich mit dieser Frage ebenso wie mit der, welcher Teil des Rades einen Wagen zum Weiterrollen bringt, wobei das Gefährt als Symbol des Wandelnden und des Bleibenden, also der Beweglichkeit des Lebens, angesehen werden kann. Nur die lebendige Hand kann an einem rollenden Rad – ein Rad wurde bereits im siebzehnten Gedicht des ersten Buches zur Verdeutlichung benutzt – zeigen, wo die Achse und wo die Speichen sind. Laotse sagt: «Dreissig Speichen treffen sich in einer Nabe. Auf dem Nichts darin beruht es, dass man den Wagen brauchen kann.» Das siebenundzwanzigste Gedicht schliesst mit Beschreibung eines Festes, an dem ich teilnahm, zusammen mit einer Erinnerung an die Rede des Alcibiades in Platos «Gastmahl». Der Herr des Mahles ist der Gott in der Funktion des Eros. Sein Feuer ergreift die Feiernden mit solcher Stärke, dass nicht nur der Geist, sondern auch der Leib verstummt. Da die dichterische Ausdrucksmöglichkeit in den meisten Sprachen in gleicher Weise begrenzt ist, können Parallelen zu den Worten eines Dichters unschwer in Werken früherer Dichter gefunden werden, ohne dass daraus auf Beeinflussung geschlossen werden darf.

Das achtundzwanzigste Gedicht stammt zum Teil von Ernst Morwitz. Bei Abschluss des Werkes wünschte der Dichter, dass ich ein reimloses Gedicht von sieben bis vierzehn Versen mit vier oder fünf Hebungen in jedem Vers und einem von mir zu wählenden Inhalt schreiben sollte. Ich brachte daraufhin dem Dichter ein Gedicht von zehn Versen, er überarbeitete die sechs Anfangsverse und beliess die vier Schlussverse in meiner ursprünglichen Fassung. Im Gedicht betont der Jüngere seine Ratlosigkeit in lebenswichtigen Fragen, die weder Lehrer noch Freunde zu beantworten vermochten. Der Dichter verhalf ihm zur Lösung und trat darüber hinaus für ihn in gleicher Weise ein, wie er es selbst für einen andern Fall im siebzehnten Gedicht des zweiten Buches geschildert hat. Zum Dank sichert der Jüngere dem Dichter zu, dass sein Leben dem Werk des Dichters gewidmet sein wird.

Das neunundzwanzigste Gedicht ist der geistige Abschluss dieses Teils. Der Dichter spricht darin zu den Gründern, das heisst den ersten Teilhabern am neuen Leben, und knüpft somit an das einundzwanzigste Gedicht des dritten Buches an, das mit dem neunundzwanzigsten den Rahmen für die Schilderung der persönlichen Erlebnisse des Dichters im dritten Buch formt. Die Gründer werden vom Dichter in ihre eignen Lebensbereiche gesandt, sie werden aus der engeren Gemeinschaft entlassen, die als innerer Raum und Zelle für den Kern geballter Kräfte und trächtiger Schauer bezeichnet wird. Die Art des Blickens eines jeden von ihnen zeigt seinen inneren Rang, das heisst den Grad seiner inneren Kraft, seines inneren Feuers, und seine Form, das heisst Gestalt sowie Lebensgeste, deutet auf die Weise, in der er seinen eignen Kampf im Leben wagen wird. Jeder von ihnen nimmt seinen besonderen Weg, sie sind und bleiben im Gang getrennt, aber das Endziel, die Erhöhung des Daseins, ist für alle das gleiche. Ihr Blut ist durch Liebe befeuert, die darin als dreifacher Wein kreist. Dreifach hat hier die doppelte Bedeutung, dass es sowohl auf die drei Stufen des Wissens zurückdeuten, als allgemein verstärkend, wie zum Beispiel in Goethes «dreifach glücklich», wirken soll. – Solche, die sich in ihrer Jugend durch Schönheit ausgezeichnet haben, werden, wenn Altern die Schönheit in charakteristische Züge verwandelt, sich durch Stärke und Intensität hervortun. Ähnliches sagt Solon in Lucians «Anacharsis». Sie sind, so heisst es im Gedicht, durch Überschattung des Erweckers gediehen, dessen Kraft sie gestählt und dessen Lächeln einen Glanz auf ihnen zurückgelassen hat. «Überschatten» ist seit Luther die Übersetzung für ἐπισκιάζειν obumbrare und bedeutet in der Sprache des Neuen Testaments «befruchten, schwängern, erfüllen», sowie auch «bedecken und beschützen». Angelus Silesius spricht von seinem Geschwängertsein durch Gott. Der Schatten von Petrus hatte nach Ap. 5, 15 heilende Kraft, wie es Masaccio in seinem Fresko in Florenz darstellt.

Das dreissigste Gedicht ist der formale Abschluss des dritten Buches oder vierten Abschnittes und als solcher gereimt. Der Sieg der neuen Lebensform wird im Bild der Rückkehr vom Kampf gefeiert. Das Feld für das neue Leben ist gewonnen und der Boden für die frische Saat des Templergedichtes wieder fruchtbar gemacht. Die Kämpfer kehren mit dem Kranz als Symbol geschmückt zurück, das Fest der «Friedensfeier» hat im schönsten Gau bereits begonnen. Der Hymnus, das heilige Loblied, hier ein nie versiegender Quell genannt, wird angestimmt, begleitet von Flöte und Horn, vom Sang und Tanz aller Farbe umringt und vom Duft aller Frucht und Blüte umgeben und durchdrungen, zusammengefasst in «umdrungen».

Das heilige Loblied selbst ist im teilweise gereimten Schlusschor gegeben, der für sich allein gewichtig genug ist, um den fünften Abschnitt des Werkes zu bilden. Die Chorhaftigkeit wird durch das Gleichbleiben des ersten Wortes, durch das Einsilbigsein des zweiten und dritten Wortes, durch Verwendung der Pronomina «uns» und in den vier Mittelversen «unser» an vierter Stelle innerhalb eines jeden der zwölf Verse des Gedichtes und durch den gleichmässigen syntaktischen Aufbau der vier Mittelverse einerseits und der je vier Anfangs- und Schlussverse andererseits, erzeugt. Jeder Vers hat acht oder sieben Silben abwechselnd und enthält vier Hebungen und fünf Worte, so dass das ganze Gedicht aus dreimal zwei mal zehn oder aus fünfmal zwölf, also sechzig Worten besteht. Der Aufbau des gesamten Werkes, das im Schlusschor gipfelt, betont somit die Bedeutung der Zahl, die in keinem andern Band des Dichters so stark wie hier zur Geltung kommt.

«Der Siebente Ring» und «Der Stern des Bundes» gehören als Darstellung des neuen Lebens zusammen. Sie sind im wesentlichen zwischen 1900 und 1913 entstanden, also vom Dichter in der Zeit zwischen seinem zweiunddreissigsten und fünfundvierzigsten Lebensjahr, das heisst etwa von der Mitte des fünften bis zur Mitte des siebenten Jahrsiebents seines Lebens geschrieben. Will man die Klassifizierungsmethoden für Werke der bildenden Kunst auf Dichtung anwenden, um einen Gesamteindruck vom Schaffen des Dichters zu gewinnen, so kann man diese Periode im Hinblick auf Stilsicherheit, Farbigkeit, Fülle und Ausgeglichenheit als seine klassische bezeichnen.

DAS NEUE REICH

Der Titel dieses 1928 erschienenen Bandes ist nicht territorial oder politisch begrenzt gemeint, er deutet auf den neuen Lebensbereich im weitesten Sinn. In der Maximin-Gedenkrede wird Christus als Herrscher «des längsten Weltreiches unserer Überlieferung», eines geistigen Reiches, bezeichnet. – Das Werk zeigt nicht den auf Zahlen gegründeten, regelmässigen Aufbau der früheren Bände des Dichters. Er selbst nannte es mir gegenüber eine Brücke, die sich, ohne dass Anfang und Ende sich wie in früheren Werken zusammenschliessen, in weitem Bogen über den neuen Lebensbezirk spannt. Bemerkenswert ist, dass es erst vierzehn Jahre nach dem «Stern des Bundes» erschienen ist, während vorher die Werke des Dichters meist in Abständen von nicht mehr als sieben Jahren veröffentlicht worden sind.

Das Inhaltsverzeichnis zum neunten Band der Gesamtausgabe, in dem das Werk zum erstenmal erschien, weist durch verschiedenartige Buchstabengrösse darauf hin, dass es äusserlich aus drei Büchern besteht, nämlich aus zehn oder einzeln gerechnet vierzehn längeren Gedichten hymnischer Art, sowie vier «Gesprächen», die nicht unter Obertiteln vereint sind und zusammen mehr als die Hälfte des Bandes einnehmen, ferner aus einundfünfzig Sprüchen, die in dreiundvierzig Sprüche «An die Lebenden» und in acht Sprüche «An die Toten» äusserlich untergeteilt sind, und aus zwölf Liedern, die äusserlich nicht untergeteilt sind und den kleinsten Teil des Bandes bilden. Dass das Gesamtwerk des Dichters mit gerade zwölf Liedern endet, dürfte kein Zufall sein.

Auch stilistisch ist das Werk eine Brücke zwischen zwei Polen lyrischer Dichtung: der antiken Hymne und dem neuzeitlichen Volkslied. Jedes der Gedichte in diesem Band enthält, und das ist hier das Neue im Werk des Dichters, hymnische oder volksliedhafte Elemente. Hymne und Volkslied setzen eine Begeisterungsfähigkeit des Hörers voraus, die hinsichtlich der Hymne in der Antike dem Lebendigsein des Mythos im ganzen Volk entsprang und beim neuzeitlichen Volkslied auf einem dem ganzen Volk innewohnenden, romantischen Empfinden beruht, das bruchstückhaftes, bildliches Sagen mit Hilfe individuellen, meist jugendlichen Erlebens zu einem sanghaften Gesamt fast unbewusst ergänzt. Heute ist weder ein geschichtlicher noch ein religiöser Mythos im ganzen Volk in gleichmässiger Stärke lebendig, noch wird das romantische Empfinden im ganzen Volk gleichmässig durch Text und dichterisches Bild angeregt. Wenn dies überhaupt noch geschieht, ist es eine Folge der Musik, der Melodie. – Der Dichter wurde erst durch das Maximin-Erlebnis in die Lage versetzt, einen Vorgang als mythisch zu fühlen und die dadurch in ihm erzeugte Begeisterung, die für den rauschhaften Ton antiker Hymnen charakteristisch ist, in Kunst umzusetzen. Durch das Maximin-Erlebnis und seine darauf gegründete Kunst gelang es ihm, auch dem volksmässigen Sprachempfinden, das das Volkslied voraussetzt, wieder nahezukommen. Somit erreicht er in diesem Band das, was ihm vorschwebte, als er seinen ersten Gedichtband «Hymnen» nannte. Die liedhaften Gedichte seiner früheren Bände, die vom dritten Buch des «Sterns des Bundes» an Chorlieder sind, wurden in ihnen von ihm in Obertiteln nur als «Lieder» bezeichnet, während im «Neuen Reich» die zwölf Lieder unter dem prägnanten Obertitel «Das Lied», der gerade auf das Volkslied als weiteste Form des Liedes hinweist, vereint werden.

Die Grösse der Zeilenabstände im Inhaltsverzeichnis ergibt, dass das erste vierzehn mit Sondertiteln versehene, längere Gedichte umfassende Buch des Bandes innerlich in drei Teile zerfällt. Der erste Teil reicht von «Goethes letzter Nacht in Italien» bis zu «Einem jungen Führer im ersten Weltkrieg», umfasst also acht oder falls nur Titel gerechnet werden, sechs Gedichte. Im Vergleich mit den sechs oder der Betitelung nach vier folgenden Gedichten des zweiten Teils, die echte, neuzeitliche Hymnen sind, kann man die Gedichte des ersten Teils Oden mit hymnischem Einschlag nennen. Der dritte Teil wird durch vier «Gespräche» gebildet.

«Goethes letzte Nacht in Italien» ist, wie die kurze Vorrede besagt, bereits 1908 entstanden, also bald nach Abschluss des «Siebenten Ringes», dessen letzte Gedichte Anfang 1907 fertiggestellt wurden. In dem Gedicht, das, wie die Vorrede zeigt, der Beginn der neuen Reihe ist, spricht Goethe in der letzten Nacht seines Aufenthaltes in Italien. Da jeder Dichter im Grunde selbst aus den Personen, die er auftreten lässt, spricht, benutzt der Dichter hier Goethe, um seine eignen Ansichten, soweit sie sich mit den von Goethe im Werk niedergelegten Meinungen vereinbaren lassen, zum Ausdruck zu bringen. Im Gegensatz zum Zeitgedicht «Goethe-Tag», in dem der Dichter selbst spricht, enthält dieses Werk keinerlei Kritik, da sie sich kaum mit dem hymnischen Charakter hätte vereinen lassen. Goethe erscheint hier vielmehr als Ahnherr einer von Stefan George heraufgeführten Epoche, und gerade dieser prophetische Ton erfordert hymnischen Überschwang. Die Szenerie zeigt eine entfernte Anlehnung an Goethes Gedicht «Die Geheimnisse», über das Goethe selbst niemals

Wesentliches äussern wollte. Wichtig ist vielleicht, dass kein spezifisch südlicher Baum gewählt ist, sondern eine Fichte, die sowohl im Süden als auch im Norden gedeiht. Das Meer ist so nah, dass man eher an Rom als an Florenz denkt, und das stimmt mit Goethes Aufenthaltsdauer und Abreise überein. Der «einzige Stern» ist ausweislich des «Siebenten Ringes» und des «Sterns des Bundes» ein Symbol für den die neue Zeit bestimmenden, einzigen Gedanken des Dichters an Maximin als Verkörperung des Gottes. Das Paar besteht aus zwei Jünglingen, die einen für das neue Leben gemeinten Freundschaftsbund schliessen – ein Gedanke, der nicht nur von der Antike her bekannt ist, für den sich vielmehr auch aus neuerer Zeit Hinweise im Verhalten junger Genien, zum Beispiel des jungen Friedrich des Grossen in Rheinsberg und des jungen Napoleon vor dem ägyptischen Feldzug, sowie im Verhältnis des jungen Goethe zu Carl August finden lassen. Stefan George notierte sich aus «Dichtung und Wahrheit»: «Der erste wahre und höhere Lebensgehalt kam durch Friedrich den Grossen, wozu nicht gerade die Form des epischen Gedichtes nötig ist.» Goethes Bewunderung Napoleons ist bekannt. Es ist wahrscheinlich, dass der Dichter durch die in Goethes Aufsatz «Voss und Stolberg 1820» enthaltene Darlegung angeregt worden ist, nach der «ein solcher in der Jugend geschlossener Freundschaftsbund ein erstes Sich-Hingeben darstellt, das viel höher steht als ein von leidenschaftlich Liebenden ausgesprochenes Bündnis. Denn es ist ganz rein, von keiner Begierde, deren Befriedigung einen Rückschritt befürchten lässt, gesteigert, und daher scheint es unmöglich, einen in der Jugend geschlossenen Freundschaftsbund aufzugeben, wenn auch die hervortretenden Differenzen mehr als einmal ihn zu zerreissen bedrohlich obwalten.» Dieser Aufsatz ist enthalten in den «Paralipomena zu Goethes Annalen oder Tag- und Jahresheften». Dass Stefan George diese Paralipomena gut kannte, geht daraus hervor, dass er oft von der darin behandelten Beziehung Goethes zu Schiller, Goethes Abneigung gegen die «Räuber» und selbst gegen «Don Carlos» sprach und auf Schillers weises Verhalten hinwies, das Goethe schliesslich versöhnte. Dies alles wird in Goethes Aufsatz «Erste Bekanntschaft mit Schiller 1794» dargelegt, der gleichfalls zu den Paralipomena zu den Annalen gehört. Für Stefan George ist es bei der Schilderung in diesem Gedicht charakteristisch, dass er trotz des neuzeitlichen Themas nicht mehr selbst handelnd auftritt, sondern den Einfluss des neuen Lebens sozusagen an Dritten beobachtet, ein Verhalten, das sich auch in seinem Leben in den letzten Jahren vor seinem Tod mehr und mehr zu dem Punkt steigerte, dass er sagte, ihn interessiere nicht mehr, wie seine Freunde zu ihm persönlich ständen, denn das wisse er – er sei nur noch interessiert, zu sehen, wie sie zueinander stehen könnten. Um dies zu

405

erproben, konstruierte er sogar besondere Umstände und Verhältnisse unter ihnen. – Von der Bedeutung eines Freundschaftsbundes für Goethe gibt ferner die Erzählung vom ertrunkenen Knaben in «Wilhelm Meisters Wanderjahre» Kunde. Goethes tiefstes Zeugnis über sein Verhältnis zur Kunst der Griechen, das in seinen Anmerkungen zur Übersetzung von Diderots «Versuch über die Malerei, Noten zum ersten Kapitel» enthalten ist, wurde bereits früher erwähnt. Zusätzlich wäre noch auf das hinzuweisen, was er über den menschlichen Körper in «Briefen aus der Schweiz» und in seinem Aufsatz über Winckelmann äussert.

Der Freundschaftsschwur wird im Gedicht von den Umschlungenen unter dem tiefblauen Nachthimmel vor einem «Bild», einem Standbild, abgegeben, das mitten in einem Laubrund steht, also von Bäumen umgeben wird und aus Marmor gefertigt ist. Die einzige nähere Beschreibung der Formung des «Bildes» ist in den Worten «leuchtender Marmor wie sie» enthalten. Sie lassen den Schluss zu, dass nicht nur die Farbe des Marmors mit dem Farbton der Haut der beiden Jünglinge, wie sie unter dem nächtlichen Himmel erscheint, in Einklang steht, sondern dass es sich auch bei dem «Bild» um eine Gruppe von zwei Jünglingen handelt. Mit Absicht gibt der Dichter keine nähere Beschreibung dieser Gruppe, da dies die Phantasie des Hörers einengen könnte. Auch wäre es unrichtig, zu glauben, dass der Dichter selbst auf eine bestimmte Gruppe hinweisen wollte, da er immer betont hat, dass es bei Erwähnung von antiken Gegenständen im heutigen Kunstwerk darauf ankommt, die antiken Dinge mit einem neuen Leben zu erfüllen. Ich möchte deshalb nur sagen, dass er an Gruppen wie die des «Orest und Pylades» im Louvre und an die sogenannte Ildefonso-Gruppe von Kastor und Pollux im Prado, die er beide kannte, entfernt gedacht haben kann, als er sich selbst das Bild einer Gruppe von zwei Freunden, wie von Harmodios und Aristogeiton, nicht von Brüdern, die einander den Freundschaftsschwur leisten, formte, und dass er sein eignes Bild hinsichtlich der Haltung der Figuren und ihres Zueinanderstehens anders gestaltete, als die zwei genannten Gruppen es zeigen.

Die «finsteren Bräuche», deren Gewalt, das heisst innere Kraft beide «mächtig» macht, werden vom Dichter nicht näher beschrieben. Man wird aber kaum fehlgehen, Blutsbrüderschaft unter sie zu rechnen, von der der Dichter in der Tafel an Carl August Klein ausdrücklich spricht. Solche Bräuche, die auf innerste Gemeinschaft deuten, verbunden mit dem feierlichen Schwur, lassen die beiden Freunde die Häupter stolzer und freier, hier zusammengefasst in «mächtig», erheben, um das gemeinsame Ziel, das als «Herrschaft und Helle» bezeichnet ist, zu erkämpfen. Dies ist ihr Heldenlied, das sie nicht als einen besonderen Gesang angestimmt zu haben brauchen, denn solch ein Eindruck geht schon von ihrer Haltung und ihrem Schwur aus. Helle deutet auf das apollinische, vaterrechtliche Element in der Welt, über die zu herrschen sie sich zusammengeschlossen haben. Die Verklärung ewiger Räume weist auf die Unendlichkeit der nur mit einem einzigen Stern geschmückten, blauen Nacht. «Staunend» deutet an, dass dieser Vorgang ungewöhnlich in unserer Zeit ist. Dass dieser «Heldengesang» vom duftigen Wind Italiens über das schlafende Land bis zur raunend genannten See getragen wird, ist Voraussetzung dafür, dass er als «Schimmer» vom südlichen, griechischen Meer nicht nur Goethe erreicht, sondern auch in den Norden gelangen und dort wirksam werden kann, wie es die letzte Strophe von «Burg Falkenstein» dartut.

Nachdem Goethe diesen Vorgang in einer Weise geschildert hat, die vermuten lässt, dass es sich hier nicht um eine in Wirklichkeit von ihm beobachtete Szene im Italien seiner Zeit, sondern um einen Traum oder eine Vision von griechischem Leben handelt – darauf deutet auch die letzte Strophe des Gedichts – beschreibt er in der zweiten Strophe seine Gedanken bei dem unmittelbar bevorstehenden Abschied. Darin wird das Wesentliche von dem gegeben, was Goethe bei dem Aufenthalt in Italien durch Betrachten der Werke der Antike und Renaissance gelernt hat, um den Unterbau für die im folgenden ausgesprochenen Gedanken Goethes über Deutschland zu schaffen. Als Goethe in der Nacht kurz nach Vollmond auf dem Kapitol und am Kolosseum, wie er selbst berichtet hat, von Rom Abschied nahm, hatte er zum erstenmal mit dem leiblichen Auge gesehen – so sagt Stefan George in einem Alter, das dem Goethes bei jenem Abschied nahekommt – dass auf dem durch die Antike geheiligten Boden Menschen alltäglich frei im vollen Sonnenlicht wandeln konnten und noch immer wandelten. Mit dem geistigen Auge hatte er erblickt, wie Menschen der Antike, die hier «Selige» genannt werden, zwischen den heute nur als Rest erhaltenen Säulen von Rom, Süditalien und Sizilien ihr Leben geführt hatten. Ihn, der im Norden geboren war, hatte dies der eignen Armut bewusst gemacht, die für ihn nicht dadurch behoben werden konnte, dass die Deutschen sein Werk damals bereits priesen und ihn als echtesten Erben der Antike, sowie als «Herz ihres Volkes» ansahen. In Italien begann sein Leben gleichsam von neuem, er fühlte sich in den Zustand eines Kindes zurückversetzt, das aus Mangel an belastenden Erfahrungen mit Staunen alles ihm Gebotene aufnimmt und zu seinem frischen Dasein in Beziehung bringt. Aus einem Nebel, der sowohl auf die geographische Lage Deutschlands im Verhältnis zu Italien, wie auch auf Trübe der Gedanken hindeutet, glaubte er schmälende Stimmen der Deutschen im voraus zu hören, die ihm vorwarfen, er habe sein Vaterland, berauscht vom Süden, vergessen, als hätte er von der Frucht des kyrenäischen Lotusbaumes genossen. Auf solchen Vorwurf kennt er nur eine Antwort, mag sie auch von den Zeitgenossen – wie er voraussieht – nicht verstanden werden: Ströme des edelsten deutschen Blutes müssten jenseits der Alpen so lange vergossen werden, als die Deutschen noch nicht die Möglichkeit für ihre innere Befreiung im eignen Land gefunden hätten. Das ist – soweit ich sehen kann – kein unmittelbares Goethe-Zitat, wohl aber das Endergebnis der Darlegungen Goethes in der «Italienischen Reise» und in den «Tag- und Jahresheften». Nach Stefan Georges Auffassung ist es der Grund für die Italienzüge der mittelalterlichen deutschen Kaiser und die Sehnsucht der jungen Deutschen nach Italien, die zu allen Zeiten bestand und noch heute besteht.

Die dritte Strophe gibt einen der Gründe für das bisherige Unerlöstsein der Deutschen. Sie hatten, im Gegensatz zu den Griechen mit Homer, den Römern mit Virgil, den Italienern mit Dante und den Engländern mit Shakespeare, keinen Seher-Dichter an einer entscheidenden Wendung ihres Schicksals als Volk. Charakteristisch für einen solchen Seher-Dichter ist, dass er in unmittelbarer Verbindung mit den Kräften der mütterlichen Erde, den unteren Mächten, steht, so dass er ihr Sohn und nicht, wie andre Dichter in aufsteigenden oder absteigenden Zeiten, schon durch Generationen von der Erdkraft entfernt, also nur ihr Enkel ist. Ein Sohn der Gäa besitzt nicht nur die Fähigkeit, die Geheimnisse der trächtigen Erdtiefe zu spüren, sondern vermag auch, wie Dante, mit den oberen Mächten in Verbindung zu treten, in die Hallen der Götter zu dringen und, wie Prometheus in Goethes Gedicht, ein Scheit ihres Feuers zu stehlen. Dieses Feuer – so deutet Stefan George die Prometheussage um – gab der Gesamtheit der Menschen das geistige Licht, das das Volk nicht mehr ganz in Dunkelheit und Irre tasten liess. Ein Sohn der Gäa hat die Kraft, sich wie Faust zu den Müttern zu wagen, die an den Wurzeln im Untersten, das heisst dort, wo der Quell allen Lebens, der Urdarbrunnen des Wort-Liedes, ist, sitzen und das Geheimnis des Werdens des Lebens hüten. Trotz ihrem drohend lauten Widerstand vermag er, ihnen die magische Formel des Lebens, von der «Mensch und Drud» handelt, zu entreissen und mit ihrer Hilfe erstarrendes Leben, wie das Templergedicht sagt, mit neuer Kraft zu erfüllen. Goethe fühlte sich nicht zum Seher-Dichter berufen, er erachtete sich selber, wie es im «Faust» heisst, als einen Enkel der Gäa, ohne dass eine Begründung hierfür im Gedicht ausdrücklich gegeben wird. Vielleicht aber ist sie in der Art, in der Goethe in den folgenden Strophen von seiner Entwicklung spricht, mit Absicht verhüllt zum Ausdruck gebracht. Dann würde sie darin liegen, dass Goethe selbst – trotz Überschäumen in den Jahren der Jugend – sich von Natur aus mehr beobachtend, als des dichterischen Rausches in eigner Person in den verschiedenen Altersstufen gleichmässig stark fähig fühlte.

In der vierten Strophe wird eine Schiffsreise auf dem Rhein beschrieben, die Goethe in «früher» Jugend unternimmt. – Seine eigne Beschreibung des «Rochusfestes zu Bingen» war jedoch erst die Folge eines Besuchs von Bingen in der zweiten Hälfte des August 1814. – Die frühe Rheinfahrt in den Rheingau, von der das Gedicht spricht, ist in die Zeit der späten Weinlese, das heisst kurz vor Beginn der Nachtfröste, also nicht vor Mitte Oktober, gelegt. Eine Feier der beschriebenen Art, bei der die Winzer noch nackt oder aufgeputzt mit bekränzten Bütten die Strassen am Rhein singend entlang schwärmten, fand zu Goethes Lebzeiten und sogar noch in der Jugend Stefan Georges statt und war, wie Stefan George erzählte, einem bacchantischen Zug das Ähnlichste, was es damals in Deutschland gab. Der Himmel ist von herbstlich hellem Blau, das Wasser des Rheins, wie im fünften Vorspielgedicht, tief grün, die Häuser leuchten weiss, ein Teil der Winzer ist mit Gold geschmückt und das Weinlaub, das sie im Haar tragen, bereits purpurrot – das sind die Farben, die sich hier zum Bild vereinen. So wird Goethe in früher Jugend Zuschauer, nicht Teilnehmer bei einem bacchischen Charakter zeigenden Vorgang, der sich innerhalb des Limes, der Grenze der Herrschaft Roms, abspielt. Dieser Anblick gibt ihm die Ahnung, dass ihn das römische Erbe, das nach Stefan Georges Auffassung die Ausbreitung der Kultur in Deutschland zur Folge hatte, heimlich nährte und dass somit ein von Römern geistig fruchtbar gemachter Boden sein Mutterland innerhalb seiner deutschen Heimat war.

Mit diesem Erbe im Blut wuchs Goethe, wie die fünfte Strophe besagt, in Deutschland, im Land der Träume und Töne heran, das dadurch im Gegensatz zur Plastik südlicher Länder, wie Griechenland und Italien,steht. Er liebte es besonders in der Jugend, in den deutschen gotischen Domen, in denen die Seele, den Leib auflösend, zum Himmel strebt, zu weilen, die er damals über alles pries, im reiferen Alter aber mit kühlerem, klassisch gebildetem Auge betrachtete. Der Wandel in ihm wird im Gedicht dadurch deutlich gemacht, dass er selbst sagt, ihn habe ein Angstschrei aus seiner eignen Seele aus dem Nebel und der Trübe seiner Heimat fort von Spitzenwerk und Schnörkel der gotischen Baukunst nach dem Süden zur Sonne gerufen. Deshalb trat er heimlich seine für ihn entscheidende erste Reise nach Italien an und traf im Alter von siebenunddreissig Jahren am 29. Oktober 1786 in Rom ein. Als er nach siebzehn Monaten nach Deutschland zurückkehrte, hatte er, wie das Gedicht sagt, gelernt, die dunkleren Flammen der Mystik in seinem deutschen Wesen, die er hier ein Verhängnis für die Deutschen, solang sie noch dumpf und verworren dahinleben, nennt, in sich selbst einzudämmen. Er war reif als Mann geworden, er hatte nach Nietzsche den Ernst wiedergefunden, den man als Kind beim Spiel hat. Er brachte mit «Iphigenie» und «Tasso» einen lebendigen Strahl südlichen Lebens in den Norden zurück, wehrte sich dagegen, dass seine jetzige Art des Sehens und Gestaltens als kalt bezeichnet wurde, und mühte sich, durch Vielfältigkeit seiner Werke an Inhalt und Form den Landsleuten gleichsam als Spiel einen möglichst bunten Reichtum – bald alles, bald nichts – vor Augen zu führen, bis sie sich innerlich gelöst und bereit gemacht hätten, zusammen mit dem Zauber des Dings auch den Zauber des menschlichen Leibes zu erkennen, der für ihn zur Gott gegebenen Norm aller irdischen Erscheinungen geworden war.

Die Verkündung dieser Norm wird in der sechsten Strophe ein Evangelium genannt. Gerade die Klügsten, aber nicht Weisesten seiner Zeitgenossen werden sich lange gegen diese freudige Botschaft sträuben und ihn, mit dem Finger auf altersfleckige Schriften weisend, als «Feind» seines Vaterlandes und als Opferer am falschen Altar bezeichnen. Gemeint sind mit den langen Bärten und knochigen Fingern die deutschen Professoren, und zwar eher der Zeit Stefan Georges als Goethes. – Ähnlich hat Stefan George die Professoren im ersten Zeitgedicht beschrieben – er zitierte oft über sie einen wenig schmeichelhaften Ausspruch Friedrich Wilhelms I von Preussen und setzte hinzu, man müsse sie als Bienen benutzen. – Ihnen entgegnet Goethe im Gedicht, dass es Zeiten gibt, in denen – und das ist in dieser scharf ausgesprochenen Form wohl mehr ein Gedanke Stefan Georges als Goethes – aus Büchern erlernbare Klugheit nicht fruchtet. Wenn die Zeit voll geworden und ein Weltabend angebrochen ist, dann werden wieder die Machthaber, die ihren Nacken zu beugen nicht gewohnt sind, und die Weisen, die immer gestrebt haben, ihren Geist möglichst nüchtern zu bewahren, für tausend Jahre einer Schar verzückter, herumziehender Armer folgen, sich willig zur wildesten Wundergeschichte bekehren und ohne Bedenken das Fleisch und das Blut eines Mittlers, wie das Neue Testament sagt, leibhaft geniessen. Sie werden nichts ihnen Fremdes darin finden, weitere tausend Jahre vor einem Knaben, den sie zum Gott erheben, im Staub zu knien. Das ist von dem Sieg des Christentums über die älteren Religionen und Weltanschauungen hergeleitet, von einem Vorgang, der sich – wie Stefan George annahm – in, wenn auch veränderter Form, wiederholen könnte, eben weil er sich bereits einmal ereignet hat.

Nach dieser Weissagung geht die letzte, siebente Strophe auf die Vision von den zwei Jünglingen zurück, so dass Anfang und Ende des Gedichts – der Technik Stefan Georges entsprechend – sich zusammenschliessen. Goethe fragt sich, wohin ihn die Vision von dem erhabenen

410

Paar lockt und führt, die er hier als vielleicht nichts anderes als einen lieblichen und quälenden Schatten seiner eignen Sehnsucht bezeichnet. Nachdem sie ihn vom Geschauten zum Gedachten bei seiner Weissagung über die geistige Zukunft Deutschlands geleitet hat, setzt sie sich jetzt in einer Schau der künftigen geistigen Form seiner Heimat fort. Er sieht mit dem inneren Auge Jugend und Alter, also Mass, das heisst die kanonisch griechische Schönheit der Jüngeren und Stärke der Älteren, in Werk und Spiel in Säulenhallen mit Bäumen und Brunnen vereint, und ihre Gebärden scheinen ihm die Würde der Athener in Pericles' Zeit, ihre Sprache den süssen und kräftigen Klang der äolischen Dichtung von Sappho und Alcäus zu haben. Aber es sind nicht Griechen, sondern die Söhne des deutschen Volkes, die er – wohl in Anlehnung an die von ihm geschaffene pädagogische Provinz – zu erblicken und zu hören glaubt. Das Wunder, von Marmor und Rosen des Südens versprochen, hat sich für ihn erfüllt. Er fühlt den Schauer, durch den bei Stefan George stets tiefe geistige Beeindruckung in körperlicher Empfindung zum Ausdruck gebracht wird. Das Ungebahnte deutet auf den neuen Raum, von dem im «Geheimen Deutschland» die Rede ist und in dem sich erfüllen wird, was der Schimmer vom südlichen Meer verheissen hat, mit dem das Gedicht anfängt und endet.

Auf die Goethe-Ode folgen, um die Ahnen bei Beginn des Werkes zu feiern, drei «Hyperion» betitelte Gedichte, in denen Hölderlin als sprechend gedacht ist. Der Titel deutet darauf, dass hier Hölderlin mit der von ihm geschaffenen Figur des Hyperion verschmolzen wird und als Hyperion oder aus jenem heraus das Wort ergreift. Das Motto ist Hölderlins Ode «Rousseau» entnommen. Der erste und der zweite Teil dieses als Triptychon aufgebauten Gedichtes stellen sich in daktylischen Versen als einem Aufmarsch und Tanz eines Chores ähnlich dar. Der dritte Teil enthält in Jamben einen Abgesang oder Ausklang.

Hyperion und durch ihn Hölderlin fragt, welcher entlegenen Küste seine Seele in grauer Vorzeit entstammt sein muss, da er den Deutschen, die volksmässig seine Brüder sind und deren «Brot und Wein» er mitgeniesst, innerlich ein Fremdling ist. Er bleibt ihnen in ähnlicher Weise fremd, wie ein Sohn aus der ersten Ehe der Mutter sich von seinen Halbgeschwistern aus der zweiten Ehe sogar in freundlichen Spielen sondert, und zwar wegen seiner stolzen Ahnung einer besseren väterlichen Abkunft. Hierin liegt zugleich ein Hinweis auf Hölderlins freundschaftliches, aber trotz aller Bescheidenheit überlegenes Verhalten gegenüber seinem Stiefbruder, den er im Gefühl der Verantwortlichkeit und grösseren Intensität durch seine Briefe zu seinen eignen Idealen zu bilden versuchte.

Hölderlin, der im Gedicht sein Verhältnis zu den deutschen Zeitgenossen seiner Haltung dem Stiefbruder gegenüber gleichsetzt, nennt die damaligen Deutschen «in Sinnen verstrickt» und «in Tönen verströmt», so dass sie «schlaff beim Werk» sind. Das deutet auf den Anfang seiner Ode «An die Deutschen» und auf seine Kritik an ihnen in der Prosastelle am Ende des «Hyperion». Was diese Zeitgenossen in romantischer Unklarheit als Glück bezeichnen und erstreben, was sie an den Wassern und Weiden ihres Babylons nach ihrer Besiegung durch Napoleon beweinen, ist sehr verschieden von all dem, was der Dichter als Glück ansieht. Ihnen sind nicht von der Natur tanzend leichte Schritte und Gebärden der Freude verliehen, sie sind roh, da ihr Inneres nicht fest ist und der Form entbehrt, sie vermögen keinen fruchtbaren, das heisst geistige Tat erzeugenden Bund zu schliessen und bleiben allein, selbst wenn sie zu zweit sind. Denn sogar wenn sie lieben, sehen sie den Widerpart nur als Spiegel für ihr eignes Selbst an. In dieser Weise dehnt der Dichter Nietzsches Spiegelsymbol der vierten «Dionysos-Dithyrambe» aus.

Im zweiten Gedicht sagt Hölderlin durch Hyperion, dass ihn Ahnung, das heisst der ahnende Stolz des ersten Gedichts, mit den Griechen der Antike stark wie Verwandtschaft verbindet. Er schildert ihr Denken und Tun im Anschluss an den letzten Brief Hyperions an Bellarmin im ersten Band des «Hyperion» und geht dabei vom Allgemeinen zum Besonderen und schliesslich wiederum zusammenfassend zum Allgemeinen über. Im Gegensatz zu den philosophierenden Deutschen sind die Griechen nicht in Sinnen verstrickt gewesen, sondern haben voller Anmut Taten ersonnen und mit Hoheit Götter als Menschen und Menschen als Götter in ihrer Kunst gebildet. Sie haben den zur höchsten Form gebändigten Mut der Spartaner mit der Süsse des nicht in Töne verstrickenden ionischen Masses vereinigt. Die im Gedicht aufgezählten Einzelbeispiele beginnen mit Sophokles, der – wie Stefan George sagte – in der Jugend wegen seiner besonderen Schönheit und als guter Ballspieler bekannt war, in einem Chor vielleicht des Äschylus tanzte und als Mann Helden in seinen Dramen gestaltete. Der Dichter wies manchmal auf die vielen Erzählungen über das Verhalten des Sophokles als typisch für das Leben im damaligen Athen hin. Der Herr des lieblichen Gastmahls und Lenker des Staates in Zeiten der Gefahr ist Perikles und nicht Alkibiades, den Stefan George nicht für einen bedeutenden Staatsmann hielt. Übrigens verneint Plutarch, dass Perikles an Gastmählern teilgenommen hat. – Dies Zusammengehörigkeitsgefühl der Griechen trotz der nicht endenden blutigen Kämpfe, die sie gegeneinander führten, war in geistigen Dingen so stark, dass die Waffen während der die Götter ehrenden Feiern der grossen Wettkämpfe ruhten. Die Gründer, deren Weisheit bis heute nicht übertroffen ist, sind die Vorsokratiker, besonders Anaximander und Heraklit, sowie Plato, der, als er starb, eine Komödie wohl des Aristophanes unter sein Kopfpolster gelegt haben soll. Die Fülle des Lebens der vielen, die damals das Meer zwischen den griechischen Inseln befuhren, hat niemals in späteren Zeiten ihresgleichen gefunden. Kurz bevor die nur wenige Jahrhunderte dauernde Blüte dieser Kultur welkte, erzog noch Aristoteles, der «weiteste Lehrer der Zeit», im Tal der Zypressen am Nymphaion bei Pella wandelnd, den «adligsten Schüler» der Zeit, Alexander von Mazedonien, zur letzten Verkörperung des Griechentums. Alles dies zeigt, wie es im Gedicht heisst, dass die Griechen begünstigt vom Schicksal, erlesen vom wahren Glück gewesen sind und auf allen Feldern ihres Tuns den vollen Sieg errungen haben. Sie verstanden es, durch eine bis heute nicht erreichte Art der Erziehung die geistige Erbschaft von Greisen auf Kinder ungemindert zu übertragen. Dass sie sogar körperlich für einen mehr vollkommenen Nachwuchs sorgten, sagt Winckelmann in Anlehnung an Dioskorides. Ihre Bildhauer schufen in Werken aus Bronze den Kanon für menschliche Schönheit, und die Leiber der Menschen glichen sich den durch die Kunst geschaffenen Vorbildern an. Das Lob der Griechen gipfelt in diesem Gedicht darin, dass sie «unsere Götter», von Homer nach dem Bild des Menschen geformt und in Reigen, das heisst in Chorliedern, und in Rausch, das heisst in Tragödien geistig vertieft, geschaffen haben. – Dann kam die Zeitenwende, und Christus, den Stefan George wegen der aramäisch gefassten Aussprüche den Syrer nennt, stürzte die Lichtwelt zurück in die Nacht, der sie gleichsam plötzlich für kurze Zeit entstiegen war. Eine neue Lebensform erstickte und überwucherte die frühere, wie es das Gesetz von der Erhaltung des Lebens durch Wandlung notwendig macht. Das ist der furchtbare Fug des Schicksals, der unabänderlich bleibt, mögen ihn auch Tausende zu allen Zeiten beklagen.

Im dritten Gedicht spricht Hölderlin, nachdem er aus Frankreich in die Heimat zurückgekehrt ist. Er empfindet den deutschen Frühling mit einer vorher von ihm nicht gefühlten Stärke und Pracht, wie im letzten Brief Hyperions an Bellarmin im zweiten Buch des «Hyperion» geschildert wird. Es scheint ihm, als ob bisher schlafende Gewalten der Natur sich mit neuem Herzschlag zu regen beginnen und die Deutschen zu künftigen Sonnenerben apollinisch umgestalten, wie es die Hymne «Germanien» verheisst. Er erkennt einen Traum in scheuen Augen der Kinder seines Vaterlandes, der dafür bürgt, dass das Sinnen der Sehnsucht in ihnen zu Blut werden wird, und dankt den Himmlischen dafür, dass sie ihm, dessen leidendes Dasein schon dem Ende zuneigt und der spürt, dass er die gewandelte Zukunft nicht mehr erleben wird, wenigstens diese glücklichen Zeichen zu sehen gestatten. Er selbst

wird im Tod zu Erde zerfallen, aber geheiligte Sprossen werden zu
ihrer Vollendung sein Grab, das für sie einen Helden birgt, aufsuchen,
wie die jungen Griechen zu den Gräbern ihrer Helden, zum Beispiel
des Iolaus in Theben zogen. Mit denen, die sich an dem Ideal der ver-
jüngten Gottheit erkennen, wird das zweite Lebensalter der Welt beginnen. Mit ihnen wird sich der Spruch, den Diotima zu Hyperion
spricht, erfüllen: «Die Liebe gebar die Welt, die Freundschaft wird sie
wiedergebären. O dann, ihr künftigen, ihr neuen Dioskuren, dann weilt
ein wenig, wenn ihr vorüberkommt, da, wo Hyperion schläft, weilt
ahnend über des vergessenen Mannes Asche und sprecht: er wäre wie
unser einer, wär er jetzt da.» Stefan George hat diesen Spruch bewusst dadurch erweitert, dass er an Stelle von Freundschaft das um-
fassendere Wort «Liebe» in Anlehnung an die zweite Strophe von
«Hehre Harfe» gesetzt hat. Das Gedicht schliesst damit, dass Hölderlin vor seinem Tod eine Vision vom Erscheinen der Verkörperung des
Gottes auf deutschem Boden hat. Die Brechung des Rhythmus im
letzten Vers gibt den endhaften Ton. – Tatsächlich pflegten Stefan
George und seine Freunde zwischen 1923 und 1930 Reisen zu Hölderlins Turm und Grab nach Tübingen zu unternehmen.

Die Ode «An die Kinder des Meeres» ist vor dem ersten Weltkrieg
in Italien im Frühjahr 1913 entstanden, als der Dichter zusammen mit
Friedrich Gundolf nach Florenz und Rom und allein nach Neapel und
Paestum, dem einzigen Ort, an dem er selbst bedeutende Reste griechischer Tempel sah, gereist war. Er sandte mir das Gedicht im Frühjahr 1914 wiederum aus Italien, darauf dichtete ich den «Nachklang»,
den er unverändert in sein Werk aufnahm. Die Ode ist in drei gleichmässig grossen Teilen aufgebaut, sie beginnt mit der Anrufung des
Meeres, das bildlich gesprochen die Mutter aller in diesem Gedicht an-
gerufenen Personen ist und ihnen einen gemeinsamen Zug verleiht.
Der Dichter selbst, der früher gern an der nördlichen Meeresküste geweilt hatte, mied sie, als er dieses Gedicht schrieb, da er sich in starkem
Wind nicht wohl fühlte. Das Auftauchen der Bewidmeten erscheint
ihm als eine Vergeltung für sein langes Fernbleiben vom Meer und hat
deshalb Ähnlichkeit mit seiner «Rückkehr» zum Rhein im «Jahr der
Seele». Die Wellen des Meeres, die jetzt seine Sinne lenken und Mit-
läufer mit dem Schiff seines Lebens auf dem ganzen Stück dieser Fahrt
sind, symbolisieren die Bewidmeten.

Der erste der drei Meergeborenen, die er in diesem Lebensabschnitt
feiert, ist der damals etwa dreizehn Jahre alte Hans Troschel, den wir
in den öden Strassen Berlins an einem Herbstabend im Jahre 1912
zum erstenmal gesehen hatten, als er mit seinem älteren Bruder vom
Turnen in der Dorotheenstrasse nach seiner Wohnung in der Gen-
thinerstrasse ging. Stefan George wünschte, seinen damaligen, wahr-

scheinlich rasch sich ändernden Zustand im Lichtbild festhalten zu lassen, und bat die Eltern des Knaben, einen Marinebaurat und eine Ärztin, durch den Architekten Paul Thiersch um Erlaubnis dazu. Der Vater fand sich am vereinbarten Tag mit dem Knaben und dessen älterem Bruder im Atelier von Thiersch ein, Thiersch und ich hatten sie zu unterhalten, und Ludwig Thormaehlen fertigte mehrere Aufnahmen von ihnen, während Stefan George sich nicht zeigte. In den folgenden Monaten sahen wir Hans Troschel noch einige Male auf der Strasse in Berlin, dann kam der Krieg, sein Vater starb, seine Mutter zog aus Berlin fort und es war nicht möglich, etwas über ihn zu erfahren. Während des Photographierens erzählte sein Vater, dass er mit den Kindern in Danzig, meiner Heimatstadt, wo Wälder bis an den Strand reichen und Bernsteinperlen im Seetang angetrieben werden, sowie auch in der damaligen deutschen Kolonie Kiautschou in China, dem «Fabelland» des Gedichts, gelebt hatte. In dem Gedicht wird die lionardeske Seltsamkeit dieses Kindes mit hellblondem Haar, einer nördlich harten Stirn und kühlen, rätselhaften Augen geschildert. Sein Gang, der an sich von Sorglosigkeit zeugte, schien durch eine unsichtbare Kette behindert zu werden. Man gewann den Eindruck, dass er auf die See gehörte und zu ihr und ihren Abenteuern bald zurückkehren werde. Was und wie er dachte, war nicht zu ergründen, doch bestärkte sein Auftauchen das frohe Vertrauen, dass das viel bewunderte Blut der Nordgermanen, wie es im fünfundzwanzigsten und sechsundzwanzigsten Gedicht des ersten Buches des «Sterns des Bundes» geschildert ist, noch lebendig war und in süss unsinnigem Verschwenden pulsierte.

Den Hintergrund für das zweite Gedicht bildet Neapel mit dem Vesuv. Die Bucht wird der Frühlingsstrand der Wahl der Götter wegen des Alters ihrer antiken Kultur genannt. Dort sah der Dichter nur wenige Male einen jungen Italiener im Knabenalter, ohne seinen Namen zu wissen und ohne mit ihm zu sprechen. Er glaubte in dem Zögling dieser Erde einen entflammten und holden Abglanz der Griechen, die Neapel besiedelt hatten, zu erblicken, und umschrieb das Mass dieser lebendigen Schönheit dadurch, dass er ihn im Gedicht aufforderte, sich mit den griechischen Bronzen des Museums in Neapel und den Tempelresten in Paestum, dem Ufertempel, ohne Scheu zu messen. Unter den Bronzen in Neapel bewunderte der Dichter am meisten die des sitzenden Hermes, an dem er die Proportion zwischen Oberkörper- und Beinlänge besonders geglückt fand. Im Gedicht wird das Wort «Füsse» für das ganze Bein gesetzt, da der Plural «Beine» undichterisch wirkt. Der «Herr von Tod und Leben» soll nach einer Äusserung des Dichters nicht auf Hermes Psychopompos deuten, sondern auf eine indische religiöse Anschauung, nach der die Seele an

einem feinen Faden nachgezogen wird, zurückgehen. – Der Geist
bleibt wunschlos solcher Schönheit gegenüber, sie erfüllt ihn so sehr,
dass er anbetet und Meer und Land in ihrer Farbe und ihrer Stimmung
sieht. Das Gefühl von der besonderen Fahlheit eines Morgens, von
weissen Streifen im hellen Blau des Himmels, von schwarzen Flecken
im dunklen Blau der See, von einem gefährlichen Grollen im Orgelton
der Wellen und, zusammengefasst, von einem Wehempfinden des
Nordens inmitten südlicher Lust und üppigen Vergessens, wird nicht
durch Naturerscheinungen erzeugt, sondern durch die Art des etwas
trüberen Blickens des Bewidmeten an einem bestimmten Tag. –
Später versuchte der Dichter vergeblich durch einen zufällig nach
Neapel reisenden Freund näheres über den Bewidmeten zu erfahren.

Das dritte Gedicht betrifft Woldemar Uxkull-Gyllenband. Er war
am 17. September 1898 in Bogliasco bei Genua geboren, ich hatte ihn
im Herbst 1906 in Berlin kennengelernt und war in der Folgezeit mit
ihm und seinem Bruder Bernhard in Berlin fast täglich zusammen, bis
beide im Jahr 1912 auf die Klosterschule zu Ilfeld im Harz geschickt
wurden. Nach Ende des ersten Weltkrieges, in dem er im Elsass und
in Mazedonien gekämpft hatte, studierte er alte Geschichte und wurde
Professor, zuerst an der Universität Frankfurt am Main, später in
Tübingen. Er war ein Vetter der drei Brüder Stauffenberg, deren
Mutter eine Schwester seines Vaters war, und brachte Alexander von
Stauffenberg, der bei ihm Geschichte studierte, zum Dichter. Ihn
selbst verband von den Tagen seiner Kindheit an nahe Freundschaft
mit dem Dichter bis zu dessen Tod. Er ist der «ersehnte Kömmling»
des dritten Gedichts. Von 1907 an hatte der Dichter ihn und seinen
Bruder Bernhard jedes Jahr bei seinem Aufenthalt in Berlin gesprochen und das Aufwachsen beider verfolgt. Sein erstauntes Fragen
und sein sanft metallnes Lachen waren uns Gewähr für das Lebendig-
sein echter Jugend, deren Fehlen ich in einem Gedicht als «Winter-
nacht» bezeichnet hatte. Wie der Dichter ihn etwa sechs Jahre
später sah, ist vom vierten bis zum achten Vers dargetan und erinnert
an die Schilderung Hölderlins in der Hymne «Der Rhein», nach der es
ein Zeichen der Göttersöhne ist, dass sie nicht wissen, wohin. – Das
Meer bei Genua wird im Mittelteil des Gedichts beschrieben, und zwar
von der Höhe eines Vorgebirgshügels, von dem aus man am Tag durch
Ölbaumzweige auf die bewegte grüne Flut und helle Segel blickt und
nachts den Sang der Wellen hört, der ewigen Trieb mit ewiger Qual
vereint. Wahrscheinlich hat die Landschaft bei Camogli und Ruta den
Dichter zu dieser Schilderung angeregt. – Der Bewidmete hat als
Kind, so endet das Gedicht, es selbst nicht wissend, durch sein Verhalten Freuden gespendet und wird zum verstehenden Freund heranwachsen, der bald erziehender Hut entzogen, seinen eignen Weg zu

einem unbekannten Ziel zu finden und zu gehen hat. Die Wortzusammensetzung «Macht-Rühmlicher» ist eine Übersetzung von Walti-Mari, wovon der Dichter – wie er mir schrieb – den Vornamen Woldemar herleitete.

Der «Nachklang» ist als ein Echo zu der Ode gedacht. Er beginnt mit der Schilderung des Eindrucks, den das Meer auf die an ihm Geborenen macht. Das Meer verkündet ihr Lob im Ton der anschlagenden Wellen und in dem seltsamen Brausen in Muscheln, die vom Muscheltier verlassen sind. Eine solche verlassene Muschel wird später wieder im vorletzten Lied des «Neuen Reichs» erwähnt. Die zweite Strophe spricht von Hans Troschel, die dritte von dem Knaben in Neapel, den ich nicht gesehen habe, aber nach Erzählungen des Dichters mir vorzustellen versuchte, die vierte von Woldemar Uxkull und die fünfte Strophe knüpft wiederum an die erste Strophe an. Der «Nachklang» endet mit einer Voraussage des ersten Weltkrieges, der im Hochsommer des Jahres 1914 begann.

Das Gedicht «Der Krieg» entstand in der Zeit von 1914 bis 1916, wurde im Juli 1917 gedruckt und erschien als Sonderheft im Jahr 1917. Das Motto ist Dantes «Göttlicher Komödie» Himmel XVII, Vers 124–132 entnommen und zusammen mit den voraufgehenden und nachfolgenden Versen in der Dante-Übertragung des Dichters unter dem Titel «Cacciaguida, Voraussage der Verbannung» (Himmel XVII, Vers 13–142) zum Abdruck gebracht. – «Der Krieg», aus zwölf Strophen mit je zwölf fünffüssigen, meist iambischen Versen bestehend, beginnt mit dem Bild eines Waldbrandes oder Erdbebens, bei dem Tiere, die sonst einander zerfleischen, sich voller Angst schutzsuchend dicht aneinander drängen. In gleicher Weise schliessen sich, durch den Ausbruch des Krieges erschreckt, die Deutschen, die vorher einander erbittert bekämpft haben, in einem ihnen neuen Gefühl der Schicksalsgemeinschaft zusammen, vergessen ihr oft gegeneinander gerichtetes Streben nach wertlosen Dingen in den voraufgegangenen feigen, das heisst selbstsüchtigen Jahren und fühlen für kurze Frist vor dem ihnen unbegreiflichen Geschehen einen ihr Leben erhöhenden Schauer von welthaftem Ausmass. Sie schelten in Form einer Frage den Dichter-Seher, der sich hier wie im «Vorspiel» als Siedler auf einem Berg bezeichnet, weil er sich von dem ungeheuerlichen Geschick nicht wie sie bewegen lasse, ähnlich wie die Deutschen einst Goethe wegen seines Verhaltens in ihrem Befreiungskrieg gegen Napoleon getadelt haben. Der Dichter erwidert, dass der Schauer, den er ein Frösteln nennt, das edelste Gefühl sei, das sie aufbringen könnten. Was sie erschüttere, habe er im voraus kommen sehen. Als sie mit dem Feuer gespielt hätten, das den Waldbrand entfacht habe, habe er «roten Schweiss der Angst» geschwitzt. Diese Prägung ist der Jägersprache entnommen

417

und weist wiederum auf verwundete Tiere, die auf der Flucht Blut verlieren. – Jetzt habe er keine Tränen mehr, nachdem er so viele im
voraus vergossen habe. Noch merke keiner von ihnen, dass das Trübste
sich bisher nicht ereignet habe, aber kommen müsse, dass sie noch
nicht die volle Gewalt der Ereignisse gespürt, nur die Flammenzeichen
gesehen hätten. Einen Kampf, wie sie ihn führten, könne er nicht zu
dem seinen machen. – Goethe nennt in den «Annalen» die Fähigkeit
des Dichters, Ereignisse voraus zu fühlen, «poetische Antizipation»
und betont, dass Szenen, die er im «Egmont» geschildert hat, sich
später in Brüssel fast wörtlich erneuert haben.

In den folgenden Strophen bis zum Schluss des Gedichts spricht der
Dichter. Der Seher erntet niemals Dank. Wenn er Unheil voraussagt,
wird er mit Hohn und Steinwürfen vom Volk belohnt. Wenn das Unheil dann hereinbricht, erntet er wie Jeremias wiederum Wut und
Steine. Niemand will ihm glauben, dass angesammelte Frevel, die
allen andern als Glück oder als Zwang der Zeit erscheinen, in Wahrheit
den Niedergang menschlichen Daseins zum Vegetieren von Insektenlarven bedeuten und deshalb Busse erfordern. Sie bedeuten einen
schlimmern Mord an der Substanz des Lebens als der Tod von Hundert-
tausenden in einem Krieg. Von welscher Tücke von seiten der Franzosen zu reden, ist für ihn ebenso falsch und nichtssagend, wie «heimische Tugend» aufs Schild zu erheben. In Wahrheit haben das Weib,
das klagt, das heisst hier sowohl die Mutter als auch die Ehefrau,
der satte, selbstsüchtige Bürger und der Greis in Deutschland eher
Schuld an dem Sterben ihrer Söhne als Bajonettstich und Schuss der
Gegner.

Das Amt des Sehers ist es, zu loben und zu verfemen, zu beten und
zu sühnen. Er sendet mit seinem Segen die jüngsten seiner Freunde in
den Krieg, die wissen, was sie antreibt und was sie feit, und um ihrer
selbst willen, nicht um und für Namen, die nur Worte sind, kämpfen.
Den Dichter packt ein Grausen, das tiefer reicht als das Frösteln der
andern, vor dem unbekannten Geschick, wenn er an Ursachen und
Folgen dieses Krieges denkt. Die Gewalten, die ihn notwendig gemacht haben, sind für ihn nicht Fabeln über den Vorrang eines Volkes
vor den übrigen. Keiner begreift schon jetzt das Gebet des Dichters, das
in dem achten, neunten und zehnten Vers der vierten Strophe in
direkter Rede wiedergegeben wird. Es ist an solche, die die Fuchtel,
das heisst das Breitschwert auf Leichenschwaden, das heisst auf
Schlachtfeldern schwingen, also an die Mächte gerichtet, die in den
Walküren symbolisiert sind. Sie kiesen die Wal, das heisst sie bestimmen, wer in der Schlacht fällt. – Der Dichter fleht, dass die Deutschen
vor einem zu leichten Ende des Krieges, das keine innere Wandlung
zur Folge haben würde, und vor allem vor dem Schlimmsten, nämlich

der Blutschmach bewahrt werden mögen. Denn – wie es im Gedicht heisst – Stämme, die die Blutschmach begehen, «sind wahllos auszurotten, wenn nicht ihr bestes Gut zum Banne geht».

Der Sinn des Wortes «Blutschmach» ist dunkel. Als ich den Dichter hierüber befragte, erwiderte er nur: «Ihr kennt eure Bibel nicht!» Als er in den Korrekturbogen meines Buches über seine Dichtung las, dass unter Blutschmach wohl das leibliche und geistige Zusammenwirken von Weissen und Farbigen zum Kampf gegen Weisse zu verstehen ist, schrieb er an den Rand das Wort: «Vielleicht». Ich weiss, dass er den Prestige- und Kolonienverlust der Engländer auf ihr Einsetzen von farbigen Truppen gegen die Deutschen und den Niedergang der Franzosen auf ihre Heiraten mit Farbigen zurückführte und dass er misstrauisch gegen Mischehen war, da er den männlichen Nachwuchs aus ihnen nach seiner Erfahrung im Verdacht hatte, bei grosser Begabung menschlich unzuverlässig zu sein. Die Bibelstelle, die er wohl im Sinn hatte und durch das in der Bibel nicht erscheinende Wort «Blutschmach» – nicht zu verwechseln mit Blutschuld, Psalm 51, 14 – kennzeichnen wollte, könnte 4. Moses 25 sein. Nach den Kommentaren handelt es sich dort zunächst um einen Abfall der Israeliten von Jahwe, der durch Moabiterinnen herbeigeführt wird. Zur Sühne befiehlt Gott, dass Moses, wie Luther übersetzt, alle Obersten des Volkes für den Herrn an der Sonne aufhängen soll, auf dass der grimmige Zorn des Herrn von Israel abgewendet werde. Darauf könnte der Dichter mit den Worten, dass das beste Gut zum Banne gehen müsste, angespielt haben. Kautzsch sagt in seinem Kommentar, dass das hebräische Verbum, das Luther mit «hängen» übersetzt, unklar ist, aber auch in 2. Samuel 21 für eine Hinrichtung benutzt wird, nach der die Leiche nicht beerdigt werden darf. – Mit der Bibelstelle über die Moabiterinnen ist im folgenden ein zweiter, vielleicht jüngerer Bericht zusammengebracht, nach dem ein hochstehender Israelit eine Midianiterin, die Tochter eines Fürsten, vor das Angesicht von Moses und der wegen einer Pest weinenden Gemeinde brachte. Als Phineas dies sah, ging er ihnen in das Zelt nach und tötete beide, indem er mit seiner Waffe den Israeliten und den Bauch der Midianiterin zugleich durchbohrte. Das setzte der Pest, an der bereits vierundzwanzigtausend gestorben waren, ein Ende. Gott sagte zu Moses, dass die Tat des Phineas seinen Zorn von den Israeliten abgewendet habe, sonst würde er alle vernichtet haben. Zur Belohnung erhielten Phineas und seine Nachkommenschaft für alle Zeiten die Priesterwürde. Gott befahl Moses, gegen die Midianiter in den Krieg zu ziehen, der in 4. Moses 31 beschrieben wird. Ob diese beiden Bibelstellen oder eine von ihnen Mischehen oder – wie Kautzsch sagt – «kultische Unzucht» betreffen, muss unentschieden bleiben. Auf

diese Bibelberichte wird, nach Kautzsch, in 1. Korinther 10, 8 verwiesen. – Friedrich Wolters, dessen Manuskript zur «Geschichte der
Blätter für die Kunst» der Dichter genau geprüft hat, sieht unter
solcher Blutschmach von Völkern eine Befleckung «des heiligen
Herdes der Rasse, die nur schwerstes Opfer der Edelsten sühnen
kann». Ihm lag irgendeine Annäherung an Terminologie der National-
sozialisten – die es übrigens zwischen 1914 und 1916, als «Der Krieg»
geschrieben wurde, noch gar nicht gab – ebenso fern wie dem Dichter,
und es ist deshalb anzunehmen, dass auch Wolters unter Blutschmach
eine Vermischung von Farbigen mit Weissen versteht. Somit glaube
ich, ohne es allerdings beweisen zu können, dass das Wort «vielleicht»,
das der Dichter auf meinen Korrekturbogen schrieb, eher bejahenden
als verneinenden Sinn hatte.

In der fünften Strophe sagt der Dichter, dass kein Grund, über Siege
zu jubeln, gegeben ist und dass dieser Kampf nicht wie die Kriege der
Römer mit einem Triumphzug, vielmehr mit einer Unzahl von würde-
losen Untergängen enden wird. Denn diesmal bringen nicht die
Schwerter des Gegners im offnen Kampf, sondern Blech und Blei, die
fast eigenmächtig der Hand der Arbeiter in Fabriken entwischen und
mit Hilfe von Stangen und Rohren in die Ferne geschleudert werden,
wahllos den Tod. Wer seinen Gefährten zerfetzt und zermalmt neben
sich fallen gesehen und in der aufgewühlten Erde der Stellungen wie
ein Wurm gehaust hat, kann nur grimmig lachen, wenn er heroische
Reden aus früheren Zeiten auf diese Art des Krieges verfälschend angewendet hört. Es gibt keinen Schlachtengott mehr, der wie Zeus oder
Wotan das Schicksal der Kämpfenden wägt. Kranke Welten fiebern
sich jetzt zu Ende. Das einzige, was heilig erscheint, ist das noch makel-
freie Blut der Jugend, das in Strömen vergossen wird.

Der Dichter findet nirgends den Mann, der berufen wäre, für dieses
Geschehen vor dem Gericht der Weltgeschichte einzutreten. Die
Könige dieser Zeit fordern mit ihren Bühnenkronen zum Spott heraus.
In Regierungen sitzen Advokaten, das heisst Sachwalter, Kaufleute,
das heisst Händler, und Gelehrte, das heisst Schreiber in wertloser,
zusammengewürfelter Zahl. Selbst innerhalb der Grenzen verbriefter
Ordnung, nämlich in Preussen, herrscht nach anfänglichem Taumel
bedrohliche Verwirrung, bis einem farblosen Vororthaus in Hannover,
der fahlsten der deutschen Städte, ein von den Zeitgenossen verges-
sener Greis, auf seinen Stock gestützt, entsteigt und durch seinen Rat
im Krieg das Reich rettet, das die Lauten, wie Wilhelm II, mit possen-
haften Gebärden und Reden an den Rand des Abgrundes gebracht
haben. Aber vor dem schlimmeren Feind, so sagt der Dichter voraus,
vermag auch Hindenburg nicht zu retten, und diese Voraussage hat
sich nach dem Tode des Dichters erfüllt.

Mit der siebenten Strophe beginnt die zweite Hälfte des Gedichts, und zwar wiederum mit einer Frage, die das Volk an den Dichter, den Siedler auf dem Berg, richtet. Sie werfen ihm mit ihrer Frage vor, ihm fehle der Blick für die Grösse der von Deutschland gebrachten Opfer und für die Bedeutung der vereinten Kräfte aller Deutschen. Er erwidert, dass sich das gleiche auf der Seite der Gegner vollzieht. Trotzdem bleibt in «verruchten Zeiten» jedes Werk, sei es auch von Pflicht gegen das Vaterland vorgeschrieben, wirkungs- und glanzlos, und Opfer können die Schicksalsmächte nicht mehr zur Milde bewegen. Die Masse, die sich zu gemeinsamer Tat eint, hat ihren besonderen Wert, aber kein Gedächtnis und kann weder das Ende voraussehen, noch Sinnbilder schaffen. Nur der Weise fragt nach dem «Was», dem Grund und dem Ziel allen Tuns, während die Masse sich in Reden von allgemeiner Wohlfahrt und Menschlichkeit gefällt, wie es nach Gibbon Besiegte stets zu tun pflegen, und dennoch vor greulichstem Gemetzel, wie in der französischen Revolution, nicht zurückschreckt. Die Menge umwirbt heute mit niedrigsten Schmeicheleien und beschimpft morgen das gestern Umworbene mit niedrigstem Hass. Alle, die heute noch einander erbittert befehden, würden sich, wie die Tiere beim Waldbrand oder beim Erdbeben, schutzsuchend zusammendrängen, wenn sich ihnen eine Vision vom Kommenden eröffnen würde, wie es im zweiundzwanzigsten Gedicht des dritten Buches im «Stern des Bundes» heisst.

Dieser Krieg ist nicht der Boden, auf dem ein so zartes Gewächs wie Geist gedeihen kann. Das Gerede von der Grösse der Zeit und von der nahen Auferstehung, das sich als Erzeugnis von Geist aufspielt, hinterlässt nichts als den Geschmack von faulenden Früchten. Wer gestern in seiner Seele alt und abgelebt war, wird durch den Krieg nicht wieder jung und erneuert, und wer heute etwas Richtiges vorbringt, aber im Letzten irrt, steckt im tiefsten Wahn, das heisst täuscht sich und die andern am meisten. Wenn solche, die sich besonders schlau dünken, das heisst mit Aberwitz, behaupten, man werde durch diesen Krieg etwas für die Zukunft lernen, ist zu erwidern, dass sich die Zukunft anders, als sie erwarten, gestalten wird und dass nur vollste Umkehr, die Fähigkeit, in rechter Weise zu schauen und innerlich zu begreifen, für das Kommende rüstet. Keiner, der heute zu führen glaubt, fühlt, wie sehr er im Verhängnis verfangen ist, und erblickt auch nur den blassesten Schein eines Morgenrots.

Es ist weniger verwunderlich, dass so viele sterben, als dass so viele zu leben wagen. Wer den Geist des Jahrhunderts erkannt hat, sieht den Krieg als gespenstische Folgeerscheinung, als einen Spuk an. Kinder und Narren suchen sich aus der Wahrheit zu helfen, indem einer dem andern vorwirft, er habe das, was sich ereigne, gewollt. Ihnen ist endgültig zu antworten, alle und keiner habe es gewollt. Betrüger, hier Schelme genannt, und Narren belügen sich selbst, wenn sie diesen Krieg für den letzten halten, nach dem das Friedensreich anbrechen müsse. – Der Dichter gibt sodann eine Prophezeiung, die sich bereits teilweise nach seinem Tod durch den zweiten Weltkrieg erfüllt hat: Wenn die Frist, die gewöhnlich zwischen zwei Kriegen liegt und nach seiner Ansicht in neuerer Zeit immer kürzer wird, verstrichen ist, müssen die Deutschen von neuem, und zwar nicht nur bis zum Knöchel, sondern bis zum Knie im Blut waten, das hier als Most des grossen Kelterers bezeichnet wird. In der Antike wurden Dionysos und im Mittelalter Christus zum Weinstock und zur Traubenernte in Beziehung gesetzt. – Nachher wird jedoch – so geht die Prophezeiung weiter – ein Nachwuchs heranwachsen, der nicht mehr das Auge von Heuchlern haben wird, sondern dem Schicksal ins Auge zu blicken vermag, ohne durch das Erkennen der unabänderlichen Gesetze des Geschehens wie durch den Anblick der Gorgo in Stein verwandelt zu werden.

In der zehnten Strophe werden die äusseren Gründe für den Ausbruch des Krieges dargelegt. Auf beiden Seiten hat niemand das Wissen oder auch nur die Ahnung, um was es in Wahrheit geht. Die Deutschen streben, um sich zu bereichern, dort Handel zu treiben, wo die Engländer bisher Geschäfte gemacht haben. Die Deutschen schmähen die Engländer, mühen sich aber, es ihnen gleich zu tun, und verleugnen dabei das Beste an ihrer eignen Artung. Die Worte «ein Volk ist tot, wenn seine Götter tot sind» stammen vom Dichter selbst. Die Anführungszeichen sind wie bisweilen in anderen Versen dieses Gedichtes gesetzt, wie der Dichter mir sagte, nicht um Zitate einzurahmen, sondern um bestimmte Anschauungen des Dichters selbst besonders hervorzuheben. Die «Götter» haben hier die Bedeutung von Vorbildern, die alles Tun beeinflussen, und von höchsten Zielen, die sie auf Grund der Phantasie der ihnen nachstrebenden Menschen bereits erreicht haben. – «Drüben», das heisst auf der Seite der Gegner Deutschlands, pochen die Engländer auf ihren Vorrang an älterer Kultur, umschrieben durch «Pracht und Sitte», verbergen dahinter aber nur den Wunsch, ihrer Sucht nach Nutzen in aller Bequemlichkeit zu frönen. Den Franzosen hält der Dichter vor, dass sie, obwohl sie im Besitz der hellsten Einsicht sind, nicht erkennen, dass die Deutschen nichts zerstören, was nicht schon fallreif wie überreife Früchte ist. Als Beispiele für die hellste Einsicht der Franzosen könnte man die Schriften ihrer Philosophen und die Portraits von François Clouet und der Schule von Fontainebleau anführen. – Die beiden letzten Verse enthalten ein Zitat über die Judenchristen aus den «Annalen» des Tacitus, das in verschiedener Weise ausgelegt und übersetzt werden kann. Der Dichter fasst die Worte «ein Hass und

Abscheu menschlichen Geschlechts» als Apposition zu Judenchristen auf, die durch Christus der Welt Erlösung gebracht haben.
Der Sinn des Zitats innerhalb des Gedichts geht darauf, dass die
Deutschen, die gegenwärtig ein Hass und Abscheu menschlichen
Geschlechts sind, vielleicht der Welt zum zweitenmal Erlösung
bringen und dass dies der wahre Grund des Krieges ist. Eine andere,
grammatisch und syntaktisch gleichfalls begründbare, aber vom
Dichter abgelehnte Auslegung dieser Tacitus-Stelle läuft darauf
hinaus, dass die Judenchristen verurteilt werden, weil sie selbst das
menschliche Geschlecht, das heisst die Umwelt hassen und verab-
scheuen. Nach antiker Auffassung nehmen die Götter denen, die sie
vernichten wollen, zuerst die Fähigkeit des Sich-selbst-Erkennens, so
sagte der Dichter.

Stefan George, der die Kriegsgründe und Ziele beider Seiten ablehnt, sieht den Ausbruch des Kampfes als schicksalsmässig und unabwendbar an. Er beharrt auf seinem, jeder Dichtung angemessenen
«Lob von Stoff und Stamm, Kern und Keim». Deutschland erscheint
ihm zu schön, als dass der Tritt fremder Heere es verwüsten sollte.
Im Tönen der Hirtenflöte aus dem Weidicht, wie es in der Ingenuität
der zwei letzten Verse des ersten Zeitgedichts hörbar wird, und im
Rauschen von Hainen, die wie Jean Pauls Windharfen klingen, preist
er die deutsche Dichtung der klassischen und romantischen Zeit. In der
Gegenwart fühlt er das lebendig, was er als Traum in den Augen der
deutschen Jugend als ihr so tief verbunden feiert, dass die immer
wieder abtrünnigen Erben des deutschen Gutes es nicht tilgen können.
Für ihn ist Deutschland das Land, in dem die allblühende, das heisst
ewig junge Mutter, nämlich die griechische Kultur, am frühsten ihr
echtes Antlitz, das heisst ihre Kunst, der in Streit zerfallenen und ver-
wilderten weissen Rasse durch Winckelmann enthüllt hat. Deutschland birgt noch Verheissungen für die Zukunft aller und das ist der
Grund dafür, dass es in diesem Krieg nicht untergeht.

In der zwölften und letzten Strophe des Gedichts spricht der Dichter
vom mythischen Grund für den Ausbruch des Krieges. In der grössten
Not des drohenden Verfalls und Untergangs ruft die Jugend, die allein
dazu befähigt ist, die Götter an, und hier unterscheidet der Dichter
zwischen ewigen, unwandelbaren Gewalten und solchen, die, um zu
wirken, sich in Zeitabständen zu wandeln haben. Eine Aera göttlicher
Herrschaft ist voll geworden (vgl. Johannes 7, 8), und eine neue Weltzeit beginnt. Nach Plutarch waren Tiberius und die Römer beunruhigt und erschreckt, als der Ruf «Der grosse Pan ist tot» über das
Meer scholl. – In den folgenden Versen gibt der Dichter, indem er das,
was die von ihm angedeuteten Erscheinungen verbindet, seinem verkürzenden Stil in diesem Werk entsprechend, als selbstverständlich

fortlässt und somit die Gedanken ebenso wie die Worte aufs äusserste zusammendrängt, ein Bild von Wandlungen der Götter, die stets den Beginn einer neuen Weltzeit eingeleitet haben. Er 'geht von der sogenannten normannischen Runenreihe in einem St.-Galler Manuskript des neunten Jahrhunderts aus, in dem die Runen – von den Goten griechischen Buchstaben nachgebildet – nicht in der Reihenfolge des griechischen Alphabets, sondern in andrer, offensichtlich germanischen Bedürfnissen angepasster Anordnung, mit Erklärungen versehen, aufgezählt werden. Am Anfang steht die Rune für den Riesen Thurs, dessen nächtlich gewalttätige Herrschaft durch den Gott As, der nach Wolfskehls Erklärung Donar, Thor ist, überwältigt wird. Donar wird vom Dichter nicht mit Namen genannt, da es für ihn darauf ankommt, die Art der Herrschaft und ihren Wechsel zu charakterisieren, die sich über ganz Europa erstrecken und von verschiedenen Völkern mit verschiedenen Götternamen gekennzeichnet werden. Der Dichter umschreibt Donar, Thor, germanischer Sage entsprechend, mit «Lenker im Sturmgewölk», also im und durch Gewitter herrschend. Diese Form der Herrschaft wird nach der normannischen Runenreihe durch die des Tiu, Ziu abgelöst, den der Dichter – wiederum den Namen nicht nennend – hier als Lenker des heiteren Himmels und nicht als Kriegsgott ansieht. Durch diese Wandlung wird der härteste «Längste Winter», der Fimbul-Winter, der mit seiner Dauer von drei Jahren ohne Sommer alles Leben auf der Erde vernichten würde, auf unbestimmte Zeit hinausgeschoben.

Die nächste Wandlung der beherrschenden Macht vollzieht sich dadurch, dass Wotan – in der nordischen Sage Odin genannt – die bisher von Tiu, Ziu ausgeübte Herrschaft übernimmt. Wiederum nennt der Dichter den Namen des Wotan, Odin, nicht und bezeichnet ihn, seinem charakteristischen Wesen nach, als den, der am Baum des Heiles hing. Dies weist darauf, dass bei jener Zeitenwende die Macht von Zauber und Rausch zur Herrschaft kommt. Dass Wotan, Odin, Meister von Zauber und Rausch wird, leitet der Dichter aus einem Bericht der Lieder-Edda her, der Havamal genannt wird. Darin heisst es:

> «Ich weiss dass ich hing
> am windkalten Baum
> neun eisige Nächte
> mit dem Ger verwundet
> geweiht dem Odin
> ich selbst mir selbst,
> an jenem Baum
> der jedem fremd
> aus welcher Wurzel er wächst.»

Nach dieser und der in jenem Text folgenden Darstellung hing Odin neun eisige Nächte, ohne Nahrung zu sich zu nehmen, am «Baum des Heils», bis er am Boden die Runenstäbe erblickte und neue Kraft gewann, die ihn zum Meister des Zaubers machte. Es ist streitig, ob die Worte dahin zu verstehen sind, dass Odin von Feinden aufgehängt wurde oder ob er, wie der Dichter annimmt, sich selbst aufhing, um durch Zauber seine schwindende Kraft zu erneuern. Nach der Prosa-Edda altern die Götter und müssen ihre Kraft erneuern. Streitig ist ferner, ob Odin am Baum hängend die am Boden liegenden Runen lediglich erblickte oder, wie der Dichter glaubte, erfand und durch diesen Fund, im Sinne von Erfindung, Herr des Zaubers wurde, der durch Runen vollzogen wird, und damit die neue, seine Herrschaft begründende Macht über Zauber und Rausch erwarb. Das Erstarken des Odin oder – um mit dem Dichter zu sprechen – des am Baum des Heils Hängenden wird als «Abwerfen der Blässe blasser Seelen» im Gedicht bezeichnet und soll in dieser weiten Fassung zugleich auf die durch Christus am Kreuz und die durch Dionysos, Jacchos, Zagreus als Folge einer Zerstückung erworbene Rauschkraft als die eine neue Weltzeit beherrschende Macht deuten. Der «Baum des Heils» ist sowohl die germanische Weltesche als das christliche Kreuz, das von Petrus in den apokryphen Petrus-Akten das «Holz des Lebens» genannt wird. Der Dichter wies im Gespräch darauf hin, dass Hölderlin in der Hymne «Der Einzige» Herakles und Dionysos als Brüder von Christus bezeichnet. Der Dichter notierte, dass Goethe zu Göttling 1832 das folgende sagte: «Die ‚Bacchen' des Euripides geben die fruchtbarste Vergleichung einer modernen dramatischen Darstellbarkeit der leidenden Gottheit in Christus mit der antiken eines ähnlichen Leidens, um daraus desto mächtiger hervorzugehen in Dionysos.»

Aus diesen Götter- und Weltzeitwandlungen schöpft der Dichter den Glauben, dass auch die gegenwärtige Weltzeit der Kriege und dunklen Wirren durch eine neue Weltzeit des Lichtes abgelöst werden wird, die er im Erscheinen Maximins anbrechen sieht. Er weist auf die geheime Nähe von Apollo zu Baldur, die beide lichtbringende Gottheiten sind und deren Herrschaft deshalb lichte Weltzeiten oder, umgekehrt gesagt, das Ende von dunklen Weltzeiten bedeutet. Der Dichter glaubte, ebenso wie Karl Wolfskehl, dass das Wort «Vol» in dem ersten Vers des zweiten Merseburger Zauberspruches, dessen Sinn bestritten ist, Apollo bedeutet und dass in dem zweiten Vers Apollo mit Baldur identifiziert ist. Dies und die Eigenschaft des Lichtbringens deuteten für den Dichter darauf, dass «Apollo geheim an Baldur lehnt». – Der Dichter behauptete übrigens auch, die Ableitung der Worte «Apollo» und «Athene» zu kennen, die die unbekannte Herkunft dieser wohl anfangs nicht griechischen Götter erhellt haben könnte. – Nach Auffassung des Dichters soll die Nacht der Weltzeit der Kriege und Wirren noch eine Weile andauern und von Osten diesmal nicht das Licht, sondern, wie er Karl Wolfskehl gegenüber zugab und jener mir erzählte, das Dunkel kommen. Nietzsche sieht die Gefahr des Untergangs Europas in der wachsenden «Kraft der Russen zu wollen». Wer den Sieg in dem Kampf auf der Erde davonträgt, ist bereits auf einer höheren Ebne als der irdischen entschieden, dies ist ein Hinweis auf die Vorgänge im einundzwanzigsten Gedicht des dritten Buches des «Sterns des Bundes». Sieger wird sein, wer das Schutzbild – eine Anspielung auf das Palladium, dessen Verlust Untergang zur Folge haben sollte (Aeneïs II, 166) – in seinen Marken, das heisst innerhalb der Grenzen seines Landes birgt. Was dieses Schutzbild, das auch in der Dichtung von Mathew Arnold erscheint, ist, wird in diesem Gedicht nicht gesagt. Vielleicht geht man nicht fehl, wenn man annimmt, dass der Dichter das meinte, was er als Traumkraft der Jugend bezeichnete, ähnlich wie die im Palladium dargestellte Athene zum Sinnbild für die besondere jugendliche Kraft der Griechen geworden war. – Das Gedicht schliesst damit, dass Herr der Zukunft bleibt, wer sich wandeln kann. Das bedeutet, dass es für die an der Schwelle einer neuen Zeit Lebenden darauf ankommt, die Kraft zu haben, die eigne Form, ohne Verletzung des Gehalts, entsprechend der neuen beherrschenden Kraft zu wandeln, wie es in den vierten Strophen der beiden Zeitgedichte zum Ausdruck gebracht ist. Das Sich-wandeln-Können ist notwendig, um den nach Heraklit naturgemässen Umschlag der Dinge in ihr Gegenteil, das heisst die Enantiodromie zu überdauern. – Hier mag bemerkt werden, dass Stefan George nach dem ersten Weltkrieg sagte, die Engländer hätten ihr «Palladium» «verschachert», als er von dem Verkauf von Gainsboroughs Portrait «The blue boy» von England nach Amerika hörte. Er hatte das Original bei einer Ausstellung englischer Bilder in Berlin vor 1914 gesehen, die er mit mir besucht hatte. – Stefan George kannte Nietzsches Darlegungen über das Schutzbild bei den Griechen.

«Der Dichter in Zeiten der Wirren» ist jetzt dem Andenken des Grafen Bernhard Uxkull gewidmet, dessen Name vor der Broschüre «Drei Gesänge» stand, die dieses Gedicht sowie die Verse «An die Toten» und «Einem jungen Führer im ersten Weltkrieg» bei der ersten Veröffentlichung im Jahre 1921 enthielt. Das Gedicht besteht aus drei iambischen Strophen mit je dreissig Versen ohne Reim. Während in «Der Krieg» gezeigt wird, dass und warum der Dichter sich vom ersten Weltkrieg fernhielt, enthält dieses Gedicht die Begründung für das Dasein eines Dichters in Zeiten der Not seines Volkes.

In ruhigeren Läuften pflegt man den Dichter als ein vom Schicksal begünstigtes Kind anzusehen, dem von der Phantasie Flügel verliehen sind, das holde Träume in Töne zu fassen versteht und dazu bestimmt ist, Schönheit in die Alltäglichkeit des Daseinskampfes zu bringen. Wenn aber das Schicksal für alle vernehmbar wird und das Wetter sich über einem Volk zusammenzieht, beginnt die Stimme des Dichters wie rauhe, aneinandergeschlagene Metallstücke zu tönen, niemand liebt es, auf diesen ungewohnten Klang zu hören, und der Dichter wird «verhört», das heisst: es wird nicht auf ihn gehört, nicht etwa, dass er in ein Verhör genommen wird. Die gleiche Phantasie, die ihm Flügel verliehen hat, um das Alltägliche zu verschönen, gibt ihm die Fähigkeit, das Kommende vorauszusehen, wenn alle um ihn herum noch blind dafür sind. Es ist die voraussehende Phantasie, die in solchen Zeiten den echten Dichter zugleich zum Seher macht, und es ist das nicht veränderbare Schicksal des Sehers seit der Antike, vergebens eine nah bevorstehende Not vorauszuverkünden, die ausser ihm noch niemand sehen kann und fühlen will, solang sie nicht das Leben des Einzelnen unmittelbar beeinflusst. Der Dichter bringt dies dadurch zum Ausdruck, dass er auf Cassandra verweist, die, wie die von Heraklit erwähnte Sibylle mit «rasendem Mund», vergeblich die Trojaner warnte, das von den angeblich abgezogenen Griechen zurückgelassene hölzerne Pferd in die Stadt zu holen, und den Untergang der Stadt voraussah, aber niemand fand, der ihr glaubte. Der Dichter verweist weiter auf Jeremias, dem niemand Glauben schenkte, als er den Juden den Zorn des Stammgottes, das Nahen des Heeres von Nebukadnezar, dem chaldäischen König des neubabylonischen Reiches, das Assur und Babylon umfasste, die Einnahme Jerusalems und die kommende Knechtschaft des auserwählten Volkes im voraus verkündete. Im Gegensatz zur Warnung jenes Propheten glaubte der Hohe Rat der Juden, auf zuverlässigere Nachrichten hin Pläne fassen zu können, nahm die Mahnung nicht ernst und warf Jeremias ins Gefängnis. – Dem Propheten bleibt – so sagt der Dichter – nur übrig, zu schweigen und zu seufzen, wenn die heilige Stadt von dem feindlichen Heer umzingelt wird, Bürger und Krieger innerhalb der engen Mauern verwirrt, wie im «Widerchrist», umeinander hasten und Priester und Fürsten sich um etwas streiten, was in dieser Lage nicht mehr Wert als ein Besenstiel hat. Wenn schliesslich die Stadt erobert ist, ist es wiederum der Dichter und Seher allein, der die volle Schwere des Elends und der Schmach fühlt, denn nur er besitzt den nötigen inneren Abstand, um die Geschehnisse klar zu sehen, während die übrigen mit nichts als ihrem eigenen Sonderschicksal beschäftigt sind. Der eine wälzt die Schuld auf den anderen ab, ein dritter sucht, müde der Entbehrung, die Brocken, die der freche Sieger ihm zuwirft, für sich selbst zu erhaschen, einige wünschen sich durch Tanzen und Schreien zu betäuben, und der Rest erhofft persönliche Vorteile, indem er, wie der

Dichter sagt, am Rist der Hand und des Fusses des Siegers leckt, der ihn schlägt und tritt. Tacitus schildert die Zustände in Jerusalem vor der Eroberung durch Titus in ähnlicher Weise. Die erste Strophe des Gedichts behandelt somit das Nicht-gehört-Werden des Dichter-Sehers in Zeiten der Not als eine historisch belegbare Tatsache und weist auf das Gedicht «Der Krieg» zurück, in dem Stefan George den unheilvollen Ausgang des ersten Weltkrieges bereits zu einer Zeit voraussah und verkündete, in der die grosse Zahl der Deutschen noch an einen für sie günstigen Ausgang des Krieges glaubte.

Wie beim Beginn der zweiten Strophe des Gedichts «Der Krieg», fängt die zweite Strophe von «Der Dichter in Zeiten der Wirren» mit einer Aufforderung an, die ein Dritter, hier als ein Greis näher charakterisiert, an den Dichter-Seher richtet. Während es aber im Gedicht «Der Krieg» sich darum handelte, den Dichter zur Teilnahme an einem Kampf zu bewegen, der damals noch nicht beendet war, wird hier der Dichter-Seher von einem sehr alten, das heisst durch Erfahrung gereiften Mann ersucht, noch einmal zu den «Geistern» auf dem Berg, wie es Moses tat, zu gehen und eine Kunde zurückzubringen, die tröstlichere Zukunft erwarten lasse. Der Dichter lehnt ab, dies zu tun. Seine Begründung hierfür ist, dass niemand die Stimme des Himmels verstehen würde, da die Ohren der Menge nur für alltägliche Nützlichkeiten offen sind, da für Geist – dies steht in Verbindung und zugleich Gegensatz zu den «Geistern» des ersten Verses der zweiten Strophe – dort kein Raum ist, wo jeder nur an die für ihn selbst notwendige Nahrung denkt, eine Zunft die andere beschimpft und ihr bereits leckes Boot als einziges Mittel zur Flucht aus dem Unheil anpreist, der Wunsch des Einzelnen nur auf Vermehrung nutzloser Dinge gerichtet ist, alle von einem frischen Aufbau ohne Vermeidung und Sühnung der früheren Verbrechen fabeln und sich dadurch aus dem Wetter zu retten hoffen, dass sie sich klein wie Würmer machen. Der Dichter-Seher spricht sein eignes Urteil über die Mitlebenden in den Versen aus, die den zweiten Teil der zweiten Strophe einnehmen. Die Zeitgenossen haben nicht aufgehört, ihren Götzen, die sie in Staub und Niedrigkeit geworfen haben, zu opfern, obwohl sie aus den Ereignissen erkannt haben sollten, dass jene gelogen haben und lügen. Das oberste Gesetz, das einem Volk Bestand verbürgt, wurde in der zehnten Strophe des Kriegsgedichts in der Prägung sichtbar: «Ein Volk ist tot, wenn seine Götter tot sind.» Jetzt wird es dahin zusammengefasst, dass es im Glauben an einen Lenker und an die Notwendigkeit eines Sühners besteht. Der vereinenden inneren Kraft eines solchen obersten Gesetzes widerspricht es, wenn und dass ein Volk sich mit List, das heisst mit billigen Kunstgriffen, aus einem allgemeinen Verhängnis zu ziehen sucht, das hier als Netz gesehen wird. In solcher

Lage, so sagt der Dichter, muss die noch härtere Pflugschar des Schicksals die Erdschollen, das heisst die Gesamtheit des Volks, furchen und ein dichterer Nebel die Luft noch weniger atembar für den Einzelnen machen. Aus diesen Gründen kann der Dichter-Seher gegenwärtig noch keinen tröstlicheren Ausblick geben. Er prophezeit, dass die leichteste Aufhellung des Gewitterhimmels, unter dem die Zeitgenossen zu leben und zu leiden haben, sich erst dann zeigen wird, wenn alles, was eine Sprache spricht, sich, die inneren Zwistigkeiten abtuend, die Hand reichen wird, um sich gegen den gemeinsamen Verderb zu wappnen, und Tag und Nacht an nichts anderes als an die Vesper denken wird, bei der innere Verschiedenheiten vergessen sind und nicht mehr zählen. Mit der Sprache, die alle sprechen, ist nicht allein die deutsche Sprache gemeint, denn die innere Einigkeit, die hier zur Voraussetzung genommen ist, ist in den ersten Monaten des ersten Weltkrieges, wie die erste Strophe von «Der Krieg» zeigt, tatsächlich hergestellt gewesen. Es dürfte vielmehr hier wiederum auf die von Osten, von Asien kommende Gefahr hingewiesen sein, von der der vierte Vers der letzten Strophe des Kriegsgedichts bereits handelt, so dass die Worte «eine Sprache» sich auf die Sprachen der sogenannten indogermanischen Sprachfamilie beziehen, die von den Völkern Europas gesprochen werden. Diese Sprachenverwandtschaft erzeugt eine Gleichheit der Grundbegriffe und somit die Möglichkeit einer Verständigung, die der Dichter zwischen den Weissen Europas und den Gelben Asiens nicht für herstellbar hielt. Auf die Fahnen dieser Völker mit ihren Nationalfarben, und nicht etwa auf Farben der Sozialdemokraten, Konservativen und des Zentrums als politische Parteien innerhalb Deutschlands, beziehen sich das Rot, Blau und Schwarz der «Fahnenfetzen». Der Dichter nennt diese Nationalfahnen fahl und verschlissen, weil sie gegenüber der von Osten allen Völkern Europas in gleicher Weise drohenden Gefahr jede Bedeutung verlieren. Er glaubt, dass diese Gefahr nur dadurch beseitigt werden kann, dass alle, jedes Einzelziel freiwillig hintansetzend, nichts als die nur gemeinsam zu rettende Freiheit im Auge haben, wie es nach seiner Geschichtsauffassung die Sizilianer taten, als sie in gemeinsamem Volksaufstand die Franzosen bei der sogenannten sizilianischen Vesper im Frühling des Jahres 1282 aus dem Lande jagten.

Die dritte Strophe sagt, was der Dichter in Zeiten zu tun hat, in denen das Schicksal hart auf dem Volk lastet. Die positive Seite seines Daseins in solchen Zeiten wird hier hervorgehoben. Er wird jetzt als «Sänger» bezeichnet, weil es sein Gesang ist, der der Zukunft Form gibt. Es ist sein Lied, das das Mark des Volkes inmitten der Not der Zeit nicht verfaulen lässt. Der Keim für das Kommende wird durch sein Werk genährt. Die heilige Glut, die er in seinen Gedichten bewahrt, springt über in die Leiber künftiger Geburten. Der Dichter, dessen Tun die Menge in solchen Zeiten als sinnlos und ihren Zielen entgegengesetzt erachtet, sucht in den Büchern der Ahnen nach Verheissungen für die Zukunft des Volkes. Als Zeno das Orakel befragte, wie er am besten leben würde, erhielt er die Antwort, er solle sich mit den Toten begatten, das heisst die Werke der Ahnen lesen. – Er erkennt aus den Dichtungen der Ahnen und aus deren Übereinstimmung mit dem Gang der Weltgeschichte, dass stets solche, die zum höchsten Ziel bestimmt waren, anfangs durch tiefste Öden des Unglücks zu ziehen hatten, dass sie es aber sind, die schliesslich, wie die zehnte Strophe des «Krieges» andeutet, zu Rettern der ganzen Erde, nicht nur ihrer selbst, werden. Das gleiche sieht er für die Deutschen voraus, deren Land er das «Herz des Erdteils» Europa nennt. Die Zeitgenossen werden noch lange Zeit hindurch nicht den kleinsten Schimmer von Blau eines heiteren Himmels zwischen den Gewitterwolken, die über ihnen lasten, erblicken. Der Dichter aber sichtet schon eine lichtere Zukunft, und zwar nicht in einer Aufhellung des Horizontes des Allgemeinschicksals, sondern in dem individuellen Verhalten einer jüngeren Generation, die um ihn bereits heranwächst. Diese Jüngeren sind von dem Übel der Zeit, das die Älteren untauglich gemacht hat, nicht angetastet worden. Die Übel der Zeit werden als der «geile Markt», das heisst Käuflichkeit von allem und jedem, als «dünnes Hirngewebe», das heisst substanzlose Aussprechbarkeit von allem und jedem und als «giftiger Flitter», das heisst selbstsüchtiges Sich-zur-Schau-Tragen der Individualität, wie im «Stern des Bundes», hier wieder bezeichnet. Die Jüngeren haben an den Verfehlungen, die in den «verruchten Jahren» begangen sind, schon infolge ihrer Jugend innerlich nicht teilgenommen, sie haben aber damals den Druck bereits an sich selbst gespürt und sind dadurch für die Zukunft gestählt worden. Die Jüngeren nehmen aus sich selbst die echten Masse für Mensch und Ding. Der Dichter empfindet sie als schön und ernst, als ihrer Eigenart froh, als stolz vor Fremden und gleich weit entfernt von frechem Dünkel wie von seichtem Schwelgen in erlogener Brüderlichkeit. Diese Generation, deren Aufstieg der Dichter nicht nur ahnt, sondern bereits erlebt, verachtet, was mürbe, feig und lau ist. Sie ist fähig, die Luft zu schaffen, aus der und in der der einzige, der hilft – und dies ist nach Ansicht des Dichters hier wie immer ein Einzelner – erstehen wird. Es ist der Held, von dem im ersten Gedicht des ersten Buches des «Sterns des Bundes» die Rede ist. Sein Dasein ist von dem Bestehen einer Atmosphäre abhängig, die durch geweihte Träume, geweihtes Tun und geweihtes Dulden erzeugt wird. – In den letzten Versen der dritten Strophe wird vorausgesagt, wie dieser neue Heros handeln wird, um das noch härtere Schicksal, von dem die zweite

Strophe spricht, zu dem in der dritten Strophe erahnten, lichteren Geschehen zu wenden. Er wird die Ketten der äusseren und inneren Knechtschaft sprengen, er wird Ordnung auf den in Trümmer gelegten Stätten schaffen und das ewige, das heisst göttliche Recht von neuem zur Geltung bringen, so dass die verlaufenen Seelen wiederum die rechte Wohnstatt finden. Er wird das wahre, das heisst echte Sinnbild auf das Banner des Volkes heften. Was dies Sinnbild ist, wird nicht gesagt, und das Wort «völkisch» ist hier gebraucht, lange bevor der Nationalsozialismus es für sich wiederentdeckt und mit Beschlag belegt hatte. «Völkisch» ist eine Übersetzung des vielleicht aus dem Illyrischen stammenden Wortes deutsch. Teutone heisst Volksgenosse. Teut und Germane sind nach E. Norden Worte, mit denen sich die Germanen nicht selbst bezeichneten. – Es wird vorausgesagt, dass das Wirken dieses Heros damit anfangen wird, dass er die Schar seiner Treuen durch Sturm und grausige Signale, das heisst durch Kampf, zum friedlichen Werk des vollen Tages, der im Gegensatz zum blutigen Morgenrot des Beginnens steht, führen und dass er schliesslich das neue Reich, das heisst eine auf Geist gegründete Herrschaft «pflanzen» wird. – Die Verse dieses Gedichts wurden nach dem Ende des ersten Weltkrieges zu einer Zeit geschrieben, in der kaum jemand an die Möglichkeit des Ausbruchs eines zweiten Weltkrieges glaubte, den der Dichter jedoch in der neunten Strophe des Kriegsgedichts, wie bereits erwähnt, vorausgesagt hatte. Schon hieraus ergibt sich, dass die lichtere Zukunft, die der Dichter in der dritten Strophe dieses Gedichts mit der jüngeren Generation kommen sieht, nach seiner Ansicht frühstens in der Zeit nach dem Ausgang des zweiten Weltkriegs beginnen könnte. Ob dies aber der Fall sein wird oder ob noch längere Zeitläufe verstreichen müssen, ehe die Zukunft lichter wird, sagt das Gedicht vom «Dichter in Zeiten der Wirren» nicht. Am Ende des «Brands des Tempels» heisst es jedoch, dass ein halbes Tausendjahr weiterrollen muss, bis der Tempel, der in Flammen steht, neu erstehen kann. Dies könnte man wohl dahin deuten, dass nach Beendigung des zweiten Weltkrieges, nach Auffassung des Dichters, noch lange Zeitspannen verstreichen müssen, bevor die Gefahr des Untergangs, die Europa und nicht nur den Deutschen vom Osten her droht, durch die Taten jüngerer Generationen, von denen die vom Dichter bereits gesehene nur die erste ist, abgewendet und in eine lichtere Zukunft umgewendet werden wird. Man könnte auf Grund der Zeitangabe am Schluss des «Brands des Tempels» daran denken, dass die Ereignisse der Weltgeschichte lehren oder wenigstens zu lehren scheinen, dass bisher die grossen Erneuerungen oder Wandlungen, die dem Aufstieg und Abstieg von Völkern zugrunde liegen, in Abständen von etwa fünfhundert Jahren stattgefunden haben.

Der junge Führer im ersten Weltkrieg, an den das folgende Gedicht sich richtet, ist Erich Boehringer. Bewusst gebraucht hier der Dichter die Worte «im ersten Weltkrieg», obwohl seine Zeitgenossen damals noch nicht daran dachten, dass weitere Weltkriege folgen würden. Das Gedicht behandelt die Rückkehr des jungen Feldartillerie-Offiziers in die Heimat nach Abschluss des Waffenstillstandes. Deutschland war damals durch den ersten Weltkrieg kaum versehrt. Der Dichter preist die keusche Einfachheit der Rede des aus zerstörten Gebieten und Schützengräben unverletzt zurückkehrenden, noch sehr jungen Kriegers, der das Aufs-Spiel-Setzen seines Lebens als notwendigen Dienst für sein Land ansah. Er hatte gelernt, trotz seiner Jugend für das Schicksal vieler verantwortlich zu sein, und trug diese Bürde mit einem bemerkenswert freien Stolz, der ihn auch nach der Rückkehr auszeichnete und ihm eine besondere Haltung verlieh. Sein Wesen zeigte noch die von der Gefahr befohlene Schnelligkeit des Handelns, die neu erworbene Kraft und sichere Gelassenheit hatten seine jugendliche Traumfähigkeit verstärkt, so dass der Dichter über die Mischung von Knabenhaftigkeit und Reifsein in Geist und Körper erstaunt und gerührt war, als der Jüngere zu ihm nach Bingen zu Pferde kam. Anders als der junge Deutsche es erhofft hatte, waren die Würfel des Krieges gefallen, er hatte den Rückzug des Heeres, das sich freiwillig, wie er glaubte, seiner Waffen und Embleme begeben und als geschlagen bekannt hatte, mitgemacht und berichtete dem Dichter traurig von diesen ihn bedrückenden Begebnissen. Es war das Niederlegen der Waffen der Deutschen, das ihm die Erkenntnis vermittelte, er habe seine wichtigsten Jahre im Kriegsdienst vergeudet. Demgegenüber sagt ihm der Dichter in den beiden letzten Strophen, dass es sinnlos und unwürdig ist, heute auf den Kehrichthaufen zu werfen, was man gestern bejauchzt hat, wie die Menge es zu tun pflegt. Es ist notwendig, den inneren Sinn der Abfolge der Geschehnisse zu erkennen, der alle einenden Erhebung beim Ausbruch des Krieges, des Zuges bis dicht an die Pforte des vollen Sieges und des Sturzes unter ein drückendes Joch. Durch das Gesamt dieser Erlebnisse, nicht durch das eine oder das andere allein, erhält die Seele des jungen Kriegers die rechte Form, und solche Erziehung gibt ihm die Stärke, ein künftiges Tosen des Schicksals, das der Dichter hier wiederum voraussagt, zu überstehen. In den letzten Versen des Gedichtes sieht der Dichter in der leiblichen Erscheinung des jungen Kriegers, ähnlich wie im zweiten Gedicht des zweiten Buches des «Sterns des Bundes», bis ins Geistige reichende Züge, die dem Sinn des Jüngeren noch verborgen sind. Es ist zuerst ein Ring, sodann eine Krone, die die Abendsonne um das Haar des Jüngeren zu legen scheint.

Das Gedicht «Die Winke», mit dem laut Druckanordnung im Inhaltsverzeichnis der zweite Teil beginnt, vereint balladenhafte mit hymnischen Bestandteilen. Das Motto stammt von Maximin, auf dessen Kommen sich das Gedicht bezieht, wie schon das M mit dem Stern in der Überschrift andeutet. Es handelt sich um das Auftauchen eines neuen Halbgottes aus dem mütterlichen Erdschoss an einer Zeitenwende, an der alle, das heisst die alten Ketten brechen. Balladenhaft ist die Steigerung der Personenzahl in den drei Strophen von eins zu drei und schliesslich zu sieben. Die Fünf, die der Dichter mit Plutarch als Zahl der Ehe ansah, erscheint in dieser Verbindung nicht. Der erste, der anfangs allein das Kommende sieht, ist der Dichter-Seher, der von seiner Wohnung im Feld vor München zum Siegestor schreitet. Die Luft an jenem Tag ist gewitterhaft reglos, die Umrisse der Alpen stehen purpurn und blau gegen einen fahlen Himmel, die Atmosphäre ähnelt der vor einem Erdbeben. Das Wort «drinnen» – hier ähnlich weit und abstrakt wie «innen» in «An Damon» benutzt – umfasst die ganze Stadt: alle ihre Bewohner werden als im tiefsten Schlaf liegend bezeichnet, nicht weil sie wirklich schliefen, sondern weil sie die jetzt vom Dichter wahrgenommenen Zeichen nicht sehen. Der Dichter wird von so grossem Schreck gepackt, dass er am ganzen Leib bebt und fragt, ob er die Stimme seines Gottes richtig verstanden hat. Er hört als Antwort, dass die Zeit reif sei.

Die drei im Kreis in einem Raum stehenden Personen der zweiten Strophe spielen auf den Dichter, Karl Wolfskehl und Friedrich Gundolf an, die durch die Stunde des Auftauchens des ihnen später befreundeten Maximin in einen Zustand der Verzückung versetzt werden, der wiederum körperlich in dem angstvollen Fassen der Hände zum Ausdruck kommt. Sie erachten sich als auserwählt, die Botschaft über die Zeitenwende zu verbreiten, und flehen, von dem Übermass des Glückes solchen Erlebens nicht überwältigt zu werden. Maximin ist für sie die Verkörperung des ewigen, das heisst von menschlichen Kompromissen unberührten und unberührbaren Kindes, das aus der Weltennacht, dem Chaos, leibhaft hervortritt, um eine neue Ära einzuleiten.

In der dritten Strophe erscheint bereits eine grössere Anzahl, symbolisch umschrieben durch sieben – vielleicht sind es die Geretteten der «Toten Stadt»? – als von einem Berg, wie im siebenten Gedicht des «Vorspiels», in das Land hinabspähend. Sie schauen auf die Verwüstung, die das frevelhafte Verhalten der Menge in der Vergangenheit angerichtet hat. Demgegenüber halten sie sich für berufen, den Hauch ihres Gottes durch das Land zu verbreiten und seine Saat auf diesem Grund zu säen. An dieser Zeitenwende, so glauben sie, könnte sich auch ihr eigenes Los von neuem wandeln. Sie geloben, ihre Aufgabe als Wächter, ähnlich denen die Plato erwähnt, weiter zu erfüllen und bereit zu sein, ihr Tun mit ihrem Tode zu bezahlen, da und nachdem sie das Kommen des Lichts im Gestalt-Werden Maximins gesehen und erlebt haben. Die noch lang währende Brache, die hier trotz des Erscheinens Maximins vom Dichter vorausgesagt wird, hindert sie nicht, zu dem zu stehen, was sie bisher erträumt und getan haben. Will man der Zahlenmystik folgen, so deutet die Eins auf jugendliche, männliche Kraft, die Drei ist das Zeichen der Schöpfung und des Kreises und die Sieben seit den Babyloniern die Zahl des Himmels.

In den drei «Gebeten» von je zwanzig, nur am Schluss gereimten Versen wird das Maximin-Erlebnis im Rückblick gefeiert. Das erste «Gebet» handelt von der frühlingshaften Lichtfülle der Strassen in München, die dem Kommen Maximins vorausging und bei den Gängen des Dichters mit ihm andauerte. Das Gedicht preist weiter die festlichen Abende, an denen Maximin teilnahm. Die Erinnerung an diese Ereignisse lässt dem Dichter sein bisheriges Werk nur als schwachen Abglanz der Kraft und Würde Maximins erscheinen, und er empfindet, dass er den Schauer, den er in der Nähe Maximins gefühlt, nicht tief genug hat deuten können, so dass sein Lied der wahren Bedeutung jener Erscheinung nicht ähnlicher ist, als die Spiegelung eines Dings auf einem windbewegten Wasser dem Ding selbst. Dem Dichter gewährt es einen gewissen Trost, dass seit dem Erblühen des deutschen Geistes, dem Jahrhundert Goethes, kein einzelner Seher oder Weiser fähig gewesen ist, ein umwälzendes Ereignis wie zum Beispiel jenes Erblühen und seinen Grund als Wirklichkeit voll zu verkünden. Der Sinn des Erblühens des Geistes hat sich aber erschöpfend in der Prägung der Leiber gezeigt, die seit damals auf Grund des Werkes der Weisen und Seher ihre bisherige Form geändert und eine neue Gestalt angenommen haben. Das Geistige wirkt sich im Körperlichen am meisten aus. Goethe sagt in seiner Note zu «Die Geheimnisse»: «Er (das heisst Humanus) scheidet, weil sein Geist sich in ihnen allen (das heisst in den zwölf Rittern) verkörpert, allen angehörig keines eignen irdischen Gewandes mehr bedarf.» In gleicher Weise sieht der Dichter bereits in Hunderten von neuen Geburten jene Verherrlichung des Wesens Maximins voll verkündet, die ihm im Werk seines Geistes, wie er fühlt, nicht erschöpfend genug gelungen ist und gelingen kann. Dies ist die Folge davon, dass für den Dichter Maximin der Höhere, der dem Gott Nähere ist, und dass somit Maximins Werk, das sich durch sein Dasein ausdrückt, mehr kosmische Bedeutung hat als das Werk des Geistes des Dichters – eine Erkenntnis, die die Klagen des Dichters verstummen lässt.

Das zweite «Gebet» spricht von den Gefühlen des Dichters unmittelbar nach dem Tod Maximins. Es zeigt, dass er damals keine Möglichkeit sah, das Fest des erhöhten Daseins in Zukunft wiederum zu begehen, dass er an seiner Berufung zur Verkündung zu zweifeln begann und sich nicht mehr für fähig hielt, sein inneres Feuer in den dumpfen Stoff seines Werkes zu pressen, da er sich führerlos in Nacht zurückgestossen glaubte. Die Erinnerung an die Atmosphäre in den Tagen des Erscheinens Maximins, deren Glanz der Dichter nach dem Wechsel vieler Jahreszeiten plötzlich von neuem erlebt, rettet ihn aus lähmender Verzweiflung. In der erwartungsvollen Luft eines frühen Frühlings glaubt er wiederum das Siegestor, den Torgang, der auf Dantes Beatrice-Erlebnis zurückdeutet, von ersehnten Schritten hallen zu hören und Maximin, von neuem verkörpert, in den Strassen Münchens wandeln zu sehen. Der Dichter schrieb mir im Frühjahr 1916, dass er München jetzt wieder in solchem Licht sehe, und seinem Brief lag das damals entstandene zweite «Gebet» bei.

Das dritte «Gebet» handelt von den geistigen Gründen für die Erhebung des Dichters aus dem Zustand der Verzweiflung, in den er unmittelbar nach dem Tod Maximins geraten war. Es gehört zum Wesen jeder geistigen Beglückung, dass sie einen Auf- und Niedergang hat, so dass niemand in ihrem vollen Strahl für alle Zeit zu verharren vermag. Der Dichter hat sich stets von neuem über den dunklen Brunnen, den Quell des Lebens der «Hehren Harfe» und des «Wortes», in dem sich Erscheinungen spiegeln, deren wahre Form nicht sichtbar wird, zu neigen, die Gestalt Maximins, deren Spiegelbild sich im Zeitenlauf verändert, daraus zu erraten und durch Dichtung ins Leben hinüberzuretten. Es ist für den Dichter nicht möglich, im blossen Feiern des Gewesenen zu verharren. Die Dauer der Wirksamkeit eines Feierns hängt von erneutem und erneuerndem Preisen von dem ab, was mit dem Gestern vergangen und mit dem Heute – wiederum preiswert – verändert neu erschienen ist. Es gibt kein seelisches Erlebnis, das unverändert dauernd und für alle Zeit den belebenden Funken in der Seele entfachen könnte. Deshalb ist es kein Verrat an einer früheren Freude, wie hier der Freude über das Zusammentreffen mit Maximin, wenn der Dichter sich an jeder Freude, die ihm das Leben später bietet, trotz seiner Trauer über den Tod Maximins von neuem entfacht. Auf Grund solcher Entfachung reisst der Geist die Seele des Menschen aus ihren Grenzen und verhindert, dass sie trübe und brach wird, indem er von glorreichem Beginn an Träume in nicht endenden Reihen bis in die spätesten Zonen, das heisst fernsten Zeiten, spinnt und in verwegenem Werk, das sich Zug nach Zug fortsetzt, sein einmal begonnenes Tun, selbst ohne des Ausgangs gewiss zu sein, weiterführt. So kommt es, dass der Geist des Dichters, von irdischen Erscheinungen genährt, bald neu erahnten Morgenröten zujubelt, bald verzückt, wie im neunzehnten Vorspiel-Gedicht, im Unmessbaren schwebt, um immer wieder nach einem festen Punkt, wie dem Stern Maximins, als

Grundlage steten Preisens zu fahnden und dadurch inmitten der dauernden Bewegung des Alls das allein Bleibende und Ruhende, das Werk, zu vollenden.

«Burg Falkenstein» und «Geheimes Deutschland» bilden nicht nur äusserlich, sondern auch innerlich die Mitte des letzten Werkes des Dichters. In diesen Gedichten, die innerhalb der Grenzen der deutschen Sprache echte Hymnen sind, geht es nicht um Schilderung eines Gegenständlichen, vielmehr werden ein Klangrausch und eine Strahlenfülle hervorgerufen, die den Vorwurf entkörpern und durch Entrückung in den Bereich des Kultes einem nationalen und religiösen Gesamtgefühl unterordnen. Die Ich-Sphäre, in der sich lyrische Dichtung, abgesehen von der echten Hymne und vom Volkslied, bewegt, wird vom Dichter bewusst verlassen. Im Strahlenkreis einer Beschwörung vollzieht sich der Übergang, die Einung von Mensch mit Gott, und wo in diesen Hymnen von der Einzelseele die Rede ist, wird aus dem Allgefühl der Rückweg zum eignen Sein angetreten. Da es in Deutschland zu Lebzeiten des Dichters kein das gesamte Volk ergreifendes religiöses Gefühl mehr gab, kann die mythische Unterlage für die neue Hymne nur dem allen Deutschen gemeinsamen Gefühl für die Sonderheit und Geschichte der Heimat entnommen werden. Dies empfand bereits Hölderlin, als er dichtete:

> «Einst hab ich die Muse gefragt und sie
> Antwortete mir
> Am Ende wirst du es finden.
> Vom Höchsten will ich schweigen.
> Verbotene Frucht wie der Lorbeer ist aber
> Am meisten das Vaterland. Die aber koste
> Ein jeder zuletzt.»

Das Gedicht «Burg Falkenstein» ist Ernst Morwitz gewidmet und beschreibt einen Gang, den der Dichter mit ihm von Königstein nach Falkenstein im Sommer 1922 unternahm. Das im Gedicht geschilderte Gespräch hat bei diesem Gang durch die Wälder tatsächlich stattgefunden. Im Verlauf des Gedichts geht der Dichter vom Mythischen der Landschaft über zum Mythischen in der Geschichte der Deutschen. Die bewaldete Kuppe, zu der der Dichter von seinem damaligen Aufenthaltsort in Königstein auf dem Fussweg im Walde mit seinem Freund stieg, ist die etwa fünfhundert Meter über dem Meeresspiegel gelegene Ruine der mittelalterlichen Burg Falkenstein. Sie kam um 1300 an die Herrn von Bolangen, die ihr den Namen Falkenstein nach ihrer Stammburg am Donnersberg gaben. Die Ruine bestand um 1920 und besteht noch heute aus einem kantigen Eckturm aus rauhem Gemäuer, auf dem ein schmalerer Rundturm sich erhebt und an dem, aus einem Mauerspalt heraus, ein Baum wächst, der sozusagen das Organische mit dem Anorganischen oder, wenn man so will, Leben der Vergangenheit mit dem der Gegenwart in merkwürdiger Weise verbindet.

Nachdem in den ersten sechs Versen die Szenerie geschildert ist, beginnt die Wiedergabe dessen, was man von diesem erhöhten Punkt aus erblickt. Sie ist, ebenso wie die Erwähnung des aus der Mauer wachsenden Baums, technisch dazu bestimmt, das Geschichtliche der Vergangenheit mit der gegenwärtigen Lieblichkeit der Landschaft zu verbinden, um eine idyllische, jedoch bis ins Heroische reichende Grundlage für mythisches Geschehen herzustellen und den Überschwang ins Hymnische in Wort und Ton zu fassen. Man sah um 1920 und sieht noch heute von der erhöhten Lage der Burg Falkenstein aus Reste des römischen Limes, des «Heidenwalls», so wie auch die Ruine des von den Franzosen zerstörten Schlosses Königstein, des «Trümmerkastells», das auf einer etwa fünfzig Meter niedrigeren Kuppe liegt und in dem, wie mir der Dichter damals erzählte, Bettina von Arnim eine Zeitlang gefangen gewesen sein soll. Man schaut ferner über Reihen von niedrigen Hügeln, die sich in Stufen zu Ortschaften an ihrem Fuss herabsenken, und in der Ferne blitzt das Wasser des Rheins auf, der hier, ähnlich wie im fünften Gedicht des «Vorspiels», als «unser ewiger Strom» bezeichnet wird.

In der zweiten Strophe spricht der Dichter, indem er mit der Hand abwärts auf die Trümmer des vor blauem Himmel liegenden Schlosses Königstein und auf das von einem Bach gebildete Tal zwischen Falkenstein und Königstein deutet. Er betont die Massigkeit und Rätselhaftigkeit des zerstörten Schlosses im Gegensatz zur Lieblichkeit des Bachtals und fühlt auf Grund dieser Verschiedenheit die Empfindungen seiner eignen Kindheit wieder lebendig werden. Solche Verbindung von naiven und heroischen Elementen in der Landschaft hat für ihn etwas ebenso Uranfängliches, wie es in der Rückerinnerung jetzt seine eigene Kindheit in der Zeit vor dem Beginn seines Eigenlebens hat. Das «gemächliche Graun», das er in der friedvollen Vorzeit vor Beginn seines Eigenlebens beim Anblick von Ruinen wie der des zerstörten Schlosses und von fernen Bachtälern empfand, mischte sich damals mit jugendlichen Träumen, die ihm das Murmeln der Haine und der abendliche Rauch des Herdes aus Häusern, die hier wie in «Auf der Terrasse» Hütten genannt werden, vermittelten. Die Worte «Grauen» und «Grausen» wurden im Gespräch vom Dichter mit ungefähr dem gleichen Inhalt benutzt. Sie gaben für ihn einen kühlen Schauder wieder, der ihn bei geistigem Erschrecken aus traurigem oder freudigem Anlass körperlich überkam. Ein solcher Schauder wird hier «gemächlich» genannt, weil er von dem Kind als nicht unangenehm, eher als anreizend empfunden wurde. Der Genitiv «der friedvollen Vorzeit» hat eine doppelte Bedeutung. Er weist darauf hin, dass es sich um ein unbewusstes, erstes Regen der Seele in einer Phase noch vor Beginn des Eigenlebens handelt und dass deswegen auch der Schauder damals noch völlig friedvoll war. Er deutet aber zugleich auch auf eine Vorzeitlichkeit oder Zeitlosigkeit, die die geschilderte Landschaft durch Verschiedenheit der Elemente ihres Erscheinens friedvoll macht und an das erste Gedicht im dritten Buch des «Sterns des Bundes» erinnert. Im Grunde laufen diese beiden Bedeutungen auf das gleiche hinaus, denn die Landschaft an sich ist nichts als gegenständlich und das, was man ihre Stimmung nennt, wird nur dadurch erzeugt, dass der menschliche Geist sie in seiner eignen Stimmung sieht. Jetzt empfindet der Dichter sie wiederum als ebenso friedvoll, wie er sie als Kind gesehen hat. Das Zittern, das seine Seele damals gespürt hat und das er jetzt von neuem fühlt, ist durch sein Sehen der Landschaft, durch sein Hören des Rauschens des Windes in den hainartigen Wäldern und durch sein Riechen des abends aus «Hütten» aufsteigenden Rauches hervorgerufen, wobei auch an den Geruch des Rauches des väterlichen Herdes gedacht sein mag. Alles dies wird in den letzten sechs Versen der zweiten Strophe, dem neuen abkürzenden Stil entsprechend, zusammengefasst.

In der dritten Strophe entgegnet der Begleiter nachdenklich, dass er nicht glaubt, dass die jetzigen Empfindungen des Dichters vom «Gang der Natur» herrühren, sie sind vielmehr die Folge eines sehr mächtigen Dinges, in Wahrheit eines Zaubers. Er will damit sagen, dass die gegenständliche Natur durch die Art, in der die Seele ihr Fühlen in sie hineinlegt, verändert und verzaubert wird. Das Grauen, das der Dichter empfindet, stammt also, nach der Meinung des Begleiters, weder vom Huschen von Geistern über Mauerreste, noch vom gespenstischen Wehen des Windes in hängenden Zweigen. Solche Erscheinungen sind Formen, die die menschliche Seele für sich selbst in früheren Jahrzehnten als «behagliches Glück» ersann und schuf – die Zeit eines nicht durch Reflektion gestörten Glückes, wie es die Vorväter noch genossen, ist jetzt aber ebenso entschwunden, wie die Tage, in denen frühere Generationen den Klang der Schalmei der Schäfer geniessen konnten, womit zugleich auf Eklogen wie die des Virgil hingewiesen wird. Solche Tage sind unwiederbringlich vorbei, weil das Schicksal den Deutschen eine andere Form des Denkens und Fühlens aufgezwungen hat.

Es hat sie dazu bestimmt, Arbeit zu leisten, die hart wie Frondienst ist, deshalb sind sie, so sagt der Gefährte in der vierten Strophe, nicht mehr heimisch in sich selbst, empfinden keine Freude an ihrem Tun und haben schon seit langem nicht mehr einen aus der Alltäglichkeit befreienden Drang verspürt. Mit schweren Gedanken belastet, hat ihre Seele keinen Raum für die grössere Leichtigkeit, mit der Menschen der Antike Götter und Leben sahen. Ihre geistigen und materiellen Bauten, hier zusammenfassend «Häuser» genannt, zeugen nicht von Freiheit, höchstens von einem Streben aus beklemmendem Druck. Das Lied der Deutschen entbehrt des Preisens, des hymnischen Überschwangs, und endet meistens in einer Klage.

Darauf entgegnet der Dichter in den beiden letzten Strophen, dass für ihn im Schicksal der Deutschen ein Mythos, ein direkter Übergang vom Naiven zum Heroischen bereits bemerkbar geworden ist. Er wittert, das heisst nimmt sozusagen mit sechstem Sinn einen besonderen Klang in der schläfrigen Luft, die noch über Deutschland liegt, wahr und glaubt, dass die neue Saite des Heroischen auf dem Instrument der Seele der Deutschen gespannt war, ehe die Saite des Idyllischen auf dieser Laute zerriss. Der Klang, den er vernimmt, ist dem Ohr noch ungewohnt, schwingt aber schon mit einem goldenen, das heisst aus Heroischem herrührenden Ton. Ihm liegen Verheissungen der frühsten Ahnen, vielleicht der Hildegard von Bingen, die den heiligen Maximin von Trier bedichtete, und des Meisters Eckhart, dem der Dichter die gemeinhin Luther zugeschriebenen Verdienste um die deutsche Sprache beilegte, sowie das Versprechen des heimatlichen Gottes zugrunde, von dem «Geheimes Deutschland» berichtet.

Der Ton dringt von dem schillernden Sund der nördlichen Grenze Deutschlands, über seine Hügel und Täler durch seine dunstigen Städte bis zu dem geschichtlich und schicksalsmässig alternden Herz des Landes, das zugleich das Herz Europas ist, und schwingt über das Felsengebirge der Alpen einerseits bis zu den Zedern des Libanon, andererseits bis zu dem strahlenden Golf von Neapel und dem Meer von Sizilien. Dieser Ton ist nicht vielstimmig, sondern einfach und klar, er wird durch ein reineres Metall als jenes, das andere Töne der Gegenwart hervorruft, erzeugt. Er flutet vom Süden zum Norden Europas nach Deutschland zurück, zusammen mit dem Zug der historischen Gestalten der Deutschen, die ihn in Römerzügen und Kreuzzügen weit nach Süden getragen haben und durch ihn in solche Fernen getragen worden sind. Er gibt Kunde von Blut und Lust, von Glut und Glanz, die die mittelalterlichen deutschen Kaiser bewogen haben, ihre Züge bis nach dem heiligen Land und nach Sizilien auf Grund von Träumen zu wagen. Dieser Ton und diese Bilder erzeugen für den Dichter den Zauber eines deutschen Mythos, der den Weg zum echten Hymnus, über das Sentimentale des Klageliedes hinaus, in der deutschen Dichtung möglich macht.

«Burg Falkenstein» erfasste das Mythische in der deutschen Vergangenheit, in der Natur und Geschichte des Landes. Demgegenüber handelt «Geheimes Deutschland» – die Prägung geht auf Langbehn, den Rembrandtdeutschen, zurück – vom Mythischen im gegenwärtigen deutschen Geschehen. Der Titel ist der Aufschrift auf einem Kranz entnommen, den Friedrich Wolters am Sarkophag Friedrichs II von Hohenstaufen nach dem Ende des ersten Weltkrieges in Palermo niederlegen liess. – Die zweizeiligen Anrufe der als volle Strophe anzusehenden Versgebilde an der ersten, achten und siebzehnten Stelle des Gedichts sind hymnische Bitten an das Schicksal, das den Dichter so hoch und weit getragen hat, dass er fürchtet, herabzustürzen oder herabgestürzt zu werden. Er betet anfangs, am Rand des Abgrunds, ohne Schwindel, das heisst Verwirrung zu fühlen, verweilen zu dürfen, sodann durch den Sonnentraum so dicht über dem Boden des Abgrunds getragen zu werden, dass er das Tiefste, in jedem Sinn des Wortes, zu erkennen vermag und schliesslich auf die höchste Höhe zwecks Überschau gestellt zu sein. Abgrund, Traumflügel und Gipfel sind verschiedene Bezeichnungen für die Tragfähigkeit der gleichen Macht, nämlich des Schicksals, für das der Seher-Dichter sich als Verkünder und Mittler gegenüber dem Volk fühlt.

Die zweite Strophe ist wie alle übrigen längeren Strophen des Gedichts sechszeilig, doch wechselt innerhalb der einzelnen Verse der sechszeiligen Strophen bisweilen das Versmass. Diese Strophe schildert das Enggewordensein der Erde. Unersättliche Gier nach einem Zusammenbringen von Gütern aller Art hat jeden Zollbreit der Erde vom Nordpol und Südpol bis zum Äquator, dem Gleicher, durchforscht und ein unerbittlich grelles Licht über die kleinsten und verborgensten Teile der Erde, hier alle Poren der Welt genannt, schamlos geworfen.

Auf dieser völlig durchforschten und dadurch entweihten Erde werden die Entdeckungen und Erfindungen, die der Irrsinn einer falschen Einstellung zum Leben in hässlichen Zellen hinter proportionslosen Wänden ersonnen hat, zu einem Gift, das bis in die weiteste Ferne vernichtend wirkt. Die Weite der Ferne wird bildlich dadurch ausgedrückt, dass auf die nomadischen Reiter in Wüsten und auf die Filzzelte, die Jurten, der nomadischen Hirtenvölker der noch am wenigsten erforschten Teile Mittelasiens, hingewiesen wird. – Hier soll hinzugesetzt werden, dass, als der Dichter dieses Gedicht vor dem Erscheinen des «Neuen Reichs» seinen nächsten Freunden vorlas, nur der Jüngste der Anwesenden, nämlich Bernhard von Bothmer, wusste, was eine Jurte ist, ebenso wie nur er den «Uller» kannte. – Man könnte ferner, wenn man nach Realien sucht, dies alles als eine Prophezeiung der Folgen der dem Dichter vor 1928 unbekannten Atomzersplitterung und Atomzusammenballung auffassen.

In der vierten Strophe wird dargelegt, dass das restlose Erforschen der Erde und sein Rationalismus nicht mehr erlauben, dass ein grosser Täter, der hier verkürzend «Riese» genannt wird, in der für ihn nötigen Einsamkeit aufwächst. Als Beispiel dafür werden Romulus und Remus angeführt, die, nach der Sage, von einer Wölfin in steiniger Waldschlucht gesäugt wurden – im «Brand des Tempels» kehrt das Bild einer solchen Wölfin in abgeänderter Form wieder – sowie Napoleon, der in dem damals noch wilden Korsika, dem Kyrnos der Griechen, aufwuchs, und Achilles, der der Sage nach von seiner Mutter Thetis im Alter von neun Jahren nach Skyros zu Lykomedes, dem König der Doloper, gebracht wurde, um von dem damals bedrohlichen Trojanischen Krieg ferngehalten zu werden. Die Doloper wurden oft als ein griechischer Stamm angesehen. Achill wurde auf der Kalkinsel zusammen mit den Töchtern des Lykomedes erzogen und während dieser Zeit – wie manche annehmen – Pyrrha, Issa oder Kerkysera genannt. Alles dies ist in dem einen Wort «Jungfrauenland» zusammengefasst. Der Dichter kannte ferner Hölderlins Übersetzung und Kommentierung des Jason-Fragments von Pindar, nach dem Jason zwanzig Jahre lang von Kentaurenmädchen ernährt wurde und die Erziehung des Chiron genoss, bevor er vor Pelias trat. – Durch das Wort «Jungfrauenland» soll zugleich angedeutet werden, dass es ein häufiger Zug antiker Heroensage ist, dass der Heros als Kind meist nicht im Hause der Eltern aufwächst. Im Kindesalter ist das männliche Geschlecht im Heros noch nicht wach geworden, er zeigt vielmehr gewisse mädchenhaft zarte Züge, deren zeitweise Hervorhebung bis zur Pubertät, nach Ansicht des Dichters, ein wesentliches Element der antiken Erziehung bildet. – Hier mag bemerkt werden, dass der Dichter im Anschluss an Berthold Vallentins Napoleon-Forschung wiederholt darauf hinwies, dass schon Rousseau die Bedeutung von noch wilden Inseln für den Gang der Geschichte erkannt hat. Vallentin selbst nimmt in seinem Napoleon-Buch verschiedentlich auf eine Prophezeiung Rousseaus Bezug, ohne sie wiederzugeben oder zu sagen, wo sie zu finden ist. Nach einer Mitteilung Bernhard Böschensteins ist sie im zehnten Kapitel des zweiten Buches des «Contrat social» enthalten, der im Jahre 1762 zum erstenmal veröffentlicht worden ist. Rousseau preist zunächst die Gerechtigkeitsliebe und den Freiheitsdrang der Bewohner von Korsika – im Altertum herrschte dort die Sitte des Männerkindbettes – und setzt dann hinzu: «J'ai quelques pressentiments qu'un jour cette petite île étonnera l'Europe.»

In der fünften Strophe wird gesagt, dass in der äussersten Gefahr des Unfruchtbarwerdens der Erde die Götter der Erdtiefe, von denen bereits in den «Templern» die Rede war, voller Sorge auf einen Ausweg sannen und dass die olympischen Götter, die hier die «Himmlischen»

441

im Gegensatz zu den «Untern» genannt werden, zur Rettung der Erde ihr letztes Geheimnis preisgaben. Das Wort «letztes» deutet an, dass dies Geheimnis bis jetzt von den Göttern verborgen gehalten worden ist. Es ist das Geheimnis der geistigen Zeugung, die eine Veränderung des Stoffes in sich schliesst, um neuen Raum innerhalb des zu eng gewordenen Raums der Erde zu schaffen. Das hat zur Folge, dass nicht mehr leibliche Zeugung allein ausschlaggebend bleibt, vielmehr der Held und Retter der neuen Zeit durch Sohnschaft der Wahl gefunden und erzogen wird, wie es im zweiten Gedicht des dritten Buches des «Sterns des Bundes» sowie in «Templer» und «Hüter des Vorhofs» zum Ausdruck kommt. Wegen der Begründung der Sohnschaft verfolgte der Dichter die Adoptionsriten der verschiedenen Völker und Zeiten. Er kannte zum Beispiel die vom Abt Guibert in «Gesta Dei» (Paris 1651) beschriebene, offenbar vom damaligen Recht vorgesehene Adoptionsform. Ihn interessierten die geistige Sohnschaft Alis zu Mohammed und die Nachfolgerwahl der Propheten des Alten Testaments.

In der sechsten Strophe berichtet der Dichter, wie und wann er diesen Wandel der Stoffgesetze erkannt hat. Der Gedanke kam ihm, als er, tief vergrämt wie der Vorfahr Nietzsche, eines Mittags auf einem platten Fels am Mittelmeer ruhte. Dem steht nicht entgegen, dass Nietzsche das für ihn entscheidende Erlebnis im Oberengadin auf dem Weg zwischen Sils Maria und Surlej am See von Silvaplana hatte. Es heisst in den «Liedern des Prinzen Vogelfrei»:

> «Hier sass ich wartend, wartend doch auf nichts,
> Jenseits von Gut und Böse, bald des Lichts
> Geniessend, bald des Schattens, ganz nur Spiel,
> Ganz See, ganz Mittag, ganz Zeit ohne Ziel.
> Da plötzlich, Freundin, wurde eins zu zwei
> Und Zarathustra ging an mir vorbei.»

Auch in Hölderlins «Hyperion» ist von einer plötzlichen Offenbarung in der Landschaft die Rede.

An jenem Mittag am Mittelmeer glaubte der Dichter, den «Mittagsschreck», den Meridianus Dämon der Römer, den Mittagsgeist der deutschen Mythologie, der vielfach mit Pan vermischt wird, durch Ölbaumgebüsch vorbrechen zu sehen, fühlte sich von ihm mit dem Tierfuss des «Drud» angestossen und mit den in der siebenten Strophe wiedergegebenen Worten angeredet. Ihnen zufolge soll der Dichter in die Heimat, die heilig genannt wird, also nach Deutschland, zurückkehren, da er mit seinem jetzt geschärfteren Auge dort ursprünglichen, das heisst unentweihten Boden finden wird, der ein Schoss schlummernder Fülle ist und noch heute ein so unbetretenes Gebiet darstellt, wie der finsterste, das heisst dichteste Urwald. Dadurch wird angedeutet, dass für mythisches Geschehen im gegenwärtigen Leben der Deutschen Raum ist. Um die Bedeutung, die volle Tiefe dieser Möglichkeit zu erfassen, bittet der Dichter das Schicksal als Fittich des Sonnentraums, ihn möglichst nah zum Boden des Abgrunds zu tragen. Durch das Wort «Sonnentraum» wird angedeutet, dass es sich bei der geistigen Sohnschaft um eine apollinische, vaterrechtliche Funktion gegenüber der mutterrechtlichen, leiblichen Geburt handelt.

In der neunten Strophe spricht der Dichter von einem Begebnis, von dem er nur durch Dritte hörte, in dem er aber Züge mythischen Geschehens spürte. Der Dichter hat mir gesagt, dass es sich um das Schicksal des jungen deutschen klassischen Archäologen Hans von Prott handelte, den er nicht kannte und von dem er erst nach dessen Tod Kunde erhielt. Prott glaubte in Griechenland eines Morgens gesehen zu haben, wie der Himmel sich öffnete und ihm für einen Augenblick den Anblick griechischer Götter gestattete. Dadurch wurde er mit einem solchen Grausen erfüllt, dass er nicht mehr unter den Menschen seiner Zeit zu leben vermochte und sich selbst durch einen Sprung ins Meer tötete.

Das zweite mythische Geschehen, das jedoch der Dichter selbst miterlebte, wird in der zehnten Strophe geschildert. Er sieht es darin, dass in einer Stadt wie München, in der jedes nichtige Begebnis aus der ganzen Welt für alle Eiler und Gaffer überall bekanntgegeben wurde, es möglich war, dass ausser ihm kein einziger den Gang eines grösseren Geschehens bemerkte, nämlich wie der Dämon, verkörpert in Alfred Schuler, unheimlich durch die Strassen schlich und wie sehr Bau und Pflaster – dies ist eine Anspielung auf Worte in Schulers einzigem, in den «Blättern für die Kunst» veröffentlichten Gedicht – damals bereits wankten.

Gleichfalls mythisch war für den Dichter die Erscheinung Maximins, von dem in der elften Strophe gesagt wird, dass er bei den winterlichen Festen in einem Chiton, vom Dichter mit «Leibrock» übersetzt, in dem erleuchteten Saal stand, geschmückt mit dem Kranz des erhöhten Lebens, als eine Verkörperung des Gottes, die jedoch als solche von fast allen, selbst den Kosmikern, nicht erkannt wurde. Er wird von dem Dichter als Bringer des warmen, hellduftenden Frühlingswehens der neuen Zeit bezeichnet. Übrigens feierten im Norden bereits im siebzehnten Jahrhundert Gelehrte, wie Joseph Scaliger, Fürsten und Bischöfe, wie Ferdinand von Fürstenberg, das Altertum durch Verwendung antiker Gewänder, wie Bilder und Briefe beweisen.

Der «Horcher und Wisser von überall», «der Ballwerfer mit Sternen», der «unfangbare Fänger» der zwölften Strophe ist Karl

443

Wolfskehl. Er hatte nach dem Auftauchen Maximins dem Dichter gegenüber gestanden, dass er dieses Begebnis nicht mehr fasse und deswegen verstumme. Seine Apostelgestalt erscheint hier unter der kugelförmigen Milchglaslampe, die von der Decke des nach ihr «Kugelzimmer» genannten Raumes im Hause Römerstrasse 16 in München herabhing. Pythagoras und Empedocles folgend, sah der Dichter den Kreis und die Kugel als Vollendung aller Formen an.

Dann wurde die nach Ansicht der vielen nicht zu verwirrende Ordnung der völlig durchforschten Erde durch den Ausbruch des ersten Weltkrieges, den der Dichter hier als mythisches Geschehen sieht, plötzlich erschüttert. Die silberhufigen Rosse des letzten Verses der dreizehnten Strophe, die durch das bröcklige, das heisst bereits brüchig gewordene Geröll und den Staub stürmen, sind eine Anspielung auf die Walküren, die bereits als «Fuchtelschwinger» auf «Leichenschwaden» in der vierten Strophe von «Der Krieg» genannt worden waren. Der Sage nach reiten die Walküren in goldenen Rüstungen zu dreien oder vieren oder einer Mehrzahl davon zum Schlachtfeld. «Silberhufe» deutet nicht auf silberne Hufeisen, da Hufeisen aus Metall für gesunde Pferde bei den Germanen erst im Mittelalter gebraucht wurden, sondern darauf, dass der Dichter im Blitzen des Gewitters, das, nach dem Volksglauben, beim Ausreiten der Walküren sichtbar wird, die Hufe der Pferde silberfarben aufleuchten sieht. Der Dichter verbindet hier zwei Auffassungen über die Walküren, nämlich die ältere der Iren, bei denen die Walküren den Krieg ankündende Dämonen, und die spätere nordgermanische, nach der sie Botinnen des Odin, des rheinischen Wotan, des «Wote» des «Kindlichen Kalenders», sind, die Sieg und Tod bringen, die Helden in die Walhalla geleiten und dort bedienen.

Ausweislich der vierzehnten Strophe traf der Dichter nicht lange nach Ausbruch des ersten Weltkrieges einen Jüngeren, der für ihn eine mythische Seite des «Minners» verkörperte. Es war Ernst Glöckner, der dem Dichter und dessen Freunden auf Grund seiner gleichmässig heiteren Ruhe als Liebling des Glückes erschien, bis er spät gestand, dass er sich innerlich verzehrt habe und sein ganzes Leben ein Opfer zur Aufrechterhaltung seines innerlich schwachen und stets schwankenden Freundes Ernst Bertram gewesen sei. In solcher Lebenshaltung sieht der Dichter ein mythisches Geschehen der Gegenwart.

In der fünfzehnten Strophe spricht der Dichter von dem mythischen Verhalten eines Blutsverwandten, nämlich des Saladin Schmitt. Der Dichter hat mir gegenüber betont, dass Saladin Schmitt mit ihm verwandt war, es hat sich jedoch bisher nicht die Art und der Grad der Verwandtschaft feststellen lassen. Der Nachname Schmitt tritt mehrfach im Stammbaum der Mutter des Dichters auf. Das «kostbare Gut», das Saladin Schmitt «entging», ist nähere Beziehung zum Dichter, die Saladin, wie mir der Dichter sagte, vergebens suchte, indem er ihm seine Gedichte sandte, deren Bedeutung jedoch der Dichter erst mehrere Jahre später erkannte. Der Dichter glaubte, ihn einmal, als jener noch sehr jung gewesen sei, von Ferne gesehen zu haben, setzte aber hinzu, dass es ihm nicht möglich gewesen sei, mit Saladin in nähere Verbindung zu treten, denn, als er dies Jahre später versucht habe, sei jener zu scheu gewesen, sich zu zeigen, habe bereits die frühere Art seines Lebens geändert, nicht mehr gedichtet und sich in die Tätigkeit eines Regisseurs und Theaterleiters zurückgezogen. Ich habe einige Jahre später – ungeachtet einer Warnung des Dichters – vergeblich versucht, eine nähere Verbindung zwischen ihm und dem Dichter herzustellen, als ich im ersten Weltkrieg mit Saladin Schmitt in Ostende zusammentraf.

In der sechzehnten Strophe lässt sich der Dichter die Auffassung, dass es sich bei alledem um mythisches Geschehen handelt, durch das alles wissende Gerücht, das hier wie der Argus hundert Augen, nicht wie bei Shakespeare hundert Zungen hat, bestätigen. Der Dichter hat selbst erklärt, dass dies eine Umschreibung für Berthold Vallentin sei, der zusammen mit seinem Freund Friedrich Wolters durch Kurt Breysig nach 1900 zum Dichter gekommen sei und als siebenter in diesem Gedicht geschildert werde. Vallentins alles erforschender, logischer Spürsinn wird, ebenso wie Wolfskehls ekstatisches Erfühlen, als zum Mythos der Zeit gehörend gefeiert.

Mit der siebzehnten Strophe beginnt der Aufstieg zu einer Höhe, von der aus Übersicht möglich ist. Der Dichter sieht das Schicksal diesmal als Gipfel, von dem ihm Sturz droht.

In der achtzehnten Strophe heisst es, dass jeder der Mitlebenden, die hier als Brüder bezeichnet werden, bei dem Mahnwort des Dichters erschrecken muss, da alles, was sie heute preisen und für das Wertvollste halten, in Wahrheit nichts ist als faulendes Herbstlaub und in den Bereich von Ende und Tod gehört (Stern III, 6).

Die letzte Strophe des Gedichtes besagt, dass nur das, was heute noch im schützenden Schlaf und von keinem Taster bisher erspürt tief im innersten Schoss geweihter Erde ruht, was also heute noch als ein undeutbares Wunder erscheint, zum Schicksal für den kommenden Tag, das heisst für eine lichtere Zukunft werden kann.

Das Mythische der Hymne lässt sich im Gegensatz zum Symbolischen des Volksliedes niemals zu einem Sinnbild zusammenfassen. Es ist, wie bereits angedeutet, mehr die Luft oder Ausstrahlung, die das Land und die Geschichte eines Volkes oder ein Sondergeschehen im Leben der Einzelnen umwittert, als ein für die Allgemeinheit ausdeutbarer Vorfall der Gegenwart. Deshalb kann das Mythische in der

Kunst nur indirekt durch Licht und Ton und innere Bewegung wiedergegeben werden. Die drei echten neuzeitlichen Hymnen Stefan Georges – die dritte ist das Gedicht «An die Toten» – beweisen, dass der Dichter zur Erzeugung eines hymnischen Rausches in deutscher Sprache ein stark daktylisches, gebundenes Versmass und nicht freie Rhythmen als am besten geeignet erachtete.

Auf die sechzehn längeren Gedichte, in denen ein neuzeitliches mythisches Erleben sich eine neue hymnische Form schafft, folgen vier «Gespräche». Sie bilden laut Druckanordnung des Inhaltsverzeichnisses den dritten Teil des ersten Buchs des Werkes. – Am Anfang von «Der Gehenkte» sind, nach Aussage des Dichters, etwa fünf Verse im Druck fortgelassen worden, die sich im Nachlass nicht gefunden haben. Sie handelten wahrscheinlich von der Alraunwurzel, die nach dem Volksglauben unter dem Galgen aus der letzten Lebensbezeugung eines Gehenkten erwächst und deren Zauberkraft benutzt wird, um den Toten zum Reden zu bringen, den der Frager vom Galgen abgeschnitten hat. Odin, der in der Prosa-Edda der Herr der Gehenkten genannt wird, pflegt sich unter Gehenkten niederzusetzen. Er kann durch den Zauber der zwölften geritzten und mit Blut rot gefärbten Rune Gehenkte zum Reden bringen. In der germanischen Mythologie wird die Zukunft nicht unmittelbar durch Runenzauber erkundet, sondern dadurch, dass mit Hilfe des Runenzaubers Tote zum Reden gezwungen werden. Die Wahrsagung sollte niemals zur Beweisführung dienen, dies wurde von mittelalterlicher Mystik als Grund dafür angesehen, dass die Bücher der Sibyllen verbrannt wurden und dass Christus auf bestimmte Fragen schwieg. Auch der zwölfte Buchstabe der kabbalistischen Reihe ist nach Eliphas Levy das Symbol eines Gehenkten, der an einem Fuss mit auf den Rücken gebundenen Händen am Galgen aufgehängt ist und dessen Körper ein mit der Spitze nach unten gerichtetes Dreieck bildet, an dem die Beine ein Kreuz über dem Dreieck darstellen.

In dem Gedicht, das inhaltlich nichts mit Baudelaires «Un Voyage à Cythère» zu tun hat, gibt der Gehenkte die Gedanken wieder, wie sie ihm auf dem Weg zur Richtstätte und auf dem Richtplatz gekommen sind. Als alle ihn verwünschen – dies wird durch die Beschreibung ihrer Gesten sichtbar gemacht – erkennt er, während man ihn zum Richtplatz schleppt, der als unheilig ausserhalb der Stadt liegt, dass die ihn Verdammenden fähig sind, den gleichen Frevel wie er zu begehen, und dass der Wunsch zu freveln in ihnen nur durch Angst vor Strafe eingedämmt ist. Worin sein Frevel bestanden hat, wird im Gedicht nicht gesagt. Die Herren vom Rat haben von Amts wegen der Hinrichtung beizuwohnen und das Urteil noch einmal als endgültig zu verkünden, wobei seit alter Zeit als Zeichen der Unwiderruflichkeit und des Todes ein schwarz-weisser Stab zerbrochen wird. Über das Mitleid und den Ekel, den sie bezeigen, lacht der Verurteilte. Er weiss, dass sie nicht wissen, wie sehr sie eines armen Sünders bedürfen, um selbst tugendhaft zu erscheinen. Er «verbrach» – das Wort ist ähnlich gebildet wie «verhört» in «Der Dichter in Zeiten der Wirren» – Tugend, damit sie auf den Gesichtern der Ratsherren und der sittsamen Eheweiber und Jungfrauen desto voller strahlen kann. Als man die Schlinge um seinen Hals legt, sieht er schadenfroh und triumphierend voraus, dass er von dem ganzen Volk eines Tages als Sieger gefeiert wird, dass man ihn in späteren Generationen als Held, auf den man Lieder singt, und sogar als Gott ansehen wird. Hierin liegt eine Anspielung auf das im Gedicht nicht genannte Motiv eines Verbrechens, das zu verschiedenen Zeiten verschieden beurteilt werden kann und beurteilt wird. Das Gedicht endet damit, dass der Gehenkte gewiss ist, die starren Balken des Galgens zum Rad zu biegen, bevor das ihn verurteilende Volk sich dessen versieht.

Das Umbiegen des Galgens zum Rad geschieht hier durch das Gewicht, die Gewichtigkeit des Gehenkten, innerlich und äusserlich genommen. In dem Rad, dem Werkzeug der Bewegung, kann man das Sonnenrad, die Swastika, erblicken, die lange vor Aufkommen des Nationalsozialismus in ihrer antiken Drehrichtung ein auf die «Blätter für die Kunst» aufgedrucktes Zeichen war. Die Swastika erscheint als Fruchtbarkeits-Symbol auf kretischen Tonfiguren von Frauen und ist vielleicht sogar Grundzeichen des westsemitischen Alphabets. Sie ist sowohl chinesisch als auch palästinensisch, sowohl griechisch wie deutsch, wie Schuchhardt darlegt. Nach Jacopo de Floris dient sie als Zeichen für den Antichrist. Ulfilas hat Kreuz mit «galga» übersetzt. Schliesslich mag darauf hingewiesen werden, dass Nietzsche in seinem Gedicht «Unter Feinden (nach einem Zigeunersprichwort)» den Gehenkten lachend schreien lässt, dass es unnütz sei, ihn zu hängen, da er nicht sterben könne. Er nennt das Volk, das ihn hängt, Bettler und betont, dass sie alle sterben werden, während er, obwohl er leidet, Atem, Dunst und Licht ist. Es besteht kein Zweifel, dass der Dichter sowohl die Symbolik des Galgens und der Swastika, als auch das Nietzsche-Gedicht gekannt hat und die darin zutage tretenden Gedanken weiter entwickelt, indem er die Zeitbedingtheit menschlichen Denkens und Handelns in diesem Gespräch, wie auch in den folgenden drei Gesprächen nach verschiedenen Richtungen hin hervorhebt. Das hymnische Element ist in dem Gedicht in der Beschreibung des geahnten, endgültigen Triumphs, der für eine nicht ferne Zukunft vorausgesagt wird, enthalten.

In dem Gespräch «Der Mensch und der Drud» benutzt der Dichter das Wort «Drud» als deutsche Bezeichnung für ein übermenschliches

Wesen, das Ähnlichkeit mit dem antiken Zentaur, Satyr und Faun hat. Ursprünglich bezeichnete «Drud» ein sittenloses Weib, dann wurde es Benennung für einen Alb oder Mahr oder eine Hexe und schliesslich allgemein für ein übermenschliches Wesen. Man sprach von Druden- fuss, dem Märchen von Frau Trude, der Trudennacht, das heisst Walpurgisnacht und dem Truden- oder Drudenstein. Die heutige Schreibweise scheint von einer irrtümlichen Vermischung mit den Priestern, den Druiden der Kelten herzurühren, die die später von den Germanen besetzten Gebiete Deutschlands bewohnten. In dieser Weise hat sich «der Drud» von einem weiblichen Nachtgespenst, das den Schläfer beängstigt, einen meist bösen Zauber treibt, zum Gefolge der Göttin Holda gehört und durch den fünfeckigen Drudenfuss oder einen vom Wasser plattgeschliffenen Drudenstein mit natürlichem Loch in der Mitte abgewehrt wird, in einen faunähnlichen Geist verwandelt.

Der Dichter lässt den Drud als Verkörperung der Naturkraft in einer Flusslandschaft vor einem Menschen plötzlich erscheinen. Hölderlin setzt den Zentauren und seine Wirksamkeit einem Fluss gleich, und Kretschmer hat das Wort Zentaur auf «Wasserpeitscher» zurückgeführt. Dieser zentaurenähnliche, faunische Geist zeigt sich dem auf der Jagd befindlichen Menschen an einer Stelle, an der ein Wasserfall das enge Bachbett sperrt und somit das Tal seiner Betäti- gung endet. Dass der Mensch, der hier im Gespräch mit dem Drud dar- gestellt wird, bereits einer Kulturepoche angehört, wird nicht nur durch die Beschreibung seiner Taten, die er selbst gibt, sondern weiterhin auch dadurch deutlich gemacht, dass er bereits ein Geschoss besitzt, mit dem er den Drud zu töten droht. Er sieht den Drud mit kraushaarigem, gehörntem Kopf auf dem fetten Moos des Felsens sitzen und seine Ziegenfüsse in die Wellen strecken. Er hat noch nie- mals, obwohl er die Jagd schon lange ausübt, im Waldgebirge ein ähnliches Wesen erblickt. Doch hat er von dem Drud verwandtem Volk in Geschichten aus der Vorzeit gehört, ohne zu glauben, dass ein – wie ihm scheint – so hässliches Ungetüm jetzt noch lebt. Durch Drohungen will er den Drud zwingen, ihm nichts zu verbergen. Auf den Vorwurf des Menschen, dass das Dasein des Drud heute nutzlos sei, er- widert der Drud, dass ohne ihn, ohne das Fortbestehen der in ihm ver- körperten, noch nicht zerlegbaren Naturkraft, die Erde keine Nahrung für den Menschen tragen kann und dass, wenn der Mensch in das letzte, das Walten der Naturkraft schützende Geheimnis – hier als «Dickicht» geschildert – gebrochen sein wird, die Quellen kein Wasser mehr geben werden, so dass der noch tödlicher als Hunger wirkende Durst das Menschengeschlecht vernichten wird. Der Mensch betont demgegen- über, dass er durch seinen Geist ein Wesen höherer Artung ist und dass er deshalb die vom Drud vorausgesagte künftige Not ebenso

448

überwinden wird, wie er sich bisher gegen Kräfte, die ihm entgegengestanden haben, durchgesetzt hat. Sein Geist hat ihm die Mittel verliehen, die Ungeheuer der Vorzeit, die sein Leben bedroht haben, zu vernichten, den Hochwald auszuroden und fruchtbares Land zu gewinnen, Sümpfe in Getreidefelder und Wiesen für das zahme Rind zu verwandeln, Gehöfte, Städte und Gärten erstehen zu lassen, genügend Forste für jagdbare Tiere zu erhalten, Schätze aus Schächten und Wassertiefen zu holen und die Siege seines Geistes in und auf Steinen für alle Zeiten zu verkünden. Er betrachtet sich selbst als Verbreiter von Ordnung und Licht, während er den Drud für nichts als ein Überbleibsel schreckenerregender Wildnis hält.

Der Drud erwidert, dass seine Kraft erst dort zu wirken beginnt, wo die des Menschen endet, dass der Mensch den Rand, das heisst das Ende des ihm Zustehenden, erst dann spürt, wenn er bereits für Überschreitung seiner Macht zu büssen hat. Die Fruchtbarkeit des Landes beruht letzten Endes nicht auf Taten des Menschen, sondern auf der Kraft der Natur, die die Erden so gemischt hat, dass sie im gewöhnlichen Lauf der Dinge nicht zerfallen und unfruchtbar werden. Wenn aber eines der durch Natur zusammengefügten Glieder der Erde dem «Ring» entfällt, zergeht die Fruchtbarkeit der Erde. Dass dies als Folge des Tuns des Menschen geschehen könnte, wird von dem Drud dadurch angedeutet, dass er sagt, nur zur rechten Zeit sei das Walten des Menschen gut. Er fordert ihn auf, von ihm fort- und zurückzugehen, nachdem er den «Drud» gesehen und dadurch gelernt hat, dass das Schlimmste ihm bevorsteht, wenn sein Sinn, der vieles zu verrichten vermag, die Verbindung mit der Erdscholle verliert und sich so in Wolken verfängt, dass er das Empfinden für die natürlichen Erscheinungsformen des Daseins verliert. Der Drud zeigt somit dem Menschen die Begrenztheit des menschlichen Geistes.

Nach Ansicht des Dichters können es nur besonders kräftige Seelen ertragen, die eignen Grenzen zu erkennen, ohne dadurch gelähmt zu werden. Im Gedicht sucht sich der Mensch dadurch zu helfen, dass er annimmt, die Götter würden für seine Erhaltung sorgen, falls die Voraussagen des Drud eintreffen sollten. Der Drud erwidert, dass seine eigne Artung niemals von den Göttern redet, während Menschen stets in der Hoffnung leben, dass die Götter ihnen im Fall höchster Not unmittelbar zu Hilfe kommen würden. In Wahrheit, so sagt der Drud, wissen die Menschen nicht, als wessen Geschöpf sie geboren werden und sterben, wie es im vierten von den Liedern heisst, und dass nur durch Mittler ihnen der Wille der Götter kund wird. Der Dichter notierte sich das folgende Fragment Friedrich Schlegels: «Die Natur des Universums kannst du unmittelbar fühlen, unmittelbar denken, nicht aber die Gottheit. Der Mensch unter Menschen kann göttlich dichten und mit Religion leben. Sich selbst kann niemand auch nur seinem eignen Geiste Mittler sein, weil dieser schlechthin objektiv sein muss, dessen Zentrum der Anschauende ausser sich setzt. Man wählt und setzt sich den Mittler, aber man kann hier nur den wählen und setzen, der sich schon als solcher gesetzt hat. Ein Mittler ist derjenige, der Göttliches in sich wahrnimmt und sich selbst vernichtet und preisgibt, um dieses Göttliche zu erkunden, mitzuteilen und darzustellen allen Menschen in Sitten, Taten und Worten. Erfolgt dieser Trieb nicht, so war das Wahrgenommene nicht göttlich oder nicht eigen.» Der Dichter glaubte, dass der neutestamentliche Gedanke des Mittlers auf antiken Anschauungen beruht. Die Tatsache, dass Christus in frühen Katakombenbildern als Kind unter den viel älteren Jüngern gemalt und in gleicher Weise auf einem kleinen Elfenbeinkasten in Brescia, den Wilhelm Stein erwähnt, dargestellt ist, brachte er mit dem antiken Brauch zusammen, nach dem Mittler stets sehr junge Wesen waren.

In dem Gedicht hält der Drud sich selbst für einen Mittler zwischen Gott und Mensch, deshalb sagt er, dass der Mensch, der ihn wegen «zuchtlosen Spiels» zu vernichten wünscht, ihn bald innen rufen wird. Eine sachliche Erwiderung hierauf findet der Mensch nicht, er weiss nur zu schmähen und zu drohen, dass er den Drud mit seinem Geschoss – das Wort ist so weit gewählt, dass es jede geschleuderte Waffe umfassen kann – töten würde, wenn jener nicht trotz seiner Missgestalt menschlicher Form noch zu nahe wäre. Das letzte Wort in dem Gespräch hat der Drud. Ebenso wie das Tier nicht Scham kennt, kennt der Mensch nicht Dank und lernt niemals, was ihm am meisten zu tun frommt, nämlich still zu dienen, wie es die Naturkräfte und ihre Verkörperer seit Urzeiten tun. Wenn sie getilgt sein werden, wird auch kein Raum mehr für den Menschen vorhanden sein. Das Geheimnis ihrer Wirksamkeit ist nicht durch Schlüsse menschlicher Vernunft allein zu erklären – Leben auf der Erde wird letzten Endes durch einen Zauber wach gehalten. Hierin tritt der hymnische Charakter des Gedichtes zutage.

Das Gespräch zwischen Christus und dem römischen Hauptmann Philippos ist vom Dichter erfunden und hat nichts mit dem gleichnamigen Jünger Christi zu tun. Der Dichter, der gewöhnlich die lateinische Form griechischer Namen als im Deutschen üblich geworden bevorzugt, setzt hier die griechische Form, weil das ganze Gedicht den griechischen Charakter hervorhebt. Ort und Zeit des Gespräches werden nicht näher angegeben. Der Hauptmann fühlt sich seelisch bedrängt und motiviert damit seine Fragen an Christus. Er weiss, dass Christus es als seine Aufgabe betrachtet, seinen Folgern das Brot des Abendmahls zu bringen, hofft aber, dass jener auch Fremden die Krumen des

Brotes nicht verwehren wird. Daraufhin gestattet ihm Christus, seine Fragen zu stellen. Die erste von ihnen ist, ob die Wunder, die man Christus nachrühmt, tatsächlich geschehen sind. Christus erwidert, dass der ein Kind ist, der ihr Geschehen, um selbst zu glauben, verlangt, ebenso wie der, der an ihrem Geschehen Anstoss nimmt. Glaube, das heisst hier seine eigne Glaubenskraft und die des Volkes, vor dem die Wunder geschahen, habe geholfen, sie geschehen zu lassen, Philippos sei jedoch nicht dazu geschaffen, in sich selbst eine Wandlung durch Erleben des Wunders zu spüren. Das Wort «bedräuen» weist zurück auf das Bedrängtsein der Seele, von dem der Hauptmann gesprochen hat. Der Dichter notierte sich ohne Quellenangabe: «Das reale Wunder als volkstümliche Substitution der realen, aber unbegreiflichen Vorfälle. Bericht des äusseren Wunders gibt mehr Aufschluss über die Realität, als die Realität der sogenannten nackten Tatsachen – diese richtig wiederzugeben, ist der Bericht meist unfähig.» «Das Wunder nicht mehr glauben – Einfluss schlechter Denkgewohnheiten.» Ferner Nietzsches Ausspruch: «In einigen Jahrhunderten ist bereits alles verinnerlicht.»

Philippos weiss auf die Worte Christi nichts zu erwidern, stellt vielmehr die zweite Frage, warum Christus nicht zu den Weisen, sondern zu «ärmsten Leut» – dies ist eine Ausdrucksweise im heimischen Dialekt des Dichters – nämlich Fischern und Zöllnern spreche, die in Wahrheit zu wenig gebildet seien, um das Licht Christi wahrzunehmen. Die Antwort lautet, dass Kluge und Blöde, in gleicher Weise hilflos geworden, zu Gott beten, da es Zeiten gibt, in denen alle menschliche Weisheit nichts bedeutet und die Erlösung der Welt nur aus entflammtem Blut kommt. Durch die Worte «entflammtes Blut» wird auf die seelische Lebenssubstanz des Menschen hingewiesen, die nach Ansicht des Dichters noch stark genug sein muss, um zu Begeisterung entflammt zu werden.

Philippos geht zur dritten Frage über, die er damit einleitet, dass er Erlösung seiner bedrängten Seele gesucht habe, indem er die allgültigen, das heisst die ethischen Gesetze, die im Grunde für alle antiken Religionen die gleichen seien und deren Innehaltung auch Christus verlange, von Jugend an befolgt habe. Diese Worte erinnern an den Beginn der Erzählung vom reichen Jüngling in den Evangelien, so dass man vielleicht das Gedicht als eine Weiterführung jener Erzählung ansehen könnte. Ebenso wie der römische Hauptmann, begehrt der reiche Jüngling nach ewigem Leben, vermag sich aber nicht von seinen irdischen Gütern zu trennen und wendet sich deshalb traurig von Christus ab. Der Dichter fordert mehr, indem er sagt, dass selbst jemand, der alles aufzugeben bereit ist, wie der Hauptmann, nicht erlöst werden kann, wenn sein Blut nicht mehr die Kraft des

Glaubens hat. Es ist die Kraft des Glaubenkönnens, die den blinden Bettler sehend macht. Im Gedicht betont der Hauptmann seinen Willen, sich, im Gegensatz zum reichen Jüngling, ganz zu geben. Er hat bisher alles getan, was ihm zu seinem Ziel hätte verhelfen können. Er hat Unterricht der grossen Redner seiner Zeit genossen, auf seinen Reisen die geheimen Einweihungsriten des Mithras in Persien, der nach einer Mitteilung Dietrich von Bothmers in Engyion in Sizilien verehrten Mütter, von denen Plutarch und Diodor berichten, sowie der vier oder drei Kabiren auf Samothrake an sich selbst erfahren und zusammen mit den Gymnosophisten an den Quellen des Nils Sühnebräuche vollzogen. Dadurch hat er gelernt, dass der Kern aller dieser Lehren der gleiche ist. Seine dritte Frage an Christus lautet, ob jener ein anderes Heil in anderer Weise zu bringen verspricht. Christus erwidert, dass die Antwort auf diese Frage sich schon daraus ergibt, dass der römische Hauptmann ihn aufsucht. Diese Antwort ist ausweichend, nachdem Christus bereits erklärt hat, dass Philippos nicht mehr genügend innere Kraft besitzt, um mit Hilfe des Glaubens das Richtige zu erkennen.

Philippos stellt sodann die vierte Frage, ob Christus jemals den Reigen geschlungen hat, der in allen Mysterien dem Schauen des Höchsten im heiligen Bezirk vorauszugehen hat und dessen Führer die Einung mit dem Gott vermittelt. Der römische Hauptmann fragt, ob die Weihen, die das Erfordernis eines heiligenden Tanzes voraussetzen, irrig sind. Nach Lucian gibt es nicht eine griechische Mysterienfeier, die ohne Tanz vollzogen worden wäre. – Christus erwidert im Gedicht, dass die Weihen nicht irren, dass aber die Annahme, er habe den Reigen niemals geschlungen, irrig sei. Er habe ihn nach dem Liebesmahl mit der ganzen Schar seiner Jünger getanzt, es sei jedoch jetzt nicht an der Zeit, die Deutung dafür, die den Mittler selbst betreffe, zu geben, denn die Menschheit benötige gegenwärtig nur seiner Glut, das heisst seiner Ausstrahlung, nicht aber der Erkenntnis seines Wesens. Es müssten Äonen vergehen, ehe jemand fähig sein werde, die ganze Fülle des Bundes, nämlich den Christ im Tanz, voll zu erkennen. Dies geht zurück auf die apokryphen Tanzliedfragmente Christi und die Reigenbeschreibung in den «Johannes-Akten», die Edgar Hennecke dem ekstatischen Kulttanz antiker Mysterien gleichsetzt. In der mittelalterlichen deutschen Mystik erscheint nicht das Bild von Christus im Tanz, sondern des zum Tanz für die Seele aufspielenden Christus, und es wird nicht Christus in seiner ihn mit Gott einenden Ekstase, sondern die durch Liebe zu Christus erzeugte Ekstase der menschlichen Seele hervorgehoben.

Hierauf stellt der Hauptmann die fünfte Frage, ob Christus das letzte, das heisst das ewige Reich bringe. Christus verweigert die

Antwort mit der Begründung, dass der Geist des Hauptmanns ebenso verwirrt wie bisher bleiben würde, wenn er die Antwort vernehmen würde. Knieend bittet Philippos, von Christus aufgenommen zu werden. Christus lehnt dies mit der gleichen Begründung ab, die bereits allen seinen Antworten zugrunde gelegen hat, nämlich der, dass das Blut des Hauptmanns nicht mehr genügend Kraft habe, um die Glut des Glaubens zu spüren und zu ertragen. – Der Dichter nahm an, dass das Blut der Sitz der seelischen Substanz sei und ein Zudünnwerden des Blutes die heutige Abnahme der Fähigkeit, mit wahrer Intensität zu glauben und zu lieben, verursacht habe. – Der «Christ» ist eine im ganzen Mittelalter in Deutschland übliche Form für die Benennung von Christus. Die antiken Kulten nahen Riten früher christlicher Sekten, zum Beispiel der Naassener, von denen Reitzenstein in «Poimandres» berichtet, interessierten den Dichter besonders. Er notierte sich Goethes Bemerkung zum «Phaëton» des Euripides: «Wo einmal eine Lebensspur aufgegangen ist, hängt sich manches Lebendige daran.»

«Der Brand des Tempels», das längste der vier Gespräche, hat den Wandel einer Kultur zum Gegenstand. Ihr Zentrum stellt ein Tempel dar, in dem die Sprechenden, die sämtlich Priester sind, leben. Der Vorgang, von dem durch Dritte im Gedicht mittelbar wie im Epos und Drama der Griechen berichtet wird, lässt sich nicht auf eine bestimmte Geschichtsepoche festlegen, da ein von aussen kommender Eroberer in allen geschichtlichen Zeiten erscheinen kann und erschienen ist. Es handelt sich um einen Wechsel im Herrschafts- und Kultursystem, bei dem Kulturgüter geopfert werden müssen, um das Lebensnotwendige auf neuer Grundlage zu erlangen. Der älteste Priester, der die Ausbreitung und das Blühen der bisherigen Kultur des Landes miterlebt hat und von der gegenwärtigen Not des Landes berichtet, klagt, dass man vor der Stadt an den Wällen Steine aufreisst, um Gras zu säen. Das Wort «aufreissen» deutet auf die Entfernung von Steinen aus gepflasterten Strassen, und die Grassaat kann zur Ernährung von Vieh, im äussersten Notfall sogar von Menschen benutzt werden. Dieser Bericht des ältesten Priesters lässt den nächst ältesten ersten Priester, der ebenso wie der zweite Priester vom Geschehen in der Vergangenheit Kunde gibt, daran zurückdenken, dass zwölf Jahre früher der damalige alte, geistesverwirrte König der offenbar erblichen Monarchie des Landes mit seinen eignen Händen Wurzeln in das trockene Erdreich steckte, in der Hoffnung, dadurch einem grossen Misswachs abzuhelfen. Der zweite Priester spricht sodann von den Ursachen des jetzigen Unglücks des Landes. Die eindringenden Heunen – das Wort deutet auf Riesen, das heisst hier scheinbar Unbesiegbare, und nicht auf die historischen Hunnen –

sind in der Schlacht am Roten Feld – das ist wieder die vom Dichter bevorzugte allgemeine Charakterisierung durch Farbangabe – siegreich
gewesen. Der Fürst und Führer des Landes ist fliehend gefallen, und
der Eroberer in die Burg eingezogen.

Hiermit beginnt die Schilderung des fremden Eroberers, der die
bisherige Kultur als unheilvoll für das Land erachtet und sie deshalb
bewusst vernichtet. Er stürzt an einem einzigen Tag, was viele Jahre
des Aufbaus benötigt hat, hält seine Horden, wie der von der Gegenwart berichtende dritte Priester hervorhebt, in strenger Zucht,
befriedigt das Nahrungsbedürfnis des stumpfen unteren Volkes, das
sich an dem Untergang der oberen, bisher herrschenden Schichten
weidet, erscheint dem mürbgewordenen Adel bereits unbesiegbar und
lässt Billigkeit an Stelle von parteiloser Gerechtigkeit walten, weil er
zu kühl zum Hassen ist. Auf die Forderung der Handelsherren, die sie
erdrückenden Steuern zu mildern, hat er entgegnet, dass, wer unter
ihm nicht leben könne, sterben müsse. Den Frauen, die um Nahrung
für ihre Neugeborenen bitten, hat er sagen lassen, dass es besser sei, die
Geburten von verantwortungslosen Weibern, die ohne Rücksicht auf
Umstände der Eltern und die Erfordernisse der Zeit erfolgten, sogleich
zu ersticken. Die Bitten der Priester um den Schutz ihres Heiligtums
hat er mit der Begründung abgewiesen, dass sie nicht mehr fähig seien,
die Fäulnis des Landes zu heilen. Götter, die nicht mehr helfen könnten,
Bücher und Bilder, das heisst Kunstwerke, die nicht mehr erheben
könnten, seien nur Wust, von dem man das Land befreien müsse.
Solche Reden stossen die meisten ab, machen ihn indess bei den giftigen Eiferern beliebt, gegen die die bisherigen Gesetze des Landes zu
mild und schonend gewesen sind. Sein Wort ist schmucklos und rauh,
lässt keine Antwort zu und ist schlagend wie ein Blitz. Um dies im
Gedicht deutlich zu machen, werden durch Dritte Worte des Eroberers in direkter Rede wiedergegeben. Hölderlin würde die Worte
dieses Eroberers auf Grund seiner Darlegungen zur «Antigone»
«tödlich faktisch» im Gegensatz zu «tötend faktisch», genannt haben.

Nach der Schilderung des früheren Verhaltens des Eroberers
gehen die Sprechenden zu einem Bericht über seine Person und
Herkunft über. Sein Alter und seinen wahren Namen kennt niemand und keiner hat ihn mit abgenommenem Helm gesehen. Er lebt
so mässig wie ein armer Mann, hat für Schmeichelei kein Ohr, betet vor
einem rohen Stein – dies deutet auf den Beginn einer Kultur, wie denn
der Stein nach Nietzsche den Gott «birgt und verbirgt», selbst bei
Statuen Sitz des Numen, der göttlichen Kraft bleibt und bei den
Griechen Eros ursprünglich als Stein verehrt wurde. Der Eroberer
sieht zeitlos, das heisst alterslos aus, sein Heer, das ihm, ohne nach
Gründen zu fragen, gehorcht, erkennt ihn als «Gebieter» an. Seine

alte, noch lebende Mutter ruft ihn «Sohn», er selbst bezeichnet sich als «Geissel Gottes», wie Attila genannt wurde. Sein Freund spricht zu ihm, wenn beide allein sind, mit einer Anrede, die wie «Ili» klingt. – Kurz nach Erscheinen des «Neuen Reichs» machte ich den Dichter darauf aufmerksam, dass ich gelesen hatte, dass Lenin lautähnlich von den Russen «Ilitzsch» genannt wurde. Der Dichter, dem das Lesen dieses Gedichts, wie er gestand, immer von neuem ein Grausen brachte, errötete vor Erregung und versicherte, dass er beim Niederschreiben des Gedichtes nichts von dieser Lautähnlichkeit gewusst habe. Er sei nur seiner Phantasie gefolgt, habe einen gewissen Klangzauber hervorbringen wollen und weder an geographische Bezeichnungen Ili noch an Virgils Ilus als Städtegründer oder Ilia als Mutter von Romulus gedacht. – Die im Gedicht genannten Personen heissen Clelio, Phrixos und Pamfilia. Ich fragte den Dichter, ob in diesen in verschiedenen Epochen üblichen Namen eine Andeutung auf Ort oder Zeit der Begebenheit zu sehen sei. Er verneinte dies und erklärte die Namen als aus einem Drama stammend, das er in der Jugend geschrieben habe. Er wollte damit also offenbar einen Kreis der inneren Entwicklung schliessen. Solche Namen erscheinen nicht in «Phraortes» und ein Drama, in dem sie genannt wären, hat sich im Nachlass nicht gefunden. Walter Lindenthal verweist auf die Bedeutung von φρίξ, an die aber eher Goethe in Helenas Worten von «des Gewoges regsamem Geschaukel» denkt. Die Griechen empfanden nach Apollonius Dyscolus die Verbindung von K- und L-Lauten als besonders schön, wie Marianna von Heereman mitteilt.

Im Gedicht folgen sodann die Darstellungen von drei Geschehnissen, die für den Charakter des Eroberers bezeichnend sind. Sein bester Freund Clelio hat sich durch Gold und die Schönheit der Töchter des Landes, die hier wiederum durch Seidigkeit des Haares charakterisiert wird, bestechen lassen und den Gebieter bei einer Beratung über das, was getan werden solle, zu täuschen versucht. Jener merkte es, sprach drei Tage nicht zu dem Freund, der bisher sein einziger Vertrauter gewesen war, und erinnerte ihn dann daran, dass sie sich gegenseitig nach einer gewonnenen Schlacht versprochen hätten, einer werde eine Bitte des anderen unbedingt erfüllen. Die Bitte des Gebieters geht dahin, dass Clelio sich selbst richten möge, damit er ihn nicht richten müsse. Daraufhin stürzte sich Clelio ins Schwert.

Die greise Mutter – sie ist der Mutter des Dichters ähnlich geschildert – hatte das Schicksal des besiegten Landes zu mildern versucht. Jetzt hat sie der Gebieter jedoch in ein Kloster nah den Wäldern verwiesen mit der Begründung, dass die Frau nur in der Zeit der Zelte und Züge Stimme im Rat haben darf, in der Zeit der Sesshaftigkeit, das heisst der festgebauten Paläste, aber zum Untergang der Herrschaft beiträgt, wenn ihre Stimme im Rat Geltung hat. Sie hat ihn dadurch zu rühren versucht, dass sie ihn an ihr Tun in der Vergangenheit erinnerte. Kurz nach seiner Geburt stellte ihm sein Onkel, der ihn fürchtete, nach, wie es von vielen Helden der Antike berichtet wird. Sie floh mit dem Kind und dem treuen Phrixos über die verschneiten Berge. Als ein Paar von Wölfen sie anfiel, erstach Phrixos den einen, und sie legte das Kind auf den noch warmen Leib des Tieres, so dass es Blut zugleich mit der Milch schlürfte. Das ist eine Abänderung der Romulus-Sage. – Sie erinnert ihren Sohn ferner daran, dass sie ihn aus dem engen Felstal, in dem er aufwuchs, auf langen und beschwerlichen Wegen zur Höhe trug, damit er in der Sonne erstarke. – Wir wissen, dass die Mutter des Dichters das gleiche mit ihm selbst tat. – Der Eroberer lässt sich durch die von der Mutter geweckten Erinnerungen nicht davon abbringen, ihr das Kloster als Wohnsitz anzuweisen mit dem Versprechen, ihr stets nahe zu sein.

Nach diesen Schilderungen von Geschehnissen in der Vergangenheit führt der Gang des Gedichts wiederum in die Gegenwart, von der die Berichte des vierten und fünften Priesters handeln. Die junge Fürstin des Landes hat sich zu dem Eroberer begeben, um ihn um Schonung des Heiligtums zu bitten. Der vierte Priester berichtet eintretend von dem, was sich zwischen ihr und dem Eroberer zugetragen hat. Er liess die Fürstin wie eine Königin empfangen und hörte sie ruhig an, als sie vorbrachte, es würde seinen Ruhm mehren, wenn er die Wunder des Tempels erhalten würde. Er verneinte jedoch ihre Bitte mit den Worten, dass er gesandt sei, um das Land mit Fackel und Stahl zu härten und um zu vernichten, was die Bewohner des Landes nur schlaffer mache, so wolle es das Recht. Damit ist das ewige Recht, fas, nicht das von Menschen gesetzte Recht, ius, gemeint. – Die Fürstin erwiderte, sie bitte um etwas, das über dem Recht stehe, nämlich um Gnade, die das himmlische Geschenk der Hoheit sei. Nur einen Augenblick zögerte er, dann heftete er sein «keusches, klares Barbarenauge» auf sie und entgegnete, dass der Hoheit Milde dann nicht anstehe, wenn der Sinn des Tuns dadurch verletzt werde. Dies würde hier geschehen, und ihn selbst würde morgen brechen, was heute seinen Willen zu biegen vermöge. Dieser Ausspruch ähnelt der verneinenden Antwort, die Geiserich nach Victor Vitensis den katholischen Bischöfen gab, als sie ihn baten, auch ohne Kirchen ihr Amt weiterführen zu dürfen.

Darauf verliess die Fürstin – so berichtet der Priester – den Saal und sah für sich selbst keinen andern Ausweg, als freiwillig aus dem Leben zu scheiden. Der älteste Priester wünscht sie von dem Gerücht und Verdacht zu reinigen, dass sie den Eroberer seit seinem Eintritt in die

456

Burg geliebt habe. Sie habe sich getötet, weil jener «Hunne» – das
bedeutet hier Barbar – sie in der Entschleierung ihres Flehens und
Weinens gesehen habe und die Erinnerung daran für sie unerträglich
gewesen sei. – Dieser Eroberer bezieht das Schicksal, das er der Umwelt bereitet, stets auf sein eignes Sein zurück, er erachtet sich – und
das ist auch für den Dichter selbst charakteristisch – als das Mass aller
Dinge. – Der fünfte Priester meldet schliesslich, dass das Feuer, das
an den Tempel gelegt ist, bereits an den vier Ecken des Baus hoch-
schlägt. Das Gedicht endet mit dem Ausspruch des ältesten Priesters,
ein halbes Tausend-Jahr müsse vergehen, bis der Tempel neu erstehen
könne. Diese Zeitbestimmung gleicht jener vom fünfhundert Jahre
dauernden Leben des Vogels Phönix, von dem Herodot im zweiten
Buch seiner «Geschichten» spricht.

Die vier Gespräche behandeln die heutigem Tun entgegenwirkenden
Kräfte, die Gegen-Kräfte, welche nach Ansicht des Dichters, heute
zwar misskannt werden, aber unbedingt nötig sind, um den Kreis des
Lebens zu schliessen und dadurch die Lebenskraft zu erhalten. Der
«Gehenkte» verkörpert die Gegentat, der «Drud» den Gegenzauber,
Christus hier den Gegenglauben und der Eroberer zusammenfassend
die Gegenwelt. Die Gegenkräfte stammen aus «entflammtem Blut»
und sind deshalb für das stets zeitbedingte Erfassen des Verstandes
nicht unmittelbar begreifbar. Weil die im «Schlussband» gedruckten
Gespräche nicht derartige Gegenkräfte behandeln, sind sie nicht in das
«Neue Reich» aufgenommen worden. Die Quelle für die mehr die
lyrische als eine dramatische Stilentwicklung zeigenden drei Fassungen der Manuel-Fragmente und für die Prosa der Alexis-Briefe ist
Fallmerayers «Geschichte des Kaiserthums von Trapezunt». Die
Verse der Manuel-Umschreibungen spiegeln eine zitternd zarte, ver-
haltene Liebe und nicht tiefe Gedanken, sie geben von «Erregung
einer ideellen Sehnsucht, nirgends aber von Befriedigung» Kunde,
wie nach Goethes Note Nisamis Gedicht von Medschnun und Leila. –
In den Bildern von «Die Herrin betet», die dem Hohenzollern Friedrich Wilhelm Georg Ernst Prinz von Preussen (1826–1902) als dem
Herrn auf Rheinstein, der das Pseudonym Georg Conrad benutzte,
gewidmet sind, denkt die Betende an das, was die Mägde über sie
raunen, was der Ritter mit dem Falken und der Ritter mit dem Greifen
ihr für den Fall der Heirat versprochen haben, und an alles, was ihr
zweiter Gatte ihr angetan hat, bevor er sich zur Teilnahme am Kreuzzug entschloss. Diese Gedanken werden in der Form von Malereien
altkölnischer Meister geschildert. – Die «Aufnahme in den Orden» ist
eine Ausdeutung des im «Siebenten Ring» und im «Stern des Bundes»
enthaltenen Templer-Gedankens. Die Namen Chrysostomus und
Donatus, nicht aber Hermogenes, erscheinen am Ende von Dantes

XII. Gesang vom himmlischen Paradies. Vielleicht hat der Dichter bei der Wahl des Namens Donatus, ausser an Wortsinn, auch daran gedacht, dass der Schreiber der im Mittelalter unter dem Titel «ars» bekannten Grammatik Donatus hiess.

Mit den in kühlem, abkürzendem Altersstil geschriebenen vier Gesprächen endet eine Reihe, die mit den drei expressionistisch gesehenen und gefassten «Legenden» der «Fibel» begonnen hat. Sie handeln vom Erleben erster Liebe in drei verschiedenen Kulturepochen oder Bildungsphasen der Vergangenheit und sind wiederum mit dem im gleichen Jahr 1889 entstandenen, frühsten, in sich geschlossenen Gedichtkreis, den «Zeichnungen in Grau» nicht nur stilistisch, sondern auch thematisch dadurch verbunden, dass in diesen das Ansteigen aufgespeicherter, noch nicht voll zum Ausbruch gekommener Liebesleidenschaft bei der Jugend der Gegenwart das Leitmotiv bildet.

Die «Sprüche», untergeteilt in solche an die Lebenden und solche an die Toten, bilden das zweite Buch des «Neuen Reichs». Diese meist kurzen Gedichte enthalten die vertrautesten Aussagen menschlicher Nähe und sind aus einem doppelten Grund Sprüche genannt: erstens zeigen sie die Sprüchen eigentümliche Prägnanz und zweitens tönen sie gesprochen, das heisst die Kunst des dichterischen Gestaltens ist in ihnen so weit getrieben, dass sie selbstverständlich und aus der Sprechweise des täglichen Lebens stammend wirken. Solche Art des Sagens ist eine Weiterentwicklung des Stils des «Sterns des Bundes» und unterscheidet die «Sprüche» von den «Tafeln» des «Siebenten Rings».

Die ersten acht Sprüche, die die erste Gruppe dieses Teils bilden, tragen keine Initialen, sind aber trotzdem bestimmten Personen gewidmet, über deren Einzelschicksal hinaus sie jedoch ein Allgemeingültiges enthalten. Der erste Spruch ist an Woldemar Uxkull gerichtet, dessen meist abgekürzt gebrauchter Vorname sich aus den Anfangsbuchstaben der fünf Verse ergibt. Von seiner frühen Jugend handelte das dritte Gedicht «An die Kinder des Meeres». Ihm wird vorgehalten, dass er, wie Heracles, jetzt im Alter von achtzehn Jahren, in dem er zum Mann gereift ist, an einem Kreuzweg steht und die für sein Leben entscheidende Richtung zu wählen hat. Bisher ist er durch seinen Erzieher geleitet worden, der ihm auch jetzt den Weg weist, ihn aber nicht davon entheben kann und will, die notwendige endgültige Wahl nach eignem Ermessen zu treffen.

Der zweite Spruch bezieht sich auf Bernhard Uxkull. Der Dichter fühlt, zitternd vor noch nicht Wort gewordenen Klängen, ein unergründbar dunkles Geschick nahen. Der Bewidmete wird gebeten, zu warten, bis er das Rätselhafte ergründen kann, und den Versen des

Dichters, deren Seele er genannt wird, zu lauschen. Das deutet vielleicht auf ein Vorgefühl des Dichters vom frühen Tod dieses Freundes. Das dritte Gedicht ist gleichfalls zu Bernhard Uxkull gesprochen. Seine Nähe zum Dichter wird symbolisch durch das Bild eines taufenden Tauchens in einen Strom bei Nacht dargestellt. Taufe, bei der der Atem unter Wasser angehalten werden muss, deutet auf geistige Neugeburt. Eine Taufe erfordert das Abwerfen aller äusseren und inneren Hüllen. Nach den Oxyrrhynchos Papyri wurde Christus von den Schülern gefragt, wann er sich ihnen offenbaren und sie ihn erkennen würden. Christus antwortete: «Wenn ihr die Kleider ablegt, ohne Scham zu fühlen.» – Es sind die Geste der Hand und das Wort des Mundes des Dichters, die den Wert des Jüngeren bezeugen, dies ist hier der Sinn von «proben».

Der im vierten Gedicht Angeredete ist Adalbert Cohrs. Ihm wird bedeutet, dass er die Gabe des Dichters, die er als unverlierbar geniesst, noch nicht voll zu schätzen vermag, da er nicht weiss, wie und warum sie gerade ihm zuteil geworden ist und inwieweit er sie allein besitzt. Ausweislich des fünften Spruches erkennt Adalbert Cohrs noch nicht, dass das, was ihm geschehen ist, innerlich zwar ein Wunder, aber noch nicht Erfüllung, sondern erst der verheissungsvolle Beginn ist, der durch ein von ihm erwartetes, künftiges Tun, nämlich durch seine Lebenshaltung, zur doppelt wertvollen und einzig schönen Erfüllung werden kann. Der sechste Spruch handelt davon, dass Liebe kein Mass kennt und dass Adalbert Cohrs das Grosse gross getan hat. Ehrfurcht hingegen kennt Grade, und der Dichter betont, dass er tiefer zu ehren weiss als der jüngere Freund, der dies vielleicht durch sein grosses Tun auszugleichen versucht. Goethe unterscheidet die Ehrfurcht an sich von jener vor dem, was über und unter uns ist. Er sagt, dass Ehrfurcht ein höherer Sinn sei, auf den alles ankomme, «damit der Mensch nach allen Seiten Mensch sei». Ungern entschliesse sich der Mensch zur Ehrfurcht, nur besonders Begünstigte entwickelten sie aus sich allein, den meisten Menschen müsse sie anerzogen werden.

Das siebente Gedicht, gleichfalls an Adalbert Cohrs gerichtet, legt dar, dass das, was ihn selbst betrifft, mag es ihm heute auch noch nicht klar sein, deutlich für ihn werden wird, wenn der Dichter einen Dritten, der heute den Reiz der individuellen Freiheit von inneren Bindungen dem Bewidmeten gegenüber preist, aus der Gefolgschaft entlässt. Die Folgen des Abirrens von dem Feuer der Mitte waren bereits im dritten Gedicht des dritten Buches des «Sterns des Bundes» geschildert und von dem zeitweisen Lautwerden der Sehnsucht nach individueller Freiheit handelte das vierte Gedicht des «Vorspiels». Die zweite Strophe des Spruches enthält die Antwort des Bewidmeten auf die in der ersten Strophe wiedergegebenen Worte des Dichters.

Sein Zweifeln, so sagt der Bewidmete, wird nur von kurzer Dauer sein, und er wird es mit dem Hingeben von allem, was er innerlich besitzt, sühnen.

Der achte Spruch ist für Bernhard Uxkull bestimmt. Der Dichter bittet ihn nochmals, zu warten, bis sich ihm selbst die Lösung der schon im zweiten Spruch erwähnten Rätsel zeigen werde. Die Hand, von der der erste Vers der zweiten Strophe spricht, ist – ebenso wie im dritten Spruch – die des Dichters. Der Bewidmete erfüllt gegenwärtig ganz das, was der Dichter von ihm erhofft. Wenn er es auch noch morgen erfüllen kann, wird das Leben zum Fest erhoben und Deutschland, als das Land, in dem es sich abspielt, des höchsten Preisens würdig sein. Dies bezieht sich darauf, dass Bernhard Uxkull, wie Stefan George damals bereits erkannt hatte, in Haltung und Werk ein Dichter von grosser Begabung war.

Die folgenden siebzehn Sprüche, die den Anfang der zweiten, mit den Gedichten an B. v. St. schliessenden Gruppe bilden, tragen die Initialen derer, denen sie gewidmet sind, weil sie Sonderheiten in deren Leben betreffen. Die drei ersten dieser Sprüche sind für Adalbert Cohrs gedichtet, dessen Tathaftigkeit der Dichter bewunderte, ohne ihre Gefahren zu unterschätzen. Der Dichter hat bisher zwar die Worte dieses jüngeren nicht dichtenden Freundes vernommen, aber noch nicht das Klingen seiner Seele gehört. Er warnt den Freund, dass wenigstens ein volles stürmisches Jahr hindurch der eine im andern leben müsse, um die innere Bindung aneinander herzustellen. Er fragt ihn, ob er trotz solcher Schwierigkeit bereit sei, das Wagnis auf sich zu nehmen. Ausweislich des zehnten Spruches besteht der wesentliche Unterschied zwischen dem Dichter und Adalbert Cohrs darin, dass der Jüngere kühn und schön in seinem Bezirk frei zu schalten liebt und nicht erstaunt ist, wenn dabei der Kreis, den ihm das Schicksal gewährt, gesprengt wird, während der Dichter sich nur dann frei fühlt, wenn das Gesetz seines Lebens ihn einengt und erst, wenn seine Seele klingt, weiss, wie sehr er liebt. Der jüngere Freund erfüllt alle Pflichten, die menschliches Gesetz ihm auferlegt, aber er hat noch nicht gelernt, vor dem Schicksal Schauder zu empfinden, wie schon im fünften Spruch angedeutet ist. Deshalb vermag er nicht zu fühlen, dass der Dichter ein ihm nahes Glück leise trauernd an einem bestimmten Advent – der Ausdruck ist hier rein zeitlich gebraucht – ihm zu opfern gezwungen war. Worin dieses erwartete Glück bestand, wird im Gedicht nicht gesagt. Der folgende Spruch an Adalbert Cohrs enthält die Warnung, sich nicht aufzulehnen, wenn er jetzt den zweiten Teil jeden erhöhten Lebens, nämlich Gefahren auf sich zu nehmen habe, nachdem er den ersten Teil solchen Lebens mit seinem Glück, Rausch und Schwärmen voll genossen habe.

Das erste der drei an Bernhard Uxkull gerichteten Gedichte spielt mit den Worten «nächtlich am Tor» auf Bernhard Uxkulls zweites Sternwandel-Gedicht in der elften und zwölften Folge der «Blätter für die Kunst» an. Er wird, wie in den vorher an ihn gerichteten Sprüchen, vom Dichter erneut gebeten zu warten, bis das Tor vor beiden sich öffnen wird, da nur ein von innen erschallender Ruf, nicht aber Sehnsucht oder Gewalt Einlass gestattet. Im folgenden Spruch wird Bernhard Uxkull als Dichter gefeiert. Traum stellt die Verbindung zwischen ihm und Stefan George her. Beider Träume geben jedem Ding besondere Farbe, besondere Form sowie den echten Namen, und das Dichterwort des jüngeren Freundes, aus Traum geboren, verwandelt die Umwelt in Klang. Die letzten Worte des Gedichts sind eine Anspielung auf das sechste Gedicht von Bernhard Uxkulls noch in der Schulzeit gedichtetem Zyklus «Heisse Abende» in der elften und zwölften Folge der «Blätter für die Kunst». Das vierzehnte Gedicht, gleichfalls für Bernhard Uxkull bestimmt, betont, dass der Wert einer gemeinsam erlebten Stunde nicht davon abhängt, ob sie erregende Gedanken geboten hat, vielmehr von der dichterischen Bewegtheit, mit der sie den inneren Raum des Träumens erfüllt.

Der fünfzehnte, auf Woldemar Uxkull abzielende Spruch stellt eine Weiterführung des im ersten der Sprüche enthaltenen Gedankens dar. Dem Bewidmeten wird vorgehalten, dass er sich nicht über die von ihm notwendigerweise zu überschreitende Schwelle durch einen stärkeren Arm hat tragen lassen. Deswegen wird er «gottloses und unwissendes Kind der Zeit» genannt. Der Dichter bezweifelt, dass irgend jemand dem Bewidmeten noch die Kraft geben könnte, die geschlossene Tür, vor der er jetzt wartend steht, aufzubrechen. Im sechzehnten Gedicht wird Woldemar Uxkull gesagt, dass er bereits gewählt habe und dass der leichte Weg, der nach der Kairos-Tafel für jeden nur einmal offen stehe, für ihn bereits versperrt sei. Dass der Bewidmete den schweren Weg gehen werde, sei kaum zu hoffen. Das siebzehnte Gedicht macht Woldemar Uxkull darauf aufmerksam, dass es ein Irrtum sei, anzunehmen, dass man Höchstes mühelos erwerben könne. Dies sei selbst dann nicht möglich, wenn man ein Erbe sei und sich als Erbe fühle. In einem Brief an mich vom Januar 1917 nannte der Dichter diesen Spruch eine allgemein gültige «Regel».

Der achtzehnte Spruch war für Percy Gothein bestimmt. Er hatte den jugendlichen Drang, alles aus eigner Kraft zu erforschen und zu erkennen. Als erster schrieb er die später von Erich Berger fortgesetzten Anmerkungen zur Dante-Übertragung des Dichters. Der Dichter sieht ihn als ungeweiht an und prophezeit, dass deshalb das Schicksal ihm nichts gewähren wird. Das Höchste, was Gott dem Menschen geben kann, habe sich für ihn ereignet und sich sozusagen vor seiner Tür ihm dargeboten, er habe es aber nicht gesehen und nicht gefühlt, so dass er sein Leben lang blind und ein Kind ohne Entwicklung zu bleiben habe. – Die Initialen vor den bisher erwähnten Sprüchen betreffen die Vornamen der Bewidmeten, die dem Dichter so nahe standen, dass er sie und sie ihn duzten. Wenn der Dichter auch Initialen von Nachnamen gibt, deutet dies, wie schon erwähnt, im Regelfall auf ihm ferner stehende, ältere Freunde oder Bekannte, die er als peripherisch bezeichnete.

Der neunzehnte Spruch ist an Gustav Richard Heyer, einen Arzt, der sich mit Psychoanalyse beschäftigte, gerichtet. Seine Geistigkeit wurzelt noch in einer früheren Epoche, so sagt der Dichter, aber seine Haltung und Gebärde, mit der er aus seiner Welt den Dichter in dessen neuem Lebenskreis begrüsst, reicht bis zum Dichter hinüber.

In dem zwanzigsten Spruch wird Hanns Meinke, den der Dichter nicht persönlich, sondern nur durch ihm jahrelang zugesandte Gedichte kannte, darauf aufmerksam gemacht, dass es zwar weise ist, im Getöse der Umwelt sich in Beschäftigung mit Farben und Tönen – «Tongestäb» deutet auf Plektron – zurückzuziehen, dass es aber selbst für den, der am besten die Leier, hier Harfe genannt, spielt, noch weiser ist, zu erkennen, dass, auch nur an Leiern zu rühren, zu manchen Zeiten einen Frevel bedeutet.

Der einundzwanzigste Spruch ist für Ludwig Thormaehlen bestimmt. Schweigen ziemt, wenn man mit der Ausführung einer Tat beginnt, aber jeder starke Drang verlautbart sich. Deshalb ist es das Bestreben des Dichters, auf Worte zu sinnen, die den neuen Weg, den er mit diesem nahen Freund zurückzulegen wünscht, zu beschreiben geeignet sind. Im zweiundzwanzigsten Spruch wird Ludwig Thormaehlen vorgehalten, dass es seine Gewohnheit sei, stets schweigend zu harren und sich selbst auf die Zukunft zu vertrösten. Das schwerst begreifbare aller Geheimnisse habe sich ihm noch nicht enthüllt, nämlich dass der Augenblick selbst (Kairos) der die meiste Macht habende Gott sei.

Der dreiundzwanzigste Spruch feiert Friedrich Wolters. Der Dichter, der Wolters' unerschrockene Aufrichtigkeit in Werk und Leben bewunderte, nennt ihn «gefeit» sogar gegen einen Schicksalsdruck, unter dem Völker zusammenbrechen. Standhaftigkeit im inneren Krieg ist gleichwertig der Tapferkeit im äusseren Krieg, und der endgültige Sieg ist bei denen, auf deren Seite furchtlose Seelen, wie die des Bewidmeten, kämpfen.

Der vierundzwanzigste Spruch ist Johann Anton gewidmet, der um 1921 zusammen mit seinem engsten Freund Kommerell über Walter Elze durch seinen Lehrer Friedrich Wolters zum Dichter gekommen war. Der Dichter berichtet, dass Johann Anton durch ihn die Kraft gefunden hat, seinen Geist unzerbrochen durch Nebel und

Flut zu retten. Er nennt ihn «geläutert und gesund» und preist ihn, weil er jetzt für sich selbst Kraft aus dem Dasein und Tun des Bewidmeten zu ziehen vermag. Johann Anton schied vor der von ihm erwarteten «Machtergreifung» im Jahr 1931 aus dem Leben.

Der fünfundzwanzigste Spruch zielt auf Erich Boehringer, den «Jungen Führer im ersten Weltkrieg». Der Dichter erinnert ihn daran, dass er ihn bereits in früher Jugend gekannt und dass damals beider Leben einen freudigen gemeinsamen Lauf genommen hat. Er wünscht ihm, dass ihn der Südwind – dies bezieht sich auf Erich Boehringers Beschäftigung mit Archäologie – noch einmal über seine jetzigen Grenzen reissen und ihm zu neuem Erblühen verhelfen möge.

In den beiden folgenden Gedichten deuten die drei Punkte hinter dem Buchstaben der Überschriften an, wie der Dichter mir sagte, dass es sich um Ortsnamen handelt. Ich weiss nicht, welcher mit R beginnende Ortsname im sechsundzwanzigsten Gedicht gemeint ist und bei welcher Gelegenheit dieser Spruch entstanden ist. Sein Inhalt geht dahin, dass der den höchsten inneren Rang hat, dem der Gott dazu verhilft, die Schwelle jenseits des durch Geburt und Wissen Erreichbaren zu überspringen, wie im vierzehnten Gedicht des dritten Buches des «Sterns des Bundes» dargelegt wird. Im sechsundzwanzigsten Spruch fügt der Dichter hinzu, dass der Rang dessen nicht viel geringer ist, der, des ihm vom Schicksal Zugewiesenen bewusst, zufrieden an dem Platz dient, den ihm das ewige, unabänderliche Gesetz anweist.

Die Überschrift des siebenundzwanzigsten Gedichtes deutet auf Schaffhausen, wo der Dichter einige Sommermonate zusammen mit Friedrich Gundolf verbrachte, der in der dortigen Bibliothek über Johannes von Müller arbeitete. Der erste Vers dieses Gedichts enthält eine Frage, die Friedrich Gundolf dem Dichter stellte, als dieser im Rheinbad viel Zeit damit verbrachte, sich mit den Badenden zu unterhalten. Auf Gundolfs Vorwurf, dass es weisere Beschäftigungen gebe, erwidert der Dichter scherzend, er hoffe durch Gespräche, die er, ähnlich dem Callimachus, mit den Badenden führe, ein Wissen zu erlangen, das ihn vor dem Schicksal Homers sichern würde, der, nach einer von mehreren antiken Schriftstellern in verschiedenen Fassungen überlieferten Sage, an der Rätselfrage der Fischerknaben, was die Fischer fingen und fortwürfen und was die Fischer nicht fingen und mit sich nähmen, nämlich Läuse an ihrem eignen Körper, sich auf Ios zu Tode gesonnen habe. In antiken Sagen wird Heroen und Künstlern häufig eine Todesart beigelegt, die ein Symbol für ihr Leben und Werk bildet.

Die folgenden fünf Gedichte betreffen Albert Verwey. Nach Verweys Erinnerungen wurde er in den Jahren 1894/95 auf die «Blätter für die Kunst» aufmerksam und schrieb daraufhin an Carl August Klein, der

ihm die «Pilgerfahrten» und den «Algabal» zwecks Besprechung zu-
sandte. Seine erste Begegnung mit Stefan George fand am elften
September 1895 in Noordwijk statt, nachdem der Dichter von Scheve-
ningen aus ein Zusammentreffen vereinbart hatte. Bis zum Jahre 1902
kamen der holländische und der deutsche Dichter jedes Jahr zusammen. Im Jahre 1904 sahen sie sich sowohl in Bingen wie auch in
Noordwijk. Von dann an trafen sie sich seltener, zuletzt im Mai 1919
in Heidelberg, da Verwey die Bedeutung des Maximin-Erlebnisses für
den Dichter nicht begriff. Die innere Entfremdung, die zwischen
beiden eintrat, liegt den fünf an Verwey gerichteten Sprüchen zugrunde. Von ihnen kannte Verwey vor Erscheinen des «Neuen Reichs»
nur den fünften, den ihm Gundolf im Jahr 1915 zugesandt hatte, und
den ersten, den Robert Boehringer auf Wunsch des Dichters in Deutschland auswendig gelernt und während des ersten Weltkrieges im
Dezember 1917 von Basel aus auf einer Postkarte an Verwey nach
Holland geschrieben hatte. Verwey nahm damals irrtümlich an, dass
dieser erste Spruch sich auf Stefan Georges Person beziehe und dass
dieser sich zu jener Zeit in Basel erhole. Erst im März 1919 hörte
Verwey durch Wolfskehl, der ihm noch zwei holländisch geschriebene
Zusatzverse Stefan Georges zu dem ersten Spruch übermittelte, dass
das Gedicht sich auf ihn beziehen sollte. Die holländischen Verse
lauten:

«Ik zweeg en weet nu dat ik verder zweyg
Daar Gij niet meer Een woord van mij verstaat.»

In dem ersten Spruch ruft der Dichter seinem Freund Verwey zu,
dass es nicht Aufgabe eines Dichters sei, in der Kriegszeit, in der von
allen Seiten ebensoviel Falsches wie Wahres verbreitet wird, zu dem,
was in dieser Weise geäussert wird, Stellung zu nehmen. Tut er dies
dennoch, so muss er Busse dadurch zahlen, dass er viele Jahre hindurch Schweigen bewahrt. Der Dichter wollte sein Missfallen darüber
zum Ausdruck bringen, dass Verwey durch Veröffentlichung von
Artikeln zum Kriegsgeschehen gegen die Deutschen Stellung genommen hatte. Verwey bestritt, dies getan zu haben. – In dem zweiten
der an Verwey gerichteten Sprüche wird angekündigt, dass jener die,
welche er früher seine besten Freunde genannt hatte, durch seine
öffentliche Stellungnahme während des Krieges verliert. Der erste
Vers des dritten Spruchs gibt Worte Verweys wieder, die sich auf sein
Nichtverstehen des Maximin-Erlebnisses beziehen. Der Dichter fragt
im zweiten Vers, was Verwey nicht glauben kann, ob es das ist, was er
dem Dichter offen sagt, oder das, was er vor ihm verbirgt. Wesentlich
für einen Dichter sei nur, daran glauben zu können, dass nochmals
Wachstum aus sterbenden Welten zu brechen vermag. Im vierten
Spruch mahnt der Dichter den Freund, dass es gerade ihm obgelegen

hätte, zu erkennen, dass die «Ewigen Reiche» als Sinnbild der unzerstörbaren Herrschaft des Geistes nur in Deutschland noch lebendig seien. Verwey würde in keinem andern Land die Möglichkeit finden, seine eignen hohen Gedanken begreifbar zu machen, deshalb werde auch Verweys Hass gegen Deutschland – der Dichter fand ihn in den holländischen Veröffentlichungen ausgedrückt – nur kurz wie ein Streit zwischen Brüdern sein. Im fünften Spruch erinnert der Dichter den Freund daran, dass jener sich selbst viele Jahre früher am Ende gefühlt habe, bevor ein neuer Blutstrom, der aus Deutschland gekommen sei, ihm zu neuer Kraft verholfen habe. Der Dichter nennt dies einen Einbruch von Geistern in die «enge» holländische Heimat Verweys, die jenen am Leben erhalten haben, obwohl sie ihm im Wesen fremd waren. Stefan George wirft ihm vor, dass er mit grossen und prunkhaften Reden jetzt seinen Schmerz darüber verhüllt, dass der deutsche Dichter sich nicht in der gleichen Lage wie der holländische befindet, nämlich dass der Deutsche sich nicht als allein und nicht als der Letzte seines Volks empfindet.

Auf die fünf Sprüche an Verwey folgen vier längere Gedichte. Das erste von ihnen ist an Maximilian Kommerell gerichtet, der, wie bekannt ist, es opportun fand, sich vom Dichter loszusagen, nachdem er mit Hilfe von dessen Geist das Ziel seines Ehrgeizes (venia legendi) erreicht hatte. Das Gedicht schildert ihn, der sich damals volksmässig naiv und geistig überlegen zugleich im Umgang und Brief gebärdete, bezeichnenderweise in Wuchs und Gebaren als Kind, in dem engen Garten seiner württembergischen Heimat wartend und sinnend, bevor sein Auge sich an die freie Kühle der Geisteswelt des Dichters gewöhnt hatte. Es feiert ihn, weil er von einem versunkenen Träumer sich zu einem Begleiter des Dichters entwickelt hat, der aus Dämmerung zum vollen Licht strebt. Der Dichter sieht ihn gelöst und heiter neben sich schreiten, das kindliche Gesicht benetzt mit Tau.

Das Gedicht «Der Tänzer» beschreibt einen vom Dichter beobachteten Vorgang. Er sah von fern, wie Harry Zimmermann, den er persönlich nicht kannte, einen Tanz von Kindern auf einem öffentlichen Platz in Heidelberg veranstaltete und leitete. Er schildert die tanzenden Kinder und die Art, in der der Führer des Reigens den Takt angab. Er nennt ihn einen «Leuchtstern mitten im Geflimmer» und feiert ihn als den Verkörperer der ganzen Jugend mit ihren Träumen und ihrem Lachen.

Die folgenden Verse sind mit den vollen Initialen B. v. St. überschrieben, um den Namen dieses dem Dichter nahen, jüngeren Freundes Berthold von Stauffenberg von dem seines Vetters Bernhard von Uxkull, dessen Vorname gleichfalls mit B beginnt, zu unterscheiden. Die Götterstadt ist München, das tote Königskind ist der früh gestorbene älteste Sohn Luitpold des damaligen bayrischen Kronprinzen Ruprecht. Das blutgedüngte Marschland deutet auf die belgische Ebene bei Ypern, auf der Scharen von deutschen Studenten bei Beginn des ersten Weltkrieges gefallen sind und die schon vorher in vielen europäischen Kriegen zum Schlachtfeld geworden war. Der Dichter hat Berthold von Stauffenberg um 1923 kennengelernt, und zwar durch Albrecht von Blumenthal. Der Zwillingsbruder Berthold von Stauffenbergs, Alexander von Stauffenberg kam durch seinen Vetter und Universitätslehrer Woldemar Uxkull zu dem Dichter. In der Folgezeit brachten die Zwillinge ihren jüngeren Bruder Claus von Stauffenberg zu Stefan George. – Das Gedicht betrauert das Schwinden der angeborenen Hoheit, der Anmut und der ererbten inneren Fülle im Bild des Todes des jungen bayrischen Prinzen Luitpold. Nietzsche sagt: «Gleiches Recht für alle – das ist die ausbündigste Ungerechtigkeit, denn dabei kommen die höchsten Menschen zu kurz.» Das erste Gedicht ist ebenso wie das zweite der Beginn oder ein Teil eines geplanten, aber nicht beendeten, längeren Gedichts. Im zweiten Gedicht wird dieser jüngere Freund als Begleiter des Dichters in den Strassen Münchens, die durch Maximin schicksalhaft geworden sind, gefeiert, und es wird festgehalten, dass das Volk einmal in dem Gefeierten den früh verstorbenen Prinzen wiedererstanden geglaubt hatte. «Herrenrecht» bezieht sich auf die Selbstverständlichkeit und Sicherheit echter Jugend.

In den folgenden sieben Gedichten, die die dritte Gruppe dieses Teils bilden, werden Begebnisse geschildert, die sich zwischen dem Dichter und Freunden zugetragen haben, aber von so allgemeiner Bedeutung sind, dass sachliche Überschriften gerechtfertigt erscheinen. Im Spruch «Der Himmel» wird der Dichter aufgefordert, zu einem Weisen zu gehen, der ihn davon überzeugen würde, dass alles auf der Erde falscher Schein und die Wahrheit nur im Jenseits zu finden sei. Der Dichter erwidert, dass er bereits bei jenem Weisen gewesen sei, aber bevor jener den Mund aufgetan habe, gewiss geworden sei, dass der von ihm gepriesene Himmel nur als übler Scherz angesehen werden könne. Dieser Spruch richtet sich gegen die verschiedenen theosophischen Schulen, die zur Zeit des Erscheinens des «Neuen Reichs» in Deutschland zahlreiche Anhänger gefunden hatten. So war zum Beispiel Melchior Lechter ein Anhänger der indischen Richtung der Theosophie, begründet durch die Verfasserin von «Isis unveiled» Blavatsky. Der Weise wird hier «Myste» genannt, weil er sich als Einführer in letzte Erkenntnis gebärdet. Schon der Anblick dieses Weisen überzeugt den Dichter davon, dass seine Lehren nicht echte Weisheit enthalten.

In dem zweiten Spruch, betitelt «Der Schlüssel», gibt ein Wissbegieriger zu, dass kein anderer Lehrer ihm die Dinge so gezeigt habe wie der Dichter. Er beharrt aber darauf, selber sehen und prüfen zu wollen. Der Dichter erwidert, dass alles Erkennen vom Besitz eines «Schlüssels» abhängig sei – dies ist eine Anspielung auf den Schlüssel im zweiten Teil des Faust, der hier als Symbol für eine ganz bestimmte Lebenshaltung benutzt wird. Nur wer mit dem Schlüssel, also in einer bestimmten Haltung, auf die Dinge zutritt, vermag sie zu erkennen. Dies lag bereits dem Spruch an P. zugrunde. Wer zu erkennen versucht, ohne solchen Schlüssel zu besitzen, und zu diesem Zweck seinen Weg in die Welt antritt, wird unklüger heimkehren, als der Frager den Dichter heute verlässt. Der Besitz des Schlüssels wird auch nicht dadurch ersetzt, dass der Fragende die Weisheit aller Schulen, sei es selbst in sieben langen Jahren, in sich aufnimmt. Wie man den «Schlüssel» erlangt, wird im letzten der Sprüche unter der Überschrift «Belehrung» dargelegt.

In «Leib und Seele» wird der Dichter gefragt, ob nicht der Weise, das heisst hier ein Weisheitslehrer der christlichen Ära, gelehrt habe, man solle die Schönheit der Seele vor der des Leibes suchen. Der Dichter erwidert, Leib und Seele seien nur Worte, die, wechselnd gebraucht, das gleiche bedeuten. «Leib bin ich ganz», sagt Nietzsche, «und nichts ausserdem und Seele ist nur ein Wort für ein Etwas am Leibe. Der Leib ist eine grosse Vernunft, eine Vielheit mit einem Sinn, ein Krieg und ein Frieden, eine Herde und ein Hirt. Werkzeug deines Leibes ist auch deine kleine Vernunft, mein Bruder, die du Geist nennst, ein kleines Werk- und Spielzeug deiner grossen Vernunft.» Der Göttliche, das ist der Beiname Platos, habe – so sagt der Dichter – den Begriff der Seele erfunden, um hilfesuchende Menschen zu einer Zeit zu stützen, in der der Staat, das ist nach Auffassung des Dichters das durch Gesetze und Sitten geregelte Zusammenleben der Vielen, faulend und der Bürger dreist und flach geworden sei. Dies enthält eine Anspielung auf Pindars Worte: «Übelredend aber ist der Bürger.» – Nietzsche sagt: «Viel zu viele werden geboren, für die Überflüssigen ward der Staat erfunden.» – Der Dichter macht den Frager darauf aufmerksam, dass jener zu ihm kürzlich von einem früheren Freund gesprochen und dabei berichtet habe, dass das früher helle Auge des Freundes matt, der früher jugendlich blühende Mund schlaff und die hohe Stirn eng geworden seien. In dieser Weise hätten die Veränderungen seelischer Eigenschaften im Körperlichen Ausdruck gefunden, so dass der Dichter mit Recht sagen könne, er wisse nicht, ob der Frager bei seiner damaligen Beschreibung ein Bild des Leibes oder der Seele seines Freundes gemalt habe. Nach Nietzsche reichen Grund und Art der Geschlechtlichkeit eines Menschen bis in die letzten Gipfel seines Geistes hinauf.

467

Der «Weisheitslehrer» beginnt mit einer Frage des Dichters an einen Freund, der ein Lehrer der Jugend ist. Dieser Freund, der dreissig Jahre lang zu Scharen von Studenten gesprochen hat, wird gefragt, wer jetzt nach so langer Zeit des Lehrens hinter ihm stehe, und er erwidert stolz, hinter ihm stehe die ganze Welt und nicht ein Einzelner. Daraufhin sagt der Dichter, dass dann jener Lehrer die Türen zum Hörsaal besser geschlossen hielte, denn er habe für nichts gewirkt als für ein blosses Wort, da «die Welt» in dieser Hinsicht bedeutungslos sei. Den Anlass zu diesem Gedicht bot ein Gespräch, das ich mit dem Philosophen Georg Simmel kurz nach Ausbruch des ersten Weltkrieges an einer der belebtesten Stellen Berlins, am Bahnhof Friedrichstrasse, hatte und von dem ich dem Dichter berichtete. Damals erzählte mir Georg Simmel voller Stolz, er, der dreissig Jahre an der Universität Berlin gelehrt habe, sei als ordentlicher Professor der Philosophie an die Universität Strassburg berufen worden, um der gegenwärtigen deutschen Philosophie internationale Geltung zu verschaffen. Er fügte hinzu, dass er, im Gegensatz zu Stefan George, nicht Einzelne belehre, sich vielmehr nur vor einer Vielzahl von ihm unbekannten Hörern voll ausgeben könne.

«Erzieher» – er heisst im Ludwigslied «magaczogo» und das geht vielleicht auf Magus zurück – richtet sich gegen die zur Zeit des Erscheinens des «Neuen Reichs» in Deutschland versuchten neuen Erziehungsmethoden, besonders gegen die freiheitliche Landschulheimerziehung, der der Dichter abweisend gegenüberstand. In diesem Spruch sagen die neuzeitlichen Erzieher, dass der alte Weg nicht zum Ziel geführt habe und dass man, selbst wenn zwei Versuche der neuen Erziehung bereits ergebnislos gewesen sind, infolge der Wichtigkeit des Problems noch einen dritten Versuch wagen müsse. Der Dichter lehnt dies ab, da er jedes Versuchen auf dem Gebiet der Jugenderziehung als Frevel ansieht. Nach seiner Überzeugung darf ein Erzieher nur handeln, wenn er in sich selbst mit Gewissheit fühlt und weiss, welche die richtige Art der anzuwendenden Erziehung ist.

In dem Spruch «Belehrung» fragt ein Wissbegieriger, um welchen Preis er den Unterricht des Dichters geniessen könne. Das Wort «Preis» ist hier doppeldeutig, indem es auf äusseres und inneres Geben bezogen werden kann. Der Dichter verlangt als Preis, dass der Lernende sich ihm in seiner wahren Schönheit zeigt, so dass der Sinn des Daseins des Lernenden sich ihm offenbart. Ein rechter Lehrer ist nur, wer den Lernenden liebt, und ein rechter Schüler nur, wer die Fähigkeit besitzt, innerst zu glühen und zu lieben, gleichviel worauf sich solche Leidenschaftlichkeit bezieht. – Der Dichter notierte sich einen Satz aus dem sogenannten zweiten Brief Platos, der nach Plutarchs Aussage verwachsen war: «Ich habe darüber nichts geschrieben, darüber gibt es keine Schrift Platos, und es wird darüber niemals eine Schrift Platos geben. Was darüber gesagt ist, stammt von einem schön und jung gewordenen Sokrates.» Hamann sagt: «Man kann keine lebhafte Freundschaft ohne Sinnlichkeit fühlen, und eine metaphysische Liebe sündigt vielleicht gröber an Nervensaft als eine tierische an Fleisch und Blut.»

Der letzte der Sprüche in der Erstausgabe des «Neuen Reichs» ist «Zweifel der Jünger» überschrieben. In der ersten, dritten und fünften Strophe sind die Fragen der Jünger und in der zweiten, vierten und sechsten Strophe die Antworten des Meisters enthalten. Die Jünger fragen, wie es möglich sei, dass jemand den Meister verlasse, der dessen Lehre jemals als Mitte des Lebens angesehen habe. Der Meister nennt einen solchen Abfall einen Verrat, der auf krankes Blut zurückzuführen ist. Die zweite Frage lautet, wie es möglich sei, dass jemand untergehe, dem der Meister jemals das Brot beim Liebesmahl gebrochen habe. Die Antwort ist, dass manche, das heisst die nur zeitweise Dienenden, sich an dem den Tod essen, aus dem andre, nämlich die dauernd Gebundenen, für sich Leben ziehen. Die letzte Frage geht dahin, wie es geschehen könne, dass der Ruf einer Lehre, die ganz Liebe sei, erschreckend und furchtbar klinge. Die Antwort macht klar, dass die gleiche Lehre, je nach der Artung der Jünger, zwei Wirkungen, nämlich die des Friedens oder die des Todes haben kann. – Es geht das Gerücht, dass dieses Gedicht als gelegentliche Antwort auf dem Dichter gestellte Fragen entstanden und nur deshalb in das Werk aufgenommen ist, weil noch eine Seite des Bandes bedruckt werden musste. Ich halte dies für möglich, da hier die Verse nicht so kraftvoll und konzentriert sind wie in den übrigen Gedichten des «Neuen Reichs».

In der zweibändigen Ausgabe der Werke des Dichters von 1958 hat der Herausgeber Robert Boehringer als letztes Gedicht dieses Teils einen Vierzeiler zum Abdruck gebracht, den er als einziges zu Ende geführtes Gedicht im Nachlass des Dichters entdeckt hat. In dem Gedicht wird auf den Gegensatz hingewiesen, der darin liegt, dass Denken, Lernen und Schaffen während eines ganzen Lebens sich in gleicher Weise vollziehen können, dass aber das höchste, von Göttern dem Menschen gewährte Erleben nur einen einzigen kurzen Sommer dauert. Des «Götterrings Verhaft» deutet auf ein Erleben, dass so erhaben und erhebend ist, dass es den Menschen – wenn auch nur für einen Sommer – in den Kreis der Götter einbezieht. Ob dieser Vierzeiler erst nach Abschluss des «Neuen Reichs» entstanden ist oder ob ihn der Dichter als zu pessimistisch empfunden hat, um ihn in den Band aufzunehmen, lässt sich nicht entscheiden. Besonders im Alter trachtete er, wie die Griechen den pessimistischen Untergrund des künstlerischen Schaffens in Versinnlichung des Dargestellten aufgehen zu lassen.

Die sieben «Sprüche an die Toten» werden eingeleitet von einem zweistrophigen Gedicht, das bei seiner ersten Veröffentlichung in «Drei Gesänge» die Überschrift «An die Toten» trug. Es stellt die dritte Hymne im neuen Stil dar, die mehr abstrakt gefasst als «Burg Falkenstein» und «Geheimes Deutschland» über jene hinausreicht, indem sie eine Prophetie für die Zukunft voll ausspricht. Das Wort «einst» im ersten Vers lässt offen, auf welchen Zeitpunkt in der Zukunft die Voraussage des Dichters zu beziehen ist. «Dies Geschlecht» betrifft gerade die Deutschen, wie schon aus den Worten «dieses Volk» in der zweiten Strophe zu entnehmen ist. «Die Schande» deutet nicht auf die Niederlage der Deutschen im ersten Weltkrieg, sondern auf ihr vom Dichter getadeltes Verhalten, das eine der Ursachen des Krieges gewesen ist. Auf die unwürdige Art des Daseins, nicht auf Folgen des verlorenen Krieges zielen die Worte «die Fessel des Fröners». «Der Hunger nach Ehre» umfasst das Streben nach einer würdigeren Lebensgestaltung. Der «Blutschein», der auf der «Walstatt voll endloser Gräber» aufzucken wird, wenn die seelischen Voraussetzungen dafür erfüllt sein werden, ist das Zeichen des Wiederlebendigwerdens des Geistes der im ersten Weltkrieg für die Heimat gefallenen Deutschen.

Nach germanischer Sage bilden die Toten das «wütende Heer», wobei «wütend» mit Wotan (Wote), dem Führer dieses Heeres der toten Seelen, zusammenhängt. Die Wiederkehr dieser Toten, die zum letzten Kampf ausreiten, wurde von den Germanen so sehr gefürchtet, dass sie in ihr den «schrecklichsten der Schrecken» und den «dritten der Stürme» sahen. Der «dritte der Stürme» bedeutet: der fürchterlichste der Stürme, da die Sonderheit der Drei darin gesehen wurde, dass sie die kleinste Vielheit mit Anfang, Mitte und Ende und die erste Summe von Grade und Ungrade bildet. Deshalb hat sie im Volksglauben die besondere Rolle, bis ins Religiöse hinein das «Mass voll zu machen». Das Volk glaubt, das Heer der Toten über die Wolken reiten zu hören, wenn ein Krieg nahe bevorsteht. Der Dichter sieht sogar das wütende Heer, die wilde Jagd, von Wotan geführt, im blutigen Schein am Himmel, der in alten Quellen mit der Wiederkehr der Toten nach Golther in Verbindung gebracht wird. Nach übereinstimmenden Sagen verschiedener Völker findet die Wiederkehr der Toten erst dann statt, wenn sie eine bestimmte Zahl im Verhältnis zur Anzahl der Lebenden erreicht haben. Wie sehr die Germanen die Zurückkehr der Toten fürchteten, ergibt sich aus einem dem Dichter bekannten Bericht in Tacitus' «Germania» über die Harier. Sie bildeten einen der fünf Hauptstämme der Lugier, waren wahrscheinlich Vandalen germanischer Abkunft und hatten ein Gebiet zwischen Sudeten und

Weichsel, vielleicht in Schlesien, in historischer Zeit inne. Um ihre Feinde durch Schreck zu lähmen, kämpften sie als Tote, färbten zu diesem Zweck ihre Körper schwarz, benutzten schwarze Schilde und griffen im Dunkel der Nacht an. Sie sind ein «wütendes Heer» der Lebendigen. Das Wort «harii» scheint auf «ein herjahr» oder «einherjer» zurückzugehen, und dies bedeutet im Altnordischen «einzige Sieger in Walhalla». Damit soll wiederum die altnordische Bezeichnung «herjanic» und «herjan» für Odin (Wotan) zusammenhängen. Karl Wolfskehl und mit ihm der Dichter scheinen angenommen zu haben, dass das deutsche Wort «hehr» – von Grimm vom althochdeutschen «her», das heisst vornehm, erhaben, ehrfurchtgebietend abgeleitet – von dem gleichen indogermanischen Stamm herrührt, von dem «ein herjahr» oder «einherjehr» ursprünglich herkommt. Hieraus ergibt sich, dass der Dichter bewusst die letzten Verse der ersten und der zweiten Strophe miteinander verknüpft hat. Dass das Ende der zweiten Strophe sich, ebenso wie der Schluss der ersten Strophe, auf tote Helden und nicht etwa auf lebende Helden bezieht, folgt sowohl aus der ursprünglichen Widmungsüberschrift «An die Toten», wie auch aus dem Zweck des ganzen Gedichts, das als Einleitung gerade zu den «Sprüchen an die Toten» gedacht ist. – Der Dichter setzt im letzten Vers der zweiten Strophe die Worte «die Hehren» und «die Helden» (und zwar beide mit gross geschriebenen Anfangsbuchstaben) ohne äussere Verbindung nebeneinander. Sie deuten deshalb für ihn in diesem Zusammenhang auf das gleiche, nämlich auf solche, die im letzten Kampf vor der Erneuerung Deutschlands fallen werden. Für das Wort «Held», das nach Grimm von dem nordischen «Holdr», das heisst Grossbauer und Mann stammt, gibt es keinen altdeutschen oder gotischen Stamm, es kam erst im zwölften Jahrhundert aus dem Norden nach Deutschland. Der «Frühwind» weist auf das Neue, Anfängliche als Folge der geistigen Erhebung, deren Voraussetzungen in den Anfangsversen der zweiten Strophe geschildert wurden. Wenn die Deutschen sich aus feigem Erschlaffen aufgerafft und dadurch die Fähigkeit erlangt haben werden, den Sinn ihres Daseins und ihrer Sendung zu begreifen, werden sie verstehen, weshalb sie durch das unsagbare Grauen der Kriege hindurchzugehen hatten. Dann wird ihnen klar werden, was Würde bedeutet, und sie werden die würdige Haltung mit Hand und Mund preisen. Dann wird im Felde die Königstandarte, die sich nur vor der Person des Königs und vor Gefallenen senken darf, sich grüssend vor den gefallenen hehren Helden neigen. Was das «wahrhafte Zeichen» auf dieser Königstandarte der Zukunft ist, wird in diesem Gedicht ebensowenig gesagt, wie in «Der Dichter in Zeiten der Wirren». Unter König versteht der Dichter nicht einen Sprossen einer erblichen Monarchie,

471

sondern den Besten des ganzen Volkes, der nach germanischem Recht zum König gewählt wird. – Das Gedicht preist demnach sowohl die bisher gefallenen, als auch die künftig fallenden Krieger, weil sie eine Zeit der neuen Blüte ihres Landes heraufführen.

Heinrich Friedemann fiel, kurz nachdem er in den Krieg gezogen war, als erster der Freunde im Winter 1914/15 bei Augustowo. Das Gedicht schildert seine Körperlichkeit und Geistigkeit zugleich. Er, der als Plato-Forscher bekannt wurde, war zur Tat in der Aussenwelt von kühner Lust am Abenteuer getrieben, wie der Dichter sagt. Seine über den Wall des Schützengrabens hinausragende Gestalt zog, wie er mir aus dem Felde heiter und gefasst schrieb, die feindlichen Kugeln geradezu an – er wusste, dass er fallen würde, schon bevor er ins Feld ging. Die Fahne wird hier «schön» genannt, weil sie ein Symbol des Kampfes für die Heimat ist.

Walter Wenghöfer gab sich selbst im Oktober 1918 den Tod in der Elbe. Geistig lebte er im Rokoko Watteaus, das er mit seinem höchst persönlichen Fühlen ausstattete, wie seine in den «Blättern für die Kunst» veröffentlichten, von Stefan George hoch geschätzten Gedichte zeigen. Anlass zu seiner Flucht in eine durch sein Fühlen verklärte Epoche der Vergangenheit war die Erkenntnis, dass die gegenwärtige Welt sich in unaufhaltsamem Verfall befindet. Er hatte die Ahnung von einer Lebensform, die dem entsprach, was der Dichter durch sein Dasein verkörperte und in seinem Werk gestaltete. Da der Bewidmete wusste, dass er trotz dieser Erkenntnis keinen Zugang zu der von ihm ersehnten Art des Lebens fand, zog er es vor, freiwillig zu sterben. – In jedem Herbst, in dem der Dichter im Norden weilte, kam er für genau drei Tage von seinem Wohnort Magdeburg nach Berlin, und die Anwesenheit dieses Freundes machte die Stunden des Zusammenseins durch sein grosses Wissen um Kunst und seine unbestechliche Ehrlichkeit gegen sich selbst unvergesslich.

Wolfgang Heyer war der jüngere Bruder von Gustav Richard Heyer und ein Freund von Friedrich Wolters und von Norbert von Hellingrath. Der Dichter schildert, wie er ihn sah, als jener ihn in Bingen besuchte, bevor er nach einer Verwundung wieder in das Feld zog, und erblickt in der Trauer des jungen Offiziers ein Vorzeichen seines nahen Todes. Er hatte, wie der Dichter sagt, das entscheidende Jahr seiner Jugend nicht voll genutzt und sich damit zufrieden gegeben, auf ein Glück in der Zukunft zu hoffen, obwohl er letzten Endes nicht im unklaren darüber war, dass ihm etwas Wesentliches unwiederbringlich entging.

Norbert von Hellingrath, der Entzifferer der späten Hölderlin-Hymnen war, wie der Dichter sagt, nicht zum Leben eines Kriegers, eher zu dem eines Mönchs durch Geburt und Neigung bestimmt. Er wird auf Grund seiner Abkunft und Haltung – seine Mutter entstammte der Familie des Johanes Kantakusinos, der als Kaiser von Byzanz abgedankt hatte und in ein von ihm gegründetes Kloster auf dem Berg Athos eingetreten war – ein «Spätling» genannt. Der Dichter preist ihn, weil er die ihm angebotene Schonung im Krieg, nachdem er einmal Soldat geworden war, stolz verschmäht und, von einem Hauch geheimer Welt berührt, der ihn die Notwendigkeit des Kampfes fühlen liess, wie jeder andere sein Leben eingesetzt hatte. Der letzte Vers des Gedichtes entsprang der Annahme des Dichters, dass er von einer Granate getroffen, sich in die Elemente zurückverwandelt habe. Der Dichter verglich dies mit dem Tod des letzten Kaisers von Byzanz, von dem angeblich nach der letzten Schlacht nichts als die Schuhspangen gefunden wurden. Stefan George wusste, als er das Gedicht schrieb, nicht, dass der Leichnam Norbert von Hellingraths geborgen und bei Fort Douaumont in einem Massengrab beerdigt worden war, wie Wolfgang Frommel berichtet.

Cornelius Balduin Waldhausen hatte vor dem ersten Weltkrieg als deutscher Rhodes-Scholar in Oxford Archäologie studiert, er starb nach Waffenstillstand an den Folgen einer Kriegsverletzung. Friedrich Wolters hatte ihn zufällig in der Druckerei von Otto von Holten kennengelernt, als jener dort Bücher des Dichters zu erwerben suchte. Der Dichter schildert die äussere Erscheinung dieses Freundes bei dessen Besuch in Bingen in einem Vierzeiler. Das aus drei Strophen bestehende Gedicht an Balduin stammt von Friedrich Wolters und ist mit dessen Genehmigung vom Dichter in das «Neue Reich» aufgenommen worden. Wolters' Gedicht gibt wieder, wie das Verhalten der Lebenden vor und im Krieg von den Seelen der Gefallenen empfunden sein müsste. – Balduin Waldhausen, an dem der Dichter ein inneres Gebrochensein betrauerte, war mit Stefan George im Jahre 1914 kurz vor Kriegsausbruch in Saanenmöser in der Schweiz zusammen. Bei dieser Gelegenheit hatten Wolters und Landmann aus ökonomischen Gründen den Ausbruch des Krieges noch für unmöglich erklärt. Der Dichter, der entgegengesetzter Meinung war, hielt ihnen später oft ihre falsche Voraussage aus – wie er glaubte – im Leben der Völker keineswegs entscheidenden theoretischen Gründen im Scherz vor.

Das «Victor * Adalbert» überschriebene Gespräch, das noch einmal den Stern – hier verbindend – zeigt, handelt von dem Tod von Bernhard Victor Uxkull-Gyllenband und Adalbert Cohrs, an die der Dichter bereits mehrere Sprüche, als sie noch lebten, gerichtet hatte. Sie waren unter den im ersten Weltkrieg gestorbenen Freunden die einzigen, die dem Dichter persönlich eng verbunden waren. Die Formulierung der Überschrift soll die enge Beziehung der beiden Freunde zueinander andeuten. Stefan George sah sie zum letztenmal in Schierke im Harz im

Frühling 1918, bevor sie sich im Juli 1918 in Kaldenkirchen selbst den Tod gaben und später zusammen begraben wurden. Beide waren als freiwillige Feldartilleristen in das Heer eingetreten, Adalbert Cohrs hatte sich durch besondere Tapferkeit ausgezeichnet und war bereits Offizier, während Bernhard Uxkull noch Fahnenjunker war. In dem in Schierke spielenden Gespräch, wo beide damals in einem Erholungsheim untergebracht waren, betont Adalbert, dass er die Hoffnung der Vielen auf einen für Deutschland günstigen Ausgang des Krieges nicht teilt und dem Wirrsal und Grauen, das er drohend nah fühlt, zu entgehen wünscht. Das ist der Grund der Trauer, an der Victor ihn leiden sieht. Adalbert ist überzeugt, dass er in der nächsten Schlacht als erster fallen wird, und zieht es vor, freiwillig aus dem Leben zu scheiden. Victor erinnert ihn daran, dass dies Flucht und deshalb feige sei und dass gerade er nicht das Recht habe, sich seinen Freunden in dieser Weise zu entziehen. Adalbert verneint, dass er vor einer Gefahr fliehen wolle, ihm zieme weder Sturz durch blinden Zufall, noch langsames Verwelken in dem von ihm vorausgesehenen allgemeinen Verfall. Er bittet den Freund, mit ihm zusammen die Erde freiwillig zu verlassen, solange ihnen der «lichte Wandel» noch nicht benommen sei und ihr Bild in voller Jugend, gleich dem der Dioskuren, erhalten bleibe. Er könne es nicht ertragen, den Freund als Opfer solchen Krieges fallen zu sehen. Victor bittet ihn, seinen Entschluss aufzuschieben, bis der Neumond die Gespenster verscheucht habe, die jetzt gerade ihre mitsommerlichen Feste auf dem Hexentanzplatz auf dem Brocken feierten. Als Adalbert dies ablehnt und dabei beharrt, dass er auch ohne Victor aus dem Leben gehen werde, entschliesst sich Victor – treu ihrem Bund – ihm zu folgen, obwohl er in sich selbst keinen Zwang zu solchem Handeln verspürt. So kam es, dass beide zu gleicher Zeit in den Tod gingen, ohne dem Dichter oder anderen nahen Freunden von ihrem Plan Kenntnis zu geben. Die vom Dichter in diesem Gespräch geschilderten Gedanken der beiden, die er wie Virgil Nisus und Euryalus feiert, bringen zum Ausdruck, was er als Motivierung ihres Tuns betrachtete, nachdem er von ihrem Tod benachrichtigt worden war. – Erich Heckel, der die beiden kannte, hat sie auf einem Fresko im Museum in Erfurt gemalt. Goethe sagt: «In der Gestalt, wie der Mensch die Erde verlässt, wandelt er unter den Schatten, und so bleibt uns Achill als ewig strebender Jüngling gegenwärtig.»

DAS LIED

Das dritte Buch dieses Bandes bilden die Lieder, die man Volkslieder nennen kann, da sie ein allgemeines, volkshaftes Sehnen zum

Ausdruck bringen, und die solche Benennung auch nicht zu Unrecht tragen, obwohl niemals ein Volk, immer nur der Einzelne dichtet. Wie in den Anfangszeiten der Dichtung das Rhythmisch-Gebannte gegenüber den ungestalteten Göttern im Norden Zauberspruch und gegenüber gestalteten Göttern im Süden Hymne war, durch die der Gott in den Dienst des Menschen gezwungen werden sollte, so taucht, sobald die Dichtung im Lauf der Zeit «romantisch» wird, also nicht mehr als Beschwörung wirken, sondern nur die Seele des Hörers bewegen will, das Sanghafte, das Lied auf, in dem das Einfachste und Tiefste vom Fühlen des Volkes Ton wird und im Bild eines allbekannten, alltäglichen Geschehens Zeitlosigkeit gewinnt. Die Volksverbundenheit des antiken Dichters zeigt sich in der Wucht, mit der er den Mythos seines Stamms zum hymnischen Gedicht gestaltet, die Volksnähe und Bodenkraft des neuzeitlichen Dichters findet den reinsten Ausdruck in seiner Wiedergabe der im Ohr aller schlafenden, anfang- und endlosen Melodien. Je einfacher und selbstverständlicher Stoff und Ton, desto schwieriger die Aufgabe der Kunst. Goethe sagt: «Diese Art Gedichte, die wir seit Jahren Volkslieder zu nennen pflegen, ob sie gleich eigentlich weder vom Volk noch fürs Volk gedichtet sind, sondern weil sie etwas Stämmiges und Tüchtiges in sich haben... sind so wahre Poesie als sie irgend nur sein kann; sie haben einen unglaublichen Reiz selbst für uns, die wir auf einer höheren Stufe der Bildung stehen, wie der Anblick und die Erinnerung der Jugend für das Alter hat.» Goethe dichtete Volkslieder in seiner Jugend um und für eine Gesellschaft, in deren Mitte er damals stand und sich fühlte. Umgekehrt vermag der in seiner Jugend völlig alleinstehende Stefan George seine Volkslieder erst im Alter zu finden, nachdem er sich selbst durch sein Leben und sein Werk eine Gesellschaft geschaffen hat.

Das dritte Buch des «Neuen Reichs» ist nicht wie in früheren Bänden schlechthin «Lieder» überschrieben, sondern «Das Lied», womit auf das Volkslied als Prototyp des Liedes hingewiesen wird. Der als Motto diesem Buch vorangestellte, aus zwei Versen bestehende Spruch enthält die grundlegende Altersweisheit des Dichters über die von ihm in Werk und Leben umgesetzte, neue Vereinheitlichung von Form und Stoff. Er sieht in liedhaftem Kreisen alles, was er jetzt im Alter noch sinnt, fügt, das heisst dichtet, und liebt, als ein stets Gleichbleibendes, ein Unveränderliches, ein Erfüllendes und Erfülltes. Dementsprechend erscheinen hier die Lieder in der Fülle der Krönungszahl: es sind zwölf.

Das erste Lied, das als Einleitung gedacht ist, umschreibt die Bezirke des Volksliedes. Es vermittelt in der ersten Strophe die Atmosphäre des Märchens, in der zweiten die der Sage und in der dritten die des Liedes. In der ersten Strophe handelt es sich um das optische Begreifen eines kühn-leichten Schreitens durch den bereits kultivierten Märchengarten der Ahnin. In der zweiten Strophe wird von dem akustischen Begreifen eines Weckrufs aus silbernem Horn im noch unkultivierten, schlafenden Dickicht der Sage gesprochen. Die dritte Strophe erweckt das Fühlen neuzeitlicher, wenn auch vom Dichter selbst bereits überwundener Schwermut durch einen die Seele treffenden, heimlichen Hauch. Tatsächlich nährt sich das Volkslied von Elementen des Märchens und der Sage, die es in seine besondere, liedhafte Schwermutsluft taucht und durch märchenhaftes Bild und sagenhaften Ton zum Symbol vereinigt. Das Einleitungsgedicht ist in Terzinen gefasst, da diese Form im Deutschen etwas Unvollendetes und zugleich melodisch Gebundenes hat und somit die Phantasie des Hörers zum individuellen Ausgestalten des Gedichts anregt. Es ist kein Zufall, dass drei von den zwölf Gedichten in die Terzinen-Form, die der Dichter als besonders angemessen für seine neuzeitlichen Volkslieder erachtete, gefasst sind.

Man kann die zwölf Lieder dieses Buchs des Bandes innerlich derart unterteilen, dass auf die Einleitung drei Lieder folgen, deren Gestaltung den in den drei Strophen des Einleitungsgedichts gemachten Unterschieden entspricht. Ihnen schliesst sich ein aus fünf Liedern bestehender zweiter Teil an, in dem die im Einleitungsgedicht aufgezählten drei Elemente mehr oder minder vermischt erscheinen. Der dritte Teil, der den Band beschliesst und zeitlich die spätesten Werke des Dichters enthält, führt in das hier liedmässig gefasste, persönliche Fühlen des Dichters zurück.

«Das Lied» vom verirrten Knecht ist eine Neufassung des nach Mannhardt uralten deutschen Märchens vom Feenland, von dem Menschen, der im Wald den Weg verliert, in ein allen andern unbekanntes Land gerät, erst nach sieben Jahren zurückkehrt und auf Grund der Erzählung seiner Erlebnisse für irr gehalten wird. Alle Erwachsenen lachen ihn aus, man gibt ihm das Vieh zum Hüten und nur Kinder lauschen seinen Geschichten. Die drei letzten Strophen besiegeln den volksliedhaften Charakter. Die Einbeziehung des Hohns, ohne dass dadurch der Rahmen des Liedes gesprengt wird, bietet neben der Andeutung, dass die Bewohner jener andern Welt der Sonne und dem Mond besondere Namen geben, technisch die grössten Schwierigkeiten. Die Bezeichnung «Knecht» deutet auf jugendliches Alter und bisheriges Unerlebtsein als Voraussetzung eines Traumgeschehens.

Dieses Gedicht wirkt optisch durch hervorgerufene Bilder, während das «Schifferlied» akustisch durch Erzeugung des Eindrucks des wildbewegten Meeres den Hörer erregt. Der Untertitel «Abschied Yvos von Jolanda» weist durch die Namen nicht auf eine bestimmte

Epoche oder Gegend. Yvo ist ein Heiliger, der besonders in der Bretagne verehrt wird, und Jolanda stammt aus dem Griechischen und erscheint als Name geschichtlicher Personen in zahlreichen, weit voneinander liegenden Ländern zu verschiedenen Zeiten. Der Dichter sagte mir, dass die Wahl dieser beiden Namen aus rein klanglichen Gründen erfolgt ist, nämlich um den akustischen Eindruck vom Auf und Ab der Meereswogen von Anfang an zu erzeugen. Zu dem gleichen Zweck ist jeder Vers, wie durch Abstände im Druck angedeutet wird, in sich geteilt. Yvo verlässt Jolanda, die er geliebt hat. Er hat einen andern ermordet und fühlt nach dieser Tat ein ihm vorher schon nahes Glück – es wird nicht näher bezeichnet – sich von ihm wenden. Es ist die von ihm ausgeführte Tat, die sein Blut kühl macht. Ob der Mord geschah, um einen Nebenbuhler um Jolandas Liebe aus dem Weg zu schaffen, wird nicht gesagt, und dieses Offenbleiben der Motive verträgt sich gut mit dem Charakter des Volksliedes, das ein Mitarbeiten der Phantasie des Hörers als Voraussetzung für seine Wirkung geradezu erfordert. Das Entscheidende liegt darin, dass die Lockung des Meeres nach der Tat stärker ist, als die Liebe zu Jolanda, so stark, dass Yvo fühlt, niemals Jolanda angehören zu können. Den Grund, auf dem dies beruht, wird sie – das weiss er – niemals enträtseln. Ihr bleibt nur übrig, darüber zu trauern, dass er sie verlässt. Er nennt sich selbst wegen des Mordes und wegen seines Verlassens der Geliebten «böse», er wünscht als Folge seiner früheren Leidenschaft, sie solle rein bleiben und der Erinnerung an die Vergangenheit leben. Es muss aber betont werden, dass der Inhalt in diesem Gedicht nicht Selbstzweck ist, sondern eine nicht vom Denken abhängige Spannung hervorrufen soll, wie sie der Klang der Wellen des Meeres in der Seele erzeugt.

Auf die Sage von Yvo und Jolanda folgt das in Terzinen gefasste vierte Volkslied, das in seinem Gehalt, ebenso wie das erste, elfte und zwölfte Gedicht, so weitreichend ist, dass jeder Titel es nur einengen würde. Dieses Lied wirkt nicht durch Märchenbild oder Sagenton, sondern durch Symbole, die in eine Atmosphäre neuzeitlicher Schwermut gebannt sind, und kommt deshalb dem Lied an sich, wie es in der dritten Strophe des Einleitungsgedichts umschrieben ist, am nächsten. Der Mensch sucht sein eignes Wesen aus der Tiefe der trächtigen, deshalb hier «dumpf» genannten Erde zu erforschen. Die Erde spricht im Gedicht zum Menschen. Er ist frei wie alles Erdgeborene, wie das Tier, wie der Vogel in der Luft und der Fisch im Wasser, die von Propheten des Alten Testaments als Symbol für Ungebundenheit verwendet werden, und dennoch ist er unlösbar an etwas gebunden, das er nicht kennt und nicht fassen kann. Es bleibt fraglich, ob ein späterer Mund den Grund dafür entdecken und offenbaren wird, dass der

Mensch, obwohl er in seinem Ursprung dem Vogel und dem Fisch gleicht, schon in früher Zeit eine Sonderheit dadurch erhielt, dass er die Vision einer neuen Schönheit hatte. Das Wort «Gesicht» ist hier doppeldeutig gebraucht, es bedeutet in erster Reihe Vision und geht in zweiter Reihe auf das Gewahrwerden der Vision durch das besondere innere Auge, das wiederum die vom Dichter oft hervorgehobene Traumfähigkeit voraussetzt. Heute wo die Zeit, das heisst das Zeitalter alt geworden, also absteigend ist, vermag keiner mehr, solche Vision zu erblicken. Ob jemals einer kommen wird, der sie von neuem sehen kann, weiss kein Heutiger zu sagen, denn eine derartige Voraussage geht über die Grenzen des menschlichen Geistes hinaus. Das Wort «Gesicht» hat im Deutschen die Bedeutung von Sehkraft, Antlitz und Vision. Im Holländischen kann Gezicht auch «Ansicht» heissen, und diese Bedeutung mag hier mitspielen, ebenso wie sie schon im «Jahr der Seele» in dem Vers «Verwinde leicht im herbstlichen Gesicht» mitschwingt. Die Worte «unser Tisch» und «unser Pfund» (im Sinn von Anteil) deuten darauf, dass dieses schöne und neue «Gesicht» nicht von allen auf der Erde Lebenden und von der Erde Genährten, vielmehr nur von einem Einzigen erblickt und erfasst wurde. Sie sondern also den einen, der das für alle wesentliche Erlebnis hat, von der Vielzahl der übrigen und drücken somit wiederum den Glauben des Dichters aus, dass immer das Beste das ist, was nur einer weiss, wie es in der schon zitierten Edda-Stelle heisst.

Mit dem «Seelied» beginnt der aus fünf Liedern bestehende zweite Teil, in denen, wie bereits erwähnt, die im Einleitungsgedicht umschriebenen drei Elemente mehr oder minder vermischt enthalten sind. Aus der zweiten Strophe des Seeliedes ergibt sich, dass die redende Person, deren Gesten und Gedanken in dem Gedicht wiedergegeben sind, eine Frau ist, die nicht im Dorf, in dem sie lebt, geboren, sondern aus der Ferne dorthin gekommen ist. Sie wartet auf der Düne am Rand der See auf das Untertauchen der Sonne am Meereshorizont, der Kimme, der scheinbaren Berührungslinie von Himmel und Meer, um die allabendliche Schwermut der Einsamkeit in ihrem wohlbestellten Haus, das das letzte des ganzen Dorfes ist, mit Hilfe des Schauspiels des Sonnenuntergangs zu überwinden. Die scheidende Sonne lässt sie ein Kind erblicken, dessen kurzes Erscheinen am Strand sie bewundert, ohne jemals zu versuchen, es anzureden. Im Gedicht bleibt offen, ob es sich um einen Knaben oder ein Mädchen handelt – nach der Schilderung ist es wohl ein Knabe – und ob das Kind in Wahrheit an jedem Abend erscheint oder nur ein Gebilde ihrer Phantasie, ein Symbol für Sonne und Jugend ist. Das Wort «Feim» hat nach Grimm den gleichen Stamm und die gleiche Bedeutung wie das englische Wort für Schaum «foam», gemeint ist also der in die Luft versprühte, salzige Schaum der Brandung. Das Kind wird blond, nackt und klaren Auges geschildert, es bewegt sich wie tanzend, singt etwas der Frau Unverständliches und verschwindet allabendlich hinter einem auf dem Strand liegenden grossen Kahn. Das Erscheinen oder die Vision vom Kommen des Kindes gibt dem Tag für die alternde Frau nicht nur ein sie erfüllendes Ende, vielmehr erst den sie befriedigenden Inhalt.

Das Gedicht von der törichten Pilgerin steht, wie der Dichter mir gegenüber betonte, in keinerlei Zusammenhang mit dem Gedicht, das Goethe in seine Erzählung von der pilgernden Törin in « Wilhelm Meisters Wanderjahre » eingeschaltet hat. Goethes Gedicht, das keinen Titel trägt, beginnt mit den Worten « Woher im Mantel so geschwinde », es wird von der pilgernden Törin, einer aus unbekannten Gründen herumwandernden Fremden, gesungen, in die sich Vater und Sohn in dem sie für längere Zeit aufnehmenden Haus verlieben, ohne dass sie einen von beiden erhört. – Die Handlung in « Die törichte Pilgerin » schreitet nicht vorwärts, sie schildert ein Gleiches in verschiedenen Erscheinungsformen bei Begegnung des ausgesprochen Männlichen mit dem ausgesprochen Weiblichen. Die Strasse, auf der sie sich treffen, läuft durch die Ebene zwischen dem Gebirge und dem Strom und zeigt somit rein erdhaften, weiblichen Charakter im Verhältnis zu der zentaurenhaften Wasser- und Berglandschaft in « Mensch und Drud ». Das Männliche wird hier dadurch betont, dass es von dem Weiblichen dann angezogen wird, wenn das Weibliche in so grosser Not ist, dass es sich selbst mit eigner Kraft nicht zu helfen vermag. Deshalb hat der Mann bei der ersten Begegnung die von der Schwangeren abgeworfene Heulast auf deren Bitten von der Erde aufgenommen und wieder auf den Rücken der Frau gehoben. An der gleichen Stelle sieht er eine Maid, ein jungfräulich anmutendes Mädchen, mit verwirrtem Haar und in ärmlicher Kleidung am Wegrand liegen, als ob sie vor Müdigkeit zu Boden gestürzt sei. Er tritt zu ihr und hilft ihr aufzustehen. Ihm dankend, erinnert sie ihn betrübt, während, wie im sechsten Gedicht des dritten Buches des « Sterns des Bundes », ihre Hand sinnend über ihre Stirn streicht, daran, dass sie schon oft seinen Weg gekreuzt hat, dass aber nur ihr Unglück, dass sie « fiel », ihn bewogen hat, auf sie zu schauen. Sie kündigt ihm an, dass sie sich, wenn er sie das nächstemal treffen werde, ihm nicht im kümmerlichen Rock, sondern in einem schmuckeren, das heisst Männer mehr anziehenden Kleid zeigen will. In den letzten drei Versen wird zum Ausdruck gebracht, dass sie auf Grund seines bisherigen Verhaltens zweifelt, dass er wegen ihrer schöneren Kleidung beim nächsten Zusammentreffen sie als Frau mehr würdigen wird als bisher, aber vielleicht den Anfang einer tieferen Wirkung dadurch auf ihn erhofft, dass wegen seines eignen Handelns, nämlich weil er bereits früher Hilfe geleistet hat, sein Auge beim erneuten Zusammentreffen auf ihr ruhen wird, auch ohne dass sie in Not ist.

Der «Letzte der Getreuen» enthält die Einbeziehung des vaterländischen Elements in das Volksliedhafte und stellt sozusagen ein Gegenstück zu Heines Gedicht von den napoleonischen Grenadieren dar. Dieser «Letzte der Getreuen» lebt in seinem Vaterland, fühlt sich aber dort als Fremdling, weil der König, dem er gedient hat, verbannt ist und ausser Landes weilt. Der Getreue nimmt nicht Teil an den Freuden und Festen, die die Bewohner des Landes feiern. Er wartet Sommer und Winter hindurch auf den Ruf seines, wie er hofft, zurückkehrenden Königs. Falls er nicht wiederkommen und ihn nicht in seinen Dienst rufen wird, bleibt für ihn nur eins übrig: zu sterben, sobald ihn die Nachricht vom Tod seines Königs erreicht.

In dem Lied «Das Wort» hat der Sprecher etwas, das lediglich als Traum oder Wunder aus der Ferne bezeichnet wird, bis zu seinem Land gebracht und, um es dort heimisch werden zu lassen, an der Grenze gewartet, bis die Norne in ihrem Brunnen die landesmässige Bezeichnung für das Wunderding gefunden hat. Erst dadurch kann es beginnen, zu blühen, zu glänzen und dicht und stark und greifbar im eignen Lande des Sprechers zu werden. Nach nordischer Mythologie sitzt die Schicksalsgöttin Urd, die in ältester Zeit die einzige Norne ist, am Urdarbrunnen unter der Wurzel der Weltesche und erhält den Baum durch Begiessen mit Wasser aus dem Brunnen ewig grünend. Diese Norne, die das Schicksal der Götter und Menschen bestimmt, nennt der Dichter grau sowohl wegen ihres Alters, als auch wohl wegen des tiefen Eindrucks, den die «Sibylle» des Bamberger Doms auf ihn machte. Ihr, die nach «Goethes letzter Nacht in Italien» die Formel für die Erhaltung des Lebens behütet, fällt in diesem Gedicht die Aufgabe zu, nach der Bezeichnung für das neue, an die Grenze des Landes gebrachte Erleben im Wasser des Brunnens, also im Fliessenden, Noch-Gestaltlosen, das alle schicksalmässig gegebenen Möglichkeiten enthält, zu suchen. In den ersten drei Strophen des Liedes wird gesagt, dass die Norne die Bezeichnung für ein neu in das Land gebrachtes Ding in ihrem Brunnen findet und dem Ding dadurch zum Leben in dem Land des Sprechers verhilft, so dass die Heimat durch diesen Zuwachs gestärkt wird. Die letzten vier Strophen des Gedichts sprechen antithetisch wie in den meisten dieser Lieder vom Gegenteil. Wiederum ist ein Ding, das hier nur als reiches und zartes «Kleinod» bezeichnet wird, nach einer geglückten Eroberungsfahrt vom Sprecher an den Saum des Landes gebracht und der Norne zum Finden der ihm im Lande lebengebenden Bezeichnung vorgelegt worden. Nach langem Suchen in der Tiefe des Brunnens gibt sie kund, dass nichts, was diesem Ding gleicht, im Schoss des Noch-Gestaltlosen zu finden ist. Darauf verflüchtigt sich der Fund, entrinnt der Hand des Sprechers, der ihn vergebens in sein Land zu bringen versucht hat, und dieser kommt zu der ihn traurig stimmenden Einsicht, dass ein Ding, für das es kein Wort in seinem Land gibt, dort nicht wirksam werden kann. Solche Erkenntnis steht nicht im Widerspruch zum Preisen des «Ungenannten» im zwanzigsten Gedicht des ersten Buches des «Sterns des Bundes», denn dort wird der Ungenannte zur gegebenen Zeit benennbar, während hier «das Kleinod» trotz langen Suchens der Norne, also einer übermenschlichen Macht, nicht benennbar geworden ist und deshalb niemals benennbar werden kann.

Das letzte der fünf Gedichte dieses Teils ist betitelt «Die Becher», die hier in doppelter Funktion als Trinkbecher und als Würfelbecher erscheinen. Beides sind uralte Geräte mit Sonderbezeichnungen sowohl in griechischer als in althochdeutscher Sprache. Das Gedicht enthält, wie die vierte Strophe zeigt, Worte, die an einen andern, dem Sprecher nahe verbundenen Menschen gerichtet sind. Der Becher der ersten Strophe ist aus Gold gefertigt und enthält erlesenen Wein. Durch die Gunst des Schicksals wird jedem ein Trunk daraus beschieden. Wer ihn vom Tisch hebt – es bleibt offen, ob dies zum Zweck des Trinkens oder des Zutrinkens geschieht – fühlt bereits, was ihm zusteht, wobei das Wort «was» sich auf das vom Schicksal Gegebene, auf das man trinkt oder auf den, dem man zutrinkt, beziehen kann. Die Worte «ohne Verdruss» deuten an, dass der Trinkende die Notwendigkeit des Geschehens erkennt und sich ohne Erregung dem die Ursache setzenden Schicksal unterwirft. Der zweite Becher ist ein aus Holz gefertigter Würfelbecher, der drei aus Stein geschnittene Würfel enthält. Das Schicksal eines jeden offenbart sich, wenn er den ihm ein einziges Mal gestatteten Wurf mit den drei Würfeln ausführt. Plato sah das Leben als ein Würfelspiel. Die Unabänderlichkeit des Schicksals kommt im Stein, aus dem die drei Würfel gefertigt sind, zum Ausdruck, während das Holz des Bechers auf die Vergänglichkeit des Lebens des Würfelnden anspielt. Das Ergebnis des einmaligen Wurfs aus dem Würfelbecher zeigt den Willen des Schicksals an, den niemand vorauszusehen oder zu ändern, zu «drehen», vermag. Es bestimmt, wieviel dem Sprechenden als sein Los zusteht und wieviel der Angeredete vom Schicksal erhält. Die dritte und die vierte Strophe des Gedichts können als auf die Art der Verbindung zwischen dem Redenden und dem Angeredeten deutend angesehen werden, so dass alle dem Einleitungsgedicht bis hierher folgenden Lieder, deren objektiv gehaltene Darstellung an verinnerlichte Balladen denken lässt, von verschiedenen Formen menschlichen Verbundenseins handeln.

Von den drei Liedern des dritten Teils, der das dritte Buch und das ganze Werk abschliesst, sind das mittlere Gedicht die zuletzt vom

Dichter geschaffene und das erste Gedicht seine vorletzte Dichtung –
beide entstanden kurz vor der Drucklegung des «Neuen Reichs», die
im Oktober 1928 erfolgte. Das dritte Gedicht, das letzte des Bandes, ist
bereits 1918 gedichtet und in der elften und zwölften Folge der
«Blätter für die Kunst» vom Jahr 1919 veröffentlicht worden.

«Das Licht» und das darauffolgende, überschriftslose Gedicht behandeln das Erlebnis des Dichters mit Bernhard von Bothmer, der in
sehr jungen Jahren zu ihm gekommen war. Der Dichter glaubte sich
zu jener Zeit minder begünstigt als andere, mit denen, wie zum Beispiel
mit dem damaligen Freund S. M., der Angeredete sich damals
näher verbunden fühlte. Die Worte «nach Anbetungen brünstig»
weisen auf das dritte «Gebet» zurück, nach dem der Geist vertrocknet,
wenn es ihm nicht vergönnt ist, preisend zu strömen. Das Verbum
«wesen» erweckt beim Gebrauch durch den Dichter den Eindruck von
blossem Vegetieren, es nähert sich also der Bedeutung von «sein», die
es in der holländischen Sprache hat. – Trotz seines Schmerzes empfindet der Dichter keinen Hass. Er ist, wie er sagt, nicht töricht genug,
das Erlebnis, dessen Weite er erkennt, für sich allein zu begehren. Das
Licht, das hier aus einer jugendlichen Verkörperung strahlt, leuchtet,
wie der Dichter betont, für alle, nicht nur für einen oder einige. Die
Anrede «süsses Licht» wird bereits von Homer mit Bezug auf Tele-
mach gebraucht und kehrt sodann häufig in den Werken der lyrischen
und tragischen Dichter der Griechen wieder. Das Verderben drohende
Stechen dieses Strahls weist darauf hin, dass der Dichter die Altersruhe
seines Daseins durch das Erlebnis bedroht sieht, und dies bildet den
Hintergrund für seine zuletzt geschriebenen Verse des zweiten Gedichts,
das, obwohl es lediglich Bilder hinstellt, eine subjektive Schilderung
des Seelenzustandes – ebenso wie das erste und das dritte Lied dieses
Buches – enthält.

Im Regelfall schreitet lyrische Dichtung vom Subjektiven zum
Objektiven, zur Verallgemeinerung – das hymnische und das liedhafte Gedicht bieten aber eine Möglichkeit, vom Objektiven nochmals in den Bereich des Subjektiven zurückzukehren, und das ist
ein Problem, an dem der Dichter gerade im «Neuen Reich» sich versucht hat. – Seinem Alter entsprechend verflossen seine Tage in aus-
geglichener Besonnenheit und zurückgezogener Ruhe. Durch den
Einbruch eines unerwartet von aussen kommenden Geschehens wurde
jedoch seine Seele im tiefsten erschreckt, und diese Verwandlung ist
in der zweiten und dritten Strophe des Gedichts in Bildern sichtbar
und hörbar gemacht. Der Stamm eines Baumes, der stolz und reglos
auf einem Berg aufragt, wird trotz seiner durch Alter erprobten Festig-
keit von einem plötzlichen Sturm fast bis zur Erde gebeugt, so dass er
zu brechen droht. In eine am Strand liegende, lang als Behausung

verlassene Muschel – dies deutet auf ein Bild in «An die Kinder des Meeres» zurück – stösst noch einmal das den Sand plötzlich überflutende Meer mit aufreizend gellem Ton in unbezähmbar wildem Ansturm.

Das dritte und letzte Gedicht des Bandes, das, wie schon erwähnt, fast zehn Jahre vor den beiden voraufgehenden Liedern entstanden ist, wurde, wie der Dichter mir sagte, von ihm in Königstein im Taunus unter dem Eindruck der Nachricht vom Tode Bernhard Uxkulls geschrieben. Es ist an das Ende des Bandes gesetzt, um das «Neue Reich» mit einem Preislied zu schliessen, da Stefan George die höchste Aufgabe jedes Dichtens im Preisen sah. Über den generellen Grund hinaus weist der Inhalt dieses «Liedes an sich» darauf, dass der Dichter den Verlust dieses Freundes niemals verschmerzt hat und dass er ihn noch nach dem Tod als nah und als Begleiter auf allen Wegen empfand.

Wollte man versuchen, das «Neue Reich», das vierzehn Jahre nach dem Erscheinen des letzten Bandes der klassischen Periode des Dichters beendet wurde, entsprechend der Methode bei Werken der bildenden Kunst mit Hilfe eines Schlagwortes einzuordnen, so würde man es den letzten Gemälden oder Statuen von alt gewordenen Malern und Bildhauern, wie zum Beispiel von Tizian, Velasquez, Rembrandt und Michelangelo gleichzusetzen haben, in denen etwas Geheimnisvolles, das gleichsam erst jenseits des Grabes zu erfahren ist, etwas über die Grenzen des Lebenden Hinausweisendes zum Ausdruck gebracht wird. Musterbeispiele für solche Kunst in der Dichtung sind Pindars achte Pythische Ode, «Ödipus auf Kolonos» von Sophokles und der zweite Teil des «Faust». Vielleicht wäre es angemessen, den Stil solcher späten, transzendenten Schöpfungen als transklassisch zu kennzeichnen.

INHALT

Gedruckt in der Monotype-Bodoni
bei der Buchdruckerei VSK in Basel auf weiss holzfrei Dünndruckpapier 60 g/m²
der Papierfabrik Biberist. Auflage: 1000 Exemplare.